C0-AYF-155

VIVIMUS EX UNO

Wissenschaftliche Monographien zum Alten und Neuen Testament

In Verbindung mit
Ferdinand Hahn und Odil Hannes Steck
herausgegeben von
Günther Bornkamm und Gerhard von Rad †

40. Band
Klaus Berger
Die Gesetzesauslegung Jesu
Teil I

Neukirchener Verlag

Klaus Berger

Die Gesetzesauslegung Jesu

Ihr historischer Hintergrund im Judentum und im Alten Testament

Teil I:
Markus und Parallelen

Neukirchener Verlag

Gedruckt mit Unterstützung der
Joachim Jungius-Gesellschaft der Wissenschaften e.V., Hamburg,
und der Hamburgischen Wissenschaftlichen Stiftung

Umschlaggestaltung: Kurt Wolff, Kaiserswerth
Gesamtherstellung: Koninklijke Van Gorcum & Comp. N.V., Assen, Niederlande
Printed in the Netherlands – ISBN 3 7887 0312 1

Für Christa

Vorwort

Während der Arbeit an der vorliegenden Untersuchung wurde stets deutlicher, daß eine einseitige redaktionsgeschichtliche Fragestellung zu vermeiden ist durch deren Einordnung in eine umgreifendere traditionsgeschichtliche Methode. Für eine wirklich historische Untersuchung des Themas war es beispielsweise notwendig, abzugehen von einer oft praktizierten Frageweise, wie sich „Worte Jesu" einerseits zum „Alten Testament" andererseits „verhalten". Aber auch in dem Aufweis traditionsbedingter und sozial begründeter historischer Verflechtung der „Worte Jesu" mit dem zeitgenössischen Judentum selbst erblickt der Verfasser ein ebenso streng wissenschaftliches wie theologisches Anliegen. Als Mittel der Darstellung wurde der Aufweis einzelner Traditionsstränge gewählt.

Vorgelegt wird hier lediglich der erste Teil der Untersuchung. Ein 2., bereits abgeschlossener Band (dieser wird erheblich kürzer sein) behandelt die Antithesen der Bergpredigt. Dieser Band wird aber auch Nachträge und ein Kapitel über den formgeschichtlichen Ursprung der synoptischen Streitgespräche sowie einen Anhang „Jesus und der Sabbat nach den Evangelien" enthalten. – Herausgetrennt aus dieser Untersuchung wurde der Aufsatz „Hartherzigkeit und Gottes Gesetz / Die Vorgeschichte des antijüdischen Vorwurfs in Mk 10,5", in: ZNW 61 (1970) 1-47. Zum Verständnis der Methoden dient hoffentlich bald der Aufsatz: „Zur Methodik und Systematik traditionsgeschichtlicher Exegese des NT".

Über die Vorgeschichte dieser 1963-1966 entstandenen Urfassung meiner Dissertation orientiert das Vorwort einer 1968 in München aufgelegten Rotaprint-Fassung. – Die Studienstiftung des Deutschen Volkes hat den Gang der Arbeit tatkräftig unterstützt.

Herr Prof. D. G. Bornkamm, D. D., hatte die Freundlichkeit, die Arbeit in die WMANT aufzunehmen. Ihm und den im Impressum genannten Stiftungen gebührt der Dank des Verfassers. Die Widmung gilt einer charmanten jungen Dame, die inzwischen meine Frau geworden ist.

Hamburg/Leiden, im August 1971 Klaus Berger

Vorwort

Inhaltsverzeichnis

I

Einführung

a) Die Fragestellung

Vor der Behandlung von Einzelfragen ist der Raum abzustecken, innerhalb dessen das Verhältnis zum atl Gesetz im frühen Christentum problematisch werden konnte. Der Historiker hat nach den religionsgeschichtlichen Voraussetzungen dafür zu fragen, daß die Gesetzesfrage überhaupt entstehen konnte. Sofern die Frage von Anfang an direkt christologisch beantwortet wird, versucht man sie zumeist auf eine Weise zu lösen, die von der Untersuchung der Voraussetzungen der jesuanischen bzw. der christlichen Position absieht: Wenn Jesu Gottesverhältnis und also sein Selbstbewußtsein die letzte Wurzel für seine Stellung gegenüber dem Gesetz ist, dann wird diese ein direkter Ausweis seines Anspruchs. Das Verhältnis zum Gesetz wird direkt auf die christologische Frage zurückgeführt: Jesus kennt den Willen Gottes vollkommener als Moses und als das Volk der Juden, und mithin übersteigt sein Anspruch den jedes Propheten. Es zeigt sich aber, daß mit dieser Frage nach Selbstbewußtsein und Anspruch Jesu der Weg zur Erforschung der historischen Bedingungen für die Entstehung dieser Positionen gerade abgeschnitten wurde. Zudem befinden sich nicht wenige christliche Ausleger auf der unmittelbaren Fortsetzung des schon von den Evangelisten eingeschlagenen Weges, nämlich den Unterschied zwischen Judentum und Gemeinde anhand der Gesetzesfrage darzustellen. Das Bemühen, eine gewisse Kontinuität zwischen Jesus und Paulus herzustellen, führte im Übrigen dazu, daß man das eigentlich „Neue" und die „Offenbarung" an der Stellung Jesu zum Gesetz ablesen zu können meinte. – Als Historiker aber hat man den umgekehrten Weg zu beschreiten: Man wird fragen, wie es historisch zur Frage nach der Gültigkeit des Gesetzes kommen konnte, und man wird nicht dort, wo gar keine christologischen Aussagen beabsichtigt sind, den Mangel an religionsgeschichtlichen Parallelen durch den Hinweis auf Jesu Selbstbewußtsein ausgleichen wollen.
Die Untersuchung der synoptischen Perikopen über die Gesetzesauslegung Jesu zeigt, daß zunächst Jesus der allein maßgebliche

Lehrer für das ist, was als Gesetz zu gelten hat – aber Jesus ist auch sonst in der synoptischen Tradition der einzige Lehrer (Mt 23,8). Sodann wird das Gesetz oder dessen Anwendung in Mk 10, 1-12 und in Mk 7,1-23 als widergöttlich abgelehnt – aber das gilt nur für den Teil des Gesetzes, der den Juden wegen ihrer Hartherzigkeit gegeben wurde: Für die Satzungen, die das Volk nach dem Abfall zum goldenen Kalb erhielt und die schon nach jüdischer Tradition Kompromiß und Zugeständnis sind. Indem die Gemeinde hier eine jüd.-hell. Position aufgreift, übernimmt sie aber zugleich aus denselben jüdischen Traditionen die Hochschätzung von Dekalog- und Hauptgeboten. Nur da die Juden den übrigen „schlechten" Teil des Gesetzes beibehalten, gelten sie insofern und deshalb als Hartherzige, können sie als Abgefallene klassifiziert werden. Da nun aber – wie zu zeigen ist – die Position Jesu in allen Teilen ihren Ursprung im Judentum hat – allerdings nicht im rabbinischen, sondern im hellenistischen und im sog. apokalyptischen – hat der Gegensatz zum Judentum in der Gesetzesfrage seinen Ursprung jedenfalls nicht in der Gesetzesfrage selbst. Denn hier stehen sich nur zwei Typen jüdischen Gesetzesverständnisses gegenüber. Vielmehr findet der Gegensatz, der schon vorher zwischen Gemeinde und Judentum bestand, nun auch darin seinen Ausdruck, daß eine ursprünglich jüdische Gesetzesauslegung einer anderen ebenso jüdisch-traditionsgebundenen polemisch gegenübergestellt und die eine als Lehre Jesu beansprucht wird.

Der Gegensatz zwischen Gemeinde und Judentum hat vielmehr seine Hauptursache in der gewaltsamen Tötung Jesu. Nach der Darstellung der Evangelien wird Jesus als Prophet hingerichtet, und durch die Auferstehung als solcher nachträglich bestätigt. In jedem Falle werden dadurch die Juden als Unrechttäter und Gegner Gottes qualifiziert. Wenn nun die Gemeinde – aus anderen traditionsgeschichtlichen Voraussetzungen – ihr Gesetzesverständnis mit dem des Judentums vergleicht, dann ist ihr eigenes Gesetzesverständnis a priori Lehre der Gerechtigkeit, das der Juden a priori dem Willen Gottes entgegen. Während für Paulus die Frage nach Gesetz und Beschneidung direkt mit der soteriologischen Bedeutung von Kreuz und Auferstehung zusammenhängt, ist für die synoptische Tradition das Gesetzesproblem eine Frage nach der rechten Lehre, die für das Bestehenkönnen im Gericht von Belang ist. Durch Tod und Auferstehung Jesu werden die Juden als ungerecht erwiesen. In demselben Maße, in dem die Bekehrung zu Jesus und das Bekenntnis zu ihm als allein heilsentscheidend an-

gesehen werden – und zwar für Juden und für Heiden – werden Gemeinde und Judentum auch sozial verschiedene Gebilde, und die der Gemeinde eigenen Traditionen werden nun insgesamt als Position Jesu gekennzeichnet, und im Laufe der Zeit wird die Konsequenz herausgebildet, daß sich auch das – ursprünglich ebenso „jüdische" – Gesetzesverständnis der jüdischen Gegner auf Ungerechtigkeit und Unkenntnis des Willens Gottes im Ganzen beziehe. Die Traditionsgeschichte des Motivs der Schriftunkenntnis innerhalb der Evv zeigt dieses deutlich.
Bevor nun dieser allgemeine Rahmen vertieft werden kann und bevor von den dann gewonnenen Fragestellungen aus die traditionsgeschichtlichen Einzeluntersuchungen beginnen, ist ein kurzer Überblick über die Geschichte der Erforschung dieses Problems voranzustellen. Dieser Überblick hat freilich nur summarischen Charakter, und die Einteilung in Lösungstypen dient der Vereinfachung, nicht der (sachlich gewiß notwendigen) Differenzierung.

b) Forschungsgeschichte (Überblick)

Die Antworten auf die Frage nach der Gesetzesauslegung Jesu sind seit dem Beginn der historisch-kritischen Exegese stets eng verbunden gewesen mit dem Wandel des Jesusbildes im Allgemeinen und insbesondere mit den Vorstellungen über das Verhältnis zwischen Jesus und dem Christentum paulinischer Prägung. Da Gesetzesauslegungen Jesu in den Evangelien in Streit- und Lehrgesprächen sowie in der Form von Antithesen begegnen, ist die Frage der Historiker fast ausschließlich darauf gerichtet, festzustellen, worin die Originalität des Gesetzesbegriffes Jesu gegenüber seinen jüdischen Gegnern gelegen habe. Dabei ist dann oft die apologetische Tendenz, die die Evangelien bereits selbst zeigen, noch verschärft worden. Das gilt insbesondere für jene Theologen, die seit der Aufklärung vor allem den Wert der Ethik Jesu betonten und meinten, anhand ihrer „Prinzipien" die Neuheit des Christentums verteidigen zu müssen. Erst durch die Wiederentdeckung der „eschatologischen" Botschaft Jesu und im Zuge einer konsequenten und nicht-apologetischen[1] Anwendung der religionsgeschichtlichen

[1] Die religionsgeschichtliche Erforschung dient traditionell meistens entweder direkt dem Erweis der Besonderheit des Christentums oder doch zumindest der Herausschälung seines unableitbaren Kerns und alle atl

Fragestellung konnten diese Positionen aufgelockert werden. – Den aufgezeigten Fragerichtungen entsprechen wenige Grundtypen von gegebenen Antworten:

1. Jesus war konservativ gegenüber dem Gesetz, aber antipharisäisch.
Man betont den Gegensatz von Äußerlichkeit und Innerlichkeit, von rein formeller Gehorsamsethik und individueller Gesinnungsethik.

Jesus wendet sich daher gegen äußerliche Zeremonien und gegen pharisäische Scheinheiligkeit, läßt aber auch das Zeremonialgesetz bestehen, er ist der Bringer einer Volks- und Herzensreligion[1]; Jesus überwindet den Mosaismus,

Autorität übersteigenden Anspruchs. Das trifft insbesondere für die Frage nach dem Verhältnis zum Gesetz noch zu. Als Beispiel sei zitiert die Äußerung von M. Hengel, Nachfolge und Charisma (BZNW 34), Berlin 1968,78: „Seine letzte Zuspitzung erhält Jesu Autoritätsanspruch durch die schlechterdings souveräne Stellung zur Tora Moses. Hier liegt der grundsätzliche Unterscheidungspunkt gegenüber dem Pharisäismus wie den charismatisch-apokalyptischen Strömungen innerhalb des Judentums einschließlich des Essenismus und des Täufertums...". Ob diese Behauptungen zutreffen, muß freilich eine (wenigstens gegenüber der Frage nach Originalität und Vergleichbarkeit frühchristlicher Phänomene unbefangene) Einzeluntersuchung zeigen. Generell aber wird man sagen müssen, daß der Historiker gegenüber Behauptungen über gänzliche Unvergleichbarkeit historischer Erscheinungen ein gewisses Maß von Skepsis von Hause aus mitbringt. Diese Skepsis macht insofern einen Teil des „Habitus" des Historikers aus, als er bestrebt ist, den nach seinem Wirklichkeitsverständnis am leichtesten vorstellbaren, d.h. den wahrscheinlichsten Ablauf historischer Prozesse zu rekonstruieren. Auf Grund seiner Wirklichkeitserfahrung ist der Historiker bestrebt, die historische Wahrscheinlichkeit so einsichtig wie möglich zu machen. Ein gewisses Maß von historischer Erfahrung zeigt ihm, daß er sich kaum jemals damit zufrieden geben darf, etwas als unvergleichbar („vom Himmel gefallen") darzustellen. Seine Erfahrung lehrt, daß so etwas die ultima ratio wäre und nicht das Wahrscheinliche ist. Anders formuliert: Der moderne Historiker ist bemüht, die Traditionsverflochtenheit von Erscheinungen aufzuzeigen – nicht um jeden Preis, wohl aber mit dem Ansinnen, etwas für seine Vorstellungen vom Ablauf der Historie verständlich zu machen. Diese Vorstellungen sind aber nun einmal von dem „Vorurteil" bestimmt, daß historische Erkenntnis allererst dann möglich sei, wenn man das Maß der Traditionsbestimmtheit hoch ansetzt. Die Bereitschaft, mit etwas zu rechnen, das unvergleichlich („vom Himmel gefallen") sei, ist sehr gering. Jüdische und hellenistische Überlieferungen sind in bestimmtem Sinne die Norm für das Verständnis frühchristlicher Aussagen. (In dieser These sind freilich bereits der methodische Ansatz und eine Reihe von materialen Ergebnissen zu einer methodischen Synthese verbunden).

[1] H. S. Reimarus, Vom Zwecke Jesu und seiner Jünger, ed. L. Zscharnack, Lessings Werke 22; Theologische Schriften III. Lessing als Herausgeber der Fragmente, Berlin, Leipzig, Wien, Stuttgart, o.J., S. 211.215-218.238f.

indem er dem Äußeren das Innere, der Tat die Gesinnung, dem Buchstaben den Geist gegenüberstellte[1]. Die Entfaltung dieses Gegensatzes hat Jesus dann erst der weiteren Entwicklung überlassen in dem Bewußtsein, der neue Inhalt werde bald die alte Form zerbrechen[2]. Jesus sei durch die „ceremoniale Richtung" perhorresziert worden, habe aber das mosaische Gesetz wegen seines moralisch-religiösen Kornes geschätzt. Jesus zog nicht die Konsequenz der Abschaffung, sondern ehrte wegen des wesentlichen Inhalts auch die unwesentlichen Gebote[3]. Nach F. C. Baur und D. F. Strauß hat Paulus nur die noch unentfaltete Konsequenz aus der Lehre Jesu gezogen. – „Erfüllen" und „Auflösen" seien nur vom Geist und nicht vom Buchstaben gemeint[4]. – Nach F. Bleek und G. V. Lechler hat Jesus das Gesetz auch aus vaterländischer Begrenzung und aus dem Status, politisches Strafgesetz zu sein, befreit[5]. – Um die Frage der Kontinuität Jesus-Paulus lösen zu können, trägt man den Gegensatz Buchstabe / Geist überall in die Botschaft Jesu ein: Paulus ist der, der den Buchstaben nur endgültig zerbricht. – Jesus hat mit der Gesetzesinnerlichkeit auch bereits eine relative Gesetzesfreiheit gelehrt[6] und hat den wahren Sinn des Gesetzes, Reinheit und Menschenliebe, dargestellt[7]. Nach der schärfsten Formulierung dieser These war Jesus, wo er kritisch zu sein scheint, dieses nicht aus Absicht: er sagte wohl auch einmal ein scharfes Wort gegen die Herzenshärte der Pharisäer, war aber im allgemeinen konservativ[8]. – Wenn seine Arbeit nur Israel galt und die Heiden vor Ostern nicht in Betracht zog, konnte er das AT ohne weiteres bejahen (Th. Zahn)[9]. – Im Sinne einer konservativ-antipharisäischen Haltung Jesu äußern sich auch P. Billerbeck[10], P. Fiebig[11], P. Wernle[12], E. Meyer[13], G. Eich-

[1] J. G. Herder, Von Gottes Sohn, der Welt Heiland. Nach Johannes Evangelium (Christliche Schriften; 3), Riga 1797, 331.
[2] F. C. Baur, Das Christentum und die christliche Kirche der drei ersten Jahrhunderte, Tübingen 1853, 27-28.
[3] F. C. Baur, Vorlesungen über neutestamentliche Theologie (Herausg. F. F. Baur), Leipzig 1864, 58.59.
D. F. Strauß, Das Leben Jesu I, Tübingen ²1837, 555-563.
[4] W. M. L. de Wette, Kurze Erklärung des Evangeliums Matthäi, Leipzig 1836; ⁴1857 (ed. H. Messner), 77-80.
[5] F. Bleek, Über die Stellung der Apokryphen des Alten Testaments im christlichen Kanon, in: ThStKr 1853, 267-354; G. V. Lechler, Das Alte Testament in den Reden Jesu, in: ThStKr 27 (1854) 787-851.
[6] H. J. Holtzmann, Lehrbuch der neutestamentlichen Theologie (Herausg. A. Jülicher, W. Bauer), I, Tübingen 1911, 209f.
[7] C. Weizsäcker, Untersuchungen über die evangelische Geschichte, Gotha 1864, 348.
[8] E. Grafe, Das Urchristentum und das Alte Testament (Rektoratsrede Bonn 1906), Tübingen 1907, 3.
[9] Th. Zahn, Mt 220f.223.231.247.
[10] H. Strack und P. Billerbeck, Das Evangelium nach Matthäus erläutert aus Talmud und Midrasch, München ³1961, 241.252.
[11] P. Fiebig, Jesu Bergpredigt, Göttingen 1924.27.28.49.
[12] P. Wernle, Jesus, Tübingen 1916, 105f.107.109.112.115.116.122f.127.

holz[1]. Der philosophische Gegensatz formal-gesetzliche Äußerlichkeit / individuelle Innerlichkeit lebt in veränderter Form wieder auf in dem Gegensatz Gehorsamsethik/Verstehensethik bei R. Bultmann: Der Gehorsam könne jetzt radikal sein, weil dem Menschen von Jesus selbst zugemutet werde, zu sehen, was von ihm gefordert sei. Das Recht beansprucht nur, soweit konkrete Formulierungen reichen, Jesus aber fordert keinen konstatierbaren Gesetzesgehorsam, sondern echten[2]. – Daß die Ethik Jesu sich besonders durch ihre innere Einsichtigkeit von der jüdischen unterscheide, hatte bereits W. Herrmann in seiner Schrift „Die sittlichen Weisungen Jesu" behauptet[3].

2. Auf Grund seines einmaligen Gottesverhältnisses hat Jesus nicht nur den jüdischen Traditionsgedanken abgelehnt, sondern auch in der Schrift selbst vollmächtig zwischen Gotteswort und Menschenwort unterschieden.

J. Ph. Glock unterscheidet noch ein privates Verhalten Jesu, in dem das Prinzip der Gesetzesgebundenheit geherrscht habe, von seiner Gesetzesfreiheit in seiner öffentlich-autoritativen Haltung[4]. Verschiedene Autoren (H. J. Holtzmann[5], E. Klostermann[6]) rechnen mit einer lebensimmanenten Entwicklung Jesu, die zu immer schärferer Kritik schließlich auch am Gesetz selbst geführt habe. Nach Holtzmann gilt, erfaßt man Mk 7,18-23 in voller Tragweite, daß es sämtliche Lev 11-15 verzeichneten Gebote mit einem Schlage außer Geltung setzt... „Damit ist ein in den antiken Religionen unabkömmlicher Artikel im Prinzip abgetan"[7]. Man vergleiche dazu die Äußerung E. Käsemanns zu Mk 7: „Er trifft darüber hinaus die Voraussetzungen des gesamten antiken Kultwesens mit seiner Opfer- und Sühnepraxis"[8]. Entsprechend hebt Käsemann hervor, der in dem „ich aber sage euch"

[13] E. Meyer, Ursprung und Anfänge des Christentums, Stuttgart und Berlin 1921, 425.427.429.431.

[1] G. Eichholz, Auslegung der Bergpredigt (Biblische Studien; 46), Neukirchen 1965, 62.71.

[2] Vgl. hauptsächlich: R. Bultmann, Jesus, Tübingen 1926, 56.58.66f.80; ferner ders., Theologie des Neuen Testaments, Tübingen [4]1961, 15 und ders., Die Geschichte der synoptischen Tradition, Göttingen [3]1961, 157f.144.

[3] W. Herrmann, Die sittlichen Weisungen Jesu/Ihr Mißbrauch und ihr richtiger Gebrauch, Göttingen 1907, 29f.

[4] J. Ph. Glock, Die Gesetzesfrage im Leben Jesu und in der Lehre des Paulus, Karlsruhe und Leipzig 1885, 14.120.123-127.140.

[5] H. J. Holtzmann, Lehrbuch der neutestamentlichen Theologie (Herausg. A. Jülicher, W. Bauer) I, Tübingen 1911, 182f.187.190.193-198.203.209f.

[6] E. Klostermann, Jesu Stellung zum Alten Testament/Ein Versuch (Vortrag Kiel 7. Juli 1904), 6.20.23.27; vgl. ders., Mt 42.

[7] H. J. Holtzmann, Lehrbuch (vgl. Anm 5), 194.

[8] E. Käsemann, Das Problem des historischen Jesus, in: ZThK 51 (1954) 125-153.146 und auch ders., dass., in: Exegetische Versuche und Besinnungen I, Göttingen 1960, 187-215.206.

formulierte Anspruch sei keinem Rabbi und Propheten zugekommen und habe nur mit dem Titel „Messias" legitim beantwortet werden können. – Nach W. G. Kümmel erhebt Jesus den Anspruch, unmittelbar Gottes Willen zu wissen, daher brauche er keine Tradition mehr. Jesus erklärt das Gesetz ohne Rücksicht auf den menschlichen Buchstaben nach dem Maßstab des ihm unmittelbar bekannten göttlichen Willens[1].

Nach E. Klostermann zeigen sich bei Jesus zwei grundsätzliche Haltungen: unbedingter oder doch relativer Anschluß an das AT und grundsätzliches Darüberhinausgehen. Letzteres sei auf seinem Sohnesbewußtsein gegründet. – Zu den Vertretern dieser Lösung sind auch zu rechnen: G. Heinrici[2], J. Hänel (der Gegensatz zum AT sei nicht abzuschwächen; Jesus scheidet zwischen Schlacken und Gold)[3] H. Weinel[4], P. Feine[5], H. H. Huber[6], M. Goguel[7], E. Lohmeyer[8], E. Stauffer[9] und G. Bornkamm[10].

3. Die Neuheit und Radikalität der Ethik Jesu ist durch seine eschatologische Botschaft vom nahen Gottesreich bedingt. Seine Kritik am Gesetz ist von den Forderungen des Gottesreiches her bestimmt. Sie richtet sich nicht an Individuen, sondern an die Teilhaber des Reiches und gilt entweder für die Endzeit (Interimsethik) oder für das Reich selbst.

[1] W. G. Kümmel, Jesus und der jüdische Traditionsgedanke, in: ZNW 33 (1934) 105-130,127f.130 und ders., Der persönliche Anspruch Jesu und der Christusglaube der Urgemeinde, in: Jesus Christus, Das Christusverständnis im Wandel der Zeiten, Marburg 1963, 1-10.8.

[2] G. Heinrici, Die quellenkritische Untersuchung der Bergpredigt (Rektoratsrede), Leipzig 1899, im Druck: Leipzig 1900.1905,8.16 Anm 2.13f.79.

[3] J. Hänel, Der Schriftbegriff Jesu/Studie zur Kanongeschichte und religiösen Beurteilung des Alten Testaments (Beitr. z. Förd. d. chr. Theologie; 24), Gütersloh 1919, 155.181.213.

[4] H. Weinel, Die Bergpredigt/Ihr Aufbau, ihr ursprünglicher Sinn und ihre Echtheit, ihre Stellung in der Religionsgeschichte und ihre Bedeutung für die Gegenwart, Berlin 1920, 43.44. – Ders., Biblische Theologie des Neuen Testaments [4]1928, 82ff.

[5] P. Feine, Jesus, Gütersloh 1930, 280.283; ders., Theologie des NT, 25.27.

[6] H. H. Huber, Die Bergpredigt/Eine exegetische Studie, Göttingen 1932, 75.96.166.

[7] M. Goguel, Das Leben Jesu (1932), Übs. von R. Binswanger, Leipzig und Stuttgart 1934, 379.

[8] E. Lohmeyer, Mt 106.109f.110.118.

[9] E. Stauffer, Die Theologie des Neuen Testaments, Genf 1945, 73; ders., Jesus und seine Bibel, in: Abraham unser Vater/Festschrift O. Michel, Leiden und Köln 1963, 440-449.444.

[10] G. Bornkamm, Enderwartung und Kirche im Matthäusevangelium, in: Überlieferung und Auslegung im Matthäusevangelium, Neukirchen [1]1960, [3]1963, 13-47.32.

So etwa C. Weizsäcker[1] (Vorausnahme der neuen Ordnung der Dinge, Gemeinschaftsverpflichtungen), G. Dalman, G. Hölscher[2] (das Zentrum liegt in Eschatologie und Apokalyptik, Pharisäer und Schriftkundige kommen in den ältesten Schichten nicht vor, sondern werden erst in den Rahmungen typische Gegner Jesu), E. Peterson (Interimsethik)[3], H. Windisch (prophetische Heils- und Gerichtsverkündigung und geläuterte und radikalisierte Weisheitslehre)[4], A. Schlatter[5], H. D. Wendland[6], M. Dibelius[7] (unterscheidet zwischen Weisungen und Gesetzen), E. Percy[8].

4. Jesus greift in dem Gesetz die Werkgerechtigkeit an. Seine eigenen Forderungen sind nur aus der Einheit von Heilsgabe und neuer Forderung zu verstehen. Nach Jesu Tod setzt eine Rejudaisierung ein: schon Mk versteht das Verhältnis von Gesetz und Rechtfertigung nicht mehr und ist deshalb „frühkatholisch".

Diese Deutung, der man eine starke Beeinflußtheit von protestantischer Systematik nicht absprechen kann, findet sich mit Abwandlungen etwa bei W. Gutbrod[9], H. Braun[10] (der Unterschied zur Toraverschärfung in Qumran besteht in der Beziehung zwischen Radikalität und Gnade), E. Jüngel[11], J. Schniewind[12], H. Conzelmann[13], S. Schulz[14] (Rejudaisierung schon nach

[1] C. Weizsäcker, Untersuchungen über die evangelische Geschichte, Gotha 1864, 346-349.351.464; ders., Das apostolische Zeitalter der christlichen Kirche, Leipzig und Tübingen 1886. ³1902, 31.

[2] G. Hölscher, Urgemeinde und Spätjudentum, Oslo 1928, 6.

[3] E. Peterson, Art. Bergpredigt, in: RGG I ²1927, 907-910,910.

[4] H. Windisch, Der Sinn der Bergpredigt/Ein Beitrag zum Problem der richtigen Exegese (Untersuchungen zum NT; 16), Leipzig 1929, ²1937, 10.67.68.97.108.110.

[5] A. Schlatter, Mt 154; ders., Die Theologie des Neuen Testaments I. Das Wort Jesu, Stuttgart 1909, 204.208.209.

[6] H. D. Wendland, Die Eschatologie des Reiches Gottes bei Jesus/Eine Studie über den Zusammenhang von Eschatologie, Ethik und Kirchenproblem, Gütersloh 1931, 111-113.

[7] M. Dibelius, Jesus (1939), Berlin ⁴1960, 88.96f.

[8] E. Percy, Die Botschaft Jesu/Eine traditionskritische und exegetische Untersuchung, Lund 1953, 122f.

[9] W. Gutbrod, Art. νόμος in: ThWB IV 1016-1084.1054.

[10] H. Braun, Spätjüdisch-häretischer und frühchristlicher Radikalismus/ Jesus von Nazareth und die essenische Qumransekte I: Das Spätjudentum II: Die Synoptiker, Tübingen 1957, II 133.134.136.

[11] E. Jüngel, Jesus und Paulus, Tübingen 1954, passim.

[12] J. Schniewind, Die Botschaft Jesu und die Theologie des Paulus, in: Nachgelassene Reden und Aufsätze, Berlin 1952, 22.27; ders., Mt 63.72; Mk 71.137.

[13] H. Conzelmann, Art. Jesus Christus, in: RGG I ³619-653,634.

[14] S. Schulz, Die Stunde der Botschaft/Einführung in die Theologie der vier Evangelisten, Hamburg 1967, 93.193.

M. Dibelius[1] und W. Bousset[2]).

5. Jesus bleibt mit seiner Gesetzesauslegung grundsätzlich im Rahmen der jüdischen Anschauungen seiner Zeit.

So etwa G. Kittel[3] (1926; der Unterschied wird auf die Person Jesu selbst konzentriert; in der Konzentration auf die religiöse Forderung und in der absoluten Intensität, nicht im materialen Gehalt der Lehre liegt die Differenz), H. Preisker[4] (der Gesetzesbegriff der Apokalyptik liege auch in Mt 22,40; Lk 10,26 vor); bei W. Bousset[5] wird Jesu Verhältnis zum Judentum nach der Alternative Gegensatz / Übereinstimmung ermittelt. Die Persönlichkeit Jesu soll aber so weit wie möglich vom Boden des Spätjudentums her geschichtlich verstanden werden. – Hier ist auch die jüdische Forschung einzuordnen, und zwar weist sie in der Beurteilung dieser Frage folgende durchgehenden Grundtendenzen auf: 1. Die Differenz zwischen Jesus und Paulus wird betont, 2. bei Jesus wird das Jüdische hervorgehoben, 3. was an der Lehre Jesu rabbinisch-talmudischer Überlieferung widerspricht, erklärt man für lebensfremde utopische Schwärmerei. Mit dem apokalyptischen Weltbild Jesu müsse auch der Großteil seiner wirklichkeitsfremden Forderungen fallen (J. Klausner[6], G. Friedlaender[7], A. Finkel[8], – H. J. Schoeps[9] dagegen entscheidet sich für die unter III genannte eschatologische Interpretation).

Die genannten Lösungstypen entstanden weitgehend unabhängig von der Frage nach der Historizität der zu diesem Thema überlieferten Berichte. Einen Einbruch bedeutete hier nur die formgeschichtliche Fragestellung, die zunächst zu der Erkenntnis

[1] M. Dibelius, Die Formgeschichte des Evangeliums, Tübingen ²1953, 222f.

[2] W. Bousset, Jesu Predigt in ihrem Gegensatz zum Judentum/Ein religionsgeschichtlicher Vergleich, Göttingen 1892, 6.9.50.54.58.122f.

[3] G. Kittel, Jesus und die Juden, Berlin 1926; ders., Die Probleme des palästinischen Spätjudentums und des Urchristentums, Stuttgart 1926, 95.129 Anm 3.138.140; anders in: Jesus und die Rabbinen, Berlin ²1914, 9.11.15; Die Bergpredigt und die Ethik des Judentums, in: ZsTh 2 (1924/25) 555-594.579.

[4] H. Preisker, Die Ethik der Evangelien und die jüdische Apokalyptik, Breslau 1915, 36.57.

[5] W. Bousset, Jesu Predigt (vgl. Anm 2).

[6] J. Klausner, Jesus von Nazareth/Seine Zeit, sein Leben und seine Lehre, Jerusalem ³1952, 306.515.518.523.

[7] G. Friedlaender, The Jewish Sources of the Sermon on the Mount, London 1911, 58.262f.

[8] A. Finkel, The Pharisees and the Teacher of Nazareth/A study of their background, their halachicand midrashic teachings, the similarities and differences, Leiden/Köln 1964, 137, ferner: 129ff.138.161.165.

[9] H. J. Schoeps, Jesus und das jüdische Gesetz, in: Studien zur unbekannten Religions- und Geistesgeschichte, Göttingen 1963, 41-61, 41.46.52.

führte, daß die Pharisäer zumeist nur in den Rahmungen als typische Gegner Jesu auftauchen. R. Bultmann hat fast alle hier belangvollen Texte unter „Gesetzesworte und Gemeinderegeln" eingereiht und ihnen damit einen Ort innerhalb der Gesetzesdiskussion der Gemeinde zugewiesen. Außerhalb dieser Ansätze in der Frühzeit der formgeschichtlichen Fragestellung ist diese Methode danach aber für diese Frage kaum jemals wieder fruchtbar gemacht worden. Auch in der redaktionsgeschichtlichen Fragestellung überwog – so fruchtbar sich diese Methode auch im Einzelnen ausgewirkt hat – das Interesse an der synthetischen Kraft großer Theologen vor der Frage nach der Möglichkeit der historischen Vermittlung der Stoffe, dem Prozeß geschichtlichen Werdens, aus dem nicht nur das vorgefundene Material, sondern auch die jeweilige Theologie selbst eine Erklärung finden kann.

Unter den genannten Lösungsversuchen ist der methodische Ansatz dieser Arbeit zunächst als eine Wiederaufnahme der religions- und formgeschichtlichen Fragestellung zu verstehen, und zwar als Traditionsgeschichte. Von daher ergibt sich die Gliederung der Arbeit, in welcher der Auslegungsprozeß der dann von Jesus ausgelegten atl „Gesetze" möglichst vollständig verfolgt werden soll. Während Jesu Gesetzesauslegung bislang nahezu ausschließlich durch rabbinische Parallelen kommentiert worden ist[1], wird sich

[1] Die nicht allzu häufige Inanspruchnahme rabbinischer Texte ist nicht nur technisch und raummäßig zu begründen, sondern auch daher, daß Alter und Autorschaft dieser Texte in jedem Einzelfall hätten untersucht werden müssen – ein Problem, das allein schon deshalb im Rahmen dieser Arbeit nicht angegangen werden konnte, weil Arbeiten, die Alter und Autorenfrage bei rabbinischen Texten etwas kritischer beurteilen, noch immer ein Desiderat sind. – Der Verf. hat die Literatur zum Thema „Jesus und die Rabbinen" (insbesondere die Sammlung von Billerbeck und die Arbeiten von G. Kittel) zwar zur Kenntnis genommen und verwertet – allein, es erschien ihm bei dem augenblicklichen Stand der Rabbinistik unmöglich, aus diesen Parallelen und Gegensätzlichkeiten ein Bild der „Gegner" Jesu zu erstellen; noch viel weniger aber kann es offenbar gelingen, die Position Jesu selbst auch nur einigermaßen befriedigend von diesen Texten her historisch zu begreifen. Das ist denn auch in der Tat weithin der Stand der gegenwärtigen Diskussion der Frage: Mit rabbinischen Diskussionen nach Art der in entsprechenden Quellen berichteten ist das Auftreten Jesu in der Tat kaum zu kombinieren. Solange keine methodische Sicherheit über die Einordnung rabbinischer Texte besteht, muß man sich daher mit dem Grundsatz begnügen, nur diejenigen rabbinischen Texte als entsprechend „alt" zu betrachten, für die sich Entsprechungen in zeitlich fixierbarer „alter" Literatur finden. Für die Frage apokalyptischer Midraschim etwa konnte diese Frage

im Laufe der Arbeit[1] ergeben, daß Jesu Gesetzesauslegung sehr viel eher im Rahmen apokalyptischer, weisheitlicher und jüdisch-hellenistischer Überlieferung zu verstehen ist.

c) Der Ursprung der Gesetzesfrage im frühen Christentum

Es empfiehlt sich, von der Frage vorerst abzusehen, ob und inwiefern die Infragestellung des jüdischen Gesetzes direkt abhängig ist von Taten und Worten Jesu. Zu untersuchen sind vielmehr die literarischen Zeugnisse auf die verschiedenen Gestalten hin, in denen der Angriff auf die Autorität des Gesetzes formuliert ist. Diese Zeugnisse sind – befragt nach theologischer Motivierung und traditionsgeschichtlicher Wurzel – innerhalb eines „möglichst als vorstellbar" aufzuzeigenden historischen Prozesses zu lokalisieren. Möglicherweise lassen sich bestimmte Linien dieses Entwicklungsprozesses bis auf den historischen Jesus hin „nach rückwärts" verlängern.

durch Parallelen in christlichen Apostelakten gelöst werden. – Darüberhinaus aber hat das Ergebnis dieser Untersuchung gezeigt, daß, wenn man nach dem bisher herangezogenen rabbinischen Vergleichsmaterial urteilt, Jesus nicht von diesem Hintergrund her zu verstehen ist, sondern sehr viel eher nach zeitgenössischen jüdischen Quellen beurteilt werden kann. Dieses „nicht"-„sondern" ist aber nicht exklusiv zu verstehen: Selbstverständlich sind auch in rabbinischen Texten Materialien erhalten, die traditionsgeschichtlich im Hintergrund der Position Jesu stehen. Aber hier handelt es sich dann in der Regel um Konservierungen von Stoffen, die – jedenfalls für die Beurteilung unserer Frage – in Weisheit, hellenistischem Judentum oder der jüd. und frühchristlichen Apokalyptik ebenso oder noch deutlicher vorhanden sind.

[1] Die Gliederung der Arbeit wurde nach dem Prinzip aufgestellt, zu einzelnen ntl Perikopen jeweils im Vorhinein die Traditionsgeschichte der in ihnen ausgelegten atl Gebote darzustellen. Zunächst werden nach einer Untersuchung darüber, wie eine Gesetzesfrage im frühen Christentum überhaupt entstehen konnte, die Voraussetzungen für alle behandelten ntl Perikopen durch eine inhaltliche Bestimmung des jüdischen Gesetzesbegriffes untersucht. Es folgen die beiden Hauptgebote (Mk 12,28-34 parr) mit ihrer Vorgeschichte. Für die übrigen Perikopen ist insgesamt die Traditionsgeschichte des Dekalogs aufschlußreich und zum Verständnis notwendig. Daran angeschlossen ist die zum Verständnis von Mk 10,17ff notwendige Geschichte der Gattung der „sozialen Reihe". Damit ist dann der Weg frei zur Behandlung von Mk 10,17-19parr. Daran angeschlossen sind Mk 7,6-13 und Mk 10,1-12, in denen Elterngebot und 6. Dekaloggebot eine besondere Rolle spielen. Im 2. Band schließt sich daran an die Behandlung der Antithesen der Bergpredigt.

Eine Infragestellung des jüdischen Gesetzes ist im frühen Christentum sowohl für Einzelinhalte als auch für die soteriologische Funktion des Gesetzes im Ganzen nachweisbar. Beides muß zunächst geschieden werden, obwohl später – etwa in den Antithesen der Bergpredigt – beides in bestimmter Weise miteinander verknüpft ist. Beide Fragen verdanken aber ihre Aktualität zweifellos der auf Heidenmission ausgerichteten jüdisch hellenistischen Gemeinde.

Zunächst ist das Phänomen der inhaltlichen Beschränkung und teilweisen Aufhebung der Mose-Tora auf seinen historischen Ursprung in der Geschichte des frühen Christentums zu untersuchen.

Der grundlegenden Bedeutung des deuteronomistischen Geschichtsbildes für spätjüdische Schriften entspricht auch dessen Rolle für die Beurteilung des Geschickes Jesu durch ntl Traditionen. O. H. Steck[1] hat bereits aufgezeigt, daß in bestimmten Überlieferungsbereichen die Tötung Jesu als Schlußstein in der Reihe der Prophetenmorde der jüdischen Geschichte betrachtet wird und daß demnach die Zerstörung Jerusalems nach dem dtrG deutbar geworden ist. Nun beschränkt sich die Anwendung des dtr Schemas nicht auf die Deutung der Tötung Jesu allein, vielmehr ist diese nur die Konsequenz der Jesus gegenüber offenbar werdenden Gesetzlosigkeit der Juden. Nach dem dtr Schema wird der Prophet zunächst und vor allem als Gesetzeslehrer abgelehnt, und das Verhalten ihm gegenüber gilt dem Gesetz Gottes. Die Tötung Jesu ist der Höhepunkt der Gesetzesübertretungen der Juden (so etwa Act 7,52: προδόται καὶ φονεῖς ἐγένεσθε, οἵτινες ἐλάβετε τὸν νόμον... καὶ οὐκ ἐφυλάξατε). Wo diese Konzeption wirksam ist, kann Jesus nur als Gesetzesprediger, der den Willen Gottes verkündet, dargestellt werden, und entsprechend die Juden als gesetzlos. Ein Zusammenhang mit der Tötung Jesu ergibt sich schon daraus, daß die Autoritäten, mit denen Jesus die Streitgespräche führt, nach Summaren und Passionsberichten auch diejenigen sind, die für seine Tötung verantwortlich gemacht werden können. Die religiösen Autoritäten des Volkes sind schuld an der Tötung des gerechten Propheten; und daß sie ungerecht sind, wurde daran deutlich, daß sie seine Gesetzeslehre nicht annahmen. – Die herkömmliche Deutung, daß diese

[1] Vgl. dazu O. H. Steck, Israel und das gewaltsame Geschick der Propheten/ Untersuchungen zur Überlieferung des deuteronomistischen Geschichtsbildes im Alten Testament, Spätjudentum und Urchristentum (WMANT 23), Neukirchen 1967.

Gruppen Jesus wegen seiner freien Stellung dem Gesetz gegenüber beseitigen und töten wollten, ist – wie anhand vieler Einzelstücke zu erweisen sein wird – genau verkehrt: Die Gegner Jesu sind die Gesetzlosen, Jesus ist der wahre Lehrer des Gesetzes.
Damit nicht doch das Argument erhoben wird, die Liberalität Jesu zeige sich eben in seinem Gesetzesbegriff (von dem aus gesehen die Gegner nur als gesetzlos erscheinen konnten) und er sei wegen dieses liberalen und bisher „unerhörten" Gesetzesverständnisses[1] getötet worden, wird man den hier dargestellten Gesetzesbegriff auf seine religionsgeschichtliche „Neuheit" untersuchen müssen. Es wird sich ergeben, daß Jesu Gesetzeslehre nicht gegen prinzipiell Geheiligtes steht, sondern daß er entweder (in Mt 5) Moses als konkurrierender neuer Offenbarer des Willens Gottes gegenübersteht oder daß seine Offenbarung durch Übereinstimmung mit nur *einzelnen*, traditionell *seligierten* Stücken der Tora legitimiert wird (Mk). Vielmehr ist zu fragen, welches Maß von Autorität für eine Gesetzespredigt die Tora des Moses denn überhaupt gehabt habe. Es kann gezeigt werden, daß für das apokalyptische und weithin für das hellenistisch geprägte Judentum die Rede vom „Gesetz" keineswegs identisch war mit der Rede von der Tora des Moses. Nur in ganz bestimmten (priesterlich-levitischen) Kreisen ist Moses der Lehrer der Vergangenheit, welcher allein maßgeblich wurde. Der Gesetzesbegriff Jesu nach der synoptischen Tradition ist nicht so einseitig an der Autorität des Moses orientiert (der Kanon gilt noch nicht als Kanon), und dieses ist ihm mit zahlreichen Texten und Traditionen des Spätjudentums gemeinsam. Der Gesetzesbegriff Jesu repräsentiert das Gesetzesverständnis (primär hellenistischer) jüdischer Gemeinden, für die Gesetz entweder weisheitliche Weisung oder autoritative Belehrung durch eine Größe der Vergangenheit (Abraham, Erzväter, Henoch, Moses) und als solche Gottes verbindlichen Willen darstellt. Die „Einfrierung" auf den Kanon hin ist noch nicht vorgenommen, es gibt einen davon ganz unabhängigen lebendigen Torabegriff. Selbst der Ausdruck „Gesetz und Propheten" bezieht sich in frühen Schichten des NT noch nicht auf die „Schrift". – Erst Philo, die Schriften von Qumran und die späteren ntl Schriften bezeugen mit dem Vordringen des „Schriftbeweises" und der „Schriftzitate" überhaupt ein allmähliches Vorrücken der Geltung

[1] Vgl. dazu etwa G. Bornkamm, Jesus, 89-91; zu Mk 7 und Mk 10: „ohne Beispiel für einen Rabbi, aber auch kein Prophet hätte sich der Autorität des Mose widersetzen dürfen, ohne zum Lügenpropheten zu werden".

des Kanons. – Alles weist darauf hin, daß Moses die entscheidende Autorität für diejenigen Kreise wurde, die sich aus priesterlich-levitischen Traditionen verstanden oder dadurch geprägt waren. Auch innerhalb des Griechisch sprechenden Judentums gibt es diese Richtung (Synagogenlehrer verstehen sich als levitische Gesetzeslehrer)[1], und sie äußert sich in besonderer Betonung und Ausweitung atl Reinheitsvorschriften. – In den synoptischen Streitgesprächen werden nun weitgehend die Gegner Jesu auf dieser Position dargestellt: Höherschätzung der mosaischen Tora und Betonung der Reinheits- und anderer kultischer Vorschriften. – Der Gesetzesbegriff Jesu dagegen repräsentiert einen stärker hellenisierten und moralisierenden jüd.-hell. Traditionsstrang. Man kann nun zeigen, daß die Gesetzesauslegung Jesu in den Evangelien faktisch von bestimmten Interessen Griechisch sprechender Gemeinden geformt ist, die Heidenmission betreiben. Eben dieses ist aber auch die Situation der Gemeinden, in denen die soteriologische Funktion des Gesetzes in Frage gestellt worden war.

Wenn man darstellen kann, daß die Streitgespräche und Gesetzesbelehrungen in der synoptischen Tradition faktisch den Gesetzesbegriff einer auf Heidenmission eingestellten Gemeinde gegenüber anderen jüdischen Traditionen rechtfertigen sollen, dann wird deutlich, daß die Form der Streitgespräche mit Jesus der Historisierung dient. Nach dem Traditionsprinzip der Evangelien geht selbstverständlich alle aktuelle Lehre der Gemeinden von Jesus aus. Alle Gegner der Gemeinden können nur als Gegner Jesu auftauchen. Verbindet sich eine solche Darstellung mit der Vorbereitung der Passionsgeschichte im Evangelium, so sind die religiösen Autoritäten des Volkes, die Jesus töten wollen, zugleich die traditionellerweise Gesetzlosen. Diese Gesetzlosigkeit läßt sich noch für die Gegenwart des Evangelisten am Unterschied zum Gesetzesbegriff anderer jüdischer Kreise zeigen. Ihnen wird nachgewiesen, sie lehrten nur Menschensatzungen und seien schon immer als Abgefallene auch Hartherzige und deshalb im Besitz schlechter Gebote. – So verbindet sich die Legitimation der aktuellen Gemeindepraxis im Munde des Gesetzeslehrers Jesus mit der dtr Deutung des Todes Jesu. Die Verknüpfung gelingt auf dem Weg über die Darstellung der jüdischen Autoritäten als gesetzloser. – Nun ist die Annahme, auch der historische Jesus sei als Lehrer des Gesetzes

[1]Vgl. dazu meine in Vorbereitung befindliche Arbeit „Die Zwölf und die Apostel".

aufgetreten, unverfänglich und kaum in Frage zu ziehen. Die Frage ist nur, wie aus einer der Umkehr und der Gesetzesverkündigung dienenden Bekehrungspredigt ein Angriff gegen die Satzungen der Gegner selbst wird und wie sich damit ein Urteil über die Verstocktheit der Gegner verbinden konnte. Es ist wahrscheinlich, daß sich Jesu Predigt gegen die Nicht-Beachtung des Gesetzes richtete, aber wie der Vorwurf der Gesetzlosigkeit auch das Lehren der Satzungen selbst umfassen konnte, ist zunächst nicht einzusehen. Nun zeigen jüdische Traditionen, daß die Zerstörung der Gebote selbst, das Abweichen in der Lehre, die Ersetzung von Gottes Geboten durch Menschengebote, ein Kennzeichen des Abfalls der Juden in der Endzeit ist[1]. Nach dieser – vor allem in der Gattung der Testamente anzutreffenden – Tradition ergreift die Gesetzlosigkeit der Juden durchaus auch die Gesetzeslehre selbst, und der Vorwurf der Menschensatzungen in Mk 7 stimmt genau mit dem Bild dieser Tradition vom endzeitlichen Abfall Israels überein. Auf dem Hintergrund dieser Tradition wird zunächst deutlich, daß Jesus nicht als Zerstörer des Gesetzes oder als „Liberaler" dargestellt wird, sondern in diesen Schichten als der endzeitliche

[1] Im Rahmen von eschatologischen Weissagungen über den Abfall am Ende wird in Testamenten angekündigt:
Test Aser 7,5: ἀπειθοῦντες ἀπειθήσετε, καὶ ἀσεβοῦντες ἀσεβήσετε μὴ προσέχοντες τῷ νόμῳ θεοῦ, ἀλλ' ἐντολαῖς ἀθρώπων κακίᾳ διαφθειρόμετοι. Parallel ist eine Abfallsweissagung, die Folge ist Zerstreuung Israels. – Der Vorwurf der Menschensatzungen wird erhoben in Test Levi 14,4 θελήσετε ἀνελεῖν, ἐναντίας ἐντολὰς διδάσκοντες τοῖς τοῦ θεοῦ δικαιώμασι und im Rahmen einer Abfallsweissagung Test Levi 16,2: καὶ τὸν νόμον ἀθετήσετε καὶ λόγους προφητῶν ἐξουδενώσετε... (vgl. 2 Chr 36,16) (vgl. CD IV-V und Jub 23,21), besonders aber Jub 23,19: obliti sunt oraeceotun et testamentum). – Nach Test Iss 6,1 handelt es sich um das Verlassen der Gebote und das Anhängen Beliars: καταλιμπάνοντες τὰς ἐντολὰς κυρίου κολληθήσονται τῷ βελιαρ. Test Levi 10,3 spricht vom καὶ ἀνομήσετε ἐν τῷ Ισραηλ. Traditionsgeschichtlicher Ursprung dürfte wohl Dt 31,27.29 sein. Das bezeugt als Zwischenglied Jub 6,38: „denn nach deinem Tode werden deine Kinder verderbt handeln, daß sie das Jahr nicht nur zu 364 Tagen halten, und deswegen werden sie Neumond und Zeit und Sabbat und Feste auflösen und alles Blut mit allem Fleische essen". Der Terminus „auflösen" begegnet stets im Zusammenhang mit der Gesetzesfrage wieder (vgl. Mt 5,17). In die gleiche Tradition gehört die Vorhersage endzeitlicher Irrlehrer in Elias-Apk ed. Steindorff p. 156: (über die Irrlehrer – πλάνοι – am Ende der Zeiten:) „Sie werden ihnen Lehren geben, die nicht Gottes sind, indem sie das Gesetz (νόμος) Gottes abschaffen (ἀθετεῖν), sie, die gemacht haben die Nacht zum Tage..., indem sie sich dem Bunde entfremdeten und sich der Verheißungen beraubten...".

Prophet, der Israel angesichts seines endzeitlichen Abfalls über seine Gesetzlosigkeit belehrt und zur Umkehr bewegen möchte. Nach dem Geschichtsbild der Testamente folgt nämlich auf die Periode, in der Israel nur Menschensatzungen lehrte, die Bestrafung, dann aber die Umkehr Israels. Diese Umkehr vollzieht sich nach den Test Patr durch einen Propheten aus Levi und Juda. Dieser Prophet wird in der Tradition weithin und auch in den Testamenten streckenweise mit Elias identifiziert.

Mit dem Vorwurf der Hartherzigkeit in Mk 10,5 trifft die Juden eine Anklage, die in sehr ähnlicher Weise wie der Vorwurf der Menschensatzungen auf der Annahme vom Abfall des ganzen Volkes beruht. Eine form- und traditionsgeschichtliche Untersuchung der Texte, in denen σκληροκαρδία[1] und verwandte Begriffe begegnen, zeigt, daß sich der Vorwurf wiederum bereits nach jüdisch-dtr Tradition auf den Abfall Israels zur Anbetung des Goldenen Kalbes am Sinai bezieht: Die Gesetze, die Moses danach gab, sind ein Kompromiß mit dem Götzendienst der abgefallenen Juden. Für diese Auffassung finden sich bereits deutliche Belege in jüdischer und dann auch in speziell judenchristlicher Tradition, oft im Zusammenhang mit Ez 20,25f. Insbesondere steht die Lehre von der Minderwertigkeit des zweiten Gesetzes im Zusammenhang mit einer Aufwertung des Dekalogs, die jüdisch-hellenistisches Anliegen ist. Im Zusammenhang mit dtr Traditionen begegnet der Begriff Hartherzigkeit insbesondere dann, wenn der permanente Abfall Israels dargestellt werden soll.

Der Vorwurf der Hartherzigkeit in Mk 10,5 ist traditionsgeschichtlich nur ein Ausschnitt aus einer allgemeineren Überlieferung, nach der jüdische kultische Einrichtungen wegen der Herzenshärte, aus der heraus sie entstanden, abgelehnt werden. Insbesondere in CD III 14 ist – im Zusammenhang mit einer Reihe, die Israel Herzenshärte seit eh und je vorwirft, davon die Rede, daß ganz Israel in Sabbaten und Festzeiten in die Irre gegangen sei. Da dieser Vorwurf Israel insgesamt und pauschal trifft, bestehen traditionsgeschichtliche Beziehungen zu Mk 10,5. Die Verwendung ähnlicher Begrifflichkeit in Acta 7,48-52 zeigt, daß mit diesem Standpunkt auch eine Polemik gegen den Tempelkult überhaupt verbunden sein konnte. Zwischen der in Qumran geübten Kultkritik, der in Ps Clem Hom, Syr Didask usw. zum Ausdruck kommenden Abwertung des Kultes gegenüber dem Dekalog und der ntl

[1] Vgl. dazu den Aufsatz des Verf.: „Hartherzigkeit und Gottes Gesetz/Die Vorgeschichte des antijüdischen Vorwurfs in Mk 10,5“, in: ZNW 1970, 1-47.

Kritik an Kult und Gesetzen des Mose liegt also durchaus eine gemeinsame Tradition zugrunde: Sie ist dtr Ursprungs und kann durch das Stichwort Hartherzigkeit gekennzeichnet werden.
Wo also Jesus sich ausgesprochen gegen jüdische Satzungen aus der Tora des Moses wendet, übernimmt er traditionelle Argumentationen. Nicht er ist es, der das Gesetz aus „souveräner Freiheit" o.Ä. beseitigte, sondern mit Hilfe von dtr Traditionen wird gezeigt, daß die Juden entweder schon immer oder jedenfalls besonders in der Endzeit in ihrer Gesetzeslehre selbst vom Willen Gottes abgefallen sind. Daher tritt Jesus nicht nur als Umkehrprediger auf, sondern auch als Lehrer des wahren, nicht korrumpierten Gesetzes, das er als der endzeitliche Prophet zur Geltung bringt.
Da es sich aber de facto um eine Diskussion zwischen hellenistischer Gemeinde und jüdischen Gegnern handelt, ist zu fragen, wie es zu dieser Einschätzung der jüdischen Gesetzeslehre gekommen ist. Vorausgesetzt ist die Lehre von Jesus als dem entscheidenden endzeitlichen Propheten nach dem Bilde des Moses/Elias, denn die Gesetzlosigkeit der Juden ist primär ein endzeitlicher Topos. Ferner ist vorauszusetzen jener schon angegebene primär jüd.-hell. Gesetzesbegriff, von dem aus Jesus die Gesetzeslehre der Gegner als Abfall bezeichnet. Nun könnte man immerhin noch den Versuch unternehmen, zu behaupten, dem vorösterlichen Jesus sei der Gesetzesbegriff des hellenistischen Judentums zuzutrauen – aber die polemische Gegenüberstellung dieses Gesetzesbegriffes mit dem der jüdischen Gegner erscheint nur dann verständlich, wenn man die Deutung von Lehre und Geschick Jesu einheitlich im Sinne von dtr Traditionen vornimmt.
Der in den Streitgesprächen Mk 2f.7.10, aber auch in Mk 12 und in Mt 5 (vgl. auch Joh 7,53-8,11) dargestellte Gegensatz zwischen Jesus und den jüdischen Lehrern ist historisch als Dokumentation des Kampfes um die Ablösung der Autorität der jüdischen Lehrer durch die Autorität Jesu zu begreifen. Der geschichtliche Ursprung dieses Ablösungsprozesses liegt in der Lehre der „Prophetengruppe", der Jesus und der Täufer entstammen könnten, nach der das in der Gegenwart gänzlich verlorene und der Umkehr bedürftige Israel nur auf diese Umkehr hin gerettet werden kann. Mit diesem prophetischem Selbstverständnis ist von Anfang an auch der Anspruch auf allein maßgebliche Lehrautorität mitgesetzt (vgl. analog auch für die Qumran-Sekte). Zu seiner besonderen Ausbildung im Selbstverständnis Jesu führte eine offenbar wachsende Gegnerschaft der jüdischen Lehrer gegen Jesus, die sich seiner Lehr-

autorität nicht unterwerfen konnten und wollten. Im Zusammenhang mit dem Martyrium Jesu wird diese Auffassung dahin ergänzt, daß Jesus der endzeitliche Prophet sei (wie Elias), der durch seine Predigt die Wende herbeiführe und nach seinem Tod durch eine Auferweckung bzw. Entrückung gegenüber den ungläubigen Gegnern legitimiert werde. Durch diese Ereignisse wird der Streit um die Lehrautorität in ein neues und endgültiges Stadium überführt – denn Auferweckung und Himmelfahrt bedeuten Legitimation durch Gott, und zwar für die neue, apokalyptische Offenbarung durch Jesus. (Schon Baruch ist nach Syr Bar 84,1 ein „2. Moses").
Um diese Darstellungstendenz der Evv insbesondere in ihrer Bedeutung für die Gesetzesfrage zu erfassen, ist die Tradition über den endzeitlichen Widersacher zu beachten. Diese wird für die Darstellung der Gesetzesauslegung Jesu in den Evv in folgenden Punkten bedeutungsvoll:
a) Der endzeitliche Widersacher wird sehr häufig nach dem Bilde des Antiochus IV in Dan 7 dargestellt. Insbesondere bringt er Unheil über Israel und löst das Gesetz auf (Dan 7,20: Lästerungen; Dan 7,25: ἁγίους .... κατατρίψει καὶ προσδέξεται ἀλλοιῶσαι καιροὺς καὶ νόμον). Besonders in 1 Mkk 1,44-49 wird sein gesetzloses Tun dargestellt (πορευθῆναι ὀπίσω νομίμων ἀλλοτρίων... κωλῦσαι ... ἐπιλαθέσθαι τοῦ νόμου καὶ ἀλλάξαι πάντα τὰ δικαιώματα). Die Änderung, Abschaffung und Auflösung des Gesetzes, insbesondere des Opferkultes, der Sabbate und der Festzeiten im Zusammenhang mit Unheil für das Volk spielt nun auffallenderweise auch in frühchristlichen Aussagen über die Stellung Jesu zum Gesetz eine große Rolle. Aussagen dieser Art finden sich in Acta 6,11 von Stephanus: er habe ῥήματα βλάσφημα εἰς Μωυσῆν καὶ τὸν θεόν geredet und nach 6,13 Worte gegen den Ort (d.h. Jerusalem und den Tempel) und gegen das Gesetz. Der Vorwurf der Lästerung entspricht Dan 7,20; die Worte gegen den Ort könnten wie Mt 26,61; Joh 2,19 ihren Ursprung in (wirkmächtiger) prophetischer Drohrede gegen die ungläubige Stadt haben. Die Kombination der Rede über „Unglück für Jerusalem" mit der „gegen" das Gesetz des Moses gerichteten entspricht aber der Kombination in Dan 7,25. – Die gleichen Elemente finden sich in dem Vorwurf gegen Paulus in Acta 21,28: ὁ κατὰ τοῦ λαοῦ καὶ τοῦ νόμου καὶ τοῦ τόπου τούτου ... διδάσκων.
Es handelt sich demnach um eine Anklage, die formelhaft geprägt ist und ihren Ursprung in der Tradition über den endzeitlichen Widersacher (der oft als prophetische Figur erscheint) zu haben scheint. Wie konnte es zu dieser Anklage kommen?

b) Von Jesus wird auch durchaus positiv behauptet (nicht im Sinne einer Anklage), er habe Gesetz und Tempel „aufgelöst“, so in Acta Philippi K. 15 (p. 8: καὶ τὸν νόμον καὶ τὸν ναὸν κατέλυσεν καί τὸν καθαρισμὸν τὸν διὰ Μωυσέως κατήργησεν καὶ τὰ σάββατα καὶ τὰς νεομηνίας, ὅτι φησὶν οὐκ εἰσὶν ὑπὸ θεοῦ τεταγμένα). Die Nennung von Gesetz, Tempel und Festzeiten entspricht der oben bereits genannten Tradition. Auch Justin, Dial 18,2 spricht davon, daß die Christen die Beschneidung nach dem Fleisch, die Sabbate und die Feste (καὶ τὰ σάββατα καὶ τὰς ἑορτάς) beachten würden, hätten sie nicht erkannt, daß diese Gesetze wegen der Gesetzlosigkeiten und der Herzenshärte der Juden gegeben worden waren (διὰ τὰς ἀνομίας ὑμῶν καὶ τὴν σκληροκαρδίαν). Auch in CA VI 20; Syr Did 2,26; Ps Clem Rec I 35-37 handelt es sich darum, daß Kultvorschriften (θύειν, ἀργεῖν = Sabbat, ἁγνίζεσθαι) dem Volk nur wegen seiner Herzenshärte gegeben seien, das Gesetz nur Kompromißcharakter besitze, den Jesus abgeschafft habe. Auch nach CD III 14f ist Israel gerade in Sabbaten und Festzeiten in die Irre gegangen.
Gegen den „von Händen gemachten“ Tempel ist dieselbe Tradition formuliert in Acta 7,51 (Halsstarrigkeit entspricht der Hartherzigkeit); bereits in Lib Ant 22,5 begegnet ein ganz ähnlicher Vorwurf: Das sacrarium manufactum wird in direkte Beziehung gesetzt zum Abfall des Volkes am Sinai: die „insipientia vestra“ steht an der Stelle der Hartherzigkeit. Das Lehren des Gesetzes (5: „in meditatione legis“ 6: „docete legem“) ersetzt dem Tempelkult. Der immer wieder gegen die Heiden erhobene Vorwurf, von Menschen Gemachtes anzubeten, wird hier konsequent ausgeweitet auf die Stellung gegenüber dem Kult in Tempeln allgemein.
Acta 17,27f; Aristobul 2,55ff (Rießler p. 183) zeigen, daß derartige Aussagen nicht primär gegen das Judentum selbst gerichtet sind, sondern aus jener apologetisch-missionarischen Tradition stammen, die gerade die Überlegenheit des jüdischen Gottes über die „von Händen gemachten“ Götter erweisen will (in Fortsetzung der späteren prophetischen und weisheitlichen Spottrede über die Götterbilder aus Holz, Stein usw.). Wo nun die Überlegenheit des jüdischen Gottes gerade unter diesem Aspekt hervorgehoben wird, erscheinen um dieses Gottesbildes willen jüdische Kultbräuche, die ebenso nationalen wie rituellen Charakter haben, auch ihrerseits als Kompromiß gerade mit dem Götzendienst, dem das Von-Händen-Gemachtsein zu eigen ist: Bestimmte Traditionen des Judentums erscheinen den jüdisch-hell. Vertretern des genannten Gottesbildes weithin selbst als Kompromiß mit dem Götzendienst. Es ist daher

möglich, daß die konkretere Ursache für die Verbindung von Hartherzigkeit, Abfall zum Götzendienst am Goldenen Kalb und Gesetzgebung in der apologetischen Durchsetzung eines jüd.-hell. Gottesbegriffes zu sehen ist. Geht Strabo 16,2,35f auf diese Gruppe zurück? Ähnliches zeigt ich in Apk 21,22f; 22,5; Sib IV 24-30 (die Zukunft sei ohne Tempel, Altäre, Steinbilder, Blut und Opfer).
In Sib VIII 299f wird die Auflösung des Gesetzes mit dem Geschick Jesu in Verbindung gebracht: auf Grund des Todes Jesu wird es aufgelöst; von dem Gesetz selbst heißt es: ὅστις ἀπ'ἀρχῆς δόγμασιν ἀνθρώποις ἐδόθη διὰ λαὸν ἀπειθῆ. Das Attribut ἀπειθής steht traditionell in engstem Zusammenhang mit der Eigenschaft der Hartherzigkeit. Damit, daß die Worte der Sibylle alle im Geschick Jesu in Erfüllung gingen, wird das ungerechte Gesetz aufgelöst – eine mit Mt 5,18 verwandte Vorstellung; nur ist hier die Erfüllung aller Schrift nicht mit den Endereignissen, sondern in deren Realisierung durch das Geschick Jesu vollzogen. Insofern damit die Heilszeit angebrochen ist, gilt ein ungerechtes Gesetz nicht mehr. Auch nach Sib VII 326ff löst Jesus die gottlosen Gesetze auf, und es gibt fortan keine Opfer mehr. Versucht man, diese jüdischen und judenchristlichen Texte auf ihren möglicherweise gemeinsamen traditionsgeschichtlichen Hintergrund zurückzuführen, so ergeben sich folgende Gesichtspunkte:
a) Man rechnet damit, daß es ein Gesetz der Juden gibt, das wegen der Hartherzigkeit des Volkes am Sinai von Anfang an als schlechtes Gesetz gegeben wurde; es umfaßt Tempel, Sabbate, Festzeiten, Opfer, Ehescheidung und nach Justin auch die Beschneidung.
b) Jesus schafft als der endzeitliche Prediger des wahren göttlichen, Willens dieses unvollkommene Gesetz ab und setzt Dekaloggebote an seine Stelle (Mk 10 und Syr Didask).
c) Daß man gerade diese Teile des Gesetzes als Kompromiß mit der Hartherzigkeit der Juden auffaßte, ist parallel zur Abschaffung eben dieser Teile durch Antiochus IV und spätere hellenisierende Juden. Möglicherweise hat es eine Gruppe hellenistischer Juden gegeben, die bereits vorchristlich die Leugnung umfassender Geltung des Gesetzes mit Hilfe der Theorie von der Gesetzgebung auf Grund von Herzenshärte der Juden vorgenommen hat. Träger dieser Auffassung im Judentum bildeten dann jene Gruppen, die sich im Gegensatz zu dem bestehenden Israel wußten, und zwar entweder aus speziell kultischen Gründen (Qumran) oder weil sie (wie auch Qumran-Texte) von der universellen Verderbtheit Israels ausgingen, d.h. a priori postulierten, eine Umkehr ganz Israels sei notwendig.

Diese Annahme gehört zu den grundlegenden Voraussetzungen der Lehre Jesu. Die formgeschichtlich festumgrenzten Vorkommen des Begriffes „Hartherzigkeit" zeigen, daß es sich dabei um ein Erbe aus dtr Tradition handelt. – Der aufgezeigte Zusammenhang von Hartherzigkeit und Gesetzgebung laßt sich nunmehr auch in einem Text (sehr wahrscheinlich) jüdischer Herkunft nachweisen, und zwar in dem Gebet des Kyriakos (zu dessen jüd. Herkunft vgl. H. Greßmann, in: ZNW 20 (1921) 23-35) aus der syr Rez. der Passio Cyriaci et Iulittae. Die Wirksamkeit des Widersachers (= Drachens) wird in einer „heilsgeschichtlichen Reihe" dargestellt, die mit der Verführung zum Engel-Abfall und der Verführung Adams beginnt, die dann mit der Anstiftung zur Verfolgung der Propheten und zum Abfall endet. In dieser Reihe über die Taten des Widersachers heißt es über diesen: „Dieses ist der Drache, der verhärtete das Herz (ܕܩܫܝ ܠܒܗܘܢ) der Söhne Israels und ihnen riet, sich ein Kalb zu machen und es anzubeten. Dieses ist der Drache, der verhärtete ihr Herz, (ܕܩܫܝ ܠܒܗܘܢ ܕܠܐ ܢܩܒܠܘܢ ܦܘܩܕܢܘܗܝ), damit sie nicht annähmen die Gebote Gottes". Die Reihe entspricht den in ZNW aufgezeigten der heilsgeschichtlichen Beispielreihen mit negativer Tendenz. Zwei Sätze zuvor war von der Entzündung des Herzens der Giganten die Rede (vgl. die Verankerung dieser Aussage in Reihen, in denen „Hartherzigkeit" begegnet). Die Verhärtung des Herzens bei der Anbetung des Kalbes und die über den Empfang der Gebote korrepondieren einander. – Ein Hinweis auf den jüdischen Ursprung der Reihe ist das Fehlen einer Aussage über die Anstiftung zur Passion Jesu (im Gegensatz zu verwandten Reihen christlichen Ursprungs).
Für den vorchristlichen Ursprung dieser Tradition spricht auf jeden Fall, daß Mk 10,5 diese Lehre bereits voraussetzen muß. Es ist höchst unwahrscheinlich, daß sich die übrigen frühchristlichen Aussagen über Gesetzgebung auf Grund von Herzensverhärtung erst nachträglich wegen der kanonischen Autorität von Mk 10,5 entwickelt hätten. Mk 10,5 ist nur verständlich als Ausschnitt aus einer allgemeineren Theorie, die nicht für den Spezialfall des Scheidbriefgebotes entstanden ist. Vielmehr hat sich die historische Genesis dieser Lehre vielleicht vorzustellen als eine jüdisch-hellenistische Anpassung an die Abschaffung der nämlichen Größen durch Antiochus IV. Diese Lehre akzeptiert diese Abschaffungen und interpretiert sie unter Verwendung von dtr (vgl. Ez 20,25) und auch für CD belegten Traditionen über „schlechte Gesetze" als mit dem Willen Gottes übereinstimmend. Justin bezeugt, daß dazu

auch der Verzicht auf Beschneidung gehörte. Von diesem hellenistischen Judentum könnten Gruppen des früher Christentums einen nicht an der Tora des Mose orientierten und im Blick auf diese nicht nur reduzierten, sondern auch sehr andersartigen Gesetzesbegriff übernommen haben. Es wird darzustellen sein, daß dieser Gesetzesbegriff die jüdisch-hellenistischen Schriften und durchgehend auch das NT beherrscht. Der Vorwurf, der Antiochus IV. trifft, kann gleicherweise gegen Hellenisten erhoben werden (Stephanus und Paulus und Jesus in hell. Deutung). Sie werden als Auflöser des Gesetzes gebrandmarkt. De facto dagegen handelt es sich weithin um verschiedene Voraussetzungen (jüdischer Herkunft) im Gesetzesbegriff selbst: Die einseitige Festlegung auf die Tora des Moses hängt auch selbst eng zusammen mit der Absonderung vom „Hellenismus", während andere Kreise des Judentums an einem weiteren Begriff von Tora/Weisung festhielten. Weithin gilt aber im Spätjudentum ein nicht so streng an der Tora des Moses orientierter Gesetzesbegriff als legitim. Die „Auflösung" der Tora des Moses ist nur von einem bestimmten Standpunkt aus wirklich als „Auflösung" eine Neuerung; bestimmte Gruppen im Judentum waren nicht so streng an der Autorität des Moses orientiert, und zwar nicht erst neuerdings.

c) Die Lehre der Hellenisten wird verworfen, weil sie mit den Gesetzen Antiochus des IV. Verwandtschaft aufweist. Im Rahmen apokalyptischer, an der Auslegung von Dan 7 orientierter Schultradition konnte diese Gruppe durchaus mit dem Widersacher in Beziehung gesetzt werden.

Die Streitgespräche der Evv zeigen, daß Jesus von seinen Gegnern als endzeitlicher Widersacher bzw. Irrlehrer betrachtet wird, der die Menschen verführt; setzt man voraus, daß die Begriffe πλάνος, πλάνη, πλανᾶσθαι für den endzeitlichen Irrlehrer verwendet werden, dann ist Jesus nach Mt 27, 62-64; Joh 7,12; Test Levi 16,3 (πλάνος) dieser Irrlehrer, der den Abfall vom Gesetz herbeiführt (vgl. Test Benj 3,3; Aser 5,4; 6,2f) und der durch seinen Anspruch Gott lästert (vgl. Mk 14,64; Lk 5,21; 22,65). Mt 27,62-64 zeigt, daß diese Identifizierung Jesu mit dem Irrlehrer durch die Auferstehung Jesu nicht nur widerlegt wird, sondern endgültig auf seine Widersacher selbst zurückfällt. So werden vielmehr die Gegner Jesu als die erwiesen, die das Volk verführen und an der Stelle des endzeitlichen Widersachers stehen, sie lästern den Heiligen (Mk 3,28), sie haben Gottes Gebote abgeschafft zugunsten menschlicher Vorschriften (vgl. zu Mk 7,8; 10,1-12), sie versuchen Jesus so wie der

Widersacher der Gerechten versucht (Mk 8, 11; 10,2; 12,15; Mt 16,1; 19,3; 22,18.35; Joh 6,6; 8,6; cf. Sap Sal 2,24). Sie sind in die Irre gegangen (Justin Dial 117,4; Mk 12,24.27) und führen Israel in die Irre (vgl. Mt 15,14 usw).

Damit aber ziehen sie sich alle Urteile zu, die traditionell die vom Gesetz Abgefallenen, die Hellenisten und die künftigen Irrlehrer, auszeichneten:

Der Gegensatz von göttlichem und menschlichem Gesetz (cf Mk 7) ist in 2 Mkk 7,30 bestimmend; der Abfall vom Gesetz gehört zu den typischen Kennzeichen der Endzeit, so in der kopt Petrus-Apk K.1 (H.-S. II p. 480): „Viele von ihnen werden falsche Propheten sein, und sie werden Wege und verschiedene Satzungen des Verderbens lehren"; ebenso in der Apk der Acta Philippi K. 142 (p. 82, 24-26), in der neben Götzendienst vorhergesagt wird: καταλείψουσιν τὰς παραδεδομένας αὐτοῖς ἐντολάς und ebenso p. 80: ἐπιλησθήσονται γὰρ τῆς ἁγίας ἐντολῆς καὶ ἀθετήσουσιν αὐτήν. Schon in Syr Bar 41,3f wurde der Abfall vom Gesetz in direkte Beziehung zur Vermischung mit den Heiden gesetzt. Vgl. dazu in der äth Petrus-Apk (Übers. ed. Bratke) p. 482 (über den Antichrist): „Wieso hast du's uns nicht gesagt, unser Herr, daß er das Evangelium und Paulus und die Acta und alle die Gesetzesschriften aufheben wird. Er hat uns nicht gesagt, daß er das Erbe seiner Schriften, die er vordem verordnet hat, zerstören solle (wolle).

Mit einem durch den Widersacher gegebenen Gesetz rechnet auch die pers. Dan-Apk p. 415: „Heil denjenigen Israeliten, welche auf Gott Vertrauen setzen und im Glauben Israels und im Gehorsam Gottes ins Grab steigen und in jener Zeit das Gesetz jenes Bösewichts nicht annehmen und im Glauben Israels verharren werden". – Zugleich wird deutlich, daß man den Geber eines „neuen" Gesetzes als den Widersacher bezeichnen mußte; das trifft sich mit der z.T. in den Evv nachweisbaren Einschätzung Jesu durch seine Gegner, bzw. entsprechend umgekehrt.

Einen zukünftigen Abfall zum Götzendienst lehrt auch Ass Mos 2,8.

Was in Test Levi 10,2 über den künftigen Abfall der Söhne Levis vorausgesagt ist (παραβάσεως ἣν ποιήσετε... πλανῶντες τὸν 'Ισραηλ), trifft genau mit der Beurteilung der Evv überein; durchaus im Sinne dieser Tradition ist Test Levi 10,6 dann christologisch erweitert worden, indem das Unrecht gegen Christus, den Erlöser der Welt, genannt wird. Ähnlich heißt es im Zusatz zum Test Levi (Charles p. 262): ὡς οὐκ ἐπιστεύσατε ἐν τῷ σωτῆρι τοῦ κόσμου καὶ πλανῶντες αὐτόν.

Insbesondere aber erweisen sich die jüdischen Lehrer dadurch als Widersacher Gottes, daß sie die Tötung Jesu verursachen, dieser aber dann von den Toten aufersteht.

Die der Passion vorangestellten Streitgespräche über Gesetzesauslegung werden ebenso als Versuchung durch den Widersacher aufgefaßt wie als dessen Entlarvung, man vergleiche etwa Justin,

Dial 102,5 mit 125,4: Die Streitgespräche werden ebenso als ἔλεγχος resümiert wie die Berichte über die Versuchung durch den Gegner. Innerhalb der Streitgespräche dienen die formgeschichtlich sekundären Einschübe Mk 2,25f (Schriftunkenntnis), Mk 7,6-13 (Menschensatzungen), Mk 10,3-8 (Hartherzigkeit) der Entlarvung der Gegner (vgl. Joh 8,7-9: die Gegner, die Jesus versuchen wollten, werden selbst als Übertreter der Gebotes Gottes dargestellt). Jesus stopft ihnen das Maul (Mk 12,23; Mt 22,46) oder bringt sie dazu, daß sie nicht mehr zu fragen wagen (Mt 22,12.34; Vassiliev, Anecdota p. 7). Formgeschichtlicher Ursprung der „Entlarvung" ist die Gerichtsszene (vgl. 4 Esra 13,37 „arguet" mit Syr Bar 40,1). Wenn es zutrifft, daß das für die synoptischen Evangelien (bes.: Mk) vorauszusetzende Gemeindemilieu weithin durch eine Verbindung von Monotheismus und gewissen magischen Vorstellungen bestimmt ist (die späteren Apostelakten aus einem auch traditionsgeschichtlich sehr ähnlichen Milieu bestätigen dieses als „volksnahe" Literatur), dann ist die Auseinandersetzung zwischen Jesus und seinen Gegnern die um die Frage, wer die wahre Lehrautorität oder das legitime Gesandtsein besitzt; dann erhalten die Wunder angesichts der Gegner ihre Funktion, und die Streitgespräche über das Gesetz werden zum Erweis dessen, daß die Gegenseite widergöttlich ist. Das hellenistische Judentum hat Ähnliches besonders vom Kampf zwischen Moses und Korach überliefert (vgl. Jos Ant IV 36 εἰ Μωυσῆς ἐλεγχθείη κακουργῶν. 40-50; Philo Vit Mos II 278ff); in Apostelakten findet sich jeweils „der" Widersacher des Apostels (vgl. etwa den Hohenpriester Ananias in Acta Philippi und die Formulierung des Streitobjekts in K. 14: εἰ ἄρα πλάνος ἐγὼ ἢ σύ); der Streit wird mit Worten und mit Wundern ausgefochten.
Während in der formgeschichtlichen Grundform (vgl. z.B. Mk 7,1f. 5.15) die Tendenz vorliegt, die überragende Lehrautorität Jesu gegenüber den Anstößen der Gegner darzulegen, haben die Einschübe die Aufgabe, die Gegnerals Widersacher Gottes darzustellen. Formgeschichtlich parallel ist die Entlarvung des Tyrannen in Martyrien. – Die Entlarvung der Widersacher in den Streitgesprächen steht nun in engem Zusammenhang mit der Aufnahme dieser Stoffe in die Evv. Denn vom Martyrium Jesu her haben sich die Gegner als Handlanger der widergöttlichen Macht erwiesen. So sind diese jüngeren Einschübe konzipiert von der Bestätigung der Autorität Jesu durch sein Geschick her – und andererseits von dem Erweis, daß die Lehrer der Juden der widergöttlichen Macht zugehören. Die Streitgespräche sind so nicht mehr Lehrdispute,

sondern der Kampf zwischen dem endzeitlichen Propheten und der widergöttlichen Macht (vgl. Elias-Apk p. 163). Die nachösterliche Gemeinde begreift den Autoritätswechsel im Lichte des Martyriums Jesu nun nicht mehr als Schulstreit, sondern als den vorhergesagten Kampf zwischen den widergöttlichen Autoritäten und dem endzeitlichen Propheten wie Elias. Dessen Legitimität wird durch Auferstehung und Wunder bezeugt. Die Streitgespräche sind nicht mehr nur Erweis der überlegenen, auf Weisheit begründeten Autorität (wie noch Mk 12,28ff), sie stehen jetzt vielmehr innerhalb des Aufrisses der Evv, nach denen der Autoritätsanspruch Jesu durch sein Geschick erwiesen wird. Die Lehren Jesu über das Gesetz, die de facto weithin der jüdisch-hellenistischen Synagogalkatechese entstammen, werden in ihrem Unterschied zur mehr mosaisch orientierten Tradition nunmehr Ausdruck eines eschatologischen Dualismus: die Differenzen in der Lehre werden nach der faktischen theologischen Funktion der Gegner bewertet. Auf diese Weise wurde das Gut der Jesus anhängenden Gemeinde zum besseren, eschatologisch-gereinigten Gesetz – die Traditionen der sich dieser Autorität nicht beugenden Kreise aber zu verderbten Menschensatzungen. – Wir zeigten bereits, daß von den traditionsgeschichtlichen Möglichkeiten her, die aus dem Judentum bereitlagen, eine umgekehrte Einstufung ebenso gut denkbar gewesen wäre. Freilich eignete sich insbesondere die Tradition über die Gesetzgebung auf Grund von Hartherzigkeit dazu, mit dem gegenwärtigen Vorwurf der Schuld am Tode Jesu zu der These verbunden zu werden, daß die Lehre der Gegner schon immer ihrem Verhalten gegenüber Jesu entsprochen habe (vgl. dazu besonders Acta 7,51-53), daß die Juden insgesamt und seit eh und je und jetzt besonders abgefallen seien.

Die Deutung des Geschickes Jesu mit Hilfe der bereitliegenden Kategorien über das Martyrium und die Auferstehung des Elias führte dazu, angesichts dieses Erweises der Autorität Jesu die Gegner für Widersacher Gottes zu erklären.

Diese These aber traf sich mit der Lehre einer Gruppe von „Hellenisten“, die aus bestimmten traditionsgeschichtlichen Voraussetzungen her Teile des Gesetzes (insbesondere kultische Vorschriften) für Menschensatzungen erklärten, die wegen Hartherzigkeit gegeben seien. Die These vom Abfall des jüdischen Volkes seit dem Götzendienst am Sinai (Hartherzigkeit) traf sich mit der auf Grund des Geschickes Jesu erlangten Einsicht, daß die Autorität der Gegner Jesu widergöttlich sei. Der aus dem jüd.-Hellenismus übernommene

Gesetzesbegriff der Gemeinde steht so in engem Zusammenhang mit der durch das Geschick Jesu begründeten These über die Gegner Jesu als Widersacher Gottes. – Der Abfall vom Gesetz, der gewöhnlich den „Hellenisten" von denen vorgeworfen wurde, die sich an der Mose-Tora orientierten, wird nun von den christlichen Hellenisten gegen die erneuert, die sich der Autorität des Moses zuordnen; auf sie wird jetzt der apokalyptische Topos über den Abfall vom Gesetz, der in der Endzeit stattfinden werde, angewandt; der Tod Jesu, der dieser Gruppe in die Schuhe geschoben wird, sei Ausdruck einer Verlorenheit, die sich auch schon in der falschen Gesetzeslehre zeige – diese aber sei nicht nur falsch, sondern Abfall vom Gesetz Gottes. Erst durch die Lehre von der Auferstehung kann man Jesus als den endzeitlichen Propheten bestätigt sehen, erst durch seinen Tod wird seine Person im Rahmen der dtr Prophetentradition überhaupt deutbar, erst durch die Lehre von der Erhöhung Jesu zum Menschensohn wird die Zugehörigkeit zu diesem Menschensohn heilsentscheidend und damit die soziale Differenz zur jüdischen Gemeinde geschaffen. – Es spricht also vieles dafür, daß die Verendgültigung der antijüdischen Vorwürfe und die pauschale Beurteilung der jüdischen, mit Jesus diskutierenden Autoritäten, erst denkbar ist vom Standpunkt der christlichen Lehre über Jesus als den gestorbenen und auferstandenen endzeitlichen Propheten. Dadurch erst erscheint die Darstellung der Gesetzlosigkeit der Gegner an sich als lohnendes theologisch-apologetisches Anliegen.

So wird man für das Leben Jesu annehmen müssen, daß Jesus Umkehr- und Gesetzesprediger gewesen ist (und noch die Zwölf werden so dargestellt). Allein, der Ansatz für die „Gesetzesfrage" ist – so lautet unsere These – historisch am ehesten verständlich zu machen, wenn man von der dtr Deutung des Geschickes Jesu ausgeht. Denn auf Grund des hier herrschenden Geschichtsbildes ist Jesus der endzeitliche Gesetzeslehrer, der zugleich als letzter Prophet Opfer des Prophetenmordes wird.

Ein typisches Beispiel einer solchen Deutung des Geschickes Jesu im Zusammenhang mit dem Abfall Israels vom Gesetz liefert die judenchristliche Ergänzung des jüdischen Grundtextes in Test Levi 16,2-4[1]. Die Tötung Jesu wird eingereiht in die Linie der Ab-

[1] Test Levi 16,2-4: καὶ τὸν νόμον ἀθετήσετε καὶ λόγους προφητῶν ἐξουδενώσετε ἐν διαστροφῇ κακῇ, διώξετε δὲ ἄνδρας δικαίους, καὶ εὐσεβεῖς μισήσετε, ἀληθινῶν λόγους βδελύξεσθε. καὶ ἄνδρα καινοποιοῦντα νόμον ἐν δυνάμει ὑψίστου πλάνον προσαγορεύσετε καὶ τέλος ὁρμήσετε τοῦ ἀποκτεῖναι αὐτόν, οὐκ εἰδότες αὐτοῦ τὸ ἀνάστημα... δι'αὐτὸν ἔσονται τὰ ἅγια ὑμῶν ἔρημα.

schaffung des Gesetzes und der Verfolgung von Gerechten und Propheten in der Endzeit. Jesus selbst wird dargestellt als „Erneuerer" des Gesetzes, zur Strafe für seine Tötung und die Ignorierung seiner Auferstehung trifft Israel die Zerstörung. – Die Beurteilung der Gesetzes-Auslegung der Juden durch Jesus in der synoptischen Tradition weist auf ähnliche Traditionen einer nachösterlichen, systematisierenden Deutung des Geschickes Jesu. Diese Deutung gab die Möglichkeit, die Gesetzesauffassung der Gegner der Griechisch sprechenden Gemeinde mit den harten Verdikten der „Menschensatzungen" und der „Hartherzigkeit" zu belegen. Diese Vorwürfe aber entstammen selbst jüdischer Tradition und kennzeichnen das Volk (der Endzeit) als abgefallenes.

Insofern aber Jesus der endzeitliche Prophet und Gesetzeslehrer ist, trägt er traditionell den Titel „Licht der Heiden"[1], freilich so, daß zunächst Israel, dann die Heiden erleuchtet werden. Diese Funktion des endzeitlichen Propheten als des Lichtes der Heiden scheint nun in der Tat den Schlüssel für eine Reihe bisher ungeklärter Zentralfragen des frühen Christentums zu bedeuten. Es wird so offenbar möglich, zu erklären, weshalb Jesus in der Evangelientradition als (Gesetzes-)lehrer, in paulinischer Tradition aber soteriologisch als an der Stelle des Gesetzes stehend geschildert werden kann. In dieser zweifachen Hinsicht ist die traditionelle Funktion des endzeitlichen Propheten, Licht (Israels und) der Heiden zu sein, Ursprung der „Gesetzesfrage" im frühen Christentum geworden:

1. Die Auferstehungsvisionen besitzen nachweisbar ihre nächste religionsgeschichtliche Parallele in der Gattung der spätjüdischen Bekehrungsvisionen[2]. Die Elemente von Licht und Stimme werden auf Jesus übertragen: Jesus tritt an die Stelle des Lichts bzw. des Engels, und dabei wird, wie über Joseph nach JosAs, christologische Erkenntnis (Sohn Gottes) vermittelt.

2. Nach jüdischen Texten ist entweder der endzeitliche Prophet

[1] Vgl. dazu Jes 42,6-7.16; 49,6.8-9; 50,10; 51,4-6; 62,1 zu Jes 49,6; vgl. Sir 48,10b, ferner Acta 1,8b. Ferner: Paralip Jer 6,9.12; Jos As p. 46,18f; 47,1f, besonders Lib Ant 51,4-6; Test Levi 14,3-4; Test Zab 9,8. – Im NT: Lk 2,32; Joh 1,9; 3,19-21; 8,12; für Apostel: Acta 13,47; Mt 5,14. – Jesus: Syr Act Thom (Wright p. 229/198).

[2] Diese Gesichtspunkte habe ich ausführlicher dargestellt in meiner in Druck befindlichen Arbeit „Die Auferstehung des Propheten und die Erhöhung des Menschensohnes" Teil II: „Der traditionsgeschichtliche Ursprung der Auferstehungsvisionen".

oder aber das Gesetz[1] das Licht der Heiden. Die Test Patr lösen die Frage so, daß der endzeitliche Prophet das Licht des Gesetzes ausstrahlt. Im Zusammenhang mit Bekehrungsvisionen ist dagegen lediglich stets vom Licht die Rede.

3. Nach der paulinischen Lösung tritt in der Auferstehungsvision Jesus Christus an die Stelle des Gesetzes[2]. Dadurch übernimmt er dessen soteriologische Funktion, da die Erleuchtung durch das Gesetz zum Gerechten macht. (Vgl. Gal 1,16; 3,2ff; Justin, Dial 121-123; Lib Ant 15,6/51,3: Gesetz/Prophet). An die Stelle der Erleuchtung durch das Gesetz tritt die Erleuchtung durch den Auferstandenen, die gleichbedeutend ist damit, daß man nun das christologische Bekenntnis einsieht: Jesus ist der Auferstandene bzw. der Sohn Gottes. Damit ist aber zunächst lediglich die Erleuchtung durch das Gesetz ersetzt, welches gerecht macht und dem auserwählten Volke zugehören läßt. Da diese Initialfunktion der Erleuchtung durch das Gesetz auch die Beschneidung innehaben kann, konnte mit dieser Funktion des Gesetzes gerade auch die Beschneidung zum strittigen Punkt werden: Reflektiert man auf den Akt, durch welchen Gerechtigkeit bzw. Gerechtsein bewirkt wird, so sind Beschneidung und Erleuchtung durch das Gesetz austauschbar. Dort aber, wo das Licht, das die Heiden erleuchtet, der endzeitliche Prophet ist und allein die Zugehörigkeit zu ihm gerecht macht, muß eine Alternative Gesetz/Auferstandener bzw. Beschneidung/Glaube entstehen.

Die paulinische Alternative Christus/Gesetz hat also ihre traditionsgeschichtliche Ursache in der Deutung des Begriffs „lumen gentium". Mit der Lehre von der Erhöhung Jesu zum Menschensohn bzw. Sohn Gottes wurde die Frage bedeutungsvoll, auf welche Weise man zu den Heiligen dieses Menschensohnes gehören könne. Die Antwort wird mit Hilfe des traditionellen Typs der Bekehrungsvision gegeben: Die Bekehrungspredigt Jesu selber wird inhaltlich aufgenommen, aber nunmehr kommt es darauf an, in dieser Vision das christologische Bekenntnis zu gewinnen. Die Bekehrung zu Jesus wird für Juden wie für Heiden gleichermaßen notwendig (das

[1] Zum Licht des Gesetzes vgl. Test Benj 10,2; und besonders Test Levi 14,3; vgl. Joh 1,8; Mt 5,14; ferner Test Levi 4,3.

[2] Vgl. dazu besonders Justin, Dial 122: Die durch das Gesetz erleuchteten Proselyten werden den durch Christus erleuchteten bekehrten Heiden gegenübergestellt. Es handelt sich um die Auslegung von Jes 49,8 (Licht der Heiden). Justin bezeugt deutlich die jüdische Auslegung auf das Gesetz.

Schema der Bekehrungsvision galt ursprünglich für den Übertritt von Heiden zum Judentum).

4. Insofern das Gesetz aber eine Funktion hat, die über das Gerechtmachen hinausgeht, insofern es also nicht nur (wie vergleichsweise die Beschneidung) eine Initialfunktion als Erleuchtung ausfüllt, sondern insofern es die Gerechten mahnt, nicht abzufallen von dem Status ihres Gerechtseins und insofern es daher als Gerichtsnorm gilt, bleibt seine Bedeutung bestehen. Das zeigen bereits deutlich die Taufparänesen der – dem jüd. Hellenismus oft sehr eng verwandten – Apostelakten: Während in der Taufvision selbst Christus als das Licht erscheint, wird doch in der anschließenden Paränese sogleich wieder betont, daß diese Bekehrung gleichbedeutend mit der moralischen Hinwendung von der Finsternis zum Licht der Gesetzeserfüllung sei. Das Licht erscheint also sogleich wieder als das Licht des Gesetzes. Dieses Nebeneinander hat bereits in der jüdischen Tradition der Bekehrungsgeschichten eine Vorstufe in der zweifachen Beurteilung der Bekehrung: als Akt moralischer Besserung (von der Finsternis zum Licht) und als Licht-Vision, die Erkenntnis Gottes bzw. seines Engels oder Boten vermittelt, die dann ebenfalls als Erwachen aus Finsternis zu hellem Licht dargestellt wird. – Paulus kann also die Gleichheit von Juden und Heiden, den Wegfall der Bescheidung und jeglicher soteriologischen Funktion des Gesetzes begründen aus der Tradition von Jesus als dem Sohn Gottes, insofern dieser als Licht der Heiden durch sein Erscheinen (vgl. Eph 5,13 und die Tradition der Taufvisionen!) gerecht macht.

5. Nicht das Gesetz begründet daher die Zugehörigkeit zum erhöhten Menschensohn (Messias, Sohn Gottes), sondern dieser selbst als erscheinender und erleuchtender bzw. das daraufhin gewonnene christologische Bekenntnis. Deshalb ersetzt der Glaube an Jesus Christus Gesetz und Beschneidung. Der Akt des Gerechtwerdens steht im Vordergrund. Nicht zufällig spricht daher Josephus davon, daß der Dekalog wie ein Arkangeheimnis bewahrt werde: Die Einsicht in das Gesetz, seine Erkenntnis, ist die Übergabe in den Besitz; Philo stellt daher eine kurze Darlegung der Beschneidung der ausführlichen Mitteilung der Dekaloggebote voran und folgt so dem Ritus, der Neubekehrte zu Gliedern des Volkes machte: Beschneidung und Erkenntnis des Gesetzes. Es wird deutlich, wie Paulus diese erleuchtende Funktion des Gesetzes durch den christologischen Bekenntnisglauben ersetzt.

Die Zugehörigkeit zum Menschensohn ist aber nicht allein bei Paulus heilsentscheidend, sondern auch in der synoptischen Tradition, und die Perikope Mk 10,17-31 macht deutlich, wie die Entsprechung zum paulinischen Ansatz in der Sprache und auf dem Niveau synoptischer Theologie formuliert werden konnte. Anhand von jüdisch-hell. Vergleichsmaterial – insbesondere Test Hiob – kann man zeigen, daß die Forderung Jesu an den Jüngling nichts weiter ist als die Aufforderung, sich zu ihm zu bekehren und im Sinne eines theologischen Nachfolgebegriffs ihm „nachzufolgen“: Die Aufgabe von Gütern und des ererbten Reichtums, die Tätigkeit des Almosengebens, die Wiedergewinnung der bei der Bekehrung aufgegebenen Güter und Verwandten sind traditionelle Topoi jüdischer Bekehrungsschemata. Die Erfüllung der Dekaloggebote dient zwar – und das wird nicht bestritten – dem Erwerb des ewigen Lebens: Hier spiegelt sich die oben für Josephus und Philo erwähnte Initiationsfunktion des Dekalogs. Aber zur Zugehörigkeit zur Gemeinde muß noch mehr hinzutreten: alle Merkmale einer Bekehrung zu Jesus, traditionell formuliert mit dem Begriff „Nachfolgen“[1]. Dieses wird deutlich als conditio sine qua non formuliert. Die Nachfolge Jesu hat die entscheidende soteriologische Funktion, und nur auf Grund einer solchen Bekehrung gehört man zur Gemeinde. Die zitierten Dekaloggebote werden also nicht eigentlich „überboten“, sondern sie sind streng genommen zu ersetzen durch das Sich-Jesus-Anschließen, sie sind aber – wie der Hinweis auf jüdische Bekehrungstraditionen schon zeigte – de facto Voraussetzung moralischer Art.

Es wird deutlich, wie die Beseitigung der soteriologischen Funktion des Gesetzes bei Paulus, wie analog bei Markus, abhängig ist von der Frage, wie die Zugehörigkeit zu Jesus zu gewinnen sei. Zugleich wird deutlich, daß unsere Exegese von Mk 10,17ff nicht paulinisierend ist und sich nicht versteht als einen jener (leider) zahlreichen Versuche, paulinische Rechtfertigungslehre aus den Evangelien abzulesen, vielmehr wird als gemeinsame traditionsgeschichtliche Wurzel die spätjüdische Bekehrungstopologie deutlich. Die Lösung der jungen Kirche von Israel vollzieht sich darin, daß die Zugehörigkeit zu Jesus als ein Akt der Bekehrung aufgefaßt wird. Dadurch mußte es zwangsläufig zu einer Konkurrenz mit der Größe „Gesetz“ kommen, insofern das Gesetz als das Licht zur Er-

[1] In diesem Zusammenhang ist das sog. Testament des Paulus Acta 20,30 τοῦ ἀποσπᾶν μαθητὰς ὀπίσω ἑαυτῶν zu vergleichen mit den oben erwähnten Texten über die Irrlehrer, die das Gesetz verändern werden: Nachfolge tritt an die Stelle von Gesetzesbeobachtung.

leuchtung der Heiden galt. Das geschieht ganz unabhängig davon, daß das Gesetz als Gerichtsmaßstab weiterbesteht. So erscheint denn auch Jesus in der synoptischen Tradition durchaus weiterhin als Gesetzeslehrer: Die Dekaloggebote dienen in der Tat als Weg zum ewigen Leben – für die, die Jesus nachfolgen und dadurch Gerechte sind.
Der Ursprung der Gesetzesfrage im frühen Christentum ist also sowohl nach der inhaltlichen Beurteilung des Gesetzes als auch nach der soteriologischen Funktion abhängig 1. von der Anwendung der Funktion, „Licht der Heiden" zu sein, auf Jesus als den endzeitlichen Propheten und Gesetzesprediger und 2. von der Deutung des Geschickes Jesu als Tötung und Auferstehung des Propheten und Erhöhung des Menschensohnes.
Das Verdienst des Verfassers der Antithesen der Bergpredigt war es, die soteriologischen und inhaltlichen Gesichtspunkte dadurch zu vereinen, daß unter der generellen Betonung, neue Schöpfung und Äonenwende seien erst demnächst zu erwarten, die „Ethik" der Bekehrung auch die jüdisch-hellenistische Normalethik durchdringt, so das ständige Niedrig- und Demütigsein und das Vollkommen-Werden an die Stelle der bloßen Abfallswarnung an die schon Gerechten getreten ist.
Der Ursprung der Gesetzesfrage ist Jesus als der Gesetzesprediger – betrachtet im Lichte seines Geschicks als Licht für Israel und die Heiden.

Dennoch sind die einzelnen Perikopen auf je verschiedene Traditionen zurückzuführen: Mk 12,28-34 soll dem Erweis der Weisheit Jesu dienen, Mk 10,1-12 steht in der Tradition über Hartherzigkeit, Mk 7,1-23 in der über die widergöttlichen Gebote (Endzeit), in Mk 10,17-31 geht es um die Frage nach dem Verhältnis von Gesetzeserfüllung und Bekehrung zu Jesus, in Mk 2,27f (und in anderen Sabbatperikopen) geht es um eine Auslegung der Vollmacht des Menschen über die Schöpfung, der die über das Gesetz vergleichbar ist (vgl. Pastor Hermae, mand 12,4,3), verbunden mit der Tradition vom innerlichen Gesetz im Herzen (Ez 11,19f – Gegensatz zur Hartherzigkeit). – Die Opposition der Gegner dient aber in jedem Fall dazu, die – erst durch die Auferstehung entschiedene – Frage aufzuwerfen, ob Jesus seine Autorität von Gott bezieht (vgl. die Alternativen in Mt 12,24ff) oder ein Falschprophet (Antichrist) ist, auf den Dt 18,19f zutrifft.

II

Zur inhaltlichen Bestimmung des Gesetzesbegriffs im Frühjudentum und im NT

a) Die Übersetzung von תורה durch νόμος

Die Übersetzung von תורה durch νόμος ist ebenso folgenreich wie irreführend gewesen; nur auf diesem Wege konnte es zur Verwechslung von „Weisung“ und „Gesetz“ kommen. Eine Untersuchung über den Vorgang der Identifizierung beider Größen macht deutlich, daß ein bestimmter Trägerkreis von seinem Verständnis von תורה her diese Ineinssetzung vollzog. Es handelt sich um eine Gruppe von Gesetzeslehrern[1], die ihr Selbstverständnis aus priesterlich-levitischer Tradition bezogen; man wird annehmen müssen, daß es sich dabei um Synagogallehrer handelt, jene Schicht, die am frühesten die Begegnung mit dem Hellenismus theologisch zu vollziehen hatte. Damit tritt zugleich ein Trägerkreis von Traditionen in den Blick, die etwa in Mt 5,27-37 und bei jener Gruppe einer wohl mit hell. Denken vermittelnden Priesterschaft begegnen, die Moses von den Propheten absonderte (vgl. dazu S. 215) und unter Betonung seiner Priorität die Bezeichnung Nomos auf die ganze Schrift ausdehnte. – Die durchgängige Übersetzung von תורה durch νόμος in LXX setzt zwar voraus, daß beide Nomina sich in bestimmten Verwendungsbereichen deckten; sie hat aber hauptsächlich die Wirkung gehabt, daß alle תורה-Stellen des AT auf das Maß des jüdisch-hellenistischen populären Nomos-Verständnisses hin nivelliert wurden. – Eine Eignung für solche Übersetzung wies der תורה-Begriff nur in bestimmten Schichten des AT auf.

„Tora“ bedeutet ursprünglich Weisung und Belehrung überhaupt, und zwar in drei Bereichen: bei der weisheitlichen Mahnung, bei Worten der Propheten und bei priesterlichen Orakeln. Eine Priorität eines dieser drei Verwendungsbereiche ist nicht mehr feststellbar.

Nach weisheitlichen Texten geht eine Tora von den Eltern aus

[1] Den Nachweis, daß es zur Zeit des 4. J. vor Chr. bis 1. Jh nach Chr. Gesetzeslehrer auch in jüd.-hell. Bereich gegeben hat, die sich aus levit. Tradition verstanden, erbringt der Verf. in seiner in Vorbereitung befindlichen Schrift „Die Zwölf und die Apostel“.

(Prov 1,8; 4,2; 6,20) oder sie bedeutet allgemein die Lehre der „Schule" (Prov 28,7.9; 29,18)[1], sie ist Licht und Weg zum Leben (Prov 6,23)[2] und ein „Anwendungsfall" von Weisheit überhaupt (Prov 3,1; 7,2). Auch in Jer 2,8; 8,8 ist die Vermittlung von Tora Aufgabe der Weisen (vgl. Mt 23,34). – Tora ist ein prophetisches Wort in 2 Sam 7,19 (von der Davidverheißung): in den übrigen prophetischen Texten handelt es sich um Weisungen, die das zukünftige Handeln der Angeredeten betreffen, so in Jes 8,16; 30,9; (42,4); in einer Reihe von Texten herrscht die Vorstellung, daß Jahwe seine Gebote und seine Tora überhaupt und grundsätzlich durch die Propheten vermittelt habe, so hat Jahwe nach 2 Kge 17,13 die Tora den Vätern aufgetragen und durch seine Diener, die Propheten, gesandt (שלח); nach Sa 7,12 hörte man nicht die Tora und das Wort, die Gott durch seinen Geist über die früheren Propheten erlassen hatte (ebenso: Dan 9,10; Thr 2,9); ohne Zweifel steht die Verwendung von Tora im prophetischen Bereich in Zusammenhang mit der späteren Zuordnung dieses Begriffes auch zu Moses (Tora im Sinne von Weisung proph. Art etwa in Dt 1,5).
Im Sinne des priesterlichen Orakels begegnet der Begriff in Dt 17,11.18f; Hos 4,6; Jer 18,18, Zeph 3,4; Hag 2,11; Mal 2,6.8f; Ez 7,26; 22,26. Aus dieser priesterlichen Tradition rührt jene Entwicklung des Tora-Begriffs, die zu der Bedeutung „Vorschrift mit Normcharakter" führt; das zeigt sich bereits in Dt 17,11.18, stärker dann in H und P, wo זאת תורה die typische Einleitung für

[1] Vgl. dazu W. Richter, Recht und Ethos/Versuch einer Ortung des weisheitlichen Mahnspruches (StANT; 15), München 1966, Kap. V: Öffentlichkeitsbezug und Schuldenken im Mahnspruch, 147-192. Vgl. für das nachbiblische Judentum die Sentenz aus Ps Menander 51 (70,10): Die Schule hält vom Tode fern (ܒܝܬ ܣܦܪܐ ... ܡܢ ܡܘܬܐ); Handwerk errettet vom Bösen; ein göttlicher Berater ist das Gesetz (ܡܠܟܐ ܐܠܗܝܐ ܢܡܘܣܐ). Beachtenswert ist die typisch weisheitliche Zuordnung von Schule/Tod/Bösem/Gesetz. – Gesetz ist hier nicht im Sinne von Tora des Moses zu verstehen, sondern als die Summe der Weisheitslehre der Schule.

[2] Vgl. dazu W. Richter, a.a.O., 190. – Der Lebenszusage der weisheitlichen Mahnsprüche korrespondiert die Formel מות־יומת in den sog. Gesetzessammlungen des Pentateuch; ohne Zweifel ist mit dieser Formel nicht primär die Todesstrafe als gerichtliche Maßnahme intendiert; es handelt sich vielmehr um eine weisheitliche „Untergangszusage"; das zeigt sich auch im frühjüdischen Fortleben dieses Stiles in Jub 50 und in den drei Reihen in Teez Sanb H p. 13 (L p. 19-21): wie wenig an eine tatsächliche Todesstrafe gedacht ist, zeigt etwa die Formulierung: Wer am Sabbat fastet, soll sterben (L p. 20); vgl. Herm Mand IV, 1,2.9.

Einzelvorschriften wird[1]. Dieser Sprachgebrauch wird dann von den dtr Rahmenschichten des Dt aufgenommen in der häufig wiederkehrenden Wendung התורה הזאת[2].
Aus priesterlichem Bereich stammt möglicherweise auch das Prinzip der Schriftlichkeit der Tora (vgl. als ältesten Beleg Dt 17,18). Moses wird mit Tora erst im dtr Geschichtswerk in Verbindung gebracht, und zwar einerseits als Prophet (oder parallel zu Propheten; vgl. 2 Kge 17,13 mit 21,8), andererseits als Vermittler der Tora an Leviten, die das Monopol als Gesetzeslehrer innehaben und sich dafür auf eine feste Traditionskette berufen (Dt 31,9.24; 33,10)[3]. Diese Verschmelzung von dtr und levitischer Tradition hatte zur Folge:
1. Die Einzelsätze des Dt wurden in gleicher Weise als Toroth wie priesterliche Weisungen interpretiert: als konkrete Vorschriften zum Handeln. Diese Nivellierung des Tora-Begriffes zeigt sich zunächst schon in der Art, in der im Dt Sätze sehr verschiedener Herkunft z.T. einfach nach Stichwortprinzip gesammelt sind. Erst im Horizont von Kultregeln werden diese Sätze, die z.T. ursprünglich einfach Mahnsprüche sind, zu verbindlichen Anweisungen („Gesetzen").
2. Moses wird nun auch der Verfasser aller priesterlich-levitischen Toroth (Nu 31,21 pauschal), während sonst in den Tora-Stellen der Bücher Lev.Nu der Name Moses nicht genannt war. Und: fast

[1] So durchgängig in Lev.Nu. Es ist zu beachten, daß „Tora" zunächst nur von Einzelweisungen gebraucht wird, nicht von einer Sammlung. Im Sinne kultischer Einzelvorschrift wird das Wort außerhalb von H und P verwendet in den Zusätzen zu Ex 16,4; 13,9; 16,28; 12,49; ferner in Ez 43,11.12; 44,5.24; Neh 8,14; 10,35.37; 12,44; 1 Chr 16,40; 22,12; 2 Chr 30,16; 31,3.

[2] So in Dt 1,5; 4,8; 17,19; 27,3; 27,26; 28,52; 28,61; 29,20; 30,10; 31,12 usw. זאת התורה heißt es in 4,44.

[3] Leviten treten auf als Gesetzeslehrer in Dt 31,9.11.24.26; 33,10; Neh 8,7. 8.9; 2 Chr 15,3; 17,9; 31,4; Mal 2,6f. – Im Frühjudentum in Test Rub 8,6; Test Levi 13,2ff; 8,2.13; Test Napht 5; nach CD 4,15 ist Levi sogar mit der Gabe der Prophetie ausgerüstet. – An diesem Punkt trifft sich unsere These mit der von J. Begrich, Die priesterliche Tora, in: Ges. Stud. z. AT (ThB; 21), München 1964, 232-260, wonach durch Esra der priesterliche Tora-Begriff allgemein geworden sei und auch auf nicht-priesterliche Stoffe ausgeweitet wurde. – Daß freilich bereits ursprünglich der prophetische Tora-Begriff von dem priesterlichen abhängig sei (so B. S. 236) ist von B. auch u.a. deshalb nicht bewiesen, weil das Unterscheiden zwischen Rein und Unrein dem Tora-Begriff der älteren Schichten nicht eigen ist und von B. selbst hauptsächlich von Ez 22,26; 44,23; Lev 10,10f; 14,57 her gewonnen wurde (S. 235).

überall, wo in der Folgezeit auf ein Geschriebensein im Buch der Tora des Moses verwiesen ist, handelt es sich um Einzelanweisungen kultisch-ritueller Art[1]; dabei besteht im chronist. Geschichtswerk aber eine gewisse Konkurrenz zu Anweisungen des David[2].
In dem „Buch der Tora des Moses“ sind daher weisheitliche[3], prophetische und priesterliche Toroth unter der zunehmenden Herrschaft des priesterlichen Tora-Begriffes zusammengefaßt.
Außerhalb dieses Traditionsbereiches lebt aber der nicht auf konkrete Regeln beschränkte Gebrauch von Tora fort (z.B. in den weisheitlichen Pss 1,2; 19,8), und zwar in prophetischen und weisheitlichen Traditionen[4]. Hier liegt die Ursache dafür, daß תורה/νόμος auch in späteren apokalyptischen Texten und in jenen jüdischen Traditionen, in denen teilweise die ntl Verfasser stehen, noch nicht identisch ist mit Tora des Moses und auch noch nicht den Charakter einer festen, gesetzlichen Regel hat, sondern im Bereich der Mahnung und Weisung verbleibt. Freilich erhält dann hier die eschatologische Weisheitslehre ihren Verpflichtungscharakter durch die Hinweise auf das kommende Gericht.
Der griech. Begriff νόμος hat primär den Charakter einer kultischen, für die Kultgemeinde verbindlichen Verhaltensregel und hat diese Bedeutung nie ganz verloren[5]. Im Gegensatz zum Ursprung von

[1] Ausn.: 2 Kge 14,6.
[2] 1 Chr 16,40; 22,15; 2 Chr 6,16; 23, 18.
[3] Es bestehen enge Beziehungen zwischen den Mahnsprüchen der Weisheit und den bisher so genannten „apodiktischen Rechtssätzen“ der sog. Gesetzessammlungen, die W. Richter bei der Entdeckung dieses Zusammenhanges als Prohibitive bezeichnete. Bei Prohibitiven und Vetitiven handelt es sich keineswegs um verbindliche Gesetze (daher fehlen Strafangaben, nicht aber Begründungen), sondern um „Lehre“ oder „Ethos“. Erst bei der bunt zusammengewürfelten Sammlung von Prohibitiven und kasuistischen Sätzen verschiedener Art konnte der Eindruck entstehen, es handele sich überall um Toroth gleicher Struktur.
[4] Das gilt zunächst für Texte des AT selber, in denen תורה natürlicherweise nicht Gesetz des Moses bedeutete und bedeuten konnte, so Gen 26,5 von Abraham, der Gottes Gebote usw. hielt: Eine Übersetzung mit νόμος hatte für solche Stellen dann Spekulationen über das den Vätern schon ungeschrieben bekannte Gesetz des Moses zur Folge. – Selbständige weisheitl. Traditionen finden sich in PsMenander 51 (70,9); SyrBar 44,14 (die Wahrheit der „Lehre“ – ܢܡܘܣܐ – steht parallel zu den Vorräten der Weisheit und den Schätzen der Einsicht) sowie in JSir und in der Mehrzahl der unten zu besprechenden Texte.
[5] Vgl. dazu F. Heinimann, Nomos und Physis/Herkunft und Bedeutung einer Antithese im griechischen Denken des 5. Jh, Darmstadt [2]1965, 61-67

Tora im Bereich von „Weisung, Orakel" ist Nomos von Anfang an ein soziales Phänomen und bedeutet: Brauch, Herkommen, alles, was in Geltung ist[1]. Daher steht es parallel zu ἦθος; sein natürlicher Geltungsbereich ist die Polis[2]. Von der Bedeutung des Kultbrauches[3] her kann es dann auch zur Bedeutung „richterliche Norm, Rechtsbrauch" kommen; so ist seit dem 5. Jh Nomos das geschriebene Gesetz zu staatlichem Zwangsgebot und Befehl, auf dessen Nichtbefolgung Strafe steht[4]. Jede Satzung dieser Art wird auf einen νομοθέτης zurückgeführt, der entweder der Gott oder der König ist[5]. Dabei blieb der Nomos-Begriff besonders mit Zeus verbunden. In der Stoa ist Gott der weiseste und älteste Gesetzgeber der ganzen Welt; auch die Bindung an die Polis ist nur scheinbar verloren, wenn das Gesetz auf die ganze Welt übertragen wird.

Dieser Nomos-Begriff – konkrete, autoritative Regelung eines Gemeinwesens – kann nur dort Äquivalent für das hebr. תורה gewesen sein, wo dieses ebenfalls die Bedeutung einer kultisch-politischen Verfassung erlangt hatte. Dieses läßt sich weder für den prophetischen noch für den weisheitlichen Sprachgebrauch von תורה behaupten, sondern allein für den dtr-levitischen. In der Berührung dieser Traditionskreise mit dem hellenistischen Juden-

für die ältesten Stellen in Hesiod Op 276f.388; fr. 221; Theog 417; vgl. ferner Art. νόμος in: ThWB IV 1016-1029 (Kleinknecht: Der νόμος im Griechentum und Hellenismus), 1017. Für die Bedeutung von νόμος als Kultvorschrift finden sich Belege auch in Inschriften aus dem syr Raum, so in IGLS I p. 14,33; 18,9; 20,30; 49 III 10f; 20,30f: νόμον δὲ τοῦτον φωνὴ μὲν ἐξήγγειλεν ἐμή, νοῦς δὲ θεῶν ἐκύρωσεν.

[1] Vgl. dazu F. Heinimann, a.a.O., 65: „νόμος ist somit das bei einer Gruppe von Lebewesen 'Geltende'... die objektive, über dem Einzelnen und sogar über der Gemeinschaft stehende und ihr Leben regelnde Ordnung".

[2] Vgl. Platon, Kratylos 384d; Odyss I 3 (Zenod.). Eine klassische Umschreibung des Inhaltes der νόμος einer Polis findet sich bei Plutarch, Lib Educ 10 (II 7e).

[3] Daher die Wendung νομίζειν θεούς (Herodot 1,131; 4,59; Aristophanes Nubes 329.423); als Kultbrauch in Hesiod fr 221 (ed. Rzach) und bei Plato, Kratylos 400e.

[4] Vgl. Kleinknecht, a.a.O., 1017 Z. 30f. Vgl. dazu R. Hirzel, ΑΓΡΑΦΟΣ ΝΟΜΟΣ, Leipzig 1900, 49: „Erst seit Kleisthenes ist das Wort νόμος auch auf die geschriebenen Gesetze übertragen worden... Es drückt nun nicht mehr bloß die Sitte aus und den leisen... Zwang, den diese auf den Menschen ausübt, sondern bezeichnet... ein klar ausgesprochenes strenges Gebot, das jeden Ungehorsam mit Strafe bedroht".

[5] Vgl. dazu Ps Demosthenes Or 25,16 mit der Rezeption dieser Vorstellung bei Philo, De Decal 15.

tum lag der Ansatzpunkt für die Identifizierung von תורה und νόμος. Die Texte 2 Mkk 4,11; 8,17; 13,14; 4 Mkk 8,7; 17,9 verwenden den Begriff πολιτεία für den jüdischen „Staat" und ordnen diesem die νόμοι zu (2 Mkk 4,11: νόμιμος; 4 Mkk 8,7: θεσμός). Besonders Philo von A. hat die Konzeption der hellenistischen Politeia[1], die des νομοθέτης[2] und die des Nomos-Begriffes im Allgemeinen konsequent auf die atl Tradition angewandt und verbindet dieses in besonderer Weise mit seiner Auffassung vom prophetischen Ursprung dieses Rechtes[3]. Hier handelt es sich aber bereits um die Konsequenzen aus der Übersetzung von Tora mit Nomos.

Diese Übersetzung wurde auch außerhalb der LXX üblich und galt nun auch in jenen Traditionen, die nicht diesen Begriff von Tora hatten, also besonders in der griech.-jüd. Apokalyptik. Da νόμος hier als Norm für das Endgericht verstanden wurde, blieb die Übersetzung möglich, da das richterliche Element des griech. Nomos-Begriffes aufgenommen werden konnte; Philo hat diese Funktion von νόμος in Leg Gai 7 auf die Definition gebracht: νόμος γὰρ ἐκ δυοῖν συμπληροῦσθαι πέφυκε, τιμῆς ἀγαθῶν καὶ πονηρῶν κολάσεως. νόμος wird hior, so etwa in den Test Patr, zum term. techn. für die Gesamtheit der einzelnen ἐντολαί, ohne daß Begriffe wie πολιτεία oder νομοθέτης, die an eine Verfassung denken ließen, auch nur an einer Stelle begegneten.

Im hellenistischen Judentum aber (als dessen Zeugnisse wir die LXX und die Schriften Philos werten) ist Gesetz in zunehmendem Maße der Inbegriff alles dessen geworden, was man als Gesamtheit der jüdischen Lebensordnung und der jüdischen Religion bezeichnen konnte. Ein deutliches Symptom für den wachsenden Totalitätscharakter von Nomos ist dessen zunehmende Identifi-

[1] Vgl. Philo, Spec Leg IV 159 (πολιτεία μία καὶ νόμος ὁ αὐτὸς καὶ εἷς θεός); Spec Leg IV 105.47; Vit Mos II 49; Spec Leg II 73. An allen diesen Stellen ist von der Politeia des Moses oder von der Zugehörigkeit der atl Gesetze zu einer Politeia die Rede (vgl. 4 Mkk 17,9).

[2] Vgl. Philo, Sacr AbCaini 131; Congr Grat 132.

[3] Auf diesem Wege versucht Philo, die Gesetze der Juden von anderen, nur menschlichen Gesetzen zu unterscheiden. Dazu verwendet er häufig die Begriffe θεσπίζειν, ἱεροφαντεῖσθαι, προφητεύειν (z.B. Vit Cont 25; Spec Leg II 189; Decal 15; Det Pot Ins 13; Mut Nom 126). Die Vorstellung übernimmt er aber jedenfalls z.T. aus der Stoa (Dio Chrys Or 19,32). Vgl. Sacr AbCaini 131 mit der Selbstaussage der Isis (ed. W. Peek, S. 122,4: ἐγὼ νόμους ἀνθρώποις ἐθέμην καὶ ἐνομοθέτησα ἃ οὐδεὶς δύναται μεταθεῖναι).

zierung mit διαθήκη. Dadurch, daß νόμος das gesamte religiöse Verhalten nicht nur ordnet, sondern mit diesem identisch ist, kommt es zunächst zu einer Universalisierung des Gesetzes. Wenn es wirklich die ewige und allein heilbringende Ordnung ist, die Israel als Licht gegeben ist und es zum Mittelpunkt der Völker macht, dann ist die Tora auch schon im Grundplan der Welt enthalten, mußte sie schon den Patriarchen bekannt sein und in Mindestforderungen selbst den Heiden. So wird das atl Gesetz das ewige, auf himmlischen Tafeln verzeichnete Gesetz, das identisch ist mit dem Naturgesetz und nach dem sich auch der Lauf der Gestirne richtet[1].
Diese Absicht, das Gesetz so universal als möglich erscheinen zu lassen, stößt in der konkreten Berührung mit den atl. Gesetzeskorpora auf den Widerstand der geschichtlich gewordenen und zeitlich bedingten Einzelformulierungen. Schon die LXX, dann auch Aristobul und der Aristeasbrief, besonders aber Philo v. A. spiegeln die Bemühungen, aus den historisch determinierten Gesetzessammlungen des AT ein Gesetz für eine Politeia zu machen, die den philosophischen Ansprüchen der hellenistischen Oikumene genügt. Der Wortlaut wird nicht „abgeschafft", sondern durch das Mittel der Allegorese wird das dort gebotene Verhalten zurückgeführt auf die dem Hellenisten als „allgemein menschlich" erscheinenden Tugendideale. – So wird alle neu vermittelte Erkenntnis über die Tugenden und über die Welt durch hermeneutische Methoden dem überlieferten Nomos einverleibt.
In diesem Bereich wird das, was man unter dem Sinn des Wortlautes versteht, ständig durch fremde Elemente angereichert, und so wird auch im Einzelnen der Bereich dessen, was unter ein Gesetz fällt, ständig erweitert.

b) Die inhaltliche Füllung des Gesetzesbegriffes durch Sozialgebote und „Tugenden"

Der umgekehrte Prozeß, der sich ebenfalls aus der allgemeinen Bedeutung von Nomos ergibt, ist dagegen bisher fast unbeachtet. Es handelt sich um die Verengung des Inhaltes und die faktische Weg-

[1] Vgl. dazu: S. Aalen, Die Begriffe Licht und Finsternis im Alten Testament, im Spätjudentum und im Rabbinismus, Oslo 1951, bes. 158-163; ferner: W. Gutbrod, Art. νόμος, in: ThWB IV 1042; W. Richardson, The Philonic Patriarchs as νόμος ἔμψυχος, in: Stud Patr 1 (1957) 115-125.

lassung weitester Teile der atl Gesetzessammlungen, wenn von Nomos die Rede ist. Dem entspricht positiv die Einbeziehung griechischer Tugend- und Lasterbegriffe unter den Gesetzesbegriff, ohne daß in diesem Fall eine weitere Verankerung im AT gesucht würde und eine Zurückführung auf vorhandene Gebote auch nur versucht werden könnte. Die atl Gebote werden „ersetzt" durch andere, die aber ebenfalls als Gesetz bezeichnet werden. Für eine bestimmte Schicht des jüdischen Hellenismus ist νόμος de facto nicht das atl Gesetz, sondern lediglich ein Monotheismus, verbunden mit allgemeinen und sozialen Tugenden. Dem Minimum an spezifisch atl Restbestand in diesem Nomos-Begriff entspricht ein Maximum an Nähe zu hellenistischem paränetischem Material. Damit aber tritt vor uns – im Vergleich zu der oben genannten Tradition, die aus levitischem Selbstverständnis zu beurteilen ist – eine zweite, die das Verhältnis zu Gott wesentlich durch die Erfüllung des Moralgesetzes bestimmt sieht. Jegliche speziell nationale Ausrichtung fehlt, und neben der weitgehenden Übernahme griechischer Laster- und Tugendkataloge zeigen sich jüdische Traditionen nur mehr in der Formulierung bestimmter Sozialgebote.
Diese Tendenz wird deutlich in der jüdisch-hellenistischen Weisheitsliteratur, in Sir, Ps und Sap Sal, aber besonders bei Pseudo-Phokylides und Pseudo-Menander. Während für diese Schriften die Aufnahme hellenistischen Materials immer außer Zweifel stand, kommt es hier darauf an, zu zeigen, daß konkret unter νόμος selbst in bestimmten Schichten des hellenistischen Spätjudentums etwas anderes verstanden wird als der Gesamtinhalt der Tora, und zwar sowohl mehr als die Tora als auch erheblich weniger als das, was sie zum Inhalt hat.
Einen großen Anteil an dieser inhaltlichen Entwicklung des νόμος-Begriffs hat die Geschichte des Inhalts von δικαιοσύνη/צדקה im Spätjudentum. Denn wer das Gesetz erfüllt, ist gerecht[1]. Der Inhalt von „Gesetz" ist weitgehend von dem abhängig, was man unter Gerechtigkeit versteht. Gerechtigkeit ist aber weithin nicht nur der Zustand „formaler" Vollkommenheit, sondern speziell die Tugend des menschlichen Miteinanderlebens, die die Gesamtheit des sozialen Verhaltens bezeichnet. Beispiele dafür finden sich sowohl in der griechischen Popularphilosophie als auch in den Schriften hellenistischer Juden als auch bereits in der LXX, mit der Tendenz,

[1] Die enge Beziehung zwischen νόμος und ἀρετή wird deutlich in 4 Mkk 13,24.

„Erbarmen" und „Almosengeben" der „Gerechtigkeit" anzunähern[1]. Einen besonderen Einfluß auf den spätjüdischen Gesetzesbegriff haben offenbar die noch gesondert zu behandelnden „sozialen Reihen". Es handelt sich dabei um Reihungen von Forderungen sozialen Inhalts, eine Gattung atl Herkunft, die sich bis in das NT hinein fortsetzt. Zu Beginn und am Ende dieser Aufzählungen erscheint sehr oft der allgemeine Hinweis auf „Recht und Gerechtigkeit", deren Entfaltung dann die Einzelforderungen sind. Die gesamte Reihe ist eine Art Summe der Gerechtigkeit und des sozialen Verhaltens, eine Tora im Kleinen mit Angabe der für wichtig gehaltenen Forderungen. Als Beispiel sei hier nur genannt Jub 36,3-6.

Der Text ist ein gutes Beispiel einer in sich geschlossenen Paränese (die folgende Einheit V. 7-9 bringt eine Rekapitulation mit Hauptgebot und Bruderliebe!) mit strengem Aufbau: V. 3 ist die Einleitung mit der bekannten Aufforderung zu Recht und Gerechtigkeit und dem Hinweis der Erfüllung der Verheißung an Abraham und seinem Samen als Folge der Gerechtigkeit. V. 4 bringt vier positiv formulierte Einzelaufforderungen rein sozialer Art. Der zweite Teil des Hauptstücks ist V. 5 mit einer Warnung vor Götzen. V. 6 bietet den der Einleitung entsprechenden Schluß: Wiederum werden Abraham und sein Same genannt sowie die Verheißung, als Pflanzung der Gerechtigkeit eingepflanzt zu werden.
Durch die Verknüpfung mit der eschatologischen Verheißung an den Samen Abrahams und die negative Formulierung des Hauptgebotes als Warnung vor Götzen bekommt das, was hier unter Gerechtigkeit verstanden wird, eine gewisse inhaltliche Vollständigkeit: Durch die Verehrung des einen Gottes und durch die verschiedenen Weisen, den Bruder zu lieben, wie man

[1] Vgl. dazu die Untersuchungen von W. Nagel, Gerechtigkeit – oder Almosen/ Mt 6,1, in: VigChr 15 (1961) 141-146, und M. J. Fiedler, Der Begriff ΔΙΚΑΙΟΣΥΝΗ im Matthäusevangelium, Diss. Halle 1957, 5-22 (Gerechtigkeit im Griechentum), 17: „Die Gerechtigkeit ist für Zenon – wie weithin für die ganze Schule der Stoa und besonders dann für Epiktet – die soziale Tugend schlechthin; sie regelt den Verkehr der Menschen untereinander. Auf die δικαιοσύνη bezogen finden sich in stoischen Texten immer wieder Begriffe wie κοινωνία / κοινώνημα – πρὸς ἑτέρους / πρὸς ἀλλήλους – πλησίον etc." (Anm. 84). Ähnliches gilt für Chrysipp und Seneca (S. 18). Vgl. die Zusammenfassung auf S. 20: „Die griechische δικαιοσύνη ist die Tugend des menschlichen Miteinanders. Sie ist die genuin politische, soziale Tugend". Der griech. Gerechtigkeitsbegriff findet sich nach Fiedlers Feststellung (55) auch im Aristeasbrief und bei Josephus (S. 61). Zum Gebrauch bei den Rabbinen und als Wohltätigkeit in der LXX vgl. S. 81-82. – Auf S. 87 stellt Fiedler schließlich fest, für das Judentum der Diaspora sei der griechische δικαιοσύνη-Begriff kennzeichnend. Vgl. dazu A. Causse, Du groupe ethnique à la communauté religieuse, 160. Zur Identifizierung von Almosen und Gerechtigkeit vgl. auch die Petrus Apk K 12 (H-S II 479).

sich selbst liebt, ist das, was Gerechtigkeit ist, offenbar hinreichend umschrieben.

Eine Verkürzung einer sozialen Reihe auf die Wiedergabe des Anfangsgliedes und die Zusammenfassung der übrigen Glieder durch νόμος findet sich in Sap Sal 6,4 οὐκ ἐκρίνατε ὀρθῶς οὐδὲ ἐφυλάξατε νόμον (vgl. CD 1,14f).

Das III. Buch der Sibyllinen zeigt einen Nomos-Begriff, dessen Inhalt nur in der Verehrung des einen Gottes und der Einhaltung von Sozialgeboten besteht, die eine Mischung von Wiedergaben atl Sozialgebote mit hellenistischem „Humanismus" sind:

Sib III,246 πληροῦντες μεγάλοιο θεοῦ φάτιν ἔννομον ὕμνον steht am Ende einer Reihe von Sozialgeboten über richtiges Maß, den Grenzstein, das Verhalten zu Armen, Witwen, Waisen und Bedürftigen usw. Diese Reihe hatte in III,234 begonnen mit dem Hinweis auf „Gerechtigkeit und Tugend" (τε δικαιοσύνην τ'ἀρετήν τε). Die Erfüllung des Gesetzes ist voll gegeben, wenn die Gerechtigkeit auf diese Weise erreicht ist.

Sib III,275-279 ist es das heilige Gesetz, dem unsterblichen Gott und nicht Götzen von Menschenhand zu dienen. Der Vorwurf lautet: ὅτι φρεσὶν οὐκ ἐπίθησας ἀθανάτοιο θεοῦ ἁγνῷ νόμῳ. Der Gegensatz dazu ist: πλανᾶσθαι, indem man den Götzenbildern dient[1].

Wenn Josephus in c. Apionem II,14 (146) ausführt, die Gottesverehrung,

[1] M. Friedländer, Jüdische Apologetik, 48f: „Freilich darf man sich dasjenige, was der... Verfasser... unter „Gesetz" versteht, von welchem er prophezeit, „daß es allen Sterblichen als Führer des Lebens dienen werde", auch nicht im entferntesten als das Gesetz vorstellen, wie es sich auf judäischem Boden... /49/ entwickelt hatte. Mit einem solchen, die schwersten Entbehrungen auferlegenden Gesetz hätten unsere alexandrinischen Heidenbekehrer nimmer so große Erfolge im Heidentum erzielen können". – Das Wesen des Gesetzes nach Sib III sei vielmehr reine Gottesverehrung, Menschenliebe und Sittenveredlung.

Nach Sib III, 757 wird das jüdische Gesetz demnächst sogar κοινὸς νόμος κατὰ γαῖαν ἅπασαν werden. Dazu vgl. Gutbrod Art νόμος, in ThWB IV, 1042. Nach E. Schürer, Geschichte des jüdischen Volkes im Zeitalter Jesu Christi III, Hildesheim 1964, 173, wird im jüdischen Buch der Sib (III) von den Heiden nur gefordert die Verehrung des wahren Gottes und der Glaube an das künftige Gericht, bei der Bekehrung nur ein Reinigungsbad, keine Beschneidung. – Vgl. ferner F. Hahn, Das Verständnis der Mission im Neuen Testament (Wiss. Monogr. z. A. u. N.T.; 13), Neukirchen 1963, 16f: „...daß man sich in der Regel damit begnügte, die Heiden zur Anerkennung des einen Gottes und zur Befolgung der ethischen Grundforderungen des Alten Testamentes zu bewegen". Vgl. ferner K. G. Kuhn, Das Problem der Mission in der Urchristenheit, in: Evang. Missionszeitschr. 11 (1954) 161-168; 162 und Art. προσήλυτος in ThWB VI, 727-745. Vgl. auch H. Preisker, Ethos des Urchristentums, 36: „Für die Stellung der Apokalyptik zum Gesetz ist weiterhin bezeichnend, daß mit νόμος nicht stets das ganze Gesetz einschließlich der Zeremonialbestimmungen gemeint ist, sondern daß unter νόμος auch nur die sittlichen Gebote verstanden werden", mit Hinweis auf Sib III 600; 4 Esr 3,33; 8,29.

die Menschenliebe und die Gerechtigkeit seien der Sinn des Gesetzes, hat er zwar faktisch nicht die Fülle der Einzelgebote außer Kraft gesetzt, aber doch durch diese Zusammenfassung die Voraussetzung dazu geschaffen, daß nun die Begriffe Gottesverehrung und Gerechtigkeit auch von einer nicht an den atl Einzelgeboten orientierten Seite aufgefüllt werden können[1].

Besonders zu beachten ist der Nomos-Begriff in den Testamenten der Patriarchen.

Test Rub 3,8

Da mit V. 9 ein neuer Abschnitt beginnt (wie in Tob 4,13.19c eingeleitet durch καὶ νῦν, τέκνα μου), ist dieser Satz auch formal als abschließende Mahnung zu dem in 3,3 beginnenden Katalog von Pneumata des Irrtums, die dem Menschen gegeben seien, zu verstehen. Zu diesen bösen Pneumata gehörten: Unzucht, Unmäßigkeit, Kampf, Gefallsucht und Zauberei, Überheblichkeit, Lüge und als Schlußglied Ungerechtigkeit (ἀδικία). Der genannte V. 8 beginnt dann durch καὶ οὕτως ἀπόλλυται mit der Schlußfolgerung. Die Gründe dieses Vernichtetwerdens werden dreifach angegeben durch synonyme Wendungen: „verdunkelnd seinen Sinn weg von der Wahrheit" – „nicht verstehend im Gesetz des Herrn (μὴ συνιῶν ἐν τῷ νόμῳ τοῦ θεοῦ)" – „nicht hörend die Weisungen seiner Väter".

Von den aufgezählten Geistern des Irrtums ist außer μαγανεία kein Laster im atl „Gesetz" verboten. Als aus Unkenntnis des Nomos entstanden wird eine Reihe von Lastern bezeichnet, die im atl Gesetz überhaupt nicht erwähnt wird. Ein Gesetzesbegriff liegt vor, der nicht am Inhalt der „Tora" orientiert ist, sondern alles, was dem Verfasser als Laster erscheint, unter den Nomos bezieht. νόμος τοῦ θεοῦ selbst ist ein fester Begriff, aber sein konkreter Inhalt ist variabel.

Test Rub 6,8

Die Wendung ὅτι αὐτὸς γνώσεται νόμον θεοῦ (sc. Levi) ist mit 3,8 zu vergleichen. Inhaltlich bezieht sich dieser Passus auf die Warnungen und Mahnungen von 6,1-4, die πορνεία, εὐσέβεια und ἐπιθυμία betreffen, denn V. 5 mahnt, den Söhnen Levis nachzueifern und V. 8 nimmt (nach den Begründungen von V. 6 und 7) dieses Thema wieder auf. In V. 9 wird darauf der Inhalt von νόμος in einer Umschreibung wiedergegeben: ποιῆσαι ἀλήθειαν ἕκαστος πρὸς τὸν πλησίον αὐτοῦ. Die Formulierung hat ihre nächste Parallele

[1] Vgl. Ant III,84: Gott als Gesetzgeber ist καὶ βίον τε ὑμῖν εὐδαίμονα καὶ πολιτείας κόσμον ὑπαγορεύσας. Dazu ist zu vergleichen De Virt 119: Das Ziel der ganzen Gesetzgebung sei gewesen: ὁμόνοια, κοινωνία, ὁμοφροσύνη, κρᾶσις ἠθῶν und daher: εὐδαιμονία aller Menschen.

in Prov 21,3 ποιεῖν δίκαια καὶ ἀληθεύειν צדקה ומשפט (dies ist Gott mehr gefällig als das Blut von Opfern). – Zu diesem Inhalt fügen dann die HSS α und γ hinzu: καὶ ἀγάπην ἔχειν ἕκαστος πρὸς τὸν ἀδελφὸν αὐτοῦ ähnlich dg, d.h. der nach LXX-Sprache gewonnene Ausdruck wurde präzisiert und die Summe des Gesetzes in gebräuchlicherer Terminologie wiedergegeben. – In Test Jos 18,1 wird abschließend gemahnt, nun also in den Geboten des Herrn zu wandeln. Diese Gebote begannen aber in 17,2 mit: ἀγαπᾶτε ἀλλήλους.

Test Iss 4,6

ἵνα μὴ ἴδῃ διεστραμμένας τὰς ἐντολὰς τοῦ Κυρίου. Auch hier geht es um die Erkenntnis des Gesetzes. Dieser Satz steht am Ende einer Paränese, die in 4,1 begann. Die Einfachheit des Herzens (V. 10 und 6a) ist die Grundhaltung zur Befolgung des ganzen Gesetzes. Sie ermöglicht die rechte Erkenntnis der Gebote des Herrn gegenüber dem Irrtum der Welt. Das Verhalten, in dem sie sich äußert, zeigt, daß die Gebote richtig erkannt und bewahrt werden. – Die in V. 2-5 genannten Einzelhandlungen haben so gut wie nichts mit den atl Geboten zu tun, sind aber als deren Ersatz durch die Rahmung als Gebote des Herrn dargestellt und dienen dem paränetischen Anliegen des Verfassers.

Test Iss 5,1

Die Mahnrede von Test Iss 5 ist der in Kap 4 parallel. Sie beginnt mit der Mahnung: φυλάξατε οὖν τέκνα μου νόμον θεοῦ. Wie in Kap 4 ist der Inhalt des Sich-Haltens an das Gesetz parallel zum Erwerb der ἁπλότης; dann aber wird weiter differenziert, worin es besteht, das Gesetz des Herrn zu beobachten: in ἀκακίᾳ zu wandeln, nicht περιεργάζεσθαι mit (β: den Geboten des Herrn und) dem Tun des Nächsten, den Herrn und den Nächsten zu lieben, sich des Armen und Schwachen zu erbarmen und vor allem Ackerbau zu treiben, sich mit Feldarbeiten zu beschäftigen und dem Herrn Gaben darzubringen.

Das paränetische Anliegen von Test Iss 5 ist also: die Erfüllung des Gesetzes in wenigen, auf Gottes- und Nächstenliebe und die Tugenden des bäuerlichen Standes gerichteten Verhaltensweisen. Die Aufzählung ist dadurch als vollständig im Sinne des Verf. gekennzeichnet, daß die beiden Hauptgebote der Gottes- und Nächstenliebe im Kontext erscheinen. Sie werden konkretisiert durch die Angaben über das Verhalten zu Armen und Schwachen, und mit den Tugenden des Ackerbaues werden aktuelle Mahnungen neu hinzugefügt.

Test Dan 5

Dieses Kapitel ist ebenso gebaut wie Test Iss 5. Die erste Zeile lautet: φυλάξατε οὖν τέκνα μου τὴν ἐντολὴν (τὰς ἐντολὰς) τοῦ Κυρίου καὶ τὸν νόμον αὐτοῦ τηρήσατε. Dann folgt eine Aufzählung: Steht ab vom Zorn und haßt die Lüge..., redet Wahrheit ein jeder mit seinem Nächsten, geratet nicht in Lust und Unruhe, sondern seid in Frieden und habt den Gott des Friedens,... liebet den Herrn in eurem ganzen Leben und einander mit wahrhaftigem Herzen. – Der Gegensatz zu diesem Verhalten seien: Unzucht, Bosheit, Hurerei und Übermut.

Wiederum werden als Inhalt des Nomos Dinge genannt, die eine Grundlage im AT nicht besitzen, und wieder ist der Aufzählung durch Anführung der beiden Hauptgebote der Charakter der Vollständigkeit verliehen.

Test Dan 6,10

ἀπόστητε οὖν ἀπὸ πάσης ἀδικίας καὶ κολλήθητε τῇ δικαιοσύνῃ τοῦ νόμου τοῦ θεοῦ. Vorher waren in V. 8 die Mahnungen vorausgegangen: Sich vor jedem bösen Werk zu bewahren, Zorn und Lüge wegzuwerfen, Wahrheit und Langmut zu lieben, die Lehren des Vaters den Kindern weiterzugeben; V. 9 ist ein Einschub; V. 10 bringt die Zusammenfassung mit den Begriffen „Ungerechtigkeit", „Gerechtigkeit" und „Gesetz".

Test Napht 3,1f

V. 1 warnt davor, seine „Handlungen zu verderben", vor Habsucht, vor leeren Worten, mahnt zur Reinheit des Herzens, welche es möglich mache, den Willen des Herrn einzuhalten. V. 2 stellt dann die Ordnung der Gestirne als vorbildlich für die Bewahrung des Gesetzes hin und mahnt: καὶ ὑμεῖς μὴ ἀλλοιώσητε νόμον θεοῦ ἐν ἀταξίᾳ πράξεων ὑμῶν.

Test Jos 11,1

Mit der Aufforderung, Gott zu fürchten und die Brüder zu ehren – also einer Zusammenfassung in die beiden Hauptgebote – ist hier der Inhalt des Gesetzes vollständig wiedergegeben, denn der Folgesatz lautet: πᾶς γὰρ ὁ ποιῶν νόμον Κυρίου ἀγαπηθήσεται ὑπ' αὐτοῦ. Damit fügt sich diese Stelle gut in den Zusammenhang anderer genannter Texte ein.

Test Gad 3,1.2

Die Ermahnung beginnt wieder mit dem charakteristischen καὶ νῦν ἀκούσατε und setzt sich dann fort: τοῦ ποιεῖν δικαιοσύνην καὶ πάντα νόμον ὑψίστου. Der folgende Text warnt dann vor dem Irren durch den Geist des Hasses: Nach V. 2 wird zunächst vom „Hassenden" vor allem der verfolgt, der das Gesetz des Herrn tut – ein Ausdruck dafür, daß „Haß" die Gesamtablehnung des Gesetzes bezeichnet und mit „Ungerechtigkeit" inhaltlich identisch ist. Mit V. 3 beginnt dann eine Aufzählung der Laster des Hassenden, die unter anderem die Glieder καταλαλία und ὑπερηφανία enthält.
Nach 4,1 ist der Haß die Ursache für ἀνομία; V. 2 bringt die Begründung: Denn nicht will er hören die Worte der Gebote über die ἀγάπη τοῦ πλησίον, und gegen Gott sündigt er. In 4,3-5,2 werden weitere Beispiele für das gebracht, was der Haß bewirkt. Ab 5,3 wird dem die „Gerechtigkeit" gegenübergestellt.
Der ganze Kontext ist eine breit ausgeführte Mahnung über Begriffe wie Liebe und Haß, die hier identisch sind mit dem Verhalten zu Gesetz und Gerechtigkeit. Alttestamentliche Gebote werden nicht erwähnt. Nur das „den Nächsten nicht lieben und gegen Gott sündigen" gehört zum festen Inhalt dessen dazu, was hier Gesetz bedeutet.

Verwandt ist auch die Mahnung in Test Benj 10,3: „Tut Wahrheit jeder zu seinem Nächsten und das Gesetz des Herrn und seine Gebote bewahrt“[1].

Der Nomos-Begriff der Test Patr weist also eine bestimmte inhaltliche Füllung auf, die durch Sozialgebote, Lastertitel griechischer Herkunft und das Überwiegen der beiden „Hauptgebote“ bestimmt ist[2].
Auch die folgenden Beispiele weisen hin auf die faktische inhaltliche Reduzierung des atl Gesetzes und seine weitgehende Identifizierung mit Sozialgeboten überhaupt.

Sap 2,11

Das „Gesetz der Gerechtigkeit“ bei jenen wird beschrieben, denen ihre Kraft allein Gesetz ist. Denn der Inhalt des νόμος δικαιοσύνης dieser Menschen ist: den Armen zu bedrücken, der gerecht ist, die Witwe nicht zu schonen und um den Alten sich nicht zu kümmern, „denn das Schwache erweist sich als unbrauchbar“ (11b). Ab V. 12 folgt darauf noch die Verfolgung der Gerechten. – Wegen der Begründung in V. 11b ist dieses „Gesetz der Gerechtigkeit“ nur auf V. 10 (nicht auf weiter voranliegende Stücke) und nur noch indirekt auf V. 12 zu beziehen. Daraus folgt aber: νόμος δικαιοσύνης umfaßt die sozialen Verhaltensweisen gegen Niedriggestellte und nicht mehr. – Die sich allein auf ihre Kraft stützen, machen ein neues Gesetz der Gerechtigkeit, indem sie das alte umkehren.

[1] Der Inhalt von νόμος ist nach Test Levi 13,1, Gott zu fürchten und nach Test Levi 13,5, δικαιοσύνη zu üben auf der Erde. Zu vergleichen ist auch: Test Zab 5,1: Durch καὶ νῦν τέκνα μου ist ein neuer Einsatz gekennzeichnet. Die Mahnung geht darauf: φυλάσσειν τὰς ἐντολὰς τοῦ Κυρίου καὶ ποιεῖν ἔλεος... καὶ εὐσπλαγχνίαν ἔχειν. V. 3 fährt fort mit Begründungen; ferner: Test Levi 14,4f. Nach Test Aser 6,2 setzt außer Kraft den Lehrer des Gesetzes des Herrn (τὸν ἐντολέα τοῦ νόμου Κυρίου), wer sich in einer Reihe von Eigentumsdelikten gegen den Nächsten vergeht (κλέπτειν, ἀδικεῖν, ἁρπάζειν, πλεονεκτεῖν). Test Benj 3,1 bezeichnet das Halten der Gebote einfach als Nachahmung des guten und heiligen Mannes Joseph (φυλάξατε ἐντολὰς αὐτοῦ μιμούμενοι). In Test Juda 26,1 folgt ohne weitere Konkretisierung die Mahnung, in allem das Gesetz des Herrn zu bewahren, auf den Gesamtinhalt der Paränese dieses Patriarchentestamentes. Nach Test Levi 16,2 besteht das Irren, das Gesetz außer Kraft Setzen und das Propheten Verfolgen darin, daß Gerechte verfolgt, Fromme gehaßt und wahre Worte geschändet werden.
[2] Werden Einzelgesetze aus dem Pentateuch genannt, was äußerst selten geschieht, so wird νόμος mit entsprechenden erläuternden Attributen versehen, so in Test Zab 3,4 vom Gesetz über die Leviratsehe: ἐν γραφῇ τοῦ νόμου Μωυσέως γέγραπται; ähnlich wird in Test Sim IX (β) νόμος τοῦ πένθους als das Gesetz über die Dauer der Trauer genannt. In Test Levi 9,7 heißen die kultischen Gebote: νόμος ἱερωσύνης.

Sap 6,18

Der Inhalt dessen, was es heißt, das Gesetz zu erfüllen, wird gegenüber der Tora verschoben, wenn es von der Weisheit heißt: ἀγάπη δὲ τήρησις νόμων αὐτῆς. Der Satz steht in einem Kettengefüge, das von V. 17 bis V. 20 reicht. In V. 17b wird die Liebe selbst hergeleitet aus der φροντὶς παιδείας.

Sir 32(35),23

„Bei all deinem Tun achte auf dich, denn das ist das Halten der Gebote" (καὶ γὰρ τοῦτό ἐστιν τήρησις ἐντολῶν – כי שומר מצוה זה). Hier ist der Inhalt des Gesetzes noch weiter „verdünnt" als dies etwa in der Goldenen Regel bei Mt geschieht.
Indem nach Sir 4,1 die Weisheit selbst identifiziert wird mit dem Buch der Gebote Gottes und mit dem Gesetz, das in Ewigkeit währt, (vgl. Jes 40,8b), ist alles „Gesetz", was immer Inhalt von Weisheit ist[1]. Der Terminus „Buch" bezieht sich nicht auf eine dem Kanon vergleichbare Größe, sondern ist, wie auch sonst im Judentum, Sammelbegriff für „theologische Tradition".
In Sir 19,17; 28,6.7 und 29,1 wird das dem Nächsten Verzeihen und das Erbarmenüben gegen ihn identifiziert mit dem Halten des Gesetzes des Höchsten durch die damit verknüpften Wendungen τηρεῖ ἐντολάς, μνήσθητι ἐντολῶν, δὸς τόπον νόμῳ ὑψίστου. Besonders zu beachten ist, daß nur in Fällen dieser Art das „Gesetz" und die „Gebote" selbst mit einem konkreten Tun verbunden worden sind: Das „Gesetz" ist tatsächlich in der Liebe zum Nächsten erfüllt. Die enge Verbindung von Gesetz und Gerechtigkeit unter gleichzeitiger Reduzierung des Gesetzes auf das, was unter Gerechtigkeit vorgestellt ist, zeigt ArBr 168: ὁ δὲ νόμος ἡμῶν κελεύει μήτε λόγῳ μήτε ἔργῳ μηδένα κακοποιεῖν... πάντα κεκανόνισται πρὸς δικαιοσύνην.

Praep. Ev. 8,7 (Philo)

Das ganze Kapitel soll die Verfassung der θεοσεβὴς πολιτεία des Moses wiedergeben. Während Josephus in Ant IV. mit ähnlichem Ziel weitgehend noch dem Wortlaut atl Gebote gefolgt war, wird vom Autor dieser Sammlung eine Summe von Geboten sozialen Inhalts gebracht, die nur zum geringsten Teil auf atl Geboten beruhen. Durch die Goldene Regel eingeleitet finden sich darunter auch in 8, 7, 6 die „Buzygien der Juden" (s.u.). Dieser Passus wird eingeleitet durch den Satz: μυρία δὲ ἄλλα ἐπὶ τούτοις, ὅσα καὶ ἐπὶ ἀγράφων ἐθῶν καὶ νομίμων καὶ τοῖς νόμοις αὐτοῖς. Alles in diesem Kapitel Genannte wird als Gesetz der Juden betrachtet.

Philo, Virt 182

Innerhalb einer Schilderung der Bekehrung (vgl. Kontext ab 179) wird zunächst die Forderung nach der Verehrung des einen Gottes erhoben.

[1] M. Hengel, Judentum und Hellenismus, 455, spricht davon, daß erst im Zuge der Nationalisierung der jüdischen Weisheit diese von Ben-Sira mit der Mosetora identifiziert worden sei.

Dieser muß nun notwendig (ἀναγκαῖον) die Gemeinschaft der anderen Tugenden folgen. Zunächst steht also die ἀρετῶν κοινωνία formgeschichtlich an der Stelle, die traditionell die Erfüllung aller Gebote einnimmt. Dann wird aufgezählt, welche Tugenden die Hinzukommenden (zum Judentum) erwerben: γίνονται γὰρ εὐθὺς οἱ ἐπηλύται σώφρονες, ἐγκρατεῖς, αἰδήμονες, ἥμεροι, χρηστοί, φιλάνθρωποι, σεμνοί, δίκαιοι, μεγαλόφρονες, ἀληθείας ἐρασταί, κρείττους χρημάτων καὶ ἡδονῆς. Dann aber wird eine Schilderung der Gegenseite durch einen Lasterkatalog mit Hilfe folgender Wendung eingeleitet: ἐπεὶ καὶ τοὐναντίον τοὺς τῶν ἱερῶν νόμων ἀποστάντας ἰδεῖν ἐστιν. D.h.: die diese Tugenden nicht erwerben, sind solche, die von den heiligen Gesetzen abfallen. Auch unter den Lastern sind kaum solche, die an atl Gebote erinnern. Das bedeutet: Der Platz, den im Aufriß der Rede von „Umkehr" die Gebote des Dt einnehmen konnten, ist nunmehr durch eine Reihe von Tugenden oder Lastern ausgefüllt. Diese sind jetzt so „notwendig" auf das Hauptgebot bezogen wie vorher die Einzelgebote, und diese Tugenden werden auch noch als heilige Gesetze bezeichnet. Da Philo im Zusammenhang geprägte Stücke aus der Proselytenterminologie übernimmt, ist anzunehmen, daß auch hier traditionell jüd.-hell. Anschauungen über die anzunehmenden „Gebote" wiedergegeben werden. Besonders weist darauf die Verbindung mit der τιμή des einen Gottes.

Ps.-Phokylides

Was ein hellenistischer Jude sich unter dem „Recht Gottes" vorstellen konnte und unter der vom Gesetz geforderten Gerechtigkeit, wird beispielhaft deutlich an dem Verhältnis, das zwischen Rahmung und Inhalt im pseudo-phokylideischen Gedicht besteht. V. 1 lautet: ταῦτα δικῃσ' ὁσίῃσι θεοῦ βουλεύματα φαίνει. Der Schlußvers lautet (229f): ταῦτα δικαιοσύνης μυστήρια, τοῖα βιεῦντες ζωὴν ἐκτελέοιτ' ἀγαθὴν μέχρι γήραος οὐδοῦ. Der Inhalt ist eine Sammlung von jüdisch-hellenistischen Weisheitssprüchen, zum großen Teil eine Weiterführung des Materials des Buches Jesus Sirach[1], aber auch Wiedergaben atl Gebote. Durch die Rahmung wird diese weisheitliche Sammlung mit dem Gesetz identifiziert.

Starke Einflüsse durch heidnische Lasterkataloge weist der Gesetzes- und Gerechtigkeitsbegriff auf im 4. Mkk-Buch und in der Griech. Baruchapokalypse:

[1] Vgl. dazu: H. Ranston, Ecclesiastes and the Early Greek Wisdom Literature, London 1925, 79ff; A. Beltrami, Studi Pseudofocilidei, Firenze 1913; ders., Spirito giudaico e specialmente essenico della Silloge Pseudofocilidea, Torino 1913; F. Rudisch, Zur Überlieferung der Pseudophokylidea in: Wiener Studien 35 (1913) 387f.

4 Mkk 1,16

Die Weisheit sei die Erkenntnis göttlicher und menschlicher Dinge und deren Ursachen. Von ihr heißt es: ἔστιν ἡ τοῦ νόμου παιδεία. Die „Ideen" der Weisheit aber seien Einsicht, Gerechtigkeit[1], Tapferkeit und Klugheit. – Trotz dieser Äußerung ist der Verf. des 4 Mkk auf die Seite Philos und des Aristeasbriefes zu stellen, da hier der Besitz der Tugenden nicht das Gesetz ersetzt, sondern eine Einhaltung motiviert. Anders in

Griech Bar 8,5:

Auf die Frage, warum die Strahlen der Sonne auf der Erde befleckt werden, wird geantwortet: θεορῶν τὰς ἀνομίας καὶ ἀδικίας τῶν ἀνθρώπων, ἤγουν πορνείας, μοιχείας... Die Aufzählung ist ein dekalogähnlicher Lasterkatalog; daher ist für einen Teil der Vergehen der atl Hintergrund gesichert[2].

1 QS 8,1-4

Der Text gibt Aufschluß darüber, daß die sog. Toraverschärfung in Qumran in erster Linie nur die rituellen Satzungen betraf, daß dagegen in den mehr paränetischen Stücken sich spätjüdische Traditionen erhalten konnten. Der Inhalt der hier angeführten sozialen Reihe geht nicht über spätjüdische Traditionen hinaus. Das Besondere aber ist, daß die dieses einhalten „vollkommen sind in allem", was offenbart ist aus dem ganzen Gesetz (מכול התורה). Damit ist offenbar eine Art Summe der Vollkommenheit angegeben. Durch die Übernahme der Gattung der „sozialen Reihe" an dieser Stelle ist es bedingt, daß im Gegensatz zu anderen Stellen der Qumran-Texte das rituelle Element in diesen Tora-Begriff völlig fehlt.

Theophilus ad Autol II 34,8-35,3; III 9

Als Inhalt von Gesetz und Propheten werden genannt: Die Erkenntnis des einen Gottes, eine Reihe von Dekaloggeboten und die Goldene Regel. Wer so Gerechtes tue, erlange ewiges Leben. Nach K. 35 gilt als Gesetz eine ver-

[1] 4 Mkk 2,7-9 zählt eine Reihe von κωλυτικοὶ τῆς δικαιοσύνης πάθη auf, die inhaltlich typische soziale Gebote des AT spiegeln.

[2] Ein Beleg für diese Gesetzesauffassung ist auch das in ROC 6 (1911) edierte Jer.-Apokryphon (arab. Text p. 128; franz. Übers. p. 143): Jeremias soll einen suchen, der Gerechtigkeit übt, rein ist von Opfern der Götzen, seinen Bruder oder seinen Nächsten liebt und so Israel aus der Gefangenschaft befreit. Das dtr Geschichtsbild ist gleichsam umgedreht worden: nunmehr wird Gesetzeserfüllung als Bedingung für die Rückkehr aus dem Exil genannt, und dieses Gesetz wird in Monotheismus und Nächstenliebe zusammengefaßt. Die Kombination dieser Elemente zum Thema Gesetzeserfüllung an dieser Stelle ist eine deutliche und wohl sicher vom NT unabhängige Parallele zur thematischen Verbindung von Gottesverehrung und Nächstenliebe im jüdischen Schrifttum.

kürzte 2. Dekaloghälfte (Διό φησιν ὁ ἅγιος νόμος); ähnliches gelte von „den" Propheten.
III 9 gibt wiederum eine Summe der Lehre: Der Dekalog wird nach Gottesverehrung (Zitierung aber nur des 1. Gebotes!) und Gerechtigkeit zweigeteilt (Zitierung der 2. Dekaloghälfte); angefügt wird Ex 23,6-8. Dadurch wird im Ganzen eine Zehnerreihe hergestellt (zusammen mit den Geboten der 2. Dekaloghälfte). In 9,8 wird dieses als das göttliche Gesetz bezeichnet; nach 9,15 bilden diese zehn Gebote die Kephalaia aller Gerechtigkeit.

Die aufgewiesenen Eigenheiten des Nomos-Begriffes in bestimmten spätjüdischen Schriften treffen auch zumindest für einen Teil der neutestamentlichen Schriften zu. Denn der Anlaß zu der in diesem Kapitel vorgenommenen Untersuchung ist die Frage gewesen, woher es den neutestamentlichen Schriftstellern möglich gewesen ist, die Liebe zu Gott und zum Nächsten oder eine Reihe von Sozialgeboten des Dekalogs oder nur die Liebe zum Nächsten oder gar nur die Goldene Regel als die Summe des Gesetzes und der Propheten zu bezeichnen. Ein solches Tun setzt offenbar einen Nomos-Begriff voraus, der dem von uns für bestimmte Kreise des Spätjudentums aufgewiesenen entspricht. Dieser Nomos-Begriff ist von vornherein inhaltlich festgelegt auf die Verehrung des wahren Gottes und eine Reihe von Sozialgeboten sowie einige Teile jüdisch-griechischer Lasterkataloge. In den Schriften, wo er herrscht, ist daher, wie wir bereits feststellten, auch die Zusammenfassung in die Aufforderung zu Gottes- und Nächstenliebe üblich, und diese erscheint gegenüber dem, was in diesen Kreisen Inhalt des Gesetzes im Ganzen ist, nicht mehr als allzu gewaltsam.
Außer in den in dieser Arbeit näher zu behandelnden Texten in Mk 10, Mk 12, deren Parallelen und den Antithesen der sog. Bergpredigt finden wir Hinweise auf diesen Gesetzesbegriff noch in einer Reihe anderer Stellen des NT, die kurz genannt seien:

Mt 7,12 setzt mit der Behauptung, die Goldene Regel „ist" Gesetz und Propheten, den genannten Gesetzesbegriff voraus[1]. Im Zusammenhang mit der Behandlung von Mt 5,17 und Mt 22,36.40 wird dieser Satz im Zusammenhang der mt Auffassung von δικαιοσύνη und von „Gesetz und Propheten" näher behandelt werden. Der Inhalt von „Gesetz" ist bei Mt in hohem Maße abhängig von seiner Vorstellung über δικαιοσύνη, vgl. Mt 3,15.
An der Verwendung der Goldenen Regel (Ar. Br. 207; Tob 4,15; T.Napht 1,6; Sl. Hen 61,1; Praep. Ev. (Philo) 8,7) wird das Verhältnis des helle-

[1] Vgl. dazu A. Dihle, Die goldene Regel / Eine Einführung in die Geschichte der antiken und frühchristlichen Vulgärethik, Göttingen 1962, bes. 82-84, 111-116.

nistischen Diasporajudentums zur heidnischen Popularphilosophie beispielhaft deutlich. Zwar ist die Goldene Regel vom Judentum nicht erfunden worden, aber als Inbegriff (der Humanitätsgebote) des Gesetzes wurde sie mit Vorliebe vom hellenistischen Judentum rezipiert und nach Hist. Aug. diesem als charakteristisch zugeschrieben (s.u.). Im Judentum selbst ist ihre Verwendung Ausdruck eines bestimmten Gesetzesverständnisses.
Möglicherweise schon aus vormt Material stammt Mt 23,23 (vgl. Lk 11,42). Innerhalb eines Weherufes wird für das Gesetz unterschieden zwischen Leichterem (Verzehntungsgebote) und Schwererem (βαρύτερα). Zum letzteren gehören κρίσις, ἔλεος und πίστις. Diese drei Begriffe haben nicht unmittelbar atl Gebote zum Hintergrund, sondern sind in substantivischer Form die Wiedergabe der wichtigsten Begriffe der sozialen Reihen: κρίσις bezeichnet als Wiedergabe von משפט das „gerechte Gericht" (zu κρίσιν ποιεῖν vgl. Gen 18,25: „Gerechtigkeit üben"). ἔλεος ist die Zusammenfassung aller Angaben über das Verhalten zu den sozial niedrig Gestellten. πίστις entspricht dem hebr אמת in solchen Reihen und hat eine Anzahl von Parallelen in gleichzeitigen sozialen Reihen, so in Test Dan 5,2: Wahrheit redet ein jeder zu seinem Nächsten; in 1 QS 8,2 liegt die nächste Parallele vor: „um Wahrheit zu üben (אמת), und Gerechtigkeit (צדקה), und Recht (משפט) und barmherzige Liebe (אהבת חסד) ein jeder mit seinem Nächsten" (zur Herleitung dieser Stelle aus Micha 6,8 vgl. unten). Vgl. ferner Zach 8,16.
Die entscheidenden Dinge „des Gesetzes", die man tun soll, die die Pharisäer nicht tun, sind jene, die man in der alten Tradition der sozialen Reihe als die wichtigsten Punkte im Verhalten gegen den Nächsten zusammenfaßt. Dieser Weheruf stellt also zwei verschiedene Gesetzesbegriffe gegenüber: den – nach der Meinung des Verfassers – rituell und kultisch orientierten der Pharisäer und einen anderen, der das soziale Verhalten zum Nächsten als den eigentlichen Inhalt dessen ansieht, was Gesetz ist. – Die abschließende Sentenz: „Dieses mußte man tun und jenes nicht lassen" ist ein Zusatz judenchristlicher Herkunft, der beide Standpunkte im Sinne einer Fortführung des Komparativs βαρύτερα harmonisiert und in ein Verhältnis zueinander setzt.

Röm 13,8-10

Die Gesamtheit der Forderungen gegenüber den anderen wird zurückgeführt auf das ἀλλήλους ἀγαπᾶν. Die Begründung dafür folgt in V. 8b-10b. Die Schuld gegenüber dem Nächsten (ὀφείλετε) ist durch das Lieben abgetragen, denn durch das Lieben ist das Gesetz erfüllt. Wer den anderen (ἕτερος; erst nach der Anführung von Lev 19,18 in V. 9 ist von ὁ πλησίον die Rede[1]) liebt, hat schon das Gesetz erfüllt. Die Voraussetzung dieser Argu-

[1] Es erscheint als fraglich, ob die von H. Lietzmann, Röm 113 angenommene Unterscheidung zwischen ἀλλήλους = Christen und οἱ ἕτεροι = Andersgläubigen zutrifft. – Kap 7 und 10,4 hat Paulus ebenfalls nicht „vergessen", wenn er die Christen zum „judaistischen Ideal der Gesetzeserfüllung" anhält; es besteht kein Zweifel daran, daß wirklich an die Erfüllung des Gesetzes gedacht ist. – Auch ein Herrenwort wie Mt 22,39-40 (Lietzmann, R. 113) muß keineswegs als Grundlage postuliert werden; vgl. dazu unten bei der Be-

mentation ist, daß das Gesetz inhaltlich alles das umfaßt, was wir dem Nächsten schulden. Daß gerade mit der Liebe dieser Forderung schon genüge getan ist, beweist V. 9: Das 6., 5., 7. und 10. (in der Form: οὐκ ἐπιθυμήσεις) Dekaloggebot „und wenn es noch irgend ein anderes Gebot gibt" bekommen ihr Haupt und werden zusammengefaßt[1] in dem Gebot Lev 19,18. Die Begründung für diese Behauptung gibt V. 10a: Das mit den genannten Geboten verbotene böse Tun wird durch die Liebe ausgeschaltet: sie tut nichts Böses. V. 10b gibt die Konklusion, die V. 8b entspricht.

Die allgemeinen Sozialgebote des Dekalogs (das 8. Gebot fehlt, weil es spezieller ist) sind für Paulus der Inbegriff des „Gesetzes". Andere Gebote könnten gleichfalls nur auf dieser Linie liegen, in der es um das Verhalten zum Nächsten geht.
Paulus steht hier ganz in der Tradition jener Kreise des Spätjudentums, die den Inhalt des Gesetzes auf wenige humane Forderungen gegenüber dem Nächsten reduziert haben.

Gal 5,14 bringt denselben Gedanken: Auf die Aufforderung, durch Liebe einander zu dienen, folgt die Begründung: Denn das ganze Gesetz[2] ist in einem Wort erfüllt, in dem: Du sollst lieben deinen Nächsten wie dich selbst. Das gleiche Verb πληρόω wird auch hier, ebenfalls im Perfekt, verwendet. – Der Inhalt des paulinischen Gesetzes sind daher die Forderungen über die Nächstenliebe. Als Inbegriff des Gesetzes erscheint Liebe auch im Test der

handlung der Dekaloggeschichte. Vgl. auch die gleiche Annahme bei Oepke, Gal 131, der wegen des Fehlens des ersten Hauptgebotes hinzufügen muß: „Die Liebe zu Gott auszuschließen, ist natürlich nicht seine Absicht"!

[1] ἀνακεφαλαιοῦσθαι wird von Michel, Röm 289 übersetzt mit: „auf einen Nenner bringen, zusammenfassen". Vgl. Eph 1,10. Dazu H. Schlier, Eph [2]1958, 64 Anm 3 und ders., Art κεφαλή, in: ThWB III, 681f. Danach bedeutet das Verb: In Hauptabschnitte (κεφάλαια) einteilen, zusammenstellen und zum Abschluß bringen, summarisch zusammenfassen, bekräftigen. „Die Wiederholung durch eine Zusammenfassung ist eine Befestigung und eine Bestätigung" (Eph 64 Anm 3). In Röm 13,9 habe es die Bedeutung „zusammenfassen". – O. Michel, Röm 290 Anm 2, bezieht das Verb auf einen exegetischen Prozeß „in dem man das ganze Gesetz auf den Grundsatz (כלל) zurückführt".

[2] A. Oepke betont, daß Paulus sich hier nicht auf die Unterscheidung von Ritual- und Sittengesetz zurückziehe, wo doch eigentlich nur rituelle Fragen zur Diskussion stünden, sondern mit dem Gesetz als Ganzem operiere (131). Auch H. Schlier, Gal 244 betont, daß das Gesetz „in seiner Totalität" gemeint sei, „wobei im Zusammenhang der Auseinandersetzungen auch an seine rituellen Bestimmungen gedacht ist". – Im Zusammenhang des Gal ist aber die Beschneidung nicht als ein Teil oder der rituelle Teil des Gesetzes aufgefaßt, sondern als der Akt, in dem man sich unter das Gesetz stellt und es deswegen erfüllen muß (5,3). Zwischen Beschneidung und Gesetz ist auch unterschieden in Röm 4.

40 Martyrer (ed. Knopf/Krüger p. 78, 17ff): ἀγάπην οὖν πρὸ πάντων τιμήσατε· αὕτη γὰρ μόνη τιμᾷ τὸ δίκαιον φιλαδελφίας νόμῳ πειθομένη θεῷ.
Zugleich wird die Liebe dann dadurch begründet, daß in dem Bruder der unsichtbare Gott sichtbar würde (vgl. zu Antithese I in Bd. II).
Ein Gesetzesbegriff, der ebenfalls nicht mit der Tora identisch ist, liegt auch vor in 1 Tim 1,8-10. Nach V. 8 ist das Gesetz „gut". Es ist nicht für den Gerechten da (auch hier korrespondiert νόμος dem Begriff δίκαιος), sondern für die ἄνομοι und die ἀνυπότακτοι. Beide Begriffe werden im Folgenden durch Synonyma näher bestimmt und dann in Einzelvergehen in einer dekalogähnlichen Reihe näher erläutert. Ähnlich wie bei Paulus folgt zum Schluß die verallgemeinernde Klausel: „Und wenn etwas anderes der gesunden Lehre entgegenliegt". Die hier genannten Vergehen haben nur zum Teil in Dekaloggeboten eine Stütze und sind sonst aus griechischen Katalogen übernommen. Dasselbe gilt auch für den Gesetzesbegriff des Jak: er nimmt stets nur auf sittliche Gebote Bezug, „nirgends auf rituelle Vorschriften... diese dürften für ihn jede Bedeutung verloren haben"[1].

In Polykarp, 2 Phil 2,2 wird das Wandeln in den ἐντολαί beschrieben: Lieben, was Gott geliebt, sich Fernhalten von aller Ungerechtigkeit, von Habsucht, Geldgier, übler Nachrede, falschem Zeugnis. Vergeltung und Richten werden abgelehnt, mit Mt 7, 1f; Lk 6,37f verwandte Stücke werden zitiert. Als Inhalt des Gesetzes wird hier etwas bezeichnet, das weitgehend paränetischen Stoffen der Logienquelle entspricht.
Wenn nach Thomas-Akten K. 28 p. 145 (BGH) das ganze Gesetz in drei Hauptgeboten zusammengefaßt werden kann, so zeigt sich hier ein jüd.-hell. Gesetzesbegriff, der noch ein Stück weiter hellenisiert ist als der neutestamentliche, der sich immerhin noch in alttestamentlichen Zitaten formulieren läßt. Am Schlusse einer Bekehrungspredigt heißt es dort: φεύγετε οὖν τὴν ὁδὸν τοῦ σκότους καὶ ἀκάρπου, ἥτις ἐστὶν πορνεία, πλεονεξία, γαστριμαργία· ἐν γὰρ τοῖς τρισὶ κεφαλαίοις ὁ νόμος πληροῦται ὅλος. Hervorzuheben ist die Ähnlichkeit zu Mt 7,12; 22,40, ferner die Verwendung des Begriffes κεφάλαιον, der bei Philo in ähnlichem Kontext zur Hervorhebung von Dekaloggeboten oder der Forderung nach Gottes- und Nächstenliebe verwendet wird. Auch von daher bestehen enge traditionsgeschichtliche Beziehungen zu den ntl Zusammenfassungen des Gesetzes. – Daß hier gerade Unzucht, Habgier, Gefräßigkeit als Inbegriff des Gesetzes angegeben werden, hängt ohne Zweifel mit

[1] Nach Jak 1,27 ist der wahre und „reine und unbefleckte" Gottesdienst das barmherzige Tun an Witwen und Waisen. Vgl. R. Schnackenburg, Die sittliche Botschaft des Neuen Testaments, München ²1962, 285.

dem Primat des 10. Gebotes (Verbot des Begehrens) und dessen Auslegung im Spätjudentum zusammen.

Als Ergebnis hat sich somit gezeigt: Nomos ist zwar für das Spätjudentum der Inbegriff dessen, was von Gott gefordert ist, aber für bestimmte Bereiche spätjüdischer Tradition und des NT[1] ist der Inhalt von „Gesetz" relativ variabel, ist er außer auf die Forderung nach dem Glauben an einen Gott meist nur auf den sozialen Bereich bezogen und hat oft im AT nur im Dekalog einen Rückhalt.

Die Zusammenfassung des Gesetzes in die beiden „Hauptgebote" und in die Dekaloggebote der sog. zweiten Tafel ist durch einen solchen Nomos-Begriff unmittelbar vorbereitet.

Der hier dargestellte Gesetzesbegriff findet sich primär in Schriften aus dem Bereich der griechisch-jüdischen Literatur apokalyptischer Prägung, zu der auch Schriften des NT enge Beziehungen haben. Es wird sichtbar, wie wenig der Begriff „Gesetz" an den Schriften des Kanon orientiert ist. Eine Untersuchung über „Gesetz und Propheten" wird ein ähnliches Ergebnis haben (s.u.): Nicht die Schrift ist es, auf die man sich mit diesen Bezeichnungen beruft, sondern die Summe dessen, was man traditionell aus der „Lehre" als verbindliche Weisung empfangen hat. Diese Weisungen werden

[1] Der gleiche Gesetzesbegriff zeigt sich auch in der außer-ntl frühchristlichen Apokalyptik und in den übrigen ntl Apokryphen: In der Petrus-Apk Akhm 30 (H-S II 478) wird das „Gebot Gottes" mißachtet, wenn man falsches Zeugnis gibt, Witwen und Waisen verachtet, leiht und Zins nimmt. Eine Auswahl von Sozialdelikten kann hinreichend den Inhalt des „Gebotes Gottes" wiedergeben. – Dieser Gesetzesbegriff liegt auch vor in Didaskalie ed. Nau 27: Zunächst werden soziale Vergehen genannt: Vergehen gegen Witwen und Waisen, Berauben, Herrschsucht, Betrüben der Witwen, Schauen auf die Person – Traditionen, die den atl sozialen Reihen und sog. Richterspiegeln entstammen. Dann wird die Reihe fortgesetzt: καὶ οὐ κατὰ τὸν νόμον ἐποίησαν, πορνείας συνεμίχθησαν καὶ μοιχείαν συνέμειναν, ἀσέλγειαν οὐκ ἐφείσαντο, κλέπας, ἀρσενοκοίτησαν, τὸν θεὸν ἠθέτησαν. Die Aussage über das Gesetz bezieht sich entweder auf das Vorhergehende oder sie kleidet zusammen mit der über die „Absetzung" Gottes die Reihe der Laster ein, die dekalogähnlich angeführt werden. In den Petrusakten K. 10 (H-S II 200) sind es „die Gebote Christi", niemanden zu hassen, gegen niemanden böse zu sein. In den Thomasakten K.84 (H-S II 342) wird als „das Gebot", vom Herrn empfangen, angeführt: die Goldene Regel und eine dekalogähnliche Reihe über das 6., 5., 7. Gebot, über Völlerei, Habsucht (10. Gebot), Prahlerei, Verleumdung, häßlichen Verkehr und Lager der Unreinheit. – Im 2. Buch Jeû K.43 werden als „gute Gebote" bezeichnet eine Auswahl aus Dekaloggeboten und das Verbot zu rauben und zu verleumden („mit einem Wort, sie sollen die guten Gebote – vollführen"). Vgl. Herm Sim 1,8.

grundsätzlich den „Propheten" zugeschrieben, in Analogie zu denen auch der Apokalyptiker zu verstehen ist. Letzteres hatte zur Folge, daß der apokalyptische Offenbarungsträger (als Sprecher der Testamente usw.) wie ein Prophet Einblick in die himmlischen Bücher hat und deshalb Moses und den Propheten prinzipiell gleichgeordnet ist: zu den himmlischen Realitäten, aus denen er seine Weisungen bezieht, hat er den gleichen Zugang. – Hier liegt eine der Wurzeln dafür, daß in dem apokalyptischen Schrifttum so überaus selten „die Schrift" zitiert wird. Die apokalyptische Theorie von der immer neu zu gewinnenden Einsicht in die himmlischen Bücher etc. kann der Schrift des Moses keinen prinzipiell größeren Geltungsanspruch beimessen als der anderer Seher bzw. Schreiber (Esra, Baruch, Henoch). Selbst dort, wo der Offenbarungsträger, von dem alle Tradition ausgeht, einmal Moses ist, wie in Jub, müssen seine Äußerungen nicht durchweg mit den üblichen Moses-Traditionen übereinstimmen. Um so mehr können in den anderen Schriften die Weisungen unabhängig von denen des Moses sein; übereinstimmend mit dem bereits im Pentateuch geübten Verfahren ist es aber, wenn alle Weisungen jeweils um eine Einzelgestalt konzentriert werden, von der dann alle Tradition[1] ausgeht. Dasselbe Prinzip wird im NT in der synoptischen Tradition auf Jesus angewandt[2]. Diese religionsgeschichtlichen Voraussetzungen sind für ein Verstehen der verschiedenartigen frühchristlichen Stellungnahmen zum „Gesetz" von entscheidender Bedeutung. Jegliche Freiheit gegenüber den Schriften des Moses ist nur von dort her verstehbar. – Die gleiche immer wieder neue Einsichtnahme in die himmlischen Bücher hat sich übrigens auch in anderer Weise im Frühchristentum niedergeschlagen in der Formel „gemäß den Schriften". – Wo also ein so verstandenes „Gesetz" in zwei Hauptgebote oder eine Reihe von Dekaloggebote zusammengefaßt wurde, lag kein torakritischer Gesichtspunkt vor – vielmehr interessierte bei der Frage nach dem Gesetz die Tora des Moses überhaupt nur in geringem Maße.

[1] Auf das im Spätjudentum herrschende Prinzip, alle Offenbarung einem einzigen Träger zuzuweisen und so relativ beliebige Materien mit dem Namen einer Autorität zu verknüpfen, macht aufmerksam E. Rau in seiner Diss., die sich mit Henochanalysen befaßt.

[2] In anderem Zusammenhang wurde darauf hingewiesen, daß auch durch die Einleitung „Amen, ich sage euch" Jesus prinzipiell genauso wie andere Offenbarungsträger des Judentums verstanden wurde.

Die Kombination der beiden sog. Hauptgebote in Mk 12,28-34par ist eine – hier auch redaktionell sekundäre – Verknüpfung zweier ursprünglich weit entfernter atl Texte. Verfolgt man jedes der beiden Hauptgebote durch seine Überlieferungsgeschichte, so ergibt sich für das Gebot der Gottesliebe, daß es in der Tat schon immer eine Art Summationsformel innerhalb der dtr Tradition darstellt. Das wird besonders dadurch deutlich, daß dieses Gebot von Anfang an eng mit der Nennung des „Gesetzes“ verbunden ist. Zwar hat dieses Gebot mit allen anderen in der synoptischen Tradition zitierten atl Geboten gemeinsam, daß es im nachbiblischen Judentum bis zur Zeit des NT nahezu nirgends wörtlich zitiert wird – aber wo immer eine seiner Abwandlungen zusammen mit anderen Elementen aus dtr Tradition auftritt, handelt es sich um eine Art Summe des Geforderten. Das ist für eine Reihe von Texten auch formgeschichtlich – durch die Anfangs- oder Schlußstellung innerhalb der Paränese – zu erweisen. – So ist der Blickpunkt, unter dem wir die Traditionsgeschichte der Hauptgebotsformel behandeln, die Relation zwischen Gottesverhältnis und Gebotserfüllung. Dabei ist das, was unter „den Geboten“ verstanden wird, inhaltlich jeweils variabel. – In der Kombination von Gottesliebe und Nächstenliebe ist das Gebot der Nächstenliebe die Summe des von Gott geforderten Tuns. Eine Annäherung zwischen beiden Geboten zeigt sich auch schon vorher in der Übertragung von Einzelelementen der Hauptgebotsformel auf Wendungen über Nächsten- und Bruderliebe.

III

Die beiden Hauptgebote

§ 1 Die Grundbedeutung von Dt 6,4-5 und deren Auslegungsgeschichte bis zum NT

A. Dt 6,4-5 MT

Die Wendung שמע ישראל in V. 4[1] ist typisch für den „Predigtstil" des Dt und begegnet an folgenden Stellen: 4,1 (Überleitung vom Bericht zur „Gesetzespredigt"); 5,1 (Überleitung vom Bericht zur „Gesetzespredigt"); 6,3.4; 9,1 (Einführung des neuen Motivs der Jordanüberschreitung); 20,3 (Beginn der Ansprache vor der Schlacht = V. 3-4; 5-7.8); 27,9 (Zwischenstück zw. 27,1-8 und 11(12)ff). Abgesehen von Dt 6,3.4 hat die Wendung „Höre, Israel!" im Dt stets die Funktion eines besonderen Aufrufs zu Beginn der Predigt über Gebote oder überhaupt eines neuen Abschnittes. Dabei sind bestimmte Motive mit Vorliebe an diese Wendung geknüpft: Der Hinweis auf die „Satzungen und Gebote" – drei wechselnde Begriffe, von denen immer zwei angeführt werden[2] – und der für das Dt auch sonst typische Hinweis auf das Heute (vgl. z.B. Dt 5,3). Wir dürfen also diesen Ausdruck zu den paränetischen Grundformeln des Dt rechnen, wobei dieser innerhalb der Rede die Funktion hat, absoluten oder relativen Anfang der Stoffein-

[1] Lit.: B. J. Bamberger, Fear and Love of God in the O.T., in: HUCA 6 (1929) 39ff; K. Budde, Auf dem Wege zum Monotheismus (Rektoratsrede 1910), Marburg 1910; N. Lohfink, Das Hauptgebot / Eine Untersuchung literarischer Einleitungsfragen zu Deut 5-11 (Analecta Biblica; 20), Rom 1963; ders., in: Bib Leb 5 (1964) 24-35.84-94; ders., Hate and Love in Ose 9,15, in: CBQ 25 (1963) 417; W. L. Moran, The Ancient Near East Background of the love of God in Deuteronomy, in: CBQ 25 (1963) 77-87; J. J. Owens, Law and Love in Deuteronomy, in: R Ex 61 (1964) 274-283; S. Plath, Furcht Gottes / Der Begriff ירא im Alten Testament (Arbeiten z. Theol; II,2) Stuttgart 1962, 41-42; J. G. Plöger, Literarkritische, formgeschichtliche und stilkritische Untersuchungen zum Deuteronomium (BBB 26) Bonn 1966.

[2] Vgl. auch die Zusammenstellung von N. Lohfink, Das Hauptgebot 1963, 295f.

heiten zu markieren. Dabei erscheinen nirgends konkrete Einzelgebote unmittelbar im Gefolge dieses Aufrufs, sondern nur die allgemeine Mahnung, die „Gebote und Satzungen" zu erfüllen[1].
Das Vorkommen dieses Aufrufs in Dt 6,3.4 bietet insofern eine Ausnahme, als hier der Beginn der Rede schon in Dt 6,2 liegt, das „Höre, Israel!" aber erst zu Beginn der Verse 3 und 4 auftaucht. Man kann vermuten, daß durch diese besondere Stellung des שמע ישראל die Verse 3 und 4 besonders hervorgehoben und gegenüber allem anderen betont werden. Dabei ist zu fragen, wie weit die Wendung in Vers 3 wegen ihrer abweichenden Form, und da sie mitten im Satz gebraucht wird, unter die übrigen Stellen mit שמע ישראל eingereiht werden darf. Der Neuansatz mit שמע in Dt 6,4 und 9,1 wird dadurch vorbereitet, daß die vorangehenden Abschnitte jeweils in ihrem letzten Vers das Wort שמע schon begegnet[2]. Das gilt also für die Verse 6,3 und 8,20. – Der Vers 4 würde dadurch in seiner Stellung noch mehr betont[3].

Die folgende Vershälfte (4b) ist in ihrer Bedeutung umstritten. Die Frage ist, ob אלהינו Apposition (I) oder Prädikativum (II) zum vorhergehenden Wort ist, und ob אחד prädikativ (A) zu יהוה ist oder mehr attributiv und deskriptiv (B). Dementsprechend kann man übersetzen:
Jahwe, unser Gott, Jahwe ist einer (I+A, so Budde, Driver);
Jahwe, unser Gott, ein Jahwe ist er (I+B, so Oettli);
Jahwe ist unser Gott, Jahwe ist nur einer (II+A, so Junker);
Jahwe ist unser Gott, Jahwe als einer, (einziger, J. allein, als einzigartiger, vgl. Zach 14,9 mit 1 Chr 29,1 und E. König, Syntax 334, s-w) (II+B, so König, Steuernagel, Marti, G. v. Rad). Entscheidet man sich für A (...ist ein Jahwe), so betont man die Einheit Jahwes – möglicherweise gegenüber der Vielheit der Erscheinungen, die ein Baal haben konnte und damit auch gegenüber der Vielheit der Kultorte und Jahwetraditionen. – Wählt man die Möglichkeit B, so betont man, daß allein Jahwe und kein anderer der Gott Israels ist. Von hier aus ließe sich vielleicht Vers 5 besser verstehen. Aber auch Möglichkeit A liegt im Bereich dessen, was von der Theologie des Dt her denkbar ist. Sicher aber ist die strikteste Alleinverehrung Jahwes gefordert.

[1] Chr. Feucht, Untersuchungen zum Heiligkeitsgesetz (Theolog. Arbeiten; 20), Berlin 1964, 163-165, stellt deshalb diese Formel in die Reihe der deut Formeln der Aufforderung zur Gesetzestreue; dies ist aber wohl zu einseitig gesehen.
[2] N. Lohfink, a.a.O., 66.
[3] Die Anrede wird im Frühjudentum aufgenommen in SlavHen 16,1: „Höret mein Volk und vernehmet die Worte meines Mundes", in SyrBar 31,3: „Höre Israel (ܫܡܥ ܐܝܣܪܐܝܠ), jetzt will ich zu dir reden", in Lib Ant 23,2: „Audi Israel...", in 1 QM 10,3 usw.

Die Argumente für Möglichkeit B erscheinen uns als die stärkeren, nicht nur wegen des besseren Zusammenhanges im Kontext (so Driver), sondern auch wegen der Schwierigkeit, die eine Hypothese von der „Vielgestaltigkeit Jahwes" besitzt. – In dem Satz Dt 6,4 ist vermutlich „die Formel für den Glauben an Jahwe als den einzigen Gott gefunden".

Der folgende Vers 5 ist durch ו mit Vers 4 verbunden. Während bisher – in Vers 4 – von „unserem Gott" in der dritten Person die Rede war, wird jetzt die 2. Pers. Sg. angesprochen. Dem Inhalte nach erblickt man in Vers 5 zumeist die „unmittelbare und notwendige Folgerung aus Vers 4[1]", da der Einzigkeit und Einzigartigkeit Jahwes nur die ungeteilte Liebe des ganzen Menschen korrespondieren könne.
Das Dt kennt eine ganze Reihe von Verben, die das Verhältnis zu Jahwe und anderen Göttern beschreiben: דבק, ירא, שמר, אהב, עבד, הלך בדרך, הלך אחרי, למד. (vgl. auch N. Lohfink[2]).
In der dt Paränese begegnen zumeist mehrere von ihnen im gleichen Zusammenhang. אהב als Ausdruck für das Verhältnis Israels zu Jahwe begegnet außer in Dt 6,4 innerhalb des dt Kernstücks (4,44-28,68)[3] noch an folgenden Stellen: 5,10 (lieben, Gebote bewahren); 7,9 (lieben, Gebote bewahren); 10,12 (fürchten, auf seinen Wegen wandeln, lieben, dienen + Hauptgebotsformel, Gebote und Satzungen bewahren); 11,1 (lieben, Ordnung, Satzungen, Rechte und Gebote bewahren); 11,13 (auf Gebote hören, lieben, dienen + Hauptgebotsformel); 11,22 (Gebot bewahren, es tun, lieben, auf seinen Wegen gehen, an ihm hängen); 13,4 (lieben + Hauptgebotsformel); 19,9 (Gebot bewahren, es tun, lieben, auf seinen Wegen wandeln).
Bei der obigen Zusammenstellung fällt auf, daß die Formel „mit deinem ganzen Herzen und mit deiner ganzen Seele (und mit deiner ganzen Kraft)" in Dt 6,4; 13,4; 10,12; 11,13 im Zusammenhang mit אהב und עבד begegnet. Diese Beobachtung bestätigt sich auch an den außerhalb des genannten Corpus stehenden Sätzen Jos 22,5 (lieben, auf seinen Wegen wandeln, seine Gebote wahren, an ihm hängen, dienen + Hauptgebotsformel) und für Dt 30,6 (lieben + Hauptgebotsformel + „um deines Lebens willen"). Die enge Beziehung zwischen אהב und עבד scheint auch durch Dt 6,4-5 be-

[1] So S. Oettli, a.a.O., 42 und C. Steuernagel, a.a.O., 25.
[2] N. Lohfink, Das Hauptgebot, 303f.
[3] Vgl. dazu N. Lohfink, a.a.O., 3-4.

stätigt zu werden: Die betonte Exklusivität des Objektes verbindet die beiden Verben.

Hinzukommt, daß nur die beiden Verben אהב und עבד in „Hauptgebotsformulierungen" einzeln *und* in Reihen mit den anderen Verben erscheinen. Sie pflegen aufeinander zu folgen, wo sie in Reihen auftauchen. Innerhalb des Kernstücks begegnet die Formel „aus deinem ganzen Herzen und aus deiner ganzen Seele" *außer* im Zusammenhang mit אהב und עבד nur noch in Dt 26,16[1].

Die Verwendung dieser Formel in Dt 26,16 wirft Licht auf ihren Gesamtcharakter: Mit Vers 17 beginnt formal wie inhaltlich etwas ganz Neues, und so bildet Vers 16 den Schlußsatz des ganzen Stückes von Kap 12 an[2]. Die Formel hat offenbar an dieser Stelle die Aufgabe einer außergewöhnlichen Hervorhebung und Bekräftigung als Endpunkt der „Predigt". Gleichzeitig scheint sich aber gerade mit der Verwendung der Formel an dieser Stelle eine Entwicklung anzubahnen, die in den späteren Teilen des Dt, in den späteren Geschichtsbüchern und bei den Propheten dazu führt, daß auch die anderen oben genannten Verben zur Bezeichnung des Gottesverhältnisses mit dieser Formel in Verbindung gebracht werden. Dabei ist bemerkenswert, daß trotz dieser Weiterentwicklung immer nur ein ganz bestimmter Kreis von Verben, der konstant bleibt, mit dieser Formel verbunden wird. Es liegt hier eine Sprachentwicklung über das Dt hinaus vor, die aber doch gewissen, von hier her bestimmten Bahnen und Gesetzen unterworfen bleibt[3].

[1] Dt 26,16: Heute gebietet dir Jahwe, dein Gott, diese Satzungen und Rechte zu tun – עשה –. Bewahre – שמר – und tue – עשה – sie mit deinem ganzen Herzen und mit deiner ganzen Seele.
שמר und עשה bilden den inneren Kreis im deuteronomischen Wortfolgegesetz (vgl. N. Lohfink, a.a.O., 65).

[2] So. G. v. Rad, a.a.O., 115 und N. Lohfink, a.a.O., 57.

[3] In den sekundären Teilen des Dt selbst begegnet die Formel „aus deinem ganzen Herzen und aus deiner ganzen Seele" in 4,29 nach דרש (Gott suchen), in 30,2 nach שמע (hören auf Gottes Stimme), in 30,6 noch einmal nach אהב (Jahwe lieben „um deines Lebens willen"), nach שוב in 30,10 (sich wenden, bekehren zu Jahwe). Von diesen Verben wird vor allem שוב für die folgende Entwicklung maßgeblich. – In Jos 22,5 findet sich die Formel noch einmal bei עבד im Zusammenhang mit anderen, im Dt in solchen Sätzen gebräuchlichen Verben, aber ohne Einhaltung des dt Wortfolgegesetzes (vgl. Anm. 00). In Jos 23,14 steht die Formel mit ידע. In 1.2. Sam taucht sie nicht auf. Später:
1 Kge 2,4: Formel + הלך (wandeln vor J. in Wahrh.)

Dabei wird dann sehr häufig – besonders in prophetischen Texten – die Formel verkürzt wiedergegeben, allerdings in ihrem Grundbestandteil: בכל לבב. Daß es sich hier um den Grundbestandteil handelt, wird nahegelegt, durch die Beobachtung, daß בכל מאד und בכל נפש nie *ohne* בכל לבב erscheinen; die Wendung בכל מאד findet sich außer in Dt 6,4 ohnehin nur noch in 2 Kge 23,25, und zwar ebenfalls in Verbindung mit den beiden anderen Gliedern. – Daß andererseits die Formel „aus ganzem Herzen" durchaus im Zusammenhang steht mit der erweiterten Formel, beweist die durchgehend gleiche Verwendung derselben Verben im Zusammenhang damit[1].

Eine Sonderstellung nehmen dabei einige Psalmen ein, in welchen der Verwendungsbereich der Formel „aus ganzem Herzen" ausgeweitet wird auf die Verben נצר, חלה, קרא und שמח; ähnlich ist Zeph 3,14 mit שמח. Außerhalb von Dt und Josua begegnet vereinzelt das undeuteronomische לב statt לבב, welches in den Psalmen dann fast ganz לבב verdrängt hat. Damit stimmt die sprachliche Auflockerung überein mit der Entfernung von der ursprünglichen inhaltlichen Gebundenheit (vgl. bes. Jer 32,41; Zeph 3,14).
Die in späteren Texten gebräuchliche Formel בלב שלם hat im Wesentlichen ebenfalls die gleichen Verben bei sich (so in 2 Kge 20,3 mit הלך + אמת, in Is 38,3 mit הלך + אמת, in 1 Chr 28,9 mit עבד (Formel hier ergänzt um: ובנפש חפצה), in 1 Chr 29,9 mit נדה.)

1 Kge 8,48: Formel + שוב (umkehren zu J.)
2 Kge 23,3: Formel + שמר (Gebote beobachten)
2 Kge 23,25: Formel + שוב (umkehren zu J.)
2 Chr 15,12: Formel + דרש (zu suchen J.)
2 Chr 34,31: Formel + שמר (beobachten)
Eine Sonderstellung hat Jer 32,41, wo von Jahwe ausgesagt wird: „Ich pflanze sie ein in dieses Land, in Treue, von ganzem Herzen und von ganzer Seele". Bemerkenswert ist hier die Parallelisierung mit אמת. – In die obige Reihe gehört noch: 2 Chr 6,38: Formel + שוב (umkehren zu J.) Statt לבב haben nur das einfache לב die Stellen 2 Kge 23,3; 2 Chr 6,38 und Jer 32,41.
[1] Die Wendung בכל לבב findet sich in: 1 Sam 7,3 mit „umkehren", 1 Sam 12,20 mit „dienen", 1 Sam 12,24 mit „dienen", 1 Kge 8,23 mit הלך (nur לב), 1 Kge 14,8 mit הלך אחרי, 2 Chr 6,14 mit הלך, 2 Chr 22,9 mit „suchen", 2 Chr 31,21 mit „suchen", Jer 3,10 mit „umkehren" (nur לב), Jer 24,7 mit „umkehren" (nur לב), Jer 29,3 mit „suchen", Joel 2,10 mit „umkehren". Dem Sprachgebrauch der Psalmen eher verwandt ist Zeph 3,14, wo die Formel mit שמח steht (nur לב).
Für die Psalmen ergibt sich, daß בכל לב (fast nie לבב!) steht in Ps 111,1 mit ידה (loben), in Ps 119,2 mit „suchen", in Ps 119,10 mit „suchen", in Ps 119,34 mit „bewahren", in Ps 119,58 mit חלה (zu Jahwe flehen), in Ps 119,69 mit נצר, in Ps 119,145 mit קרא (aus ganzem Herzen rufen), in Ps 138,1 mit ידה (loben), in Ps 86,12 mit ידה (loben) (mit לבב!).

Vor den Sätzen 10,12; 11,13; 13,4 und 26.16, die den Zusatz haben: „Mit deinem ganzen Herzen und mit deiner ganzen Seele", ist Dt 6,5 nur dadurch ausgezeichnet, daß durch בכל מאדך noch ein drittes Glied hinzugekommen ist, so daß allein dort eine dreigliedrige Formel vorliegt. Da die Formel „Mit deinem ganzen Herzen..." usw. aber ohnehin eine Bekräftigung und Verstärkung des Gebotenen bedeuten wird, ist zu vermuten, daß der Satz Dt 6,5 durch die dreigliedrige Formel besonders herausgestellt werden soll.

Diese dreigliedrige Formel von Dt 6,5 wird offenbar in 2 Kge 23,25 zitiert. Dort wird über König Josia gesagt: „Es gab vor ihm keinen König, der so wie er mit seinem ganzen Herzen, mit seiner ganzen Seele und mit seiner ganzen Kraft genau nach dem Gesetz des Moses zum Herrn umkehrte. Auch nach ihm war keiner so wie er". Mit der dreigliedrigen Formel soll wohl hier die besondere Intensität des שוב bei Josia betont werden. In 2 Kge 23,3 wird auch die zweigliedrige Formel ebenfalls im Zusammenhang mit Josia angeführt.

Die besondere Betonung der befohlenen Haltung in Dt 6,5, welche überhaupt schon die Anführung einer Bekräftigungsformel veranlaßte, und welche noch darüber hinaus diese Formel dreigliedrig werden ließ, hat ihre Ursache wohl in der Stellung von Vers 5 im Kontext, d.h. darin, daß Vers 4 vorangeht. Der nächstliegende vergleichbare Satz ist Dt 6,2: Er gehört ebenfalls in die Reihe der Sätze, die mit den typischen Verben das im Dt geforderte Gottesverhältnis beschreiben; nur ist er noch in keiner Weise besonders hervorgehoben. Erst in den Versen 3 und 4 drängt offenbar die Paränese – durch das Signal „Höre Israel!" eingeleitet – einem besonderen Höhepunkt zu.

Hinzukommt, daß אהב zur Bezeichnung des Verhältnisses Israels zu Gott ein besonders typisches Wort des Dt ist (vgl. G. v. Rad, Dt 46). Durch dieses Wort kann offenbar die Beziehung zu Jahwe relativ eindeutig und umfassend ausgedrückt werden, deshalb steht es in Dt 6,5 und 13,4 ganz allein (was sonst nur noch analog dazu bei עבד der Fall ist in Dt 7,16; 28,47.64) und in Dt 5,10; 7,9; 11,1 nur noch mit einem weiteren Verb zusammen. Der Grund für diese besondere Behandlung von אהב liegt wohl auch darin, daß es als einziges von den angeführten Verben auch vom Verhältnis Gottes zu Israel ausgesagt wird, d.h. es gilt von beiden Partnern (vgl. Jer 32,41). Für die Verwendung von אהב im Sinne des Verhältnisses Jahwes zu Israel kommen in Betracht die Stellen Dt 7,13;

23,6; 10,18 (4,37 ist sekundär), für das Substantiv אהבה in diesem Sinn gebraucht, Dt 7,8 und 10,15[1].
Eine engere Verbundenheit mit den Versen 4 und 5 haben zunächst die Verse 6-9, die als eine Art Kommentar gelten können[2]. Nach A. Alt[3] hat das Dt in seiner ursprünglichen Fassung mit Dt 6,4f

[1] Diese besondere Eigenart des dt Sprachgebrauchs haben Lohfink und Moran bereits ausführlicher behandelt (N. Lohfink, Hate and Love in Osee 9,15, in: Cath Bibl Quart 25 (1963) 417; W. L. Moran, The Ancient Near East Background of the Love of God in Deuteronomy, in: Cath Bibl Quart 25 (1963) 77-87, Belege auf S. 79-80).
Gegen die Thesen beider ist einzuwenden, daß ra'āmu eine von אהב ganz verschiedene Wurzel hat. Dem ra'āmu entspricht im Hebr. רחם. Zwar bezeichnet רחם fast überall nur das Verhältnis des Übergeordneten zum Untergeordneten, allein in Ps 18,1 ist auch das umgekehrte Verhältnis durch diesen Begriff wiedergegeben. Zumindest in einer bestimmten Zeit also scheint das Äquivalent zu ra'āmu רחם und nicht אהב zu sein.
Außerdem erscheint es mir als möglich, daß das Dt aus eigenem Ansatz zur Bestimmung des wechselseitigen Verhältnisses Jahwe / Israel durch אהב gelangt ist. Zumindest aber hat es diesen Begriff neu gefüllt. Denn wie der ständige Verweis auf das „Herz" der Angeredeten – nicht nur in unserer Formel, sondern auch in einer Vielzahl anderer Wendungen (Dt 6,6; 8,5; 10,16; 11,8; 15,9; 29,18) – zeigt, ist der dt Paränese an einer besonderen Verinnerlichung des Verhältnisses zu Jahwe sehr stark gelegen, weil erst darin die Garantie erblickt wird für eine vollkommenere und bessere Gebotserfüllung. Die Intensivierung der Beziehung zu Jahwe nach dem Programm des Dt wird dadurch erreicht, daß der Verfasser den Bereich, wo das Gebot zu erfüllen ist, vorschiebt, den Raum, den Jahwe beansprucht, bereits im Herzen des Menschen beginnen läßt. Am deutlichsten wird der eindringliche Appell an die Innerlichkeit in den späteren Stücken 2,9; 4,9; 30,6. Die Gehorsamsleistungen Israels werden „durch eine grundsätzliche Motivation begreiflich gemacht" (G. v. Rad, Theologie I, 225).
Eine gute zusammenfassende Beurteilung der Bedeutung von Dt 6,4f gibt A. Alt, Die Heimat des Deuteronomiums, in: Kleine Schriften zur Geschichte des Volkes Israel II, München 1953, 250-275, 253. – Es ist daher nicht notwendig, den Ursprung derartiger ausgesprochen paränetischer Elemente des Dt – und das Vorkommen von אהב bedeutete stets einen besonderen Höhepunkt eindringlicher Ermahnung – in der technischen Bedeutung von ra'āmu in assyrischen Verträgen zu suchen.
[2] Die Verknüpfung zwischen Vers 5 und 6 geschieht durch das Stichwort לבב, ähnlich בית in den Versen 9 und 11 (vgl. N. Lohfink, Das Hauptgebot, 1963, 164); G. v. Rad, Dt, 1964, 46 stellt in diesem Kommentar fest die „Intensität der Verinnerlichung", aber auch eine gewisse Intellektualisierung, „denn die Beschäftigung mit den Worten Mose erscheint hier schon fast als Selbstzweck, als etwas, das alle geistigen Kräfte des Menschen in Anspruch nehmen und ihn ganz ausfüllen soll".
[3] A. Alt, Kleine Schriften zur Geschichte des Volkes Israel, II, München 1953, (Die Heimat des Deuteronomiums; 250-75) 253 Anm. 3.

begonnen. Dieser Auffassung entspricht noch der Text der LXX, der vor 6,4 eine besondere Einleitung hat. Wieweit dieses aber einen aus dem Gesamttext des Dt herausgelösten Einzelgebrauch von Dt 6,4ff bezeugt, erscheint sehr zweifelhaft[1].

Die beiden den Anfang bildenden Verse Dt 6,4.5 stehen aber keineswegs so isoliert im Zusammenhang, wie N. Lohfink (S. 163-165) vermutet. Bemerkenswert ist an Dt 6,4f nicht das isolierte Vorkommen von אהב (das erst wieder in 10,12-13,4 gebraucht wird), sondern daß dieses Verb in diesen programmatischen Sätzen als einziges von den sonst in Hauptgebotsformulierungen üblichen Verben gebraucht wird. Mit diesem Wort konnte offenbar der ganze Inhalt des Verhältnisses zu Jahwe hinreichend zum Ausdruck gebracht werden. In den Versen 10-25 ist eine Entfaltung des Hauptgebotes der Verse 4-5 zu sehen, und zwar in den Versen 12-16 die Auseinanderlegung in die verschiedenen Aspekte des Gottesverhältnisses selbst, in den Versen 20-25 die Bezugnahme auf die „Gebote und Satzungen", die ja auch sonst in jenen Sätzen regelmäßig angeführt wurden (Dt 7,9 usw., immer bei dem Verb שמר). Zwischen 6,4f und 6,12-16 besteht nicht eine Spannung, sondern das Verhältnis der Entfaltung.

Wie gerade das Vorkommen der שמר-Formulierungen in den oben genannten Sätzen zeigt, ist „Jahwe lieben" und „seine Satzungen befolgen" unmittelbar identisch: das erstere kann für das letztere stehen, und dann werden sie wieder einfach nebeneinander gebraucht. Erst im hellenistischen Judentum und im frühen Christentum wird auf Grund eines besonderen Nomos-Begriffes das Verhältnis beider Größen zueinander problematisch. Wenn überhaupt, dann könnte man nur hier von einer Dialektik (N. Lohfink, 158) sprechen. Erst hier ist man aus mannigfachen Gründen genötigt, das Verhältnis der Gesamtheit der Gebote zum Hauptgebot, das freilich um das Gebot der Nächstenliebe erweitert ist, neu zu überdenken.

B. Die Rolle des Hauptgebotes im Judentum

Die Fragestellung in Mk 12,28, welches das erste Gebot sei, und die sekundäre Nebenordnung eines zweiten Gebotes lassen jedenfalls in der Redaktion dieser Perikope den Eindruck entstehen, als habe

[1] Vgl. aber N. Lohfink, a.a.O., 153 Anm. 1 mit Hinweis auf den Pap. Nash.

man das Hauptgebot in einer mit Lev 19,18 vergleichbaren Weise als Einzelgebot aufgefaßt. Diese Auffassung bestimmt nicht nur das Bild der mk, sondern noch mehr das der lk Perikope. Sie ist zweifellos durch die zugrundeliegende hellenistische Kombination von εὐσέβεια und δικαιοσύνη hervorgerufen worden. Denn hier handelt es sich um zwei nebeneinanderstehende Pflichtenbereiche. Diese Auffassung ist nun der dtr und jüdischen Konzeption ursprünglich fremd, und das wird auch noch am frühesten Stadium der mk Perikope sichtbar, der die Zitierung von Lev 19,18 noch fehlt. Nach jüdischem Verständnis ist das Hauptgebot in einem ganz anderen Sinne „wichtig" als das Gebot Lev 19,18: Das Hauptgebot der Gottesverehrung ist Fundament und conditio sine qua non für die Erfüllung aller anderen Gebote. Die Erfüllung aller anderen Gebote ist eine Art Konsequenz daraus, deren Notwendigkeit darzulegen bereits der Verfasser des Dt sich bemüht. Das Gebot der Nächstenliebe dagegen kann nur als eine inhaltliche Zusammenfassung aller Einzelgebote gelten, hat keinen Fundamental-, sondern einen Summierungscharakter. Daher ist die Kombination beider Gebote in Form der Zusammenstellung von atl Einzeltexten eine Verbindung heterogener Elemente; Texte, in denen das Liebesgebot o.ä. allein als Résumé aller Gebote auftaucht (Röm 13,9; Gal 5,14; Mt 7,12) bestätigen dieses. Wenn man aber Gottesverehrung und Nächstenliebe so kombiniert, wie es im hellenistischen Judentum und im NT geschieht, kann das Gebot der Nächstenliebe zunächst nur die Rolle gespielt haben, sämtliche Einzelgebote zusammenzufassen. Entgegen der griech. Konzeption der Doppelheit von εὐσέβεια und δικαιοσύνη wäre es also nicht vorstellbar, daß Juden zunächst an zwei verschiedene Pflichtenbereiche dachten; das Hauptgebot mußte vielmehr die bedingende Grundlage abgeben, das Liebesgebot konnte nur als Zusammenfassung aller Einzelgebote gelten. Dieses ursprünglich für die jüd. Rezeption denkbare Verständnis ist dann offenbar schon in Mk 12 dadurch verstärktem Einfluß der griech. Auffassung gewichen, daß man von zwei Geboten spricht und schließlich durch Anführung von zwei Schriftstellen eine „Gleichberechtigung" herstellt. In diesem Nebeneinander aber wird das Verhältnis zwischen Gottesverehrung und Erfüllung der Gebote nicht mehr sichtbar. Eben darin ist aber ein spezieller Einfluß der griech. Kombination von Frömmigkeit und Gerechtigkeit zu erblicken. Nun ist aber gerade die hier „verschluckte" Spannung zwischen Hauptgebot und der Summe aller Einzelgebote kennzeichnend für das Verständnis des Hauptgebotes

im hellenistischen Judentum, und zwar im Zusammenhang mit der Frage der Rechtfertigung. Die theologische Bedeutung der Kombination der beiden Hauptgebote liegt geradezu darin, die Bedeutung des Hauptgebotes für die Erfüllung aller Gebote unsichtbar gemacht zu haben.
Zum Vergleich ist etwa Philo, Virt 179-184 heranzuziehen: Zwischen Hauptgebot und Einzelgeboten besteht eine problematische Spannung, die der zwischen „Glauben" (an Gott, an J. Christus im NT) und „Erfüllung der Gebote" entspricht. Das Verhältnis zwischen beiden kann Philo nur postulatorisch umschreiben: ἅμα δ' ἀναγκαῖον ἕπεσθαι, ὡς ἐν ἡλίῳ σκιὰν σώματι, καὶ τῇ τοῦ ὄντος θεοῦ τιμῇ πᾶσαν τὴν τῶν ἄλλων ἀρετῶν κοινωνίαν (181). Aus dem Kontext (seit 179) geht hervor, daß dieses Problem speziell dem hell. Judentum zu eigen war, welches auf Proselytenwerbung bedacht war und daher den Heiden nicht nur den Glauben an einen einzigen Gott, sondern auch die Erfüllung der Gebote nahebringen und daher über den Zusammenhang zwischen beiden reflektieren mußte. Dieser Zusammenhang stellt sich nun durchaus nicht als ein Nebeneinander im Sinne von zwei Hauptgeboten dar, sondern wird von Philo als „notwendige Konsequenz" bezeichnet. In 182 fügt Philo zur Kennzeichnung der entstehenden Alternative einen Tugend- und einen Lasterkatalog hinzu; zum Lasterkatalog ergänzt er den Hinweis auf die Strafen: ὧν τὰ τέλη βαρύταται ζημίαι σώματός τε καὶ ψυχῆς εἰσι. Nach Philo ist also der Glaube (an einen Gott) von der Erfüllung der Einzelgebote zwar verschieden, inhaltlich aber äußert er sich in ihnen, und zwar so, daß der bestraft wird, der die Gebote übertritt. Das Verhältnis zwischen Hauptgebot und Einzelgeboten entspricht etwa auch dem für das Dt geltenden. Nur fehlt hier die theoretische Reflexion, die Philo auf Grund der Diaspora- und Missionslage des hell. Judentums in Virt 181 vollzieht. Die hier formulierte Spannung wird nun im frühen Christentum überall dort sichtbar, wo zunächst vom Akt der Bekehrung zu Jesus Christus die Rede war, dann aber in gleicher Terminologie dieser Akt als moralisches Tun verstanden wurde, vor allem der Art, daß die Zugehörigkeit zum Reich des Lichts (d.h. die durch Glaube und Taufe bewirkte Zugehörigkeit zu Jesus) auch Werke des Lichts im Gefolge haben müsse. Diese Spannung aber zwischen Gerechtwerden durch Annahme des einen Gottes (bzw. Glauben an Jesus Christus) und Bewährung des Gerechtseins ist das Grundproblem der frühchristlichen Paränese. Es würde gezeigt, daß dieses Problem so vom Judentum übernommen wurde (in gleicher Situation). Da die

Kombination der beiden Hauptgebote für diese Spannung keinen Ausdruck findet, könnte hier einer der Gründe dafür liegen, daß die Kombination im NT und in anderen frühchristlichen Schriften so überaus selten begegnet. Die bloße Nebenordnung mußte sich als paränetisch ineffektiv zeigen: Der Einfluß der griech. Kombination währte nicht lange; er wurde zugunsten der durch Dt und Bekehrungstraditionen geprägten Auffassung verdrängt, also letzten Endes zugunsten jüdisch-traditioneller Elemente.

C. Dt 6,4-5 LXX

Die Übersetzer[1] haben in Vers 6,3 das „und höre Israel" offenbar nicht zu der Gruppe der „Höre, Israel!" - Aufrufe gerechnet, denn sie übersetzen hier ἄκουσον, sonst immer ἄκουε Ἰσραήλ.

[1] Literatur: W. W. Graf Baudissin, KYRIOS als Gottesname im Judentum und seine Stelle in der Religionsgeschichte I / Der Gebrauch des Gottesnamens Kyrios in der Septuaginta (Herausg. O. Eißfeldt), Gießen 1929; E. C. Colwell, A definite Rule for the Use of the Article in the Greek NT, in: Journ of Bibl Literature 52 (1933) 12-21; A. Debrunner, Zur Übersetzungstechnik der LXX: Der Gebrauch des Artikels bei κύριος, in: Marti-Festschrift, Gießen 1925, 69-78; A. Deissmann, Die Hellenisierung des semitischen Monotheismus (Sonderabdruck aus: Neue Jahrbücher f. d. klass. Altertum, Geschichte u. Deutsche Literatur; 1903), Leipzig 1903, bes. 168; M. Friedlaender, La propaganda religieuse des Juifs Grecs, in: Rev. des Études Juives 30 (1895) 161-181; E. Hatch, Essays in Biblical Greek III: On psychological terms in Biblical Greek, Oxford 1889, 94-130; M. Holzmann, Zu Deuteronomium 6,4 / Ein durch die Septuaginta veranlaßter Grundfehler in der Bibelübersetzung, MGWJ 73 (NF 37) (1929) 263-267; W. R. Hutton, Considerations for the Translation of Greek ἐν, in: The Bible Translator 9 (1958) 163-170; M. Johannessohn, Der Gebrauch der Präpositionen in der Septuaginta, (Nachr GW Göttingen, PhHKl 1925: Beiheft), Berlin 1925; B. Lifshitz, Der Ausdruck ψυχή in den griechischen Grabinschriften, in: Zeitschr d deutsch Palästina-Ver. 76 (1960) 159-160; I. Logan, The Article before proper names (in the NT), in: The Exposit Times 33 (1921/22) 520; I. G. Matthews, The Jewish Apologetic to the Grecian World in the Apocryphal and Pseudepigraphical Literature, Chicago 1914; E. Peterson, Der Monotheismus als politisches Problem / Ein Beitrag zur Geschichte der politischen Theologie im Imperium Romanum, Leipzig 1935; T. Reinach, Art. „Diaspora", in: Jewish Encyclopedie IV, New York 1904, 559-574; J. A. Smith, The Meaning of κύριος in: Journ of Theol Studies 31 (1929/30) 155-160; B. Weiss, Der Gebrauch des Artikels bei den Gottesnamen, in: Theol Stud u Kritiken 84 (1911) 319-392, 503-538; A. Wifstrand, Die Stellung der enklitischen Personalpronomina bei den LXX, in: Lund Årsbook 2 (1949s) 44-70.

In Vers 4b fassen sie das hebr. אלהינו als Apposition und אחד prädikativisch (= Möglichkeit I + A).

Die Wiedergabe des hebr Jahwe durch κύριος findet sich in der LXX erst unter christlichem Einfluß[1]. Eine Reihe von Papyrusfunden (Kairoer Pap Fouad 266; Fund am Nahal Hever; 4 Q LXX Pap und der Fund aus der Alt-Kairoer Geniza) zeigen nirgendwo eine Wiedergabe des hebr Gottesnamens durch κύριος, sondern durch IAO, ΠΙΠΙ und andere Umschreibungen. Die Übersetzung durch κύριος ist in den Bibeltext selbst offenbar nur sekundär eingedrungen durch die Vermittlung der tatsächlichen *Aussprache* in der Diasporasynagoge. Bei Philo findet sich eine Reihe von Belegen für κύριος oder κύριος ὁ θεός als Gottesnamen, auch in Zitaten aus dem AT; allerdings verwendet Philo, wo er unabhängig von Schriftzitaten ist, lieber θεός. Der Gebrauch bei Philo ist dem im NT parallel. – Die Ursache für die Einsetzung von κύριος für den Gottesnamen ist nach P. Vielhauer[2] möglicherweise auf palästinensisches Adonai oder den heidnischen Kyriostitel zurückzuführen. Für die Übersetzung des hebr Gottesnamens ins Griechische hat A. Debrunner (Übersetzungstechnik 77) die Regel aufgestellt: Die Artikellosigkeit des hebr Gottesnamens wird nachgeahmt, aber die unübersetzbaren Dativ- und Akkusativ-Präpositionen des Hebräischen werden durch den griechischen Artikel übersetzt. – Klassisches Griechisch dagegen würde bei κύριος, wenn ein bestimmter Herr gemeint ist, den Artikel verlangen; aber nur bei den gut griechisch schreibenden LXX-Übersetzern in Hiob, 2 Mkk und in jüngeren Rezensionen von Ruth wird κύριος als Gottesname mit Artikel gebraucht (ὁ κύριος). Sonst wird dagegen κύριος als Eigenname behandelt. Ausgenommen sind dabei die Fälle, wo ein γάρ eingeschoben ist und zwei weitere Stellen (Ex 24,1; Dt 1,20). Die erwähnte Auffassung von κύριος als Eigenname bringt es auch mit sich, daß der Artikel bei κύριος auch dann weggelassen wird, wenn dieses eine Apposition bei sich hat, wie es bei Eigennamen im Griechischen auch sonst üblich ist; so auch in Dt 6,4. Ein weiteres Beispiel einer solchen Apposition bei κύριος liegt vor in Hiob 5,8: κύριον τὸν πάντων δεσπότην (vgl. dagegen 2 Mkk 7,6).

Die LXX hat bei ihrer Wiedergabe von Dt 6,4 יהוה durch κύριος ὁ θεός ausgedrückt. Damit geht sie weit über den hebr Wortlaut hinaus, zugunsten der gewöhnlichen und in der LXX-Fassung des Dt gebräuchlichen Formel κύριος ὁ θεός. Das οὗτος θεός ἐστιν gibt sie wieder aus הוא אלהנו und verkennt damit die grammatische

[1] Vgl. dazu P. Kahle, in: ThLZ 79 (1954) 81-94, bes. 83f; ders., The Cairo Geniza [3]1959, 218-228; F. G. Kenyon und A. W. Adams, Der Text der griechischen Bibel [2]1961, 38.41f; S. Schulz, Maranatha und Kyrios Jesus, in: ZNW 53 (1962) 125-144.129; P. Vielhauer, Ein Weg zur neutestamentlichen Christologie, in: Aufsätze zum N.T., München 1965, 141-198, bes. 148-150; W. G. Waddell, The Tetragrammaton in the LXX, in: JThSt 45 (1944) 158-161.

[2] Vgl. P. Vielhauer, a.a.O., 150.

Funktion des הוא, welches nicht demonstrativen Charakter hat, sondern das kopulativ verwendete Personalpronomen ist (vgl. C. Brockelmann, Hebräische Syntax, 1956, § 30a).
Die LXX hat sich mit der Übersetzung εἷς nur an die auch sonst praktizierte Wiedergabe von אחד gehalten, auch an den beiden zum Vergleich mit MT Dt 6,4 herangezogenen Stellen 1 Chr 29,1 (εἷς ὃν ᾑρέτικεν) und Zach 14,9 (κύριος εἷς = ein Herr allein). Dagegen wird für לבדו sehr oft μόνος gebraucht (z.B. Ps 76,16: δικαιοσύνης σου μόνου).
Daß der Übersetzer in Dt 6,4 nicht μόνος übersetzte, sondern εἷς, weist darauf hin, daß hier die Einzahl betont werden soll. εἷς κύριος heißt: ein Herr ist, und nicht viele Herren sind. Damit ist der Gegensatz betont zwischen dem „einen" und den „vielen", der Unterschied in der Zahl (Monotheismus-Polytheismus), nicht so sehr der Unterschied in der Person (Jahwe-andere Götter).
Die Betonung des Monotheismus spiegelt ein häufiges Anliegen und vermutlich sogar eine feste Formel des Diasporajudentums (vgl. Ar. Br. 16; s.u.). Die LXX abstrahiert durch κύριος vom Stammesgott (vgl. A.Deissman, a.a.O., 174) und stellt die Alternative 'ein Gott/viele Götter' auf.

Die Übersetzung des ב in der hebr Hauptgebotsformel schwankt in der LXX zwischen ἐν und ἐξ. In den profangriech. Parallelbeispielen zu ähnlichen Ausdrücken begegnet dagegen niemals ἐν, sondern gewöhnlich ἐκ (Aristophanes, Nubes 86; Plutarch, De Virt 446a; Xenophon, Oecon 10,4; Exped Cyri 7; Arrian 2,23; 3,20; Theokrit, Idyll 8,35, vgl. dazu F. Dübner, Scholia in Theokritum, Paris 1878, 63, 32-35, der das ἐκ ψυχᾶς erklärt durch ἐξ ὅλης τῆς προθυμίας; Herodot VIII,97), aber auch ἀπό (Theophrast, Charakt 17 φιλεῖν ἀπὸ ψυχῆς) oder der instrumentale Dativ (Epiktet 35 ὅλῃ τῇ ψυχῇ; Xenophon, Apol 3,11,10; Philo, De Abr 198 außer BEK), meistens im Zusammenhang mit ψυχή, aber auch bei νοῦς. Vgl. dazu die Formel bei Preisendanz PGM III,591: χάριν σοι οἴδαμεν, ψυχῇ πάσῃ, κατὰ καρδίαν.
Innerhalb der LXX scheint das bessere Griechisch auf jeden Fall durch ἐκ gegeben zu sein, und zwar wird ἐκ hier verwendet „bei Bewegungsverben, die die Richtung von innen nach außen haben in Verbindung mit Körperteilen, die aber als Sitz des Geistigen gelten" (E. Schwyzer, Grammatik II,463). Dabei liegt die Vorstellung zugrunde, daß das mit ἐκ versehene Substantiv den Punkt bezeichnet, von dem aus man etwas tut (vgl. Sophokles, El 344). ἐν wird dagegen außer im semitisierenden Griechisch nie dazu gebraucht, das Mittel, mit dem man etwas tut, oder den Punkt, von dem aus man etwas tut, zu bezeichnen[1].

[1] Für den Bereich unserer Formel und ihrer Variationen ergibt sich in der LXX folgendes Bild: ἐκ ist ausgesprochen typisch für das Dt (4,29; 6,5; 10,12; 11,13; 13,3.4; 26,16; 30,2.6.10), ferner steht es in Jos 22,5; 2 Chr 15,

Das כל bei לב wird fast immer durch ὅλος übersetzt[1]. Die griechischen Äquivalente für die drei in Dt 6,5 gebrauchten Substantive sind in der LXX, sofern sie in etwa ähnlichem Sinn gebraucht werden, in der Regel untereinander austauschbar; das gilt also für die griechischen Begriffe καρδία, διάνοια, ψυχή, ἰσχύς und δύναμις.

So kann לב wiedergegeben werden mit καρδία, διάνοια, ψυχή; נפש kann übersetzt werden mit ψυχή, καρδία, ἰσχύς. מאד mit ἰσχύς, δύναμις, καρδία; für ἰσχύς kann auch ψυχή und δύναμις stehen.
לב wird meistens mit καρδία übersetzt, daneben auch häufig mit διάνοια. Für נפש steht in der Regel ψυχή; für מאד steht nur in Dt 6,5 und in Sir 7,30 δύναμις. ἰσχύς steht dafür nur in 4 Kge 23,25 und 2 Chr 35,19 (nicht MT!).
Für den Bereich der vollen Formel „mit ganzem Herzen und mit ganzer Seele“ in der LXX ergab sich folgendes Bild: Innerhalb des Dt wird gleichmäßig übersetzt: ἐξ ὅλης τῆς καρδίας καὶ ἐξ ὅλης τῆς ψυχῆς. Eine Ausnahme bildete lediglich Dt 6,5, wo διάνοια (in B rel.) statt καρδία gesetzt ist.
Sehr bemerkenswert ist aber, daß im unmittelbar folgenden Vers das einfache hebr על־לבבך von LXX wiedergegeben wird: ἐν τῇ καρδίᾳ σου καὶ ἐν τῇ ψυχῇ σου. Es wird hier nicht nur ψυχή ergänzt – offensichtlich in Anlehnung an die sonst in der Formel übliche Zusammenstellung von καρδία und ψυχή –, hinzukommt, daß לב hier nicht mit διάνοια übersetzt wird wie im Vers zuvor!
Der Übersetzung der LXX in Dt 6,5 entspricht auch Jos 22,5, wo ebenfalls διανοίας steht, A aber ebenfalls καρδίας hat. – Außerhalb des Dt und Jos 22,5 begegnet ἐκ in der Formel nur noch in 2 Chr 15,12.
Die übrigen Stellen haben meist ἐν ὅλῃ καρδίᾳ καὶ ἐν ὅλῃ ψυχῇ. Mit

12.15; 31,21; Weish 8,20; 4 Mkk 7,18; 13,13; Joel 2,12; 3,14; Zeph 3,14; Jer 3,10; 24,7.
ἐν dagegen findet sich zwar in Dt 30,14 (ἐν τῇ καρδίᾳ σου), aber nicht im Zusammenhang mit unserer Formel.
Nur ἐν steht in den Königsbüchern (1.-4. Kge), in den Psalmen und bei Sirach, aber auch in Jer 36,13; Prov 3,5; Dan 3,41. Vgl. H. Mossbacher, Präpositionen, 58: „ἐκ tritt im Laufe der Zeit immer mehr zurück, bis es schließlich im Ngr ganz von ἀπό aufgesaugt wird“.

[1] Ausnahmen mit πᾶς: 4 Kge 23,3 (vgl. aber 23,25!); Sir 39,35; 47,8; Jer 32,41. – Bei der Übersetzung mit πᾶς ging immer ἐν voraus. – Ein Artikel wird vor καρδία meist dann eingeschoben, wenn dieses nicht näher determiniert ist.
Wenn ἐν ὅλῃ oder ἐν πάσῃ vor καρδία steht, findet sich der Artikel immer bei ἐξ.

dem ἐν entfiel auch der Artikel vor den Substantiven (so in 1 Kge 2,4; 8,48; 2 Chr 6,38; 2 Kge 23,25; 2 Chr 34,31). Anders sind 2 Kge 23,3 und Jer 32,41 mit der Form ἐν πάσῃ καρδίᾳ καὶ ἐν πάσῃ ψυχῇ.

Im Ganzen ergibt sich für das Dt eine einheitliche Wiedergabe, in den anderen Schriften eine mehr semitisierende Übersetzung. Bemerkenswert ist vor allem, daß bis auf Dt 6,5 und Jos 22,5 einheitlich καρδία und ψυχή zur Übersetzung von לב und נפש benutzt werden. Diese Uniformität ist bei der sonstigen Übersetzung der beiden hebr Worte keineswegs gegeben.

Darf also auch καρδία in Dt 6,5 und Jos 22,5 als ursprünglicher gelten, so daß es B rel. durch das griechisch bessere διάνοια[1] ersetzt hätten? Diese Ersetzung wäre dann nur an dieser einen für wichtig gehaltenen Hauptgebotsformulierung (und der sie wohl nach der Meinung der Übersetzer zitierenden Stelle Jos 22,5) vorgenommen worden, so, daß bereits die nächstliegende Stelle Dt 6,6 nicht mehr davon betroffen wurde.

[1] Vgl. dazu zu Mk 12,28ff. – Dagegen wendet sich J. W. Wevers, Septuaginta-Forschungen, in: Theol Rundschau 22 (1954), 85-138; 171-190, 176: „Die Tatsache, daß διάνοια zur Übersetzung von לב gebraucht wird, ist sicherlich in keinem Falle ein Gräzismus, sondern zeugt von einem wirklichen Verstehen des hebr. Wortes". E. Hatch, a.a.O., 107-108 hatte die Frage nach dem verschiedenen Inhalt der in der LXX verwendeten psychologischen Termini damit beantwortet, daß Wille und Intention in der Hauptsache durch καρδία ausgedrückt werde. ψυχή werde exklusiv verwendet für Zusammenhänge mit ἐπιθυμεῖν. „καρδία is most commonly used of will and intention, ψυχή of appetite and desire". Geistige Anstrengungen und Kräfte werden allgemein mit καρδία, ψυχή und πνεῦμα wiedergegeben. Da sie aber zur Übersetzung der gleichen hebr. Worte dienen, sei keine scharfe Unterscheidung zwischen ihnen möglich.

Zur Terminologie bei Josephus vgl. A. Schlatter, Theologie, 20: „Für diese Psychologie, für die die Seele unabhängig vom Leib vorhanden war, war die atl Deutung des menschlichen Lebens unmöglich geworden, nach der die Tätigkeiten des Menschen von seinen Gliedern besorgt wurden. Früher sah das Auge... das Herz dachte und wollte. Bei J. sind alle diese Formeln verschwunden. Denn der Leib ist in eine weit größere Entfernung vom inwendigen Leben gestellt". 21 „Die wichtigste Wandlung war, daß „das Herz" für J. die Bedeutung verlor, da er es vom seelischen Vorgang gänzlich trennt. Er braucht καρδία nur vom körperlichen Organ". So in Ant 5, 193; Ap 2,85; Ant 19,346. – An die Stelle des Herzens sei das Denken (διάνοια) getreten; Seelisches komme nur in dem Ausdruck zutage, „und auch dies ist keine Parallele zur biblischen Psychologie" (21). In Ant 7,241 und 9,118 übernahm Josephus καρδία aus dem Text.

Für das in den synoptischen Varianten der Formel auftauchende σύνεσις gilt im Bereich der LXX, daß es aus der Reihe der im Zusammenhang mit der Formel verwendeten Begriffe herausfällt. Es ist ausschließlich eine besondere Gabe von Gott, nicht etwas mit einer „Seelenkraft" Vergleichbares oder etwas, das wie καρδία oder ψυχή für das Innere des Menschen stehen könnte. Es ist Frucht menschlichen Bemühens oder göttliche Gabe (vgl. Sir 5,12).

Die Frage, ob die so oft synonym verwendeten Begriffe möglicherweise doch eine verschiedene Bedeutung haben, ist zu beantworten durch Analyse von Stellen, in denen diese Begriffe gemeinsam vorkommen. Man wird aber dabei beachten müssen, daß die Sprache der LXX keine philosophische, sondern eine „populare" und höchstens „popularphilosophische" ist.

Das gemeinsame Vorkommen von διάνοια, διανοεῖσθαι und καρδία gibt an einer Reihe von Stellen folgendes Bild: Gegenüber διάνοια usw. erscheint καρδία eher als Sitz, Ort und Raum des Denkens, während διάνοια mehr die Tätigkeit oder wenigstens die Fähigkeit (das „Denken") ist. Außerdem scheint καρδία mehr das ganze Innere des Menschen zu umfassen, während διάνοια wohl eine bestimmte seiner Fähigkeiten meint (vgl. 1 Chr 29,18: ἐν διανοίᾳ καρδίας - τὰς καρδίας).

Besonders in Sir 22,16.17.18 ist ein bestimmtes „Herz" (vielleicht als eine Art „Charakter" verstanden) das Ergebnis eines bestimmten „Denkens", welches Herz sich dann wieder in neuem Handeln äußert (Sir 3,29: καρδία συνετοῦ διανοηθήσεται).

Die oben angestellten Vermutungen werden durch die Verwendung des Verbums διανοεῖσθαι bei καρδία bestätigt: Bis auf zwei Stellen (Sir 16,20,23) heißt es immer διανοεῖσθαι ἐν καρδίᾳ: Das Herz ist das Innere des Menschen, in dem das Denken stattfindet – oder in Sir 16,20,23 mehr das Mittel zum Denken, das Organ mit dem gedacht oder der Raum, in dem gedacht wird. Auch in den Stellen, an denen καρδία und ψυχή nebeneinander stehen oder an denen die HSS zwischen καρδία und ψυχή schwanken, ist mit καρδία eindeutig das Organ und nicht die Tätigkeit gemeint.

An den Stellen, in denen καρδία und σύνεσις, συνετός, συνιέναι vorkommen, bezeichnet σύνεσις im Gegensatz zu διάνοια nicht die Tätigkeit sondern das Ergebnis: Die Einsicht, das Verständnis. συνετός als Adjektiv bei καρδία bezeichnet die besondere, qualifizierende Eigenschaft. Es wurde schon bemerkt, daß συνετός in der Regel καρδία bei sich hat, διάνοια nur bei σοφός im Pentateuch begegnet. Mit καρδία zusammen wird συνιέναι gebraucht in Is 6,10 und Dan 10,2 Θ. Gegenüber ähnlicher Verwendung von διανοεῖσθαι bezeichnet συνιέναι hier nicht „nachdenken", sondern ein positiv qualifiziertes Erkennen.

Ähnlich wie καρδία erscheint auch ψυχή als Organ bzw. Werkzeug des Denkens. Wo ἰσχύς im Zusammenhang mit anderen dieser Begriffe zusammen vorkommt, ist es offenbar nicht eine schon als selbstverständlich vorausgesetzte Eigenschaft, sondern – offenbar σοφία und σύνεσις vergleichbar – eine besondere Gabe, eine heraushebende Eigenschaft. δύναμις wird an einigen Stellen so wie σύνεσις gebraucht, d.h. als besondere Gabe verstanden. Anders ist die Lage in Sir 6,26 und 7,27-30.

An beiden Stellen findet sich die Parallelsetzung ψυχή/δύναμις. Hier wird δύναμις gebraucht wie in Dt 6,5. Für das Verhältnis von σύνεσις und διάνοια

dürfte noch wichtig sein Ex 35,35: ἐνέπλησεν αὐτοὺς σοφίας καὶ συνέσεως διανοίας πάντα συνιέναι (vgl. Sir 22,17 ἐπὶ διανοίας συνέσεως).
Der MT hat חכמה לב לעשת כל wobei עשת nicht συνιέναι, sondern ποιῆσαι erfordern würde. ποιῆσαι wurde offenbar als nicht zu σύνεσις und διάνοια passend empfunden: διάνοια ist nicht das Innere des Menschen als Ausgangspunkt seines Tuns, sondern offenbar eingeengt auf das „Denken". Man vergleiche nur dazu Dt 26,16: καὶ ποιήσετε (עשה) αὐτὰ ἐξ ὅλης τῆς καρδίας ὑμῶν.

Hauptergebnisse: καρδία bezeichnet eher Sitz, Organ, Instrument des Denkens oder den dadurch geprägten „Charakter". διάνοια wird verwendet eher für die Tätigkeit und Fähigkeit des Denkens allein. δύναμις und ἰσχύς haben nur in Hauptgebotsformulierungen die Bedeutung einer „inneren Kraft, die in den Dienst der Liebe zu Gott gestellt werden kann". ψυχή wird ganz ähnlich wie καρδία verstanden für das „Innere" des Menschen ganz allgemein.

D. Traditionen der Auslegung

1. Die Weiterführung der deuteronomischen Hauptgebotsformulierungen im Judentum

Dt 6,4-5 wird im Spätjudentum nirgendwo wörtlich zitiert. Aber die im Dt sich niederschlagende Tradition von Formulierungen des Hauptgebotes in einer bestimmten sprachlichen Variationsbreite, die aber doch terminologisch abgrenzbar ist, setzt sich im Spätjudentum fort. Die Ähnlichkeit dieser Formulierungen zu denen des Dt bleibt immer aufweisbar.
Am stärksten wird der atl Sprachgebrauch gewahrt in der syr Baruchapokalypse und in den Texten von Qumran: Syr Bar 66,1 verwendet die Formel, wie es auch im AT so häufig geschah, von Josias: er diente (ܦܠܚ) Gott aus ganzem Herzen und aus ganzer Seele. In Syr Bar 84,10 mahnt Baruch, zu beten von ganzer Seele.
In CD 15,18 wird die Formel gebraucht im Zusammenhang mit der Umkehr zum Gesetz des Moses, ebenso in V. 9 und V. 15; in gleicher Bedeutung wird die Formel verwendet in 1 QS 5,8f. Im Zusammenhang mit Umkehr wird die Formel auch gebraucht in 1 QH 16,7, verbunden mit dem Verb „lieben" in 1 QH 15,9, im Zusammenhang mit Gott suchen in 1 QS 1,1-2 (conj), mit Gott dienen in 1 QH 16,7.
1 QH 14,26 bringt eine Formulierung des Hauptgebotes in der 1.P.Sg: ואהבכה נדבה ובכול לבי אברכך das Preisen aus ganzem Herzen

ist der Psalmen-Sprache entlehnt. (zum Preisen Gottes vgl. Tob 11,15; 13,6 ἐν ὅλῳ τῷ σώματι αὐτοῦ (ὑμῶν).
Die streckenweise vorgenommene Ersetzung Jahwes durch die Tora des Moses in den Texten von Qumran ist ein weiteres Zeugnis für die theologische Verselbständigung des Gesetzesbegriffs im Spätjudentum (s.o.). Tobias 13,6 S enthält eine Hauptgebotsformulierung: ὅταν ἐπιστρέψητε πρὸς αὐτὸν ἐν ὅλῃ τῇ καρδίᾳ ὑμῶν καὶ ἐν ὅλῃ τῇ ψυχῇ ὑμῶν. Das ἐπιστρέφεσθαι entspricht dem hebr. שוב. Hier dürfte, wie auch in den Belegen aus Philo, ein Anzeichen dafür vorliegen, daß auch noch in den spätjüdischen Schriften die Formel nur bei einem begrenzten und konstant gleich bleibenden Kreis von Verben gebraucht wird.

In Teez Sanb H p. 27,2 (L p. 29) sind parallel: Gott glauben (’āmĕnū bă...), ihn verehren (săgădū) und ihm dienen mit ihrem Herzen (tăgĕnăjū bălĕbōn). Eine kurze Angabe des Hauptgebotes ist im Buch der Jubiläen die Formel „gläubig und Gott liebend“ (mĕ’ĕmăn... wămăfqărō ’ĕgz.), die sich in 17,18 von Abraham findet, und der in 19,9 entspricht: „denn er wurde als gläubig erfunden und wurde als Freund Gottes auf die himmlischen Tafeln geschrieben“.

Auf die Folge von ἐν ὅλῃ καρδίᾳ σου – ἐν ὅλῃ ψυχῇ σου – ἐν ὅλῃ δυνάμει in Sir 7,27.29.30 wurde schon hingewiesen. Beachtenswert ist, daß ἐν ὅλῃ καρδίᾳ σου in Vers 27 sich nicht auf ein Verhalten zu Gott bezieht, sondern auf das Ehren der Eltern. Dazu ist hinzuweisen auf die äußerst wichtige Stellung, die das Elterngebot im hellenistischen Judentum hat (s.u.). In Sir 7,27 werden bereits Teile der Hauptgebotsformel zur Einleitung eines anderen Gebotes verwendet. Typisch für das hellenistische Verständnis ist das Attribut τὸν ποιήσαντά σε in Vers 30. Im AT war das Gebot, Gott zu lieben, an keiner Stelle mit einer Begründung verbunden gewesen. Hier aber liegt ein für weisheitliche Literatur typisches sekundäres Eindringen des Begründungselementes vor. Es herrscht nicht nur das apologetische Interesse, Gott als den Weltschöpfer hinzustellen, womit dieses Gebot für alle verbindlich wird, die von ihm geschaffen wurden, sondern auch das Bestreben, dieses Gebot durch eine Begründung vor dem Verstand zu rechtfertigen: Weil er dich geschaffen hat, liebe ihn. – Aus der Stichometrie des Nikephorus sind vier Bruchstücke des Propheten Ps-Ezechiel (zw. 50 v. und 50 n. Chr.) erhalten; 3,2 lautet: „Kehret euch zu mir aus eurem ganzen Herzen (ἐπιστραφῆτε πρός με ἐξ ὅλης τῆς καρδίας) und sprechet: Vater, alsdann willfahre ich euch wie einem heiligen Volk“. –
Im Buch der Jub. spielt die Formel „aus ganzem Herzen und aus

ganzer Seele" (băqŭĕlū lĕbă wăbăqŭĕlū năfsă) eine besondere Rolle. Denn diese wird hier nicht nur in Weiterführung der Tradition der Auslegung der Hauptgebotsformel verwendet, sondern auch von allen Gemütsregungen der Menschen. In Jub 1,15 begegnen die volle Formel (mit: ḫăjlă) im Zusammenhang mit der Umkehr (mēṭă) zu Gott und die ersten beiden Glieder der Formel im Zusammenhang mit „Gott suchen (ḫašăšă)", mit Umkehr in Jub 1,34; auch wo das Gott Dienen erwähnt wird, kann die Formel verwendet werden, so in 36,20, ebenso vom Gott Suchen (21,2), nicht aber vom Gott Lieben (vgl. 20,7). – In Jub 1,16 entspricht der in V. 15 erwähnten Umkehr aus ganzem Herzen und aus ganzer Seele die Verheißung, daß auch Gott in der gleichen Weise die solches tun umwandeln wird: der Lohn entspricht genau dem Tun.

Häufig wird in den Test Patr das Hauptgebot umschrieben als „Gott fürchten" – Test Levi 13,1: φοβεῖσθε κύριον τὸν θεὸν ὑμῶν ἐξ ὅλης τῆς καρδίας ὑμῶν καὶ πορεύεσθε ἐν ἁπλότητι κατὰ... νόμον αὐτοῦ. In Test Benj 4,5 heißt es vom ἄνθρωπος ἀγαθός: ἀγαπᾷ κατὰ τὴν ψυχὴν αὐτοῦ (sc. θεόν); Test Zab 10,5: φοβεῖσθε κύριον τὸν θεὸν ὑμῶν ἐν πάσῃ ἰσχύι ὑμῶν πάσας τὰς ἡμέρας... Aus der dreigliedrigen Formel ist hier nur das letzte Glied erhalten geblieben. Eine spätere Erweiterung der Formel zeigt die äth Gorgorios Apk (Übs. Leslau p. 80f): „...know that if a man or a woman loves God with all his heart, with all his thoughts and with all his deeds...". In Abr Apk 31 wird auf das Hauptgebot angespielt mit den Wendungen „zu Gott kommen, lieben, preisen, anhängen", also noch immer mit Begriffen der dtr Tradition. So wird das Hauptgebot auch noch in den Thomasakten K 104 (H-S 348) wiedergegeben (ehren und fürchten). In Sib IV 25 werden die Juden bzw. die Verehrer des einen Gottes selig gepriesen, die „lieben den großen Gott, preisend (στέρξουσι μέγαν θεὸν εὐλογέοντες)". – Eine mit der Formel in Dt 6,4f verwandte Aussage über die Nächstenliebe findet sich in Test Gad 6,1 (ἀγαπήσατε ἀλλήλους ἐν ἔργῳ καὶ λόγῳ καὶ διανοίᾳ ψυχῆς. Sie ist Ausdruck der engen Verknüpfung der beiden Hauptgebote in den Test Patr. Von der Furcht Gottes ist die Rede in Test Jos 10,5 (εἶχον τὸν φόβον τοῦ θεοῦ ἐν τῇ καρδίᾳ μου) und in 11,1 im Zusammenhang mit dem Gebot der Bruderliebe, ebenso in Test Benj 3,3: φοβεῖσθε κύριον καὶ ἀγαπᾶτε τὸν πλησίον. Vgl. Test Gad 6,3: ἀγαπήσατε ἀλλήλους ἀπὸ καρδίας. Auch hier findet sich die für die Test Patr besonders charakteristische Angleichung von Formeln über Nächstenliebe an die Hauptgebotsformel.
Besondere Bedeutung haben die Test Patr aber dadurch, daß sie das Hauptgebot mit dem Liebesgebot verknüpfen (s.u.).

2. Die Kombination des Hauptgebotes mit dem allgemeinen Hinweis auf die Erfüllung des Gesetzes

Es wurde bereits oben in Abschnitt B dargestellt, daß eine Verbindung des Hauptgebots mit dem Hinweis auf die Erfüllung aller Gebote der dtr Tradition entspricht. Das Hauptgebot erscheint als das Fundament der Erfüllung der Einzelgebote; es ist nicht eines unter ihnen, sondern prinzipiell vorgeordnet. Relativ häufig ist eine Verbindung des Hauptgebotes mit Hinweis auf die Erfüllung aller Gebote, etwa in Jub 20,7 (Liebt den Gott des Himmels und hängt an seinen Geboten), abgewandelt und in der Tendenz, Habsucht als das Grundübel anzusehen in Äth Hen 108,8 (Gott lieben und kein Gut in der Welt). Verbindungen von Hauptgebot und allgemeiner „Erfüllung des Gesetzes" finden sich auch in 4 Mkk 11,5; Jub 1,24; 36,20; Syr Bar 44,7; 48,46; 4 Esr 13,54; Josephus Ant VII, 183; XII,271; IX,153; die enge Verbindung beider Bereiche kommt in der These der Sib zum Ausdruck, Unsittlichkeit sei eine Folge der Götzenverehrung (III,596-605).
Test Aser 5,4 hat die Formulierung καὶ τὰς ἐντολὰς τοῦ ὑψίστου ἐξεζήτησα κατὰ πᾶσαν ἰσχύν μου πορευόμενος. Auch hier ist eines der auch in der LXX in der Formel gebräuchlichen Verben verwandt.

Eine Kombination der Hauptgebotsformel mit dem Hinweis auf die Gebote findet sich auch in der äth Gorgorios Apk (L p. 80f): Wenn jemand Gott liebt aus... usw. und ein wenig Gutes tut, wird Gott ihm helfen, denn er liebt seine Gebote. – Ähnlich ist ibid. p. 90 vom Lieben der Gebote Gottes die Rede. Lib Ant XI 6 spielt offenbar auf Ex 20,6 an: „Qui diligunt me et custodiunt mandata mea". Auf diese Tradition weist auch die Verbindung von Götzendienst und Verlassen der überlieferten Gebote in der Endzeit nach Acta Philippi K. 142.

Wie schon an der Verwendung der Hauptgebotsformel in den Qumrantexten für „Gesetz", so wird auch an diesen Beispielen die Bedeutung des „Gesetzes" als der Gesamtheit der Forderungen gegenüber dem einen Gott deutlich.

3. Das Weiterleben der Formel aus Dt 6,5

Obwohl Dt 6,4-5 selbst nicht zitiert wird, haben die Intensivierungsformeln von Dt.6,5b im Spätjudentum ein deutlich aufweisbares Nachleben, und zwar auch über ihre Verknüpfung mit Hauptgebotsformulierungen hinaus.

Die besondere Funktion der Hauptgebotsformel im Buch der Jubiläen wurde oben schon angedeutet. Sie zeigt sich darin, daß die Formel von Dt 6,5 nicht nur im Zusammenhang mit dem Hauptgebot, sondern auch vom Tun Gottes selbst (Jub 1,16) und von menschlichem Handeln an besonderen Stationen der „Heilsgeschichte" gebraucht wird:

Von der Freude Abrahams wird die Formel gebraucht in Jub 16,25, wobei zu beachten ist, daß diese Freude vom Lachen Abrahams nach Gen 17,17 zu unterscheiden ist, wenn sie auch aus der Auslegung dieser Stelle erwachsen sein mag. Nach Jub 35,12 freut sich Jakob „mit seinem ganzen Herzen", weil seine Eltern die Unterstützung annehmen, die er ihnen gewährt; Esau dagegen hat sie mit ganzem Herzen verlassen (35,10). In 35,13 erkennt Isaak an, daß Jakob sie „mit ganzem Herzen ehrt". Im Parallelbericht 29,20 heißt es, daß beide Eltern Jakob deswegen segneten mit ihrem ganzen Herzen und mit ihrer ganzen Seele. Von der gleichen Sache wird die Formel gebraucht in Jub 22,27.28; in V. 28 in der Form „der in meinem ganzen Herzen und in meiner Liebe ist". Ebenfalls im Zusammenhang mit Lieben wird die Formel verwendet in Jub 19,31, und zwar wiederum vom Verhältnis Rebekkas zu Jakob. Die Gattenliebe Jakobs zu Lea wird mit dieser Formel beschrieben in Jub 36,24.

Die Besonderheit besteht hier darin, daß „lieben" das zugehörige Verb ist, welches sich aber nicht auf Gott, sondern auf Menschen richtet. Im gesamten AT dagegen wurde die Formel nur im Verhältnis des Menschen zu Gott verwendet. Die Erweiterung des Anwendungsbereiches dieser Formel im Buch der Jubiläen ist nicht nur eine Erscheinung des stilistischen Verfalls, sondern steht wohl auch im Zusammenhang mit der besonderen Betonung der gegenseitigen Liebe und der Nächstenliebe in diesem Buche allgemein.
Im negativen Sinne wird die Formel verwendet vom Haß gegen Jakob in 37,24. – Es entsteht der Eindruck, daß die Formel im Buch der Jub nicht ohne Absicht über eine bloße Verknüpfung mit dem Hauptgebot hinaus verwendet worden ist. Entscheidende Akte der Heilsgeschichte, die die Kontinuität der Erwähltheit in Abraham zum Ausdruck bringen und sicherstellen und die insbesondere mit der Erwählung Jakobs und der Verwerfung Esaus zusammenhängen, werden durch diese Formel in ihrer Bedeutung betont. Am Ende wird Gott selbst dann aus ganzem Herzen und ganzer Seele den Lohn geben.
Das Liebesgebot war mit einer Hauptgebotsformel versehen in Test Sim 4,7.8. Die in Jub beobachtete Übertragung des Sprachgebrauchs auf heilsgeschichtliche Ereignisse der Väterzeit steht neben der Ausweitung der Formel auf das Gebot der Nächsten- und

Bruderliebe in den Testamenten der Patr. In der Tradition von deren Sprachgebrauch steht auch Mt 18,35: ἀφῆτε ἕκαστος τῷ ἀδελφῷ αὐτοῦ ἀπὸ τῶν καρδιῶν ὑμῶν.

Nach 4 Esra 10,50 trauern die Juden aus ganzem Herzen um das zerstörte Zion. Die einfache Wendung ἐκ ψυχῆς begegnet in 1 Mkk 8,27: συμμαχήσουσιν οἱ 'Ρωμαῖοι ἐκ ψυχῆς. Vergleichbar ist Ez 25,6 und 25,15, wo ἐπιχαίρω mit ἐκ ψυχῆς konstruiert ist (MT: בנפש). Nur an diesen Stellen findet sich in der LXX ἐκ ψυχῆς in diesem Sinn ohne vorhergehendes ἐκ καρδίας. Auch im MT ist das isoliert vorkommende בנפש eine singuläre Erscheinung. Die Formel „aus ganzem Herzen" findet sich dann als bloße Intensivierungsformel in Lib Ant 62,6 (ambulavi in toto corde in domo eius), oft in Past Herm (hier noch in dtr Tradition mit den Verben μετανοεῖν, εἰρηνεύειν, δουλεύειν, παθεῖν), in Ep Ap 25 (36) (fragen mit ganzem Herzen), in der Paulus Apk K. 28 (H-S II 552), ferner in den PGM (Preisendanz III 591: χάριν σοι οἴδαμεν, ψυχῇ πάσῃ, κατὰ καρδίαν); ferner in Past Herm Vis III, IX,1: ἵνα δικαιωθῆτε καὶ ἁγιασθῆτε...; Acta Philippi K. 58: ἐὰν καὶ σὺ μετανοήσῃς ἐκ ψυχῆς.

4. Jüdisch-hellenistische Abwandlungen des Hauptgebotes

Philo von Alexandrien, De Decalogo 64: ἀλλὰ καὶ διανοίᾳ καὶ λόγῳ καὶ πάσῃ δυνάμει τῇ τοῦ ἀγεννήτου καὶ αἰδίου καὶ τῶν ὅλων αἰτίου θεραπείᾳ σφόδρα εὐτόνως καὶ ἐρρωμένως ἐπαναδυώμεθα. Dadurch daß Philo an dieser Stelle nicht wörtlich zitiert, sondern nur sehr stark auf Dt 6,4-5 anspielt, wird diese Stelle für uns nur um so wertvoller: Hier dürfte wohl die am weitesten gräzisierte Fassung des Hauptgebotes vorliegen. Gegenüber LXX und MT wird großer Wert gelegt auf eine philosophische Bestimmung des Wesens Gottes durch die drei Eigenschaften „ungeworden", „ewig", „aller Dinge Ursache".
Ferner ist bezeichnend, daß das Verhalten zu Gott mit θεραπεία umschrieben wird, ein Ausdruck, der ein kultisches Verhältnis zu Gott mit Opferdienst und Priestern bereits gänzlich auszuschließen scheint (vgl. De Decal 108; Praem Poen 81).
An vier weiteren Stellen nimmt Philo ebenfalls auf das Gebot der Gottesliebe Bezug; aber nicht unter Anführung von Dt 6,4.5, sondern unter Anspielung auf Dt 30,19.20. Diese Stelle heißt in LXX: ...ἵνα ζῇς σὺ καὶ τὸ σπέρμα σου, ἀγαπᾶν κύριον τὸν θεόν σου, εἰσακούειν τῆς φωνῆς αὐτοῦ καὶ ἔχεσθαι αὐτοῦ. ὅτι τοῦτο ἡ ζωή σου... Philo wendet sie an in De Fuga et Inventione, 58: αὕτη ἡ ζωή σου καὶ ἡ μακρότης τῶν ἡμερῶν, ἀγαπᾶν κύριον τὸν θεόν σου. ὅρος ἀθανάτου βίου κάλλιστος οὗτος ἔρωτι καὶ φιλίᾳ θεοῦ ἀσάρκῳ καὶ ἀσωμάτῳ κατεσχῆσθαι.
Besondere Vorliebe zeigt Philo bei diesen Wiedergaben für Zusammensetzungen mit -ἔχεσθαι, welche ihm auch sonst im Rahmen seiner „Mystik" geläufig sind[1].

[1] Vgl. H. Hanse, „Gott haben" in der Antike und im frühen Christentum, Berlin 1939; 76.91.103.

Auch nach Post Caini 69 besteht das Leben nach Gott (κατὰ θεὸν ζῆν) darin, daß man ihn liebt. Mit den besonderen Begriffen für die mystische Ekstase wird das ἔχεσθαι αὐτοῦ umschrieben in Congr Erud c Gratia 134. In Post Caini 12 ist es das wahre und beständige und glückselige Leben, Gott zu lieben und auf ihn zu hören. Abr 50 verbindet Liebe und Geliebtwerden.
In philosophisch-mystischen Begriffen, die an die LXX-Fassung des Dt anknüpfen ist auch die Hauptgebotsformulierung in Spec Leg I,300 gehalten: ταῦτα δ' ἐστιν ἀγαπᾶν αὐτὸν ὡς εὐεργέτην... καὶ διὰ πασῶν ἱέναι τῶν εἰς ἀρέσκειαν ὁδῶν καὶ λατρεύειν αὐτῷ μὴ παρέργως ἀλλὰ ὅλῃ ψυχῇ πεπλερωμένῃ γνώμης φιλοθέου καὶ τῶν ἐντολῶν αὐτοῦ περιέχεσθαι...
In Sir 6,26 heißt es von der Weisheit ἐν πάσῃ ψυχῇ πρόσελθε αὐτῇ καὶ ἐν ὅλῃ δυνάμει συντήρησον τὰς ὁδοὺς αὐτῆς, eine offensichtliche Anspielung auf die Formel.
4 Mkk 13,13 kennt die Formel im Zusammenhang mit dem Sich-Weihen an Gott. 4 Mkk 7,18 ist ein gutes Beispiel für die Überführung des Hauptgebotes in das Abstraktum εὐσέβεια unter Beibehaltung eines Teiles der Formel; der Ausdruck lautet: εὐσεβείας προνοεῖν ἐξ ὅλης καρδίας.
Nach Ant VII 269 ist „das Göttliche zu lieben" (τὸ θεῖον ἀγαπῶσιν) der Inhalt des Hauptgebotes. φοβεῖσθαι τὸν θεόν sagt Josephus (nach A. Schlatter, Theologie 155) an keiner Stelle; vgl. aber Ant I, 114.

Die Wendung ἀγαπῶσιν αὐτὸν (sc. θεόν) ἐν ἀληθείᾳ haben die Psalmen Salomos in 6,6 und 14,11. Im Aristeasbrief 17 finden wir kurz hintereinander κατὰ ψυχὴν πρὸς τὸν θεὸν εὔχεσθαι und ἐπικαλέομαι κατὰ καρδίαν. Meecham[1] verweist für diese Verbindung auf Dt 6,6. In den „Segnungen des Moses zu den 12 Stämmen" (G. N. Bonwetsch, Drei georg. erhaltene Schriften von Hippolytus, Leipzig 1904 = TU NF 11,1a; p. 49) wird der Inhalt des Dt wiedergegeben durch die Formel: ἐξ ὅλης τῆς καρδίας φοβηθῆναι τὸν θεόν.

5. Ergebnis

Die terminologisch verschiedenartigen und doch einheitlichen und im Vokabular abgegrenzten Formulierungen für das Hauptgebot im Dt haben auch über die deuteronomische Zeit hinaus ein deutliches Nachleben in Spätjudentum[2]. Dt 6,4-5 spielt aber in dieser

[1] H. G. Meecham, The Letter of Aristeas / A linguistic Study with special Reference to the Greek Bible, Manchester 1935, 69.
[2] Für die Auslegung von Dt 6,4.5 im rabbinischen Spätjudentum muß ganz auf Strack-Billerbeck, Bd II, 28-30 verwiesen werden. Über die Verwendung dieser Stelle als Anfang des Schĕma vgl. zu Mk 12,29f. Eine Inschrift über der Oberschwelle der Synagoge von Palmyra aus dem 3. Jh. nach Chr. zeigt in Quadratschrift die Verse Dt 6,4.5. Jahwe ist durch אדוני umschrieben (vgl. Landauer, Über die in Palmyra gefundene Synagogen-Inschrift, in: Sitzungsber. d. kgl. preuß. Akademie d. Wiss. zu Berlin; 39 (1884) 933-934, mit zwei Tafeln).

Nachgeschichte gegenüber den anderen Formulierungen dieser Art keineswegs eine besondere Rolle. – Selbst in den Texten, die dem Hellenismus sehr nahe stehen, wird die dt Terminologie nie ganz verlassen. In einer Reihe von Texten wird die Formel „aus ganzem Herzen und aus ganzer Seele" nicht nur auf das Gesetz übertragen, sondern auch auf die Liebe (oder sogar das Hassen) dem Nächsten gegenüber. Ein Weiterleben dieser Ausweitung fand sich sogar noch in Mt 18,35. – Von besonderer Bedeutung ist die Kombination des Hauptgebotes mit dem allgemeinen Hinweis auf „das Gesetz". Eine Abart dieser Kombination war, daß „Gesetz" in der Hauptgebotsformel an die Stelle Gottes gesetzt werden konnte. Aber in der Kombination der beiden Elemente Gottesfurcht und Bewahrung des Gesetzes liegt der innerjüdische Ansatzpunkt für die dann nur unter von außen kommendem, hellenistischem Einfluß denkbare Verbindung von Gottesliebe und Nächstenliebe. Denn der Weg von der innerjüdischen Kombination Gott und Gesetz zur Herausbildung zweier Hauptgebote bestand noch aus mindestens zwei entscheidenden Phasen, deren Ursprung sich nur aus der Berührung von Judentum und Hellenismus erklären läßt: Erstens mußte es zu einem Gesetzesbegriff kommen, der die mitmenschliche Gerechtigkeit zum ausschließlichen Inhalt hatte (zu welcher Entwicklung allerdings die „soziale Reihe" eine wichtige Vorstufe bildete); zweitens mußte das Interesse an einer Gebotszusammenfassung entstehen; gerade dieses fehlt aber noch bei der einfachen Kombination Gott und „Gesetz", da letzteres die Gesamtheit der Einzelgebote umgreift. Dennoch ist diese Kombination als Vorstufe für die Zusammenfassung in die beiden Hauptgebote nicht ungeeignet, denn sowie man das „Gesetz" im Liebesgebot zusammenfassen kann, ist die Brücke geschaffen.

Da bei Paulus und in anderen Texten des NT nur die Liebe allein als Inbegriff des Gesetzes erscheint, nicht aber die Verehrung des einen Gottes – die Kombination zweier Hauptgebote findet sich nur in Mk 12 parr –, ist anzunehmen, daß im zugrundeliegenden Gesetzesbegriff das Hauptgebot nicht einbegriffen ist, jenes vielmehr neben dem Gesetz steht wie auch in der Formel „Gott und Gesetz" im Spätjudentum.

Die Traditionsgeschichte der Hauptgebotsformel zeigte ein kontinuierliches Weiterleben der sprachlichen Elemente der dtr Formeln, ohne daß es zu direkten Zitierungen gekommen wäre. Das gilt auch noch für die jüdisch-hellenistischen Autoren. Wo die Hauptgebotsformel auftaucht, wird nicht ein Einzelbestandteil der dtr Tradition zitiert, vielmehr werden ganze inhaltliche Zusammenhänge bewahrt. So ergibt sich, daß neben vielen anderen Elementen aus dtr Tradition auch die Formulierung des Hauptgebotes nach dem dtr Schema die überragende Rolle für die Formulierung des Verhältnisses Israels zu Gott gespielt hat. Die Konsequenz aus diesem Überwiegen der dtr Formulierung ist 1. die von Anfang an mitgegebene enge Verbindung mit dem Gesetz und 2.: Die sprachliche Formulierung dieses Verhältnisses zu Gott (etwa durch die Verben 'lieben', 'glauben') ermöglichte eine „psychologische", „anthropologische" oder „personale" Interpretation (durch die Radikalität der Formulierung sollte auch das, was wir unter Gefühl verstehen, „gebunden" werden).

§ 2 Grundbedeutung und Auslegungsgeschichte von Lev 19,18 bis zum NT

Wie Dt 6,4.5 so wird auch Lev 19,18 im Judentum kaum jemals direkt zitiert. Dennoch ist häufig vom Lieben des Nächsten, des Bruders usw. die Rede. Während in den atl Gesetzeskorpora nur in Lev 19,18 vom Lieben des Nächsten die Rede ist, werden in der nachbiblischen Literatur diese Stellen sehr viel zahlreicher. Es ist zu fragen, ob solche Erwähnungen der Nächstenliebe in die Traditionsgeschichte von Lev 19,18 hineingehören. Diese Frage wird dadurch beantwortet, daß dieses Gebot nicht isoliert zitiert wird, vielmehr innerhalb von Überlieferungszusammenhängen auftaucht, in die auch Lev 19,15-18 hineingehört. Die Aufforderung, den Nächsten zu lieben, hat etwa in der Gattung der sozialen Reihe (s.u.) einen besonderen Sitz; in apokalyptischen Stoffen hat der Hinweis auf den Mangel an Nächstenliebe einen Ort bei der Schilderung des endzeitlichen Kampfes aller gegen alle; positiv tritt sie dann in der Heilszeit wieder auf. In diese Tradition ist die „Nächstenliebe" freilich erst sekundär eingedrungen.
Innerhalb dieser Überlieferungsgeschichte ist das Verständnis des Begriffes „Nächster" von größter Bedeutung. Nur im Griechisch sprechenden Judentum finden wir Übersetzungen und Deutungen, in denen Liebe auch gegenüber Nicht-Volksgenossen gefordert war. Ursprünglich dagegen und innerhalb der Programmschrift des Heiligkeitsgesetzes ist der Terminus רע bzw. das Gebot, diesen zu lieben, nur in der Beschränkung auf den Volksgenossen überhaupt sinnvoll. Für das frühe Christentum wird der Begriff sehr bald

technisch – nicht ohne Vermittlung der LXX – und auf die Ausübung von „Nächstenliebe" charakteristisch eingegrenzt.

A. Der Begriff רע in den sog. „Gesetzessammlungen" des AT

Der Begriff רע[1] begegnet in den atl „Gesetzessammlungen" insgesamt an 33 Stellen, davon je 4× in den beiden Dekalogen, 10× im Bb, 15× im Dt und 4× im H. In P ist er nicht nachweisbar[2]. Der Begriff scheint in besonderer Weise geeignet gewesen zu sein, in den Regelungen des Verhältnisses zwischen Mensch und Mensch zur Bezeichnung des „anderen" zu dienen. Denn רע taucht weder als Subjekt auf noch jemals im Stat. abs[3]. רע bezeichnet daher vornehmlich das Handlungsobjekt. Während aber sonst im AT רע ein Bedeutungsfeld hat, das über den im täglichen Leben begegnenden „Mitmenschen" (Prov 6,1.3; 18,17; 25,8; 26,19), über „Nachbar" (Prov 3,29; 25,17), „Genosse, Gefährte, Freund, Geliebter" (Jer 3,20) bis hin zum Term. techn. „Freund des Königs" reicht[4], scheinen sich die Bedeutungen von רע in den „Gesetzessammlungen"

[1] Lit.: O. Bächli, Israel und die Völker / Eine Studie zum Deuteronomium (AThANT; 41) Zürich 1962, 7.235; R. H. Charles, Man's forgiveness of his neighbour / A study in religious development, in: The Exp 6 (1908) 481-491; D. Farbstein, Die Nächstenliebe nach jüdischer Lehre, in: Jud 5 (1949) 203-228.241-262; A. Fernandez, Diliges Amicum tuum sicut te ipsum / Lev 19,18, in: VD 1 (1921) 27f; J. Fichtner, Der Begriff des „Nächsten" im AT mit einem Ausblick auf Spätjudentum und Neues Testament, in: Wort u. Dienst / Jahrb. Theol. Schule Bethel NF 4 (1955) 23-52; ders., Art. πλησίον, in: ThWB VI 309-316; E. Fuchs, Was heißt: Du sollst deinen Nächsten lieben wie dich selbst?, in: Theol Bl 11 (1932) 129-140; P. Grelot, L'Ancien Orient connaissait-il l'Amour du prochain? (Cahiers Evang) 1954, 57-66; J. E. Hogg, Love thy neighbour / Lev 19,18 and NT, in: AJSL 41 (1924/25) 197-98; P. Kleinert, Vorausschattungen der ntl. Lehre von der Liebe, in: ThStKr (1913) 1-30; C. van Leeuwen, Le développement du sens social en Israel avant l'ère chrétienne, Assen 1955; F. Maass, Die Selbstliebe nach Lev 19,18, in: Festschrift F. Baumgärtel, Erlangen 1959, 109-113; M. Rade, Der Nächste, in: Festgabe für A. Jülicher, Tübingen 1927, 70-79; C. Spicq, Agapè / Prolégomènes à une étude de Théologie néotestamentaire, Louvain 1955; J. Touzard, Les lois sociales et religieuses du Deutéronome, in: Rev Prat d'Apol 17 (1913) 432-446; M. Weinfeld, The Origin of the Humanism in Deuteronomy, in: JBL 80 (1961) 241-247; N. J. Weistein, Die geschichtliche Entwicklung der Nächstenliebe innerhalb des Judentums, Berlin 1891.

[2] Zur etymologischen Ableitung vgl. J. Fichtner, a.a.O., 24-25.

[3] Im st. abs. findet es sich überhaupt selten im AT, vgl. J. Fichtner, a.a.O., 25.

[4] Vgl. J. Fichtner, a.a.O., 29 und 1 Chr 27,33; 1 Kge 4, 2-6.

auf nur wenige Grundtypen zu beschränken. Im Hinblick auf Lev 19,18 und Lev 19,34 sind die Fragen zu entscheiden, welche Personen jeweils unter diesen Begriff fallen und in welchen formalen und inhaltlichen Zusammenhängen dieser Begriff begegnet.
Gegenüber dem Versuch J. Fichtners, die Bedeutung des Begriffes im AT zu bestimmen, soll hier versucht werden, auf die Eigenart der Gattungen und Formen Rücksicht zu nehmen, in denen dieser Begriff begegnet. Es wird sich ergeben, daß innerhalb der Gesetzessammlungen die Bedeutung von רע ganz wesentlich von der Eigenart ganz verschiedener, sich in differierenden Aussageformen spiegelnder Traditionen abhängig ist.

a) Im Bb ist deutlich zu unterscheiden zwischen einer Verwendung des Begriffes in kasuistischen Sätzen in der 3. Person (der Nächste ist der Gleichgestellte) und Wenn-Du-Formulierungen (der Nächste ist der zu schützende Niedrigere).
Der Begriff begegnet zunächst in einer Reihe einfacher kasuistischer Wenn-Formulierungen nach dem Schema כי + Prädikat als Verb in Präfixkonj. + איש als Subjekt. In diesen Sätzen des Bundesbuches folgt dann auf die genannte Einleitungsformel jeweils durch eine Präposition angefügt das Objekt: רעהו.
Die Relation איש־רעהו begegnet auch sonst sehr häufig im AT (ein Viertel aller Vorkommen von רע) und hat regelmäßig die Bedeutung: einer ein anderer. Eine besondere inhaltliche Qualifikation von רע fehlt hier offenbar: רע ist einfachhin der andere, der offenbar mit איש austauschbar ist und rechtlich auf einer Ebene steht. Bis auf eine Ausnahme (22,25f) gehören alle Texte des Bundesbuches, in denen רע begegnet, dem oben genannten Schema an.

Eine einheitliche Gruppe bilden dabei die Sätze Ex 22,6-13. Es handelt sich hier um eigentumsrechtliche Bestimmungen über anvertrautes Sachgut, das zu Schaden kommt. Inhaltlich und auch formal verwandt mit diesen eigentumsrechtlichen Sätzen ist auch Ex 21,35, der Fall, daß ein Ochse jemandes (איש) einen anderen (רעהו) zu Tode stößt. Ex 21,14 ist ebenfalls nach dem angezeigten Schema gebaut, behandelt aber den Fall, daß jemand gegen seinen Nächsten so aufgebracht war, daß er ihn vorsätzlich umgebracht hat. Die Apodosis ist in der 2. P. Sg gehalten und lautet: „So sollst du ihn von meinem Altar wegnehmen, daß er sterbe". Hier liegt offenbar schon von der Form her ein Mischgebilde vor, dessen Protasis aber für die Sätze mit איש und רע im Bundesbuch typisch ist, der Nachsatz weicht (wie in Vers 13b) mit dem „Ich" Gottes und der Anrede an Israel wieder vom kasuistischen Stil ab.

Völlig anderer Art ist dagegen Ex 22,25; bereits V. 24 ist V. 25 inhalt-

lich und formal sehr ähnlich gewesen. – Der Form nach handelt es sich um eine Misch-Formulierung vom Typ der Wenn-Du-Formulierungen[1], die offenbar sachlich und formal ein Mittelding sind zwischen den unpersönlichen Konditionalsätzen und den sog. „apodiktischen" Du-sollst- und Ihr-sollt-Sätzen. Der Sitz im Leben dieser Sätze ist daher auch sicherlich nicht die „Rechtsgemeinde im Tor".
Der רע ist hier nicht der sozial gleichgestellte Partner, wie es in den Wenn-Sätzen der Fall war, sondern der des Schutzes bedürftige, über das Maß der Billigkeit hinaus sorgsam zu behandelnde, offenbar arme (V. 26!) Volksgenosse.
Bemerkenswert ist nicht nur die umfangreiche, das Mitleid provozierende paränetische Motivierung des Satzes (Vers 26), sondern auch der Stil der unmittelbaren Gottesanrede, als die diese Sätze aufgefaßt sind (עמי in Vers 24 und Vers 26b), und vor allem auch das Vorkommen von עמך in diesem Zusammenhang. Es soll offenbar die Verpflichtungskraft des Satzes verstärken.

b) Im Dt finden sich ebenfalls diese beiden, im Bundesbuch aufgezeigten Gruppen von Sätzen mit רע.
Nach dem für die Sätze Ex 22,6ff usw. typischen Schema sind hier aufgebaut: Dt 19,11; Dt 22,26.
In diesen Fällen liegen wiederum unpersönliche Konditionalsätze vor, in welchen רעהו als Objekt steht, dem mittelbar oder unmittelbar etwas angetan wird. Es hat den Anschein, als sei רע auch in bestimmten Themenkreisen mit Vorzug für den anderen gebraucht worden.
Im Zusammenhang mit „Totschlag" begegnet der Begriff wieder in der Fluchreihe Dt 27,24, in Dt 4,42 und in Dt 19,4.5[2]. Abgesehen von rein eigentumsrechtlichen Sätzen finden wir also in diesen Zusammenhängen auch eine Reihe von Fällen, die nicht in profaner Gerichtsbarkeit sondern im sakralen Bereich „gelöst" werden (Ex 22,7.8.9.10. – Mit נכה/רצח: Ex 21,14; Dt 4,42; 19,4.5.11; (22,26); 27, 24)[3].

[1] Zur Terminologie vgl. C. Feucht, Untersuchungen zum Heiligkeitsgesetz (Theol. Arbeiten; 20), Berlin 1964, 22f.29.119).

[2] Es ist zu beachten, daß in den atl Texten, die den Totschlag und die Asylstädte betreffen, רע in Ex 21,12-14; Dt 4,41-43; 19,1-13 zur Bezeichnung für den Getöteten begegnet. In Nu 35, 9-34 heißt der Getötete נפש; in dem vermutlich aus Nu 35 und Dt 19 zusammengestellten Text Jos 20,1-9 begegnet entsprechend sowohl נפש als auch רע.

[3] Es wird aber wohl nicht erlaubt sein, Schlüsse über die Verwendung von רע im „sakralrechtlichen" Bereich aus dieser Beobachtung zu ziehen.

In einer zweiten Gruppe von Sätzen des Dt begegnet רע wiederum in Wenn-Du-Mischformulierungen sozial-humanitären Inhalts: Dt 23,25; 23,26.

Hier liegen zwei parallele Formulierungen vor, nach denen jeweils bis zu einem gewissen Grade (im Sinne von: es mag wohl eben noch angehen, daß...) der Nächste geschädigt werden darf. Der folgende Prohibitiv will aber das Recht des Angeredeten auf die Ernte des Nächsten einschränken. Es ist zu beachten: 1. In beiden Sätzen ist der Nächste – im Gegensatz zu Ex 22,25 – nicht der Arme, sondern hat einen Landbesitz. 2. Entsprechend wird nicht nur das Interesse des Nächsten geschützt, sondern auch das der Angeredeten. Der Nächste soll zwar vor unkontrollierbarem Raub geschützt werden, doch auch mit seinem Besitz hat er „soziale Verpflichtungen". Diese Weisungen sind also nach beiden Seiten hin sozial ausgerichtet: ein wechselseitiges „brüderliches" Verhältnis wird zwischen ihnen aufgerichtet[1]. – Diese Beobachtungen weisen darauf hin, daß der Begriff des Nächsten im Dt hier nicht identisch ist mit dem in Ex 22,25f.

Auch in Dt 24,10-13 soll offenbar der „Nächste" soweit als möglich geschont werden, und es soll jede Art von Demütigung verhindert werden. Gegenüber Ex 22,25f wird aber nicht mehr vorausgesetzt, daß der Nächste in jedem Falle arm ist. Für den Fall der Armut, der jetzt gesondert behandelt wird, ist aber – in Vers 12-13 – besondere Schonung empfohlen. Der Nächste ist nicht mehr einfachhin der Arme. Wie und warum hat sich dieser Begriff im Dt gegenüber Ex gewandelt?

In einem Prohibitiv begegnet der „Nächste" in Dt 19,14a. Der Nächste ist hier, wie auch der Angeredete, Grundbesitzer. Eine Verwandtschaft zu den Prohibitiven im 9. und 10. Dekaloggebot besteht nicht nur in der Form, sondern offensichtlich auch im Inhalt von רע. In den Sätzen über das Erlaßjahr in Dt 15 dagegen scheint in Vers 2 ein Satz vorzuliegen, der inhaltlich zu denen gehört, in denen der Nächste (als der weniger Besitzende) „sozial-humanitär" behandelt werden soll, formal aber zu keiner der genannten Gruppen paßt, da eine imperativische Formulierung und ein Prohibitiv aufeinander folgen. Die Objekte ואת אחיו ואת רעהו meinen offenbar die-

[1] Vgl. dazu S. R. Driver, Deut [3]1902 (1952), 269 (zu diesen Sätzen:) „They are adapted to check an avaritious spirit on either side" und G. v. Rad, Deut 1964, 106: In den Bestimmungen über Mundraub spreche sich wohl eher eine humane Sitte aus und nicht eine Rechtsordnung im engeren Sinne des Wortes.

selbe Gruppe im Volk. רע wird offenbar sekundär bestimmt durch den Terminus אח, der typisch für das Dt ist. In den Versen 7-11 wird dann der אח ständig neben dem Elenden und Armen genannt, der רע begegnet nicht mehr. Die Verse 3-11 werden als angehängte Predigt behandelt.
Die Vorlage zu Dt 15,1f steht in Ex 23,10f; das Erlaßjahr hat hier noch einen anderen Sinn. Der Begriff רע fehlt hier noch; statt dessen begegnet der Arme (אביני עמך) in diesem Text. Im Dt ist er durch den Nächsten ersetzt worden. Es entsteht daher der Eindruck, als sei im Dt nicht nur der Standesgleiche, sondern auch der Arme mit den Titeln רע und אח versehen, gegenüber beiden aber ein soziales Verhalten gefordert worden. Eine genaue Parallele zu diesem Vorgang ist der Wandel vom „Armen" des Bb zum „Bruder" im Dt in Ex 22,24 und Dt 23,20. Dabei wird aus der Wenn-Du-Formulierung des Ex im Dt ein Prohibitiv, ein Vorgang, der nicht nur deutliches Licht wirft auf die innere Nähe beider Gattungen, sondern der auch die (gegenüber älteren Prohibitiven) umfassendere Bedeutung des רע im Dt beleuchtet (s.u.). Auch in den mit Ex 22,25f vergleichbaren Wenn-Du-Formulierungen des Dt ist רע weiter gefaßt als in Ex. Er scheint den Angeredeten auch noch mit zu umfassen und den רע nicht nur als einen zu bezeichnen, der auf jede Weise unter allen Umständen zu schonen ist, sondern als einen, dem ganz allgemeinen kein Unrecht getan werden darf – wie dem Angeredeten selbst.
Zur Klärung dieser Verwendung von רע ist es angebracht, die Weisheitsliteratur heranzuziehen, denn: „In der atl Weisheitsliteratur, mit Ausnahme des Buches Kohelet, begegnet רע besonders häufig; 33× (6,24 corr) in den Sprüchen und 13× im Buche Hiob (= 1/4 aller Vorkommen im AT)" (Fichtner, a.a.O., 26 Anm 21).
Sehr oft ist dabei die Grenze fließend zwischen den Bedeutungen „Gefährte" und „Freund" (z.B. Prov 17,17; 19,6). Die Sätze, in denen רע in dieser Literatur begegnet, mahnen durchweg zu einem gerechten und klugen Verhalten gegen diesen. Dieses besteht nicht nur in äußerem Tun, sondern bereits im Sinnen und Planen des Herzens.

In die Form von Vetitiven sind gekleidet:
Prov 3,28 Sprich nicht zu deinem Nächsten: Geh hin und komme wieder!
Prov 3,29 Plane nicht Unheil gegen deinen Nächsten!
Prov 24,18 Sei nicht falscher Zeuge gegen deinen Nächsten!
Als Imperative erscheinen:
Prov 25,19 Ficht deinen Streit mit deinem Nächsten aus!

Prov 6,3 Geh hin und bestürme deinen Nächsten... (25,17)
Hinzu kommt noch eine große Menge indikativischer Aussagesprüche[1]. Diese Sprüche und Mahnungen sollen den profanen und alltäglichen Bereich der Beziehungen zum Mitmenschen (רע) regeln.

Freilich kennt die Spruchliteratur auch Mahnungen zu sozial-karitativem Verhalten, aber der, auf den sich dieses dann richtet, wird grundsätzlich nicht רע genannt, sondern trägt die besondere Bezeichnung „Armer", „Geringer" usw: אביון, רש, דל, עני, יתום, חלוף, אלם[2]. Der רע ist für diese Weisheitssprüche nicht identisch mit den genannten Gruppen, deren man sich erbarmen (רחם) muß und die man nicht unterdrücken soll; er ist vielmehr der Standesgenosse[3]. Ihm gegenüber wird keines jener Verben verwendet, die auf sozial Niedriggestellte Bezug nehmen, wie רחם einerseits und עשק andererseits; er ist vielmehr der, mit dem gewisse Rechtsgeschäfte getätigt werden[4], dessen Recht nicht in dem Sinne geschützt werden muß, daß man sich nach Art eines Patrons seiner annehmen müßte (so aber bei den anderen Gruppen: Prov 29,7; 29,14; 31,8.9) – sondern in dem Sinne, daß der Bereich, in dem er Herr ist, nicht verletzt werden darf (Prov 3,29; 6,29). Das Interesse der Sprüche richtet sich dabei auch vornehmlich auf die sittlichen Folgen des Umgangs miteinander (11,9; 27,17) und auf die allgemeinen Regeln der Höflichkeit und der Klugheit (3,28; 25,17; 11,12). Dem רע gilt geordnetes, kluges und vorsichtiges Verhalten als dem gleichgestellten „Mitbürger". Ihm gegenüber ist die Rede von Bürgschaftleisten (6,1.3; 17,18), Prozessieren (18,17; 25,8.9), Zungensünden (11,9,12; 27,14; 29,5), Falschschwören (24,28; 25,18), von rechtem sittlichen Verhalten (3,28; 14,21; 16,29; 26,19) und von der Stellung zu seiner Frau (6,29)[5].

[1] z.B. Prov 11,9; 21,10; 11,12; 6,29; 17,18; 27,17.

[2] Prov 14,21 עניים; 14,31 אביון, דל; 17,5 רש; 18,23 רש; 19,17 דל; 21,13 דל; 22,7 רש; 22,9 דל; 23,10 יתום; 22,22 דל, עבי; 28,3 דל; 28,27 רש; 29,7 דל; 29,13f דל, רש; 31,8 חלוף, אלם; 31,9 עני, אביון

[3] רע als Standesgenosse im ausdrücklichen Sinn findet sich etwa in Zach 3,8, wo der Kreis der Amtsgenossen des Hohenpriesters gemeint ist (vgl. F.Horst, Handbuch zum A.T. I, ²1954, 14), und in 1 Kge 20,35 (Mitglieder der Prophetengilde); vgl. dazu J. Fichtner, a.a.O., 29.

[4] Vgl. Prov 24,18; 25,9; 6,3; 17,18.

[5] Daß es hier zunächst um eine ganz bestimmte gesellschaftliche Schicht geht, übersieht wohl J. Fichtner, a.a.O., 30 mit der Behauptung, רע bedeute in diesen Zusammenhängen „den Menschen der näheren Umgebung, mit dem man durch das tägliche Leben – durch Nachbarschaft, gemeinsame Arbeit oder zufällige Begegnung – in Berührung kommt".

Für eine Reihe von Vetitiven und Imperativen in den Prov finden sich nun Parallelen in der Sammlung des Dt[1]. Es kommen dafür meist jene Sätze der Proverbien in Frage, deren Inhalt auf das konkrete Verhalten gegenüber dem Mitmenschen geht. – Damit fallen bestimmte Bereiche der Spruchliteratur als Parallelen aus: Sprüche über die „Weisheit", über den Toren und den Weisen, über den Faulen, den Trunkenen, über das böse und das gute Weib, über den Nutzen der Viehzucht, über Hochmut und Demut des Herzens und die Zahlensprüche haben keine Parallelen in Prohibitiven der „Gesetzessammlungen". Auf Grund sprachlicher Beobachtungen ist W. Richter (in: Recht und Ethos, passim) zu dem Ergebnis gelangt, daß den von Natur aus einer Begründung bedürftigen weisheitlichen Vetitiven der Prov (und anderer Texte) in den Gesetzessammlungen Prohibitive entsprechen. Bei einem Vergleich sind daher diese Gruppen für die Frage des Vorkommens von רע besonders zu untersuchen. Prohibitive, Vetitive und Imperative, in denen רע begegnet, sind:

Prov 3,28.29; 6,3; 24,18; 25,9.
im Dekalog: Ex 20,16.17; Dt 5,20.21.
Dt 19,14; Lev 19,13.16.18.

In den Prohibitiven und Vetitiven der vor-dt Tradition ist רע gleichmäßig nur der Standesgenosse. Das ändert sich erst im Dt, wo die Gruppen der Niedriggestellten, die in den älteren Prohibitiven besonders genannt waren, nun mit dem „Nächsten" verschmolzen sind.
Die Wenn-Du-Formulierungen des Ex hatten den Begriff des Nächsten gefärbt: Er erscheint in ihnen als der um Gottes willen zu Schützende und Erbarmen Heischende. Auch die anderen Wenn-Du-Formulierungen, in denen dieser Begriff nicht auftaucht, haben ganz ähnliche Tendenz, auch schon im Ex (21,2; 22,22; 23,5; 23,22). Freilich haben auch die Wenn-Du-Sätze inhaltliche Parallelen in der Weisheit, aber hier geht es dann nicht um den „Nächsten", sondern um den genau bezeichneten Armen usw. Die Sozialideologie der Wenn-Du-Sätze in den „Gesetzeskorpora" ist dagegen theologisch motiviert.

[1] W. Richter, Recht und Ethos, a.a.O., 139: „Größer ist die Verwandtschaft zur dt Gesetzessammlung vor allem in Prohibitiven, die das Wirtschaftsleben, das Armenrecht bei der Ernte und die Paarung ungleicher Gegenstände betreffen".

In der Weisheitsliteratur aber steht dem ein Begriff des רע gegenüber, der weitaus profaner und „nüchterner" ist; im Verhalten diesem רע gegenüber geht es darum, klug, gerecht und letztlich zum eigenen Vorteil zu handeln. Dieser רע-Begriff hat in Ex – außer im Dekalog – keine Spuren hinterlassen. Im Dt dagegen ist der רע-Begriff der Wenn-Du-Sätze dem der Weisheitsliteratur viel näher, die verschiedenen Konzeptionen, die anderswo mit diesem Begriff verbunden sind, geraten hier offenbar ineinander, so daß nicht immer mehr auseinanderzuhalten ist, wo am Ende – im Sinne der Weisheit – Gerechtigkeit gegen Gleichgestellte zu üben, und wo – im Sinne der Tradition der Wenn-Du-Sätze – der Niedrige zu schonen ist (vgl. z.B. Dt 23,25.26; vgl. Dt 24,10 mit Vers 11; Dt 19,14 mit Dt 15,2). Denn auch dort, wo die Proverbien noch den Armen usw. nannten, steht in den Wenn-Du-Sätzen schon des Bundesbuches der רע. Dieser Begriff ist jetzt in der „Programmschrift" des Dt für den schutzbedürftigen sozial Schwachen als auch für den Mitgenossen im Sinne der Weisheit verwendet.

In dieser Verwendung des רע im Dt ist eine analoge Erscheinung zu dessen Gebrauch von אח (Bruder) zu erblicken: Beide Bezeichnungen gelten programmatisch für alle Volksgenossen. Man vergleiche dazu die Nebeneinanderstellung von רע und אח in Dt 15,2. – In der Verwendung beider Begriffe wird man einen Ausdruck der auf Nivellierung der stammesmäßigen und sozialen Unterschiede bedachten Tendenz des Dt sehen dürfen[1].

רע ist im Dt wie אח ganz allgemein der „Volksgenosse" geworden, jeder andere im Volk ist jetzt ein רע. Bisheriges Ergebnis:

1. In Sätzen rein kasuistischer Art ist רע das Korrelat zu איש und bedeutet: Jeder andere, mit dem der איש zu tun hat.
2. In der Weisheitsliteratur ist רע der Standesgenosse, dem gegenüber gerechtes und geordnetes Verhalten gilt. Diese Funktion hat רע auch in weisheitlichen Vetitiven und in den älteren Prohibitiven (auch in den Dekaloggeboten).
3. In einer Wenn-Du-Formulierung im Bb ist רע der zu schützende

[1] Vgl. O. Bächli, Israel und die Völker / Eine Studie zum Deuteronomium (Abh. z. Theol. d. A. u. N. Test.; 41), 1962 (zu רע:), 126 „Dieser Begriff läßt das Typische der einzelnen Stämme und Sippen verschwinden und hat nivellierenden Charakter wie der Begriff „Bruder". Durch die Bestimmungen über den Nächsten seien die Sonderinteressen der Stämme zurückgedrängt zugunsten der Volksgemeinschaft. „Die Verbindung mit dem rea geht nicht über das Blut, sondern über die Freundschaft und das Schicksal, das Menschen nebeneinander wohnen läßt".

und barmherzig zu behandelnde Volksgenosse. Während in der Weisheitsliteratur die niederen Schichten mit Spezialbegriffen bezeichnet wurden, tritt hier und in den Wenn-Du-Sätzen des Dt dafür der רע ein. Diese Sätze zeigen oft theologische Motivierung und bisweilen den Hinweis auf „dein Volk".
4. Im Dt ist nicht nur der Niedrige auf die Stufe des רע erhoben, sondern alle Glieder des Volkes sind einander Nächste, aber nicht nur im Sinne der Standesgenossen, sondern allen gilt jetzt ein liebendes und barmherziges Verhalten, auch wenn sie nicht arm sind. Der im Bb sozial-karitativ gefärbte רע-Begriff ist jetzt auf alle Glieder des Volkes ausgeweitet. Daher wird jetzt ein brüderliches Verhalten von allen gefordert.
5. Auch außerhalb von Wenn-Du-Sätzen dringt dieser Begriff in das Dt ein. – Ältere Prohibitive (z.B. im 8.-10. Dekaloggebot) werden so durch den Kontext uminterpretiert, d.h. der Begriff des „Nächsten" wird in ihnen jetzt so verstanden wie sonst im Dt auch.
Der Ersetzungsvorgang durch „Nächster" oder „Bruder" ist also im Dt der gleiche gegenüber den alten Wenn-Du-Sätzen und gegenüber den Vetitiven der Weisheitsliteratur. Die Ersetzung der Bezeichnung für die niederen und sozial schwächeren Volksklassen durch den Titel רע in den Wenn-Du-Sätzen war also bereits das Zeichen für eine Ausweitung dieses Begriffs auf das ganze Volk. Das wird im Dt beibehalten und dahin erweitert, daß das Verhalten, welches sonst nur dem Armen usw. galt, in hohem Maße allen gilt, die „Nächste" sind.
Parallel dazu ist die Einführung des Begriffes אח im Dt und das an einer Reihe von Stellen aus dieser Bezeichnung des anderen folgende ihm gegenüber zu fordernde Verhalten. Ähnlich wie bei dem Begriff „Bruder" werden nicht nur alle im Volk jetzt als „Nächste" bezeichnet, sondern aus dieser Bezeichnung läßt sich die Forderung eines bestimmten Verhaltens ihm gegenüber ableiten: ein über das Maß der bloßen „Gerechtigkeit" hinaus brüderliches und schützendes, liebendes Verhältnis.
Die entscheidende Voraussetzung für diese Verwendung des Begriffes רע war die theologisierende Sozialideologie der Wenn-Du-Sätze gewesen. Sie bilden das Verbindungsglied zwischen der Verwendung von רע in der Weisheitsliteratur und seiner gänzlich gewandelten Bedeutung im dt Traditionsstoff.

c) Es bleibt die Aufgabe, den Begriff רע in H zu untersuchen. Im

H begegnet der Begriff רע nur in Kap 19, und zwar in den genannten Sätzen der Verse 13, 16, 18. In den Versen 13 und 16 liegen Prohibitive vor, in Vers 18c ein Imperativ. Vers 13 verbietet, den Nächsten zu bedrücken und zu berauben, Vers 16, nach seinem Blut zu trachten, Vers 18 gebietet, ihn zu lieben „wie man sich selbst liebt". In den VV 16-18 wird das liebende Verhalten zum Nächsten gegenüber dem Dt noch um eine weitere Stufe verintensiviert. Das liebende Verhalten zu ihm wird jetzt auch für den innerlichen Bereich des Herzens gefordert. Man wird diese Entwicklung zu Recht in Beziehung setzen dürfen zur Ausweitung des Begriffes des Nächsten auf alle Volksgenossen. In V. 13 begegnet רע in einem wohl jüngeren Prohibitiv, denn רע ist hier bereits an die Stelle der niederen Schichten getreten, die sonst immer nicht „bedrückt" und „beraubt" werden sollen; in V. 16 ist dagegen רע wohl ursprünglich so zu verstehen wie in den Dekaloggeboten, wird nur hier durch den Kontext auf den Volksgenossen bezogen. Für „bedrücken" verwendet Vers 13 עשק, für berauben גזל. Beide Verben finden sich vorzugsgeweise in weisheitlichen und prophetischen Texten, wo sie als Objekt allerdings nicht רע bei sich haben, sondern jeweils bestimmte Gruppen von Niedrigen. Der Begriff רע ist hier in Bereiche vorgedrungen, die sonst jenen Spezialbegriffen für sozial Niedriggestellte vorbehalten waren.

In Prov 14,31; 22,16; 23,8 wird עשק auf den דל angewandt. Hinzu kommen als prophetische Stellen: Jer 7,6 (Wer... Fremdling, Witwe und Waise nicht bedrückt); Ez 22,29 (Den Elenden und Armen unterdrückten sie, den Fremdling vergewaltigten sie); Amos 4,1 (Die Niedrigen unterdrückt ihr, die Armen zermalmt ihr).
In Lev 5,21-23 ist offenbar in der Verwendung dieses Verbums eine Stufe erreicht, die der in Lev 19,13 parallel ist. Hier ist es der עמית, der nicht unterdrückt werden soll, also ausdrücklich der Volksgenosse überhaupt, der, wie sich noch ergeben wird, dem רע im H gleichgestellt ist und entspricht.
Sehr aufschlußreich ist im Zusammenhang mit עשק Dt 24,14: Den Tagelöhner sollst du nicht bedrücken. Der Satz ist zunächst erweitert worden durch die Adjektive „arm" – עני – und „bedürftig" – אביון –, sodann durch den Satz: „... mag er einer deiner Brüder oder einer deiner Fremdlinge sein, die in deinem Land, in einer deiner Ortschaften, wohnen". Hier wurde nachträglich der שכיר einbezogen in die spätere Aufgliederung: entweder ist er אח, d.h. Volksgenosse, oder גר. Der Begriff des „Tagelöhners" ist nachträglich durch den Begriff „Bruder" oder „Fremdling" interpretiert (vgl. den ähnlichen Vorgang mit רע und אח in Dt 15,2). Auch in Dt 24,14 läßt sich der Prozeß nachverfolgen, in welchem die Begriffe אח und רע mit nivellierender Tendenz jene ehemaligen spezifischen Bezeichnungen für die sozial Niedriggestellten verdrängen oder, wie hier, „aufwerten". אח und רע

lassen alle im Volk, die „stammesmäßig" verwandt sind (d.h. alles, was nicht gēr ist), als Brüder und Nächste erscheinen.
Ähnlich ist die Verwendung von גזל. Eine direkte Parallele zu Lev 19,13 findet sich in Form eines Vetitivs in Prov 22,22: אל תגזל דל (Beraube nicht den Armen; vgl. Prov 28,24). Auch in diesem Fall steht statt des דל in Lev 19,13: רע. In Lev 5,21-23 begegnet dieses Verb zusammen mit עשק, ebenso in Dt 28,29; Jer 22,3; 21,12; 22,29; Mi 2,2. גזל hat ebenso wie עשק vornehmlich Anwendung gefunden auf die wirtschaftlich Schwachen (Jes 10,2: Elende; Jer 22,3 – im Zusammenhang Fremdlinge, Waisen, Witwen; Ez 22,29 Elende und Arme; Ez 18,6.7). Im Bb und Dt gibt es das Verb nur in Dt 28,29; in den prophetischen Texten gehört es zur allgemeinen Terminologie für soziale Ungerechtigkeit.

In Lev 19,13b (Nicht soll der Lohn des Tagelöhners bei dir bleiben bis zum Morgen) wird der שכיר namentlich angeführt, ist aber durch den in Vers 13a vorkommenden רע bereits als Volksgenosse interpretiert. Da beide Sätze ursprünglich zusammenzugehören scheinen, ist ein Vergleich mit Dt 24,14.15 gestattet. – Vers 16 lautet: לא תעמד על דם רעך „Du sollst nicht auftreten gegen das Leben deines Nächsten". Angesprochen ist durch diesen Vers ursprünglich nur derjenige Israelit, der Sitz und Stimme im Gericht hat. Damit war jene erwähnte Schicht angesprochen, an die Weisheitssprüche überhaupt gerichtet waren[1]. Dem Inhalte nach ist רע in diesem Vers sicher ursprünglicher als in Vers 13. Nur ist durch Vers 16a wiederum eine Interpretation dieses alten Prohibitivs gegeben: Das Vorkommen von „dein Volk" (עמך), das ein Gegenstück hat in Vers 18 (בני עמיך) legt immerhin den Vergleich nahe mit dem Hinweis auf „dein Volk" in Ex 22,25f.
Die gleichartige Interpretation der Verse 13 und 16 durch den Kontext ist ein Zeichen dafür, daß die in diesen Versen jeweils verschieden ursprünglichen רע-Begriffe durch den Redaktor, der den Text so zusammenstellte, nivelliert in gleicher Bedeutung als „Volksgenosse" verwendet werden.

[1] Vgl. W. Richter, a.a.O., 140.

B. Die traditionsgeschichtliche Stellung von Lev 19,15-18

Für die Stellung und damit auch für die Bedeutung von Vers 18 ergibt sich eine ganze Reihe von Möglichkeiten[1].

Wir gehen zunächst aus von der Arbeitshypothese, die Verse 15-18 bildeten im gegenwärtigen (!) Zusammenhang ein einheitliches Gebilde. Dieses Vorgehen legt sich nahe durch das Vorhandensein der vieldiskutierten Überschrift in Vers 15a. Diese wird wegen der 2.P.Pl. des Verbums für sekundär gehalten. In der Tat gilt auch sonst im Allgemeinen die 2.P.Pl. als sekundär gegenüber der 2.P.Sg., denn „Inhalt und Tendenz der 2.Sg und 2.Pl weicht so deutlich voneinander ab, daß eine Sonderexistenz der beiden Stilarten angenommen werden darf" (M. Noth, Lev 120). Ein Beispiel in Lev 19 ist die Zitierung von Vers 18c (singularisch, älterer Bestand) im sonst pluralischen Vers 34. Die Funktion einer verallgemeinernden Überschrift hat ein Prohibitiv in der 2.Pl. auch in Lev 19,19. Ähnlich ist auch die Funktion von Vers 2b für das ganze Kap 19. Da Vers 15a also offenbar sekundäre Überschrift ist, kann er für die Betrachtung der Verse 15-18 vorerst ausscheiden. Die Frage wäre überdies, wie weit der Einzugsbereich einer solchen Überschrift reicht.

Für die folgende Analyse sind zwei Beobachtungen wichtig:

1. Die Verse 15b-18 enthalten eine Reihe von Prohibitiven in der 2.P.Sg., welche aber durchsetzt sind von Imperativen in der 2.P.Sg. Diese Imperative hat man bisher als positive Gebotsumkehrungen bezeichnet; es sind dies die Verse 15d, 17b, 18c. – Diese Beobachtung geht aus vom Numeruswechsel und ist syntaktischer Art.

2. In den Versen 15b-18 wird der „andere" – das Objekt des geforderten oder verbotenen Handelns – mit einer Reihe von verschiedenen Bezeichnungen belegt (עמית, עם אח, רע, בני עמך); bereits M. Noth (Lev 122) vermutet in dieser Erscheinung einen Hinweis darauf, daß hier Sätze verschiedener Herkunft zusammengestellt seien. Wenn sich erweisen läßt, daß bestimmte Termini für „den anderen" in fester Bedeutung für bestimmte Schichten der atl Überlieferung charakteristisch sind, könnte man über die unter 1. angeführten Gesichtspunkte hinaus zu Ergebnissen über die Traditionsgeschichte der Verse 15b-18 gelangen.

zu 1: Die positive imperativische Formulierung von Du-Sollst-Geboten ist eine auch sonst in den atl „Gesetzessammlungen" zu beobachtende Erscheinung. Wo inhaltliche Parallelität mit Prohibitiven der 2.P.Sg. vorliegt, wird im Allgemeinen der Prohibitiv für ursprünglicher gehalten.

Für H. Graf Reventlow (a.a.O., 70) sind in Lev 19 die positiven Umkehrungen der Verse 15, 17 und 18 „recht sachgemäße Erklärungen, die der Urform recht nahestehen und ein unmittelbares Verständnis ausdrücken". Bereits G. v. Rad hat aber zu den positiven Geboten in den Versen 15-18 zutreffend bemerkt, daß diese hier nicht nur Erklärungen der Prohibitive und nachträgliche Umformulierungen darstellen, sondern sich „geradezu in Gestalt einer zweiten Forderung" neben den ursprünglichen Satz stellen. Durch diese Legalinterpretation sehr eigenmächtiger Art habe man den

„durch das Verbot freigemachten Raum eben im Sinne des Verbotes positiv aufzufüllen versucht". Im Unterschied zu den Verhältnissen beim Eltern- und Sabbatgebot, von denen im Dekalog nur eine positive Formulierung gebracht wird, sind hier die ältere und die (vermutlich) jüngere Fassung untereinandergeschrieben. „Es gab also eine Zeit, in der die negative Fassung nicht mehr genügte, weil mit ihr der ganze Umfang des Willens Jahwes... nicht zureichend umschrieben wurde" (Theologie I, 200).
Erscheinungen dieser Art finden sich ebenfalls noch in: Lev 19,10a/10b (= spätere soziale Umdeutung eines Prohibitivs), vgl. 23,22; in Lev 18 die Verse 4, 5, 26 im Ganzen des Kapitels (paränet. Einrahmung); Dt 16,18-19/20 (Vers 20 vgl. Lev 19,15d!); Dt 18,10-12/13; 15,7/8; 22,1a/1b.2; 22,4a/4b; 24,14/15; 25,13-14/15.

zu 2: Nach der Verteilung der Bezeichnungen für den „anderen" ergibt sich folgendes Bild: V. 15: דל, גדול, עמית V. 16: עמית, רעך; V. 17 אחיך, עמיתך; V. 18: בני עמך, רעך.

a) Der Begriff עמית

Der Begriff עמית als Bezeichnung des Volksgenossen ist – ähnlich wie עם als „Stammes- oder Volksgenosse" – typisch für H und P; er begegnet nicht im Bb und Dt und außerhalb von P nur in Sach 13,7. Außerhalb von H findet er sich nur in Lev 5,21, innerhalb von H in Lev 18-25, ein Sympton dafür, daß die Sprache des P auch von H beherrscht wird. In Lev 18,20 ist עמית offenbar im Zuge der Bearbeitung dieses Verses durch einen Redaktor an die Stelle von רע getreten; denn in allen aufweisbaren Parallelen im AT heißt „deines Nächsten Weib" אשת רעך, bzw. „seines Nächsten Weib" אשת רעהו, so auch in Lev 20,10 aus welcher Stelle Lev 18,20 vermutlich gebildet worden ist (s.u.). In Lev 19,11 begegnet singulär איש את עמיתו – offenbar eine Analogiebildung zu dem sonst im AT geläufigen איש את רעהו.
In Lev 25,14.15.17 begegnet der Begriff in Bestimmungen über das Jobeljahr. Die betreffenden Verse mahnen zu rechtem Verhalten in Handelsgeschäften mit dem Nächsten. Für Lev 25 ist wichtig, daß hier neben עמית auch אח zur Bezeichnung des Volksgenossen gebraucht wird. Der für H typische Begriff עמית begegnet also

1. an einzelnen Stellen, an welchen man sonst רע erwarten würde;
2. in vorwiegend auf das soziale Verhalten gegenüber dem Nächsten gerichteten Sätzen (nicht Prohibitiven) – Lev 19,15.17; 25,14.15.17.

Daraus ergibt sich mit gewisser Sicherheit, daß die Sätze Lev 19,15d und 17b, welche als positive Formulierungen ohnehin sekundär sein dürften, in eine Redaktionsschicht gehören, für welche der Gebrauch von עמית zur Bezeichnung des Volksgenossen charakteristisch war. Der Vergleich von Lev 20,10 - רע - mit Lev 18,20 zeigt ferner, daß der עמית – Redaktor offenbar nicht systematisch alle רע-Stellen, die er vorfand, in עמית-Stellen umwandelte, sondern nur dort רע verdrängte, wo er den Stoff intensiver bearbeitete oder neu verfaßte.
Die positiven Sätze Lev 19,15d und 17b, die von einem bestimmten H-Redaktor herzuleiten sind, wurden eingefügt in die vorliegenden Verse

15b-18, deren Grundbestand demnach zumindest teilweise älter sein dürfte. – Außerhalb der positiv formulierten, eingeschobenen Sätze begegnet der für H typische Begriff עמית in Lev 19,15-18 nicht. Das Liebesgebot in Vers 18c dagegen scheint – obwohl positiv formuliert – nicht in die עמית-Redaktion zu gehören, denn hier begegnet der sonst H-fremde Begriff רע.

b) Der Begriff אח

Dieser Begriff zur Bezeichnung des Volksgenossen (Vers 17a) wird allgemein als typisch für das Dt angesehen.
Das Dt bringt den „Bruder" in einer Reihe von Sätzen, die inhaltlich eine bestimmte Tendenz haben und in deren Parallelen im Bb der Begriff אח noch nicht auftaucht (vgl. Ex 21,1-10 – Sklave – mit Dt 15,12; Ex 23,4 – Feind – mit Dt 22,1; Ex 22,24 – Armer – mit Dt 23,20). – Diese Sätze reden die 2.P.Sg. an, sind im Wenn-Du-Stil oder als Prohibitive verfaßt und haben inhaltlich eine Tendenz, die wir als „sozial" und „humanitär" bezeichneten. Es ist bemerkenswert, daß in diesem dt Gebrauch von אח eine Parallelentwicklung zur Verwendung von רע festzustellen ist: die im Bb noch einzeln benannten sozialen Gruppen werden hier nicht mehr als solche erwähnt sondern einfach als „Brüder" bezeichnet. Diese Entwicklung wird sichtbar in Sätzen gleicher inhaltlicher Art, die das Dt über das Bb hinaus neu gebildet hat: In Dt 15,2.3.7.9.11 ist das, was in Ex 23,10 der עני gewesen ist, durchgängig der „אח" geworden (in 15,2 mit רע gleichgesetzt; vgl. Ex 23,4 mit Dt 22,1.2-4; Dt 23,20 mit V. 21; Dt 25,3). Aber der אח-Begriff dringt im Dt auch in andere Sätze ein, die nicht die 2.P.Sg. anreden und welche inhaltlich nicht über die bloße Wahrung des Rechtes des Mitbürgers hinausgehen (z.B. Dt 19,18.19; 24,7 vgl. Ex 21,16; Dt 25,11; 17,15b; 20,8). Der „Bruder" ist für das Dt identisch mit רע (15,2) und mit עבדי (15,12). Zugleich hat dieser Begriff die Aufgabe der Nivellierung. Es mag mit den archaisierenden und zugleich utopistischen Vorstellungen des Dt zusammenhängen, daß durch diesen Begriff, der vom König wie vom Tagelöhner gilt, das Volk als eine große Familie vorgestellt wird. אח als „Volksgenosse" begegnet außer in Lev 19,17a nur noch in Kap 25, und zwar in Material, das jene ausgesprochen „humane" und „soziale" Tendenz, wie sie sich im Dt fand, ebenfalls zeigt.
Eine Analyse der Verse 14 und 17 in Lev 25 hat folgendes Ergebnis: In Vers 14 sind offenbar die Worte לעמיתך bis עמיתך Einschub, denn sie reden die 2.P.Sg. an, während der Kontext die 2.P.Pl. anredet. Im ursprünglichen Text Vers 14b ist אח gesetzt, während Vers 17aα an derselben Stelle עמית verwendet. Vers 17a ist eine redaktionelle Nachbildung von Vers 14, und auch in den sekundären Partien von Vers 14 wurde zweimal der Begriff עמית eingeführt. Hier ist der gleiche Vorgang wie zwischen Lev 20,10 und 18,20 festzustellen: Dort wurde offenbar רע durch עמית verdrängt, hier wird אח durch denselben Begriff in der Überarbeitung von Vers 14 und in der Neubildung Vers 17 verdrängt. – Material ähnlicher Art findet sich in Lev 25, 25-50: Eine Reihe von Sätzen, in denen אח vorkommt, sind in Lev 25 formal dadurch ausgezeichnet, daß sie mit כי beginnen, ein Verb in der 3. Person haben, aber die 2. Person anreden, also: „Wenn dein Bruder verarmt..."

(V. 25.35.39.47). In Vers 36f tritt אח in einem Prohibitiv der 2.P.Sg. auf, der ebenfalls in Lev 25 singulär ist. Vers 40 redet die 2. Person an, ebenso Vers 43.
Vergleichbar ist in Lev 25 mit diesen genannten Sätzen nur noch das Stück Vers 14-16, wo der עמית begegnet, und welches ebenfalls die 2.P.Sg. anredet (vgl. die 2. Person in den Wenn-Du-Sätzen des Dt). Die beiden Bezeichnungen für den Volksgenossen in Lev 25 begegnen also in formal gleich strukturierten Texten. Alle anderen Stücke in Lev 25 sind im unpersönlichen Stil und ohne persönliche Anrede gehalten. Haben die Stücke mit der Anrede an die 2. Person einen gemeinsamen traditionsgeschichtlichen Ursprung?
Mit Vers 25 jedenfalls beginnt ohnehin ein neuer Abschnitt in Kap 25, welcher mit dem vorangehenden Sabbat-Halljahrsgesetz ursprünglich überhaupt nichts zu tun hat. Reventlow rechnet mit einfacher Stichwortanknüpfung (a.a.O., 136).
Diese Beobachtung wird auch dadurch nahegelegt, daß Vers 14 und 17 ebenfalls keine Beziehung zum Jobeljahr aufweisen und sie nur durch den Kontext bekommen. Im Stück Vers 25-50 bilden die Verse 25,35,39,47 insofern eine besonders ausgezeichnete Traditionseinheit, als in jedem Falle vom Verarmen des Bruders die Rede ist, aber von Satz zu Satz hat der Umfang der Armut zugenommen.
Unseren Beobachtungen zu Lev 25 kommt am weitesten entgegen R. Kilian (Heiligkeitsgesetz, 139), der die sozialen Bestimmungen von Kap 25 zusammenstellt und zu dem Ergebnis gelangt, diese Stoffe seien „auf älterem Material basierend", denn es handle sich um Materien, die sonst H fremd seien.
Ergebnis: Durch den Sprachgebrauch des Dt wurde in bestimmte soziale und humanitäre Gebote der Begriff אח neu eingeführt, und dies gegen das Bb und auch gegenüber einem späteren H-Redaktor, der, wo er Stoffe dieser Art neu bildet, אח durch עמית verdrängt. Sätze mit der oben aufgezeigten inhaltlichen Tendenz bilden auch formal und in der Verwendung des Begriffes אח eine besondere Traditionsgruppe (vgl. nochmals Ex 22,24 – עני – Dt 23, 20-21 – אח – Lev 25,35-38 – אח –). Diese findet sich in für das Dt relativ charakteristischen Stücken und Neubildungen und in Lev 19,15-18 und in Texten aus Lev 25, welche Texte in bestimmte Zusammenhänge von H hineingestellt sind. Diese so festgestellte Traditionsgruppe, welche sich formal durch die Wenn-Du-Sätze oder mindestens durch die Anrede an die 2.P.Sg. auszeichnet, ist sicher keine starre Einheit. Denn obwohl sie zeitlich ziemlich genau abzugrenzen ist (für das Dt charakteristische Redaktion als Terminus a quo und „frühen Stufen von H bereits vorliegend" als terminus ad quem), gibt es doch innerhalb dieser Gruppe bestimmte Weiterentwicklungen. Ein Beispiel dafür liefert der Vergleich von Dt 15,12-18 (der Bruder, der hebr. Sklave, soll nach 6 Jahren freigelassen werden) mit Lev 25,39 (ein Bruder darf überhaupt nicht Sklave sein).
In Lev 25 wird der Begriff אח in Zusammenhängen ähnlicher formaler und inhaltlicher Art wie in Lev 19,17 gebraucht; Texte dieser Art aber müssen wir zu einer bestimmten Traditionsgruppe rechnen, die in ihren Anfängen und in ihrer weitesten Entfaltung für das Dt charakteristisch ist.

c) Vers 17a „in deinem Herzen“

In Vers 17a wird im Zusammenhang mit שנא der Begriff בלבבך („in deinem Herzen“) gebraucht. Diese intensivierende Wendung hat keinerlei Parallele in P und H, wohl aber im Sprachgebrauch des Dt. Es gibt dort nicht nur die verbreitete Formel בכל לבבך, sondern auch das einfache בלבבך (Dt 6,6; 4,39; 11,18; 8,2.5.17; 9,6; 15,9; 19,6). Hier liegt ein weiterer Hinweis auf dt Elemente vor.

d) Das Verb אהב in Vers 18c

Das Verb אהב begegnet in H und P nur in Lev 19,18c, das dazugehörige Substantiv überhaupt nicht. Im Bb begegnet es nur in Ex 21,5 (Dt 15,6) in einem kasuistischen Satz. – Häufig wird dieses Verb erst im Dt:
von Jahwe ausgesagt: 4,37; 7,13; 10,18; 23,6
vom Menschen in „Hauptgeboten“: 5,10; 10,12; 11,1.13.22; 13,4; 19,9
vom Menschen zum Menschen in kasuistischen Sätzen als Fachausdrücke: 15,16; 21,15.16
Gebot der Liebe zu Menschen: Dt 10,19.
Dt 10,19 ist die einzige Stelle im Dt, in der den Angeredeten Liebe zu anderen Menschen geboten wird (Vgl. als ältere, prohibitivisch formulierte Parallele Dt 24,17 und dazu die Prohibitive in Lev 19 in ihrem Verhältnis zu Lev 19,18c!). Ohne Zweifel liegt ein enger Bezug vor zwischen Lev 19,34, welches Lev 19,18c zitiert, und Dt 10,19. Diese drei sind die einzigen Stellen der atl Gesetzeskorpora – außerhalb der kasuistischen Sätze –, an denen אהב vom Menschen ausgesagt Menschen zum Objekt hat. Nur an diesen Stellen wird Liebe zu Menschen geboten. – Auch sonst ist die Anwendung von אהב in diesem Sinne im AT überaus spärlich. Auch diese Beobachtungen dürften darauf hinweisen, daß Lev 19,18 und 34 inhaltlich mit bestimmten Tendenzen des Dt im Zusammenhang stehen.

e) Der Begriff עמית in Vers 16

עם zur Bezeichnung der Volksgenossen begegnet vorzugsweise in formelhaften Wendungen und nahezu ausschließlich in H und P. In der Formel נכרת(–ה) (הנפש) מעמיו mit ihren Abwandlungen begegnet es in Ex 30,33.38; 31,14 (P); Lev 7,20.21.25.27 (P); Lev 17,9; 19,8; 23,29 (H); Nu 9,13. – In der Wendung „sich zu seinen Volksgenossen scharen“ (ein Euphemismus für Sterben) begegnet es in Dt 32,50 (2×), Nu 20,24; 27,13; 31,2. 4× begegnet der Begriff in Reinheitsbestimmungen für Priester in Lev 21 (Verse 1,4,14,15). Außerhalb jener relativ umgrenzbaren Zusammenhänge begegnet der Begriff nur noch – isoliert – in Lev 19,16. Er begegnet nicht im Dt, sein Vorkommen in Lev 19,16 ist ein wertvoller Hinweis darauf, daß das in Lev 19,15-18 überlieferte Gut aus vom Dt geprägter Traditionsgruppe an einzelnen Stellen bereits vom Sprachgebrauch des H und P beeinflußt ist, wie es ja auch die späteren עמית-Einschübe zeigten.

Zu den unmittelbar in der Nähe zu Lev 19,18 liegenden Versen ist zu bemerken:

Vers 15 hat eine Parallele im sog. Richterspiegel in Ex 23,1ff, und zwar in den Versen 3 und 6. Hier ist inhaltlich ein Stadium erreicht, in welchem das Ganze des Volkes, das Arme und Reiche umfaßt, so sehr in den Blick getreten ist, daß in erster Linie gleiche Gerechtigkeit gegenüber allen gefordert wird. – Insofern ist die Verwendung von צדקה und der Gebrauch des alle umfassenden עמית in Vers 15d eine gute und sinngemäße Interpretation dieser beiden Prohibitive (Prov 29,7; Jes 11,4; Ps 82,3 verwenden צדק in diesem Zusammenhang, aber nur im Blick auf den Armen).

Mit Vers 16 beginnt eine Reihe von Prohibitiven, die sich nicht auf das Gericht beziehen, sondern das Verhalten im vor-forensischen Bereich regeln, welches dann auch Folgen im Gericht haben kann (z.B. Vers 17b!).

Zu Vers 17a finden sich einige Parallelstellen in der Weisheitsliteratur (Prov 19,7; 14,7; 25,7), das Verb יכח ist dort ebenfalls geläufig, aber nicht als Imperativ. Vers 17c ist zu verstehen: Man soll nicht Schuld auf den Nächsten laden – man kann rechtzeitig verhindern, daß er Schuld auf sich lädt, indem man ihn zurechtweist.

In Vers 18ab sind wohl zwei ursprüngliche Objekte wegen des verwandten Inhalts der beiden Verben zusammengezogen worden in ein Objekt in Vers b. Die beiden hier vorkommenden Verben begegnen – außer נקם in Ex 21,20 – nicht in den „Gesetzessammlungen". Beide werden meistens – in prophetischen Texten – von Gott ausgesagt. Singulär begegnet in Ex 21,20 als Strafformel נקם ינקם für Sklavenmißhandlungen, bei denen der Sklave oder die Sklavin starb.

Lev 19,18c

Zur sprachlichen Formulierung: אהב ist mit לְ konstruiert. Nach E. König (Syntax 289a) handelt es sich um ein einfaches „ל relationis" als Ersatz für den Akkusativ. Ähnlich urteilt Gesenius-Kautzsch (Grammatik § 117n): „In die Solözismen der späteren Zeit gehört endlich auch die Einführung des Objekts durch die Präposition (in Bezug, in die Richtung auf)". Als Vergleich führt er Hiob 5,2 an (הרג mit ל). Die Wendung כמוך hat eine gewisse Parallele in Dt 13,7: רעך אשר כנפשך (dein Freund, der dir (lieb ist) wie dein Leben) und auch 1 Sam 20,17: אהבת נפשו אהבו (denn mit der Liebe zu seiner Seele liebte er ihn). Als Parallele zur Verwendung von כי führt E. König (a.a.O., § 319f) an Jos 1,15 לאחיכם ככם. Das כי werde in beiden Fällen als Adverb verstanden.

Die sprachlichen Parallelen zeigen hinreichend deutlich, daß Lev 19,18 gebietet, die Liebe am רע so zur Geltung zu bringen, als handle es sich um die eigene Person.

Inhaltliches: Die erwähnte Stelle Dt 10,19 wird gegenüber Lev 19,34 für sekundär gehalten. Lev 19,34 erweitert aber den Kreis derer, die zu lieben sind, über die in Vers 18c gemeinten Volksgenossen hinaus. Demnach ist Lev 19,18c der älteste überlieferte Satz des AT, der gebietet, im Sinne von אהב einen anderen Menschen zu lieben. – Die einzigen späteren und inhaltlich weiterführenden Sätze im hebr. AT sind Lev 19,34 und Dt 10,19.

Inhaltlich vorbereitet wurde Vers 18c schon durch Vers 17, der verbot, den Bruder im Herzen zu hassen, und durch die beiden Prohibitive in Vers 18ab, die verboten, den Söhnen des Volkes zu grollen oder sich zu rächen. Diese drei Prohibitive, die ebenfalls ohne vorhergehende sprachliche Parallelen waren, gehören sicher nicht in einen „Richterspiegel“, sondern gehen weit über den forensischen Bereich hinaus. Sie liegen „davor“, ähnlich, wie es schon die Absicht einer maßgeblichen Schicht im Dt war, die Erfüllung der Gebote schon in der Innerlichkeit des Herzens (V. 17) beginnen zu lassen, und ähnlich auch einer Reihe von Sprüchen der Weisheitsliteratur.

Rechnet man damit, daß Vers 17b sekundär ist, so werden zumindest die drei letzten Prohibitive durch Vers 18c interpretiert.

Wir hatten beobachtet, daß אהב im Dt, die technische Bedeutung in kasuistischen Sätzen ausgenommen, nur auf das Verhältnis Gott-Volk, Volk-Gott angewandt wird. Um so bedeutsamer erscheint es, wenn jetzt auch das Verhalten der einzelnen Glieder des Volkes zueinander durch diese Relation umschrieben wird.

Mit seiner Verwendung in Lev 19,18c hat der Begriff רע (außerhalb der kasuistischen Sätze des AT) eine bestimmte Stufe der Entwicklung erreicht: Die Vers 18 voraufgehenden Prohibitive zeigen, daß רע für alle Volksgenossen gilt, wobei die Grenze durch den Begriff גר in Vers 34 angegeben ist. In den Aussagen über das Verhalten, das dem רע entgegenzubringen ist, ist mit der Wendung „lieben wie dich selbst“ ein gewisser Abschluß errreicht. In oben angeführten ähnlichen Stellen fanden wir durch parallele Ausdrücke ein relativ intensives Verhältnis von Liebe bezeichnet.

Der Begriff רע in Vers 13 hatte eine sozial-caritative Färbung, in Vers 16 dagegen wurde der Begriff verwendet wie in der Weisheitsliteratur und im Dekalog. Im ersten Falle wird Rücksicht und Mitleid gefordert, im zweiten gerechtes und kluges Verhalten. Vers

18c bringt beide Verhaltensweisen dem רע gegenüber in ein gewisses Gleichgewicht. Das Programm: Den Volksgenossen zu lieben wie sich selbst, ist wohl im Grunde so etwas wie die Forderung nach gleicher Gerechtigkeit für alle, die aber nicht von einem Gericht, sondern von jedem Einzelnen ausgehen soll: Für jeden anderen das Gleiche zu wollen, das man für sich selbst erstrebt; mit dem gleichen Interesse das Eigene wie das des Anderen zu verfechten. Bereits in der Theologie des Dt ist aber der Gedanke der gleichen „Gerechtigkeit" für alle, die dem Volke angehören, eines der hauptsächlichen Anliegen (vgl. G. v. Rad, Gottesvolk, passim), nicht zuletzt geboren aus dem Wunsch, eine (utopische) Verfassung zu entwerfen, in welcher alle Verheißung Gottes an sein Volk erfüllt sein werde. Oder: Damit die Verheißung sich als wahr erweisen kann, muß jeder für den anderen das gleiche Maß an allem wollen wie für sich selbst. Die „ideale" Gerechtigkeit für alle hat Lev 19,18 als Forderung an den Einzelnen ausgesprochen.
Als ein Hauptergebnis betrachten wir die Zuordnung dieser Verse zu einem von bestimmten Schichten des Dt geprägten Traditionsstrom.

C. Traditionen der Auslegung

1. Die Interpretation von Lev 19,18 in Lev 19,34[1]

a) Die in der 2.P.Pl. abgefaßten Sätze in Lev 19 haben die Eigenart, älteres Gut, das in Ex und Dt noch in singularischen Formulierungen überliefert ist, zusammenzufassen und zu „aktualisieren" (vgl. V. 3; 4ab; 9; 11-12; 19; 35-36).
b) Die singularische Formulierung aus Lev 19,18 wird, der genannten Tendenz entsprechend, in V. 34 bruchstückartig in eine pluralische Umgebung eingebettet.
c) Dt 10,19 ist diesem Vers gegenüber sekundär (Bertholet, Steuernagel, Klostermann, Junker und Lohfink vermuten eine levit. Glosse); Dt 10,19 ist assoziativ an V. 18 angehängt und sprachlich abgerundet; auch begegnet אהב in den Gesetzessammlungen sonst nicht in diesem Sinne.

[1] Lit.: A. Bertholet, Die Stellung der Israeliten und der Juden zu den Fremden, Freiburg 1896; Th. M. Horner, Changing Concepts of the Stranger in the OT, in: Angl Theol Rev 42 (1960) 49-53; R. Kilian, Literarkritische und formgeschichtliche Untersuchungen des Heiligkeitsgesetzes (BBB; 19), Bonn 1963, 55-57; K. G. Kuhn, Art. προσήλυτος in ThWb VI, Stuttgart 1959, 727-745; K. L. Schmidt, Israels Stellung zu den Fremdlingen und Beisassen und Israels Wissen um seine Fremdling- und Beisassenschaft, in: Jud I (1945) 269-296.

d) Lev 19,34 erscheint als positive Umkehrung zu Sätzen wie Ex 22,20; 23,9; die Begründung ist hier wie dort die gleiche.
e) Diese Begründungsformel ist eine Analogiebildung zu der älteren Formel „denn Sklave bist du gewesen im Lande Ägypten“ (oft im Dt), welche dort ursprünglich ist, wo sie Sätze zum Schutz des Sklaven begründet (Dt 5,15; 15,15); in Dt 24,18.22 ist sie bereits nur noch als Formel aufgefaßt. – Die im Bb und Dt analog gebildeten Begründungsformeln mit „Fremdling“ entsprechen dagegen überall noch den Vordersätzen (Ex 22,20; 23,9; Dt 10,19).
f) Eine Analogie zum Vorgang in Lev 19,34 ist Dt 12,12-15. Der Sklave wird unter die „Brüder“ aufgenommen; zur Motivierung dessen wird der Angeredete darauf hingewiesen, daß er selbst einmal Sklave war (Sklaven wurden also als „Bruder“ von Lev 19,18 bereits erfaßt).
g) Die Aufforderung, nun auch den Fremdling zu lieben, wird ebenso begründet; Gebot und Begründung bedingen sich wechselseitig[1].
h) Lev 19,34 ist nicht der Endpunkt der kultischen Einbeziehung der „Gêrim“ in das Volk, sondern liegt auf der Linie jener sozialen und humanitären Sätze, zu denen auch Lev 19,18 gehört. Dt 10,19 ist daher sinngemäß in das Dt eingefügt worden, da es dessen eigene Tendenz zum Abschluß bringt. – In die Relation des אהב ist jetzt auch der Fremdling einbezogen. – Außerhalb steht jetzt der נכרי, der ausländische „Fremde“ (Dt 14,21; 15,3; 23,21; 29,21).

2. Die Interpretation des Gebotes der Nächstenliebe in der LXX

a) Die Übersetzung von רע in der LXX und der Gebrauch von ὁ πλησίον

In der Profangräzität heißt der „Nächste“ im Sinne von „der nahe ist“, „der Nachbar“ zunächst ὁ πλήσιος, und zwar in dieser Form bei Homer und in der attischen Poesie[2], von Xenophon ab dagegen findet sich fast nur noch die adverbiale Form ὁ πλησίον, während πλήσιος auch als Adjektiv ganz verschwindet[3]. Schon vorher war

[1] Hier liegt der Grund dafür, daß auch bei späteren Geboten, die nicht mehr nur den Sklaven betreffen, die עבד-Formel nur noch rein schematisch angewandt wird: Bei Geboten, die Witwen und Waisen betreffen, läßt sich schlecht das ganze Volk mit diesen gleich stellen. עבד steht dann stellvertretend für diese. Vgl. W. Schottroff, „Gedenken“ im alten Orient und im Alten Testament (Wiss. Monograph. z. A. u. N.T.; 15), Neukirchen 1964, 119.
[2] Vgl. Passow, II,1,957; nach J. Fichtner, Art. ὁ πλησίον in: Theol. Wörterb. z. NT VI, Stuttgart 1959, 309 wird πλησίον seit Theognis substantiviert.
[3] Vgl. W. Pape, Griechisch-deutsches Handwörterbuch, Nachdr. Graz [3]1954 II,635. Demgegenüber gilt aber für die LXX, daß πλήσιος als Adjektiv und auch substantiviert wieder begegnet in Ca 5,1; Sir 27,18; Jer 24,1; 1 Mkk 12,33.

ὁ πλησίον vereinzelt gebräuchlich, und zwar als „der Benachbarte" und „der nahestehende Mensch" bei Plato[1], im Plural als „die Verwandten"[2]. Bei Xenophon heißt οἱ πλησίον „die Umstehenden"[3]. Zur Bezeichnung des Mitmenschen, mit dem man zu tun hat, wird ὁ πλησίον verwendet bei Plutarch[4] und bei Epiktet, wo es an einer Stelle dem Begriff κοινωνός parallel gesetzt ist. Nahe verwandt mit ὁ πλησίον ist ὁ πέλας[5]. Euripides verwendet ὁ πέλας zur Bezeichnung dessen, den jeder weniger liebt als sich selbst[6]. Der Begriff des Nächsten wird in der Formulierung der Goldenen Regel verwendet bei dem Sophisten Antiphon (Diels II,364): ὅστις δὲ δράσειν μὲν οἴεται τοὺς πέλας κακῶς, πείσεσθαι δ' οὔ, οὐ σωφρονεῖ... ἃ δ' ἐδόκουν τοῖς πέλας ποιήσειν[7]. Die überwiegende Mehrzahl aller Stellen mit ὁ πλησίον findet sich aber[8] in LXX und NT.
Die LXX gebraucht ὁ πλησίον an 112 Stellen zur Wiedergabe von רע; 50× ohne Grundlage im MT (bes. in Sir.), an den anderen Stellen zur Wiedergabe von Begriffen, die auch innerhalb des MT z.T. schon Synonymität mit רע erreicht hatten, insbesondere von עמית und אח.

[1] Plato, Theaet. 174B: οἱ μὲν πλησίον καὶ ὁ γείτων λέληθεν. Charm. 155C: ἕκαστος γὰρ ἡμῶν τῶν καθημένων ξυγχωρῶν τὸν πλησίον ὤθει σπουδῇ, ἵνα παρ'αὐτῷ καθέζοιτο. Apol. 25E: ὅτι οἱ μὲν κακοὶ κακόν τι ἐργάζονται τοὺς μάλιστα πλησίον αὐτῶν, οἱ δὲ ἀγαθοὶ ἀγαθόν (nocent proximis quibusque).
[2] Aeschines, ed. F. Blass III,174 (78,35): ἤδη γάρ ποτε εἶδον μισηθέντας τοὺς τὰ τῶν πλησίον αἰσχρὰ λίαν σαφῶς λέγοντας.
[3] Xenophon, Memor. III,14,4: Sokrates: παρατηρεῖτ' ἔφη, τοῦτον οἱ πλησίον, ὁπότερα τῷ σίτῳ ὄψῳ ἢ τῷ ὄψῳ σίτῳ χρήσεται.
[4] Plutarch, Moralia 40C: ῥᾷστον γάρ ἐστι τῶν ὄντων τὸ μέμψασθαι τὸν πλησίον (τὸν πλησίον wird im folgenden Satz interpretiert durch πρός τινα = jemand); ders., Moralia 57D: οὕτω τῷ ψέγειν ἑαυτοὺς εἰς τὸ θαυμάζειν τοὺς πλησίον ὑποῤῥέουσιν (sic seipsos illi vituperando obrepunt ad alios laudandos; davor: ἑτέρους καταβάλωσιν).
Epiktet, 1,22,14: εἰ συμφέρει μοι ἀγρὸν ἔχειν, συμφέρει μοι καὶ ἀφελέσθαι αὐτὸν τοῦ πλησίον (Vers 13: κοινωνός); Vgl. 2,12,7: ἀπὸ τοῦ ἐναντίου ἐκίνησε τὸν πλησίον (sc. Sokrates den Prozeßgegner – „vom Gegenteil her bewegt er den anderen").
[5] Euripides, Medea, 85-87: ἄρτι γινώσκεις τόδε ὡς πᾶς τις αὑτὸν τοῦ πέλας μᾶλλον φιλεῖ, οἱ μὲν δικαίως, οἱ δὲ καὶ κέρδους χάριν.
[6] Vgl. C. Spicq, Agapè dans le Nouveau Testament. Analyse des Textes. I-III (Études Bibliques), Paris 1958, 180 Anm. 2. Vgl. auch Prov 27,2 זר = ὁ πέλας.
[7] Im Zusammenhang mit der Goldenen Regel begegnet der Nächste als ὁ πλησίον in der Fassung der Goldenen Regel nach Gnom Pyth 58 (ed. Chadwick); vgl. dazu A. Dihle, a.a.O., 51: λυποῦντα τὸν πλησίον οὐ ῥᾴδιον αὐτὸν ἄλυπον εἶναι.
[8] Vgl. Stephanus VII, 1224.

רע dagegen wird mit 112 Stellen nur an 2/3 aller Stellen seines Vorkommens (ges. 179) durch ὁ πλησίον wiedergegeben; an den verbleibenden Stellen meist mit φίλος, in Umschreibungen mit ἀλληλ –, oder mit ἕτερος, ἑταῖρος, πολίτης, συνεταιρίς, ἀδελφός.
Zu Beginn der Auslegung der atl Sozialgebote in seiner Schrift De Humanitate muß Philo in Virt 82 den deuteronomischen Bruderbegriff seinen jüdisch-hellenistischen Lesern übersetzen: „Unter Bruder versteht er (sc. Moses) hier nicht bloß den von denselben Eltern Entsprossenen, sondern jeden Mitbürger (ἀστός, bei Josephus und in LXX Prov und Sir begegnete uns der Ausdruck (συμ)πολίτης statt πλησίον oder φίλος) und Stammesgenossen (ὁμόφυλος)". Da aber diese Stellen, die רע anders als mit ὁ πλησίον wiedergeben, meist in der Weisheitsliteratur liegen, ist in den übrigen Teilen der LXX das Bild relativ eindeutig: ὁ πλησίον ist die gebräuchliche Wiedergabe von רע, nur die Wendung איש־רעהו wird an einigen Stellen durch Umschreibungen mit ἀλληλ- wiedergegeben. Obwohl רע im MT sehr oft auch einfach „Mitmensch" und „Nachbar" bedeutet (Jer 6,21 LXX: ὁ πλησίον Synonym für γείτων; ähnlich Ex 12,4), war dieser Begriff im Laufe einer langen Formgeschichte innerhalb der sog. „Gesetzeskorpora" eingeengt auf den „Volksgenossen". Der entscheidende Schritt der LXX lag darin, daß sie רע *auch in den Gesetzeskorpora* mit ὁ πλησίον übersetzte. רע hatte seine spezifische Bedeutung immer durch den Zusammenhang erhalten. Nur konnte das nun gewählte griechische Wort ὁ πλησίον in der nunmehr „einschichtig" gewordenen LXX keine Sonderentwicklung mehr durchlaufen. Der Leser mußte jetzt ὁ πλησίον immer im Sinne des Koine-Sprachgebrauches auffassen. Den Übersetzern hatte es offenbar ferngelegen, für die Übersetzung von רע in den „Gesetzeskorpora" einen griechischen Begriff zu wählen, der eine volksmäßig mehr gebundene und intensivere Beziehung der Menschen zueinander ausdrückt, als dies ὁ πλησίον kann. Die Übersetzung der Proverbien – der Begriff ὁ πλησίον kommt dort nicht vor! – zeigt deutlich, daß eine Reihe von anderen Möglichkeiten (z.B. φίλος, ἑταῖρος, πολίτης) zur Übersetzung von רע bestand, die aber für die sog. „Gesetzeskorpora" offenbar bewußt nicht gewählt wurden. – Genommen wurde das relativ ungebräuchliche und sehr blasse ὁ πλησίον, ein Vorgang, der sich bei der Übersetzung von אהב mit ἀγαπᾶν in ähnlicher Weise abspielt. Beide Begriffe – ὁ πλησίον und ἀγαπᾶν – werden erst durch die LXX in ihrer Bedeutung eigentlich geprägt und nahezu „termini technici" des hellenistischen Judentums und der griechischen Christengemeinden.

Bezeichnend für die Unfähigkeit dieses Begriffes, in den „Gesetzeskorpora" eine engere Spezialbedeutung anzunehmen, ist, daß sowohl גר als auch אח (für das ἀδελφός als Übersetzung doch viel näher gelegen hätte!) mit ὁ πλησίον übersetzt werden[1]. Außerdem steht es in der Regel auch für עמית[2]. Dadurch hat ὁ πλησίον außer seiner ent-theologisierenden auch noch eine nivellierende Funktion: So werden in Lev 19 alle Bezeichnungen für den anderen (bis auf אח) mit ὁ πλησίον übersetzt (Lev 19,11.13.15.16.17.18; ebenso Lev 25,14.17!). Das Alte Testament wird erst durch die LXX auch in diesem Punkte vereinheitlicht.

Dabei hat ὁ πλησίον im MT durchaus eine Entsprechung, die viel eher seiner Bedeutung entspricht als רע, nämlich קרוב. Dieser Begriff kommt aber ausschließlich in zwei Bedeutungen vor: als „der Verwandte"[3] und als „der Nachbar"[4], sofern nicht nur an das Partizip von קרב gedacht ist (vgl. auch die rein lokale Formulierung in Test Napht 4,5, die das atl קרוב aufnimmt: ποιῶν ἔλεος εἰς πάντας τοὺς μακρὰν καὶ τοὺς ἐγγύς). Mit רע wird es im MT nur in Ps 15,3 parallel gesetzt („Er fügt seinem Nächsten – רע – kein Unrecht zu, und Schande häuft er nicht auf seinen Nachbarn" – קרוב), mit אח und רע steht es parallel in Ex 32,27[5]. Dieser Begriff mag zwar dem רע in ursprünglicher Bedeutung nahegestanden haben, hat aber keine weitere Entwicklung durchgemacht und ist theologisch – ähnlich wie ὁ πλησίον – gänzlich „unvorbelastet"[6].

Die Wahl des einfachen ὁ πλησίον für רע wird zu verstehen sein aus der Stellung des Diasporajudentums, welches die Tora für alle

[1] Für גר steht πλησίον in LXX A Dt 10,18: ἀγαπᾷ τὸν πλησίον; für אח steht es in LXX A Dt 19,19: ebenso in Mi 7,2; Lev 25,14; LXX A Jer 38 (31), 34; Gen 26,31 LXX A. Die Behauptung C. Rabins, The Zadokite Documents, London 1954, 25 Anm 20,3, die Begriffe אח und רע seien bereits in der LXX „constantly confused", ist zu sehr verallgemeinernd.
רע wird mit ἀδελφός übersetzt in Gen 43,33. In Jer 38 (31),34 haben für das erste ἀδελφόν BS: πολίτην, für das zweite A πλησίον.

[2] Lev 5,21; 18,20; 24,19; 25,14.15.17.

[3] Lev 21,2.3; 25,25; Nu 27,11; Ruth 2,20; 3,12.

[4] z.B. Lev 10,3; Ex 12,4.

[5] „Es töte jeder seinen Bruder, Freund und Nachbarn".

[6] M. Rade, Der Nächste, in: Festgabe für A. Jülicher zum 70. Geburtstag, Tübingen 1927, 70-79, 79 meint, daß ὁ ἕτερος das wahre Synonym für רע sei, und hält Röm 13,8 ἀγαπῶν τὸν ἕτερον für die einzig geeignete Wiedergabe des Liebesgebotes. „Man möchte wünschen, daß niemals einer der LXX auf den Gedanken gekommen wäre, רע mit ὁ πλησίον zu übersetzen".

Menschen annehmbar machen wollte und mußte[1] und gerade in den Gesetzeskorpora den nicht zum Stamme Gehörigen nicht ausschließen wollte. Wenn die Schrift die wahre und allem anderen überlegene Weisheit ist – wie es das hellenistische Judentum immer zu beweisen versucht hat – dann müssen seine Gesetze auch alle Menschen meinen, für alle zugänglich sein und zu allen in Beziehung stehen (vgl. Philo, VitMos II,20; Sir 24,8). – Seiner Herkunft und Bedeutung nach war jedenfalls der Begriff offen und nichtssagend genug, um durch die LXX neu interpretiert und den Absichten der Übersetzer dienstbar gemacht zu werden[2].

ὁ πλησίον bedeutet einfachhin: jeder Mensch, der mir nahe ist, dem ich begegne, mit dem ich zu tun habe. Die griech. Teile des AT und die hellenistisch-jüdischen Schriftsteller verwenden den Begriff so, daß man ohne Schwierigkeit erkennen kann, in welchem Sinne Juden um diese Zeit den Begriff verstehen mußten.

Eine Sonderentwicklung ist aber zunächst für die Proverbien LXX eingetreten: Obwohl in MT der Prov der Begriff רע 31× begegnet, wird er fast ausnahmslos mit φίλος oder πολίτης übersetzt oder gar nicht wiedergegeben. רע wird auch an den Stellen, wo es im MT kaum „Freund" bedeuten wird[3] mit φίλος übersetzt. So ist nicht nur der Begriff רע durch ein theologisch völlig neutrales Äquivalent wiedergegeben (was רע aber in den Prov ohnehin schon weitgehend war), sondern der Kreis derer, die der jeweilige Satz betrifft ist eingeengt auf die „Freunde". Es dürfte kaum zweifelhaft sein, daß diese Übersetzung in Angleichung an griechisches „Freund-

[1] Vgl. M. Friedlaender, La propaganda religieuse des Juifs Grecs, in: Revue des Études Juives 30 (1895) 161-181, 162 (über die jüdische Sibylle): III,149: οἱ παντέσσι βροτοῖσι βίου καθοδηγοὶ ἔσονται „Elle est animée de la conviction que le peuple juif va désormais servir de guide spirituel à tous les hommes et que l'heure de son épanouissement est venue". Vgl. Philo, De Vita Mosis II,20.

[2] Vgl. J. Fichtner, Der Begriff des „Nächsten", 46: „Die Wahl des sehr weiten, alle Menschen – abgesehen von ihrer nationalen und religiösen Zuordnung – umfassenden Wortes ὁ πλησίον im hellenistischen Judentum ist nicht von ungefähr erfolgt. Sie hängt gewiß mit dem Willen zur Weltmission, der im Judentum der damaligen Zeit lebendig war, zusammen". 48: „ὁ πλησίον läßt die Einschränkung auf den Genossen des Bundes nicht zu". M.-L. Ramlot, Le nouveau Commandement de la Nouvelle Alliance ou Alliance et Commandement, in: Lumière et Vie 44 (1959) 9-36, 22 (zu רע-πλησίον:) „Celui qui est près, le proche, le voisin, l'autrui, l'autre, sans aucune specification qui puisse rappeler le cadre de l'alliance".

[3] Dazu sind zu rechnen: Prov 3,28.29; 6,1.3.29; 11,9.12; 14,21; 16,29; 17,18; 24,28; 25,8; 25,9.18; 26,19; 27,17; 29,5; 18,17; 21,10.

schaftsethos" erfolgte[1]. Die Beschränkung der Prov auf den Bereich der Freundschaft mag aber auch damit zusammenhängen, daß die weisheitliche Literatur im Laufe ihrer Geschichte in ständig zunehmendem Maß privatere Züge annahm, in demselben Maße als die „juristischen" und „öffentlichen" Dinge durch die immer stärker als Einheit heraustretende Tora geregelt wurden[2]. Ein Bezug auf die soziologische Bindung an das eine Volk fehlt aber bei ὁ πλησίον wie bei φίλος.

Nur hat der φίλος den Kreis derer, die unter רע (im Sinne seiner weitesten Entwicklung) fielen, eingeengt, ὁ πλησίον ihn erweitert. Beides aber geschah wohl sicher aus apologetischen und bewußt hellenisierenden Tendenzen.

Die spätere Entwicklungsgeschichte des Begriffes des Nächsten ist weitgehend identisch mit der Auslegungsgeschichte des Liebesgebotes Lev 19,18. Das gilt besonders für die christliche Tradition: πλησίον ist in der synoptischen Tradition (und in Apg; 6,27f ist nur Zitat aus Ex 2,13) nur noch im Zusammenhang mit Lev 19,18 zitiert, ebenso in 3 von 4 Paulus-Stellen (Röm 15,2 Ausnahme) und in Jak 2,8. Außer Röm 15,2 wird der Nächste nicht im Zusammenhang mit Lev 19,18 nur noch genannt in Eph 4,25 (Tradition von Prov 21,3) und Jk 4,12[3].

[1] Vgl. M. Paeslack, Zur Bedeutungsgeschichte der Wörter ΦΙΛΕΙΝ..., 82: „Die den Text außerordentlich frei paraphrasierende Übersetzung erweitert an mehreren Stellen den hebr. Text oder gestaltet ihn um im Sinne einer (griechischen) „Freundschaftsethik". Vgl. auch L. Rost, Die Vorstufen von Kirche und Synagoge im AT (Beitr. z. Wiss. d. A. u. N.T; 24) 1938, 310 Anm 7: „Nur etwa 1/3 der 180 Vorkommen von φίλος weist im Mas Äquivalente auf; davon gibt die Hälfte רע wieder (19× in Prov; 8× in Hiob)".

[2] Vgl. auch G. Bertram, Die religiöse Umdeutung altorientalischer Lebensweisheit in der griechischen Übersetzung des AT, in: Zeitschr. f. atl. Wiss 13 (1936), 153-67, 160f: „Aus solcher nüchternen, mit Menschenmaß messenden Frömmigkeit versteht es sich auch, wenn in der LXX mehrfach radikale theologische Aussagen der Masora verwischt oder aufgehoben werden zugunsten einer ethisierenden Durchschnittsreligiosität".

[3] Nach Analogie der LXX-Weish.-Lit werden die Nächsten, die gegen das 8. Gebot verleumdet werden, in Test Abr XII ἑταῖροι (zwischen 5. und 6. Gebot) genannt; ἑταῖρος heißt der Nächste auch in Did 14,2, während er in der dekalogähnlichen Reihe 2,6 πλησίον heißt. Nach der Dt-Tradition wird in SlavHen 52,1 der Arme neben dem Nächsten genannt („zur Schmähung des Armen und lästernd den Nächsten") (in der KR wird nur der Nächste genannt). In der soz. Reihe SlavHen 42,12 wird selig gepriesen, „wer die Wahrheit redet zu seinem Nächsten" (vgl. Prov 21,3: aus dem atl משפט bei Wegfall der Gerichtsbetätigung; so auch Eph 4,25), für die übrigen

b) ΑΓΑΠΑΝ und ΦΙΛΕΙΝ in der LXX [1]

In der Profangräzität scheint φιλεῖν weniger die sinnliche Liebe zu bezeichnen als ἐρᾶν, aber noch eher als ἀγαπᾶν[2]. ἀγαπᾶν findet sich in der Bedeutung sinnlicher Liebe nur spät und selten. In Platos Lysis, 215B, stehen sich gegenüber ein leidenschaftsloses ἀγαπᾶν (im Sinne von Zuneigung, Interesse) und das gefühlsbetonte, leidenschaftliche φιλεῖν. Die Verwendung von ἀγαπᾶν in dieser Bedeutung scheint symptomatisch zu sein für den vorbiblischen Gebrauch dieses Wortes überhaupt.
Bei Homer heißt ἀγαπᾶν „Gastfreundschaft üben" (Od 22,499), bereits als

sozialen Verhaltensweisen werden die seit Prov üblichen Objekte genannt (einzelne Gruppen der Niedrigen). SlavHen 50,4 fordert auf: „Vergeltet weder den Nahen noch den Fernen" (zum Begriff vgl. 64,1: offenbar Abstufungen der Zugehörigkeit zu Israel). Ferner sind häufig die Begriffe Bruder/Freund/Nächster auswechselbar, oft nach HSS verschieden, so in Ep Ap 38 (49) äth: Bruder; kopt: Nächster; in JosAs 28,10 Brüder; 28,14 deinem Nächsten. – Nach der Paulus Apk K 25 (H-S II 552) begrüßen die Propheten einen Gerechten wie ihren Freund und Nächsten.

[1] Lit.: A. Ceresa-Gastaldo, ΑΓΑΠΗ nei documenti anteriori al Nuovo Testamento, in: Aegyptus (1951) 269-306; ders., ΑΓΑΠΗ nei documenti estranei all'influsso biblico, in: Riv Fil Istr Class (1953) 1-10; (1954) 1-2; F. Dirlmeier, ΦΙΛΟΣ-ΦΙΛΙΑ, in: Philol 90 (1935) 176ff; A. Fridrichsen, Alska, hata, förneka (försaka), in: SEA 1940 152; F. Hauck, Die Freundschaft bei den Griechen und im Neuen Testament, in: Zahn-Festschr., Leipzig 1928; E. Höhne, Zum neutestamentlichen Sprachgebrauch I / ἀγαπᾶν, φιλεῖν, σπλαγχνίζεσθαι, in: Zeitschr kirchl. Wiss kirchl. Leben 3 (1882) 6-19; W. Lütgert, Die Liebe im Neuen Testament / Ein Beitrag zur Geschichte des Urchristentums, Leipzig 1905; F. Norman, Die von der Wurzel ΦΙΛ – gebildeten Wörter und die Vorstellungen der Liebe im Griechentum, Diss. Münster 1952; M. Paeslack, Zur Bedeutungsgeschichte der Wörter ΦΙΛΕΙΝ „lieben", ΦΙΛΙΑ „Liebe", „Freundschaft", ΦΙΛΟΣ „Freund" in der Septuaginta und im Neuen Testament (unter Berücksichtigung ihrer Beziehungen zu ΑΓΑΠΑΝ, ΑΓΑΠΗ, ΑΓΑΠΗΤΟΣ), in: Theol. Viat 5 (Albertz-Festschr.), Berlin 1954, 51-142; S. N. Roach, Love in its Relation to Service / A Study of φιλεῖν and ἀγαπᾶν in the NT, in: RevExp (1913) 531-553; C. Spicq, Agapè / Prolégomènes à une étude de Théologie Néo-Testamentaire, Louvain 1955; J. E. Steinmueller, ΕΡΑΝ, ΦΙΛΕΙΝ, ΑΓΑΠΑΝ in Extra-Biblical and Biblical Sources, in: Studia Anselmiana (A. Miller-Festschr.), Rom 1951, 406ff; K. Treu, ΦΙΛΙΑ und ΑΓΑΠΗ / Zur Terminologie der Freundschaft bei Basilius und Gregor von Nazianz, in: Studii Classice 3 (1901) 421-427; B. B. Warfield, The Terminology of Love in the NT, in: Princet. Theol. Rev (1918).

[2] Nach S. Linnér, Syntaktische und lexikalische Studien zur Historia Lausiaca des Palladios (Upps. Universitets Arsskr. 1943, 2), 109 ist ἀγάπη in der Bedeutung „Kuss", und zwar als „Gruß" und „heiliger Kuß" belegt bei Sophocles einmal aus Moschos, 2944B und zweimal aus Konstantinos Porphyrogenetos.

Ausdruck des frei zugewendeten Wohlwollens. Später heißt es: „etwas akzeptieren, mit etwas zufrieden sein" (Aischines, C.T. I,174; Plato, Pol 330 B cf. A. Bonhöffer, Epiktet und das N.T., Gießen 1911, 219) insbesondere von einer bestimmten Art zu leben. Dann aber schließt es vor allem eine bestimmte Wertschätzung ein, Bewunderung und Erkenntnis des Wertes des Geliebten (Dio Cass., 46, 48,1; Aristoteles, N.E. 1177 B1. 1094 A 19; Rhetor. 1365 B 16.19; Metaph. 980 A 23). Deshalb heißt ἀγαπᾶν sehr oft: „mehr lieben als, vorziehen", und zwar aus einem rationalen Grund (Plutarch, In Cam 10 = 1,297; 1,218; Isokrates, Ep 5,4; Demosthenes Pro Coron 263,6; Aischines, Über den Botschafter 2,5). Während durch φιλεῖν die Freundschaft zwischen Gleichen bezeichnet werden kann, wird ἀγαπᾶν in einem ungleichen Verhältnis von beiden Partnern ausgesagt: Es gilt von der frei entschiedenen, aus „Uninteressiertheit" gebenden und schenkenden Liebe des überlegenen Partners wie auch von der dankbar verehrenden Liebe des Empfängers (Aristoteles, N.E. 9,7 = 1167 B 32-35; Ps.-Demosthenes, Erot 61,30; Isokrates, De Pace 8,45; Lysias, c. Erathosth 12,11; Plato, Politeia X 600 C; Xenophon, Memorabilia 2,7,9; vgl. Platon, Phaidros 233 C) und hat darin große Ähnlichkeit mit der Verwendung von χάρις, das ebenfalls diese beiden Aspekte umschreibt. Besonders stark ist ἀγαπᾶν vertreten mit der Bedeutung des „Auswählens", „Vorziehens" – aus freiem Wollen und wegen des Wertes des Geliebten (vgl. Aristoteles, Rhet. Alex. 1420 b 12; Isokrates, Demon. 1,1)[1].

Das Hauptwort ἀγάπη selbst war im Profangriechisch „so gut wie ungebräuchlich, ehe es durch die LXX als Äquivalent für אהבה große Bedeutung gewann" (M. Paeslack, 65). Chrysipp bestimmte das verwandte ἀγάπησις als die höchste, vollkommenste Form eines dauerhaften, gleichmäßigen Strebens nach Gutem; es bezeichnet also – ähnlich wie ἀγάπη – ein „leidenschaftsloses, wohlüberlegtes Streben und Wollen" (M. Paeslack, 65f).

ἀγαπᾶν und ἀγάπη müssen den Übersetzern der LXX wegen dieser besonderen Bedeutung besonders willkommen gewesen sein zur Wiedergabe des hebr. אהב. Dieses bedeutet freilich an der Mehrzahl der Stellen im MT

[1] Nach F. Normann, a.a.O., 165 vermitteln die von der Wurzel φιλ- gebildeten Wörter die Vorstellung einer Liebe, die ihrem Wesen nach im Umgang besteht, der „mit allem vorstellbar" ist, „was dauernd zu ihm gehört, von eigenen Organen und Wesenseigenschaften angefangen über äußere Gebrauchsgegenstände zu Personen". „Vom Gedanken der Gemeinsamkeit und Gegenseitigkeit her wird das späte Wort φιλία nur noch auf menschliche Beziehungen beschränkt, indem leblose und unvernünftige Wesen der Gegenliebe nicht fähig sind, die Götter für ein umgängliches Verhältnis zu den Menschen zu erhaben". S. 135: Im ἀγαπᾶν stecke der Gedanke eines tätigen Liebeserweises, der eine besondere Wertschätzung bedeute. Das gebe es freilich auch bei φιλεῖν, „aber bei ἀγαπᾶν ist das in dieser Beziehung bestehende Verhältnis einer φιλία als Umgang nicht mitgedacht... Der Erweis der Wertschätzung ist losgelöst von der Vorstellung eines Umgangs innerhalb einer zugehörigen Gemeinschaft". 136 „Weil bei ἀγαπᾶν der Gedanke eines Umgangs und einer Gewöhnung fehlt, entbehrt es auch durchweg gegenüber φιλεῖν den Beiklang der Vertraulichkeit und der gelegentlichen Zärtlichkeit".

alles andere als ein leidenschaftsloses Wertschätzen; die Übersetzung mit ἀγαπᾶν scheint vielmehr von gewissem moralisierendem Interesse zu sein, d.h. sie ist auf die Gesetzeskorpora ausgerichtet. Auch das Verhältnis zwischen Jahwe und Israel, das Erwählung auf der einen Seite, dankbare Liebe auf der anderen Seite in sich schließt, ließ sich, da ἀγαπᾶν diese Doppelbedeutung (wie im MT אהב) hat, vorzüglich durch diesen Begriff umschreiben.

In 165 Fällen ist אהב durch ἀγαπᾶν wiedergegeben, nur in 13 Fällen durch andere Begriffe[1]. Häufiger wird dagegen das Substantiv אהבה durch φιλία wiedergegeben, insbesondere in den Prov, wo ἀγάπη fehlt[2]. Ebenso wurde ja רע dort fast ausschließlich durch φίλος wiedergegeben.

In den älteren Teilen der LXX begegnen fast nur ἀγάπη und ἀγάπησις (22×) (einschließlich in Eccles und Cant); in den mehr gräzisierenden Proverbien und Mkk nur φιλία (30×); in Sap und Sir beides nebeneinander[3].

Da ἀγαπᾶν und φιλεῖν sich offenbar in der LXX in zunehmendem Maße in einer Konkurrenz befinden, ist die Frage nach möglichen Bedeutungsunterschieden beider – in LXX – berechtigt[4].

1. φιλεῖν kann eine Vorliebe für bestimmte Nahrungs- und Genußmittel ausdrücken (Gen 27,4.9.14; Hos 3,1; Prov 21,17). Diese Bedeutung fehlt bei ἀγαπᾶν; für andere Konkreta außer den genannten wird aber ἀγαπᾶν verwendet.
2. In Gen 37,3.4 wird das objektiv bevorzugende Lieben ἀγαπᾶν genannt, was aber in der gehässigen subjektiven Beurteilung des Tatbestandes φιλεῖν genannt wird.
3. Synonym mit ἀγαπᾶν bezeichnet φιλεῖν die Liebe zur Weisheit.
4. Die Wendung φιλῆσαι καὶ μισῆσαι in Eccl 3,8 erklärt M. Paeslack dadurch, daß φιλία schon in spätklassischer Zeit (nach 400) synonym mit εἰρήνη gebraucht werde (S. 72). Diese Erklärung scheint aber gesucht zu sein; näher liegt es, hier den Sprachgebrauch der Übersetzer der Weisheitsliteratur anzunehmen.
5. φιλεῖν heißt „etwas zu tun pflegen" im guten Koine-Griechisch des Jesaia; dieselbe Bedeutung hat ἀγαπᾶν bei den Kleinen Propheten, die bekanntlich in weniger gutes Griechisch übersetzt sind. Im klassischen Griech. hat ἀγαπᾶν nie diese Bedeutung.
6. Im Buch Tobit heißt die Liebe zwischen Gott und Mensch, Mensch und Gott ἀγαπᾶν, die zwischen Mensch und Mensch φιλεῖν (6,19).

Im Ganzen ist zu sagen, daß „den ältesten LXX Übersetzern die Wurzel φιλ- fremd und unhebräisch erschienen sein muß" (Paeslack, 83). In den Geschichtsbüchern fehlt φιλία; φιλεῖν begegnet nur in den oben unter 1. und 2. genannten Sonderbedeutungen, φίλος findet sich nur an vier Stellen (6×). In Sir bedeutet ἀγάπη die „himmlische" Liebe zu Gott, φιλία aber die

[1] Durch: ἐρᾶσθαι (Esr u. Prov), ἐραστής, ἔχειν, ζητεῖν, κρατεῖν, χαίρειν φιλεῖν, φιλ- (-αμαρτήμων, -ογεωργός, -ογύναιος), φιλιάζειν, φίλος.

[2] So erscheint אהבה als ἀγάπη in den Geschichtsbüchern (auch in Sir u. Sap, aber weniger), als φιλία in Prov, Weish, 3 Mkk, Sir.

[3] Vgl. M. Paeslack, a.a.O., 97.

[4] Vgl. für das Folgende: M. Paeslack, passim.

irdische, ehebrecherische Liebe oder die Freundschaft[1] (vgl. Prov 8,17: ἐγὼ τοὺς ἐμὲ φιλοῦντας ἀγαπῶ).
Wie auch die Differenz zu φιλεῖν innerhalb der LXX zeigt, ist ἀγαπᾶν durch die Verwendung als Wiedergabe von אהב einerseits entscheidend theologisiert worden, andererseits ist אהב in hebr. Stellen durch Wiedergabe mit ἀγαπᾶν moralisiert worden[2], Grundlage für beides bildete die profangriechische Bedeutung von ἀγαπᾶν, in welcher das sinnlich-erotische Element des Liebens ausgeschaltet ist zugunsten der Betonung des werthaften Erwählens und Schätzens.
Die hellenistisch-jüdischen Schriften stimmen in ihrem Sprachgebrauch mit diesem Bild überein (vgl. Sap 3,9; 6,18; 3 Esr 5,25; Sir 4,14).

c) Lev 19,18 LXX [3]

Der Ind. Fut. ἀγαπήσεις steht, wie üblich in der Gesetzessprache des AT[4], für den Imperativ. Allerdings wird der verneinte Imperativ im Lev meist durch μή + Imperativ ausgedrückt (so 19,26: μὴ ἔσθετε) und nie durch μή + Konj. Aorist, wie im klassischen attischen Griechisch (vgl. K. Huber, 73).

[1] Vgl. dazu F. Normann, a.a.O., 164: „φιλία und φίλος scheinen einen profanen und heidnischen Klang gehabt zu haben und für die Bezeichnung des spezifisch Christlichen als ungeeignet empfunden zu sein".
[2] Vgl. H. G. Meecham, The Letter of Aristeas / A Linguistic Study with special Reference to the Greek Bible, Manchester 1935, 63: „Under the influence of the Alexandrian Hellenists the terms (ἀγάπη, ἀγαπᾶν) were purged of their carnal associations (cf. Wisd 6,13; 6,18) and the way paved for the abundant use of ἀγάπη by NT writers to denote a spiritualized love, the love of God for men and of men for God or Christ or for their Christian brethren".
[3] Literatur: K. Huber, Untersuchungen über den Sprachcharakter des griechischen Leviticus, Gießen 1916; J. E. Hogg, Love thy neighbour / Lev 19,18 and NT, in: Americ Journ of Semitic Languages and Liter 41 (1924-25) 197f.
[4] Blaß, F. und A. Debrunner, Grammatik des neutestamentlichen Griechisch, Göttingen [7]1943, § 362: „Im Ind. Futur werden in der Gesetzessprache des AT (klass. nicht ganz so: K.-G. I, 174, 176; Stahl 359f) die strikten Gebote und Verbote (Negation οὐ) gegeben, ohne daß dadurch der sonstige Sprachgebrauch des NT erheblich beeinflußt wäre". R. Kühner (Herausg. B. Gerth), Ausführliche Grammatik der Griechischen Sprache / Teil 2 Satzlehre, Hannover-Leipzig [3]1898 [4]1904, 173: „Mit dem Indikativ des Futurs wird der Eintritt einer Handlung als bestimmt erwartet hingestellt, die das Subjekt entweder a) aus eigener Entschließung verrichten will oder b) nach dem Willen des anderen verrichten soll oder darf oder c) vermöge seiner Beschaffenheit oder nach Lage der Verhältnisse verrichten kann oder muß".

Bei dem substantivierten Adverb ὁ πλησίον steht im Lev stets der Artikel (6,2; 5,21; 19,13 usw.), so auch hier (vgl. K. Huber, 46). Unsere Untersuchung über die Begriffe ἀγαπᾶν und πλησίον in der LXX als Wiedergabe ihrer hebr. Äquivalente hatte ergeben, daß die Neuprägung beider Begriffe in der LXX sowohl vom Griechischen als auch vom Hebräischen ausgeht. ὁ πλησίον hatte nicht die gleiche Bedeutung wie רע bekommen und muß verstanden werden als der Mitmensch, mit dem man im täglichen Leben zu tun hat, als jeder andere Mensch, der einem begegnet.
Die innere Möglichkeit zu dieser Entwicklung im Begriff des „Nächsten" ergab sich soziologisch gesehen aus der Notwendigkeit der Anpassung im Diasporajudentum. Theologisch ist, wie sich zeigen wird, besonders der Schöpfungsgedanke an dieser Entwicklung beteiligt; alle Menschen sind von Gott geschaffen (und stehen auch daher zu seinem Gesetz in einem Verhältnis). Die rabbinische Auslegung von Lev 19,18 wird sich als ein Versuch erweisen, die Konsequenzen gerade dieser Einsichten zu umgehen.

d) Lev 19,34 LXX [1]

Die LXX harmonisiert hier nicht den Numeruswechsel, wie sie es oft zu tun pflegt (z.B. Lev 19,12 in d. 2. Pl.). Der Übersetzer wird die Zitierung aus Vers 18 bemerkt haben. – Die Wiedergabe von גר הגור אתכם mit ὁ προσήλυτος ὁ προσπορευόμενος πρὸς ὑμᾶς ist sehr aufschlußreich für die damit vollzogene Ausweitung des Liebesgebotes auf den Proselyten.
Wenn die LXX προσήλυτος setzt, ist der Proselyt gemeint, d.h. der zum jüdischen Glauben bekehrte und beschnittene, im Gegensatz zum Ger nicht

[1] Lit.: W. C. Allen, On the Meaning of προσήλυτος in the Septuagint, in: Expos 4 (1894) 264-276; A. Bertholet, Die Stellung der Israeliten und der Juden zu den Fremden, Freiburg 1896, bes. 257-302; E. v. Dobschütz, Art. Proselyten II: Die Gerim im AT, in: RE [3]16,113-145; R. Frick, Not, Verheißung und Aufgabe der Diaspora nach dem bibl. Zeugnis, in: Monatschr. f. Past. Theol 32 (1936) 261-272; E. Grünbaum, Die Fremden (Gerim) nach rabbinischen Gesetzen, in: Jüd Z Wiss Leb 8(1870) 43-57; ders., Der Fremde (Ger) nach rabbinischen Begriffen, ibid. 9 (1871) 164-172; G. Kittel, Das Konnubium mit den Nicht-juden im antiken Judentum, in: Forschungen z. Judenfrge. 11 (1937) 30-62; K. G. Kuhn, H. Stegemann, Art. Proselyten, in: RE Suppl IX 1248-1283; K. G. Kuhn, Die talmudische Einstellung zum Nichtjuden, 205f; T. J. Meek, The Translation of Gêr in the Hexateuch and its Bearing on the Documentary Hypothesis, in: JBL 49 (1930) 172-180; G. Polster, Der kleine Talmudtraktat über die Proselyten, in: Angelos 2 (1926) 1-30.

in Israel wohnende, meist griechisch sprechende, fremdstämmige Heide. An allen Stellen nämlich, an welchen die Israeliten selber, einzelne von ihnen, Moses, Abraham oder Jahwe im MT als גר bezeichnet werden, übersetzt die LXX nicht προσήλυτος, sondern πάροικος[1].
Sehr aufschlußreich sind die Stellen, an denen darüber hinaus גר mit πάροικος übersetzt wird:
Für Dt 14,21 (MT: Kein Aas dürft ihr essen! Dem Ger, der in deinen Toren ist, magst du es geben, daß er es esse) übersetzt die LXX: Dem πάροικος in deinen Städten wird es gegeben werden, und er ißt es. προσήλυτος wurde hier deshalb nicht gewählt, weil nach Lev 17,15-16 der προσήλυτος durch Aasgenuß unrein wird. – Im MT war Lev 17,15 die spätere Bestimmung, die ein Stadium der Entwicklung voraussetzt, in welchem der Ger bereits weitgehend denselben kultischen Gesetzen unterworfen ist wie der Israelit. Die LXX harmonisiert beide Stellen zugunsten der späteren, indem sie diese für den προσήλυτος gelten läßt, jene aber, die dieser widerspricht, einfach auf einen ganz anderen, den πάροικος bezieht.
Ein deutliches Parallelbeispiel ist das Verhältnis von Ex 12,43 und 12,48. Hier liegen ebenfalls zwei Sätze über den Ger aus ganz verschiedenen Stufen der Entwicklung nebeneinander: Vers 43 verbietet dem Ger noch das Essen des Pascha, Vers 48 spricht davon, daß er es abhalten soll. Die LXX läßt für den Proselyten nur Vers 48 gelten; folglich übersetzt sie גר in Vers 43 nicht mit προσήλυτος sondern mit ἀλλογενής.
Die Übersetzer haben so offenbar die Absicht, für den προσήλυτος einheitlich geltende Bestimmungen herzustellen, was nur verständlich ist, wenn sie eine bestimmte Gruppe vor sich hatten, die jetzt noch von diesen Sätzen betroffen wurde. Die Sätze Deut 14,21 und Ex 12,43 widersprachen aber dem geltenden Recht für Proselyten.
An den Stellen, wo der Satz: „... denn Fremdlinge seid ihr gewesen im Lande Ägypten" im MT einen sozial-karitativen Satz über Fremdlinge motivieren soll, übersetzt die LXX sowohl im Gebot wie auch im Begründungssatz προσήλυτοι. Es gibt also Fälle, in denen die Israeliten προσήλυτοι genannt werden (Lev 19,34; Ex 22,20; 23,9; Dt 10,19). Dieser Beobachtung scheint zunächst unsere Behauptung zu widersprechen, daß die LXX daran interessiert sei, nur für die konkrete Gruppe der Proselyten diesen Begriff zu gebrauchen.
Allein, nur aus logischen Gründen müssen die Israeliten hier προσήλυτοι genannt werden: Wenn das Gebot auf den προσήλυτος geht, dann muß auch die Begründung, soll sie sinnvoll bleiben, dieses Stichwort wieder aufnehmen; daß die Israeliten selbst Gêrim waren, dieser Gedanke war ja auch im MT das eigentlich Begründende in diesen Sätzen gewesen.
Ein Beweis für die Richtigkeit dieser Beobachtung ist Dt 23,8 LXX: Auch

[1] Es sind dies die Stellen Gen 15,13 (Israeliten), 23,4 (Abraham), Ex 2,22 (Moses), 2 Sam 1,13 (Sohn eines amalekitischen Ger; vgl. dazu A. Bertholet, a.a.O., 260: „Ich vermute, es habe dabei die Absicht mitgespielt, lieber einen Fremden als den Sohn eines Proselyten Hand an den Gesalbten Jahwes anlegen zu lassen"), Jer 14,8 (Jahwe), Ps 39,13 (der Beter), Ps 119,19 (der Beter), 1 Chr 29,15 (Israel), Dt 23,8 (Israel).

den Ägypter sollst du nicht verachten, denn ein πάροικος warst du in seinem Lande. Sowie also גר = προσήλυτος aus dem Vordersatz verschwindet, ist er – gegen MT – auch im Nachsatz zur logischen Begründung nicht mehr notwendig. Deshalb tritt hier die auch sonst von der LXX befolgte Regel sofort wieder in Kraft, die Israeliten nie προσήλυτοι zu nennen.
Da die LXX nicht nur einheitliche Gesetze für die προσήλυτοι „zurechtmacht", sondern es auch konsequent vermeidet, Israel, Jahwe usw. mit dieser Gruppe irgendwie gleichzusetzen, erscheint der Schluß berechtigt, daß προσήλυτοι eine konkrete Gruppe – eben Proselyten – sind. Die gegenteilige Annahme A. Bertholets[1], προσήλυτος sei für die LXX noch nicht terminus technicus gewesen, dürfte durch diese Beobachtungen entkräftet sein.
Die Übersetzung ὁ προσπορευόμενος πρὸς ὑμᾶς = der zu euch hinzugekommen ist (hinzukommt) in Vers 34, ist wohl ein weiterer Beweis dafür, daß hier Proselyten gemeint sind. MT heißt: „... die bei euch wohnen". (את bei גור bezeichnet die Person, bei der man wohnt; vgl. Gesenius, z. St. גור); gerade das „bei euch wohnen" galt aber nur von den Gêrim, nicht mehr von den Proselyten; deshalb wird – unter geschickter Nachahmung der hebr. Parallelität גר / הגר – durch die Übersetzung προς-ήλυτος / προς-πορευόμενος hier eine, zwar nicht dem MT, wohl aber den Verhältnissen der Proselyten entsprechende Übertragung gegeben[2]. Gegenüber Lev 19,34 ist damit der Kreis derer, die unter das Liebesgebot fallen, beträchtlich erweitert worden. Denn die Gêrim mußten im Lande ansässig sein. Allerdings war diese Erweiterung schon überholt durch die Übersetzung von גר mit πλησίον in Vers 18, denn ὁ πλησίον ist noch viel allgemeiner.
Das inhaltliche Verhältnis beider Stellen zueinander hat sich damit in der LXX gegenüber dem MT vertauscht: Im MT hatte Lev 19,18 den engeren, Vers 34 den weiteren Bereich angegeben; in der LXX ist es umgekehrt. Eine weitere Ausweitung des Liebesgebotes über Lev 19,34 hinaus auf andere typische atl Gruppen von Niedriggestellten, und zwar auf Arme bzw. Arme und Elende findet sich in der äth Apk Mariae Virg ed. Chaine p. 74 und in äth Abba Elija H 46.

3. Die universalistische Interpretation

Beispiele für die weite Verwendung von ὁ πλησίον sind im griech. Sirach geboten. Eine direkte Zitierung von Lev 19,18 findet sich nicht. Von ἀγαπᾶν τὸν πλησίον ist aber die Rede in Sir 13,15, ähnlich vom ἔλεος ἐπὶ τὸν πλησίον in Sir 18,19. Das Verhalten zum Nächsten wird, wie es die Art der Weisheitsliteratur ist, nicht nur apodiktisch gefordert, sondern durch eine Begründung als sinnvoll hingestellt.

[1] A. Bertholet, a.a.O., 259-261.
[2] גור wird in der LXX fast immer durch Zusammensetzungen mit πρός wiedergegeben (προσκείμενος, προσγενόμενος; Ex 12,49 τῷ προσελθόντι ἐν ὑμῖν; Ausn.: Ps 5,5: παροικήσει; Ex 6,4).

Die Begründungen greifen zum großen Teil aber nicht auf die Heilsgeschichte, sondern auf die Schöpfungsordnung zurück, wie z.B. Sir 13,15-16:

Der hebr und der gr Text sind sehr verschieden. Nach dem Hebr liebt jedes Fleisch seine Art und deshalb auch der Mensch den, der ihm ähnlich ist. Nach dem Gr liebt (ἀγαπᾷ) jedes Lebewesen, was ihm ähnlich ist und so auch der Mensch (πᾶς ἄνθρωπος) seinen Nächsten (τὸν πλησίον αὐτοῦ).
Es wurden im Griech. zweimal wiedergegeben: כל הבשר (πᾶσα σάρξ, πᾶν ζῶον), יחובר (συνάγεται, προσκολληθήσεται) und הדומה לו (τὸ ὅμοιον αὐτῷ, τῷ ὁμοίῳ αὐτοῦ), letzteres aber nicht an der Stelle, wo es hingehört. Dabei wurde für „die anderen Menschen" der Ausdruck מינו bewußt vermieden: in der Ergänzungsbildung zur hebr. Zeile 1 = griech. Zeile 2 wurde statt dessen πλησίον gesetzt, in der Übertragung der hebr. Zeile 3 statt dessen τῷ ὁμοίῳ. Der relativ geschlossene logische Sinnzusammenhang des hebr. Textes wird in der Übertragung vor allem gestört durch das neu eingefügte „und jeder Mensch seinen Nächsten". Die Liebe des Menschen zum Nächsten wird als dieselbe angesehen wie die, mit der das Tier seine Art liebt. Offenbar aus natürlichem Drang liebt der Mensch seinen Nächsten[1]. „Hier erscheint das Liebesgebot als ein Naturgesetz, weil es als vernünftig dargestellt werden soll" (W. Lütgert, a.a.O., 35). Der griech. Text hat aus den 3 Zeilen des hebr. Textes 4 Zeilen gemacht und dabei Zeile 1 und 2 parallel zu Zeile 3 und 4 aufgebaut. Dadurch sind die Begriffe ὁ πλησίον und ὁ ὅμοιος, προσκολληθήσεται und ἀγαπᾷ und πᾶς ἄνθρωπος und ἀνήρ parallel.

[1] Die gleiche Theorie findet sich in Q in Gen II,60: Omnes nos homines cognati sumus fratresque secundum supremae cognationis relationum sibi invicem adhaerentes; unius enim et eiusdem matris naturae rationalis sortem assecuti sumus. – Auf ähnliche Weise kann Philo später auch das 5. Gebot begründen (s.u.).
Auf die gleiche Weise wird in 4 Mkk 15 das Mitgefühl (συμπάθεια) der Mutter der makkabäischen Brüder mit ihren Kindern aus der Natur abgeleitet. Die Verse 15-19 bringen Beispiele aus der Tierwelt. Doch im Fall der makkabäischen Brüder hat die συμπάθεια die Mutter nicht einfachhin besiegt, vielmehr wird diese darin „veredelt", daß die Mutter ihre Söhne für die Erfüllung des Gesetzes opfern konnte (4 Mkk 15,9.13).
In 4 Mkk 12,13 wird die Größe des Verbrechens des Antiochus begründet aus dem Gegensatz dazu, daß er doch ein Mensch sei wie die Getöteten und durch gemeinsamen Ursprung mit ihnen verwandt; 4 Mkk 13,12-24 begründet die Bruderliebe ähnlich wie Sir die Menschenliebe. Das soziale Sorgen für Witwen und Waisen auf Grund der φυσικὴ κοινωνία betont Philo in Q in Ex ed. R. Marcus p. 241 Nr. 3a.
Die Lehre, daß der Mensch von Natur aus zur Geselligkeit bestimmt sei, findet sich bereits in der Stoa, so bei Epiktet Diss III 13,5: ἀπὸ τοῦ φύσει κοινωνικοῦ εἶναι... καὶ φιλαλλήλου καὶ ἡδέως συναναστρέφεσθαι ἀνθρώποις, vgl. I,23,1 (φύσει ἐσμὲν κοινωνικοί) und II 20,6 (φυσικὴ κοινωνία ἀνθρώπων πρὸς ἀλλήλους).

Ähnlich aufschlußreich für das Verständnis des Begriffes des Nächsten ist Sir 18,13 (ohne hebr. Text): Dem ἔλεος des Menschen gegen seinen Nächsten ist parallel das des Kyrios gegen alles Fleisch. Auch hier wird das liebende Verhalten des Menschen als Tatsache vorausgesetzt und gegenübergestellt dem Erbarmen Gottes, das auf alle Lebewesen geht. ὁ πλησίον bedeutet hier, wie in 13,15f, „der Mensch", im Gegensatz zu πᾶσα σάρξ = alle Lebewesen (vgl. 13,16). – Der Mensch ist wegen seiner Kleinheit mit seinem Erbarmen auf den Nächsten beschränkt, auf einen nicht überspringbaren engen Kreis; das Vollkommene ist aber das Erbarmen Gottes, das alles Fleisch umfaßt. Der Mensch ist nur an dieser Weite gehindert, die Zuwendung zum Nächsten ist leider vorhandene, notwendige Beschränkung. Indem ὁ πλησίον in Beziehung gesetzt ist zu πᾶσα σάρξ, erscheint ὁ πλησίον als das Objekt für das nur begrenzte und vorläufige Handeln des Menschen. Gott ist es, der alles liebt, nur der Mensch kann leider nur den Nächsten lieben. Der Unterschied einer solchen Anschauung zu Lev 19,18 oder zu Deut 10,18-19 dürfte deutlich sein.
In Sir 17,14: καὶ ἐνετείλατο αὐτοῖς ἑκάστῳ περὶ τοῦ πλησίον wird im Allgemeinen ein Hinweis auf die zweite Dekaloghälfte gesehen, die hier so zusammengefaßt sei.
Sehr stark betont Sir die Barmherzigkeit und das Verzeihen gegenüber dem Nächsten: Sir 29,1: ὁ ποιῶν ἔλεος δανιεῖ τῷ πλησίον (Es übt Barmherzigkeit, wer seinem Nächsten borgt). Sir 28,4: ἐπ' ἄνθρωπον ὅμοιον αὐτῷ οὐκ ἔχει ἔλεος (...mit dem ihm Ähnlichen kennt er kein Erbarmen...) erinnert wieder an Sir 13,15. Sir 28,2 mahnt: ἄφες ἀδίκημα τῷ πλησίον σου (vergib das Unrecht deinem Nächsten), Sir 28,7: μνήσθητι ἐντολῶν καὶ μὴ μηνίσῃς τῷ πλησίον.
„Gedenke der Gebote und zürne nicht dem Nächsten" erinnert an gewisse Formulierungen der Testamente der zwölf Patriarchen (Test Zab 5,1). Zu Sir 29,20: ἀντιλαβοῦ τοῦ πλησίον κατὰ δύναμίν σου (Nimm dich des Nächsten an nach deinen Kräften) vgl. Test Napht 5,2; Test Aser 5,4. Verstärkende Wiederaufnahme bereits für das Dt festgestellter Tendenzen ist Sir 31 (34), 22; daneben wird eine Reihe von Sätzen, die den רע oder den πλησίον betreffen, tradiert, die inhaltliche Parallelen in den Proverbien haben oder haben könnten. Der רע-Begriff der Weisheitsliteratur ist im Sir nun auch für den Bereich der Weisheitsliteratur selber untrennbar mit dem sozial motivierten רע-Begriff der atl Gesetzeskorpora verschmolzen. – Ein Kennzeichen für diese Gesetz und Weisheit zu-

sammenbringende Abschlußstellung von Sir ist auch (gegenüber den Prov!) das Nebeneinander von φίλος und πλησίον.
Eine aufschlußreiche Interpretation dessen, was er sich unter „lieben wie sich selbst" vorstellt, gibt Philo in De Virt 103 im Zusammenhang mit der Auslegung von Lev 19,34. Das hier geforderte ἀγαπᾶν sei nicht ein Lieben wie man Freunde oder Verwandte liebt, sondern ein Lieben wie sich selbst – dem Leibe nach, weil man gemeinsam handelt (κοινοπραγοῦντας) und der Seele (διάνοια) nach, weil man über die gleichen Dinge Schmerz und Freude empfinde. Dieses sei mit der Gemeinschaft der Glieder eines Lebewesens zu vergleichen (ὡς ἐν διαιρετοῖς μέρεσιν ἓν εἶναι ζῷον δοκεῖν ἁρμοζομένης καὶ συμφυὲς ἀπεργαζομένης τῆς κατ' αὐτὸ κοινωνίας...)[1].

4. Die Interpretation als „Freundschaft"

Im Buch J. Sirach heißt „lieben" zwar immer ἀγαπᾶν (24×), daneben steht aber ein intensiver Gebrauch von φίλος (45×) und φιλία (5×), während ἀγάπη nur an zwei Stellen verwendet ist. Bezeichnend für die enge Berührung mit griechischer Freundschaftsethik ist die teilweise Überschneidung von φίλος und πλησίον. Beide Begriffe wechseln ab in Sir 19,13-17; in 25,20 ist die Rede von ὁμόνοια ἀδελφῶν καὶ φιλία τῶν πλησίον. In 27,17 wird mit dem Imperativ στέρξον φίλον vermutlich der Freund gemeint, Vers 18 (τὴν φιλίαν τοῦ πλησίον) und Vers 19 bezeichnen wohl mit ὁ πλησίον ebenfalls den Freund.

[1] Bei Philo und bei Flavius Josephus findet sich eine Zitierung von Lev 19,18 nicht, auch Anspielungen fehlen. Zu Lev 19,15ff gibt Philo dagegen einen ausführlichen Kommentar in Spec Leg IV 197-201.
Bemerkenswert ist bei der Auslegung von Lev 19,34 in De Virt 103, daß die Liebe ὡς φίλους eigens abgehoben wird von der Liebe ὡς ἑαυτούς, ferner die Interpretation des ἑαυτούς durch die Umschreibung κατά τε σῶμα καὶ ψυχήν, wobei ψυχή dann wiederum durch διάνοια umschrieben wird.
Auch bei Flavius Josephus findet sich eine Auslegung von Lev 19,18 nicht. Er hat aber die apologetische Absicht, den Vorwurf der Fremdenfeindlichkeit, den man dem Judentum macht, zurückzuweisen. Deshalb betont er, die Gesetze der Juden seien nicht ἐπὶ μισανθρωπίαν ἀλλ' ἐπὶ τὴν τῶν ὄντων κοινωνίαν παρακαλοῦντες (c. Ap II,291). „Gerim" übersetzt er mit ἀλλόφυλοι oder ξένοι (Ap II, 209). In c. Ap 2,211 spielt er auf Dt 10,19 oder auf Lev 19,34 an (... δέχεται φιλοφρόνως). Das Wort προσήλυτος findet sich nicht bei Josephus, wohl aber das Verb in Ant 18,182.

In 4 Mkk 2,13 liegt eine Interpretation von Lev 19,17 vor, in der πλησίον durch φίλος ersetzt worden ist.
Auch das ἔλεγξον φίλον in Sir 19,13-17 und das dabei erwähnte Gesetz des Höchsten könnte auf eine Auslegung von Lev 19,17 an dieser Stelle hinweisen.
Eine ausgeprägte Freundschaftsethik findet sich ferner in jüdisch-hellenistischen Weisheitsbüchern Ps-Phokylides und Ps-Menander (Ps-Phokylides 70ff, 91ff; Ps-Menander 37-40; in 37 wird zwischen Brüdern (ܐܚܝ̈ܟ) und Freunden (ܪ̈ܚܡܝܟ) unterschieden; 64.73)[1].
Auf die Frage, wem man Gunst erweisen müsse, wird in Aristeasbr. 228 geantwortet: Zuerst den Eltern, da über deren Ehrung Gott das größte Gebot aufgestellt habe, dann aber den Freunden: ...ἑπομένως δὲ τὴν τῶν φίλων ἐγκρίνει διάθεσιν προσονομάσας ἴσον τῇ ψυχῇ τὸν φίλον. σὺ δὲ καλῶς ποιεῖς ἅπαντας ἀνθρώπους εἰς τὴν φιλίαν πρὸς ἑαυτὸν καθιστῶν.
Die sozial positive Beziehung zu allen Menschen wird unter dem Bild der „Freundschaft" gesehen[2]. Diese soll hier universale Tendenz haben: Alle Menschen sind möglichst in sie einzubeziehen. Der besondere Intensitätsgrad der Freundschaft wird verdeutlicht durch Anspielung auf Dt 13,7: φίλος ἴσος τῆς ψυχῆς σου, ein Ausdruck, der auch im Hebr. eine gewisse Verwandtschaft zu dem in Lev 19,18c verwendeten hat. Man vergleiche damit Syrpesch, die für die

[1] Die jüdische Weisheitsdichtung trifft sich in hellenistischer Zeit mit weisheitlichen Sentenzen sehr ähnlicher Art, der Gattung der griech. Hypothekai. Auch hier spielt die Freundschaft eine große Rolle. Der Ursprung beider Weisheitsgattungen ist der gleiche: Auch die griech. Hypothekai werden zum Teil noch gespeist aus Weisheitssprüchen einer adligen Standesethik. Wie dort findet sich die Vater-Sohn-Belehrung als auch später gewahrtes literarisches Stilmittel. Es handelt sich um „Adelslehren, wie sie der adlige Vater seinem in dem Kampf ausziehenden Sohn mitgeben mußte", vgl. besonders die Belehrungen in Ilias Z, I und Λ. Die Anrede ist τέκνον. Eine Reihe von Sprüchen ist als τοί (Anredeform)-Sprüche zu erkennen. Die literarischen Ausgangspunkte der ὑποθῆκαι liegen jedenfalls im alten Heldenepos. – Die Gattung des Prooimion vor Weisheitsdichtungen (griech. Sir) hat in diesen Hypothekai eine deutliche Parallele. Vgl. dazu besonders: K. Bielohlawek, Hypotheke und Gnome / Untersuchungen über die griechische Weisheitsdichtung der vorhellenistischen Zeit (Philol. Suppl. 32,3), Leipzig 1940, S. 3-9: Literarische Ausgangspunkte der ὑποθῆκαι im alten Heldenepos.

[2] Weisheitlichem Utilitätsdenken entspringt Ps Menand 37: „Deine Brüder liebe und deinen Freunden mache deine Worte gefällig; denn weit herum habe ich gesucht, was guten Brüdern an Wert gleichkäme und habe es nicht gefunden (68,11)". Die Nähe von Freunden und Brüdern fand sich auch überall in den Auslegungstraditionen von Lev 19,18.

Wiedergabe von Lev 19,18 in Mk 12,31[1] setzt: ܢܦܫܟ ܕܬܚܒ ... ܐܝܟ. Zu vergleichen ist auch Sir 7,21. Die Betonung der φιλία im Verhalten zu den Menschen war bereits als besondere Eigenart der Weisheitsliteratur in der LXX aufgewiesen worden.
Die universalistische Interpretation des Liebesgebotes und dessen Anwendung auf „Freundschaft" sind hier in eigenartiger Weise dadurch verquickt worden, daß man sich alle Menschen zu Freunden machen soll dadurch, daß man sie liebt. Die Freundschaft wird so der Forderung nach „entgrenzt". – Auf die Parallelität zu Lk 10,36 wird noch hinzuweisen sein.
Beachtenswert ist gegenüber diesen Interpretationen des Liebesgebotes, daß Philo in De Virt 103 bei der Auslegung von Lev 19,34 betont, das Lieben wie sich selbst sei wesentlich mehr als das die Freunde (φίλους) oder die Verwandten (συγγενεῖς) Lieben[2].

5. Die Interpretation als „Bruderliebe" in soziologisch festumgrenzten Gemeinschaften

Es wurde schon darauf hingewiesen, daß Philo in De Virt 82 den Bruderbegriff aus seiner Dt-LXX-Vorlage von dem Begriff der Verwandtschaft gelöst hat (gerade um diese zu betonen war der Begriff im Dt eingeführt worden) und durch den für seine hellenistischen Hörer allein verständlichen Begriff des „Mitbürgers" ersetzen mußte, gleichzeitig die Aufhebung der Beschränkung der Geltung der jüdischen Humanitätsgesetze nur auf Juden. Zur gleichen Zeit läßt sich aber auch der umgekehrte Vorgang beobachten: Der Begriff des רע wird, insbesondere wenn es darum geht, zur „Nächstenliebe" aufzufordern, durch den Begriff „Bruder" ersetzt. Aus der gleichen Absicht wie einst die Einführung des אח im Dt dürfte auch diese Ersetzung zu erklären sein. Die Zusammen-

[1] äth Mk 12,31 kămă năfsĕkă
Syr^pesch Lev 19,18 ܘܬܪܚܡ ܠܚܒܪܟ ܐܝܟ ܢܦܫܟ
Syr^pesch Mk 12,31 ܕܬܚܒ ܐܝܟ ܢܦܫܟ
Sir 7,21: οἰκέτην συνετὸν ἀγαπάτω σου ἡ ψυχή
Jub 36,4 zăjăfăqĕr năfsă
Vgl. Logion 25 im kopt. Thomasevgl.; Barn 19,5: ἀγαπήσεις τὸν πλησίον σου ὑπὲρ τὴν ψυχήν σου. Did 2,7: ἀγαπήσεις ὑπὲρ τὴν ψυχήν σου. Vgl. Aristophanes, Equites 791: μᾶλλον ἐμοῦ σε φιλῶν.

[2] Die Übersetzung der Vg in Lev 19,18 „diliges amicum tuum sicut te ipsum" ist eine tendenziös antijüdische, die in sekundärer Angleichung an Mt 5,44 geschah: Der Kontext bringt regelmäßig das gebräuchlichere „proximum".

gehörigkeit der Angeredeten selbst ist das Hauptmotiv für die Befolgung der Aufforderung zu gegenseitiger Liebe. – Das soziologische Milieu, aus dem Belege für den Vorgang der Ersetzung von רע durch אח / ἀδελφός stammen, ist jeweils ähnlich: denn dieser Vorgang findet sich in den Schriften von Qumran, im Buch der Jubiläen, das unter Berufung auf Abraham eine besondere Aussonderungstheorie der Juden betreibt (vgl. unten zum Mischehenverbot), und in einer Reihe neutestamentlicher Schriften, die nach Entstehungszeit und Theologie ein ausgeprägtes Gemeindebewußtsein voraussetzen. Die Bruderliebe gilt innerhalb der Minderheit.
CD 6,20-7,2 stellt eine Reihe von Forderungen auf, die sich auf das soziale Verhalten gegenüber dem Bruder beziehen. Der Gattung nach handelt es sich um eine soziale Reihe (s.u.). Daher finden wir dem Schema der Gattung entsprechend auch den Elenden, Armen und Fremdling[1] hier neben einer Auslegung von Lev 19,17-18, an deren Spitze die Aufforderung steht, den Bruder zu lieben wie sich selbst (לאהוב איש את אחיהו כמהו).
In CD 7,2 wird ebenfalls eine Stelle aus Lev 19,17-18 zitiert, und zwar הוכה תוכיה את עמיתך aus MT Lev 19,17b. עמית ist hier durch אח ersetzt. Daß hier diese Stelle gemeint ist, wird angedeutet durch den Hinweis „gemäß dem Gebot" (כמצוה); ein Gebot, das vom Zurechtweisen spricht, gibt es aber nur in Lev 19,17. Die Fortsetzung in CD 7,2 „und ihm nicht zu grollen" spielt an auf נטר in Lev 19,18a. Es wird hier ebenfalls auf den Bruder bezogen.
In CD 9,2-8 geht es darum, daß man den anderen erst verweisen soll und nicht im Zornesausbruch über ihn den „Ältesten" Mitteilung macht. In der Weise eines Midrasch wird eine Auslegung von Schriftstellen zum Thema נקם (rächen) und נטר (grollen) gegeben. In diesem Zusammenhang wird zunächst Lev 19,18a angeführt. Der Begriff בני עמך in diesem Satz wird ausgelegt durch איש מביאו הברית im folgenden Satz und damit eingeengt auf die Genossen des Bundes. Das Objekt zu diesem Subjekt ist dann רעהו, was aber im Zusammenhang nichts anderes bedeutet als „der andere Genosse des Bundes". – Nach Zitierung von Na 1,2 und einer nochmaligen Warnung, den anderen zurechtzuweisen und ihn nicht im Zorn öffentlich zu beschuldigen, wird Lev 19,17b angeführt. Dabei wird gegenüber MT עמית durch רע ersetzt.

[1] In CD 6,20f sind parallel gesetzt die Verben אהב und חזק ביד, das eine geht auf den Bruder, das andere auf Arme, Elende und den Fremdling. Parallelen zu חזק ביד gibt es in CD 14,14 und in Ez 16,49.

In CD 8,5.6 (genaue Parallele in CD 19,18) geht es ebenfalls um das Thema נטר und נקם, und, da diese Begriffe im AT gemeinsam nur in Lev 19,18 vorkommen, dürfte es sich um eine Auslegung dieser Stelle handeln. Der Begriff בני עמך des MT wird hier weggelassen und durch אח ersetzt. Damit ist wiederum eine bewußte Einengung des Objektes vorgenommen worden. Denn „Bruder" ist in der Terminologie von CD und der Qumransekte identisch mit „Genosse des Bundes"[1]. Der folgende Satz „und es haßt jeder seinen Nächsten" ist entweder eine Anspielung auf Lev 19,17a oder – was wegen des Begriffes רע wahrscheinlicher ist – eine negative Umformulierung von Lev 19,18c: Von den Empörern, die auf dem Wege der Treulosen sind, gilt, daß sie ein jeder seinen Nächsten hassen. Der Schluß, daß in der Sekte dann jeder seinen Nächsten liebt, wird nicht gezogen.

So ergibt sich folgendes Bild der Ersetzungen:

CD 9,2/3	איש מביאו הברית	für	בני עמך	Lev 19,18a
CD 9,8	רע	statt	עמית	Lev 19,17b
CD 8,5/6	אח	statt	בני עמך	Lev 19,18a
CD 6,20/21	אח	statt	רע	Lev 19,18c
CD 7,2	אח	statt	עמיתך	Lev 19,17b
CD 19,18	אח	statt	בני עמך	Lev 19,18a

In 1 QS begegnet der sonst dort geläufige Ausdruck אהבת חסד in 2,24 gegenüber dem רע, wobei aber hinzugesetzt ist: „in heiligem Rat und als Söhne der ewigen Versammlung". Dadurch wird der Begriff רע eindeutig determiniert.

[1] Vgl. CD 14,5; 20,18; 1 QS 6,10.22; 1 QM 13,1; 15,4; 15,7; 1 QSa 1,18; Nur erscheint oft nicht die Sekte als Gemeinschaft von Brüdern, sondern die „anderen", die aber in der Perspektive der Sekte ebenfalls als geschlossene Gemeinschaft erscheinen.

Für 1 QS hat der Begriff אהב einen exklusiven Sinn: Nach 1 QS 1,3 ist wesentlicher Inhalt der „Gemeinderegel", alles zu lieben, was Jahwe erwählt, und alles zu hassen, was er verworfen hat; entsprechend lautet dann 1 QS 9,21: „...ewigen Haß gegen die Männer der Grube im Geist des Verbergens". Vgl. M. J. Lagrange, La Secte Juive de la Nouvelle Alliance au pays de Damas, in: Rev. Bibl. (1912) 213-240, 229 Anm 5: „Le précepte de charité n'oblige donc qu'à l'intérieur de la secte".

Die Begriffe רע und אח folgen in gleichem Sinne aufeinander in einem Vetitiv in 1 QS VI 10: Niemand soll mitten in die Worte seines Nächsten hineinreden, bevor sein Bruder aufgehört hat zu sprechen. Möglicherweise handelt es sich bei der zweiten Satzhälfte um eine Erweiterung, aber das ist nicht sicher zu entscheiden.

Die Gebote der Nächstenliebe gelten nur innerhalb des erwählten Restes. Gegenüber dem Sprachgebrauch des Dt wird der אח wiederum getrennt von den Armen und Fremden (CD 6,20f), denn diese stehen außerhalb der Sekte, אח ist nur das Mitglied.
Das Buch der Jubiläen kennt eine sehr häufige Mahnung zur Liebe untereinander und auch die Verbindung mit dem Hauptgebot (7,20; 36,7.8 s.u.). Dabei begegnet die Mahnung zur Bruderliebe sehr häufig in den Abschiedsreden der Patriarchen (sog. „Testamente“) als der wichtigste Punkt der dort vorgebrachten Paränese.

Im Rahmen einer solchen Abschiedsrede muß in Jub 35,15 Esau versprechen, Jakob nicht zu töten. In V. 20 ermahnt Rebekka ihn unmittelbar nach der Anweisung, sie zu begraben: „und daß ihr euch untereinander liebt, du und Jakob, und keiner gegen seinen Bruder nach Bösem trachte, sondern nur nach gegenseitiger Liebe“. In V. 22 entspricht dem das Versprechen Esaus: „Und auch meinen Bruder Jakob werde ich mehr lieben als alles Fleisch“. Unmittelbar an das Testament Rebekkas ist das Testament Isaaks angeschlossen, das in Kap 36,3-6 nach der Aufforderung, ihn zu begraben in V. 2 mit einem geschlossenen paränetischen Stück (s.o.) beginnt. Es handelt sich um eine soziale Reihe über das Thema der Bruderliebe. V. 4 beginnt mit einer Auslegung von Lev 19,18: „Und liebt, meine Söhne untereinander eure Brüder, wie einer sich selbst liebt" (zăjāfăqĕr năfsā). Nach der Aufforderung, gemeinsam zu handeln und einander Gutes zu tun, heißt es am Schluß: „und sie sollen sich untereinander lieben wie sich selbst" (wăjĕtfĕqăru băbăjnātīhōmū kămă năfsōmū).
In 37,7-9.11 wird das Thema wieder aufgegriffen. In diesen Sätzen ist mit der Aufforderung zur Bruderliebe die Verheißung von Lohn und die Androhung von Strafe verbunden. V. 8 mahnt: „Und daß ein jeglicher seinen Bruder liebe in Barmherzigkeit und Gerechtigkeit und keiner dem anderen Böses wünsche“. Wer aber seinem Bruder Böses zufügt, wird nach V. 9 aus dem Land der Lebenden getilgt und nach V. 11 dem künftigen Gericht anheimfallen. V. 10 ist ein allgemeiner Einschub über den Charakter des Gerichtes. – In V. 17 heißt es dann kurz vor dem Sterben Isaaks: „Und er freute sich, daß Einigkeit unter ihnen war...“. – In 37,4 erwähnt Esau seinen Söhnen gegenüber dieses Versprechen am Sterbebett „daß wir untereinander nicht nach Bösem trachten sollen, einer wider den anderen, und daß wir in gegenseitiger Liebe und in Frieden seien...“. In 37,19 sagt Esau aber dann zu Jakob „mit dir ist keine Bruderliebe (găbīră... tă'ĕḫā) zu halten“.
Nach dem Tode Jakobs heißt es in 46,1: „Und sie waren alle einig in ihrem Sinne, daß einer den anderen liebte und einer dem anderen beistand“.

Die Ermahnung zur Bruderliebe ist offenbar ein fester Bestandteil der spätjüdischen Gattung des Testaments. Sie findet sich am ausgeprägtesten in den Test XII Patr[1], aber auch in Tob 4, wo sie, wie

[1] Der Nächste und der Bruder erscheinen in Test Rub 6,9 nebeneinander als Objekte des Liebens, sind aber inhaltlich ohne Zweifel identisch.

in Jub, unmittelbar auf die Bitte folgt, den Sterbenden zu beerdigen.

In Tob 4 beginnt ab V. 5b die Mahnung zum Tun von Gerechtigkeit und Barmherzigkeit.
Die abschließende Mahnung ist V. 13: καὶ νῦν παιδίον, ἀγάπα τοὺς ἀδελφούς σου. Die Mahnung zum Almosengeben ist verknüpft mit der Aufforderung, nur Töchter Israels zu heiraten. Beides kann im Gebot der Bruderliebe zusammengefaßt werden. Da seit dem Dt auch der Volksgenosse mit dem Titel „Bruder" bezeichnet werden kann, können die Angeredeten die Paränese am Sterbebett dem Wortlaut nach auf sich beziehen. Eine gewisse Nähe zu Lev 19,18 liegt vor, wenn das Verb ἀγαπᾶν verwendet wird, besonders aber, wenn die geforderte Bruderliebe mit der Selbstliebe verglichen wird, wie in Jub 36,4. Im allgemeinen aber kann man nicht sagen, daß die Aufforderung zur Bruderliebe in den Testamenten eine direkte Auslegung von Lev 19,18 wäre. In Jannes und Mambres (Rießler 496) 4 beginnt der durch Totenbeschwörung an die Oberfläche geholte Jannes seine Paränese ganz im Stil der Testamente καὶ νῦν und bringt dann eine Mahnung, die wir bereits ebenfalls als für die Gattung der Testamente typisch erkannt hatten: „Bemühe dich, in deinem Leben, deinen Söhnen und deinen Freunden Gutes zu erweisen. Denn in der Unterwelt gibt es nichts Gutes".

Im Testament Abrahams in Jub 20,2 ermahnt Abraham die versammelten Kinder, „daß sie den Weg Gottes innehielten, daß sie Gerechtigkeit übten und ein jeder seinen Nächsten liebe (wăjāfāqĕr 'ăḫădū 'ăḫădū bīṣō)". Es folgen dann Einzelmahnungen, die mit denen in Tob 4 verwandt sind (Mischehenverbot), die dort ebenfalls in einem Testament geboten werden.
Der Sitz des Gebotes der Bruderliebe in dem Testament Jesu des Johannesevangeliums (13,33f) dürfte daher nicht zufällig sein[1]. Vgl. auch die Rede Noas an seine versammelten Kinder in Jub 7,26. Noa weissagt, daß die Kinder eifersüchtig aufeinander werden und daß es kommen werde, daß sie keine Gemeinschaft haben ein jeder mit seinem Bruder ('ăḫădū mĕslă 'ĕḥūhū)[2].
In den späteren Schriften des NT wird die Nächstenliebe zusehends verdrängt durch die Bruderliebe. „Nächstenliebe" findet sich nur in den Zitierungen von Lev 19,18, außerhalb der synoptischen

[1] Vgl. auch das Testament des Paulus in K. 2 der Actus Petri c. Simone (caritatem... amorem in fraternitatem).
[2] Vgl. M. Testuz, Les idées religieuses du Livre des Jubilés, Genf-Paris 1960, 105; „Le „frère" pour l'auteur des Jubilés, c'est celui qui partage sa foi, adore son Dieu et le sert selon son code de lois; en un mot, c'est l'homme qui fait partie de sa propre communauté". Der Heide sei ein für allemale ausgeschlossen. Das atl Gebot, Fremde gut zu behandeln, fehlt hier: „il n'y a envers l'étranger, le gentil, et envers l'Israélite égaré qui se ravale à son rang, qu'intransigeance et dureté, mépris et haine".

Tradition nur in Röm 13,9; Gal 5,14 und Jk 2,8. – Bei Mt wird die Nächstenliebe verdrängt durch Mitleid und Erbarmen, in den übrigen Schriften durch Bruderliebe (auch bei Mt ist der Brudertitel wieder geläufig vgl. K. 18)[1]. Eine aufschlußreiche Staffelung in der Auslegung von Lev 19,18 findet sich in Did II 7: Hassen darf man niemanden (οὐ μισήσεις πάντα ἄνθρωπον), aber die einen soll man zurechtweisen, für die anderen beten, andere aber: οὓς δὲ ἀγαπήσεις ὑπὲρ τὴν ψυχήν σου. Die Sünder und Verfolger zählen daher nicht unter die „Nächsten", die nach Lev 19,18 zu lieben sind. Die Brüder sind dann aber ὑπὲρ τὴν ψυχήν zu lieben (vgl. Optatus v. Mileve ed. Zicosa p. 192,4: „secundum dei voluntatem qui dixit: quosdam diligo super animam meam"). Durch die Wiedergabe mit „mehr als" wird die ursprüngliche Intention von Lev 19,18 zerstört (so auch Barn 19,5: ὑπὲρ τὴν ψυχήν σου), da nun die Freundesliebe an der Bereitschaft, sein Leben hinzugeben, gemessen wird (vgl. Lk 14,26; Jh 15,13); letzteres aber nicht erst unter christlichem Einfluß, sondern bereits in der Weisheitslit.: PsPhokylides, 218: στέργε φίλους ἄχρις θανάτου· πίστις γὰρ ἀμείνων[2]; Ps-Menander 73. Unabhängig von synoptischer Tradition ist Logion 25 des koptischen Thomasevangeliums: „Jesus sprach: Liebe deinen Bruder wie deine Seele; bewahre ihn wie deinen Augapfel"[3] (so auch Syr Didask 3).

[1] J. Fichtner, a.a.O., 50: „Vom Alten Testament her könnte man die These wagen: Was im Alten Bund das Gebot der Liebe zum רע als dem Genossen des Jahwebundes bedeutet hat (Lev 19,18), das bedeutet im Neuen Bund das Gebot der Liebe zum ἀδελφός, zum Bruder (vgl. 1 Pe 2,9f)". Zur Bruderliebe als Einengung der Nächstenliebe vgl. auch R. Schnackenburg, Die sittliche Botschaft des Neuen Testaments, München ²1962, 175.

[2] In der späteren christlichen Tradition spielt besonders das Zurechtweisen des Nächsten aus Lev 19,17/Mt 18,15 eine große Rolle, so in Ep Ap 47 (58) und 38 (49).

[3] Vgl. dazu W. Schrage, Das Verhältnis des Thomas-Evangeliums zur synoptischen Tradition und zu den koptischen Evangelienübersetzungen / Zugleich ein Beitrag zur gnostischen Synoptikerdeutung (BZNW 29), Berlin 1964,70: „Daß Th (= Thomasevangelium) die Kenntnis des Liebesgebotes in Logion 25 der synoptischen Tradition verdanken sollte, läßt sich nicht begründen". Zum Ausdruck „wie deine Seele" verweist Schrage auf Lk 9,24/25; Mt 20,28/1 Tim 2,6 und auf die Grammatiken von Bl-Debr § 283,4; Moulton 139; Mayser II, 1, 65-72. Vgl. auch Barn 19,5: ἀγαπήσεις τὸν πλησίον σου ὑπὲρ τὴν ψυχήν σου und Did 2,7: ἀγαπήσεις ὑπὲρ τὴν ψυχήν σου. Es sei „vielleicht das Nächstliegendste, mit Kuhn und Haenchen an einen Biblizismus zu denken".

6. Die Interpretation durch „Menschenliebe" (φιλανθρωπία)

Das hellenistische Judentum hat an der inhaltlichen Füllung des Begriffes φιλανθρωπία entscheidend mitgewirkt; die Mehrzahl der Belege in der Zeit vom 3.-1. Jh entstammen jüdischen Quellen. Besonders durch die jüdische Ersetzung des Gliedes δικαιοσύνη durch φιλανθρωπία in der Kombination εὐσέβεια καὶ δικαιοσύνη (vgl. dazu unten) sicherte der φιλανθρωπία die Bedeutung, alle sozialen Pflichten gegenüber allen Menschen zusammenzufassen. Auf diese Weise wurde die Übernahme des Begriffs speziell durch das hell. Judentum zu einem Mittel der Propaganda für Judentum und jüdisches Gesetz. Dem korrespondiert die Kennzeichnung der Juden als μισάνθρωποι in zahlreichen heidnischen Quellen[1].
Die Liebe zum Mitmenschen wird von Philo an der Mehrzahl der Stellen als φιλανθρωπία[2] bezeichnet. Der größte Teil seiner Schrift περὶ ἀρετῶν steht unter dem Titel περὶ φιλανθρωπίας. Diese Schrift hat die Absicht, zu zeigen, daß Moses und sein Gesetz in erster Linie auf die Menschenliebe hin ausgerichtet sind. Alle Texte des Dt, die wir als Sozialgebote bezeichnet hatten, werden von Philo mit relativ guter Treffsicherheit als solche erkannt und in einen neuen Zusammenhang gestellt: Alle diese Gebote sind nach Philos Deutung ausgerichtet auf φιλανθρωπία. Die einzelnen Gesetze sind δείγματα d.h. Beweise der φιλανθρωπία und κοινωνία des Gesetzgebers Moses selbst (Virt 80).

[1] Auch jüdische Grabinschriften bezeugen diese apologetische Tendenz des hellenistischen Judentums, so CIJ I (Frey) Nr. 118 (p. 82): πάντων φίλος καὶ γνωστὸς πᾶσιν. 210 (p. 149) „omni(or)um amicus" bezeugt deutlich die universalistische Interpretation des Liebesgebotes; Nr. 380: πᾶσι φειλητός.
[2] Lit.: D. J. Constantelos, Philanthropia as an Imperial Virtue in the Byzantine Empire of the Tenth Century, in: Angl Theol Rev 44 (1962) 351-365; I. Heinemann, Art. Humanitas, in: PWRE Suppl V, Stuttgart 1931, 282-310; H. Hunger, ΦΙΛΑΝΘΡΩΠΙΑ / Eine griechische Wortprägung auf ihrem Wege von Aischylos bis Theodoros Metochites, in: Anz Österr Akad Wiss Phil-Hist Kl, Wien 1964, 1-20: J. Kabiersch, Untersuchungen zum Begriff der Philanthropie bei dem Kaiser Julian, Wiesbaden 1960; M. Th. Lenger, La notion de bienfait (φιλάνθρωπον) royal et les ordonnances des rois Lagides, in Arangio-Ruiz-Festschrift, Neapel I 483-499; S. Lorenz, De progressu notionis ΦΙΛΑΝΘΡΩΠΙΑΣ (Phil. Diss. Leipzig 1914), Weida 1914; H. Martin, The Concept of Philanthropia in Plutarch's lives, in: AJPh 82 (1961) 164-175; W. Schubart, Das hellenistische Königsideal nach Inschriften und Papyri, Arch f. Papyrusforschg 12 (1937) 1-26; C. Spicq, La philanthropie hellénistique, vertu divine et royale, in: St Th Lund 12 (1958) 169-191.

Inhalt und Reichweite der φιλανθρωπία nach philonischem Verständnis dürften am besten zum Ausdruck gebracht sein in De Virtut. 140: „Moses aber geht noch weiter darüber hinaus und dehnt die freundliche Rücksicht auch auf die vernunftlosen Tiere aus, daß wir sie an den anders gearteten (Tieren) üben und dann in um so größerem Maße die Menschenliebe – φιλανθρωπία – gebrauchen sollen gegen die gleichgearteten, uns zu enthalten des einander Betrübens und Wiederbetrübens, die eigenen Güter aber nicht als Schatz zu bewachen, sondern in die Mitte vorzubringen, gleichwie solchen, die verwandt und von Natur aus Brüder überall alle sind – καθάπερ συγγενέσι καὶ ἐκ φύσεως ἀδελφοῖς τοῖς πανταχοῦ πᾶσιν –". Die Begründung der φιλανθρωπία aus der Verwandtschaft und Ähnlichkeit der Menschen untereinander (ἐν τοῖς ὁμογενέσι) begegnete uns bereits in Sir 13,15. – Analoge Gedankengänge finden sich bereits bei Aristoteles[1], Stobaios[2] und Porphyrius[3]. Zur Aristotelesstelle bemerkt Lorenz[4]: Haec philanthropia Aristoteli nihil esse videtur nisi sensus quidam, quo nos cum nostro genere consociatos esse sentimus contentione aut appetitu omisso eo fere modo, quo benevolentiam ab amicitia discernit.

Ursprünglich aber schloß φιλανθρωπία offenbar nicht den Gedanken an die ursprungshafte Zusammengehörigkeit aller Menschen in sich, denn φιλανθρωπία besagte zunächst die Herablassung des Höherstehenden und des Andersgearteten; so wird in ältester Zeit der Begriff nur von Göttern und Tieren ausgesagt. Später wird der Terminus dann sehr oft im Zusammenhang mit Richtern und Recht gebraucht[5]. Insbesondere in der späteren Stoa wird der Begriff Ausdruck für Menschenliebe, auch im Gegensatz zu κοινωνία, ein von dem Gedanken der Interessengemeinschaft ausgehendes soziales Ideal[6].

[1] Aristoteles, 1155a 18: amor natura insitus esse videtur ὄρνισι καὶ τοῖς πλείστοις τῶν ζῴων καὶ τοῖς ὁμοεθνέσι πρὸς ἄλληλα καὶ μάλιστα τοῖς ἀνθρώποις, ὅθεν τοὺς φιλανθρώπους ἐπαινοῦμεν.

[2] Stobaios, ed. Wachsmuth p. 120,12: ἔχειν γὰρ ἐκ φύσεως ἡμᾶς καὶ πρὸς τούτους τινὰς οἰκειότητας. φιλάλληλον γὰρ εἶναι καὶ κοινωνικὸν ζῷον τὸν ἄνθρωπον.

[3] Porphyrios, De Abs. III,25: πάντας δὲ τοὺς ἀνθρώπους ἀλλήλους φαμεν οἰκείους τε καὶ συγγενεῖς εἶναι.

[4] S. Lorenz, a.a.O., 37; nach H. Hunger, ΦΙΛΑΝΘΡΩΠΙΑ 1963, S. 2 ist φιλανθρωπία zunächst die Eigenschaft eines außerhalb der menschlichen Sphäre stehenden Wesens (Gottes oder Tieres) gewesen.

[5] Vgl. I. Heinemann, a.a.O., 297-299 und besonders Demosth; φιλανθρωπία Gott ausgesagt hat sich auch Tit 3,4 und bei Philo erhalten: Quaestiones in Genesim 2,60: ὁ εὐμενὴς καὶ ἀγαθὸς καὶ φιλάνθρωπος καὶ μόνος σωτήρ. Nach Demosth 21,48 gibt es eine φιλανθρωπία νόμου, das nicht einmal Sklavenmißhandlung zuläßt. In hellenistischer Zeit wird die φιλανθρωπία immer mehr ein Kennzeichen der Herrscher. H. Hunger, S. 5: „In der großen Gruppe der ptolemäischen Enteuxeis, der Eingaben, Bittschriften, wird die φιλανθρωπία des Gesetzgebers und Herrschers von den Bittstellern in festen Formeln angefleht". 8: „Erbarmen, verzeihende Güte und Gnade (ἔλεος, εὔνοια, ἐπιείκεια, χάρις) sind nunmehr wesentliche Bestandteile der φιλανθρωπία geworden".

[6] Vgl. I. Heinemann, a.a.O., 307.

In den spätesten Schichten der LXX wird der Begriff bereits verwendet[1]. An Aristeasbrief 228 erinnert eine Stelle aus dem Kommentar des Hierokles[2] τῆς φιλίας ἀντέχεσθαι δεῖ τουτέστι τῆς φιλανθρωπίας τῆς πρὸς ἅπαντας οἳ τοῦ γένους ἡμῖν κοινωνοῦσιν. Bei Philo wird das Wort synonym gebraucht mit κοινωνία, ὁμόνοια, ἰσότης[3]. In Q in Gen begegnet in einer Überlegung über das Philosophieren die Wendung κοινωνῶν φιλανθρώπως d.h. „der seine Weisheit menschenliebend Mitteilende"[4]. Auch ὠφέλιμος und συμφέρων zu sein ist nach Philo ein Zeichen für den Besitz der Menschenliebe[5]. φιλανθρωπία wird auch neben χάρις (Gunst, Liebe) gestellt[6]. Neben ἠπιότης steht φιλανθρωπία bei Josephus c. Apionem I,22. Der Ausdruck κοινὴ φιλανθρωπία findet sich im klassischen Griechisch nur in einem Auszug des Areios Didymus aus der peripatetischen Ethik, wo die φιλία gegen alle Menschen in einem Nebensatz κοινὴ φιλανθρωπία genannt wird[7]. Sonst aber hat diese Menschenliebe keineswegs den Charakter von „allgemeiner Menschheitsliebe", sondern ist, wie gerade die philonische Interpretation durch atl Gesetzestexte zeigt, auf konkrete Einzelsituationen und Einzelmenschen gerichtet[8].

[1] φιλανθρωπεῖν: 2 Mkk 13,23; φιλανθρωπία: Esth. 8,121; 2 Mkk 6,22; 14,9; 3 Mkk 3,15.18 (ἔχομεν πρὸς ἅπαντας ἀνθρώπους φιλανθρωπίαν); φιλάνθρωπος: Es 8,10; Weish 1,6; 7,23; 12,19; 2 Mkk 4,11; 4 Mkk 5,12; 2 Mkk 9,27; 3 Mkk 3,20.

[2] Hieroclis Commentarius de aureis Verbis Pythagorae compositus (Ed. Gaisford, 49); vgl. auch Ps.-Demosthenes 61,18: ἐνδόξως καὶ φιλανθρώπως ζῆν: ποιεῖν ὥστε πάντας τὴν πρὸς σὲ φιλίαν ἠγαπηκότας ἔχειν.

[3] De Specialibus Legibus I,295: ἐν ᾧ τί ποιεῖν προσῆκον ἦν ἢ κοινωνίας καὶ ὁμονοίας ἰσότητος τε καὶ φιλανθρωπίας καὶ τῆς (ἄλλης) ἀρετῆς ἐπιμελεῖσθαι.
Vgl. schon Aristoteles 1161b 5: δοκεῖ γὰρ εἶναι τι δίκαιον παντὶ ἀνθρώπῳ πρὸς πάντα τὸν δυνάμενον κοινωνῆσαι νόμου καὶ συνθήκης· καὶ φιλία δή, καθ' ὅσον ἄνθρωπος...

[4] Quaestiones in Genesim IV,103.104.126: conj. ὁ ἀνόθως φιλοσοφούμενος καὶ κοινωνῶν φιλανθρώπως.

[5] Quaestiones in Genesim II,38: conj. φιλανθρωπίας... ὠφέλιμος, συμφέρων.
Vgl. ibid., 40: σοφία κοινοτάτη, ἰσοτάτη, ὠφελιμοτάτη.
Vgl. Demosthenes, 25,51 ff: φιλανθρωπία par. κοινωνεῖν.

[6] De Vita Mosis II,43: τὰς δὲ χάριτος καὶ φιλανθρωπίας, οὐ γέρως ἠξίωσεν.

[7] Vgl. I. Heinemann, a.a.O.

[8] Vgl. zum Gebrauch von φιλανθρωπία im Aristeasbrief: H. G. Meecham, The Letter of Aristeas / A Linguistic Study with Special References to the Greek Bible, Manchester 1935, 71: „Aristeas' use of this term and its cognates seem to support Field's assertion ... that the universal ("love of mankind") is not inherent in the Greek word, the object of φιλανθρωπία being always individuals in distress, appealing to our common humanity, which word, perhaps most accurately, conveys the sense of it to the English reader".

7. Die Interpretation durch Gastfreundschaft

In später Tradition wird Gerechtigkeit bzw. Nächstenliebe oft mit Gastfreundschaft verbunden, so in der Kombination mit Gottesliebe bzw. dem Attribut „heilig" in Test Abr K. 4.17 (Rez A) und in äth Bar H p 85,3f (L p 69: „Einen Strom von Honig werden betreten, die die Welt verachteten, die sich der Gastfreundschaft hingaben und die ihre Nächsten liebten wie ihre Seele (jāfăqĕrū bīṣōmū kămă năfsămū).

8. Die Interpretation von Nächstenliebe in Richtung auf Erbarmen und Mitleid mit den Menschen

Während in den Test Patr „der Nächste" (ὁ πλησίον) im universalistischen Sinne zu interpretieren ist (s.u.), finden sich statt des ἀγαπᾶν von Lev 19,18 sehr zahlreiche Verwendungen von verschiedenartigsten Verben, die aber inhaltlich die Tendenz gemeinsam haben, das Moment des liebenden Affektes gegenüber dem Nächsten zu betonen. In Lev 19 war in der Traditionsgeschichte deuteronomischer Stoffe eine Stufe erreicht worden, in der das Verhalten zum Nächsten bereits in das Lieben und Hassen des Herzens verlegt war. In den Test Patr wird demgegenüber eine weitere Stufe erreicht. Unter deutlich hellenistischem Einfluß wird gefordert, man solle mit dem Nächsten mitleiden und sich seiner erbarmen – dies in einem Sinne, in dem in den Schriften des AT nur vom Erbarmen Gottes gegenüber den Menschen die Rede war. – Das vermittelnde Glied zu Lev 19 sind die sog. sozialen Reihen (s.u.), in denen sehr häufig die Gesinnung gegenüber dem Bruder angesprochen wird.
Die Art der Testamente, das Sich-Bewegen-Lassen durch die Not des Nächsten zu betonen und das „Mitjammern" zu fordern, findet sich sehr deutlich auch in jenen Schichten der synoptischen Tradition, in denen der Einfluß von ἀγαπᾶν ganz zurücktritt (s.u.). Eine direkte Zitierung von Lev 19,18 ist in den Test Patr vermieden; dies entspricht durchaus dem Stil der Testamente, keine direkten Schriftzitate zu geben. Die Verwendung von ὁ πλησίον ist außerordentlich häufig in den Testamenten Issachar, Zabulon, Benjamin, Dan und Gad, findet sich aber auch in den Testamenten Ruben, Levi und Juda und fehlt nur in den Testamenten Simeon, Joseph und Naphtalim.

An allen Stellen wird ὁ πλησίον nicht im Sinne der atl Weisheitsliteratur verwendet, sondern ὁ πλησίον ist das Objekt liebenden und „sozialen" Verhaltens. Dieses wird in der Regel wiedergegeben durch die Wendungen

ποιεῖν ἀλήθειαν πρὸς τὸν πλησίον	(Rub 6,9; Benj 10,3)
ἀλήθειαν φθέγγεσθαι πρὸς τὸν πλησίον	(Dan 5,2)
ἐλεεῖν	(Jud 18,3; Zab 2,2)
ποιεῖν ἔλεος ἐπὶ τὸν πλησίον	(Zab 5,1)
ἔχειν ἔλεος τῷ πλησίον	(Zab 5,3)
μεταδιδόναι τῷ πλησίον	(Zab 6,6)
σπλαγχνίζεσθαι	(Zab 8,3)[1].

Vor allem aber wird das sozial positive Verhalten gegen den πλησίον ausgedrückt durch ἀγαπᾶν. Dabei besteht die deutliche Tendenz, ἀγαπᾶν τὸν πλησίον und auch die Abwandlungen dieses Ausdrucks im Zusammenhang mit freien Wiedergaben des Hauptgebotes zu bringen:

Test Iss 5,2: ἀγαπήσατε τὸν κύριον καὶ τὸν πλησίον, πένητα καὶ ἀσθενῆ ἐλεήσατε
7,6: τὸν κύριον ἠγάπησα καὶ πάντα ἄνθρωπον ἐξ ὅλης τῆς καρδίας μου
β, S[1]: Τὸν κύριον ἠγάπησα ἐν πάσῃ ἰσχύι μου,
ὁμοίως καὶ πάντα ἄνθρωπον ἠγάπησα ὑπὲρ τὰ τέκνα μου
Test Dan 5,3: ἀγαπήσετε τὸν κύριον ἐν πάσῃ τῇ ζωῇ ὑμῶν καὶ ἀλλήλους ἐν ἀληθινῇ καρδίᾳ
Test Benj 3,3: φοβεῖσθε κύριον καὶ ἀγαπᾶτε τὸν πλησίον
3,4: ὁ γὰρ φοβούμενος τὸν θεὸν καὶ ἀγαπῶν τὸν πλησίον...
4,4: τὸν σώφρονα ἀγαπῶν, τὸν πένητα ἐλεεῖ, τὸν θεὸν φοβεῖται

Dabei wird in Test Benj in der Wiedergabe des Hauptgebotes das Verhalten zu Gott noch durch φοβεῖσθαι wiedergegeben, das zum

[1] Vgl. T. Zab 7,2: ἀδιακρίτως πάντας σπλαγχνιζόμενοι ἐλεᾶτε καὶ παρέχετε παντὶ ἀνθρώπῳ ἐν ἀγαθῇ καρδίᾳ.
7,4: συμπάθεια.
T. Sim 4,4 (über Joseph): καὶ ἔχων πνεῦμα θεοῦ ἐν αὐτῷ, εὔσπλαγχνος καὶ ἐλεήμων ὑπάρχων.
T. Zab 8,1: ἔχετε εὐσπλαγχνίαν κατὰ παντὸς ἀνθρώπου ἐν ἐλέει, ἵνα ὁ κύριος ἐλεήσῃ ὑμᾶς.
T. Benj 4,2: ὁ γὰρ ἀγαθὸς ἄνθρωπος οὐκ ἔχει σκοτεινὸν ὀφθαλμόν, ἐλεεῖ γὰρ πάντας κἂν ἁμαρτωλοὶ ὦσιν.

negativ: μισεῖν τ. πλ.	T. Levi 17,5
φθονερός, βάσκανος τῷ πλ.	T. Iss 3,3
πλεονεκτεῖν τὸν πλ.	T. Iss 4,2
λυπεῖν τὸν πλ.	T. Benj 6,3
περιεργάζεσθαι τοῦ πλ. τὰς πράξεις	T. Gad 5,1
ἐπιθυμεῖν ἐπιθύμημα τοῦ πλ.	T. Iss 7,3

Nächsten durch ἀγαπᾶν. In Test Iss und Test Dan dagegen wird das Verhalten zu beiden nicht nur mit dem gleichen Verb, das für beide Objekte nur einmal genannt wird, ausgedrückt, sondern darüber hinaus werden verstärkende und betonende Zusätze, wie sie sonst nur in Hauptgebotsformeln begegnen, auf das Lieben des Nächsten angewandt.

In Test Iss 7,5 gilt die bekannte Formel ἐξ ὅλης τῆς καρδίας nach HS α für das Lieben Gottes wie des Menschen. Die HSS β, S[1] differenzieren immerhin noch, indem sie ἀγαπᾶν zweimal setzen und verschiedene Zusätze bringen.

Ohne Verbindung mit Formulierungen des Hauptgebotes begegnet der Ausdruck ἀπὸ καρδίας usw. in Test Gad 6,1: ἀγαπᾶτε ἕκαστος τὸν πλησίον αὐτοῦ καὶ ἐξάρατε τὸ μῖσος ἀπὸ τῶν καρδιῶν ὑμῶν, ἀγαπήσατε ἀλλήλους ἐν ἔργῳ καὶ λόγῳ καὶ διανοίᾳ ψυχῆς und in Vers 3: ἀγαπήσατε ἀλλήλους ἀπὸ καρδίας.

Offenbar sind in den Testamenten Hauptgebot und Nächstenliebe bereits nahe aneinandergerückt. Ob dieser Vorgang auf einer Auslegung und Kombination der Stellen Dt 6,4.5 und Lev 19,18 beruht, ist eine Frage, die vor allem in Hinblick auf das NT zu stellen sein wird.

ἀγαπᾶν τὸν πλησίον kommt so nur vor in Test Iss 5,2; Benj 3,3.4; Gad 6,1. ἀγαπᾶν κύριον findet sich damit im Zusammenhang nur in Test Iss 5,2. – An dieser Stelle allein könnte man davon sprechen, daß das Gebot der Gottesliebe in freier Wiedergabe neben eine ähnlich freie Wiedergabe von Lev 19,18 gerückt ist. Hier allein sind die Übereinstimmungen zum LXX-Text so deutlich, daß man von einem mit Mk 12,29-31 vergleichbaren Vorgang sprechen könnte.

Wie die Verwendung von ἀγάπη in anderen Texten der Testamente zeigt, und wie es schon aus der Verwendung anderer Verben außer ἀγαπᾶν im Zusammenhang mit πλησίον deutlich wurde, ist ein liebendes und barmherziges Verhalten gegenüber dem Nächsten so tief in der Theologie der Testamente verwurzelt (vgl. R. Eppel, a.a.O., 159-162) und sprachlich so weit durchgebildet, daß es höchst fraglich ist, ob jeweils auf Schriftstellen angespielt wird.

T. Rub 6,9 spricht von der ἀγάπη, die jeder gegen seinen Bruder (ἀδελφός) hegen soll.

T. Zabulon 5,1 lautet: φυλάσσειν τὰς ἐντολὰς τοῦ Κυρίου καὶ ποιεῖν ἔλεος ἐπὶ τὸν πλησίον

T. Joseph 11,1: ἔχετε ἐν πάσῃ πράξει ὑμῶν πρὸ τῶν ὀφθαλμῶν ὑμῶν τὸν τοῦ θεοῦ φόβον καὶ τιμᾶτε τοὺς ἀδελφοὺς ὑμῶν.

Hinzu kommen Stellen wie T. Zabulon 7,2.4; Simeon 4,4; Zabulon 8,1; Benjamin 4,2.4. Hier sind zum Teil ganze Kataloge sozialer Pflichten zusammengestellt. – Zahlenmäßig sind die Stellen, an welchen von ἀγαπᾶν oder ἀγαπᾶν τὸν πλησίον die Rede ist, nur ein geringer Teil der vielfältigen Aufforderungen zu Liebe und Barmherzigkeit gegen alle Menschen. Damit stehen die Testamente der Patriarchen im Rahmen jener humanisierenden Tendenzen des Spätjudentums, die bereits im Sir. deutlich wurden.

Dabei ist ὁ πλησίον offenbar mit „jedem Menschen" identisch; mehrfach wird jedenfalls betont, daß sich das Erbarmen gegen alle Menschen richten soll:

T. Zab	7,2:	πάντας σπλαγχνιζόμενοι... παρέχετε παντὶ ἀνθρώπῳ
	8,1:	εὐσπλαγχνίαν κατὰ παντὸς ἀνθρώπου
Benj	4,2:	ὁ ἀγαθὸς ἄνθρωπος... ἐλεεῖ γὰρ πάντας
Zab	5,1:	εὐσπλαγχνίαν οὐ μόνον ἐν ἀνθρώπῳ ἀλλὰ καὶ ἐν ἀλόγοις ζῴοις
	6,4:	καὶ παντὶ ἀνθρώπῳ ξένῳ σπλαγχνιζόμενος μετεδίδουν
Iss	7,5:	παντὶ ἀνθρώπῳ ὀδυνομένῳ συνεστέναξα
	7,6:	καὶ πάντα ἄνθρωπον (sc. ἠγάπησα)
Zab	6,7:	παντὶ ἀνθρώπῳ μεταδιδούς

Dazu ist besonders auch der ἄνθρωπος-Begriff der Testamente zu vergleichen[1].

Dieser Universalismus der Test Patr ist nicht auf die moralischen Anweisungen beschränkt, was in der Weisheitsliteratur durch die literarische Eigenart gegeben war – sondern hat auch Bedeutung im Rahmen der Gesamtkonzeption dieser Schriften: Von dem endzeitlichen Propheten aus Levi und Juda erwartet man, daß er Israel und die Heiden mit dem Gesetz erleuchten werde; auch Test Levi 14,4 spricht von der Erleuchtung aller Menschen durch die Leviten – damit aber ist für die Test Patr auch theologisch grundsätzlich der Raum Israel gesprengt, und die Israeliten sind nunmehr Lehrer der Völker. Aus diesem Grunde nimmt es nicht wunder, daß hier am deutlichsten neben Philo, Josephus und dem NT die Kombination von Gottes- und Nächstenliebe anzutreffen ist, die so deutlich ihre Herkunft aus Traditionen (und Bedürfnissen) der jüdisch-hellenistischen Gemeinden verrät.

[1] T. Ruben 2,3: παντὶ ἀνθρώπῳ... συνεστέναξα
T. Naphtalim 2,5: πάντα ἄνθρωπον ἔκτισεν κατ' εἰκόνα αὐτοῦ. ὡς γὰρ ἡ ἰσχὺς αὐτοῦ, οὕτω καὶ τὸ ἔργον αὐτοῦ
T. Gad 3,1; 7,2: τὰ συμφέροντα πᾶσιν ἀνθρώποις
T. Jos 10,5: πάντας γὰρ ἀνθρώπους... συνέρχεται

Einer großen Beliebtheit erfreuen sich Begriffe, die das Mit-leiden bezeichnen wie συμπάθεια T. Zab 7,4; συμπαθέω T. Sim 3,6; Benj 4,4; συστενάζω Iss 7,5; συμπάσχω T. Zab 6,5; 7,3; Benj 4,4 usw. Die häufige Verwendung von σπλάγχνον und σπλαγχνίζεσθαι neben ἔλεος läßt ebenfalls die gefühlsmäßige Seite des Erbarmens als betont erscheinen. Die Haltung der Testamente in Bezug auf die Nächstenliebe ist sehr stark gefühlsbetont und bisweilen „rührselig"; man wird nicht fehlgehen, auch in diesen Elementen Einflüsse aus hellenistischer Literatur zu erblicken[1]. Vergleichbar mit den Test Patr ist der häufige Gebrauch von ἔλεος, ἐλεεῖν im gr Sirach (s.o.) und die συμπάθεια in 4 Mkk, deren hellenistischer Ursprung ohne Zweifel ist.

9. Die Beschränkung von Lev 19,18 auf den Volksgenossen

Zeugnisse für eine Deutung auf die Volksgenossen finden sich in jüdischen Grabinschriften, und zwar wird hier ein Adjektiv aufgenommen, das sonst äußerst selten ist: φιλόλαος (nur Titel des Asclepius bei Pausanias 3.23.9). In jüd. Inschriften bezeichnet es die Liebe unter den Volksgenossen, vgl. CIJ I (Frey) Nr. 203: φιλόλαος, φιλέντολος, φιλοπένης, ferner die sog. Regina-Inschrift CIJ I Nr. 476 (p. 350) „...vita pudica, amor generis, observantia legis", ferner CIJ I Nr. 509: φιλόλαος, φιλέντολος (Möglicherweise handelt es sich um eine Parallelbildung zu dem häufigeren φιλόπατρις).
Eine solche Auslegung ist überall dort vorauszusetzen, wo das hebr רע weiterverwendet wird, d.h. nicht durch das (wohl engere) אח und nicht durch das weitere ὁ πλησίον ersetzt oder beeinflußt worden ist. – Daher findet sich diese Auslegung vornehmlich bei den Rabbinen[2].

[1] Vgl. M. Braun, Der griechische Roman und die hellenistische Geschichtsschreibung (Frankf. Stud. z. Rel. u. Kultur d. Antike; 6), Frankfurt 1934, bes. die sog. „dramatische Geschichtsschreibung", die Polybius bekämpft, z.B. Phylarch (vgl. W. Siegfried, Studien zur geschichtlichen Anschauung des Polybius, Berlin 1928, 26ff); R. Eppel, a.a.O., 158: „La compassion est exaltée dans le Testament de Zabulon". Zab 7,3: εἰ δὲ μὴ ἔχετε δοῦναι τῷ χρῄζοντι, συμπάσχετε αὐτῷ ἐν σπλάγχνοις ἐλέους.
Targum Onkelos verwendet zur Übersetzung von Lev 19,18 das Verb רחם, ebenso in Dt 6,4.
[2] Lit.: I. Abrahams, Studies in Pharisaism and the Gospels I-II, Cambridge 1917.1924; I 18-29; II 33-40.206f; H. Cohen, Der Nächste, in: Jüdische Schriften I, 1924, 182-195; ders., Die Nächstenliebe im Talmud, Marburg

Die von Billerbeck[1] angeführten Stellen rabbinischer Exegese zu Lev 19,18 sind: Targ. Jerusch. I zu Lev 19,18.34 (S. 357) und Sifra Lev 19,18 mit Parallelstellen[2], ferner Ab RN 16 (S. 359), Ab RN 26 (S. 363), T. Sota 5,11 (mit d. Par. Qid 41a) und Keth 37b.

Targ. Jerusch. I erläutert das Gebot mit den Worten: Was dir unliebsam ist, sollst du ihm nicht tun[3]. In Sifra zu Lev 19,18 wird dieses Gebot (nach R. Akiba) bezeichnet als „großer und allgemeiner Grundsatz in der Tora" – זה כלל גדול בתורה –. Im Anhang dazu wird aber R. Ben Azzai ein Spruch in den Mund gelegt, nach dem Gen 5,1 ein größerer allgemeiner Grundsatz als Lev 19,18 sei. – Billerbeck ist der Ansicht, daß durch diese Äußerung Ben Azzais das Liebesgebot über den Nächsten hinaus auf den Menschen allgemein erweitert werde. Ben Azzai sei der erste Lehrer der alten Synagoge, der unter Hinweis auf das Geschaffensein nach Gottes Bild gegenüber allen Menschen das Gleiche zu tun forderte wie gegenüber Israeliten[4].

Diese universalistische Interpretation der Auslegung Ben Azzais dürfte aber durch die Untersuchungen J. Jervells[5] als irrtümlich erwiesen sein. Jervell hat nachgewiesen, daß die Rabbinen unter dem nach Gottes Bild erschaffenen Menschen ausschließlich den gesetzestreuen Israeliten verstanden haben. Alle anderen „Menschen" fallen demnach nicht unter die Aussage von Gen 5,1, sondern stehen den Tieren näher[6]. Gottebenbildlichkeit hat im Rabbinismus nur Israel, und אדם ist der Israelit. Vieh und Heiden sind nicht אדם[7], deshalb gilt auch der übergetretene Proselyt als ein neugeborenes Kind[8].

Entsprechend ist auch in Ab RN 16 der Hinweis auf den „Schöpfer" bei der Auslegung von Lev 19,18 kein Stützpunkt für eine universalistische Deutung.

1888; D. Farbstein, Die Nächstenliebe nach jüdischer Lehre, in: Jud 5 (1949) 203-228.241-262; P. Fiebig, Jesu Worte über die Feindesliebe im Zusammenhang mit den wichtigsten rabbinischen Parallelen erläutert, in: ThStKr (1918) 30-64; S. Hochfeld, Nächstenliebe, in: Die Lehren des Judentums nach den Quellen I ³1928, 328-389; K. Kohler, Die Nächstenliebe im Judentum, in: Cohen-Festschrift Berlin 1912, 469-480; J. Lewkowitz, Art. Nächstenliebe, in: Jüd. Lexikon, Berlin 1930, III 374f; N. J. Weistein, Die geschichtliche Entwicklung der Nächstenliebe innerhalb des Judentums, Berlin 1891.

[1] Strack-Billerbeck I, 353-364.

[2] p Ned 9,41c, 31 und Gen R 24 (16b).

[3] Vgl. dazu W. Caspari, Die altruistische Gegenseitigkeitsregel und die Bergpredigt, in: Zeitwende (1928) 161-169.

[4] Strack-Billerbeck, a.a.O., 354, 358-359.

[5] J. Jervell, Imago Dei / Gen 1,26f im Spätjudentum, in der Gnosis und in den paulinischen Briefen (Forschgen z. Rel. u. Lit. d. A. u. NT; NF 58; 76), Göttingen 1960.

[6] J. Jervell, a.a.O., 119.

[7] B. Baba M. 114b: „Der Nicht-Israelit ist kein Mensch, sondern ein Tier". B. Ker 6b: „Vieh und Heiden sind nicht אדם" (vgl. J. Jervell, a.a.O., 82).

[8] J. Jervell, a.a.O., 82 Anm 48a Gen R 39,4: Ein jeder, der einen Menschen zum Judentum bekehrt, ist als sein Schöpfer anzusehen.

– Unter Hinweis auf die Erschaffung durch Jahwe wird an dieser Stelle dem, der den Nächsten liebt, guter Lohn verheißen. Der „Zusatz" „wie dich selbst" wird in Ab RN 26 (R. Akiba) als einzig wesentlicher Bestandteil hervorgehoben: Denn Lev 19,18 gehört zu den fünf Geboten, die man übertritt, wenn man eine Frau heiratet, die nicht angemessen ist – denn eine unangemessene Frau kann man nicht lieben wie sich selbst.
Ebenfalls auf die Frau bezogen wird Lev 19,18 in T. Sota 5,11 (Bill. I. 302): Man dürfte sich nicht verloben mit einer Frau, die man vorher nicht gesehen, „denn sieht er später etwas Häßliches an ihr, so könnte er sie verächtlich machen". Gott, der Allbarmherzige, habe aber gesagt: Lev 19,18. – Inhaltlich wird angespielt auf Dt 22,13.14. – Lev 19,18 ist die Mahnung zur Barmherzigkeit gegen die Frau[1]. In Schatzhöhle 42,15 heißt es: „Cyrus liebte sein Weib wie sich selbst und tat ihr den Willen".
An einer Reihe von Stellen wird Lev 19,18 angeführt bei der Mahnung, für den Hinzurichtenden eine leichte Todesart zu wählen (Bill. I, 364).
Bei der rabbinischen Exegese von Lev 19,34 wird ausschließlich zum Problem gemacht, wie weit der Kreis derer ist[2], die darunter fallen. – Die rabbinischen Exegeten sind sich darüber einig, daß als Gêr im Sinne von Lev 19,34 nur der Vollproselyt gelten darf (גֵּר הַצֶּדֶק), nicht der im Lande wohnende (גֵּר תּוֹשָׁב). „Wenn ein Fremdling (Proselyt) alle Worte der Tora auf sich nimmt mit Ausnahme eines einzigen, so nimmt man ihn nicht auf" (Bill.

[1] Vgl. den Ausdruck „der sein Weib wie sein Leben liebt" in b Derek Eres 3. Seder (Ende). Darauf folgt: „und der, der sie ehrt mehr als sich selbst. Der, der seine Nachbarn liebt...".
Nach Kiddushim 41a soll man sich eine Frau nicht verloben, bevor man sie gesehen; wie leicht könnte man nachträglich einen Fehler an ihr entdecken und sie verabscheuen (שנא), während doch geboten ist: Liebe deinen Nächsten wie dich selbst (Nach Bacher, Agad. d. Bab. Amor 27). – Lev 19,18 ist hier auf die Gattenliebe bezogen.
Zur Anwendung im Zusammenhang mit der Todesstrafe vgl. Kethub 37b (Bacher, Agad. d. Bab. Anm. 81); vgl. ferner Bacher, Die Ag. d. Tann I,7.285 und 11,428. – Besonders hervorgehoben wird Lev 19,18 auch in Memar Marqah Übers. MacDonald p. 113: „It is the statement which he wrote before you: But you shall love your neighbour as yourself, to be at all times at peace. This is the end of what was said to us. Set it before you as an illumining light". Im Folgenden werden das 10. Gebot und Traditionen über die Armen, Waisen und Witwen in Bezug auf Schutz des Eigentums des Nächsten ausgelegt. Ausdrücklich zitiert wird Lev 19,18 auch in der 2. Sam. Chronik p. 144 (ed. MacDonald), wo es von David heißt, er habe dieses Gebot verletzt (vgl. die Verletzung von Dt 24,1-4 nach p. 137).
[2] Lit. vgl. zu Lev 19,34 LXX. Vgl. zu Clemens v. A., Quis Div Salv 28,2 K. G. Kuhn, Art. Proselyten, in: RE Suppl IX, 1253): „Als unterschiedliche Personenkreise, auf die bei Juden der Begriff „Nächster" (πλησίον) angewendet werden kann, bzw. auf seine Anwendbarkeit hin diskutiert wird, wird neben dem „Blutsverwandten" (= gebürtigen Juden) der πολίτης, der προσήλυτος, der ὁμοίως περιτετμημένος und der ἑνὶ καὶ αὐτῷ νόμῳ χρώμενος genannt".

I, 355). Damit ist der Objektsbereich dieses Gebotes gegenüber MT sicher eingeengt worden; Gêr in Lev und Dt bezeichnet den im Lande wohnenden, wenn auch schon in eine bestimmte Beziehung zum Jahwekult getretenen Nicht-Israeliten; erst in P wird Gêr etwas mit dem späteren Vollproselyten Vergleichbares: denn erst jetzt wurde er in die Religion Israels völlig einbezogen. Alle anderen, die nur in loser Beziehung zum Jahwekult standen, waren damit zu נָכְרִי geworden. Die Rabbinen dürften also den Gêr-Begriff des P haben; den gleichen Inhalt hat wohl auch der Begriff προσήλυτος in LXX, Lev 19,34.

10. Die Auslegung durch die Goldene Regel

Eine gute zusammenfassende Darstellung der Geschichte der Goldenen Regel hat A. Dihle[1] gegeben. In vorhellenistischer Zeit ist diese im Bereich des Judentums nicht nachweisbar, sie wird aber von Juden und Christen in so hohem Maße als Zusammenfassung der Gebote verwendet, daß später auch deren Ursprung ihnen zugeschrieben werden kann[2]. – Das hellenistische Judentum hat die Regel, wie auch Mt 7,12, aus der antiken Popularphilosophie übernommen. Einen Beleg für diesen Schritt der Übernahme der Regel in der Berührung mit dem Hellenismus hat A. Dihle aus dem Vergleich des gr und hebr Textes von Sir 34,15 erkannt[3]. Mit dem

[1] Vgl. dazu A. Dihle, Die Goldene Regel / Eine Einführung in die Geschichte der antiken und frühchristlichen Vulgärethik, Göttingen 1962, 117-124. R. H. Conolly, A Negative Golden Rule in the Syriac Acts of Thomas, in: JThSt 36 (1935) 353-356.

[2] Vgl. Historia Augusta (über Alexander Severus): „clamabat saepius, quod a quibusdam sive Iudaeis sive Christianis audierat et tenebat idque per praeconem cum aliquem emendaret dici iubebat: Quod tibi fieri non vis, alteri ne feceris" (ed. E. Hohl, XVIII, 51,8).

[3] A. Dihle, a.a.O., 81: „Daß die Goldene Regel wirklich ein Zeugnis für eine Art der Abstraktion und Generalisierung darstellt, die dem jüdischen Denken ursprünglich fremd war und von ihm erst im Verlaufe der Auseinandersetzung mit dem Hellenismus rezipiert wurde, lehrt sehr deutlich ein Vergleich zwischen der hebräischen und der griechischen Fassung einer Stelle aus J. Sirach".
Der hebr Text ist eine Paraphrase von Lev 19,18: Sei freundlich zu deinem Freunde wie mit dir selbst. – Im gr Text ist nach der Ansicht von A. Dihle die Vorlage nach der Goldenen Regel umgedeutet worden; er bemerkt auf S. 81: „Hier wird dazu aufgefordert, die Situation mit den Augen des Partners zu sehen, und das entspricht der Mahnung der Goldenen Regel, die Wirkung des eigenen Handelns auf den Partner in der Weise abzuschätzen, als ob man selbst der leidende Teil wäre".

Begriff des Nächsten wird die Goldene Regel dann verknüpft bei Justin Dial c. Tr c. 93: καὶ ὁ τὸν πλησίον ὡς ἑαυτὸν ἀγαπῶν, ἅπερ ἑαυτῷ βούλεται ἀγαθά, κἀκείνῳ βουλήσεται und Hom Clem VII 4 p. 82,35 ἅπερ ἕκαστος ἑαυτῷ βούλεται καλά, τὰ αὐτὰ βουλευέσθω καὶ τῷ πλησίον. – Im Zusammenhang mit Mahnungen über die Liebe zu den Brüdern begegnet die Regel auch in Tob 4,15; sie findet sich auch in Aristeasbrief 207 und Sl Hen 61,1; zu Beginn des (philonischen?) ὑποθητικὸς λόγος[1] bei Eusebius (Pr. ev. 8,7) ist die Goldene Regel ebenfalls eine Zusammenfassung der Humanitätsgebote. Diese Funktion, die die Goldene Regel in Bezug auf das Gesetz hat, ist die wichtigste Voraussetzung für das Verständnis von Mt 7,12. – Der Zusammenhang zwischen Goldener Regel, Vergeltung nach Talion und jüd.-hell. Auslegung von Lev 19,18 wird deutlich in einem Text im „Tod des Moses“ (Übs. Wünsche I, 151), wo Moses zu Josua sagt: „Mit dem Maße, mit dem du mir gemessen hast, messe ich dir; weil du mich mit so freundlichem Gesicht bedient hast, will auch ich dich so bedienen. Habe ich dich nicht gelehrt: Du sollst deinen Nächsten lieben wie dich selbst? und habe ich dich nicht auch gelehrt: Die Ehre deines Schülers sei dir so lieb wie die eigene?“ (Vgl. Lk 6,31.38b).

Welche Rolle die Goldene Regel in Bekehrungspredigten spielte, wird deutlich aus der in V Acta Thaddaei K. 8 (p. 278) überlieferten Predigt, die noch deutlich jüdisch-hellenistischen Aufriß darstellt: Ähnlich wie in der Kombination der beiden Hauptgebote und besonders Did 1,2 entsprechend folgt auf die Aufforderung zur Gottesverehrung (Opfer des Lobes usw.): ἀπεχόμενοι ἃ αὐτοὶ ὑμεῖς μισεῖτε.

11. Ergebnisse

Lev 19,18 war formuliert worden aus dem Anliegen einer mit dem

[1] Zum ὑποθητικὸς λόγος vgl. A. Dihle, a.a.O., 95: Es handelt sich um eine sententiös formulierte Vulgärethik, die ihren festen Platz vor der philosophischen Grundsatzbelehrung hat (Seneca ep 95,64 ff; Clem Alex Paed 1, 1,1 ff). Zur Gattung der ὑποθῆκαι im Griechentum vgl. P. Friedländer, ΥΠΟΘΗΚΑΙ in: Hermes 48 (1913) 558-616; F. Dornseiff, Pindars Stil, Berlin 1921, 129 ff; C. Meister, Die Gnomik im Geschichtswerk des Thukydides, Winterthur 1955; K. Bielohlawek, Hypotheke und Gnome / Untersuchungen über die griechische Weisheitsdichtung der vorhellenistischen Zeit (Philol. Suppl. 32,3), Leipzig 1940.

Dt verbundenen Tradition, die die dem Bruder und Volksgenossen geschuldete Gerechtigkeit bereits im Herzen des Angeredeten verankern möchte. Als positive Forderung ist die Liebe, mit der man auch sich selbst liebt, nach Inhalt und Abfassungszeit ein gewisser Abschluß der Sätze über das soziale Verhalten gegenüber den Mitmenschen. – Die Auslegungsgeschichte wird zum großen Teil bestimmt durch die Reflexion über den Umfang des Kreises derer, die als „Nächste" gelten sollen. Bereits in Lev 19,34 wird auch der Fremdling einbezogen. – Für die jüdisch-hellenistische Deutung auf alle Menschen war die Übersetzung der LXX mit der Wiedergabe von רע durch ὁ πλησίον die wichtigste Voraussetzung. Diese Deutung findet dann bestimmteren Ausdruck in Wendungen wie „alle Menschen lieben" (Test Patr), „alle Menschen zu Freunden machen" (Ar.Br.), in der Einführung und inhaltlichen Neufüllung des Begriffes φιλανθρωπία und in der Anwendung der Goldenen Regel als Gebotszusammenfassung. – In diese Texte dringt auch hellenistische Mitleidsterminologie ein. – In fest umgrenzten Minderheiten zeigt sich eine der hellenistischen Deutung entgegengesetzte Tendenz: Um die Determination auf den Volksgenossen oder das Sektenmitglied zu verdeutlichen, wird der „Nächste" durch den „Bruder" ersetzt. – Die gleiche enge Auslegung zeigen Texte, die die Absonderung Israels von anderen Völkern betonen (Jub., Tob., Rabbinen). – Eine engere Interpretation ist auch die auf Freunde und Freundschaft, worin sich hellenistisches Freundschaftsethos und jüdische Weisheitsliteratur treffen. In diesem Bereich war schon in der LXX רע der φίλος und demgemäß wird Lev 19,18 das Gebot der Freundesliebe. Hinzuweisen ist noch auf die Bedeutung dieses Gebotes für den spätjüdischen Nomosbegriff (Kap II) und in der Gattung der sozialen Reihe (Kap V). Anhand dieser Gattung wird unten noch zu zeigen sein, daß die Forderung der „Liebe" gegenüber dem Volksgenossen auch gattungsmäßig und formgeschichtlich fest verankert bleibt. Diese Verankerung löst sich dort, wo die Nächstenliebe universalere Züge gewinnt. – Die jüdisch-hellenistische Darstellung der eigenen Religion als der der φιλανθρωπία hat zweifellos nicht nur apologetische Wurzeln, sondern mehrere Quellen innerhalb der biblischen Tradition selbst: 1. das Fortleben der Gattung der sozialen Reihe in der Apokalyptik und das apokalyptische Gesetzesverständnis, das es ermöglichte, diese Forderungen als „das Gesetz" zu bezeichnen, 2. das partielle Desinteresse des griech. sprechenden Judentums am Kult und daher die Betonung anderer Teile der Tradition. 3. Wir beobachteten eine

Hervorhebung des Schöpferseins Gottes im Zusammenhang mit der Forderung nach Nächstenliebe (z.B. Sir 13,15-16; 18,13; Mt 5,45-48): Die fortgesetzte Schöpfertätigkeit Gottes wird als „Liebe" interpretiert, und dieses wird mit dem Gedanken der imitatio Dei verbunden. Voraussetzung ist offenbar eine bestimmte Deutung des Noa-Bundes. Da „lieben" in dtr Tradition (aber auch sonst) ein Terminus des Bundesverhältnisses ist, herrscht hier offenbar die Vorstellung eines Bundes mit der Schöpfung (vgl. dazu zu Mt 5,45ff in Bd. II).

§ 3 Die Vorgeschichte der Schriftauslegung in Mk 12,34 par

Zur Frage nach der Vorgeschichte von Mk 12,28-34 müssen die beiden hier vereinigten Momente beachtet werden: Die Lösung der Frage nach dem wichtigsten Gebot im Gesetz und die Kombination von Gottes- und Nächstenliebe. Die bisherige Untersuchung der Traditionsgeschichte der beiden in Mk 12,28-34 miteinander verbundenen Schriftstellen ergab, daß hier zwei formgeschichtlich heterogene Texte verbunden werden. Deren einer umfaßte als das Hauptgebot traditionell die Summe des Geforderten, deren anderer war im AT eines unter vielen Einzelgeboten. Freilich hatte die „Nächstenliebe" eine zusehends stärkere Bedeutung erlangt – aber eine Nebenordnung als δευτέρα bzw. ὁμοία konnte Lev 19,18 schon deshalb nicht erlangen, weil das Hauptgebot nicht wie dieses als Einzelgebot neben anderen aufgefaßt wurde. Es ist daher die Frage zu beantworten, wie es zu einer so betonten Nebenordnung von Gottes- und Nächstenliebe kommen konnte, wie beide als Einzelgebote und doch als Summe von Einzelgeboten aufgefaßt werden konnten. Dabei wird zu zeigen sein, daß Lev 19,18 den Charakter einer „Summe" von Dt 6,4.5 übernimmt, daß andererseits Dt 6,5 von Lev 19,18 her den Charakter eines Einzelgebotes bekommt (wo nämlich die Nebenordnung betont wird, wie bei Mt und Lk, nähert man sich der LXX-Fassung). Die Tendenz, summenhafte „Hauptgebote" aufzustellen, ist überdies aus der Weisheit vorgegeben. – Daß das Gebot der Nächstenliebe zu gleichem Rang aufsteigen konnte wie das Hauptgebot, ferner die Nebeneinanderordnung beider Texte als zweier Hauptgebote ist von atl und jüdischen Voraussetzungen her allein nicht verständlich. Die Frage, was denn eigentlich der Anlaß dazu gewesen sei, die beiden Texte so zu kombinieren, ist vielmehr nur aus dem hellenistischen Judentum verständlich: Bei Philo ist die Lehre von den zwei κεφάλαια νόμου bereits voll ausgebildet: sie bestehen in Gottesverehrung und Menschenliebe; die philonische Lehre stützt sich auf eine breite jüdisch-hellenistische Tradition. Diese wiederum geht zurück auf die griechische Formel εὐσέβεια καὶ δικαιοσύνη, die schon seit ehedem die Summe der Sittlichkeit bezeichnete. Charakteristisch für das Judentum ist die Ersetzung von δικαιοσύνη durch φιλανθρωπία. In der griech.-jüd. Apokalyptik lassen sich Übergänge zum verbalen Stil der LXX feststellen.

A. Versuche zur Vereinheitlichung des Gesetzes im Spätjudentum

Vorstufen sind die Hauptgebotsformeln in Dt, die die Gesamtheit des Verhaltens zu Jahwe zusammenfassen, ferner die sog. „sozialen Reihen" (s.u.), die die wichtigsten Regeln für das Verhalten gegenüber dem Nächsten angeben. Die Test Patr unternehmen den Versuch, die Haltung der ἁπλότης als den Inbegriff der Erfüllung aller Gebote anzusehen.

Besondere Bedeutung haben die sog. Zahlensprüche, durch die wesentliche Dinge hervorgehoben werden sollen (mit sozialen Forderungen z.B. Sir 25,1). – Die Betonung der Furcht des Herrn als „Haupt" (ראש) der Weisheit bedeutet in der Weisheitsliteratur den Primat des Hauptgebotes vor allen anderen (Prov 1,7; 9,10; Ps 111,10; Sir 1,14)[1].

Echte Zusammenfassungen liegen vor in Sap 6,18 (ἀγάπη... τήρησις νόμων αὐτῆς) und Sir 35 (32), 23: πίστευε τῇ ψυχῇ σου... τοῦτό ἐστιν τήρησις ἐντολῶν und in den Zitierungen der Goldenen Regel (s.o.).

Die Frage, was denn unter der verwirrenden Mannigfaltigkeit der Gesetze die Hauptsache sei, stellte sich besonders in dem Augen-

[1] S. Plath, Furcht Gottes / Der Begriff ירא im Alten Testament (Arbeiten z. Theol.; 2,2), Stuttgart 1962, 62-63: „Das Verhältnis von Gottesfurcht und Sittlichkeit" und die Stellen Prov 8,13; 3,7b und 16,6 (alle mit ירא); ferner 15,16; 23,17. Zu den hier angeführten Texten bemerkt S. Plath dann a.a.O., S. 62: „Zunächst erscheint hier sittliches Handeln als eine notwendige Erscheinungsform jahwefürchtigen Lebens"; zu ראש vgl. Ps 119,160; Ec 10,13; Koehler-Baumgartner, 866 für Ps 119,160: „Inbegriff". Eine weisheitliche Aussage dieser Art findet sich auch in PsMenand 68 (72,3): „Der Urquell aller Güter ist die Gottesfurcht, und sie befreit aus allen Übeln, und sie ist ein Kapital".

blick, als die Juden der hellenistischen Diaspora ihren Mitbürgern das Gesetz verständlich machen und als sie Proselyten gewinnen wollten. Sollte der andere bei der Begegnung mit jüdischem Gesetz nicht nur zu staunendem Unverständnis gelangen, dann mußte das Gesetz ebenso kurz wie verständlich wie umfassend wiedergegeben werden. Diese Verkürzung und Zusammenfassung – ein bisher unbeachtet gebliebenes Phänomen – ist von den hellenistischen Juden, insbesondere von Philo, mit erstaunlicher Geschicklichkeit geleistet worden.

Zu den wichtigsten Erscheinungen in diesem Prozeß gehört die „Entdeckung" des Dekalogs, der seit Dt 5 in den atl Schriften und im Judentum keine nachweisbare Rolle mehr gespielt hatte.

Allem Anschein nach wurde der Dekalog erst durch das hellenistische Judentum „entdeckt" und, da die ursprüngliche Bedeutung seiner Sätze bereits durch das Dt anders interpretiert, durch die LXX dann aber vollends verwischt war, als eine Zusammenfassung aller Gebote betrachtet. Philo ist jedenfalls der erste, der eine Schrift (De Decalogo) verfaßt, in der er den pädagogisch geschickten Versuch unternimmt, den einzelnen Dekaloggeboten möglichst viele Einzelgebote unterzuordnen. Dadurch hat er ein „Hauptgerippe" für alle atl Gebote hergestellt, das für einen neu Hinzukommenden ohne weiteres einprägbar und – darin den Zahlensprüchen der Weisheit verwandt – an den zehn Fingern abzählbar ist.

Bei Philo gibt die Verwendung des Begriffes κεφάλαιον ein sehr deutliches Bild seines Bemühens, das Gesetz unter einheitlichen Gesichtspunkten zu ordnen. Sofern der Begriff κεφάλαιον von Philo auf ein Gebot angewendet wird, handelt es sich ausnahmslos entweder um Dekaloggebote oder um eine Zusammenfassung des Gesetzes in zwei oberste Gebote, die der ntl Liebesgebotkomposition sehr ähnlich sind: Spec Leg II,61-63: ἔστι δ' ὡς ἔπος εἰπεῖν τῶν κατὰ μέρος ἀμυθήτων λόγων καὶ δογμάτων δύο τὰ ἀνωτάτω κεφάλαια, τό τε πρὸς θεὸν δι' εὐσεβείας καὶ ὁσιότητος καὶ τὸ πρὸς ἀνθρώπους διὰ φιλανθρωπίας καὶ δικαιοσύνης· ὧν ἑκάτερον εἰς πολυσχιδεῖς ἰδέας καὶ πάσας ἐπαινετὰς τέμνεται.

Bemerkenswert ist, daß es zwei oberste κεφάλαια gibt. An anderen Stellen in den Schriften Philos bedeutet κεφάλαια jeweils „Dekaloggebote"[1].

[1] So in Decal 154: οἱ δέκα λόγοι κεφάλαια νόμων εἰσί... Decal 175; Decal 19; Aet Mundi 124; Spec Leg II, 223; Congr Gr 120: οὗτοι δέ εἰσι θεσμοί, τῶν

Welche Rolle Philo diesen so herausgestellten wichtigsten Geboten zumißt, und zwar in Bezug auf all die anderen Gebote, wird deutlich an seiner sonstigen Verwendung von κεφάλαιον. Das Wort bedeutet an diesen Stellen „Hauptpunkt einer Gliederung“[1], „hauptsächlichster Grundsatz eines Menschen“[2], „Hauptentschluß“[3] in der Verbindung δόγμα κεφάλαιον. Unter den Geboten, die sich auf die εὐσέβεια beziehen, und dieses sind für Philo die eigentlichen Gebote (κυρίως νόμοι), gibt es wiederum zwei wichtigste (ἀνωτάτω κεφάλαια), Furcht und Liebe gebietende Gebote. Das Gebot über die Furcht beruht darauf, daß Gott nicht so ist wie ein Mensch, das über die

κατὰ μέρος ἀπείρων νόμων γενικὰ κεφάλαια, ῥίζαι καὶ ἀρχαὶ (καὶ) πηγαὶ ἀέναοι διαταγμάτων προστάξεις καὶ ἀπαγορεύσεις περιεχόντων ἐπ' ὠφελείᾳ τῶν χρωμένων. Spec Leg IV,41; Praem Poen 2 (τὰ δέκα κεφάλαια); Spec Leg II,1.242.261.

[1] Sacr Ab Cain 82.83: (ὁ λόγος) ...διαιρετέον οὖν εἰς κεφάλαια προηγούμενα τὰ λεγόμενα ἐμπίπτοντα ... σκοπῷ μὲν γὰρ τὸ κεφάλαιον, βέλεσι δὲ ἔοικεν ἡ κατασκευή ... ὅταν ἄχρι τῶν λεπτοτάτων κεφαλαίων τμηθεὶς τρόπον... δέξηται (Man muß die Rede also in leitende Hauptpunkte, die sog. Merkworte, zerlegen, und jedem müssen die passenden Ausführungen zugewiesen werden. Dem Ziel gleicht der Hauptpunkt, den Pfeilen aber die Ausführung... wenn sie bis in die kleinsten Punkte disponiert... Vgl. Cohn-Wendland Bd 3, 247); ibidem, 85: τμηθεὶς δὲ εἰς τὰ οἰκεῖα κεφάλαια καὶ τὰς εἰς ἕκαστον ἀποδείξεις ὥσπερ ζῷον ἐκ τελείων μερῶν συμπαγεὶς ἁρμοσθήσεται (... und die Rede, in die entsprechenden Hauptpunkte und die dazugehörigen Ausführungen geteilt, wie ein Lebewesen wird sie aus vollkommenen Teilen zusammengefügt geordnet. Vgl. Cohn-Wendland, Bd 3,248). Fug Inv 143: ἐπὶ τὸ τρίτον ἑξῆς τρεψώμεθα κεφάλαιον... (die dritte Hauptgruppe); ibidem 166: τρίτον κεφάλαιον, τέταρτον κεφάλαιον.

Hinzukommt Somn I,235: οὐ πρὸς ἀλήθειαν τὸ κεφάλαιον τοῦτο τῶν λόγων ἀναφέρων, ἀλλὰ πρὸς τὸ λυσιτελὲς τῶν μανθανόντων (Wobei sie diese ganze Übersicht von Ausdrücken nicht gibt, um der Wahrheit zu dienen. Vgl. Cohn-Wendland, Bd 6,221;) κεφάλαιον wird man hier aber wohl besser mit „Summe“ übersetzen müssen. Vgl. dazu Ebr 115: τὸν γὰρ συντιθέντα τὸ κεφάλαιον καὶ πλεῖστον ἀριθμὸν τῶν κατ' ἀνδρείαν λόγων φασὶ λαβεῖν (...behaupten sie doch, sie hätten die summenbildende und höchste Zahl der tapferkeitsgemäßen Vernunftgründe aufgenommen; vgl. Cohn-Wendland, Bd 5,47). Die hier gemeinte „Kopfzahl“ ist vermutlich die alles in sich vereinigende Zahl und damit die höchste und oberste (vielleicht der pythagoreischen 10 vergleichbar).

[2] Leg Alleg III,188: ὅτι ὁ νοῦς σου τηρήσει τὸ κεφάλαιον καὶ ἡγεμονικὸν δόγμα (...der Geist wird deinem hauptsächlichen und leitenden Grundsatz auflauern).

[3] Cher 17: τουτέστι τὸ κεφάλαιον δόγμα γυμνωθεῖσαν καὶ τὴν γνώμην ᾗ κέχρηται ἀπαμφιασθεῖσαν.

Liebe darauf, daß er ist wie ein Mensch[1]. Diese Begründungen weisen schon darauf hin, daß Philo diese Zusammenfassungen nicht aus der Schrift, sondern aus eigener Spekulation nimmt. Auf die Verwendung des Begriffes κεφάλαιον in sehr ähnlichem Zusammenhang in Thomasakten K. 28 (p. 145) wurde oben bereits verwiesen: Nach den Thomasakten wird das ganze Gesetz in den drei Kephalaia Unzucht, Habgier und Gefräßigkeit erfüllt.
κεφάλαιον dient in der LXX stets zur Übersetzung von ראש bzw. ראשית, was einen Vergleich mit den angeführten Stellen der Weisheitsliteratur nahe legt.
Unter Verwendung der dtr Formel vom „Gott Nachfolgen" gibt Philo in Spec Leg IV 186f eine Zusammenfassung dessen, was Gott Nachfolgen bedeutet: τὸ ἄμεινον δ' ἐστὶν ὠφελεῖν ἀλλὰ μὴ βλάπτειν ὅσους ἂν οἷόν τε ᾖ. τὸ γὰρ ἕπεσθαι θεῷ τοῦτ' ἐστίν... ταῦτα μιμεῖσθαι προσήκει τοὺς ἀγαθοὺς ἄρχοντας. Während im Dt alle Einzelgebote mit dem Hinterhergehen hinter Gott in Verbindung gebracht wurden, sind diese hier ersetzt durch den allgemeinen Grundsatz, niemandem zu schaden, allen aber zu nützen. In 187 wird Gottes Wirken in der Schöpfung als Beispiel dafür genannt und zur Nachahmung empfohlen. Wie in Mk 10,1-9 wird das für die Menschen verbindliche Tun aus der Schöpfungsordnung abgeleitet. Darüber hinaus aber zeigt diese Zusammenfassung der „Nachfolge Gottes" einen Gesetzesbegriff, der ausschließlich am sozialen Verhalten gegenüber den Mitmenschen orientiert ist, ähnlich wie der Gesetzesbegriff, den Mt in der Goldenen Regel zusammenfassen kann. Auch allgemein gilt, daß Zusammenfassungen des Gesetzes sich nirgends für kultische, sonders stets für vornehmlich soziale 'Gesetze' finden (vgl. auch Sap Sal 6,18) – obwohl fraglich ist, wieweit bei derartigen Zusammenfassungen die Tora des Moses überhaupt im Blick stand (vgl. unten den Exkurs „Gesetz und Propheten").
Auch der Aristeasbrief kennt wichtigste Gebote: Gott zu ehren, die Eltern und die Freunde zu lieben[2].

[1] Immut 53: τῶν γὰρ ἐν ταῖς προστάξεσι καὶ ἀπαγορεύσεσι νόμων, οἳ δὴ κυρίως εἰσὶ νόμοι, δύο τὰ ἀνωτάτω πρόκειται κεφάλαια περὶ τοῦ αἰτίου, ἓν μὲν ὅτι οὐχ ὡς ἄνθρωπος ὁ θεός, ἕτερον δὲ ὅτι ὡς ἄνθρωπος
ibidem 69: παρὸ μοι δοκεῖ τοῖς προειρημένοις δυσὶ κεφαλαίοις, τῷ τε ὡς ἄνθρωπος καὶ τῷ οὐχ ὡς ἄνθρωπος ὁ θεὸς ἕτερα δύο συνυφῆναι ἀκόλουθα καὶ συγγενῆ, φόβον καὶ ἀγάπην. (sc. unter den Geboten πρὸς εὐσέβειαν).

[2] ArBr 228: ὁ θεὸς πεποίηται ἐντολὴν μεγίστην περὶ τῆς τῶν γονέων τιμῆς. ἑπομένως δὲ τὴν τῶν φίλων ἐγκρίνει διάθεσιν προσονομάσας ἴσον τῇ ψυχῇ τὸν φίλον
ibidem 234: Τί μέγιστόν ἐστι δόξης; ὁ δὲ εἶπε· τὸ τιμᾶν τὸν θεόν.

In der rabbinischen Tradition[1] werden unterschieden leichte und schwere Gebote – מצות קלות / מ״חמורות, wobei die „schweren“ mit Geldausgabe oder Lebensgefahr verbunden waren. – Ferner werden die Gebote eingeschätzt nach den geringeren oder höheren Anforderungen und eingeteilt in „wichtige“ und „geringe“ – גדולות מ״ / זעירות מצות (= große und kleine). Dabei wird der Unterschied darin gesehen, daß bei den kleinen Geboten die Übertretung die Buße für sich allein sühne[2], auf die großen aber im Gesetz Ausrottung oder Todesstrafe stehe.

Die kleinen Gebote stellen geringere Anforderungen, werden aber deshalb auch leichter übersehen, was sehr verhängnisvoll ist, denn die kleinen Gebote werden von Gott genau so gerichtet wie die großen[3].

Im Hinblick auf unsere Fragestellung ergibt sich aus dem bei Strack-Bill. gesammelten Material:

1. Die Einteilung in leichte und schwere, große und kleine Gebote ist nicht nach thematischen Gesichtspunkten durchgeführt, nicht so, daß andere Gesetze dadurch auf bestimmte inhaltliche Grundprinzipien zurückgeführt werden. Es wird vielmehr angesichts jedes einzelnen Gebotes die Frage seiner Durchführbarkeit diskutiert. Daher wird das Gebot der Freilassung einer Vogelmutter ebenso zu den leichten Gesetzen gezählt wie das Verbot des Blutgenusses, das Verbot des Götzendienstes ebenso zu den großen wie das Schaufädengebot.

Jeb 47a Bar („Wenn ein Proselyt... übertreten will, so macht man ihn mit einem Teil der leichten und mit einem Teil der schweren Gebote bekannt.“) ist ein deutliches Zeichen dafür, daß lediglich zwei Gruppen von Gesetzen eingeteilt wurden, keineswegs aber aus didaktischen Gesichtspunkten, sondern aus moralkasuistischem Interesse.

2. Vereinzelt gibt es Formulierungen wie Hor 8a: „Welches ist das Gebot, das alle (übrigen) Gebote aufwiegt? Sage: Das ist der Götzendienst“ (Str-Bill I, 904) oder Ned 25a: „Ein Autor hat gesagt: Das Schaufädengebot wiegt alle übrigen Gebote in der Tora auf“ (Str-Bill I, 905) und Ned 32a: „Groß ist die Beschneidung, denn sie wiegt alle übrigen Gebote der Tora auf“ (Str-Bill I, 903).

Diese Gebote sind nicht nur als schwer zu erfüllen, sondern auch als wichtig erachtet worden.

Daß dadurch die Tora „aufgewogen“ wird, bezieht sich offenbar auf den Lohn, der mit der Erfüllung verbunden ist und sicher nicht darauf, daß wer dieses Gebot erfüllt, auch die anderen damit erfüllt hat. Denn für die schweren Gebote wurde entsprechend großer Lohn als Vergütung angenommen (Str-Bill I, 903e). Die Stellung dieser Gebote gegenüber den

[1] Vgl. Strack-Billerbeck I, 901-907.

[2] Vgl. Strack-Billerbeck I, 902.

[3] Vgl. Das Gebet Davids nach Tanch עקב 5b (Strack-Billerbeck I,904): „Herr der Welt, ich fürchte mich nicht wegen der wichtigen Gebote in der Tora, weil sie wichtig sind. Weswegen fürchte ich mich? Wegen der geringen Gebote; vielleicht könnte ich eins von ihnen übertreten haben, ...weil es ein geringes war; und du hast doch gesagt: Sei vorsichtig bei einem leichten Gebot wie bei einem schweren Gebot“.

übrigen Torageboten beruht nicht auf ihrem Inhalt, sondern auf der mit ihnen verbundenen Sanktion. Diese Gebote sind zwar besonders wichtig, aber die übrigen Gebote stehen dazu nicht in der Relation des Enthaltenseins, sondern die wichtigen Gebote bleiben in der großen Masse aller Einzelgebote, wenn auch als besonders wichtige.
3. Vergleichbar mit dem jüdisch-hellenistischen Material ist die hillelsche Lösung der Streitfrage, ob man einen Proselyten die ganze Tora lehren könne, während er auf einem Fuße steht. Schammai lehnte ein solches Ansinnen ab. Hillel antwortete: „Was dir unliebsam ist, das tu auch deinem Nächsten nicht. Dies ist die ganze Tora, das andere ist ihre Auslegung. Geh hin und lerne das" (vgl. Str-Bill I, 357e).
Die Goldene Regel aber ist selbst mit Sicherheit aus dem Hellenismus übernommen worden und mit dieser, in diesem Falle aus dem hellenistischen Judentum, die Anschauung, sie sei die Zusammenfassung des Gesetzes, was allerdings nur unter der Voraussetzung eines Gesetzesbegriffes zutrifft, der sonst für die rabbinische Tradition nicht typisch ist (der in der Geschichte berichtete Protest Schammais deutet wohl auch darauf hin). Vor allem aber läuft das von den Rabbinen sonst überlieferte Material in anderen Bahnen.
4. In der Tradition der Zahlensprüche stehen rabbinische Sätze wie Pirke Aboth 1,2: „Auf drei Sachen ruht die Welt: auf der Tora, auf dem Tempelkult, auf der Liebe". Wichtig ist auch eine späte, R. Simlai in den Mund gelegte Stelle: David habe die Tora auf 11 Gebote „reduziert" (= Ps 15, 2-5), Isaias auf 6 Gebote (Is 33,15), Micha auf 3 Gebote (Micha 6,8), Amos auf zwei Gebote (Am 5,4), schließlich Habakuk auf ein Gebot („Suchet mich, so lebt ihr" Hab. 2,4)[1]. Beide Stellen sind in der Tat wertvolle Belege aus rabbinischem Material für die Frage nach obersten Geboten und nach dem Wichtigsten in der Tora[2].

B. Vorneutestamentliche Verknüpfung von Gottes- und Nächstenliebe

Für die Frage nach dem Ursprung der Kombination der beiden Liebesgebote als der Summe des Gesetzes hatten die bisherigen Untersuchungen noch keinen Aufschluß gegeben. Eine Zitierung der Schriftstellen Dt 6,4.5 und Lev 19,18 findet sich überhaupt nur in Mk 12,28-34 par. Daraus darf man aber noch nicht auf religionsgeschichtliche Neuheit im Munde Jesu schließen; vielmehr handelt

[1] Vgl. Makkoth 23b-24a, zitiert nach S. E. Johnson, A Commentary on the Gospel according to St. Mark, London 1960,202.202f: „This kind of popular ethical wisdom is certainly a feature of his (sc. Jesus) teaching, although it is not the most distinctive one".
[2] Vgl. zu dieser Frage auch I. Abrahams, Studies in Pharisaism and the Gospels I, 1917, 18-29: The Greatest Commandment, 24-28.
Vgl. E. Lohmeyer, Mk [15]1959, 260.

es sich eindeutig um eine hier vorgenommene Formulierung einer traditionellen Kombination – nunmehr mit ausdrücklichen Schriftzitaten. Der Zitatcharakter ist hier durch den Rahmen vorgegeben, in dem nach dem größten Gebot gefragt wird. Diese Frage wiederum entstammt der katechetischen Proselytenunterweisung des hellenistischen Judentums. Diese Stufe liegt literarkritisch noch erkennbar der jetzigen Kombination zweier Schriftstellen bei Mk voraus. Der Zitatcharakter ergab sich also von der dtr Tradition des Hauptgebotes her. Die Verbindung mit einem gleichwertigen Gebot dagegen geht zurück auf die im Griech. sprechenden Judentum belegte Verbindung von Gottesfurcht und Nächstenliebe. Dort aber wird diese Kombination nicht mit Hilfe von Schriftstellen vollzogen, wohl aber öfter in einer der LXX nahen Sprache und daher mit Anklängen an die Gebote; verbale und nominal-abstrakte Formulierungen finden sich hier noch nebeneinander. Formgeschichtlich ist nachweisbar, daß es sich dabei jeweils um eine summenhafte Zusammenfassung handelt. Ferner wurde die griech. Kombination εὐσέβεια καὶ δικαιοσύνη bzw. φιλανθρωπία hier bereits mit der Größe „Gesetz" in Verbindung gebracht. Wo verbale Formulierungen vorliegen, handelt es sich um Übergangsstufen zur Wiedergabe in Form von Schriftstellen bei Mk.

1. Übersicht über den Gebrauch in der griechischen Antike

In der griechischen Literatur gibt es eine Reihe von Belegen dafür, daß man die oberste Zusammenfassung und Verallgemeinerung aller menschlichen Pflichten gesehen hat in den „Pflichten gegen Gott" einerseits und in den „Pflichten gegen die Menschen" andererseits. Für diese obersten (abstrakt formulierten) Kategorien werden durchgängig verwendet die Begriffe ὅσιον bzw. εὐσεβές und δίκαιον[1].

[1] Lit.: J. C. Bolkestein, ὅσιος en εὐσεβής / Bijdrage tot de Godsdienstige en zedelijke terminologie van de Grieken, Amsterdam 1936; D. Gallop, Justice and Holiness in Protagoras, in: Phronesis 6 (1961) 86-93; zu εὐσέβεια vgl. O. Kern, Die Religion der Griechen / I Von den Anfängen bis Hesiod, Berlin 1926, 273-290; D. Loenen, Eusebeia en de Cardinale Deugden / Een Studie over de Functie van Eusebeia in het leven der Grieken en haar verhouding tot de Ethiek (Med. d. kon. Nederl. Akad. v. Wet.; Afd. Letterkunde; N.R. 23,4), Amsterdam 1960; L. Schmidt, Die Ethik der Griechen I 338; W. J. Terstegen, εὐσεβής en ὅσιος in het Grieksch Taalgebruik na de IVe eeuw, Utrecht 1941; M. A. H. L. H. van der Valk, Zum Worte ὅσιος, in: Mnemosyne

Diese Begriffe werden immer dann zusammen angeführt, wenn es um die allgemeinste Bestimmung der sittlichen Verhaltensweisen des Menschen geht[1].

δικαιοσύνη, Gerechtigkeit liegt in dieser Zusammenstellung „ganz praktisch in dem Verhalten zum Nebenmenschen. Sie umfaßt das ganze Verhältnis des Einzelnen zu der Gesellschaft"[2]. „Wie der Mann sich zu seinem Nächsten stellt, das entscheidet über seinen moralischen Wert. Von da aus ist leicht begreiflich, daß die Frage nach der nun nicht mehr subjektiv, sondern objektiv gefaßten Gerechtigkeit zur Frage nach der richtigen Gesellschaftsordnung werden mußte"[3].

Aristophanes redet vom θεοσεβὴς καὶ δίκαιος ἀνήρ[4], Demosthenes vom εὐσεβὲς καὶ δίκαιον[5]. Nach Diodor glauben die Menschen, durch die Mysterien εὐσεβέστεροι καὶ δικαιότεροι zu werden[6]. Unter den ἀρεταί zählt er an erster Stelle auf εὐσέβεια und δικαιοσύνη[7]. Alleinstehend oder neben der ἀρετή (oder als deren Hauptbereiche?) begegnen beide Begriffe nebeneinander in Ehreninschriften der hellenistischen Zeit[8]. Epiktet stellt gegenüber ἀνομία und

III 10 (1941-1942) 113-140 (114-118). – Vgl. dazu auch J. Dupont, ΤΑ'ΟΣΙΑ ΔΑΥΙΔ ΤΑ ΠΙΣΤΑ (Ac 13,34), in: RB 68 (1961) 91-114, 95 Anm 14, der Gorg 507 B, Polit 301 D, Xenophon Hellenika IV,1,33; Sap 6,10; Jos Ant VIII 115 zitiert. Nach J. H. Mordtmann, Mitt. d. Dtsch. Arch. Inst. in Athen 10 (1885) 11-14 findet sich ὅσιος καὶ δίκαιος oft als Attribut vorderasiatischer Götter.

[1] Sprachlich gibt es dabei u.a. folgende Kombinationen: θεοσεβής-δίκαιος, εὐσέβεια-δικαιοσύνη, τὸ εὐσεβές-τὸ δίκαιον, ὁσιότης-δικαιοσύνη, εὐσεβεῖν-δικαιοσύνην ἀσκεῖν, ὅσια-δίκαια, περὶ θεούς-δικ. περὶ ἀνθρώπους, ὁσίως-δικαίως, εὐσέβεια-φιλανθρωπία usw.

[2] U. v. Wilamowitz-Moellendorff, Platon / Sein Leben und seine Werke. Nach der 3. vom Verf. herausgeg. Auflage durchgesehen von B. Snell, Berlin-Frankfurt 1948, 43 f.

[3] U. v. Wilamowitz-Moellendorff, a.a.O., 44.

[4] Aristophanes, Plutos 28: ἐγὼ θεοσεβὴς καὶ δίκαιος ὢν ἀνὴρ κακῶς ἔπραττον καὶ πένης ἦν.

[5] Demosthenes, Oratio 9,16: τὸ δ'εὐσεβὲς καὶ τὸ δίκαιον, ἄ τ'ἐπὶ μικροῦ τις ἄν τ'ἐπὶ μείζονος παραβαίνῃ, τὴν αὐτὴν ἔχει δύναμιν.

[6] Diodor v. S. 5,49, 5-6: γίνεσθαι δέ φασι καὶ εὐσεβεστέρους καὶ δικαιοτέρους καὶ κατὰ πᾶν βελτίονας ἑαυτῶν τούς τῶν μυστηρίων κοινωνήσαντας. Vgl. 1,92,5.

[7] Diodor v. S. 1,92,5: τὴν δ'ἐκ παιδὸς ἀγωγὴν καὶ παιδείαν διελθόντες, πάλιν ἀνδρὸς γεγονότος τὴν εὐσέβειαν καὶ δικαιοσύνην ἔτι δὲ τὴν ἐγκράτειαν καὶ τὰς ἄλλας ἀρετὰς αὐτοῦ διεξέρχονται καὶ παρακαλοῦσι τούς κατὰ θεοὺς δέξασθαι σύνοικου τοῖς εὐσεβέσι.

[8] G. Dittenberger, Orientis Graeci Inscriptiones selectae Bd II, Leipzig 1905, 438,8 (Inschrift für Herostratos = M. Brutus?): ἄνδρα ἀγαθὸν γενόμενον καὶ διενένκαντα πίστει καὶ ἀρετῇ καὶ δικαιοσύνῃ καὶ εὐσεβείᾳ. G. Dittenberger, Sylloge inscriptionum Graecarum Bd II, Leipzig [3] 734,12 ff (94 v. Chr.): καθῆκον... ἐστι Δελφοῖς ἀποδέχεσθαι τε καὶ τιμᾶν τούς εὐσεβείᾳ καὶ δικαιοσύνᾳ διαφερόντας τῶν ἀνδρῶν.

ἀδικία mit δικαιοσύνη und ὁσιότης[1]. Bei Isokrates begegnet die Wendung τοὺς θεοὺς εὐσεβεῖν καὶ τὴν δικαιοσύνην ἀσκεῖν[2].
Als Bildungsideal wird die Kombination erwähnt in Isokrates, Panath 183; parallel ist der Ausdruck καλοῖς κἀγαθοῖς. Isokrates Panath 183: ἐν ταῖς ψυχαῖς μετ' εὐσεβείας καὶ δικαιοσύνης ἐγγιγνομένης...
Von den Einwohnern Athens heißt es in Panath 124, daß sie allezeit εὐσέβεια gegen die Götter und δικαιοσύνη gegen die Menschen geübt hätten[3]. Die gleiche Wendung begegnet auch in Panath 204[4].
Die einfache Kombination von εὐσέβεια und δικαιοσύνη bringt Isokrates auch in Eiren 34.
Polybius faßt den Bereich des Sittlichen zusammen unter den Titeln τὰ πρὸς ἀνθρώπους δίκαια καὶ τὰ πρὸς τοὺς θεοὺς ὅσια[5]. εὐσεβεῖν und δικαιοσύνη stellt Theognis nebeneinander[6]. Eine Definition des εὐσεβής und des δίκαιος gibt Xenophon[7]. Dabei ist die Definition des δίκαιος besonders aufschlußreich, wenn auch Pittakos nach Stobaios darüber hinausgeht[8]. In Apologie 22 sagt Xenophon über Sokrates, er habe weder gegen die Götter gefrevelt noch den Menschen Unrecht getan. Von seinen Gegnern sagt Sokrates nach Xenophon Apologie 24: πολλὴν ἑαυτοῖς συνειδέναι ἀσέβειαν καὶ ἀδικίαν. Epiktet stellt nebeneinander das Verhalten ὡς εὐσεβής einerseits und das Verhalten als Sohn, Bruder, Vater und Bürger andererseits[9].

[1] Epiktet ed. Schöll, Dissertationes III,26,32: 'Ηρακλῆς... καθαρτὴς ἀνομίας καὶ ἀδικίας εἰσαγωγεύς τε δικαιοσύνης καὶ ὁσιότητος.
[2] Isokrates, 3,2 ἔπειτα κἀκεῖν' ἄτοπον εἰ λέληθεν αὐτοὺς ὅτι τὰ περὶ τοὺς θεοὺς εὐσεβοῦμεν καὶ τὴν δικαιοσύνην ἀσκοῦμεν καὶ τὰς ἄλλας ἀρετὰς ἐπιτηδεύομεν... ὅπως ἂν ὡς μετὰ πλείστων ἀγαθῶν τὸν βίον διάγωμεν.
[3] Panath 124: οὕτω γὰρ ὁσίως καὶ καλῶς τὰ περὶ τὴν πόλιν καὶ περὶ σφᾶς αὐτοὺς διῴκησαν... ἠσκηκότας εὐσέβειαν μὲν περὶ θεοὺς δικαιοσύνην δὲ περὶ τοὺς ἀνθρώπους.
[4] Panath 204: οὐδεὶς γὰρ ὅστις οὐ τῶν μὲν ἐπιτηδευμάτων προκρινεῖ τὴν εὐσέβειαν τὴν περὶ τοὺς θεοὺς καὶ τὴν δικαιοσύνην τὴν περὶ τοὺς ἀνθρώπους καὶ τὴν φρόνησιν τὴν περὶ τὰς ἄλλας πράξεις.
[5] Polybius, 22,10,8: ἀδύνατον δ'εἶναι τὸ κινῆσαι τι τῶν ὑποκειμένων ἄνευ τοῦ παραβῆναι καὶ τὰ πρὸς τοὺς ἀνθρώπους δίκαια καὶ τὰ πρὸς τοὺς θεοὺς ὅσια.
[6] Theognis I,147,547:

βούλεο δ' εὐσεβέων ὀλίγοις σὺν χρήμασιν οἰκεῖν
ἢ πλουτεῖν ἀδίκως χρήματα πασάμενος
ἐν δὲ δικαιοσύνῃ συλλήβδην πασ'ἀρετή 'στιν
πᾶς δὲ τ'ἀνὴρ ἀγαθός, Κύρνε, δίκαιος ἐών.

[7] Xenophon, Memorabilia 4,8,11 (Über Sokrates:) εὐσεβὴς μὲν οὕτως ὥστε μηδὲν ἄνευ τῆς τῶν θεῶν γνώμης ποιεῖν, δίκαιος δὲ ὥστε βλάπτειν μὲν μηδὲ μικρὸν μηδένα.
[8] Stobaios (Iohannis Stobaei Anthologii libri duo posteriores, Vol. III, ed. O. Hense, Berlin 1894) = Stob. III,1,172, S. 120: τὸν φίλον κακῶς μὴ λέγε μηδ' εὖ τὸν ἐχθρόν, ἀσυλλόγιστον γὰρ τὸ τοιοῦτον.
[9] Epiktet ed. Schöll, Dissertationes III,2,4: οὐ δεῖ γάρ με εἶναι ἀπαθῆ ὡς ἀνδριάντα ἀλλὰ τὰς σχέσεις τηροῦντα, τὰς φυσικὰς καὶ ἐπιθέτους, ὡς εὐσεβῆ ὡς υἱὸν ὡς ἀδελφὸν ὡς πατέρα ὡς πολίτην.

Von Thrasykles dem Athener heißt es in einer Inschrift (Ditt Syll 772), daß er ἔκρινε εὐσεβῶς καὶ δικαίως.
Über Nikassippos, den Sohn des Philippos, heißt es in einer Inschrift in Lycosura (Ditt Syll 800,21) ἀναστρέφεται πρός τε θεοὺς καὶ πάντας ἀνθρώπους ὁσίως καὶ δικαίως.
In der Epistola Dominiani in Ephesus (Ditt Syll 821 C 3) wird es als δίκαιον... καὶ εὐσεβές bezeichnet, sich an die Regeln der pythischen Spiele zu halten.
Auf einer Stele im Stadion der Panathenäen in Athen werden der König Ariarathes, sein Sohn Philopator und die Königin Antiochis gerühmt εὐσεβείας ἕνεκεν καὶ δικαιοσύνης καὶ [φιλοτιμίας] (Ditt Or Gr Inscr Sel 352,23).
In einer Inschrift an der südlichen Stadtmauer von Eski Manias wird Herostratos, der Sohn des Dorkalion, gerühmt als ἄνδρα ἀγαθὸν... πίστει καὶ ἀρετῇ καὶ δικαιοσύνῃ καὶ εὐσεβείαι... Vgl. Ditt Or Gr Inscr 438; ebenfalls auf die Laudatio eines Mannes bezogen erscheint die Kombination in TAM 2,2 (Nr. 420,10).
In einer in Sestius gefundenen Inschrift heißt es τοὺς τὴν πίστιν εὐσεβῶς τε καὶ δικαίως τηρήσοντας (Ditt Or I 339,47f).
Ein Eid über die Messenischen Mysterien findet sich in einer Inschrift im Dorfe Konstantinoi (Ditt Syll 736,7f) mit dem Wortlaut: πεποίημαι δὲ καὶ ποτὶ τὸν ἄνδρα τὰν συμβίωσιν ὁσίως καὶ δικαίως.
Im Decretum Atticum de restituendis cippis terminalibus aus Eleusis (Ditt Syll 204,5) wird das Verb ψηφίζεσθαι verbunden mit den beiden Adverben δικαιότατα u. εὐσεβέστατα. Die gleiche Kombination begegnet in Zeile 16 desselben Dekrets, nur in umgekehrter Reihenfolge.
Als Sentenz Nr. 8 des Kleobulos ist überliefert: ἀδικίαν μισεῖν, εὐσέβειαν φυλάσσειν (Vgl. Diels, Fragmente I, 63,4). Mehrfach mit dieser Kombination spielt auch Gorgias, der hintereinander die Adjektive σεμνοί, ὅσιοι, δίκαιοι, εὐσεβεῖς bringt (vgl. Diels, Fragmente II, 286,14). Bei seinem Bericht über die jüdische Geschichte berichtet Strabo, die Nachfolger des Moses hätten noch eine Zeitlang dessen Weisungen befolgt, wären gerecht handelnd und gottesfürchtig gewesen (δικαιοπραγοῦντες καὶ θεοσεβεῖς), danach aber seien Zeiten des Aberglaubens gekommen, zu deren Kennzeichen Be- und Ausschneidungen und Enthaltung von Speisen gehört hätten (16,2,35f).
Eine weitgehende Homogenität beider erklärt Plato in Protagoras 331 B 4-6: ἤτοι ταὐτόν γ' ἐστι δικαιότης ὁσιότητι ἢ ὅτι ὁμοιότατον καὶ μάλιστα πάντων ἥ τε δικαιοσύνη οἷον ὁσιότης καὶ ἡ ὁσιότης οἷον δικαιοσύνη[1].

Daß δικαιοσύνη in erster Linie ein gerechtes und soziales Verhalten zum Mitmenschen bezeichnet, zeigt die Zusammenstellung mit

[1] D. Gallop, Justice and Holiness, 87f: „He does not here insist that he has proven (a) the identity of Justice and Holiness, but he is willing to settle for (b) homogeneity (ὅτι ὁμοιότατον) and he is most confident of all (μάλιστα πάντων) that (c) Justice is of the same class (οἷον) as Holiness, and vice versa". 90 „Justice will therefore be of the same class as holiness, and vice versa".

φιλανθρωπία bei Lukian[1], Euripides[2] und besonders bei Demosthenes[3]. Bei Demosthenes ist φιλανθρωπία ihrerseits in die Nähe von ἔλεος und συγγνώμη gerückt[4]. Auch eine von Stobaios überlieferte Stelle sieht ein Hauptelement der δικαιοσύνη darin, den anderen nützlich zu sein[5]. Wegen der inhaltlichen Nähe der φιλανθρωπία zur δικαιοσύνη können auch beide Begriffe zusammen der εὐσέβεια gegenübergestellt werden, wie bei Diodor v. S.[6], es kann aber auch, und diese Fälle sind zum Vergleich mit dem späteren jüdisch-hellenistischen Sprachgebrauch besonders interessant, φιλάνθρωπον usw. an die Stelle von δίκαιον und εὐσεβές gegenüber gesetzt werden, so an zwei Stellen bei Isokrates[7], in Inschriften[8] und bei Appian,

[1] Lukian v. Samos., Demosth. enc. 18 (Tugenden des Demosthenes): δικαιοσύνης, φιλανθρωπίας...

[2] Euripidesfragment (ed. Nauck ²953): χάριν δικαίαν καὶ φιλάνθρωπον, πάτερ, αἰτῶ σε ταύτην.

[3] Demosthenes, Orationes 20,165: ἐν τῇ ὑμῶν γνώμῃ φιλανθρωπία πρὸς φθόνον καὶ δικαιοσύνη πρὸς κακίαν ἀντιτάττεται 44,8: ἐὰν ἐκ μὲν τῶν νόμων μὴ ὑπάρχῃ, δίκαια δὲ καὶ φιλάνθρωπα φαίνωνται λέγοντες, καὶ οὕτω συγχωροῦμεν...6,1: ἀεὶ τοὺς ὑπὲρ ὑμῶν λόγους καὶ δικαίους καὶ φιλανθρώπους ὁρῶ φαινομένους. 7,31: ἡγούμενοι καὶ δίκαιον τοῦτο καὶ φιλάνθρωπον 18,112: τίς νόμος τοσαύτης ἀδικίας καὶ μισανθρωπίας μεστός; Vgl. dazu S. Lorenz, De progressu notionis ΦΙΛΑΝΘΡΩΠΙΑΣ. Diss. Leipzig 1914; Weida 1914, 21: „Imprimis in orationibus publicis hoc invenimus; neque enim iustitia sufficit ad rem comprobandam, sed humanitate quoque opus est... Huius generis in formulis philanthropia et iustitia tam arte cohaerent, ut altera vox ab altera quasi aliquid significationis recipiat; ita fit, ut nonnullis locis philanthropia sola pro iustitia philanthropiaque inveniatur: cf. e. gr. Dem 16,16, ubi de Lacedaemoniis exstat". Dagegen spricht sich aus: I. Heinemann, Art. Humanitas, in: Realencyclopädie (Pauly-Wissowa), Supplementbd V, 298: δίκαιος sei hier nicht synonym mit φιλάνθρωπος. – Aber auch Lorenz behauptet nicht eine durchgehende Synonymität.

[4] Demosthenes, 25,81.83, καὶ οὐδεὶς αὐτὸς ἑαυτῷ ταῦτα φέρει τῶν κρινομένων ἀλλ' ὑμῶν ἕκαστος ἔχων οἴκοθεν ἔρχεται ἔλεον, συγγνώμην, φιλανθρωπίαν.

[5] Stobaios, a.a.O., (vgl. Anm. 386) III,9,46 S. 360: ὁ δὲ τὴν δικαιοσύνην ἔχων ἐν τῇ ψυχῇ οὐ μόνον τοῖς ἄλλοις ὠφέλιμός ἐστιν, ἀλλὰ πολὺ μάλιστα αὐτὸς αὐτῷ...

[6] Diodor v. S. 5,7: εὐσεβῆ καὶ δίκαιον, ἔτι δὲ καὶ πρὸς τοὺς ξένους φιλάνθρωπον.

[7] Isokrates (ed. Drerup, Leipzig 1906) 9,43: ἀλλ' οὕτω θεοφιλῶς καὶ φιλανθρώπως διώκει τὴν πόλιν, ὥστε... id., Panegyricum (ed. F. Blass, Leipzig 1913, 466) 4,29: (über die Athener) οὕτως ἡ πόλις ἡμῶν οὐ μόνον θεοφιλῶς ἀλλὰ καὶ φιλανθρώπως ἔσχεν.

[8] G. Dittenberger, Sylloge Inscriptionum Graecarum I, Leipzig ²1898, 279: (Inschrift von Teos) τά τε εἰς τὸν θεὸν τίμια καὶ τὰ εἰς ὑμᾶς φιλάνθρωπα πειρασόμεθα συνεπαύξειν. Die Kombination von εὐσεβής, ὅσιος und φιλάνθρωπος findet sich auf einer Kalksteinstele in der Ptolemais: καὶ πρὸς τὸν

De Reb Pun 8,78. Im byzantinischen Bereich wird die φιλανθρωπία eine vornehmlich kaiserliche Tugend, und zwar auch in Komposition mit εὐσέβεια (schon bei Josephus hatten wir eine bevorzugte Anwendung auf Herrscher festgestellt). Als Tugenden des Herrschers erwähnt Synesios, θεοφιλής und φιλάνθρωπος zu sein (De regno 25,29A). Die gleiche Kombination findet sich in Themistios: der gottliebende König ist auch der menschenliebende (Themistios 1,9a: ὥστ' εἰκότως θεοφιλὴς βασιλεὺς ὁ φιλάνθρωπος).
In der gleichen Richtung ist der Sprachgebrauch der Novelle 163 Tiberios I. zu beurteilen (vgl. H. Hunger, a.a.O., 15): δικαιοσύνη und φιλανθρωπία stehen nebeneinander. Leon IV. bezeichnet Gesetze selbst als „menschenliebend“. Wenn wir hier auch naturgemäß nur eine Übersicht[1] bieten können und zum Zusammenhang der

Διόνυσον καὶ τοὺς ἄλλους θεοὺς εὐσεβῶς καὶ ὁσίως... τοῖς δὲ τεχνίταις φιλανθρώπως (Ditt Or Gr Inscr Sel 51,6-7; von 239 v. Chr?).

[1] Weitere Belege aus der griechischen Literatur (in zeitlicher Reihenfolge): Aeschylos, Suppl 404 (von Gott): ἄδικα μὲν κακοῖς, ὅσια δὲ ἐννόμοις; ders., Septen 610: σώφρων, δίκαιος, ἀγαθός, εὐσεβής ibid., 598: δυσσεβής gegenüber δίκαιος; Sophokles, ed. Nauck Fr tr 103,6-9: εὐσεβεῖς und ἄδικοι sollen entgegengesetztes Schicksal haben. Aeschylos, Suppl 402ff ὅσιος καὶ δίκαιος ὢν ὅσια καὶ δίκαια δρᾶν (Vgl. dazu H. Bolkestein, a.a.O., 37); Euripides, Elektra 1350ff: Die Dioskuren sagen, daß sie retten οἷσιν δ'ὅσιον καὶ τὸ δίκαιον φίλον ἐν βιοτῷ (vgl. Ion 1394f)); Aristophanes, Aves 631f: δίκαιος, ἄδολος, ὅσιος ἐπὶ θεούς; Thukydides V 104: im Streit liegen ὅσιοι πρὸς οὐ δικαίους; in Thukydides II 5,5 sind entgegengesetzt ὅσια δρᾶν und μὴ ἀδικεῖν; ibid., III 67,1: δικαίως / ὁσιώτερον; Xenophon, Hell 7,4,35 (vom Handeln): δικαιότερον καὶ ὁσιώτερον ibid., 4,1,33 (Pharnabazus über die Lakedämonier:) μήτε τὰ ὅσια μήτε τὰ δίκαια ibid., 1,7,19 οὐχ ὅσιον οὐδ' δίκαιον ibid., 7,3,6: die σώφρονες seien οὐδὲν δήπου ἄδικον οὐδ' ἀνόσιον ποιοῦσιν. – Agesilaos 10,2: Der den θεοσεβής nachahmende Mann wird nicht ἀνόσιος, der den δίκαιος nachahmende nicht ἄδικος, der den σώφρων nicht ὑβριστής, der den ἐγκρατής nicht ἀκρατής. – Damit sind die häufigsten in Verbindung mit der Kombination auch sonst zusammenstehenden Begriffe genannt. Xenophon, Cyr 8,8,27 (über Perser) ἀσεβεστέρους περὶ θεούς... ἀνοσιωτέρους περὶ συγγενεῖς... ἀδικωτέρους περὶ τοὺς ἄλλους. Cyr 1,11; 6,1,47: σωφροσύνη καὶ ὁσιότης ibid., 6,1,35: ἀσέβεια, ἀδικία, ἀκρασία ibid., 5,2,10: οὔτε ἀσεβεῖν οὔτε ἀδικεῖν Mem 1,2,2: ἐπιορκία πρὸς θεούς, ἀπιστία πρὸς ἀνθρώπους. Antiphon, Tetral 3,4,11: δικαιότατα καὶ ὁσιώτατα πράξαιτ' ἄν. ibid., 2,4,10 ὥσπερ ὅσιον καὶ δίκαιον ἀπολύετε ἡμᾶς; ibid., 1,4,11: ἀδίκως-ἀνοσίως ibid., 5,96: εὐσεβὲς-δίκαιον; ibid., 1,25: δικαιότερον καὶ ὁσιώτερον καὶ πρὸς θεῶν καὶ πρὸς ἀνθρώπων; Andocides, De myst 132,71: νῦν δὲ ἀσεβῶ καὶ ἀδικῶ εἰσιών... ibid., 31: ἀσεβοῦντες καὶ ἀδικοῦντες; ibid., 32: ἠδικηκότας ἀσεβεῖν. – Lysias 13,97: δίκαια καὶ ὅσια ψηφίσασθαι; 6,12 (die Anklage wegen Asebie sei) δίκαιον καὶ εὐσεβές. Isokrates 15,76: ὅσιος καὶ δίκαιος λόγος; ders., 3,2f (cf. 8,36) von Nikokles: ὅτι τὰ περὶ τοὺς θεοὺς εὐσεβοῦμεν καὶ τὴν δικαιοσύνην ἀσκοῦμεν καὶ

Stellen noch mehr zu sagen wäre, dürfte doch deutlich sein, daß dem griechischen Sprachgebrauch die Zusammenstellung εὐσεβής - δίκαιος als oberste Zusammenfassung aller menschlichen Pflichten geläufig ist. δικαιοσύνη ist dabei der Inbegriff des gerechten und geordneten Verhaltens zum Mitmenschen, das „niemandem schaden will", das inhaltlich an φιλανθρωπία grenzt und bisweilen durch diesen Begriff ersetzt werden kann.

Die philosophische Sprache zeigt von Plato ab eine andere Entwicklung. „Die Frömmigkeit, von der die Ethiker reden, zu bezeichnen, wird ein Wort gebraucht, das man am liebsten neben die Gerechtigkeit stellt, um die Rücksichten, die der Mensch den

τὰς ἄλλας ἀρετὰς ἐπιτηδεύομεν; ders., 9,25 ὁσίως καὶ δικαίως λαβεῖν τὴν ἀρχήν; Lykurg c. Leocr 1: δικαίαν καὶ εὐσεβῆ τὴν ἀρχὴν ποιήσομαι ibid., 76 (über Leokrates) οὐ μόνον ὑμᾶς ἠδίκηκεν ἀλλὰ καὶ εἰς τὸ θεῖον ἠσέβηκεν. Demosthenes, 24,104: τοῖς ὁσίοις καὶ δικαίοις χρῆσθαι; ders., 43,65 οὔτε ὅσιον οὔτε δίκαιον; ders., 11,16: εὐσεβέστερα καὶ δικαιότερα πράττοντες; Dinarch 1,11: ὅσιον καὶ δίκαιον; Menander Fr 687 III p 198 K ὀμνύων ἀνὴρ μηδὲν ποιεῖ δίκαιον, οὗτος εὐσεβής; Incogn. Fragm 246 II p 539 K (vgl. H. Bolkestein, a.a.O., 124): μίαν δικαίων χατέραν ἀσεβῶν ὁδὸν εἰ γὰρ δίκαιος κἀσεβὴς ἔζουσιν εἰς; Plato, Gorgias 507 a b: δίκαια καὶ ὅσια πράττοντες ἀνάγκη δίκαιον καὶ ὅσιον εἶναι; id., Protagoras 331b: δικαιοσύνην ὅσιον, ὁσιότητα δίκαιον id., Nomoi 661b δίκαιος καὶ ὅσιος; 663b: δικαιότατος καὶ ὁσιώτατος; 331a δικαίως καὶ ὁσίως; 615b καὶ δίκαιοι καὶ ὅσιοι γεγονότες; 461a οὔτε ὅσιον οὔτε δίκαιον id., Gorgias 523a b δικαίως-ὁσίως / ἀδίκως-ἀθέως; id., Alkiphr II 149e ὅσιος καὶ δίκαιος; Protag 329c δίκαιον, σώφρων, ὅσιον; Polit 610a: ἀνόσιος, ἄδικος 496d: καθαρὸς ἀδικίας τε καὶ ἀνοσίων ἔργων; Nomoi 777e: τοῦ ἀνοσίου περὶ καὶ ἀδίκου; Gorgias 505b ἀνόητος καὶ ἀκόλαστος καὶ ἄδικος καὶ ἀνόσιος; Protag 349d ἀδικώτατος καὶ ἀνοσιώτατος Polit 463d: μήτε πρὸς θεῶν μήτε πρὸς ἀνθρώπων... ὡς οὔτε ὅσια οὔτε δίκαια πράττοντες ἂν; Epist 311e: δίκαιος ἀνὴρ καὶ εὐσεβής Protag 323e: ἀδικία καὶ ἡ ἀσέβεια. – Bias v. Priene (Diels 1,65,17): πόνῳ ἐγκράτειαν, φόβῳ εὐσέβειαν, γνώμῃ δικαιοσύνην. – Polybius 15,20 hat im ersten Satzglied ἀσέβεια πρὸς θεόν, im zweiten ὠμότης gegen die Menschen. – Diod Sic 1,49,3 (von Osiris): εὐσεβῶν καὶ δικαιοπραγῶν πρός τε ἀνθρώπους καὶ θεούς; ders., 5,67,4: τὰ περὶ τοὺς θεοὺς ὅσια καὶ τοὺς τῶν ἀνθρώπων νόμους. – Dion Halik 1,4: εὐσέβειαν / δικαιοσύνην; 1,5: οὐδ' εὐσεβεστέρους οὔτε δικαιοτέρους; 4,32 εὐσεβεῖ καὶ δικαίῳ; 8,2 αἰτίαν εὐσεβεῖ καὶ δικαίαν, ὅσιον καὶ δίκαιον; 8,8: εὐσεβῆ καὶ δικαίαν... πρόφασιν... εὐσεβὴς δὲ καὶ δικαία; 8,48: ἀδίκου καὶ ἀνοσίου συνειδήσεως καθαρά; 8,43: ἀδίκου καὶ ἀνοσίου πράξεως καθαρός 2,68: ὁσίως καὶ δικαίως ἐπιτετέληκά σε 10,52: οὔτε δίκαια οὔτε ὅσια ποιεῖν 9,32: οὐ δίκαια ποιεῖτε οὐδ' ὅσια; 9,44: ὡς οὔτε δίκαια οὐδ' ὅσια ἀξιῶν (so auch 7,60). – Appian, De reb Pun 8,78: τὸ δ' εὐσεβὲς καὶ φιλάνθρωπον ἐπιγίγνεται; Pausanias, 50,24: πρὸς τά τε δικαιότερα καὶ εὐσεβέστερα καὶ προνοοῦσι καὶ πράττουσι. – Herodian 2,13,15: μήτε ὅσιον μήτε δίκαιον. – Marc Aurel, ed. J. Stich, 12,1: πρὸς ὁσιότητα καὶ δικαιοσύνην; 4,18: ἵνα αὐτὸ τοῦτο δίκαιον ᾖ καὶ ὅσιον; Plutarch, Quaest Rom 96: ὁσίως... οὐκ ἦν δίκαιον; id., Cons ad Apoll 1 ὅσια καὶ δίκαια διαφυλάξαντος;

Göttern schuldet, gleich denen gegen die Menschen zuzugesellen"[1]. Diese Feststellung bezieht sich zwar noch auf die oben erörterte Zusammenstellung von εὐσέβεια und δικαιοσύνη, aber in der Philosophie geht von Platos Eutyphron ab die Tendenz dahin, die Frömmigkeit als einen *Teil* der Gerechtigkeit anzusehen[2]. In anderen Dialogen wird zwar gemäß dem geltenden Sprachgebrauch noch „gerecht und fromm" nebeneinandergestellt, aber in seiner Tugendlehre spielt die Frömmigkeit keine Rolle mehr neben der Gerechtigkeit. Das gilt zum Teil für die spätere griechische Ethik[3]. In der Politeia stehen δικαίως und ὁσίως nebeneinander[4]. Ebenso wird im Gorgias der σώφρων als der beschrieben, der die προσήκοντα tut gegenüber Gott und den Menschen, wobei ersteres ὅσια, letzteres δίκαια genannt werde[5].

Bereits in den pseudo-platonischen Definitionen wird aber εὐσέβεια wieder bezeichnet als δικαιοσύνη περὶ θεούς[6]. Unmittelbar vorher wurde eine Definition der φιλανθρωπία gegeben.

Deutlich wird dann bei Aristoteles die εὐσέβεια der δικαιοσύνη untergeordnet und von der ὁσιότης geschieden. Dadurch, daß δικαιοσύνη jetzt auch das Verhalten zu den Göttern umfaßt, ist sie in ihrem

id., Mul Virt 51: ἀνοσίους καὶ ἀδίκους ἀνθρώπους; Vit Camill 17 (über Völkerrecht) ὡς παρὰ τὰ κοινὰ καὶ νενομισμένα πᾶσιν ἀνθρώποις ὅσια καὶ δίκαια πρεσβευτοῦ μενήκοντος; Vita Eumen 17 ἄνδρας ὁσιωτάτους καὶ δικαιοτάτους; De Adul et Amic 19 ὁσιότητι καὶ δικαιοσύνῃ καὶ νόμοις ἀρίστοις; Lukian, ed. N. Nilen, Calum non tem cred 8: ἄδικος, παράνομος, ἀσεβής; De Amic 9: δικαιότεροι... καὶ ὁσιώτεροι; Jamblichus ed. L. Deubner, Vit Pyth 17: ἄδικοι καὶ ἀσεβέες; Aristides, ed. L. Dindorf, Ist in Nept Orat 25: οὔτε ὅσιον οὔτε εὐσεβές; In Reg Orat 58: ἃ δὲ τῆς δικαιοσύνης καὶ φιλανθρωπίας καὶ τῆς ἄλλης εὐσεβείας τούτῳ διεφύλαξαν; Orat Plat sec pro quat vir 147: ᾧ τοσοῦτον περιῆν εὐσεβείας καὶ δικαιοσύνης.

[1] Vgl. U. v. Wilamowitz-Moellendorff, a.a.O., 42.

[2] Plato, Eutyphron 12d-e: τὸ μέρος τοῦ δικαίου εἶναι εὐσεβές τε καὶ ὅσιον, τὸ περὶ τὴν τῶν θεῶν θεραπείαν, τὸ δὲ περὶ τὴν τῶν ἀνθρώπων τὸ λοιπὸν εἶναι τοῦ δικαίου μέρος.

[3] Vgl. U. v. Wilamowitz-Moellendorff, a.a.O., 156.

[4] Es ist aber zu beachten, daß hier nicht von εὐσεβές, sondern von ὅσιον die Rede ist. – Politeia I,331a: ὅτι ὃς ἂν δικαίως καὶ ὁσίως τὸν βίον διαγάγῃ...

[5] Plato, Gorgias 507b: καὶ μὴν ὅ γε σώφρων τὰ προσήκοντα πράττοι ἂν καὶ περὶ θεοὺς καὶ περὶ ἀνθρώπους, καὶ μὴν περὶ μὲν ἀνθρώπους τὰ προσήκοντα πράττον δίκαι' ἂν πράττοι, περὶ δὲ θεοὺς ὅσια.

[6] Pseudo-Platon. Definitiones 412e: εὐσέβεια δικαιοσύνη περὶ θεούς, δύναμις θεραπευτικὴ θεῶν ἑκούσιος.
davor: φιλανθρωπία ἕξις εὐάγωγος ἤθους πρὸς ἀνθρώπου φιλίαν· ἕξις εὐεργετικὴ ἀνθρώπων, χάριτος σχέσις, μνήμη μετ' εὐεργεσίας.

Bereich erweitert worden; nur ist gleichzeitig damit eine zusammenfassende Bezeichnung für das Verhalten gegenüber den Mitmenschen verloren gegangen; an ihre Stelle tritt das mehr oder weniger ausgebildete System der Einzeltugenden[1].
Diese philosophischen Distinktionen konnten sich aber, wie die obigen Beispiele zeigten, gegen den Gebrauch von εὐσέβεια/δικαιοσύνη im „einfacheren" Sprachgebrauch nicht durchsetzen. Für hellenistische Juden mußte die Unterordnung der εὐσέβεια unter die δικαιοσύνη unannehmbar sein. – Sie folgen dem üblicheren Sprachgebrauch.

2. Die Kombination im hellenistischen Judentum

Es spricht einiges dafür, daß die Kombination der beiden Begriffe im hellenistischen Judentum so beurteilt wurde, daß in der Eusebeia die monotheistische Grundforderung, in der Gerechtigkeit aber die Summe aller Einzelgebote zusammengefaßt wurde.

Dafür sprechen u.a. auch Grabinschriften wie CIJ I (Frey) Nr. 111 (S. 78) ὅσιος φιλόνομος und 113 (p. 79) νομομαθής... ὅσιος ἔζησεν, und Nr. 482 (p. 355): δικαία, ὁσία, φιλεντολή und 363 (p. 283) ὁσία, δεικαία, φιλότεκνος, φιλαδελφῶν. Nach jüd.-hell. Grabinschriften ist „gesetzesliebend" kein Urteil über die Erfüllung einzelner Gebote, sondern eine Eigenschaft, die in der Regel nach der „Stammesliebe" genannt wird, so in CIJ I (Frey) Nr. 203: φιλόλαος, φιλέντολος, φιλοπένης und Nr. 509 (p. 372) φιλόλαος, φιλέντολος vgl. Nr. 111: ὅσιος φιλόνομος.

Josephus und Philo dagegen übernehmen die Kombination aus dem Griechentum, ohne die dtr Tradition zu beachten. Für sie handelt es sich daher um die Aufgliederung der traditionellen „Gebote" in solche, die die Gottesverehrung betrafen und solche, die das Verhalten zum Nächsten regelten. Bei Philo können die ersten 5 Gebote des Dekalogs in diesem Sinne Darstellung der εὐσέβεια sein, die fünf folgenden Darstellung der δικαιοσύνη. – Von besonderem Wert für die Frage nach der Entstehung der ntl Kombination sind nun Texte, in denen nicht die beiden Nomina übernommen werden,

[1] Vgl. dazu M. Pohlenz, Die Stoa / Geschichte einer geistigen Bewegung, Göttingen ²1959, 126: Chrysipp ordnet der Gerechtigkeit unter: Frömmigkeit, Wohltätigkeit, Gemeinsinn, Verträglichkeit. – Gerechtigkeit ist bei Ch. aber nur eine der vier Kardinaltugenden! Im stoischen Schulkatalog fehlt φιλανθρωπία ganz, εὐσέβεια begegnet in der Stoa nur „unverbindlich in der Reihe der anderen Unterarten" (A. Vögtle, a.a.O., 111).

sondern sich eine Kombination mit Verben aus der durch LXX geprägten theologischen Sprache findet. Hier liegen die Vorstufen für eine Formulierung der griech. Kombination in zwei atl Geboten.

a) Flavius Josephus

Flavius Josephus übernimmt die beiden Kategorien τὸ δίκαιον und τὸ εὐσεβές, um damit die oberste Zusammenfassung des Gesetzes zu geben[1]. εὐσέβεια und δικαιοσύνη stehen nebeneinander in Antiquitates 15,376 – εὐσέβεια/τὸ δίκαιον – 6,265 – εὐσέβεια/δικαιοσύνη –; 8,121 – εὐσέβεια/δικαιοσύνη –. In 6,160 wird beides von Saul ausgesagt. δίκαιος und θεοφιλής stehen sich gegenüber in 10,215.
Über König Ozias sagt Josephus, ihm habe keine ἀρετή gefehlt, sondern er sei gewesen εὐσεβὴς μὲν τὰ πρὸς τὸν θεόν, δίκαιος δὲ τὰ πρὸς ἀνθρώπους (Ant 9,236).
Ebenfalls Tugenden des Königs sind εὐσέβεια und δικαιοσύνη in Ant 10,50, wo sie vom 12jährigen König Ammon gelten. Negativ heißt es von König Joakim in 10,83, er sei ungerecht von Natur (τὴν φύσιν ἄδικος) gewesen und weder heilig vor Gott noch rechtschaffen zu den Menschen. Ebenfalls um königliche Tugenden und den Ausdruck eines bestimmten Bildungsideals handelt es sich in Ant 7,130 bei der Beschreibung Davids. Seine Sünde mit der Frau des Urias wird eingeleitet mit der Feststellung, daß diese geschah, obwohl er von Natur aus gerecht und gottesfürchtig und die väterlichen Gesetze bewahrend gewesen sei. Simeon hatte nach

[1] Auch bei Josephus ist nach M. Fiedler, 61, Gerechtigkeit die Tugend des menschlichen Miteinanders. Der entscheidende Vorstoß des Josephus sei eine theologische Interpretation der δικαιοσύνη in der Zusammenfassung aller Tugenden unter dem „Doppelgebot" der εὐσέβεια und δικαιοσύνη, durch die nun auch die Betätigung der δικαιοσύνη unter das Gebot Gottes, der der δίκαιος ist, gestellt wird. S. 62f „Das Nebeneinander von εὐσέβεια (und den /63/ Wechselbegriffen) und δικαιοσύνη ist bei Josephus, so gewiß es griechischen Vorbildern entlehnt ist, etwas Eigenes geworden: eine hellenistisch-jüdische Formel, die die Gesamtforderung des Gottes Israels ausdrückt". Die zweigliedrige Formel ersetze bei Josephus geradezu die Liste der vier Kardinaltugenden. Der Kult im engeren Sinne heißt bei Josephus θρησκεία τοῦ θεοῦ (A. Schlatter, Theologie, 98). τὰ ὅσια umfaßt bei Josephus „die ganze Summe der religiösen Verpflichtungen (A. Schlatter, Theologie, 99). Bei Josephus ist zu εὐσέβεια der Zusatz „gegen Gott" notwendig, da er auch eine gegenüber den Herrschern kennt (nach A. Schlatter, Theologie, 96f.). Aus Ant 10,120 wird die Nähe zwischen χρηστότης und δικαιοσύνη deutlich.

Jos Ant 13,2.4 den Beinamen: δικαιος... διά τε τὸ πρὸς τὸν θεὸν εὐσεβὲς καὶ τὸ πρὸς τοὺς ὁμοφύλους εὔνουν.
Ant 15, 374f erwähnt den Inhalt der Rede des Mamaemos vor Herodes. Dieser fordert darin εἰ καὶ δικαιοσύνην ἀγαπήσειας καὶ πρὸς τὸν θεὸν εὐσέβειαν, ἐπιείκειαν δὲ πρὸς τοὺς πολῖτας. Bei dem Ausdruck πολῖται ist zu bemerken, daß es sich um einen in der LXX und im Spätjudentum üblichen Ausdruck für das hebr רע handelt. Ein soziales Verhalten zum Nächsten wird hier gefordert, aber nicht in der Formulierung atl Gebote. In 376 heißt es dann einfach εὐσέβεια und δίκαιον. Im Testament des Mattathias in Ant 12,284 ermahnt dieser die ihn umstehenden Söhne zum Schluß προσίεσθε δὲ καὶ τοὺς δικαίους καὶ θεοσεβεῖς. Nach Proem Ant 24 ist die Verfassung des Moses der Größe Gottes und der Liebe zu den Menschen (φιλανθρωπία) angemessen.
In Ant 8,121 stehen nebeneinander εὐσέβεια und δικαιοσύνη. Im Zusammenhang geht es um die Reinbewahrung des Herzens (διάνοια) und das Halten der Gebote des Moses. Auf diese Weise werde das Volk der Juden glücklich und das seligste aller Menschen werden. Ähnlich sagt er über Johannes den Täufer, er habe befohlen, die ἀρετή zu verwirklichen und ebenso für das, was sie miteinander hätten (τὰ πρὸς ἀλλήλους), die δικαιοσύνη, für das, was Gott beträfe, die εὐσέβεια zu gebrauchen (Ant 18,117). Alles nach dem Willen Gottes zu tun, steht im Zusammenhang damit, daß man δίκαιος und ὅσιος ist (Ant 8,295). Vom Herrscher wird gesagt, daß er δίκαιος sei gegen die Beherrschten, εὐσεβής gegen Gott und dessen Weisungen und Gesetze befolge (Ant 7,384). Gerecht sein und Gott lieben stehen nebeneinander in Ant 7,269. Ähnlich wie Philo verteidigt J. das atl Gesetz: Nicht ἀσέβεια, sondern εὐσέβεια lehre es, nicht μισανθρωπία sondern κοινωνία und δικαιοσύνη (c. Ap 2,291).
In c. Ap 2,148 trifft die Kombination ἀθέους καὶ μισανθρώπους in der Tat zwei Vorwürfe, die den Juden ständig durch die Heiden gemacht wurden. Das Glied δικαιο- ist hier, wie überhaupt häufiger im hellenistischen Judentum, durch eine Wortbildung mit-ανθρωπος ersetzt.
In c. Ap 2,213 stehen nebeneinander ἡμερότης und φιλανθρωπία und charakterisieren so den sozial-humanitären Charakter der νόμοι bei Josephus.
In Bell Jud 7,260 schildert Josephus die Mißstände unter den Juden daß „sie einander übertrafen in den gegen Gott gerichteten unfrommen Handlungen und in den gegen die Nächsten gerichteten Ungerechtigkeiten“ (ἐν δὲ τε ταῖς πρὸς θεὸν ἀσεβείαις καὶ ταῖς εἰς

τοὺς πλησίον ἀδικίαις). Hier verwendet Josephus auch bereits den Ausdruck ὁ πλησίον in der Zusammenfassung der beiden „Hauptgebote", aber ohne jede Anspielung auf Lev 19,18. Vgl. den Bericht des Josephus über die Essener in c. Ap 2,281: ὅμοια περὶ θεοῦ φρονοῦντες, εὐτέλειαν δὲ βίου καὶ τὴν πρὸς ἀλλήλους κοινωνίαν διδάσκοντες. Neben der εὐτέλεια begegnen auch hier jene beiden Hauptelemente. Die Zurückweisung des Vorwurfs der μισανθρωπία dürfte vor allem apologetisches Interesse haben. Die Gesetze der Juden lehren κοινωνία μετ' ἀλλήλων und εὐσέβεια (Ap 2,41). In der Schilderung der Essener spielt die φιλανθρωπία bei Josephus keine Rolle (B.J. 2,119.139.141); diese sind nur als φιλάλληλοι gekennzeichnet.
Gegenüber seinen griechischen oder jüdisch-hellenistischen Zeitgenossen ist Fl. Josephus in diesem Punkt durch Folgendes ausgezeichnet:
1. εὐσέβεια ist bei ihm unbedingt der δικαιοσύνη übergeordnet. Offenbar polemisch gegen die griechisch-philosophische Art der Einteilung gewandt sagt er in c. Ap 2,170f, εὐσέβεια sei nicht μέρος ἀρετῆς, sondern alle anderen ἀρεταί, wie z.B. Gerechtigkeit und die sozialen Tugenden, seien ihr untergeordnet (c. Ap 2,16). Ein Beleg für diese Unterordnung ist auch Ant 12,290-291: δικαιοσύνη ist ein Ausdruck des εὐσεβεῖν.
2. Es besteht die Neigung, δικαιοσύνη einfachhin gleichzusetzen mit dem Halten der Gebote (Ant 8,21.120; 12,290-91).
3. Josephus hält am klassischen Sprachgebrauch fest und ersetzt nur selten δικαιοσύνη durch φιλανθρωπία. Aber auch bei Josephus bedeutet δικαιοσύνη das rechte Verhalten zueinander (Ant 18,117) oder zu den Untergebenen. Schließlich ist sie das Gegenteil von μισανθρωπία.
Die wesentliche Gemeinsamkeit liegt in der Zusammenstellung der beiden Kategorien εὐσέβεια und δικαιοσύνη, die das Verhalten zu Gott und den Menschen zusammenfassen.

b) Die LXX

Die LXX zeigt an einigen Stellen das Bemühen der Übersetzer, auch wenn es sich um sonst ungewöhnliche Wiedergaben der hebr. Wörter handelt, das Begriffspaar θεοσέβεια und δικαιοσύνη (und dessen Abwandlungen) einzuführen, so in Ex 18,21 θεοσεβεῖς und δικαίους (MT: יראי אלהים/אמת); in Prov 17,23 ἀσεβής und δικαιοσύνη (MT: רשע/משפט); in Bar 5,4: δικαιοσύνη/θεοσέβεια; vgl. Bar 5,9:

ἐλεημοσύνη/δικαιοσύνη. In Prov 11,31 bringt LXX δίκαιος und ἀσεβής hintereinander in einen Doppelzeiler, im Hebr entsprachen dem צדיק und רשע. In Hos 10,13 folgen in LXX ἀσέβειαν und ἀδικίας aufeinander, wo MT רשע und עולתה bot.

c) Der Aristeasbrief

Das Werk des νομοθέτης wird eingeteilt in τὰ τῆς εὐσεβείας καὶ δικαιοσύνης. Dem ersteren entspricht der betonte Glaube daran, daß es nur einen einzigen Gott gibt (Ar 131), und über das, was δικαιοσύνη ist, macht der Aristeasbrief für unseren Zusammenhang sehr aufschlußreiche Ausführungen: Sie besteht darin, daß weder mit Wort noch mit Werk jemandem Böses getan wird, denn das ganze Gesetz ist darauf ausgerichtet, daß gegen alle Menschen δικαιοσύνη geübt wird (Ar 168). Sogar alle Speisegesetze und die Vorschriften über die unreinen Tiere seien auf Gerechtigkeit ausgerichtet und auf gerechtes Zusammenleben mit den Menschen (Ar 169; vgl. 4 Mkk 6,26). Dem Verfasser war es möglicherweise deutlich, daß sich das atl Gesetz nur mit Mühe unter die Formel εὐσεβές (Eingottglaube) und δίκαιον (Menschenliebe) bringen läßt. Deshalb werden alle Gesetze, die sich nicht unmittelbar darauf beziehen, allegorisch auf diese beiden Prinzipien hin umgedeutet, so daß am Ende doch alle Reinheitsgesetze und alle Vorschriften über die unreinen Tiere auf das δίκαιον ausgerichtet sind. Hieran wird deutlich, daß die Zusammenfassung εὐσέβεια - δικαιοσύνη angesichts der ganzen Tora alles andere als selbstverständlich ist und nur unter größten Schwierigkeiten – bei dem Verfasser des Aristeasbriefes mit Hilfe der allegorischen Methode – durchgeführt werden kann.
δικαιοσύνη und ὁσιότης stehen auch in Ar Br 18 zusammen[1]. Bedeutsam ist Ar Br 229: Das δυνατόν der εὐσέβεια ist die ἀγάπη. ἀγάπη scheint im Aristeasbrief eng verwandt zu sein mit φιλανθρωπία, diese aber wiederum mit φιλία, δικαιοσύνη und ἔλεος[2]. Diese Zusammen-

[1] Ar 18: ὃ γὰρ πρὸς δικαιοσύνην καὶ καλῶν ἔργων ἐπιμέλειαν ἐν ὁσιότητι νομίζουσιν ἄνθρωποι ποιεῖν...
[2] Die Nähe von φιλάνθρωπος und δίκαιος wird vor allem deutlich an der von A. Vögtle herausgefundenen Parallelität zwischen Philo, Vita Mos II,9, Aristeas 208f und Dio Chrys. Or IV,24. Auf die Menschenliebe folgt jeweils unmittelbar auch die Gerechtigkeit, und zwar in Aufzählungen von etwa synonymen Begriffen.

hänge, die uns für die jüdisch-hellenistische Literatur bereits bekannt sind (vgl. Kap. oben S. 123-30), bestätigen sich auch für den Aristeasbrief: So, wie die δικαιοσύνη gegen alle Menschen geübt werden soll (Ar Br 168), so soll man sich auch alle Menschen zu Freunden machen (Ar Br 228). Ar Br 225 spricht von εὔνοια und φιλία gegen alle Menschen.
Auf die Frage: πῶς φιλάνθρωπος εἴη heißt es: ἐπινοῶν... πρὸς τὸν ἔλεον τραπήσῃ.
Für einen König ist es am notwendigsten, φιλανθρωπία und ἀγάπησις gegen die Untertanen zu zeigen (Ar Br 265), in Ar Br 290 stehen ἐπιείκεια und φιλανθρωπία ebenfalls als Tugenden des Königs beieinander. In Ar Br 228 wird mit der Ausweitung der φιλία auf alle Menschen der gleiche Schritt der Ausweitung vollzogen, den die LXX mit der Übersetzung von ὁ πλησίον in Lev 19,18 getan hatte.
Für den Aristeasbrief gilt nach diesen Beobachtungen, daß δικαιοσύνη als Gegenstück zu εὐσέβεια nicht nur nahe bei ἔλεος und φιλανθρωπία steht, sondern auch offenbar schon nahe an ἀγάπη herangerückt ist (Ar Br 229).

d) Philo v. A.

I. Dem klassischen griechischen Sprachgebrauch εὐσέβεια - δικαιοσύνη folgt Philo an folgenden Stellen:
In Spec Leg IV,135 ist zuerst von εὐσέβεια und ὁσιότης die Rede, dann aber soll von deren „Schwester und Verwandten, der δικαιοσύνη", gesprochen werden. Diese Stelle ist inhaltlich parallel zu Virt 51, wo als Schwester und Zwilling der εὐσέβεια die φιλανθρωπία genannt wird. In FugInv 63 zitiert Philo den platonischen Dialog Theaitetos: ὁμοίωσις δὲ δίκαιον καὶ ὅσιον μετὰ φρονήσεως γενέσθαι. Gemeint ist das Ähnlichwerden mit Gott. Philo hat also den klassischen Sprachgebrauch auch in direkten Zitaten übernommen. In Vit Mos II,108 werden ὅσιος und δίκαιος nebeneinander genannt. δικαιοσύνη steht sodann neben εὐσέβεια in allen Aufzählungen von Tugenden, die Philo vornimmt (Cher 96; Vit Mos II,216; Det Pot Ins 73; Sacr Ab Cain 22); ἀσέβεια steht dementsprechend neben ἀδικία.

II. In Richtung auf die Test Patr und auf das Neue Testament (Mk 12,28ff) spiegelt sich bei Philo ein entscheidender Schritt des hellenistischen Judentums: Philo ersetzt an der überwiegenden

Mehrzahl der Stellen das klassische δικαιοσύνη durch φιλανθρωπία. Freilich hatten wir auch schon für den Aristeasbrief eine Nähe der δικαιοσύνη zu φιλανθρωπία und φιλία festgestellt.
Auf die wichtige Stelle Spec Leg II,61-63 wurde bereits hingewiesen. Die zwei obersten κεφάλαια des Gesetzes sind nach dieser Stelle πρὸς θεὸν εὐσέβεια καὶ ὁσιότης/πρὸς ἀνθρώπους φιλανθρωπία καὶ δικαιοσύνη, von denen jedes nach Aussage Philos in vielgestaltige und sämtlich lobenswerte Ideen eingeteilt wird. Wie sehr sich Philo hier der im Profangriechischen üblichen Denk- und Ausdrucksweise bedient, braucht nicht erst hervorgehoben zu werden. Die Begriffe εὐσέβεια und ὁσιότης, φιλανθρωπία und δικαιοσύνη erklären jeweils einander. Zwar begegnete auch im Profangriechisch φιλανθρωπία im Zusammenhang mit und an Stelle von δικαιοσύνη, nur ist diese Ersetzung bei Philo ungewöhnlich häufig. In seiner Schrift περὶ ἀρετῶν bildet der Teil περὶ φιλανθρωπίας den meisten Stoff. Dieses Kapitel enthält eine Auslegung aller jener „Gesetze" im AT, die einen betont sozialen Inhalt haben und zum Mitleid mit Armen, Witwen, Fremden usw. aufrufen. Philo hat alle diese Gesetze hier zusammengestellt und entwickelt aus ihnen eine einheitliche Theologie der „Menschenliebe". Es lag ihm offenbar daran, diese Seiten des atl Gesetzes herauszustellen, denn gerade dadurch mußte das jüdische Gesetz und die es befolgenden Juden selber bei ihren heidnischen Mitbürgern in günstigerem Licht erscheinen[1]. Die Zurückdrängung von δικαιοσύνη durch φιλανθρωπία mag teils damit zusammenhängen, daß Philo der erweiterte Gebrauch von δικαιοσύνη im aristotelischen Sinne geläufig war[2], teils damit, daß er die Menschenfreundlichkeit des atl Gesetzes betonen will.

Ein analoger Vorgang ist es, wenn die LXX, und zwar in steigendem Maße צדקה mit ἔλεος usw. übersetzt, so in Is 56,1; Ez 18,19.21; an den beiden letzten Stellen steht δικαιοσύνη καὶ ἔλεος für: משפט וצדקה[3], mit ἐλεημοσύνη

[1] Für die apologetische Inanspruchnahme dieser Tugend vgl. Test Abr Rez B p 110 K. 6, wo der Engel zu Abraham (in dessen Funktion als Vater aller Juden) sagt: ἀλλὰ περὶ πάσης φιλανθρωπίας ὑμῶν ἔγνων ὅτι διαφέρετε πάντων ἀνθρώπων τῶν ἐπὶ τῆς γῆς.
[2] De Abrahamo 27: δικαιοσύνης... τῆς ἐν ἀρεταῖς ἡγεμονίδας vgl. (Noe...) τὸν θεοφιλῆ καὶ φιλάρετον.
[3] Vgl. dazu Gen 24,29: εἰ οὖν ποιεῖτε ὑμεῖς ἔλεος καὶ δικαιοσύνην (MT: חסד ואמת und Tob 9,6 ἀνδρὸς δικαίου καὶ ἐλεημοποιοῦ 14,9: γινοῦ φιλελεήμων καὶ δίκαιος. צדקה wird mit ἔλεος übersetzt in: Is 56,1; Ez 18,19.21; mit ἐλεημοσύνη in Dt 6,25; 24,13; Ps 23(24),5; 32(33),5; 34(35),24; 102(103),6; Is 1,27; 28,17; 59,16; Dan 4,24: πάσας τὰς ἀδικίας σου ἐλεημοσύναις λύτρωσαι Dan Θ 4,24:

wird צדקה übersetzt an 11 weiteren Stellen; dabei hat S[1] in Ps 34(35),24 ἔλεος, während ABS [1] δικαιοσύνη haben.
Die Tendenz, צדקה mit ἐλεημοσύνη zu übersetzen, verstärkt sich offenbar zunehmend: In Sir haben sämtliche im griechischen Text vorkommende Stellen mit ἐλεημοσύνη, sofern ein hebr. Äquivalent nachweisbar ist, als hebr' Vorlage צדקה oder צדק (Sir 3,14.30; 7,10; 12,3; 16,14; 40,17.24). Der weite Bereich, den צדקה im Hebr. umfaßt, wird durch diese Übersetzung zugleich konkretisiert und eingeengt auf den Raum des barmherzigen mitmenschlichen Verhaltens.
Hinzuweisen ist auch auf die besonders in den nur griechisch überlieferten Teilen des AT beliebte Zusammenstellung von δίκαιος bzw. δικαιοσύνη mit ἐλεήμων, ἔλεος oder ἐλεημοσύνη. In Prov 3,16 ist durch die LXX die zweite Zeile ergänzt: ἐκ τοῦ στόματος αὐτῆς ἐκπορεύεται δικαιοσύνη. νόμον δὲ καὶ ἔλεον ἐπὶ γλώσσης φορεῖ. Vgl. Sap Sal. 12,19: δεῖ τὸν δίκαιον εἶναι φιλάνθρωπον.

Durch diese Beobachtungen dürfte deutlich geworden sein, daß die LXX in zunehmendem Maße das Bestreben zeigt, "Gerechtigkeit" zu übersetzen mit „Barmherzigkeit" oder „Erbarmen". – Derselbe Prozeß zeigt sich bei Philo, welcher auf weite Strecken das zweite Glied der profangriechischen Formel, δικαιοσύνη, durch φιλανθρωπία usw. ersetzt. – Der LXX ist φιλανθρωπία erst in den spätesten Schichten geläufig. Wo sie noch ἐλεημοσύνη hat, gebraucht Philo bereits φιλανθρωπία. Die Begriffsentwicklung ist ein Stück weiter „hellenisiert". Mit ἔλεος wird bei Philo φιλανθρωπία nebeneinander angeführt in Somn I 147.
Im Einzelnen ergibt sich bei Philo folgendes Bild: In Abr 208

τὰς ἁμαρτίας σου ἐν ἐλεημοσύνῃ λύτρωσαι; Dan 9,16. Vgl. die in S. 158 oben angeführten Sir.–Stellen. Vgl. dazu auch H. A. Wolfson, Philo / Foundations of Religious Philosophy in Judaism, Christianity and Islam, II, Cambridge [2]1948, 220: „Thus the Hebrew term צדקה means both justice and philanthropy or humanity, the latter in the sense of giving help to those who are in need of it... Philo's statement that justice and humanity are the leaders among the virtues is probably only another way of expressing the same traditional view" und H. G. Meecham, The Letter of Aristeas / A linguistic Study with special reference to the Greek Bible, Manchester 1935, 66: „Aristeas' use of the terms seem to be in accord with the usage of later cl. writers, with whom the predominant reference is to the mutual relations of men, not to divine sanctions". Vgl. zu LXX Ps 102,6 (ποιῶν ἐλεημοσύνας ὁ κύριος καὶ κρίμα πᾶσιν τοῖς ἀδικουμένοις) und Dan 9,16 (κατὰ τὴν δικαιοσύνην σου ἀποστραφήτω ὁ θυμός σου); P. Stuhlmacher, Gerechtigkeit Gottes bei Paulus, Göttingen 1965, 109 Anm. 2: „Die Stelle zeigt deutlich, wie δικαιοσύνη zwischen den Bedeutungen „Rechtlichkeit" und „Barmherzigkeit" hin- und herpendelt". Zum Bedeutungswandel von צדקה vgl. auch J. Hempel, Ethos, 155: Je mehr die Juden die eigene Gerichtsbarkeit verloren, um so mehr überließ die Gerechtigkeit im Gericht ihre Stellung der Mildtätigkeit.

wendet sich Philo nach der Beschreibung der εὐσέβεια Abrahams nun der seiner δεξιότης gegenüber den Menschen zu. Im folgenden interpretiert er die Begriffe εὐσεβής und φιλάνθρωπος durch ὁσιότης πρὸς θεόν und δικαιοσύνη πρὸς ἀνθρώπους, ebenso wie er es an jener erstgenannten Stelle getan hatte. – In Vit Mos II 163 heißt es von Moses ἦν θεοφιλὴς ὁμοῦ καὶ φιλάνθρωπος, was dann darin weiter ausgeführt wird, daß er weder den Umgang mit Gott noch die Menge vernachlässigt habe. – In Virt 51 wird φιλανθρωπία Schwester und Zwilling der εὐσέβεια genannt. Entsprechend wurde in Virt 54 gegenübergestellt θεοῦ θεραπεία und ἀνθρώπων ἐπιμέλεια. Der μισανθρωπία entspricht die ἀσέβεια in Virt 94. ὁσιότης und φιλανθρωπία sind nebeneinandergestellt in Virt 76.
In Virt 175 wird im Zusammenhang mit der Eigenschaft des Moses, φιλάνθρωπος zu sein, erwähnt, daß er überall die Eiferer um εὐσέβεια und δικαιοσύνη anstachelt, indem er ihnen Lohn verheißt.
In einer Betrachtung über die wahre Unreinheit in Spec Leg III,209 im Zusammenhang mit dem 6. Gebot (s.u.) heißt es, daß hauptsächlich unrein der Ungerechte und der Gottlose seien, die weder göttliche noch menschliche Dinge achten.
In Decal 110-111 bespricht Philo die beiden Hälften des Dekaloges (1-4; 5-10). Wer die erste Hälfte befolge, sei φιλόθεος, wer die zweite, sei φιλάνθρωπος. Dem entsprechen in 111 die beiden Laster der ἀσέβεια und der μισανθρωπία. Neben φρόνησις und δύναμις erscheinen δικαιοσύνη und θεοσέβεια nebeneinander in Spec Leg IV, 170. εὐσέβεια und φιλανθρωπία stehen sich gegenüber auch in Jos 240.
Den mehr aristotelisch gedachten Sätzen in Abr 27 und Plant 122, daß die δικαιοσύνη die ἡγεμονίς der Tugenden sei, steht gegenüber die Behauptung in Spec Leg IV,147, εὐσέβεια sei die βασιλίς der Tugenden. Die für Philo typische Zusammenstellung scheint aber vorzuliegen in Virt 95. Die εὐσέβεια wird dabei meist zuerst genannt (Dec 52; Abr 60; Praem Poen 53).
Nach Virt 95 sind die Führerinnen der Tugenden die εὐσέβεια und die φιλανθρωπία, die eine besteht darin, Gott zu ehren, die andere im Verzicht auf Habgier. Beiden dient das Gesetz über Erstlingsgaben.
Ebenfalls mit dem Moment des Verzichtes im Zusammenhang steht die φιλανθρωπία in der Kombination mit εὐσέβεια in Spec Leg IV 97. Neben φρόνησις erscheinen δικαιοσύνη und ὁσιότης in Spec Leg II,12. – In Mut Nom 197 werden in einer Reihe von Gegenüberstellungen δικαιοσύνη, ὅσιον und θεοσεβές nacheinander genannt. – In der

Aufzählung Virt 182 erscheinen in der positiv formulierten Reihe nebeneinander φιλάνθρωποι, σεμνοί, δίκαιοι und in der negativen: ἀδίκους, ἀσέμνους. – In Prob Lib 83 lautet die Aufzählung der Tugenden εὐσέβεια, ὁσιότης, δικαιοσύνη, was nachher wiederholt wird mit φιλοθέῳ, φιλαρέτῳ, φιλανθρώπῳ. – In Exsecr 160 stehen nebeneinander in einer längeren Aufzählung: σωφροσύνην, δικαιοσύνην, ὁσιότητα, εὐσέβειαν. – Inhaltlich wird die „Menschenliebe" bestimmt durch eine „Mittellage" zwischen δικαιοσύνη und ἔλεος. φιλανθρωπία und δικαιοσύνη erscheinen nebeneinander in De Decalogo 164, φιλοστοργότατος und δικαιότατος in Virt 91, ein Beweis für die inhaltliche Nähe, in die beide Begriffe gerückt waren. ἔλεος und φιλανθρωπία stehen unmittelbar nacheinander und interpretieren sich so durcheinander in Spec Leg II,96; IV,72; Somn I, 147. In freier Formulierung bietet Philo die Kombination in Q in Gen Appendix A ed. R. Marcus p. 207:...τοῦ φιλαρέτου θεοῦ καλοκἀγαθίας τοῦ μὴ μόνον αὐτὸν ἀλλὰ καὶ τοὺς πλησιάζοντας ὠφελεῖσθαι.

e) Die Test XII Patr

Unsere kurze Darstellung der „Nächstenliebe" in den Testamenten der Patriarchen hatte folgende Ergebnisse gehabt:

1. ἀγαπᾶν τὸν πλησίον und eine Reihe von Abwandlungen wurden mit Vorzug im Zusammenhang mit freien Wiedergaben des Hauptgebotes gefunden.
2. Wendungen wie ἐξ ὅλης τῆς καρδίας oder ἐν ἔργῳ καὶ λόγῳ καὶ διανοίᾳ ψυχῆς oder ἀπὸ καρδίας im Zusammenhang mit der Forderung der Nächstenliebe wiesen darauf hin, daß diese Formulierungen auch sprachlich in die Nähe von Formulierungen rücken, die in der LXX nur im Zusammenhang mit dem Hauptgebot gebraucht werden.
3. Eine direkte Zitierung von Lev 19,18 und Dt 6,5 kann aber an keiner Stelle nachgewiesen werden. Test. Iss 5,2 kam dem LXX-Wortlaut beider Stellen am nächsten, da ἀγαπᾶν hier sowohl auf Gott als auch auf den πλησίον geht. Die große sprachliche Mannigfaltigkeit in der Formulierung dieser beiden Forderungen ließ vermuten, daß es sich hier um paränetische Abwandlungen zweier nicht aus der Schrift genommener oberster „Grundsätze" handelt. Zwar hat die Sprache der Testamente weitgehende Ähnlichkeit mit der der LXX, aber die so enge Verbindung von Gottesliebe und Gottesfurcht mit Nächstenliebe hat in der Schrift keine Grundlage.
4. In der Ausdehnung der Liebe und des Erbarmens auf „jeden

Menschen" haben wir ebenfalls deutlich hellenisierende Tendenzen festgestellt. Ein Vergleich mit der Damaskusschrift oder den Rabbinen in diesem Punkt dürfte die gänzliche Andersartigkeit der Testamente deutlich werden lassen.
5. Eine Reihe von anderen Ausdrücken für das liebende und barmherzige Verhalten zum Mitmenschen stellen die unter 1.-3. genannten Stellen in die allgemeine, sehr stark sozial-karitative Tendenz der Testamente. Auch diese Ausdrücke führen als Objekte bei sich ὁ πλησίον oder ἀδελφός, πᾶς ἄνθρωπος.
Im formalen Aufbau der Testamente nehmen die genannten Zusammenstellungen von Gottes- und Nächstenliebe dadurch eine besondere Stellung ein, daß sie am Anfang oder am Ende von Redeeinheiten stehen, jeweils an einer für eine Zusammenfassung besonders günstigen Stelle:

Am Anfang: Test Iss 5,2 (nach der Erwähnung von νόμος θεοῦ und πλησίον in Vers 1 und vor einer Reihe von konkreten Einzelmahnungen); Test Benj 3,3 (nach einem Imperativ, Gott zu lieben und die Gebote zu bewahren in Vers 1, der Erwähnung des τὸ ἀγαθόν in Vers 2 und vor einer Reihe von nicht-imperativischen Sätzen, die das Glück des Mannes schildern, der nach Vers 3 handelt).
Am Schluß: Test. Iss. 7,6 (nach einer positiv gefaßten „Lebensbeichte"[1], insbesondere nach der Erwähnung von „Werken der Barmherzigkeit" zusammen mit εὐσέβεια in Vers 5![2] und vor der Mahnung zur Nachahmung); Test. Dan 5,3 (nach einer Reihe von Imperativen – Vers 1-3 – und vor einer Weissagung über die letzten Tage).
Auf Anfang und Schluß einer „sozialen Reihe" verteilt: In Test Benj 4,4 (3b-4).

Eine Kombination der Hauptgebote liegt auch vor in Test Gad 4,2: οὐ θέλει ἀκούειν λόγων ἐντολῶν αὐτοῦ περὶ ἀγάπης τοῦ πλησίον καὶ εἰς θεὸν ἁμαρτάνει. Die Gebote über dem Nächsten sind in ἀγάπη zusammengefaßt, aber außer gegenüber dem Nächsten sündigt der Böse auch Gott gegenüber. Durch 4,1 ist dieses Tun insgesamt als

[1] H. Aschermann, Die paränetischen Formen der Testamente der Zwölf Patriarchen (Diss. theol.), Berlin 1955, hat für die Testamente bestimmte durchgehende paränetische Strukturen festgestellt:
1. Lebensbeichte des Patriarchen.
2. Mahnung a. Einleitung: Imperativ oder Aufforderung, begr. mit ὅτι oder γάρ b. Beschreibung von Tugend und Laster c. Beispiel aus dem Leben des Patriarchen d. Schlußmahnung als Imperativ, meist allg. Regel.
3. Schluß: Letztes Mahn- und Segenswort.

[2] Test Iss 7,5: παντὶ ἀνθρώπῳ ὀδυνομένῳ συνεστέναξα, καὶ πτωχῷ μετέδωκα τον μου, εὐσέβειαν ἐποίησα...

ἀνομία gekennzeichnet. Ab V.3 folgen konkrete Einzelerscheinungen, so daß die Zusammenfassung in die beiden Hauptgebote hier am Anfang einer Reihe erscheint.
Eine Kombination der Hauptgebote liegt auch vor in Test Jos 11,1 ἔχετε τὸν τοῦ θεοῦ φόβον καὶ τιμᾶτε τοὺς ἀδελφοὺς ὑμῶν. Verbunden damit ist ein Hinweis auf die Erfüllung des Gesetzes, die auf diese Weise erreicht wird. Der Satz steht im Kontext als eine isolierte Zusammenfassung des Gesetzes. Die Kombination der beiden Hauptgebote in Test Jos 11 1 wird im vorangehenden Kontext vorbereitet, zieht also selbst, durch καὶ ὑμεῖς οὖν eingeleitet, nur eine Schlußfolgerung. Die Vorbereitung findet statt in 10,5: εἶχον τὸν φόβον θεοῦ ἐν τῇ διανοίᾳ μου (dann folgt eine sekundär eingeschobene Begründung) V. 6: καὶ ἐμέτρουν ἐμαυτὸν καὶ ἐτίμουν τοὺς ἀδελφούς μου. Zum „sich selber Messen" ist Ign Tr 4,1 zu vergleichen (ἀλλ' ἐμαυτὸν μετρῶ = ich beschränke mich, bin bescheiden) (vgl. ferner Sotades Mar (IIIv) 10,8 Diehl σωφροσύνη... ἂν μετρῇς σεαυτόν). Möglicherweise besteht ein Zusammenhang zum ὡς σεαυτόν des Liebesgebotes, das ja ebenfalls eine Maßangabe ist. Daß den Testamenten die herkömmliche griechische Formel geläufig ist, zeigt Test Levi 16,2: διώξετε δὲ ἄνδρας δικαίους, καὶ εὐσεβεῖς μισήσετε.
Bereits bei der Behandlung des spätjüdischen Nomos-Begriffes hatten wir festgestellt, daß die Zusammenfassung in die beiden Hauptgebote nicht nur an bedeutsamen formalen Einschnitten in der Paränese lokalisiert sind, sondern daß oft auch der Begriff Gesetz in unmittelbarer Nähe steht, so daß dessen Befolgung mit der Erfüllung dieser beiden Hauptgebote identisch ist. Besonders zu beachten ist, daß in Test Iss 7,5-6 auf die Wendung εὐσέβεια die beiden Hauptgebote folgen. Neben der verbalen Formulierung konnte sich auch die Abstraktbildung durchaus noch halten (vgl. εὐσέβεια in Test Rub 6,4). Vgl. zur Verwendung von εὐσέβεια: 4 Mkk 16,1.4; Josephus c. Ap. II,1.

f) Jubiläen u.a.

Der Einfluß der hellenistischen Hauptgebotsformulierung auf jüd.-apk Schriften hängt mit der jüngst auch von M. Hengel formulierten Einsicht zusammen, daß auch das „palästinensische Judentum als „hellenistisches" Judentum bezeichnet werden muß"[1], daß die

[1] Vgl. M. Hengel, Judentum und Hellenismus, 459.

Grenze gegenüber der Diaspora fließend war und nicht geradlinig gezogen werden konnte.
Das Buch der Jub kennt die Kombination der beiden Hauptgebote in zwei Texten. In dem im Zusammenhang mit dem Elterngebot näher zu analysierenden Text Jub 7,20 fordert Noe von seinen versammelten Kindern: „...den zu segnen, der sie geschaffen, Vater und Mutter zu ehren und ein jeder seinen Nächsten zu lieben" (wăyāfqĕrŭ ăḥădŭ ăḥădŭ bīṣō). Der einleitende Begriff Gerechtigkeit weist darauf hin, daß es sich hier um eine Kurzform der Tora handelt. Die Stellung des Elterngebotes zwischen Hauptgebot und Nächstenliebe entspricht der allgemeinen Einschätzung des Elterngebotes im Spätjudentum. Diese Reihenfolge könnte traditionsgeschichtlich durchaus in Beziehung stehen zur Gliederung des Dekalogs, die Philo vornimmt: Das Elterngebot ist für ihn ein Mittleres zwischen den Geboten über die Verehrung Gottes und denen über das Verhalten zum Nächsten (Decal 106f; Spec Leg II 224 μεθόριον ἀνθρωπείων τε καὶ θείων). – Nach Jub 36,7 beschwört Isaak am Sterbebett seine Kinder „bei dem... großen Namen, der Himmel und Erde... gemacht hat: Daß ihr ihn fürchtet und ihm dienet und daß ein jeglicher seinen Bruder liebe in Barmherzigkeit und Gerechtigkeit". Die folgende Paränese erläutert dieses Gebot der Bruderliebe näher. Die Stellung dieser Aufforderung am Beginn einer paränetischen Einheit und die Tatsache, daß im Folgenden nur noch das zweite dieser Gebote näher erläutert wird, weisen darauf hin, daß mit dem Gebot, Gott zu dienen und den Bruder zu lieben die Summe des Gesetzes gegeben ist. Zu den Übergangsstufen im Frühjudentum gehört auch Test Abr Rez A 17 (p. 98, 27-99,2): Der Tod erklärt Abraham, daß seine δικαιοσύναι, seine φιλοξενία und τὸ μέγεθος τῆς ἀγάπης σου τῆς πρὸς θεόν das Aussehen des Todes für ihn verschönt habe (Zusammenhang der Gottesliebe mit dem Titel Gottesfreund). – Diese Aussagen entsprechen denen in K. 4 (p. 81 Z. 3f), wo Michael über Abraham berichtet, er habe keinen ihm ähnlichen Menschen gefunden ἐλεήμονα, φιλόξενον, δίκαιον, ἀληθινόν, θεοσεβῆ, ἀπεχόμενον ἀπὸ παντὸς πονηροῦ πράγματος; das θεοσεβῆ wird dann in 17 durch die Liebe zu Gott interpretiert; entsprechend hieß es in K. 1 von Abraham: ὁ ὅσιος καὶ πανιερὸς καὶ δίκαιος καὶ φιλόξενος Ἀβραάμ (beide Glieder der Kombination sind doppelt formuliert!) und in K. 9 einfach: ὁ ὅσιος καὶ δίκαιος Ἀβραάμ. Auf diesem Hintergrund ·ird die Formulierung in K. 17 als Übergangsbildung zur verbalen ısdrucksweise erkennbar.

Eine verbale Formulierung, in der noch das Substantiv δικαιοσύνη geblieben ist, zeigt Sib III,628-630. 628 fordert, sich mit Gott, dem Unsterblichen zu versöhnen, denn nach 629 ist dieser allein Gott; 630 schließt an mit der Forderung: Ehre die Gerechtigkeit, bedrücke keinen (τὴν δὲ δικαιοσύνην τίμα καὶ μηδένα θλῖβε); durch den Zusatz wird die Gerechtigkeit hinreichend als soziales Verhalten umschrieben. Durch 631 werden beide Forderungen als Summe des Gebotes dargestellt (denn der Unsterbliche gebietet – κέλεται – dies den armen Sterblichen). In Sib IV, 35 wird die Lebensweise umschrieben durch den Doppelausdruck „Frömmigkeit und Sitten": εὐσεβίην τε καὶ ἤθεα ἄνερες ἄλλοι (als Zusammenfassung nach einer dekalogähnlichen Zusammenstellung in IV 31-34). – Eine Annäherung an die Kombination der beiden Hauptgebote zeigt auch Test Isaak 8,19: Gott verheißt seine Macht und seinen heiligen Geist denen, die (1.) Barmherzigkeit erweisen, indem sie einen Becher kalten Wassers reichen und die (2.) aus ihrem ganzen Herzen glauben. – Das „aus ganzem Herzen" weist deutlich in die Tradition des 1. Hauptgebotes. – Die Kombination dürfte auch im Hintergrund stehen in Slav Hen 52,1 („Selig der Mensch, der seinen Mund auftut zum Lob und lobt den Herrn aus seinem ganzen Herzen. Verflucht, der seinen Mund auftut zur Schmähung des Armen" usw.). Im Kontext bedeutet die Schmähung des Nächsten zugleich eine Schmähung Gottes, da dieser nach Gottes Angesicht geschaffen ist (vgl. dazu Bd. II zu Mt 5,21 ff). Das Verhältnis zu Gott entscheidet sich an dem zum Nächsten; eine Schmähung des Nächsten widerspricht dem Preis Gottes. Nächstenehrung und Gottesehrung gehören eng zusammen. Griech. Hen 106,18 zeigt mit δικαίως καὶ ὁσίως gegenüber äth ṣādĕq deutlich den Einfluß der hell.-jüdischen Kombination. Von Gott wird die Kombination ausgesagt in Ps Sal 10,5 (Vgl. Ass Mosis 3,5: „iustus et sanctus dominus"), während nach Ps Sal 15,3 der Lobgesang aus einem heiligen und gerechten Herzen kommt.

Der genannten Kombination ähnlich sind bei Aristobulos die Grundtugenden: εὐσέβεια, δικαιοσύνη, ἐγκράτεια (vgl. N. Walter, Aristobul, 65): ἡ τοῦ νόμου κατασκευὴ πᾶσα... περὶ εὐσεβείας τέτακται καὶ δικαιοσύνης καὶ ἐγκρατείας (Euseb. Pr. Ev. 13,12). Dabei ist möglicherweise das letzte Glied (aus heidnischen Formeln übernommen) auf die Speisegesetze u.Ä. gedeutet worden.

Auch in der häufig jüd. Einfluß zeigenden Schrift CorpHerm wird in X 19 der Kampf der Eusebeia mit Hilfe von Verben durch die doppelteilige Formel interpretiert: ἀγὼν δὲ εὐσεβείας τὸ γνῶναι

θεῖον καὶ μηδένα ἄνθρωπον ἀδικῆσαι. Wenn die Seele diesen Kampf überstanden hat, hat sie sich vom Körper gelöst und wird ganz Nous.
Zu beachten ist die Verbindung von Eusebeia und Tun dessen, was Gott gefällt in der jüd.-hell. Grundschrift der Paläa ed. Vassiliev p. 202: εὐσεβήσας εἰς αὐτὸν καὶ τὰ ἀρεστὰ ἐνώπιον αὐτοῦ ποίησον.
Eine aufschlußreiche Übergangsbildung zeigt auch die Paläa bei der Charakterisierung Abels (ed. Vassiliev p. 192): ἦν Ἄβελ θεοσεβὴς ὅτι ἐν φόβῳ θεοῦ καὶ δικαιοσύνῃ συνέζῃ (V: θεοῦ δικαιοσύνης συνέζε).
Die „Gerechtigkeit" steht für die Erfüllung aller Gebote, ist also in diesem Sinne neben die Hauptgebotsformel getreten und hat so das Glied „Gerechtigkeit" der hellenistischen Formel im Sinne der Erfüllung aller Gebote verstanden.
Dieselbe Kombination findet sich über den Propheten Bit in Palaia p. 288: εὐσεβὴς γὰρ ὢν καὶ δίκαιος πάνυ κατὰ τὸν νόμον...

g) Zeugnisse im NT

Eine besondere Bedeutung kommt den Zeugnissen hellenistischen Sprachgebrauchs zu, die sich unabhängig von den Hauptgebotsformulierungen im NT finden. Die meisten Zeugnisse für die Kombination von Gerechtigkeit und Gottesfurcht finden sich bei Lk und in den Pastoralbriefen, also in Schriften, die wegen ihrer Abfassungszeit und ihrer großen Nähe zum Hellenismus auch sonst Gemeinsamkeiten besitzen. Außerhalb dieser Texte begegnet die Kombination in Mk 6,20 und Röm 1,18. Von Johannes dem Täufer heißt es, daß Herodes ihn als einen Mann, gerecht und heilig, wußte (δίκαιον καὶ ἅγιον). Damit ist der Inbegriff sittlicher Vollkommenheit angegeben (Mk 6,20).
Nach dem sog. Benedictus in Lk 1,75 ist der Inhalt der sich jetzt erfüllenden, einst Abraham gegebenen Verheißung, daß Gott jetzt gedient werden kann in Heiligkeit und Gerechtigkeit (ἐν ὁσιότητι καὶ δικαιοσύνῃ); deshalb darf der greise Simeon das gekommene Heil sehen, weil er δίκαιος καὶ εὐλαβής ist (Lk 2,25); die gleiche moralische Interpretation der Abrahamsverheißungen finden wir in Apg 3,26, nur mit dem Ausdruck „sich abwenden von seinen Schlechtigkeiten". Jesus selbst ist der ἅγιος καὶ δίκαιος (Apg 3,14), der dieses Ideal bereits erreicht hat. Hierher gehört auch die Ungerechtigkeitsqualifikation in Lk 18,2: τὸν θεὸν μὴ φοβούμενος καὶ ἄνθρωπον μὴ ἐντρεπόμενος.

Vgl. dazu C. Spicq, La Parabole de la veuve obstinée, in: RB 68 (1961) 68-90, der Parallelen aus Dion Halic X 10,7 (οὔτε θεῖον φοβηθέντες χόλον οὔτ' ἀνθρωπίνην ἐντραπέντες νέμεσιν) und Lysias c. Diog. bei Dion Halic 25 (μηδένα ἀνθρώπων ἠσχύνου... τοὺς θεοὺς... δεδιέναι) anführt, ferner Jos Ant X 83 und Plato, Nomoi XI, Eutyphron 11 D (καὶ τοὺς θεοὺς ἂν ἔδεισας-καὶ τοὺς ἀνθρώπους ἠσχύνθης) und Lesbonax Protrept (ἀλλὰ γὰρ οὔτε θεοὺς οὔτε ἀνθρώπους αἰδοῦναι, οὐ γὰρ ἂν τάδε ἐποίουν); vgl. ferner Marc Aurel VI 30: αἰδοῦ θεοὺς σῶζε ἀνθρώπους.

Von Kornelius heißt es in Apg 10,22 ἀνὴρ δίκαιος καὶ φοβούμενος τὸν θεόν – eine Beurteilung, die an die des Johannes erinnert. Nach Apg 10,35 sagt Petrus in seiner Predigt: ὁ φοβούμενος αὐτὸν καὶ ἐργαζόμενος δικαιοσύνην δεκτὸς αὐτῷ ἐστιν. Da δεκτὸς ein kultischer Terminus ist, wird hier zugleich mit der Beschreibung des wahren Gottesdienstes eine bestimmte kultkritische und damit zugleich über das Judentum hinaus an alle sich wendende theologische Absicht deutlich. Wenn es keine weiteren Bedingungen gibt als diese moralischen, dann können alle Völker das Heil erlangen, dann gibt es keine Bindung an jüdische Ritualgesetze (cf Mk 12,33).
Röm 1,18 kennt auch Paulus diese Formel als Inbegriff der Sündhaftigkeit der Menschen: ἀποκαλύπτεται... ὀργή... ἐπὶ πᾶσαν ἀσέβειαν καὶ ἀδικίαν... In 1 Thess 2,10: ὁσίως καὶ δικαίως; und: 2,15b. In 1 Tim 6,11 stehen an der Spitze der Reihe der Tugenden: διώκε δὲ δικαιοσύνην, εὐσέβειαν. Ganz deutlich wird die Kombination wieder in Tit 2,12, wo es nach der Aufforderung, die Gottlosigkeit und die Begierden abzulegen, heißt: σωφρόνως καὶ δικαίως καὶ εὐσεβῶς ζῶμεν. Die Kombination mit σωφρον- begegnete uns bereits bei Philo u.a.
Im NT finden sich also bei Mk, Paulus und den dem Hellenismus am nächsten stehenden Schriften neben der Zusammenfassung in die Hauptgebote noch eine Reihe von Zeugnissen für deren Vorstufe. Übergangsstufen zwischen der griech. Formulierung und der Fassung in die beiden Hauptgebote finden sich auch in 1 Joh, so in 4,20f, einer Paränese über die notwendige Verbindung von Gottesliebe und Bruderliebe. In V. 21 wird es als ἐντολή bezeichnet, daß ὁ ἀγαπῶν τὸν θεὸν ἀγαπᾷ καὶ τὸν ἀδελφὸν αὐτοῦ (Vgl. dazu besonders SlavHen 52,1).

h) Frühchristliche Schriftsteller

Bei den Apologeten Justin, Aristides und Athenagoras, aber auch bei Clemens von Alexandrien finden wir eine Reihe von Beleg für das Fortleben der antiken Kombination „gerecht“ und „fromm“ als Summe aller Forderungen an den Menschen; von besonderer Wichtigkeit ist, daß diese Kombination auch zu den Hauptgeboten in Beziehung gebracht wird, so bei Justinus (Dial. c. Trypho, 93,2): „Daher scheint mir unser Herr und Heiland Jesus Christus recht zu haben, der gesagt hat, daß alle Forderungen der Gerechtigkeit und Frömmigkeit mit der Beobachtung zweier Gebote erfüllt werden (ἐν δυσὶν ἐντολαῖς πᾶσαν δικαιοσύνην καὶ εὐσέβειαν πληροῦσθαι)“ – es folgen die beiden Hauptgebote.

Eine ähnliche Unabhängigkeit gegenüber der Schrift zeigt sich auch in den Formulierungen folgender Texte:
In Apol 28,4 stehen sich gegenüber ἀσέβεια und ἀδικία, ebenso in 4,7 und 43,6; in Dial 115,6 sind ἀσέβημα und ἀδίκημα nebeneinandergesetzt, in Dial 4,7 (in Verbindung mit dem Hauptgebot: ὅτι ἔστι θεός) und 23,5 δικαιοσύνη und εὐσέβεια. In Dial 45,3 heißt es vom Gesetz des Moses: τὰ φύσει καλὰ καὶ εὐσεβῆ καὶ δίκαια νενομοθέτηται; in 35,5 sind daher parallel: ἀθέους καὶ ἀσεβεῖς καὶ ἀδίκους καὶ ἀνόμους.
In 44,2 steht die σκληροκαρδία der Juden ebenso wie in 45,3 der θεοσέβεια und δικαιοπραξία gegenüber; die gleiche Gegenüberstellung zur Hartherzigkeit findet sich in 46,7. Die gleiche Kombination findet sich in Dial 47,2. θεοσεβὲς καὶ δίκαιον; in Apol 27,1 ἀδικεῖν / ἀσεβεῖν (cf. Dial. 46,5); in Dial 52,4 θεοσεβεῖς καὶ δίκαιοι. Besonders aufschlußreich sind die Verbindungen mit φιλάνθρωπος in Dial 110,3 (εὐσέβειαν, δικαιοσύνην, φιλανθρωπίαν) und 136,2 (εὐσεβεῖς καὶ δίκαιοι καὶ φιλάνθρωποι). Gerechtigkeit und Menschenfreundlichkeit stehen auch nebeneinander in Dial 23,2 und Apol 10,1.
Bei Athenagoras, Supplicatio 1,3 begegnet die Kombination in folgender Form: εὐσεβέστατα διακειμένους καὶ δικαιότατα πρός τε τὸ θεῖον καὶ τὴν ὑμετέραν βασιλείαν.
Auf die Erfüllung der Gebote bezogen ist die Kombination wieder in der Apologie des Aristides (15,10): ὁσίως καὶ δικαίως ζῶντες. Clemens von Alexandrien macht von Gott die Aussage ὁ δίκαιος καὶ φιλάνθρωπος θεός (I, 108,11; I, 202,27). Nach II, 493,25 ist vom Menschen gefordert τὸ δίκαιον καὶ ὅσιον δρᾶν, nach II, 488,24 τὸ ὅσιον τὸ πρὸς τὸν θεὸν καὶ τὸ πρὸς τοὺς ἀνθρώπους δίκαιον. Ein besonderes Verhältnis zwischen φιλάνθρωπον und θεοσέβεια kennt Clemens in Protrept I, 3,2; Paed I, IX, (86,3); und in III, 57,24 zwischen ὅσιον und δίκαιον. In Protrept VI 72 definiert Clemens v. A. das ἀγαθός als: τεταγμένον, δίκαιον, ὅσιον, εὐσεβές.
Der antike Sprachgebrauch hat sich demnach bei einigen frühen Kirchenvätern gehalten, auch mit der Nähe von δικαιοσύνη zu φιλανθρωπία. Dieser Sprachgebrauch geht damit gewissermaßen zurück hinter den Schritt, der einmal zur Zusammenfassung des Gesetzes in die beiden Hauptgebote geführt hatte.
Eine späte, aber aufschlußreiche Formulierung findet sich bei Macarius Aeg Hom XXXVII X 1: ἡ φιλόθεος καὶ φιλάνθρωπος ἀγάπη ἡ τὴν αἰώνιον ζωὴν παρέχουσα. Im frühchristlichen Schrifttum ist die Kombination ferner belegt in: Mart Lugd I 9 (Gebote des Herrn und Dienst gegen den Nächsten);

Acta Apollonii 39 (p. 34); Theophilus ad Autol II 9,1 (p. 76); I 7,8; III 9; Mart Agape II (ἔχουσα τὴν περὶ θεοῦ ἀγάπην ἐξ ὅλης καρδίας καὶ τὸν πλησίον ὡς ἑαυτήν); Polykarp, 2 Phil 3,3 bringt bereits die Dreiheit: τῆς ἀγάπης τῆς εἰς θεὸν καὶ Χριστὸν καὶ εἰς τὸν πλησίον (cf. Justin, Dial 93; 1 Th 2,15b!).

C. Ergebnisse und Auswertung für die Frage nach der Kombination der beiden Hauptgebote bei den Synoptikern

Unsere Untersuchung war ausgegangen von der vielfach durch alle Jahrhunderte belegten griech. Kombination εὐσέβεια (ὁσιότης) καὶ δικαιοσύνη. Die Pflichten gegen Gott und im mitmenschlichen Miteinander werden so auf allgemeine Weise zusammengefaßt. Da diese Formel sehr häufig zur laudatio bedeutender Männer verwendet wird, kommt in ihr ein der καλοκαγαθία an die Seite zu stellendes Bildungsideal zum Ausdruck. Im hellenistischen Judentum wird diese Formel aufgenommen, und zwar unter Verstärkung der Tendenz, die δικαιοσύνη durch φιλανθρωπία wiederzugeben. Wenn nun εὐσέβεια und φιλανθρωπία als die Summe des Gesetzes erscheinen, ist mit dem zweiten Glied zugleich der den Juden gemachte Vorwurf der μισανθρωπία zurückgewiesen. Freilich wird die Kombination dieser beiden Begriffe im hellenistischen Judentum auf zwei verschiedene Gesetzesbegriffe angewandt: Bei Philo und im Aristeasbrief wird mit der allegorischen Methode versucht, die gesamte Tora unter dieses Prinzip zu bringen. Denn da beide Autoren als Gesetz die ganze Tora betrachten, messen sie, wenn sie die genannten Begriffe als Grundprinzipien des Gesetzes darstellen, der „Menschenliebe" ein Gewicht bei, das sie im AT nicht hat und geraten in eine nur durch hermeneutische Kunstgriffe zu beseitigende Spannung zu den rituellen und kultischen Teilen des Gesetzes. Daß diese beiden Begriffe die Summe des Gesetzes darstellen, ist jedenfalls aus der Schrift selbst nicht ersichtlich, sondern diese Behauptung ist von außen an die Schrift herangetragen. Dabei wurde auch der Inhalt der φιλανθρωπία wesentlich gerade vom hellenistischen Judentum mitgeprägt. Die Ursachen für diese „Ideologie der Menschenliebe" liegen jedenfalls an jener Grenzlinie der Berührung von Judentum und Hellenismus, welche dazu führte, daß – seltsamerweise – das Entscheidende am Gesetz in der Liebe zu Gott und zu allen Menschen gesehen wurde. Freilich gelangen Philo und der Aristeasbrief dazu nicht anders als durch gewaltsame Uminterpretation weitester Teile des Gesetzes.

Im Buch der Jubiläen und in den Test Patr dagegen kam diese

zusammenfassende Kombination mit einem Gesetzesbegriff in Berührung, der seiner inhaltlichen Eigenart nach in besonderem Maße Eignung für das Aufgehen in dieser „Summe“ bot. Da das Gesetz hier ohnehin nur das soziale Miteinander regelte (besonders in der Gattung der sozialen Reihe s.u.), lag es nahe, dessen Zusammenfassung in Begriffen wie δικαιοσύνη und φιλανθρωπία zu sehen. In den einleitenden und auslautenden Gliedern der sozialen Reihe begegnet sehr oft – noch aus atl Tradition stammend – die Formel „Recht und Gerechtigkeit üben“ (s.u.). In diesem Punkt hat sich also die innerjüdische Entwicklung zur sozialen Reihe getroffen mit der heidnischen Formel: Der Begriff „Gerechtigkeit“ bildete die Brücke.

In den Test Patr und im Buch der Jubiläen begegnet nun nicht mehr die griech. nominale Formulierung in zwei abstrakten Begriffen, sondern eine verbale Form dieser Kombination, zumeist mit „Gott fürchten“ und „den Bruder lieben“ in einem an die Sprache der LXX angenäherten Stil. – Hier ist ein Vorgang sichtbar, der in der Berührung des Judentums mit der hellenistischen Popularphilosophie von größter Tragweite gewesen ist: der Prozeß der wechselseitigen Umsetzung verbaler hebr. Formulierungen in nominale griech. Abstrakta. Für die synoptische Tradition ist hinzuweisen auf die verbale Dekalogwiedergabe in Mk 10,17-21 und die nominale in der Reihe in Mk 7,22par, zu welcher sich Parallelen bei Philo und in 1 Tim 1,9 finden. Auch für die Gattung der sozialen Reihe wird sich ergeben, daß überall dort auch die inhaltliche Nähe zum hellenistischen Lasterkatalog am größten ist, wo Substantive gereiht werden. Für die Bildung der Kombination „Gott fürchten“ und „den Bruder lieben“ liegt der umgekehrte Prozeß vor: die griech. Abstraktbildung wird ersetzt durch verbale Formulierungen in einer Sprache, die der der LXX angenähert ist. Als Bindeglieder zwischen der abstrakten und der verbalen Formulierung sind anzusehen die Stelle Josephus Bell 7,260 (s.o.), in welcher als Objekt der (Un)Gerechtigkeit der Nächste (πλησίον) erscheint, ferner das Nebeneinander von εὐσέβεια und den beiden Hauptgeboten in Test Iss 7,5.6 und das Nebeneinander der nominalen Kombination und der Formulierung in Hauptgebote auch in der synoptischen Tradition (und in anderen ntl Schriften). Zu betonen ist, daß die Herausstellung von Gottes- und Nächstenliebe als der Zusammenfassungen des Gesetzes nicht aus der Beschäftigung mit der Schrift erwuchs: Nirgendwo im Spätjudentum wird in diesen Zusammenhängen Dt 6,4f oder Lev 19,18 zitiert; die genannte Kombination

ist „von außen" hinzugekommen, durch die Vermittlung des hellenistischen Judentums aus dem Hellenismus.
Durch die Annäherung an die theologische Sprache griechisch sprechender Juden wird bereits in den Test Patr und in Jub die Formulierung in Gebote vorgenommen. Zur synoptischen Hauptgebotsverbindung ist es von hier aus nur ein kleiner Schritt. Jetzt werden erstmals für die von außen herangetragene Summe des Gesetzes zwei Schriftstellen als Belege gesucht.
Auf die besondere Eignung der Stelle Dt 6,4.5 für diesen Zweck hatten wir bereits hingewiesen.
Die Verbindung mit Lev 19,18 bringt nach schriftgelehrter Art einen Satz aus ganz anderen Kontext hinzu. Sie beruht offenbar auf der später auch rabbinischen Regel vom Analogieschluß, „kraft dessen, weil in zwei Gesetzesstellen Worte vorkommen, die gleich lauten oder gleich bedeuten, beide Gesetze, wie verschieden sie auch an sich sind, gleichen Bestimmungen und Anwendungen unterliegen"[1]. Ein gleicher Ausdruck berechtigt dazu, zwei Gebote zur gegenseitigen Interpretation nebeneinanderzusetzen. Das gemeinsame Stichwort heißt hier: ἀγαπήσεις.
Für den MT hatten wir festgestellt, daß in den nicht-kasuistischen „Geboten" אהב auf den Menschen bezogen im ganzen AT nur an dieser Stelle (und an deren Erweiterungen in Lev 19,34 und Dt 10,19) geboten wird. Eine andere Stelle zur allgemeinen Bezeichnung dessen, was hellenistische Juden φιλανθρωπία nannten, dürfte wohl in den sog. Gesetzeskorpora nicht zu finden sein.
Hier ist die Frage nach der Bedeutung dieser Kombination[2] für das frühe Christentum zu stellen.

[1] H. L. Strack, Einleitung in Talmud und Midrasch, München [3]1921, 97. Diese Regel heißt גְּזֵרָה שָׁוָה = „gleiche Verordnung". Sie ist die zweite der sieben Middoth Hillels und die 17. der 32 Middoth des R. Eliezer. Beispiel (Pes 66a): „Hillel sagte: Der Ausdruck seine Zeit, kommt beim Pesahopfer vor (Nu 9,2) und beim Tamidopfer (Nu 28,2). Daraus ist zu folgern, daß, wie das Tamidopfer den Sabbat verdrängt, so auch das Pesahopfer den Sabbat verdrängt".

[2] Der Versuch K. Baltzers, die Zusammenstellung der beiden Hauptgebote in Didache und Barnabasbrief – unter Umgehung des ntl Materials – aus dem altorientalischen Bundesformular abzuleiten, ist wohl verfehlt. K. Baltzer, Das Bundesformular (Wiss. Monogr. z. A. u. NT; 4), Neukirchen 1960, 153 geht aus von den Doppelgeboten in den Test Patr. Die Verben im auf Gott gerichteten ersten Satz entsprächen der Grundsatzerklärung, in dem Gebot gegenüber dem Nächsten seien die Einzelbestimmungen, die angeben, worin dieser Dienst an Jahwe besteht, zusammengefaßt (vgl. Baltzers Ausführungen ab S. 133 bis 157).

Der Begriff „Gesetz" findet sich bezeichnenderweise erst in der mt Formulierung der Fragestellung (Mt 22,36). In der mk Grundschicht versucht die hellenistisch-judenchristliche Gemeinde, ihr Verhältnis zu den „Geboten" auf eine gültige und einfache Grundlage zu stellen[1], der Rückgriff auf das AT ist aber bereits gegeben (anders als in den meisten zeitgenössischen jüdischen Texten): die Frage nach den Geboten betrifft den dort zu findenden Willen Gottes. Die Zusammenfassung des Gesetzes in diese beiden wichtigsten Gebote ist nicht der einzige Versuch dieser Art in der frühen hellenistischen Gemeinde: auch eine Reihe von Dekaloggeboten hat man als Norm für die Beurteilung des Gesetzes angenommen. Aber auch dieser Versuch ist geistiger Besitz des hellenistischen Spätjudentums.

Im philonischen Sprachgebrauch konnte nachgewiesen werden, daß hier 1. εὐσέβεια und φιλανθρωπία und 2. Dekaloggebote als κεφάλαια νόμου bezeichnet werden, wobei die Dekaloggebote dann durch eine besondere Inspirationstheorie von allen anderen Geboten abgesetzt werden.

Bezeichnend dafür ist, daß Mt in der Übernahme der Dekaloggebote aus Mk 10,19 in Mt 19,18f diesen das Liebesgebot anfügt; noch wichtiger ist die Feststellung, daß Lk die Perikope mit den Hauptgeboten (Lk 10,25-28) harmonisiert mit Lk 18,18-24. Aber bereits anhand des Mk-Ev ergibt sich: Die einzigen Gebote, die von Jesus nach Mk ausdrücklich als verbindlich betrachtet werden, sind bestimmte Dekaloggebote (Mk 7,10; 10,11f.19) und die beiden Hauptgebote. Der Ausdruck ἐντολή wird (bis auf Mk 10,5 – aus anderer Tradition –) nur für diese Gebote verwendet. Daß die Antwort der hellenistischen Gemeinde auf die Frage nach dem Wichtigsten in den Geboten zunächst übereinstimmt mit der des hellenistischen Judentums, läßt erkennen, wieweit diese Gemeinde noch auf dem Boden des hellenistischen Judentums argumentiert und wie weit man sich zu einer Klärung der Herkunft ihrer Vorstellungen um eine Erhellung dieser Art des Judentums bemühen muß. Die beiden parallelen Versuche der hellenistischen Gemeinde,

[1] Vgl. J. Weiss, in: Bousset-Heitmüller, Die drei älteren Evangelien (Die Schriften des NT; 4), Göttingen 1929, 187: „Als Markus diese Erzählung niederschrieb, diente sie ihm zugleich dazu, eine wichtige Frage zu beantworten: Inwieweit ist in den Geboten des AT's der Wille Gottes auch noch für die Gemeinde enthalten? Hier ist gewissermaßen eine Richtschnur für die Benutzung des AT's gegeben".

in bestimmten Dekaloggeboten und in den beiden Hauptgeboten das Bleibende und Wichtige am AT herauszustellen sind also bereits in dieser Parallelität vom hellenistischen Judentum unternommen worden. Das frühe Christentum hat sie angenommen, sobald es aus dem „palästinensischen" Bereich heraustrat.
Falls man aber dennoch die Zusammenfassung in die beiden Hauptgebote Jesus selbst zuschreibt, ist zu beachten, daß רע den israelitischen Volksgenossen bezeichnet (vgl. Hebr Ev bei Orig in Mt: fratres tui filii Abrahae bei der Zitierung von Lev 19,18) und in der hebr. Deutung nie die Weite von πλησίον besessen hat und besitzen konnte.
Während in einem Teil des Spätjudentums die Zusammenfassung in Gottesverehrung und Menschenliebe aus apologetischen Rücksichten erfolgte, was bei dem vorliegenden Torabegriff die allegorische Uminterpretation der Ritual-, Speise- und Reinheitsgesetze zur Folge hatte, fehlen in den ntl Traditionen derartige allegorische Umdeutungen völlig. Wenn man also die beiden Hauptgebote hier als Summe des Gesetzes ansieht, dann ist unter Gesetz hier offenbar inhaltlich das verstanden, was wir oben schon als für bestimmte Bereiche des Judentums dieser Zeit typisch herausstellten. Der rituelle Bereich der Tora spielt bei diesem Gesetzesbegriff keine Rolle. Daher kann man eine Zusammenfassung in die beiden Hauptgebote oder in Dekaloggebote unbefangen vornehmen. Mk 12,33 spiegelt freilich den nächsten Schritt, der bei einem stärkeren Heraustreten der Christengemeinde aus dem streng pal. Judentum notwendig getan werden mußte. Freilich entsteht der Eindruck, als sei es in erster Linie ein innerjüdischer Vorgang, der zwischen diesen beiden Stufen liegt und die zweite (als christliche Reaktion) notwendig machte: In diesen Jahrzehnten des 1. Jahrhunderts schränkt das Judentum einen Gesetzesbegriff, der in unserer Tradition nur soziale Forderungen verschiedener Herkunft zum Inhalt hatte, in zunehmendem Maße ein auf die kanonische Tora des Moses, jedenfalls in dem Bereich, in den die mk Traditionen geraten: immer mehr wird nun für die Gesamtheit jüdischer Traditionen der Pentateuch mit dem Gesetz identisch. Dann aber werden in einer Zusammenfassung in die Liebe zum einen und einzigen Gott und zum Nächsten zu viele Teile des „Gesetzes" außer Acht gelassen, als daß es auf die Dauer ohne übergroße exegetische Anstrengungen zu einer Koexistenz der beiden Hauptgebote mit der ganzen Tora hätte kommen können. Diese Bewegung zur Erweiterung des Gesetzes auf die ganze Tora konnte das Christentum nicht mitvollziehen. Die

Ursache ist nicht nur die Festlegung auf einen bestimmten Gesetzesbegriff, sondern vor allem die mangelnde Bedeutung, die Kult und Reinheit auch schon in Kreisen dieser hellenistischen Juden gehabt hatten. Wo schon „Tora" rezipiert wurde, war die Abschaffung der Ritual- und Reinheitsgesetze nur verhindert durch die Anwendung der allegorischen Methode, die mit der innewohnenden Inkonsequenz zur Erhaltung des Bestehenden beitrug. Die Gemeinde dagegen, welche die Kombination der beiden Hauptgebote aus dem Judentum übernahm, orientierte sich an diaspora-jüdischen Traditionen, die das Verhältnis zu Gott primär in der Erfüllung von Moralgeboten bestimmt sahen und damit nicht nur die nationalen und rituellen Besonderheiten für zumindest nebensächlich erklärten, sondern auch nunmehr zum Heidentum in ein moralisches Konkurrenzverhältnis eintraten: Der Proselyt ist der „bessere" Mensch, da er auf dem Weg der Gerechtigkeit wandelt. Nicht zuletzt deshalb stellt Josephus die (weithin moralisch aufgefaßten) Gesetze der Juden als die ältesten und zugleich strengsten der Welt dar. Auch deshalb werden die Lasterkataloge so bereitwillig aus dem umgebenden Heidentum übernommen, da sie eben das Tun der Heiden selber kennzeichnen. Darüberhinaus aber wird gerade bei der Verwendung der Kombination der Hauptgebote und in der Betonung des rein Moralischen eine Tradition zur Geltung gebracht, die im Judentum selber der Weisheitsliteratur zugehört, die auch in Sir bis auf die Nationalisierung der Weisheit selber eben noch weitgehend universalen Charakter besitzt. – Daß etwa in Sap Sal 6,18 das Halten der Gebote (νόμοι) der Weisheit pauschal als ἀγάπη bezeichnet werden konnte, wurde bereits hervorgehoben: Nicht die Gebote des Moses, wohl aber die der Weisheit – ganz und gar unabhängig von der Tora des Moses alles traditionelle Gut moralischer Ermahnungen – können mühelos so zusammengefaßt werden! Es ist nicht von ungefähr, daß gerade in der joh Tradition des NT, die stark von weisheitlicher Tradition beeinflußt ist (u.a. vgl. Prolog), als das Gebot Jesu eben lediglich die Liebe erscheint: Hier spielt eine weisheitliche Tradition von „Geboten" und von „Liebe" eine entscheidende Rolle.

Am Anfang aber hat die hellenistische Gemeinde in den Mk zugrundeliegenden Traditionen einen Gesetzesbegriff, der mit dem des hellenistischen Judentums identisch ist, was sich vor allem in den beiden Hauptgeboten und in den sozialen Dekaloggeboten äußert. Das Judentum hat sich im Laufe des ersten Jahrhunderts von diesem eigenen Besitz gelöst und ihn den Christen überlassen (ein späteres Symptom dafür ist die Abschaffung des Dekalogs aus dem Schĕma nach Berak 12a; j Berak 1,39; Tamid 5,1 vgl. Str.-Bill. IV, 191). Die kultkritische Äußerung in Mk 12,33 und die bei Mt verstärkte Auseinandersetzung mit dem Judentum in dieser Richtung sind nur als Reaktion auf die rabbinisch-jüdische antihellenistische Konzeption der ganzen Tora als Gesetz zu verstehen, die zwar immer ihre Vertreter gefunden hatte, aber zu Ende des 1. Jh. im Judentum die Alleinherrschaft gewann. Die durch den jüdischen Hellenismus geschaffene Weltoffenheit des Diasporajudentums wird offenbar bereits im Laufe des 1. Jh. weitgehend zurückgenommen. Nicht Philo und andere „liberale" hellenistische Juden haben in dem hier beginnenden Prozeß sich durchgesetzt, sondern die „orthodoxen" Rabbinen.

Zunächst wird in Mk die Frage nach dem wichtigsten Gebot aus der Schrift beantwortet. Dies setzt die Überzeugung voraus, daß der Wille Gottes noch in irgendeiner Weise und in bestimmten Teilen der Schrift Ausdruck gefunden hat. – Angesichts des AT aber würde man, wie schon betont, am allerwenigsten auf den Schluß kommen, daß ausgerechnet die Gottesliebe und die Nächstenliebe das Wichtigste seien. Für das von außen herangetragene Doppelprinzip wurde hier eine Entsprechung im Gesetz gefunden – in Dt 6,4.5 und in Lev 19,18. Spätere Zeugnisse dafür, daß man den Schritt, der zur Zusammenstellung beider Schriftstellen geführt hatte, ohne Mühe auch wieder nach rückwärts tun konnte, sind die angeführten Stellen aus Lukas, den Apologeten und Clemens v. A. (bes. Justinus Dial c Tryph 93,2). Die beiden Hauptgebote stehen hier neben der griech. Kombination von εὐσέβεια und δικαιοσύνη, welche einst die Ursache für die Zusammenstellung dieser beiden Schriftstellen gewesen ist.

Zu betonen ist die Überordnung des Gebotes der Gottesliebe über das der Nächstenliebe in Mk 12,29-31. Die Unterscheidung πρῶτος - δεύτερος setzt eine gewisse Hierarchie voraus. Auch das hellenistische Judentum hat stets betont, daß εὐσέβεια und nicht eine andere die oberste aller Tugenden sei. Demgegenüber ist es um so merkwürdiger, daß in den bei Mt Lk erhaltenen Traditionen die Gebote bewußt auf eine Ebene gestellt sind, und daß das übrige Neue Testament wenig Interesse daran zeigt, beide Hauptgebote zu verbinden, vielmehr ist dort nur von Nächstenliebe die Rede, wie auch sonst in den Evangelien. Von der Auslassung des Satzes Dt 6,4 durch die Seitenreferenten an ist wohl in steigendem Maße die Betonung der Gottesliebe zurückgetreten hinter der Hervorhebung der Nächstenliebe, die dann bald in Bruderliebe umgedeutet wurde. Bei Mt liegt die Ursache dafür in einem stärkeren Weiterleben spätjüdischer Tendenzen, für die ja „Liebe" oder „Gerechtigkeit" im Rahmen der sozialen Reihe allein Zusammenfassung des Gesetzes sein konnten, ohne Erwähnung des 1. Hauptgebotes; die Kombination mit dem Gebot, Gott zu fürchten oder zu lieben ist erst durch die griech. Formel hervorgerufen.

In späteren christlichen Texten wird die Kombination der beiden Hauptgebote nur äußerst selten genannt, weitaus häufiger ist die zugrundeliegende griech. Kombination (s.o.). Die Formulierung im Gebotsstil (aber keine direkte Zitierung von Dt 6,4f; Lev 19,18!) findet sich in Did I 2. Die beiden Gebote werden durch πρῶτον - δεύτερον voneinander abgesetzt; das Gebot Gott zu lieben (ἀγαπήσεις) wird durch „den, der dich geschaffen hat" in der Tatsache der Schöpfung begründet; für das Gebot der Nächstenliebe wird wie bei Lk das Verb nicht wiederholt; es wird ergänzt und verdeutlicht durch eine negative Fassung der Goldenen Regel. Beide Gebote werden als Weg des Lebens beschrieben und sind zu Anfang von paränetischen Stoffen angeführt, die den Antithesen der Bergpredigt in anderer Formulierung ebenfalls zugrundelagen. Die Doppelheit von Hauptgebot und Gebotsbefolgung mit einer dann folgenden Entfaltung des letzten Gliedes findet sich in Barn 19,2/3-12: V. 2 beginnt mit ἀγαπήσεις τὸν ποιήσαντά σε, umschreibt das Hauptgebot mit mehreren Wendungen und endet οὐ μὴ ἐγκαταλίπῃς ἐντολὰς κυρίου. Das aber ist das Stichwort für eine Reihe von Mahnungen sozialer Art. Eine Anspielung an die beiden Hauptgebote findet sich in den Thomasakten (K. 128 (H-S II,358): „...wenn die Menschen Gott so liebten wie einander, würden sie alles, worum sie bäten, von ihm empfangen..."). Eine freie Wiedergabe der Gebotekombination findet sich in Sib VIII,480f: καὶ πάντων ἀγαπᾶν τὸν πλησίον ὥσπερ ἑαυτόν, καὶ θεὸν ἐκ ψυχῆς φιλεεῖν, αὐτῷ δὲ λατρεύειν. Zu beachten ist die Voranstellung der Nächstenliebe, die Gräzisierung zu ἐκ ψυχῆς, die Verwendung eines verschiedenen Verbs für die Gottesliebe, die Anspielung an älteste Dt-Tradition durch λατρεύειν.

Die theologiegeschichtliche Bedeutung der Übernahme der griechischen Doppelbildung εὐσέβεια καὶ δικαιοσύνη durch das griech. Judentum und das frühe Christentum besteht in folgenden Punkten: 1. Das Hauptgebot wird als Einzelgebot betrachtet; 2. in einer kurzen Formel wird etwas als Summe des Gesetzes d.h. des Willens Gottes angeboten, das so im AT keinen Rückhalt hat: Es ist unabhängig davon gewonnen und wird von außen herangetragen. Sofern es nun zu einer Auseinandersetzung mit jüdischen Kreisen kommt, die die mosaische Tora als den für alle verbindlichen Willen Gottes betrachten, hat das Prinzip der beiden Hauptgebote torakritische Funktion. Es ist aber zu beachten, daß dieses Prinzip dem hellenistischen Judentum bekannt war und daß in der griech.-jüd. Apokalyptik unter Gesetz ebensowenig der Kanon der Tora verstanden wurde wie hier – kurz, daß die beiden Hauptgebote erst in der Auseinandersetzung mit Gruppen späterer Orthodoxie kritisch verstanden wurden. Das ist bereits im sekundären Mk-Anhang der Fall (V.32-34), ebenso bei Mt, der durch die Einfügung von πειράζοντες usw. aus dem mk Lehrgespräch ein Streitgespräch macht. Da das frühe Christentum sich faktisch – aus anderen Gründen – im Gegensatz zum palästinensischen Judentum befand, wurde die (überkommene) jüd.-hellenistische Position gegenüber der ebenso „jüdischen" anderen nunmehr als christlich bezeichnet und Jesus in den Mund gelegt. 3. Die Auseinandersetzung zwischen einem Judentum, das sich auf die Tora beschränkt und einem, das aus anderen, erst spätjüdischen Traditionen lebt, deckt sich zum Teil mit der Auseinandersetzung zwischen Juden und Judenchristen im NT. Das wird an der Überlieferungsgeschichte von Mk 12,28ff deutlich. Der im NT zunehmende Schriftbeweis ist ein Sich-Einlassen auf die Position des Gegners mit z.T. untauglichen Mitteln: Spätjüdische Vorstellungen müssen zwangsweise durch Schriftstellen gedeckt werden, die nur sehr selten das Gewünschte hergeben. Aus einer ähnlichen Frontstellung gegenüber dem Judentum ist auch der Schriftbeweis der Sekte von Qumran z.T. zu erklären. 4. Die Betonung des Gebotes der Nächstenliebe entspricht auch deshalb der hellenistischen Richtung des frühen Christentums, weil nach der von Ez ausgehenden Tradition der „Neue Bund" in der Tat mit einem „einfachen" Gesetz in den Herzen zusammenhängt. Die Goldene Regel etwa bot sich für ein solches Gesetz besonders an (vgl. dazu Bd II).

§ 4 Die Schriftauslegung in Mk 12,28-34

A. Die Gestalt des Textes Dt 6,4.5 in der synoptischen Überlieferung

Die zahlreichen Varianten des Textes Dt 6,4.5 innerhalb der synoptischen Tradition und auch der HSS zeugen davon, daß hier jeweils das Hauptgebot nach der Form der katechetischen Praxis zitiert wurde, unabhängig vom Wortlaut der LXX. Alle Varianten bewegen sich aber innerhalb des durch die LXX sprachlich vorgezeichneten Rahmens.

1. Mk 12,29b-30

Gegenüber Dt 6,4.5 LXX ist verändert: (LXX hat die Folge: διάνοια-ψυχή-δύναμις)
a) Statt des ersten Wortes διάνοια hat Mk mit LXX A gemeinsam καρδία. Dafür ist aber διάνοια noch einmal hinter ψυχή eingeschoben, so daß das hebräische לב in der Mk-Fassung doppelt wiedergegeben ist.
b) Statt δύναμις der LXX hat Mk ἰσχύς.
Unsere Untersuchungen ergaben bereits für die LXX verschiedene sprachliche Möglichkeiten der Formulierung für die Hauptgebotsformel, ebenso für deren Verwendung außerhalb des Hauptgebotes. Zu einer weiteren Klärung des synoptischen Variantenreichtums ist auf die Verwendung dieser Begriffe im jüdisch-hellenistischen Griechisch einzugehen.
δύναμις (In D, Θ, al. in Mk V. 33; cf. Cl. v. A., Heres 27) ist eine menschliche „Seelenkraft" als ein besonderes Vermögen der Seele (Philo, Leg All II 23; Sacr Ab Caini 102; Post Caini 36; Immut 34; vgl. besonders Post Caini 120: θεοῦ τιμή, ἡ πρώτη καὶ ἀρίστη ψυχῆς ἐστι δύναμις).
In den Test Patr ist δύναμις die Kraft des emotionalen Elementes (Test Dan 3,4; 4,1; 3,2). – In Sir begegnet sowohl δύναμις (29,20a) als auch ἰσχύς (14,13). Im Ganzen aber wird δύναμις nicht nur häufiger als ἰσχύς gebraucht, sondern auch in den mehr philosophischen Texten und in solchen mit besserem Griechisch (vgl. Ditt. Syll. 90). ἰσχύς bezeichnet bei Philo, wenn es mit διάνοια und ψυχή zusammen genannt wird, nicht eine einzelne Fähigkeit der Seele, sondern die innere, bereits „vorhandene" und nur „einzusetzende" Kraft der ψυχή oder der διάνοια im Ganzen (vgl. De Abr 201; De Conf Ling 19; Leg All III 136), und zwar dies im Gegensatz zu dem sonst für δύναμις vorherrschenden Gebrauch (vgl. auch Test Nepht 2,6; Zab 10,5).
ψυχή ist der philonische Sammelbegriff für das Innere des Menschen und hat deshalb mehrere Teile, zumeist zwei, nämlich das λογικόν und das ἐπιθυμητικόν (Spec Leg IV 92; I 333). – In Spec Leg I 300 liegt eine Abwandlung des Hauptgebotes vor, in welcher nur die Intensivierungsformel ἐκ ψυχῆς begegnet.
καρδία ist für Philo nur das körperliche Organ Herz. Zur Bezeichnung des

menschlichen Geistes ist es Philo ungeläufig. In den Schriftstellen wird es zwar angeführt, an den Stellen aber, wo die Zitate anschließend kommentiert werden, wird καρδία regelmäßig durch διάνοια oder βουλή erklärt. καρδία im Schrifttext wird nur als unklare Beschreibung für die eigentlich damit gemeinte διάνοια betrachtet (Praem Poen 80; 85; Mut Nom 237; Somn II, 180; Virt 183; Fug Inv 123). An Stellen, die mehr Schriftanspielungen sind, wird gar nicht erst καρδία gesetzt, sondern gleich λογισμός o.ä. in den Text eingefügt (Conf Ling 25; Spec Leg I, 300; Virt 24; Exsecr 150,vgl. die Erklärung Philos zu Ex 25,2 in Q in Ex ed. R. Marcus, p. 252,50a: τὴν καρδίαν ἀντὶ τοῦ ἡγεμονικοῦ παρείληφεν ἡ γραφή). Auch den Begriff σκληροκαρδία muß Philo seinen Hörern übersetzen (Spec Leg I, 305). So bleibt καρδία bei Philo im übertragenen Sinn nur erhalten in den Zitaten (wo es nachträglich interpretiert wird) und noch in zwei Anspielungen an LXX-Texte (Spec Leg I, 304; IV, 137). – Sonst ist καρδία neben ἐγκέφαλον oder neben μῆνιγξ gesetzt und als Organ verstanden (Det Pot Ins 90; Post Caini 138; Spec Leg I, 215; Leg All I, 68; Somn I, 32). Im Aristeasbrief tritt καρδία ganz zurück, διάνοια ist dagegen ein für den Verfasser ausgesprochen typischer Ausdruck.
In dem medizinischen Onomastikon in Test Nepht 2,8 werden die einzelnen Körperteile allegorisch interpretiert. καρδία wird auch hier als Organ verstanden, φρόνησις aber, das später ja teilweise mit σύνεσις synonym ist, ist das durch καρδία im Äußeren und bildlich Bezeichnete. Zur Klärung der mk Formel ist ferner zu beachten, daß לב in der LXX immer nur entweder durch διάνοια oder durch καρδία, nicht aber durch beide, in der Mehrzahl der Fälle aber durch letzteres übersetzt ist. Die Doppelung der griech. Ausdrücke für לב bei Mk setzt demnach voraus, daß dem Verfasser der hebr Text nicht vorlag, dieser also in hellenistischem Bereich entstanden ist. – In der LXX und im Spätjudentum überwiegt der Gebrauch der Formel: ἐξ ὅλης τῆς καρδίας (σου) καὶ ἐξ ὅλης τῆς ψυχῆς (σου). Dieser allgemeine Sprachgebrauch spiegelt sich in den beiden ersten Gliedern des Mk-Textes.
καρδία durch Hinweis auf Dt 6,5 LXX A zu erklären, bringt vor allem die Schwierigkeit, daß διάνοια im dritten Glied in seiner Herkunft unverständlich bleibt, ebenso müßte man fragen, warum der Verfasser sich auch im 4. Glied nicht an diese LXX-Stelle gehalten habe.
Die Einfügung von διάνοια wird aber, wenn wir auf der von uns eingeschlagenen Linie weitergehen, folgendes voraussetzen:
1. διάνοια wird von καρδία unterschieden, sei es, daß es als eine nähere Erklärung aufgefaßt ist für das, was καρδία bedeutet, sei es, daß es real unterschieden wird.
2. Möglicherweise ist dem Verfasser dieses Textes nicht unbekannt geblieben, daß LXX in Dt 6,5 (diese Stelle kommt ja wegen des vorausgehenden Dt 6,4 besonders in Betracht) διάνοια hat.
3. In der Intensivierungsformel zum Hauptgebot finden sich in der LXX zu διάνοια und ἰσχύς nur folgende Parallelen:
Jos 22,5: ἐξ ὅλης τῆς διανοίας... ψυχῆς
2 Kg 23,25: ἐν ὅλῃ τῇ καρδίᾳ... ψυχῇ... ἰσχύι
Bei der Seltenheit dieser Abweichungen ist es von vornherein unwahrscheinlich, daß der Mk-Text in Anlehnung an gerade diese beiden Stellen zustandegekommen sein sollte.
4. διάνοια und ἰσχύς sind aber durchaus nicht etwa „formelfremde" Elemente.

Vielmehr wiesen unsere Beobachtungen zur LXX in die Richtung, daß die einzelnen verwendeten Substantive z.T. (auch in außerhalb der Formel liegenden Texten) durcheinander ersetzbar sind. Dadurch ergibt sich bereits innerhalb der LXX eine gewisse sprachliche Variationsbreite.
5. Die zahlreichen synoptischen Varianten sind wohl nicht denkbar ohne diese bereits innerhalb der LXX vorhandene Vielfalt und weitgehende Synonymität der psychologischen Termini. Diese Überschneidung der einzelnen Begriffe ist von großer Bedeutung für die Abwandlungen von Dt 6,5 innerhalb der synoptischen Tradition. Auch an dieser Stelle wird deutlich, wie wichtig der LXX-Sprachgebrauch für das Verständnis hellenistisch-jüdischer Produkte ist.
Wir hatten bereits festgestellt, daß eine zunehmende Abneigung gegen die übertragene Verwendung von καρδία bestand, statt dessen vielmehr διάνοια gesetzt wurde (vgl. auch Ant 7,269). Nur so wird das Vorkommen von διάνοια neben καρδία im Mk-Text (und wohl auch in LXX B) zu erklären sein: Es ist ein Zeichen für die Schriftgebundenheit der Tradition des Mk-Textes, daß sie καρδία und ψυχή im ersten Glied hat, denn das ist typisches LXX-Griechisch; es ist aber ein Zeichen für deren Darinstehen in der lebendigen und über die LXX hinausgehenden Sprache, daß διάνοια und auch ἰσχύς angefügt sind. Ebenso ist die Ergänzung von ἰσχύς nicht allein durch 2 Kge 23, 25 zu erklären, sondern aus dem Gebrauch bei Philo und in den Test Patr (vgl. auch Tob 11,6; 14,7), der eine zunehmende Verwendung dieses Wortes als eines psychologischen Terminus anzeigt. Während δύναμις eher ein Einzelvermögen bezeichnet, ist ἰσχύς wie ῥώμη eher die Gesamtkraft der Seele und daher für die Formel in dieser Zeit besser geeignet als ersteres (vgl. Abr 201; Conf Ling 19). Daß ἰσχύς ursprünglich schon neben καρδία - ψυχή gestanden hätte und διάνοια nur dazwischen eingeschoben wäre, ist unwahrscheinlich; denn es wäre zu erklären, warum διάνοια gerade an dieser „unglücklichen" Stelle eingefügt ist und nicht gleich hinter καρδία oder am Schluß der Formel! Der Lukastext zeigt ein solches Bild, und sein Text wird zurückzuführen sein auf eine Beschäftigung mit Mk und der LXX zugleich. Gerade dieses spätere Vorgehen aber läßt für den Mk-Text die oben erwähnte Hypothese als unwahrscheinlich erscheinen.

Unser Ergebnis ist also, daß die zweigliedrige Formel am Anfang steht (mit καρδία und ψυχή); diese ist erweitert worden durch das καρδία interpretierende διάνοια und durch das in Anlehnung an die Dreigliedrigkeit der Formel im AT entstandene ἰσχύς. Die beiden ersten Glieder sind Wiedergabe der allgemein üblichen Hauptgebotsformel, die beiden letzten Glieder deren „gelehrte" Erweiterung.

2. Mk 12,33

Gegenüber der LXX ist der Text noch weit mehr verändert als in Vers 30. – Der dort wie in der LXX im futurischen „Gesetzesstil" gehaltene Satz ist

hier durch die Substantivierung des Infinitivs ἀγαπᾶν[1] zu einem Teil des Subjekts gemacht, wie ebenfalls der unmittelbar angefügte Satz Lev 19,18. Das κύριον τὸν θεόν σου ist durch αὐτόν ersetzt. – In der Formel ist zwar gegenüber der LXX die Dreizahl der Begriffe wiederhergestellt, aber alle drei Termini begegnen in der LXX nicht in Dt 6,5, so daß von dieser Stelle her keine Abhängigkeit vorliegt. Sicher ist dagegen Vers 33 abhängig von Vers 30:
V. 30: καρδία - ψυχή - διάνοια - ἰσχύς
V. 33: καρδία - σύνεσις - ἰσχύς
Die Textgestalt von Vers 33 erweckt den Eindruck, als sei σύνεσις eine zusammenfassende verkürzende Wiedergabe für ψυχή und διάνοια. Diese Vermutung ist zunächst rein sprachlich zu verifizieren, sodann ist aber vor allem zu fragen, warum hier eine solche Ersetzung vorgenommen wurde. Für die LXX war bereits festgestellt worden, daß σύνεσις dort eine jeweils „hinzukommende" (oder fehlende) besondere Gabe ist, die sehr oft zu σοφία parallel steht und nicht „Vermögen", „Fähigkeit" o.Ä. bedeutet. σύνεσις begegnet wohl deshalb auch in keiner der Varianten unserer Formel innerhalb der LXX. Eine Bedeutung im Sinne einer Anlage und Fähigkeit liegt aber vor im alexandrinischen Sprachgebrauch Philos, wo σύνεσις ausdrücklich als δύναμις bezeichnet und neben κατάληψις und φρόνησις gestellt ist als die Fähigkeit zum Verstehen (Congr 98; Sobr 3). σύνεσις ist so nicht nur die Gabe der Einsicht, sondern das Verstehenkönnen des Menschen, seine „Vernunft". Zur Stellung neben φρόνησις vgl. Test Napht 2,8. Diese weitere Bedeutung von σύνεσις findet sich aber wohl bereits in Sir 1,4.19.
Gegenüber der LXX kann σύνεσις im späteren hell. Judentum auch eine Bedeutung annehmen, in der dieses Wort eingereiht werden kann unter die sonst in der LXX als psychologische Termini genannten Wörter. Das war aber nur in dieser späteren Verwendung des Wortes möglich. Der Prozeß der Entfremdung gegenüber der Sprache der LXX, der bereits in den kommentierenden beiden letzten Gliedern in Vers 30 festgestellt wurde, ist hier fortgesetzt.
Wenn hier aber ψυχή und διάνοια zusammengefaßt wiedergegeben werden durch σύνεσις (Verstehen), dann ist der Verfasser
a) schon so weit vom LXX-Text entfernt, daß er die geläufige Formel καρδία - ψυχή nicht mehr bringt.
b) hat er den ursprünglichen Aufbau und Sinn von Vers 30 nicht mehr verstanden, daß nämlich διάνοια und ἰσχύς bereits Kommentierung sind: Er

[1] Die Untersuchung von P. Aalto, Studien zur Geschichte des Infinitivs im Griechischen, Helsinki 1953, läßt an dem gesammelten Material erkennen, daß ein mit τό substantivierter Infinitiv in der LXX höchst selten ist und meist dort häufig begegnet, wo es sich um original griechische Werke handelt. Sehr früh tritt allerdings das Verb ζῆν in substantivischer Funktion auf (S. 72). – Im Pentateuch fehlt einfaches τό; in Ri A begegnet ein mit τό substantivierter Infinitiv nur 1 ×; in Ruth 1 ×; II Esdras 1 ×; Esther 1 ×; Judith 1 ×; Tobith BAS 1 ×; 1 Mkk 1 ×; 2 Mkk 9 ×; 2 Mkk 2 ×; 4 Mkk 4 ×; Psalmen 3 ×; Eccl 3 ×; Hiob 3 ×; Sap Sal 6 ×; Sir 1 ×; – im NT: Mt 2 ×; Mk 3 ×; Apg 1 ×; Paulus und Deuteropaulinen 5 ×.

faßt das zweite Glied der ursprünglichen Formel mit dem ersten Glied des Kommentars zusammen. Der Grund für diese von der vorangehenden so verschiedene Wiedergabe des Hauptgebotes ist offenbar eine midraschartige Tendenz zur Verkürzung des Textes. Diese Verkürzung zeigt sich bereits in V. 32b, wo statt des κύριος ὁ θεὸς ἡμῶν κύριος εἷς ἐστιν einfach gesetzt ist: εἷς ἐστι, und in V. 33, wo κύριον τὸν θεόν σου wiedergegeben ist durch αὐτόν. Unter dem Gesetz einer bestimmten Stilgattung, die Verkürzung von Schriftzitaten erfordert (s.u.), ist offenbar auch σύνεσις als Verkürzung aus ψυχή und διάνοια entstanden.

3. Mt 22,37

Gegenüber Mk und LXX sind folgende Abweichungen festzustellen:
a) Mk Vers 29b hat keine Entsprechung.
b) Statt des ἐξ in Dt 6,5 und Mk ist ἐν gesetzt.
c) Gegenüber dem bei Mk primären Text in Vers 30 sind nur die ersten drei der auch bei Mk genauso vorkommenden Begriffe gesetzt: καρδία - ψυχή - διάνοια. Diese Reihenfolge weist hin auf Abhängigkeit von Mk. Das markinische ἰσχύς fehlt.
d) Damit ist zwar die Dreizahl der Begriffe von Dt 6,5 wiederhergestellt, mit ihrem Wortlaut stimmt aber nur das ψυχή an zweiter Stelle überein. Als weitere trennende Differenz hat das unter b) Bemerkte zu gelten. Ein Rückgriff auf Dt 6,5 bei der Übernahme dieses Zitates scheint also ausgeschlossen zu sein.
e) Das Vorkommen der Doppelung καρδία *und* διάνοια weist deutlich auf eine Abhängigkeit von Mk hin. Denn bei Mt ist dieses Wort noch weniger verständlich als bei Mk, wo ja für die zwei ersten Glieder dann auch konsequent ein zweigliedriger Kommentar vorzuliegen scheint.
f) Eine kommentierte Wiederholung des Zitates, wie sie in Mk Vers 33 vorliegt, fehlt bei Mt.
Die Verwendung von ἐν statt ἐξ bei Mt, also die Einführung eines weniger guten Griechisch (s.o.) gegenüber Mk könnte auf die sprachliche Tradition des Mt zurückgehen, die der Sprache der LXX näherstand, weil sie eine dieser selbst in gewissem Sinne konkurrierende und in ihren Sprachgebrauch sich einlassende Kommentierung und gültige Auslegung geben will[1]. Da auch die Verwendung von ἰσχύς in der Formel in der LXX ungeläufig ist (nur in 4 Kg 23,25, daraus gegen MT entlehnt in 2 Chr 35,19), wird der Verfasser dieses Glied wohl als das am leichtesten zu verschmerzende angesehen haben, als er die der LXX gemäßere Dreigliedrigkeit wiederherstellen wollte.

[1] Vgl. M. Johannessohn, Das biblische καὶ ἰδού in der Erzählung samt seiner hebr. Vorlage, in: Zeitschr. f. Vergl. Sprachforschg 66 (1939) 145-195; 67 (1940) 30-84; 44 Anm. 67: Das „und siehe" soweit es die Erzählung betreffe, sei in der Literatur zur Zeit des NT bereits ausgestorben. „Demnach beruht das Wiederaufleben des „und siehe" bei Mt in der Hauptsache nur auf einer Nachahmung des LXX-Stils".

4. Lk 10,27

Die HSS ACWΘφK harmonisierten überall zu ἐξ. D hat die Folge: καρδία - ψυχή - ἰσχύς.
Die lukanische Form bereitet zweifellos die meisten Schwierigkeiten:
a) Wie bei Mt fehlt Mk Vers 29b.
b) Mit Mt ist das ἐν der drei letzten Glieder gemeinsam, mit Mk und LXX Dt 6,5 ἐξ im ersten Glied.
c) Der Reihenfolge καρδία - ψυχή - ἰσχύς - διάνοια steht die markinische Folge καρδία - ψυχή - διάνοια - ἰσχύς gegenüber.
d) Die gegenüber Mk umgestellte Reihenfolge läßt zweifellos Beschäftigung mit der Schrift erkennen; die Wortfolge καρδία - ψυχή - ἰσχύς begegnet in der LXX in 4 Kg 23,25: ἐπέστρεψεν πρὸς κύριον ἐν ὅλῃ τῇ καρδίᾳ αὐτοῦ καὶ ἐν ὅλῃ ψυχῇ αὐτοῦ καὶ ἐν ὅλῃ ἰσχύι αὐτοῦ (ebenso in 2 Chr 35,19).
Das auch bei Lk für das hebr. לב doppelte καρδία und διάνοια weist wiederum auf Abhängigkeit von Mk. Nur ist bei Lk offensichtlich eine Beschäftigung mit der Schrift dazwischengetreten: καρδία - ψυχή - ἰσχύς sind eine einheitliche Reihe, wie sie auch in LXX begegnet. Um das διάνοια des Mk aber dennoch nicht auszulassen, wird es als viertes Glied angefügt, offensichtlich nur dem bei Mk vorhandenen Traditionsgut zuliebe. Auch Lk hat also den kommentierenden Charakter von διάνοια und ἰσχύς nicht verstanden und stellt durch seine Wiedergabe eine Schriftgemäßheit des Textes her, die von Mk nicht intendiert war. Es ist gut möglich, daß Lk bei dieser Umstellung zugunsten der in der dreigliedrigen Formel gebrauchten Reihenfolge auch das dort häufige ἐν mit übernahm (aus 4 Kg 23,25?) und den Mk-Text auch in dieser Hinsicht durch die „Schrift" korrigieren wollte. Ob Lk direkt auf 4 Kg 23,25 oder 2 Chr 35,19 zurückgegangen ist, muß offen bleiben. Es wäre wohl ausreichend gewesen, wenn er überhaupt auf eine dreigliedrige Formel (wie in Dt 6,5 und Jos 22,5) gestoßen wäre und dann den Mk-Text nach deren Muster umgebaut hätte, da die Synonymität von ἰσχύς und δύναμις ihm wohl bekannt war. Verwunderlich bleibt, warum beim ersten Glied das markinische ἐξ erhalten blieb. Ist es ein Zugeständnis an das bessere Griechisch?

Keiner der Synoptiker hat sich offenbar um den Wortlaut von Dt 6,5 LXX gekümmert. Mt und Lk haben nicht nur gegen Mk auch Dt 6,4 fortgelassen, sondern auch die Hauptgebotsformel selbst stark abgewandelt. Die Gründe für diese Variationen sind wohl gewisse Reminiszenzen an dreigliedrige Formeln in der LXX, Annäherung an deren Sprachstil bei Mt und die Neigung, das Mk-Gut möglichst schriftgemäß wiederzugeben bei Lk – aber all dieses nicht in Anlehnung an Dt 6,5. Die Absicht, die jeweils geläufige Form des Hauptgebotes zu zitieren, ist immer stärker gewesen als die Nähe zu Dt 6,5. Dennoch lassen sich alle synoptischen Versionen aus der Umwandlung der ursprünglichen Mk-Formel erklären[1]. Ergebnis (sprachliche Entwicklungsstufen):

1. Mk I (= V. 30a) ἐξ ὅλης τῆς καρδίας σου καὶ ἐξ ὅλης τῆς ψυχῆς σου.
2. Kommentar zu Mk I (= V. 30b)
3. Kurzfassung von Mk I+II im Rahmen eines Midrasch (V. 33) (ψυχή + διάνοια = σύνεσις).
4. Mt 22,37. Wiedergabe einer mit Mk I+II verwandten Tradition mit Bezugnahme auf die Schrift: Dreigliedrigkeit und Einführung des ἐν, Wegfall des ἰσχύς aus Mk II, dadurch Zerstörung des Kommentarcharakters von Mk II.
5. Lk 10,27. Wiedergabe von Mk I+II mit Bezugnahme auf die Schrift: Nach Vorbild dreigliedriger Formeln wird die Reihe καρδία-ψυχή-ἰσχύς gestaltet; διάνοια, das nicht hineinpaßte, aber bei Mk vorhanden ist, wird nachher angefügt. Einführung des ἐν aus weniger stark hellenisierter Tradition. In der Mk-Fassung liegt daher die am stärksten hellenisierte Fassung der Tradition vor.

B. Analyse von Mk 12,28-34

Eine literarkritische Analyse ergab, daß mit der Zitierung von Dt 6, 4.5 die ursprüngliche Antwort Jesu abschloß. Dieses Ergebnis wird durch die Traditionsgeschichte bestätigt, daß nämlich Dt 6, 4.5 die traditionelle Einleitungsfrage jüdischer katechetischer Unterweisung darstellt. Darauf weist übrigens auch das „Israel" in der Anrede. Damit ist zugleich der ursprüngliche Sitz im Leben dieses Stückes innerhalb der Gemeindeüberlieferung festgestellt. – Diese judenchristliche Unterweisung ist freilich jetzt in den Kontext von Lehrgesprächen gestellt, in welchen eine Tendenz gegen jüdische Gegner überall wenigstens redaktionell feststellbar ist (Mk 12, 13.24.27b.33.34b.35). Innerhalb dieses sekundär antijüdischen Rahmens haben dann die beiden Hauptgebote torakritische Funktion: Der sekundäre Mk-Anhang zeigt, daß die Gebote einem Judentum gegenübergestellt werden, das die Gesamtheit der Tora (also besonders die kultischen Teile) für verbindlich hält. Im Kernbestand zeigen sowohl die vorangehende als auch die folgende Perikope jüdisch-apokalyptische Tradition: Diese wird sekundär mit Hilfe schriftgelehrter Argumentation gerechtfertigt (Mk 12, 26 die Lehre von der Auferstehung und 12, 36 die Lehre vom Christos als Gottessohn); Eine ähnliche sekundäre Argumentation ist Mk 12, 32-34: Durch einen komplizierten Schriftbeweis wird die tatsächliche Schlüsselfunktion der beiden Hauptgebote begründet. Für die Kombination der beiden Hauptgebote selbst hatte man in der vorangehenden jüd. Tradition nicht nach legitimierenden Schriftbeweisen suchen müssen.

V. 28 leitet mit einer Häufung von Partizipien von der Sadduzäerfrage her über (vgl. Mk 10,2.17), V. 34 ist die Schlußbemerkung. – Die Verse 28.32a. 34a sind schematisch gehalten und dem Inhalt nach gleichförmig. Sie haben die Tendenz, Jesu Wort und auch die Antwort des Schriftgelehrten als gute (zu καλῶς vgl. G. Wohlenberg, Mk 320) und vernünftige Aussage herauszustellen, welches Bemühen seinen Abschluß in der Feststellung von V. 34 findet, daß niemand mehr ihn zu befragen wagte. Auch wenn dieser Satz Abschluß der Gesprächsperikopen überhaupt ist, ist er durch diese Perikope besonders gut vorbereitet (vgl. Mk 12,13-17 in V. 17).
Das Gespräch der Verse 28b (Frage des Schriftgelehrten) 29-31 (Antwort Jesu), 32b-33 (Wiederholung der Antwort Jesu durch den Schriftgelehrten), 34b (Schlußantwort Jesu) – ist in diesem Aufbau unter den Gesprächen nach Mk völlig singulär. Zwar gibt es einige Gespräche (Mk 10,1-12; 11,27-33; 12,13-17), die über das Schema von Frage und Antwort hinausgehen, aber hier kommt die erweiterte Form regelmäßig dadurch zustande, daß Jesus eine Gegenfrage stellt, wobei der Gegensatz zwischen Jesus und den Fragern eine besondere Rolle spielt, sei es, daß diese ohne Antwort bleiben (11,27-33) oder daß sie ihre verkehrten Vorstellungen zugeben müssen (10,1-21). Hier dagegen liegt kein Streitgespräch vor, sondern der Schriftgelehrte wiederholt die Antwort Jesu; in der Dramatik eines Streitgespräches hätte eine solche Wiederholung keinen rechten Platz. V. 34b ist notwendig, weil Jesus immer das Schlußwort haben muß; dieser Vers wendet sich nur noch dem Schriftgelehrten zu, nicht mehr der anfangs gestellten Frage.

Die Ursache für die Abweichung vom gewohnten mk Gesprächsaufbau und die Wiederholung der Antwort Jesu liegt in der besonderen Eigenart der Verse 32b-33. – Die Schriftauslegung ist hier anders als in V. 29-31: Es werden nicht zwei Schriftstellen vollständig zitiert, sondern ein eigenartiges, aus Teilen von vier Schriftstellen zusammengefügtes Gebilde. Dabei bilden die neu hinzugefügten Stellen innerhalb des Satzgefüges die Ergänzung der bereits in V. 29-31 zitierten, hier nur verkürzt wiedergegebenen Stellen. Auf diese Weise ist eine inhaltliche Weiterentwicklung und spätere Kommentierung des älteren Textes erreicht. – Dazu mußte der Text in den Mund des Schriftgelehrten gelegt werden, weil eine abgewandelte Wiederholung desselben Gedankens im Munde Jesu unverständlich gewesen wäre.

Die Seitenreferenten zeigen diesen umständlichen Aufbau (noch) nicht und haben das formale Problem je für sich gelöst. Unsere Deutung der Verse 32-33 richtet sich gegen die von E. Hirsch (Frühgeschichte II, 56-60) vorgetragene Ansicht, Mk 12,28a und 32-34 seien der Ausgangspunkt der synoptischen Textentwicklung gewesen, womit besonders Lk 10,25-28 erklärt werden könne. Die Übereinstimmungen zwischen Mt und Lk werden dadurch erklärt, daß Lk 10,25-28 mit Q identifiziert wird (so auch G. Strecker, 26) – Die Verse 32-33 tragen aber eindeutig den Charakter eines schriftgelehrten Kommentars zu den Versen 29-31 (vgl. auch E. Klostermann, Mk [3]142; O. Michel, Nächstenliebe, 54f; A. Loisy, Le grand Comm., 429). Der späteren Bildung der Verse 32-34 entsprechend erklärt sich auch die Ähnlichkeit der Rahmensätze untereinander: Der Rahmen im Anhang wird aus inhaltlich bereits vorgegebenem Material gebildet: Die Verse 32a und 34a sind redaktionelle Abwandlungen des bereits in V. 28a Gesagten.

Die zunächst recht unerklärliche Schlussanrede „du bist nicht fern vom Reich Gottes" wird (mit dem Kontext ab V. 28) vorzüglich erhellt durch die Parallelität zu Sap Sal 6, 17-20; in diesem Stück wird innerhalb eines kunstvoll aufgebauten „Soreites" „erwiesen", dass die Sehnsucht nach παιδεία gleichbedeutend sei mit ἀγάπη, daß diese aber im Halten der Gebote bestehe. Die daraus folgende Unsterblichkeit bewirkt: ἐγγὺς εἶναι... θεοῦ. In V. 20 wird dieses gleichgesetzt mit: ἀνάγει ἐπὶ βασιλείαν. Die Nähe zu Gott bzw. das Hinführen zur Basileia im Zusammenhang mit Angaben über das Verhältnis von Nomos und Agape ist in sehr ähnlicher Weise der Inhalt von Mk 12,28-34.

Zum Begriff παιδεία in Sap 6,17 ist dabei – mit Verweis auf Sap 2,12d – zu bemerken, dass damit die Lehre des Weisen „formal" im Gegensatz zur Lehre der gegenüberstehenden Ungerechten gekennzeichnet wird: die Ungerechten sprechen von der παιδεία ἡμῶν (2,12). Wer sich dagegen dem Weisen anschließt, tritt in die Gefolgschaft seiner Paideia ein. Primär kommt es darauf an, dass man sich dem Weisen und seiner Lehre überhaupt anheimgibt; der „Inhalt" ist offenbar erst sekundär (jedenfalls spricht auch Sap 6, 17-20 nicht vom Inhalt der geliebten Gebote). – Dieser Gesichtspunkt spielt auch im Verhältnis Jesu zu seinen Gegnern nach den Evv eine entscheidende Rolle: Die tatsächliche Herkunft der christlichen Gemeindelehren aus dem Judentum ist für die Evv selbst viel weniger belangvoll als das Faktum, dass Jesus als der Weise und Gerechte es ist, der dieses sagt. (Ihm soll man folgen, weil er durch die Auferstehung als Weiser und Gerechter, d.h. als Sohn Gottes erwiesen ist: vgl. Sap Sal 2,13.18; 5,4f). Dieses zunächst formale Autoritätsverständnis entspricht offenbar weisheitlichem „Schul"-denken und findet sich in gleicher Weise auch in Sap Sal, nicht zufällig auch in 6,17.

Der Begriff ἀγάπη in Sap Sal 6,17b.18a entstammt ebenfalls einer verbreiteten weisheitlichen und apokalyptischen Tradition, nach der das Halten der Gebote deren „Lieben" bedeutet; zu vergleichen sind Prov 8,17.21; 28,4; Ps 119 passim; Dan 4,27 LXX (von Daniels

Worten); auch die ἀγάπη in Sir 48,11 dürfte so zu verstehen sein. Aber nicht nur das Halten der Gebote wird als Lieben bezeichnet; man liebt auch denjenigen, dem man die Gebote mitteilt und indem man dieses tut (vgl. z.B. die häufige Anrede ἀγαπητέ bei der Lehrmitteilung, auch Test Levi e (Athos-Frgm.) 58; Joh 3,35). – Einen Schritt weiter an die Hauptgebotsformulierung heran bringt 4 Mkk 15,3 (τὴν εὐσέβειαν... ἠγάπησε, τὴν σώζουσαν εἰς αἰωνίαν ζωήν). Möglich ist aber ausserdem, dass zwischen dem „Lieben Gottes" nach dem dtr Sprachgebrauch und dem „Lieben der Gebote" (bzw. der Weisheit) in der Weisheitsliteratur bereits ein früher traditionsgeschichtlicher Zusammenhang besteht. Denn die Hauptgebotsformeln bezogen sich ja durchgehend auf die Erfüllung der Gebote. Methodisch wäre die Möglichkeit eines solchen Rekurses sehr hilfreich, da sich so die Möglichkeit ergäbe, die (sonst etwas abstrakte) „Liebe zu Gott" an ihrem Ursprung konkreter zu lokalisieren (diese Aufgabe hat die traditionsgeschichtliche Fragestellung auch sonst in der Regel). – Dass die Übergabe der Lehre an andere als „Lieben" dieser anderen (Söhne, Brüder) bezeichnet wird, könnte möglicherweise auch schon in der Grundbedeutung von Lev 19,18 angelegt sein (vgl. Lev 19,17-18) und spielt jedenfalls später in dem Topos der „Zurechtweisung des Bruders" eine grosse Rolle (vgl. Mt 18 im Kontext der Theologie des MtEv).

Versteht man Mk 12,28-34 auf dem Hintergrund dieser weisheitlichen Tradition, so wird deutlich:

1. Es wird der Fall dargestellt, dass ein Schriftkundiger (einer, der zunächst auf die Seite der Gegner gehört) nach Weisheit sucht (V. 28 und Sap Sal 6,17.20). So gewinnt er eine neue Erkenntnis über das Gesetz (V. 29-33 und Sap Sal 6,18). Daher ist er nun nahe bei der Basileia (V. 34 und Sap Sal 6,19.20).

2. Jesus ist als Vermittler der Weisheit und der Paideia des Gerechten dargestellt.

3. In der Weisheitslit. ist ἀγαπᾶν traditionell auf das Lieben der Gebote bzw. der Weisheit bezogen. Dieses wird hier interpretiert als Liebe zu Gott (denn Liebe zu Gott bedeutet immer schon Halten der Gebote). Sekundär zum Stichwort ἀγαπᾶν mitgeliefert wird aber nun auch die Forderung nach Liebe gegenüber dem Nächsten. Damit aber trat die Liebe zur Weisheit, zum Gesetz und zu Gott aus dem bloss „formalen" Stadium heraus: Auf Grund der Einführung

der jüd.-hell. Kombination der beiden Hauptgebote ist der konkrete Inhalt der weisheitlichen ἀγάπη hier die Nächstenliebe geworden. Das Lieben der Weisheit (als Liebe zum Gesetz) war zunächst noch sachlich wenig abweichend als Liebe zu Gott gedeutet worden. Zum Stichwort ἀγαπᾶν wurde aber dann hier (auch in der Traditionsgeschichte der Perikope sekundär) die Kombination der beiden Hauptgebote eingeschleust: Wer diese Weisheit von Jesus empfängt, ist nicht fern vom Reiche Gottes.

4. Die Diskussion über Opfer etc in V. 33 könnte damit zusammenhängen, dass ἐγγύς (Sap Sal 6,19) in ähnlichem Sinne auch in levitischer Tradition verwendet wird (Test Levi 2,10). Vgl. auch das Petrus-Apokr. (Resch Nr. 72): κάμνουσα ψυχὴ ἐγγύς ἐστι θεοῦ.

Die Belobigung des Schriftgelehrten zeigt, daß bei Mk der Gegensatz zwischen Jesus und seinen Gegnern nicht voll durchgeführt ist; Gegner sind nur die Φαρισαῖοι. Mit ihnen führt Jesus Streitgespräche (solche fehlen in Q). Durch die Anfügung von V. 32-34 wird nun die Lehre Jesu im Munde des Schriftgelehrten wiederholt. Jesus erteilt ihm dann die autoritative Antwort V. 34b: Jesu Urteil bzw. seine Lehre ist der Maßstab für die Nähe aller übrigen Lehrmeinungen zum Reiche Gottes. Bezeichnend ist, daß die Nähe zum Gottesreich hier nach dem Besitz der rechten Lehre bemessen wird. Jesus ist der Lehrer des Schriftgelehrten und zugleich eine Art Richter über seine Lehre und seine Person. Die Tendenz, Jesus als den überlegenen Lehrer darzustellen, gilt auch für Mk 12,18-27 und für das folgende Stück Mk 12,35-37: 1. Jesus ist der einzige Lehrer (vgl. Mt 23,8): Alle Überlieferung gilt nur dann, wenn sie von ihm bestätigt ist. Da sich durch den Besitz der rechten Lehre die Nähe zum Gottesreich bestimmt, ist der christologische Anspruch hier in der totalen Zurückführung aller Lehre auf Jesus erhoben worden. Es wird deutlich, daß in dieser „christologischen" Intention des Textes eine bestimmte Funktion für Jesus programmatisch behauptet wird. – Historisch gesehen handelt es sich um den faktischen jüdisch hellenistischen bzw. apokalyptisch geprägten Überlieferungsstand der Gemeinde aus jüdischer Tradition. Weil es sich aber um die christliche Gemeinde handelt, ist eben diese Lehre diejenige, nach der sich die Nähe zum Gottesreich bestimmt. Daher wird sie insgesamt auf Jesus zurückgeführt, ohne daß dieses historisch jemals zu verifizieren wäre. Es handelt sich, wie gesagt, um einen Anspruch, um die Zuteilung einer bestimmten Funktion an Jesus. Von daher ist zu erklären, warum traditionelle jüdische

Stoffe selbstverständlich nur als Worte Jesu weitergegeben werden konnten. Die Entstehung weiter Teile des synoptischen Spruch- und Redegutes ist deshalb von daher zu erklären, daß man von dem Grundsatz ausging, die Nähe zum Reiche Gottes bestimme sich nach der rechten Lehre – faktisch die Lehre der Gemeinde aus jüdisch-hellenistischer Tradition – dem Anspruch nach die Lehre Jesu. 2. In den drei genannten Perikopen in Mk 12 wird die Lehre Jesu nachträglich mit Hilfe von Schriftbeweisen als legitim erwiesen. Die Position Jesu selbst dagegen entstammte jeweils andersartigen Traditionen. Der Schriftbeweis hat daher nur sekundäre Funktion, nicht aber ist er der Quellgrund der Lehre Jesu. 3. Die festgestellte antijüdische Tendenz beruht daher auf zwei historischen Voraussetzungen: a. auf der Verschiedenheit vorgegebener jüdischer Überlieferungen in Gemeinde bzw. Judentum, b. auf der mit der Tötung Jesu gegebenen und durch die Auferstehung bestätigten Klassifizierung der Juden als Unrechttäter. 4. Die Legitimation der Gemeindelehre gegenüber dem Judentum wird nun aber nicht etwa mit Hilfe des Verweises auf die Auferstehung Jesu versucht, sondern mit Hilfe der „besseren Argumente". Der Schriftgelehrte, den Jesus zu den beiden Hauptgeboten belehrt, ist selbst imstande, diese Legitimation zu liefern und bestätigt so auf das beste die These, daß die Schrift selbst, versteht man sie richtig, nur für die rechte Lehre zeugen kann (bei Lk wird dieses Element hervorgehoben).

C. Dt 6,4.5 in Mk 12,29-31

Der Schriftgelehrte fragt[1] (V. 28c), frei umschrieben: „Ein wie beschaffenes Gebot ist das, welches über alles hinausgeht?" Es heißt nicht τίς, sondern ποία, nicht πασῶν, sondern πάντων. πρῶτος bezeichnet nicht nur die Reihenfolge, sondern auch die Rangfolge (vgl. Passow, Handwörterbuch II, 1,1243,1,3; Aeschylos Ag. 314; Philo De Abr 272; De Post Caini 120 ἡ πρώτη καὶ ἀρίστη Cong Erud

[1] Zur Lit. vgl. die oben zur Auslegung von Lev 19,18 genannten Werke und: G. Bornkamm, Das Doppelgebot der Liebe, in: Neutst. Stud. f. R. Bultmann, Berlin 1954, 85-93; jetzt in: Geschichte und Glaube I (1968) 37-45; Chr. Burchard, Das doppelte Liebesgebot in der frühen christlichen Überlieferung, in: Der Ruf Jesu und die Antwort der Gemeinde – Festschrift J. Jeremias, 1970, 39-62.

Grat 98 πρῶτον καὶ ἄριστον); νόμος ist Mk unbekannt. ἐντολή wird außer in Mk 10,5 (sekundäre Schicht!) immer nur für noch geltende atl Gebote verwendet (Mk 7, 8.9; 10,19; 12,28.(31)). – G. Schrenk (ThWB II, 541-553) hat festgestellt, daß ἐντολή im hellenistischen Judentum kein ausdrücklich religiöser Begriff ist, so daß Josephus diesen Begriff nicht für Toraverordnungen verwende, ebenso Philo. Eine der Hauptursachen sei in der Abwertung des Begriffes ἐντολή gegenüber νόμος in der Stoa (543). – Nach S. Blank (The LXX Renderings, 260) verwendet dagegen die LXX ἐντολή mit Vorzug für Einzelgebote als Wiedergabe von מצוה. – Diesen Gebrauch hat auch Mk.

Mit dem Neutrum πάντων sind offenbar nicht alle ἐντολαί gemeint, sondern in einem weiteren Sinne alles, was Gottes Willen entspricht. Es wird also nach einer bestimmten Art von Geboten gefragt (E. Lohmeyer, Mk 258 Anm. 1), die den Vorrang einnimmt in allem, was von Gott geboten ist. Es wird nicht ein erfragtes Gebot mit anderen Geboten verglichen, etwa das erste mit den übrigen Einzelgeboten. Sondern die Frage ist, wie ein Gebot lauten muß, das das Wichtigste von allem, was Gott verlangt hat, wiedergibt. Das auf Heiden orientierte Interesse des Mk dürfte sich bereits in dieser Formulierung zeigen. Mt hat an der Formulierung Anstoß genommen, indem er ἐν τῷ νόμῳ hinzufügte; der Bezug auf die anderen Gebote war ihm offenbar durch das πάντων noch nicht deutlich genug gegeben. Mt scheint daher in sehr viel höherem Maße von einer festen Größe „Gesetz" auszugehen als dieses bei Mk der Fall ist. Möglicherweise zeigt sich darin bereits ein verschieden starker Einfluß einer an „dem Gesetz" (sc. des Moses) orientierten Auffassung: für Mt ist das Gesetz eine feste Größe, für Mk gibt es nur „Gebote".

Die Frage nach dem ersten Gebot von allen wird beantwortet mit zwei Geboten. Das Wichtigste von allem Gebotenen ist nur in der Doppelformulierung von Gottesliebe und Nächstenliebe greifbar.
V. 29 beginnt: ὅτι πρώτη ἐστίν; V. 31: δευτέρα αὕτη
V. 31b schließt: μείζων τούτων ἄλλη ἐντολὴ οὐκ ἔστιν
V. 31b bemüht sich offenbar, durch Zusammenfassung der Äußerungen von V. 29-30 und V. 31 das Gleichgewicht zur eingangs gestellten Frage wiederherzustellen. Die Diskrepanz zwischen Frage und Antwort – die Schriftkundigen fragen nach dem größten Gebot und Jesus antwortet mit πρώτη - δευτέρα – zeigt deutlich, daß die jetzige Abfolge in der Antwort sekundär ist. Nimmt man an, daß ursprünglich nur Dt 6,4f als Antwort gegeben wurde, Lev 19,18

mit der Einleitung zu V. 31 sekundär geschaffen ist, dann erklärt sich so auch am besten die Langfassung von V. 29-30 gegenüber den beiden Kurzfassungen in Mt/Lk: Die Kurzfassung entspricht sehr viel eher einer Kombination zu zwei Hauptgeboten: denn ἄκουε Ἰσραήλ - εἷς ἐστιν ist für die Parallelität von Gottes- und Nächstenliebe unerheblich. Erst unter dem Einfluß der Tradition der beiden Hauptgebote ist bei Mk also das Gebot der Nächstenliebe hinzugefügt worden. Dadurch entsteht jetzt sekundär auch jenes hierarchische Gefälle πρώτη... δευτέρα, das der Kombination εὐσέβεια καὶ δικαιοσύνη und den Übergangsformen im Judentum fremd ist. – Eine isolierte Überlieferung des 1. Hauptgebotes mit besonderer Betonung dessen, daß es sich um das erste und wichtigste Gebot handelt, findet sich etwa bei Josephus Ant III 5,5 (Vgl. Herm Mand I 1; ArBr 132; Philo de Virt 34; Gig 64; Lib Ant 6,4; Proem Sib Frgm 1,7.32; Theoph ad Autol II 29,36). Es handelt sich daher um katechetische Tradition, in der das erste Lehrstück der Glaube an den einzigen Gott ist, den es zu lieben gilt. Der Sitz im Leben für Mk 12,28-30 wird also aus den genannten Parallelen zu erschließen sein: es handelt sich um die prinzipielle Belehrung für Heidenchristen. Daß sich dieses erste Lehrstück an die geprägte liturg. Tradition des Schĕma anschloß, ist nicht verwunderlich. In der Anfügung von Lev 19,18 setzt sich die bei MtLk von Anfang an verwertete Tradition der beiden Hauptgebote durch.

Der mk Text spiegelt eine Fassung von Dt 6,4.5, die von LXX erheblich abweicht. Die Frage, ob hier eine Zitierung des sog. Schĕma[1] beabsichtigt

[1] Vgl. den Exkurs „Das Schma" in: Strack-Billerbeck IV,190-207, ferner Strack-Billerbeck II, 28-30; E. Schürer, Geschichte des jüdischen Volkes im Zeitalter Jesu Christi II / Die inneren Zustände, Leipzig ³1898 459-460 (= Anhang: Das Schma und das Schmone-Esre), 459: „...also aus denjenigen Stellen des Pentateuches, in welchen hauptsächlich eingeschärft wird, daß Jahwe allein der Gott Israels ist, und in welchen der Gebrauch gewisser Denkzeichen zur steten Erinnerung an Jahwe angeordnet wird... Dieses Gebet, oder richtiger, dieses Bekenntnis, ist von jedem erwachsenen männlichen Israeliten täglich zweimal, morgens und abends, zu beten". a.a.O., 452: „Es wird vom eigentlichen Gebet stets unterschieden und hat mehr die Bedeutung eines Bekenntnisses als die eines Gebetes. Man spricht daher auch nicht vom „beten", sondern vom „recitieren" des Schma – קריאת שמע –". Vgl. dazu ferner Jos Ant IV,213; Ar 160; S. Aalen, Licht und Finsternis, 242-244; L. Blau, Origine et Histoire de la Lecture du Schema et des formules de Bénédiction qui l'accompagnent, in Rev des Et Juives 31 (1895) 179-201. – Vom Schᵉma aus deutet den Mk-Text O. Michel, Das Gebot der Nächstenliebe, Tübingen 1947, 56 Anm. 1; vgl. G. Bornkamm,

sei, kann nur entschieden werden, wenn man vorher geklärt hat, ob das Schěma eher ein Bekenntnis zum einen Gott oder vielmehr eine Rezitation von Schriftstellen (Dt 6,4-9; 11,13-21; Nu 15,37-41) ist. Überwiegt bei der Zitierung dieses Gebetes die liturgische Schriftlesung oder das Bekenntnis zum einen Gott? Von dem her, was man über die Entstehungsgeschichte des Schěma weiß, ist der Schluß erlaubt, daß es sich primär um eine liturgische Schriftlesung handelt, die aber inhaltlich von der Betonung des einen Gottes her bestimmt ist. – Alle synoptischen Varianten aber kümmern sich nicht um den Wortlaut von Dt 6,5. Es entsteht daher der Eindruck, daß Mk eher die bekannteste Form des Hauptgebotes zitieren will als den Anfang eines Gebetes. – Durch den in der LXX vor V. 4 eingeschobenen Satz in Dt 6 wird der Text Dt 6,4-5 auch als erstes Gebot besonders hervorgehoben. – Den für eine ἐντολή benötigten Imperativ sah Mk vermutlich bereits in dem ἄκουε Ἰσραήλ. Da dem Diasporajudentum die Betonung der Einzigkeit Gottes besonders wichtig war, mußte sich Dt 6,4.5 in besonderer Weise zur Wiedergabe des Hauptgebotes eignen. Denn hier liegt – neben dem 1. Dekaloggebot – die einzige Stelle der LXX vor, in der eine Hauptgebotsformel betont mit der Einzigkeit Jahwes in Verbindung gebracht wird. Auch wenn der Verfasser also nicht durch den Brauch des Schěma zur Zitierung gerade dieser Stelle veranlaßt worden ist, muß sich dieser Text als Formulierung des Hauptgebotes geradezu angeboten haben. – Schon die LXX hatte mit ihrer Übersetzung den Monotheismus gegenüber dem Polytheismus hervorgehoben, der mk Kommentar in den sekundären Versen 32-33 verstärkt dieses Anliegen. – Am nächsten verwandt zur Tendenz dieses Textes ist die Wiedergabe des Dekaloghauptgebotes durch Fl. Josephus (Ant III,5.5): διδάσκει μὲν οὖν ἡμᾶς ὁ πρῶτος λόγος ὅτι θεός ἐστιν εἷς καὶ τοῦτον δεῖ σέβεσθαι μόνον. (Vgl. Ar 132, usw.).

Die Nichtexistenz des ersten Satzes bei Mt und Lk dürfte darauf zurückgehen, daß beide eine unabhängige Überlieferung darstellen, in der nicht mehr die Bekehrung von Proselyten zu Israel den formgeschichtlichen Ausgangspunkt bildete, sondern in der von Anfang an die Kombination der beiden Hauptgebote im Mittelpunkt stand. Gegenüber Mt und Lk wird ferner in besonderer Weise betont, daß das erfragte Gebot darin besteht, anzuerkennen, daß es nur einen Gott gibt und diesen zu lieben, den einzigen Gott zu lieben. Die beiden Seitenreferenten haben eine ἐντολή wohl nur in dem imperativischen Futur von ἀγαπήσεις gesehen und den ersten Satz nicht als Gebot verstanden. Sie haben die Parallelität ἀγαπήσεις - ἀγαπήσεις in beiden Geboten hervorgehoben, was sich auch äußert

Doppelgebot, 87; E. Neuhäusler, Anspruch und Antwort, 117 Anm. 13 kann gegenüber Bornkamm keine Betonung des monotheistischen Bekenntnisses entdecken; eine Zurückführung auf das Schema befürworten auch V. E. Hasler, Gesetz und Evangelium, 24; W. Grundmann, Mk [2]251; C. Spicq, Agapè, 148 Anm. 2; E. Stauffer, Jesus und seine Bibel, 445.

in dem Zusatz ὁμοία bei Mt und in der Verschmelzung mit dem nur einmaligen ἀγαπήσεις bei Lk. Für das hellenistische Judentum dagegen ist das Gebot der Gottesliebe unlösbar verknüpft mit dem Gebot, nur diesen einzigen Gott zu lieben. Wegen dieser besonderen Eignung der Stelle Dt 6,4.5 erscheint es mir nicht als notwendig, beim Verfasser dieser Komposition die Absicht vorauszusetzen, auf das Schĕma anzuspielen.

D. Die Schriftauslegung in Mk 12,32f.

Gegenüber 29f liegt hier formal eine besondere Art der Schriftzitierung und inhaltlich ein Kommentar zu 29f vor. Im Ganzen sind zwei Hauptsätze gebildet worden. Der erste enthält ein Stück aus Dt 6,4 (εἷς ἔστιν) und den dazugehörigen Kommentar. Das Zitat Dt 6,4f ist so auseinandergerissen worden zugunsten der Verbindung von Dt 6,5 mit Lev 19,18 (vgl. MtLk, wo nur noch die beiden Liebesgebote eng aneinander stehen, bei Lk durch die nur einmalige Nennung von ἀγαπᾶν verschmolzen sind). – Die Einzigkeit des Gottes Israels war schon durch LXX Dt 6,4 betont worden (der einzige Gott); dieses entscheidende Stichwort wird aufgenommen und durch καί mit einem Teil einer anderen Schriftstelle verbunden. Dabei handelte es sich entweder um Dt 4,35 LXX A, wo ἄλλος steht (vgl. 4,39 und 1 Kge 8,60; 2 Kge 19,19; Jes 37,20; 2 Chr 33,13) oder um Ex 8,6 (ἄλλος in allen wichtigen HSS, nur κυρίου statt αὐτοῦ). An beiden Stellen wird wie auch in den Texten gleicher Tradition in Slav Hen 33,8; 36,1; 47,3 das Verb ידע verwendet, eine spezifisch dtr Bezeichnung[1]. Während MT Ex 8,6 Jahwes unvergleichliche Macht betonte (daß keiner ist wie J.), hebt LXX οὐκ ἔστιν ἄλλος πλὴν κυρίου die Einzigkeit hervor (wie LXX Dt 6,4).

[1] Das Motiv der Exklusivität Gottes wird in den frühjüdischen Texten häufig mit dem gleichen Vokabular formuliert, so in 1 QH 10,10f (in einem Psalm in einer Reihe negativer Aussagen in einer dreifachen ואין-Formulierung), in SlavHen 33,8 („Und sie sollen erkennen, daß kein anderer Gott ist außer mir"), ebenso SlavHen 36,1 („damit sie erkennen, daß nicht ist ein anderer Gott außer mir und sie sollen immer bewahren deine Gebote") und SlavHen 47,3 („denn es ist kein anderer außer dem Herrn, weder im Himmel noch auf der Erde"). An allen drei genannten Stellen des SlavHen ist die besondere Erkenntnis der Einzigkeit Gottes verbunden mit der Wertschätzung, d.h. dem Lesen, Hören und Erkennen der Bücher des Henoch.

Verwandt ist auch Jes 45,21f (abweichend: πλὴν ἐμοῦ)[1]. LXX bringt V. 21 nach Analogie zu V. 22b als Konstatierung und läßt die Frageform außer Acht. – Daß Dt 4,35 im Hintergrund steht, legt das Vorkommen von κύριος ὁ θεός in Dt 6,4 und in Dt 4,35 nahe (Zitatenverbindung nach Analogie)[2]. Das καί gehörte schon zum Zitat. Eine solche Verbindung wäre aber nur nach LXX möglich, da κύριος ὁ θεός in LXX Dt 4,35 kein hebr. Äquivalent hat. Das Fehlen von θεός als Subjekt zeigt, daß es sich hier nicht um eine selbständige Fassung der Hauptgebote handelt, sondern um einen von 29-30 abhängigen Kommentar. Zu diesem Zweck wurde ein Glied des zu kommentierenden Satzes herausgenommen und durch eine Schriftanspielung kommentiert. Durch die ὅτι-Konstruktion konnte das LXX-Zitat in seiner Form belassen werden.
Die beiden impt Future aus Dt 6,5; Lev 19,18 werden in V. 33 umgewandelt in zwei substantivierte und mit Artikel versehene In-

[1] Nach äth Tod des Moses (Übs Leslau p. 107) kommt in die Hölle der, der glaubt „daß ein Gott neben mir ist"; nach Teez Sanb H p 21,10f (L p. 24) wird Gott gepriesen: „heilig ist nur er allein, gerecht, und niemand ist wie er". Nach Abba Elijah H p 42,17 (L p 43) sagt Gott: „Ich bin im Himmel, ich bin auf der Erde, es gibt keinen anderen Gott außer mir"; ähnlich ist es in den äth Gebeten L p 122 (Nr. 11) formuliert: „he governs alone... none is like him". Im hell. Judentum heißt es bei Sophokles (Cl.v.A. Strom V 14,113. 121f; Euseb Pr Ev XIII 13,40): In Wahrheit ist nur einer, Gott ist nur einer (εἷς ἐστι θεός); ähnlich in Sib III 760: αὐτὸς γὰρ μόνος ἐστι θεὸς κοὐκ ἔτ' ἄλλος (so wird ein gemeinsames Gesetz für alle begründet). In Sib III 629 wird die Aufforderung, sich mit Gott zu versöhnen, begründet: αὐτὸς γὰρ μόνος ἐστὶ θεός. Bei Aristobul (Euseb Pr Ev XIII 12,5) korrespondiert der Einzigkeit Gottes (2,27: „doch gibt es keinen anderen außer ihm" – οὐδὲ τις ἐσθ' ἕτερος) die Einzigkeit seines Gesehenwerdens durch Abraham (2,34: „Es sah wohl niemand ihn... als jener") – und das Achtzehngebet: „Nicht gibt es außer dir sonst einen Gott (ואין אלוה מבלעדיך)".
[2] Vgl. E. Zimmerli, Erkenntnis Gottes nach dem Buche Ezechiel / Eine theologische Studie (Abh.z.Theol.d.A.u.NT; 27), Zürich 1954, 29: „In der Formulierung „Erkennen, daß Jahwe Gott ist כי יהוה הוא האלהים (Anm. 40: Der in dieser Formulierung liegende Akzent der Ausschließlichkeit war in Dt 4,35 und 39 deutlich zu Gehör gebracht worden) haben wir offenbar die spezifisch deuteronomische Bezeichnung des Erkenntnisinhaltes vor uns". G. J. Botterweck, „Gott erkennen" im Sprachgebrauch des Alten Testaments (Bonner Bibl. Beitr.; 2), Bonn 1951, 76: „Wie sich der Akt des Erkennens auswirken soll, zeigt V. 39f: Dafür sollst du auch erkennen und dir zu Herzen nehmen, daß Jahwe der Gott ist im Himmel droben und auf der Erde unten, keiner sonst". – Für Zimmerli sind die deuteronomischen Stellen aber nur „für die Nachgeschichte und für die Sekundärverwertung der Formel von Interesse" (a.a.O., 29f). Dagegen: N. Lohfink, a.a.O., 129f.

finitive. Diese bilden gemeinsam das Subjekt in V. 33, sind mit dem vorhergehenden V. und untereinander durch redaktionelles καί verbunden. αὐτόν als Objekt beweist wieder die Abhängigkeit von V. 30. Das Verkürzungsbestreben zeigte sich auch in der Zusammenziehung von ψυχή und διάνοια zu σύνεσις und in der Fortlassung des Possessivpronomens hinter πλησίον. Als atl Grundlage für den Prädikatsteil von V. 33 kommen vor allem in Frage:

1. 1 Sam 15,22: ὁλοκαυτώματα und θυσίαι sind im Pl und in derselben Reihenfolge wie bei Mk nebeneinander angeführt. Dem περισσότερον entspräche das zweimalige ὑπέρ in der zweiten Vershälfte. Hier fehlt allerdings ὁλοκαυτώματα, und in ὑπὲρ θυσίαν ist nur der Sg gesetzt. Es ist freilich nicht notwendig, eine Anspielung speziell auf diese Stelle anzunehmen, denn diese steht selber in einer Tradition ähnlicher Äußerungen, in denen Brand- und Schlachtopfer etwas gegenübergestellt werden, das vor Jahwe wertvoller ist. Terminologisch sind diese Sätze zu erkennen an עלות וזבחים und der Verwendung von Formen des Verbs חפץ (nur in Prov 21,3 statt dessen בחר). Das, was besser ist als Brand- und Schlachtopfer, wechselt: in 1 Sam 15,22 ist es das Hören – שמע – auf Jahwes Stimme, in Jes 1,11 das Hören auf Gottes Wort, in Ps 50,21 das „Opfer der Gerechtigkeit", in Ps 39,7 stehen die „Ohren, die Gott bereitet", wohl bildlich für den Gehorsam, in Hos 6,6 sind es חסד (Bundestreue) und דעת אלהים (Erkenntnis Gottes). Die Tradition dürfte insgesamt Ausdruck einer Richtung sein, die die eigentliche Aufgabe der Priester in der Überlieferung und Verkündigung der Gottestaten der Geschichte und des Gotteswillens ansah.

Die Liebesgebote wären also das, was dem Willen Gottes entspricht und sie zu befolgen bedeutete das Hören auf seine Stimme. Damit sind aber dann alle anderen Gebote „außer Sichtweite" gerückt. Nur die schriftbedingte komparativische Formulierung kann noch in etwa verhüllen, daß die Gemeinde zwischen Liebesgeboten und Kultgeboten alternativ zugunsten der ersteren entschieden hat.

2. Für die Bedeutsamkeit der genannten Tradition im jüd.-hell. Bereich allgemein zeugt die LXX-Fassung Prov 16,7: ἀρχὴ ὁδοῦ ἀγαθῆς τὸ ποιεῖν τὰ δίκαια δεκτὰ δὲ παρὰ θεῷ μᾶλλον ἢ θύειν θυσίας (fast ohne MT); δεκτός ist noch kultischer Terminus in LXX; τὰ δίκαια weist auf LXX Prov 21,3, inhaltlich aber auf die Klassifizierung von Nächstenliebe bzw. Sozialgeboten durch δικαιοσύνη.

Zur frühjüdischen Auslegung dieser Tradition ist vor allem zu vergleichen: Lib Ant 22,5.6. Der Bericht knüpft an Jos 22,26-29.31 an. Das Stichwort „nicht für Brand- und Schlachtopfer" wird aus

22,26.28 aufgenommen und mit der LibAnt eigenen Tendenz gegen den handgemachten Tempel[1] verbunden. Gleichzeitig wird als Gegensatz dazu die lex Domini eingeführt. Die Übereinstimmung mit Mk ist vollständig, da hier die beiden Hauptgebote die Summe des Gesetzes darstellen. Hier ist an die gleichartige Tradition von Acta 7,51 f zu erinnern (der Hinweis auf die Gebote wird mit der Gegnerschaft gegen den Tempel verbunden). Wie für diese Stelle, so ist für die gesamte zugrundeliegende Tradition eine Verankerung im hell. Judentum anzunehmen, die die Überlegenheit des Judentums vor allem in Gotteslehre and Ethik begründet sah.
Ferner ist hinzuzuziehen 1 QS IX 4: Im Zusammenhang mit der Ablehung des Tempelkultes wird durch eine dreifache Finalbestimmung (לְ) eingeleitet in 1 QS IX 4f die atl Terminologie aufgenommen: mehr als Fleisch von Brandopfern und Fett von Schlachtopfern ist das Hebopfer der Lippen und vollkommener Wandel (ותמים דרך). Das Ziel dieses Tuns ist: die Gemeinschaft soll dem hl. Geist gehören, von ewigem Bestand sein und Sünden sühnen. Dieses Opfer der Lippen ist wie Opferduft der Gerechtigkeit (צדק), und der vollkommene Wandel wird mit einem freiwilligen Opfer nach dem Willen Gottes verglichen. Im Zuge der antijerusalemischen Polemik leben hier also weisheitliche Traditionen wieder auf. In CD XI 21 wird Prov 15,8 zitiert, hier bezogen auf das Gebot, einen unreinen Mann nicht zuzulassen. – Ein Beleg für diese Tradition findet sich auch in Abba Elijah Übs Leslau p. 48 (Almosen ist besser als Opfer und Eulogien).
In Sib II,82 folgt auf die Forderung οὐ θυσίην, ἔλεος δὲ θέλει θεὸς ἀντὶ θυσίης eine soziale Reihe. Sib II,377-409 setzt schließlich jede Art von Opfer mit dem heidnischen Kult gleich und bedient sich dafür der prophetischen Ausdrucksweise und stellt dem die wahre Verehrung des einen Gottes (377) durch die Befolgung der Sozialgebote (402-409) gegenüber. Barn 2,7f bringt den Gegensatz zum Ausdruck durch Zitierung von Jer 7,22f und Zach 8,17 und verbindet beide Zitate: ἀλλ' ἢ τοῦτο ἐντετειλάμην αὐτοῖς.

[1] Lib Ant 22,5: Josua: Nonne fortior est rex dominus super milia sacrificia? Et quare non docuistis filios vestros verba Domini que audistis ex nobis? Quia si erant filii vestri in meditatione legis Domini, non seducebantur sensus eorum post sacrarium manufactum... 6 Et ideo nunc euntes effodite sacraria que edificastis vobis, et docete legem filios vestros et erunt meditantes eam die ac nocte, ut fiat eis per omnes dies vite eorum Dominus in testamentum et iudicem.

3. Aus der gleichen Tradition, durch LXX stark verändert, aber für Mk 12,33 erst gebrauchsfähig gemacht, könnte auch Hos 6,6 im Hintergrund stehen (vgl. später in matth. Redaktion in Mt 9,13; 12,7). Für Mt ist der Satz in seiner alternativen Formulierung (ἔλεος θέλω καὶ οὐ θυσίαν) programmatischer Ausdruck des christlichen Verhältnisses zum Kult geworden und repräsentiert als solcher eine bestimmte Spätstufe. Aber auch das mk περισσότερον bedeutet sachlich nichts anderes als eine eindeutige Entscheidung und hat auch eine Grundlage im ἤ der zweiten Vershälfte von Hos 6,6 LXX. – θυσία und ὁλοκαυτώματα begegnen auch in Hos 6,6, aber nicht nebeneinander, sondern parallel in den beiden Vershälften. Die besondere Eignung von Hos 6,6 für den Verf. hier könnte aber mit den darin vorkommenden Begriffen ἔλεος und ἐπίγνωσις θεοῦ zusammenhängen. Dabei wäre mit dem Gebot der Gottesliebe ἐπίγνωσις θεοῦ, mit dem Gebot der Nächstenliebe ἔλεος gleichgesetzt. Der Voranstellung der Gottesliebe im Hauptgebot entspricht nun, daß zuerst ὁλοκαυτώματα genannt werden; θυσία aus der Vershälfte mit ἔλεος wird daher erst an 2. Stelle genannt und richtet sich im Numerus nach dem vorangehenden ὁλοκαυτώματα. Auf Grund dieser Identifizierung mit den beiden Hauptgeboten gilt von diesen auch, was Hos 6,6 von ἐπίγνωσις θεοῦ und ἔλεος aussagt (Prinzip der Analogie von Schriftstellen)[1]. Diese Gleichsetzung könnte auch der Grund dafür sein, weshalb als Erkenntnisbegriff σύνεσις eingefügt worden ist[2].

[1] Da auch dieser Schluß auf dem Prinzip der Analogie von Schriftstellen beruht, wäre damit diese Regel als durchgängiges Verfahren für die Schriftauslegung in Mk 12,28-34 erwiesen: Sie gilt für die Zusammenstellung von Dt 6,5 mit Lev 19,18, für die von Dt 6,4 mit Dt 4,35 und auch für die von Dt 6,5 und Lev 19,18 mit Hos 6,6. Dabei sind in letzterem Falle nicht Stichworte das Verknüpfungsprinzip, vielmehr müssen erst ἐπίγνωσις θεοῦ mit ἀγαπᾶν θεόν und ἔλεος mit ἀγαπᾶν πλησίον inhaltlich gleichgesetzt werden, ehe die Analogieregel gilt.

[2] Als Hypothese darf folgendes gelten: Durch die Gleichsetzung von „Gott lieben" mit „Erkenntnis Gottes" könnte immerhin erklärt werden, warum in der unmittelbar vorausgehenden Fassung des Hauptgebotes Dt 6,5 der Erkenntnisbegriff σύνεσις eingefügt ist, der sonst der Formel fremd ist. Möglicherweise soll dieser Begriff an dieser Stelle dazu dienen, das Gebot der Gottesliebe, welches ja eigentlich auf ἀγαπᾶν lautet, auf die Gleichsetzung mit ἐπίγνωσις θεοῦ vorzubereiten (In Test Rub 6,4 ist σύνεσις Parallelbegriff zu εὐσέβεια). ἐπίγνωσις und σύνεσις sind verwandte Begriffe, die auch in der LXX nebeneinander begegnen (vgl. Prov 2,5.6: συνήσεις φόβον κυρίου καὶ ἐπίγνωσιν θεοῦ εὑρήσεις). Auch die Gleichsetzung von ἔλεος mit ἀγαπᾶν

חסד in Hos 6,6 bedeutete freilich nicht ursprünglich Erbarmen mit Menschen, sondern „Bundessinn“ gegenüber Gott (vgl. dazu דעת ,ידע und תורה in Hos 4,1.6; 13,4-6)[1], also Bezeugung der Verbundenheit mit Jahwe durch immer neue Aneignung seiner Taten und Weisungen[2] (vgl. 1 Sam 15,22). Die LXX-Übersetzung schafft erst die Voraussetzung für die Verwendung der Stelle bei Mt und in Mk 12,33. חסד wird auch sonst mit ἔλεος übersetzt, gilt aber nicht vom Menschen in Richtung auf Gott[3]. ἔλεος mußte hier nur mit ἀγαπᾶν identifiziert werden – ein Bindeglied zur späteren fast völligen Verdrängung von ἀγαπᾶν durch andere Verben (s.u.). Gegenüber dem Judentum wird durch den Schriftbeweis in Mk 12,33 das Verhalten einer Gemeinde gegenüber dem Bereich des Kultes legitimiert, die selber nur an Haupt-, Dekalog- oder Sozialgeboten sich ausrichtet. Die Abwertung des Kultes ist ebenso grundsätzlich wie in den sekundären antijüdischen Schriftbeweisen in

πλησίον ist aufschlußreich (s.u.). Im Zusammenhang mit dem Sitz im Leben, den die Hauptgebotsformulierung im späteren Judentum innehat, ist noch besonders auf das Vorkommen von σύνεσις im engen Zusammenhang mit μετάνοια in Herm mand IV 2 hinzuweisen. Von Gott geschenkte σύνεσις ist besonderes Kennzeichen derer, die sich bekehren.

[1] Vgl. H. W.Wolff, Erkenntnis Gottes im Alten Testament, in: Ev Th 15 (1955) 426-431; ders., Wissen um Gott bei Hosea als Urform der Theologie, in: Ev Th 12 (1952) 533-554.

[2] H. W. Wolff, Ev Th 12 (1952) 543.

[3] Vgl. R. Bultmann, Art. ἔλεος in: Theol. Wörterb. z. NT. II, Stuttgart 1935, 474-483. Zur weiteren Illustration der terminologischen Schwierigkeiten, die sich für die LXX-Übersetzer in ähnlichen Fällen ergaben, seien zwei Belege angeführt: In Ps 18,2 fand der Übersetzer im MT vor: ארחמך יהוה. Hier liegt die einzige Stelle vor, nach der רחם für das Verhältnis von unten nach oben gebraucht wird („Ich liebe dich, Jahwe“). Diese abweichende Bedeutung vom gewöhnlichen רחם war dem Übersetzer unbekannt. ἐλεεῖν, das sonst für רחם steht, konnte er nicht verwenden. – Er übersetzte (Ps 17,1): ἀγαπήσω σε, κύριε – einer der wenigen Fälle, in denen רחם mit ἀγαπᾶν wiedergegeben wird. Bei חסד – ἔλεος in Hos 6,6 konnte für ἔλεος die gebräuchliche Übersetzung beibehalten werden, weil das Wort dem Zusammenhang nach relativ unbestimmt ist und man sich ohne Mühe ein anderes Objekt denken kann. In 1 Sam 20,14 MT stehen die Worte (von Jonathan zu David gesagt) תעשה עמדי חסד יהוה („...so erweise mir doch die Huld des Herrn“). LXX läßt (bis auf OL: κυρίου) יהוה fort: ποιήσεις ἔλεος μετ' ἐμοῦ. Ganz abgesehen davon, was diese Stelle ursprünglich bedeutete, hat der Übersetzer durch Weglassung von יהוה den Sinn eindeutig gemacht auf das Verhältnis von Menschen untereinander (vgl. zu dieser Stelle H. S. Gehman, Exegetical Method employed by the Greek Translator of 1 Sam, in: Journ. of the Americ. Orient. Soc. 70 (1950) 292-296).

Mk 7,8-13; 2,25-26. – Diese Abwertung selbst ist aber im hellenistischen Judentum durchaus üblich, so in Dan 3,38ff (Gebet des Asarja: οὐδὲ ὁλοκαύτωσις οὐδὲ θυσία οὐδὲ προσφορὰ οὐδὲ θυμίαμα... ἀλλ' ἐν ψυχῇ συντετριμμένῃ καὶ πνεύματι ταπεινωμένῳ...), und bei allen Autoren, nach denen die spezifischen Wirkungen von Opfern nun der Ausübung der Gerechtigkeit, der Frömmigkeit oder der Barmherzigkeit zugeschrieben werden[1]. Man neigt dazu, die Erfüllung der Gebote als den „wahren Opferdienst" anzusehen (Ar Br 239), als den eigentlich von Gott gemeinten Opferdienst (Philo, VitMos II,108) – hier wird also noch vom Primat des Opferdienstes aus gedacht. Diese Beibehaltung von Opferkategorien entspricht z.T. dem Kompromißcharakter solcher Anschauungen im hell. Judentum allgemein.
Eine ähnliche Verbindung von Hauptgeboten und Hinweis auf die Ablösung des atl Kultes findet sich in der noch typisch jüdischen Bekehrungspredigt in Acta Thaddaei K.8 V (p. 278 App.): Die Aufforderung, allein Gott zu verehren, wird ergänzt durch: θύετε θυσίαν αἰνέσεως. Darauf folgt die Goldene Regel. – Die Angabe über den Kult ist hier mit dem 1. Hauptgebot verbunden; der Sitz im Leben ist jedoch der gleiche.
Die Entsprechung von Hauptgeboten und Dekaloggeboten zeigt sich darin, daß eine sehr ähnliche Äußerung über den Unwert von Opfern auch im Zusammenhang mit einer summarischen Zitierung von Dekaloggeboten genannt werden kann, und zwar bei Menander nach Eusebius PrEv XIII 13,45: Nicht auf äußere Opfer kommt es an, sondern der Mann soll „brauchbar" sein (εἴ τις δὲ θυσίαν προσφέρων... ταύρων τι πλῆθος ἢ ἐρίφων... εὔνουν νομίζει τὸν θεὸν καθεστά-

[1] Vgl. dazu Philo, Vit Mos II 108; 2 Mkk 12,45; Sir 3,30; Tob 4,11; 12,9; Sap Sal 3,6. – Zu ArBr 170 vgl. Lev 17,11 LXX (gegen MT). Vgl. im übrigen O. Schmitz, Die Opferanschauung des späten Judentums und die Opferaussagen des Neuen Testamentes / Eine Untersuchung ihres geschichtlichen Verhältnisses, Tübingen 1910.
Eine Untersuchung über die Frage der Ablösung von Opfersühnung durch sittliche Sühnung ist ein dringendes Desiderat. Hier müssen einige Hinweise genügen: Der Ursprung dieser Tradition liegt zweifellos in der genannten atl Tradition, nach der Gott mehr Gefallen an Gebotsbefolgung usw. hat als an Opfern. Diese Tradition lebt vor allem im Bereich der Weisheit (zu deren Sitz im Leben vgl. bes. W. Richter, Recht und Ethos / Versuch einer Ortung des weisheitlichen Mahnspruches, München 1966, Kap. 5). Sie lebt auf in Bereichen und zu Zeiten, da der Tempel nicht erreichbar ist. In den rabb. Zitierungen von Hos 6,6 wird der Opfer-Ersatzcharakter von Almosen usw. deutlich.

ναι πεπλάνηται); darauf folgt eine Aufzählung des 6., 7., 5. und 10. Gebotes. – Da dieser Text schwerlich außerhalb des Einflusses jüdisch-christlicher Tradition stehen dürfte, entspricht die Rolle der Hauptgebote gegenüber dem Kult genau der hier formulierten Rolle der Dekaloggebote.
In Sib VIII 402-411 wird die Erfüllung sozialer Pflichten gegenüber dem Nächsten zwar noch dadurch mit der Gottesverehrung in Verbindung gebracht, daß der Nächste als Gottes Bild bezeichnet wird, aber auf diese Weise ist das Verhältnis zu Gott nicht von der Nächstenliebe getrennt. – Zugleich wird dieses Tun als „lebendiges Opfer" bezeichnet.

Es ist nun noch die Schriftauslegung in Vers 32-33 der Form nach zu bestimmen (vgl. schon oben zu V. 32). Die verkürzt wiedergegebenen Gebote der Gottes- und Nächstenliebe werden zusammen kommentiert durch ein Prädikat, das seiner Herkunft aus der Schrift nach nicht mehr eindeutig identifizierbar ist. Auch hier sind die redaktionellen Zusätze sehr gering. Sie beschränken sich auf die verbindenden καί vor dem Gebot der Gottesliebe und vor dem Gebot der Nächstenliebe und auf die Worte: περισσότερόν ἐστι πάντων. Die drei Schriftstellen sind sehr geschickt zu einem einzigen Satz verschmolzen worden, was besonders durch die substantivierten Infinitive ermöglicht wurde. Das zu Kommentierende ist mit dem Kommentar eine sehr enge Einheit eingegangen.
Wir vermuteten auch für Vers 33 eine Kommentierung auf Grund des Analogieprinzips (ἔλεος = ἀγάπη usw. Hos 6,6). Für Vers 32 setzte die Anwendung dieses Grundsatzes bei der Kommentierung die LXX voraus; für Vers 33 war dieses sehr wahrscheinlich. Es gibt eine Reihe von Belegen, die darauf hinweisen, daß diese Art der Kommentierung innerhalb der Praxis steht, die in Alexandrien und bei Rabbinen geübt und später in Regeln formuliert wurde:
1. Die Interpretation von Schriftstellen durch andere entspricht dem rabbinischen Prinzip תורה מתוך תורה, d.h. zur Erklärung von Stellen sucht man zunächst nach Parallelen, um die Tora durch sich selber erklären zu können, was voraussetzt, daß die Schrift an allen Stellen gleichmäßig Wort und Wille Gottes[1] ist. Obwohl diese Prämisse mit der Herausstellung von andere verdrängenden Hauptgeboten nicht ganz in Einklang zu bringen sein dürfte, wenden die Verfasser dieses Prinzip an.
2. Wenn man jede spätere „Verwendung" von Schriftstellen und deren

[1] Vgl. F. Maass, Von den Ursprüngen der rabbinischen Schriftauslegung, in: Zeitschr. f. Theol. u. Kirche 52 (1955) 129ff., 137: כלא בה = „Alles ist in ihr (der Tora)" (Aboth 5,22) „...dieses Wort ist eines der ältesten der Mischna". J. W. Doeve, Jewish Hermeneutics in the Synoptic Gospels and Acts, Assen 1954, 116: „For the whole of Jewish exegesis rests upon the fact that Scripture itself is called in aid to understand a text. ...midrash: a method of expounding Scripture, in which Scripture explains itself".

Kommentierung in einem neuen Zusammenhang und in neuer Situation als Midrasch bezeichnet, liegt hier ein solcher vor[1]. Dieser Begriff ist aber wohl zu weit, um für unsere Stelle Genaueres auszusagen, denn so betrachtet sind alle atl Stellen im NT im Rahmen von Midraschim wiedergegeben[2].

3. In der Wiedergabe der Zitate in den Versen 32-33 liegt ein Mittelding vor zwischen Paraphrase und Zitierung. Phänomene dieser Art begegnen uns innerhalb der synoptischen Apokalypsen[3], in der ntl Apokalypse und in der Apokalyptik überhaupt (z.B. Jub: keine midraschartige, fortlaufend kommentierende, sondern eine paraphrasierende Nacherzählung von Gen 1 bis Ex 12)[4]. – Doch spricht gegen eine Gleichsetzung mit dieser Art der Schriftauslegung der Kommentarcharakter von Vers 33.

4. Nach einer engeren Definition von Midrasch wird das Bibelwort in einzelnen kleinen Abschnitten zitiert und erklärt. Dabei werden aber die Erklärungen meist durch Formeln wie „die Schrift sagt", „die Schrift lehrt" o.Ä. eingeleitet[5]. In Qumran ist nach O. Betz u.a.[6] der besondere Stil des Midrasch Pescher entwickelt worden: Eine Schriftstelle wird zunächst ganz angeführt, dann werden einzelne Teile herausgenommen und jeweils kom-

[1] Vgl. R. Bloch, Art. Midrash, in: Dictionnaire de la Bible, Supplément V, Paris 1957, 1263-1281, 1266: „essentiel du midrash: rattachement et la référence constante à l'Ecriture". „C'est une étude attentive du texte... Le procédé principal qui permet aux rabbins d'éclairer le texte sacré et d'en sonder les profondeurs est le recours aux lieux parallèles. La Bible forme une unité, elle vient de Dieu dans toutes ses Parties. On connaît l'Ecriture par cœur, aussi se trouve-t-on amené constamment à expliquer la Bible par la Bible". 1278 „Cette adaptation à la vie est précisément... un trait essentiel du midrash. La tendance corrélative de celui à actualiser le contenu du texte sacré, en le transposant de manière à le mettre en rapport direct avec la situation présente, se retrouve, elle aussi, dans les versions..." Vgl. auch I. L. Seeligmann, Voraussetzungen der Midrasch-Exegese, in: Supplementband, Vet. Test. Kopenhagen-Kongr. 1953, Leyden 1953, 150-181.

[2] Vgl. R. Bloch, a.a.O., 1266.

[3] Vgl. F. R. Glasson, Mark 13 and the Greek Old Testament, in: The Expository Times 69 (1958) 213-215, 215: „It is important to notice that the Old Testament allusions in this chapter are not in the nature of direct quotations... in the case of Mk 13 there are no direct citations of any length".

[4] Vgl. F. Maass, a.a.O., 150 und auch die Hymnen bei Lk 1-2, welche nichts bieten, was sich genau mit atl Texten vergleichen ließe.

[5] Vgl. F. Maass, a.a.O., 135. Aber auch der Midrasch kennt paraphrasierende Wiedergaben, wie etwa Deut 29,17-19 in 1 QS 2,11-18. Nur wird hier der Text nicht zunächst genau zitiert. (Vgl. dazu O. Betz, Offenbarung und Schriftforschung in der Qumransekte (Wiss. Unters. z. NT; 6), 1960, 170-173).

[6] Vgl. O. Betz, a.a.O., 78f: „In der Pescher-Exegese werden zwei Sätze durch פשרו verbunden: Das Schriftwort und dessen Deutung. Allegorische Erklärung von Einzelbegriffen kann eingeschaltet werden. Das Schriftwort hat jeweils in einem Tatbestand der Gegenwart oder Zukunft seine Erfüllung gefunden".

mentiert[1]. Die Kommentierung geschieht aber meistens mit einer besonderen Einleitungsformel, der zu kommentierende Satzteil bildet nicht eine syntaktische Einheit mit dem Kommentar, dieser besteht in der Regel nicht aus Schriftworten, und überdies wird der Midrasch Pescher nicht für Gesetzesauslegung im engeren Sinne verwendet, sondern dient zur Deutung der Geschichte[2].
5. Die Einfügung der Interpretation in denselben Satz hat diese Art von Kommentar wohl mit den Targumen gemeinsam, obwohl dort meist nicht Schriftworte kommentieren[3].
6. Vergleichbares Material bietet besonders das Mk-Evangelium selbst: Mk scheint es zu bevorzugen, Zitate in von ihm selbst geformte Sätze einzubauen und dabei zu verändern. Gute Beispiele sind Mk 10,4 und 12,19. – Doch in beiden Fällen werden nicht Schriftstellen durch andere kommentiert.
Keine der angeführten literarischen Formen reicht allein hin, um Vers 33 einzuordnen, vielmehr scheint hier eine besondere Art von Midrasch vorzuliegen, welcher einzelne Elemente mit anderen zeitgenössischen Weisen der Schriftauslegung gemeinsam hat. – Durch den Vergleich mit diesen treten seine spezifischen Merkmale besonders heraus: Bewußt paraphrasierende, aber doch nicht einfach stichwortartige Wiedergabe des zu Kommentierenden und unmittelbar in demselben Satz ohne besondere Einleitung folgende Kommentierung durch relativ frei wiedergegebene Schriftworte.

Durch die Aussage Mk 12,34b („du bist nicht fern von der βασιλεία Gottes") wird der Schriftlehrer Jesus bzw. die Schriftauslegung der Gemeinde zur Norm der Nähe zum Gottesreich überhaupt: Diese Nähe bestimmt sich also nach dem Maß der Übereinstimmung mit der Lehre Jesu. Der hellenistische Hintergrund wird vor allem daran deutlich, daß die Differenz Gemeinde/Judentum auf dem Boden des Lehrbegriffes ausgetragen wird. Es ist beachtenswert, daß die Verbindung von Monotheismus, Nächstenliebe und Ablehung des Tempelkultes als Bekenntnis formuliert zum entscheidenden Kriterium der Zugehörigkeit zu Gemeinde und Judentum wird: Das Kriterium ist inhaltlich nicht neu, da es sich um eine bestimmte Ausprägung hellenistischen Judentums handelt, nur seine Funktion ist neu: Im Munde des einzigen Lehrers Jesus steht es für die Nähe zum Kern der Botschaft Jesu. – Daß aus dem par-

[1] Vgl. dazu E. Gräßer, Der Hebräerbrief 1938-1963, in: Theol. Rundschau 30 (1964), 138-236, 210: (Pesher-Exegese) „...ein Schriftabschnitt wird zunächst wörtlich zitiert; dann werden Worte und Phrasen der Zitation in die folgende Interpretation eingebaut".
[2] Vgl. a.a.O. Anm. 591.
[3] Vgl. R. Bloch, a.a.O., 1279: „Se plaçant dans le prolongement immédiat du donné scripturaire, il constitue une sorte d'articulation, un passage entre le texte biblique et son interprétation".

änetischen Material des hellenistischen Judentums gerade die antikultische Tendenz hier lebendig ist, hängt wohl bereits mit den in Apg 6,11.13.14 referierten Grundsätzen der „Hellenisten" zusammen, die möglicherweise an das ursprünglich apokalyptisch zu verstehende, nun aber gegen ein sichtbares Heiligtum gedeutete (vgl. Apg 7,48ff) Wort Jesu von der Zerstörung und vom Wiederaufbau des Tempels anknüpften (Mt 23,38; 24,2; 26,61; Apg 6,14) und dieses mit einem jüd.-hell. Gesetzesbegriff kombinierten. Das Verhältnis zum Kult wird dann in der programmatischen Formel Mt 9,13 = Hos 6,6 systematisiert, die dann auch Jesu Zuwendung zu Sündern und Zöllnern decken kann. Ein solcher Grundsatz bedeutet freilich „Auflösung des Gesetzes" in einem ganz bestimmten Sinn (vgl. unten zum Exkurs zu Mt 5,17). V. 34c wird bei Mt erst hinter der folgenden Perikope in Mt 22,46b gebracht, bei Lk bereits am Ende der vorangehenden in Lk 20,40. – Bei Mt wie bei Lk folgt der Satz auf einen nach rabbinischer Art geführten Schriftbeweis und faßt die Anerkennung für Jesus zusammen. Besonders Lk 20,39 (die Schriftkundigen sagen zu Jesus: διδάσκαλε... καλῶς εἶπας) erinnert deutlich an Mk 12,32 (der Schriftkundige sagt zu Jesus: καλῶς, διδάσκαλε, ἐπ' ἀληθείας εἶπες...). Lk 20,39-40 bildet daher den Rahmen von Mk 12,32-34 ab. – In Mt 22,46 wird das Verstummen der Schriftkundigen und damit die Überlegenheit Jesu besonders betont. – Der V. Mk 12,34c hat also in den drei genannten Perikopen jeweils die gleiche Funktion: Er soll verdeutlichen, daß Jesus der „Lehrer der Lehrer" ist: durch seinen kunstvollen Schriftbeweis nötigt er den Schriftkundigen Anerkennung ab. Jesus ist nicht nur in seiner Gemeinde sondern auch den jüdischen Gelehrten gegenüber der an Autorität überlegene, überragende Lehrer der Schrift. Von daher wird deutlich, daß die Wiederholung der Antwort Jesu im Rahmen des Kontextes (Lehrgespräche) durchaus sinnvoll ist und seit der Einordnung des Stoffes in diesen Kontext wohl dazugehört. Mt und Lk fanden den Vers bereits an dieser Stelle vor und haben ihn sinngemäß an andere Stellen gesetzt, da er für ihre Fassung der Hauptgebote nicht brauchbar war.

§ 5 Die Schriftauslegung in Mt 22,34-40

Mt faßt das Gespräch betont als Streitgespräch auf. Den jüdischen Gegnern kann daher nicht mehr jenes Maß an Toraverständnis zugemutet werden, das Mk und Lk – freilich in erkennbarer Tendenz –

berichten. – Die Wendung συνήχθησαν ἐπὶ τὸ αὐτό, dürfte aus Ps 2,2 entlehnt sein: καὶ οἱ ἄρχοντες συνήχθησαν ἐπὶ τὸ αὐτὸ κατὰ τοῦ κυρίου καὶ κατὰ τοῦ χριστοῦ αὐτοῦ. Dafür spricht der Wortlaut, die gegenüber Mk betonte Anknüpfung durch περὶ τοῦ Χριστοῦ in Mt 22,42 und ferner die generelle Identifizierung der Führer des jüdischen Volkes mit den atl Gegnern Gottes im Zuge der Menschensohnchristologie (Dan 7). Die Fassungen bei Mt und Lk sind jedenfalls von der jetzigen Mk-Redaktion so sehr verschieden, daß man eine für Mt und Lk gemeinsame Tradition annehmen kann, die einem Vorstadium der jetzigen Mk-Fassung parallel war. Auf die gemeinsame Quelle für Mt/Lk weist besonders νομικός (sonst nicht bei Mt, häufiger bei Lk). Das Fehlen von Dt 6,4 weist auf die ursprüngliche Zusammengehörigkeit der beiden Liebesgebote in dieser Tradition, das Fehlen von Mk 12,32-34 weist letzteres wiederum als sekundär aus.

Die Mt-Fassung spiegelt im übrigen – wie auch die anderen Perikopen mit Gesetzesauslegung gegenüber Mk – die größer gewordene Kluft zwischen Kirche und Judentum. Die Sadduzäer, Pharisäer und der Gesetzeskundige sind für Mt nur noch als Gegner denkbar: schon Mt V. 34 verschärft gegenüber Mk V. 28 (gut antworten/zum Schweigen bringen); zu νομικός setzt er πειράζων (vgl. Lk: ἐκπειράζων) wie er es auch in 19,3 gegen Mk einfügte.

Auch bei Mk hatten die VV. 32-34 antijüdische Tendenz gezeigt, aber die Unterweisung der Gemeinde durch einen Kommentar ist ihm noch wichtiger als die geradlinige Hinführung auf die Passionsgeschichten. Für Mt steht das Judentum geschlossen gegen Jesus, und er kann ihm keinerlei Schrifterkenntnis zubilligen.

Mt hat gegenüber Mk μεγάλη. Daher läßt Mt das πρώτη nur noch in dem Nachsatz Vers 38 und an zweiter Stelle erscheinen. Die Beibehaltung des πρώτη an dieser Stelle geschah wohl, um ein gewisses Maß an Treue gegenüber Mk zu wahren. Die Schwierigkeiten in der Deutung ergeben sich vor allem aus der Frage, ob μεγάλη in V. 36 als Positiv oder bereits als Superlativ zu verstehen ist. – In Vers 38 dürfte es jedenfalls wie das dortige πρώτη superlativisch aufzufassen sein. Es gibt eine Reihe von Parallelen aus klassischen und vor allem aus byzantinischen Autoren, in denen Positiv und Superlativ nebeneinander gebraucht werden und in denen der Positiv im Sinne des Superlativs aufzufassen ist[1].

[1] Vgl. S. Linnér, Syntaktische und lexikalische Studien zur Historia Lausiaca des Palladios (Upps. Univer. Årsskr.; 1943, 2), Uppsala-Leipzig 1943, 79: „Das Koordinieren von Positiv und Superlativ ist in der klass. Sprache selten... In den meisten von diesen hat der Superlativ elativische Bedeutung.

V. 38a heißt also: Dieses ist das größte und erste Gebot. Es gibt grundsätzlich zwei Möglichkeiten, Vers 36 zu übersetzen:

A. „Wie beschaffen ist ein großes Gebot im Gesetz"?

Diese Übersetzung vertreten B. Weiss (Mt 1898), O. Michel (Nächstenliebe 1947), Th. Zahn (Mt 1922), L. F. O. Baumgarten-Crusius (Mt 1844), P. Schegg (Mt 1858), P. Schanz (Mt 1879), A. Bisping (Mt 1867). Danach fragt der Gesetzeskundige nach den Kriterien, welche ein Gebot im Gesetz groß machen. Welchen Inhalt müßte ein Gebot haben, um als groß zu gelten? Die Antwort Jesu wäre: Gebote, die auf Gottes- oder Nächstenliebe abzielen, sind groß im Gesetz.
Mt könnte versucht haben, durch diese geänderte Fragestellung die Dis-

In byzantinischer Zeit wird die besprochene Erscheinung häufiger, ja zur reinen Manier". Positiv und Superlativ in der Hist. Laus.:
93,8 : ἔστι δὲ τὸ πρῶτον καὶ μέγα μοναστήριον
16,26: ἦν ἡ δίαιτα αὐχημώδης καὶ ξηροτάτη
146,22: τὸν μακαριώτατον ἄνδρα καὶ ἀξιόλογον
Vgl. 148,2; 163,4; 163,18.
R. Kühner (Herausg. B. Gerth), Ausführliche Grammatik der griechischen Sprache / Teil 2: Satzlehre I. II., Hannover-Leipzig [3]1898; 1904; I, 24 Anm. 2: „Zuweilen findet sich neben dem Positive der Komparativ oder der Superlativ, oder neben dem Superlative der Komparativ, worin oft eine große Feinheit liegt". Plato, Nomoi 649: εὐτελῆ καὶ ἀσινεστέραν; Demosthenes 9,16: τὸ δ' εὐσεβὲς καὶ τὸ δίκαιον ἄν τ' ἐπὶ μικροῦ τις ἄν τ' ἐπὶ μείζονος παραβαίνῃ τὴν αὐτὴν ἔχει δύναμιν; Thuk. I,84: ἅμα ἐλευθέραν καὶ εὐδοξοτάτην πόλιν νεμόμεθα. Xenophon, Hellenika 5, 3, 17: εὐτάκτους δὲ καὶ εὐοπλοτάτους Lykurg 29: πολὺ δοκεῖ δικαιότατον καὶ δημοτικὸν εἶναι.
A. Wifstrand, EIKOTA / Emendationen und Interpretationen zu griechischen Prosaikern der Kaiserzeit I (Dion. Chrys., Josephus) (Kungl. Humanistika Vetenskapssamfundet i. Lund Arsberättelse; 1929-30), Lund 1930, 29: Josephus Bell. VI, 417 (Fronto durchmustert die gefangenen Juden) τῶν δὲ νέμων τοὺς ὑψηλοτάτους καὶ καλοὺς ἐπιλέξας ἐτήρει τῷ θριάμβῳ. „Die Koordination von Superlativ und Positiv ist ein wenig auffallend. Eusebius, der diese Stelle zitiert, verbessert den Ausdruck, in dem er καὶ κάλλει σώματος διαφέροντας schreibt; Heerwerden vermutete καλλίστους... In der klassischen Sprache kommt solche Beiordnung selten vor (meist elativische Bedeutung). (30) In der byzantinischen Sprache dagegen ist sie ganz gewöhnlich; fast immer hat der Superlativ elativischen Sinn... In Fällen wie Theophanes 471,19 τιμιωτάτους καὶ κατὰ πάντα αἰδέσιμος ist die Koordination bedeutend leichter als z.B. 97,29 ἀνὴρ ἱερώτατος καὶ ἐνάρετος, weil in dem früheren Beispiel der Positiv eine Bestimmung neben sich hat, durch die er als dem Superlativ gleichwertiger erscheint... Voraussetzung der vermehrten Frequenz der Erscheinung ist die undeutliche Empfindung von dem eigentlichen Wert des Superlativs in der späteren Zeit". Als Beispiele aus der Kaiserzeit führt er an: Dion. Chrys. 40,32: τῶν σφόδρα ἀδόξων καὶ φαυλοτάτων (Positiv sei hier superlativisch zu verstehen); Plutarch Sulla 478C: ὠμοτάτους

krepanz zwischen Frage und Antwort im Mk-Text zu glätten. Dort bestand ja die Schwierigkeit, daß der Schriftgelehrte nach dem ersten Gebot fragt, Jesus aber mit zwei Geboten antwortet. – Bei Mt wird nur noch allgemein gefragt nach den Kriterien, die ein großes, d.h. wichtiges Gebot ausmachen. Diese Frage kann dann ohne Schwierigkeiten mit zwei Geboten beantwortet werden. – Die Einfügung des ὁμοία wäre ebenfalls so zu deuten: Gottes- oder Nächstenliebe machen ein Gebot groß. Nach dem Beispiel der beiden wichtigsten Gebote bemißt sich die Wichtigkeit eines Gebotes, kann die Frage beantwortet werden, ob ein Gebot groß ist oder nicht. V. 40 wäre dann so zu verstehen: Das Gesetz ist auf diese beiden Gebote gegründet und hat dadurch seine Verbindlichkeit. Dadurch sind diese beiden Gebote der Maßstab für das, was wichtig ist im Gesetz. Im Vordergrund scheint aber nicht die Frage nach der Verbindlichkeit der übrigen Gebote angesichts dieser beiden zu stehen, sondern das Problem der inhaltlichen Zurückführbarkeit jener auf diese beiden.

Diese Deutung hat für sich, daß Mt die Frage gegenüber Mk – dessen Eigenart folgend – dem Niveau seiner noch stärker jüdischen Gemeinde angeglichen hätte mit einer Unterscheidung zwischen großen und kleinen Ge-

αὐτῇ (sc. τῇ πόλει) καὶ παρανόμους ἀπέδειξε τυράννους (elativisch zu verstehen); Lukian, Rhet. praec. 26: ῥᾴστην καὶ πρανῆ τραπέσθαι τὴν ὁδόν; Alkiphron 3,7: ἱλαρώτατα καὶ εὐφροσύνως.

H. Almquist, Plutarch und das Neue Testament: Ein Beitrag zum Corpus Hellenisticum Novi Testamenti (Acta Sem. Neot. Ups.; 15), Uppsala 1946, 44, führt als Vergleichsbeispiel zu dieser Stelle an Plutarch Mor 35 A (De aud. Poet. 13): δεῖ γὰρ ἐκ τῶν καλῶν διώκειν τὴν ὑπεροχὴν καὶ περὶ τὰ πρῶτα πρῶτον εἶναι καὶ μέγαν ἐν τοῖς μεγίστοις. „Die Plutarchstelle ist insofern wertvoll, als sie die nahe Beziehung von πρῶτος und μέγας illustriert. Die beiden Begriffe stehen nicht, wie bei Mt, unmittelbar verbunden mit einander, sondern chiastisch in paralleler Stellung": περὶ τὰ πρῶτα πρῶτον – μέγαν ἐν τοῖς μεγίστοις. Vgl. H. J. Frisk, Le Périple de la mer Erythrée (Göteborgs Högskolas Årsskrift; 33, 1927, 1), Göteborg 1927, 115: Zu der Stelle Περίπλους τῆς Ἐρυθρᾶς Θαλάσσης 13,13: δυσεπίβολος καὶ ἐπιφορώτατος δέ: „Un positif et un superlatif se trouvent fréquemment coordinés (cf. Schwab, Hist. Syntax d. gr. Comp. 2, 179ff; Brinkmann, Rh. Mus. 63,310; Dürr, Sprachliche Untersuchungen zu Max. Tyr. 26) pour l'époque byzantine, pendant laquelle l'usage devient encore plus commun". Vgl. auch D. Tabachovitz, Sprachliche und Textkritische Studien zur Chronik des Theophanes Confessor, Diss. Uppsala 1926, 17f. S.17: „Theophanes, bei dem der Superlativ wie im NT nur selten wirkliche Superlativbed. hat, dagegen meistens als Elativ verwendet wird, verbindet oft Superlativformen mit einem Positiv (3,10; 7,16: διωγμὸν μέγαν καὶ φρικωδέστατον; 25,26; 69,8; 80,8: μικρότατον ὄντα καὶ ἀπερίστατον 96,34; 80,14; 97,29; 207,11; 263,23; 273,16f: πλεῖστα καὶ μεγάλα ἔθνη)". Weitere Beispiele finden sich bei Leont Vita Joh 3,14; 9,15; 56,4; 62,21f; Vit Hyp 5,9; Georgios Mon. II,744,11: μέγας καὶ φοβερώτατος; Georgios Cedr II,35,14f; Nikephoros Brev. 37,11f; 67,6; usw. In byzantinischer Zeit sei die Koordination von Superlativ und Positiv zu einer reinen Manier geworden.

boten (vgl. 23,23): Die Frage ginge auf die βαρύτερα τοῦ νόμου. Wie in 19,3, präzisiert er zwar die Frage, mildert aber inhaltlich die Radikalität der bei Mk auftauchenden Fragestellung.

B. „Wie beschaffen ist das größte Gebot im Gesetz"?

Diese Ansicht vertreten A. Buttmann (Grammatik 1859), E. Lohmeyer (Mt 1958), E. Klostermann (Mt 1927), V. E. Hasler (Gesetz und Evangelium 1953), Blaß-Debrunner (Grammatik § 245), I. Abrahams (Studies 1917), W. Bauer (Wörterbuch 1958), T. Innitzer (Mt 1932). Der Positiv μεγάλη wird als Superlativ verstanden. Das sprachliche Vergleichsmaterial für eine solche Deutung ist relativ gering[1]. Die Notwendigkeit, ein superlativisches μεγάλη als Semitismus anzusehen, ist ziemlich groß[2]. Daher war für einige Autoren dieser Semitismus ein Beleg für ihre Meinung, Mt fuße hier auf einer von Mk unabhängigen urtümlicheren Überlieferung. Sonst müßte man wiederum fragen: Warum hat Mt gegen Mk das ungebräuchlichere und schlechtere Griechisch eingeführt?
Diese Deutung hat für sich, daß Vers 36 und Vers 38a in demselben Sinn zu verstehen sind. In beiden Fällen geht es um das „größte" Gebot. Das zweite ist diesem an Größe gleich. ὅλος ὁ νόμος κρέμαται... wäre dann in einem im Verhältnis zum Gesetz radikaleren Sinn zu verstehen, etwa so, daß mit diesen beiden Geboten Gesetz und Propheten „stehen und fallen", d.h. wer sie nicht erfüllt, hat das Gesetz nicht erfüllt. Die beiden Gebote stehen in gewisser Weise für das Gesetz selbst. Bei Lösung A gibt es außer den beiden größten Geboten noch eine Reihe großer Gebote, die es wegen der Übereinstimmung mit den beiden größten sind. Nach Lösung B gibt es in erster Linie die beiden größten Einzelgebote, die nach Vers 40 dann in gewissem Sinne für das ganze Gesetz stehen. Da eine Entscheidung zwischen beiden Lösungen kaum sicher zu fällen ist, empfiehlt es sich, zunächst einmal von V. 36 abzusehen und die Verse 37-40 näher zu untersuchen.

In Vers 37 ist gegenüber Mk der Satz Dt 6,4 weggelassen. Es mag sein, daß der Gemeinde des Mt das Gebot des Monotheismus nicht mehr besonders eingeschärft werden mußte; es kann sein, daß in der Mt geläufigen Fassung des Hauptgebotes ein besonderes Bekenntnis zur Einzigkeit Jahwes gefehlt hat – wie in den übrigen Hauptgebotsformulierungen der LXX, und auf nähere Übereinstimmung mit LXX Dt 6,4.5 legt Mt ja ohnehin keinen großen Wert. Überdies

[1] Vgl. Diodori Bibliotheca Historica (ed. C. T. Fischer, Leipzig 1906, Bd. IV), 17, 70, 1: τὴν δὲ Περσέπολιν... ἀπέδειξε τοῖς Μακεδόσι πολεμιωτάτην (codd: πολεμίαν; corr. Reiske) κατὰ τὴν 'Ασίαν πόλεων πλουσιωτάτης δ'οὔσης. LXX 2 Kge 7,9: κατὰ τὸ ὄνομα τῶν μεγάλων τῶν ἐπὶ τῆς γῆς. Himerius, or. 14 (ecl. 15), 3: μέγας = größt, wirklich groß (non vidi).

[2] Dazu M. J. Lagrange, Mt 431: μεγάλη: „positiv pour le superlatif, beaucoup plus sémitique (רב) que πρώτη πάντων". Verweis auf 2 Chr 24,11: τοῦ ἱερέως τοῦ μεγάλοῦ.

kommt ja, wie wir zeigten, der Mk-Fassung kein hohes Maß an Ursprünglichkeit zu; als Kombination ist die bei Mt und Lk erhaltene Fassung älter; diese aber weist noch geringere Nähe zu Dt 6,4f auf. Wahrscheinlich wäre eine Auslassung wohl wegen der störenden Nennung von Israel. Es ist zu beachten, daß in Vers 39 das Gebot der Nächstenliebe ausdrücklich als ὁμοία bezeichnet wird: Gottes- und Nächstenliebe sind zugunsten der Nächstenliebe als gleichwertige oder gleich große Gebote bezeichnet. Mit dieser Parallelisierung der Gebote könnte es zusammenhängen, daß der zu Lev 19,18 in keiner vergleichbaren Beziehung stehende Satz Dt 6,4 fortgelassen wurde. Ein ähnlicher Vorgang war ja bereits in Mk 12, 32/33 sichtbar geworden, wo durch Zusammenfassung der beiden Liebesgebote Dt 6,4 abgetrennt wurde.
Damit wäre die Beobachtung Doeves, Mt habe vielleicht Dt 6,4 nicht als „Gebot" aufgefaßt (sondern nur als Bekenntnis), zu einem Teil berechtigt; ebenso stimmte dazu unsere frühere Beobachtung, daß den übrigen Hauptgebotsformulierungen der Zusatz Dt 6,4 ja ebenfalls fehlt. – Wichtig ist auch, daß die „Liebe zu Gott" außer in diesen Texten und in Lk 11,42 keinerlei Rolle mehr spielt, um so mehr aber die Nächstenliebe, wenn auch, wie festgestellt wurde, in zunehmendem Maße nicht in Formulierungen, die auf Auslegung von Lev 19,18 beruhen (vgl. Exkurs). In Lk 10,37 wurden beide Gebote in noch stärkerem Maße parallelisiert.
In Mt 7,12 steht als Inbegriff von Gesetz und Propheten nur noch die dem Liebesgebot inhaltlich verwandte „goldene Regel". – Der Bezug auf die Gottesliebe fehlt hier überhaupt.

Gegenüber Mk ist Vers 38 eingeschoben. Der Vers könnte dadurch zu erklären sein, daß das markinische πρώτη ἐστίν in der Antwort Jesu noch untergebracht werden muß, andererseits aber mit μεγάλη in Einklang zu bringen ist. Bei Mk fragt der Schriftgelehrte mit πρώτη und Jesus antwortet auch mit πρώτη. Bei Mt kann, wenn der Gesetzeskundige mit μεγάλη fragt, Jesus nicht mit πρώτη antworten. Eine Harmonisierung zur Mk-Fassung liegt dann in Vers 38 vor. Nur: Warum hat Mt μεγάλη von Anfang an eingeführt? Während πρώτη nur die Rangfolge angibt, scheint mit μεγάλη mehr die Bedeutung und das Gewicht betont zu sein. Ähnlich wie bei Mt in Vers 38 ist bei Mk mit μείζων in Vers 31 zusammenfassend die Bedeutung der beiden ersten Gebote gegenüber allen anderen Geboten hervorgehoben. Wenn Vorrang und Gewicht der beiden größten Gebote bei Mt noch mehr betont werden, so steht das in Einklang mit Mt 22,40.

Mk 12,31 ist negativ formuliert, Mt 22,40 dagegen positiv. Der Mk-Text sagt inhaltlich nur: Dieses sind die beiden größten Gebote. Die Aussage bei Mt geht viel weiter. Entsprechend der Präzisierung der Fragestellung durch die Einfügung des ἐν τῷ νόμῳ in V. 36 betonen hier die Verwendung von ὅλος und der Doppelausdruck ὁ νόμος καὶ οἱ προφῆται die Grundsätzlichkeit, mit der hier über die beiden Hauptgebote gesprochen ist.

Der Ausdruck ὁ νόμος καὶ οἱ προφῆται ist nicht erst von Mt gebildet. Er begegnet in Mt 5,17; 7,12; (11,13) 22,40.

Damit findet sich der Ausdruck jeweils in Texten, in welchen Mt seine Stellung zur Überlieferung der Juden summarisch zusammenfaßt. In 7,12 steht der Ausdruck bei der sog. Goldenen Regel, welche damit dem Liebesgebot vor Mt 22,40 gleichgesetzt wird, diesem auch möglicherweise inhaltlich verwandt ist, aber der profanen Weisheitsliteratur entstammt (s.u.). In Didache 1,2 wird diese Regel bereits mit dem Liebesgebot zusammengestellt, und die gegenseitige Interpretation beider ist wohl auch Absicht des Mt. – In 5,17 begegnet der Ausdruck ebenfalls an programmatischer Stelle, während im folgenden Vers 18 nur noch νόμος genannt wird. Die folgende Untersuchung über die Bedeutung der Formel „Gesetz und Propheten" wird zeigen, daß diese jenem materialen Gesetzesbegriff entspricht, der bei Mt durch die Hauptgebote bzw. durch die Goldene Regel zusammengefaßt wird: Es handelt sich bei dieser Formel ursprünglich nicht um eine Bezeichnung für die Tora, sondern um eine aus dtr Tradition stammende Benennung für die Gesamtheit der Forderungen Gottes, wie sie durch die Propheten (Moses inklusive) ergangen sind. Daher kann man sowohl von den Forderungen der Propheten als auch von denen des „Gesetzes" (Mt 5,18) sprechen und muß dabei doch nicht die Tora meinen, sondern die Summe dessen, was von Gott her verpflichtet, auch apokalyptische Belehrung durch den bevollmächtigten prophetischen Sprecher. Insofern können sowohl die Goldene Regel als auch die beiden Hauptgebote die Summe von Gesetz und Propheten sein.

Exkurs:
Der Ausdruck „Gesetz und Propheten“

Der Ausdruck „Gesetz und Propheten“[1] wird in der Regel als Kanonbezeichnung aufgefaßt, so als handele es sich um die zwei Hauptteile der „Schrift“. Für Lk 24,44, Apg und Jh trifft das auch zweifellos zu, weil hier der Buch- bzw. Schriftcharakter dieser beiden Größen jeweils vorausgesetzt ist (durch die Formen von γράφειν usw.). Für Lk 16,16; Mt 11,13 dagegen ist eine solche Deutung ausgeschlossen, und die bei Mt 11,13 gegebene Abfolge πάντες οἱ προφῆται καὶ ὁ νόμος zeigt überdies, daß die Reihenfolge von Büchern in der Schrift auch nicht der Ausgangspunkt für die Deutung dieser Wendung sein kann. Da Mt 5,17 in traditionsgeschichtlichem Zusammenhang mit Lk 16,16 steht, ist auch für diese Stelle und für Mt 7,12; 22,40 nicht ohne weiteres deutlich, daß es sich um die Büchereinteilung Pentateuch/Jos-Mal handelt. Vielmehr weisen Lk 16,16; Mt 11,13 in eine andere Richtung: es könnte mit diesen Begriffen zunächst eine heilsgeschichtliche Periodisierung vorgenommen worden sein, die erst ihrerseits zur Kanonzweiteilung in Gesetz/Propheten geführt hat. Der Nachweis wäre aus dem Judentum zu erbringen; es gilt daher, die Vorstufen für die Terminologie des genannten Q-Logions zu erfragen.

1. Im dtr Geschichtswerk[2] und bei den nachexilischen Propheten erscheinen die Propheten überhaupt als die Knechte Gottes, durch die Jahwe die Tora gesandt hat. Dabei ist תורה jetzt weder im Sinne von Einzelweisung verstanden noch als Mosetora zu identifizieren; vielmehr bezeichnet das Wort die Summe der Befehle und Satzungen, die dem Willen Gottes entsprechen. Dieser summenhafte Gebrauch von תורה scheint in diesen genannten Schriften neu zu sein.

[1] Im NT an folgenden Stellen: Röm 3,21; Mt 5,17 (νόμον ἢ τ.π.); 7,12; 22,40; Q Lk 16,16; Mt 11,13 (πάντες οἱ πρ. καὶ ὁ νόμος); Lk 24,27.44 (ἐν τῷ νόμῳ Μωυσέως καὶ τοῖς προφήταις καὶ ψαλμοῖς), Apg 13,15 (μετὰ τὴν ἀνάγνωσιν τοῦ νόμου καὶ προφητῶν); 24,14 (πιστεύων... τοῖς κατὰ τὸν νόμον καὶ τοῖς ἐν τοῖς π.); 28,23 (πείθων... ἀπό τε τοῦ νόμου Μωυσέως κ.τ.π.); Jh 1,45. – In LXX in 2 Mkk 15,9; 4 Mkk 18,10.

[2] Vgl. dazu auch im Folgenden O. H. Steck, Israel und das gewaltsame Geschick der Propheten / Untersuchungen zur Überlieferung des deuteronomistischen Geschichtsbildes im Alten Testament, Spätjudentum und Urchristentum (WMANT 23), Neukirchen 1967, bes. S. 96f Anm. 4; 167 Anm. 6; 200 Anm. 4.

Nach 2 Kge 17,13 hat Jahwe die Tora den Vätern aufgetragen (צוה) und geschickt durch seine Knechte, die Propheten. – Dabei bezieht sich das den Vätern Gebieten möglicherweise auf die Gesetzgebung am Sinai (vgl. 2 Kge 21,8; 23,25), das Schicken der Tora durch die Propheten auf eine durchaus konkurrierende Gesetzesvermittlung (Vgl. 2 Kge 18,6.12: Moses ist der Ebed, dem Gott die Gebote gab; ebenso die Formulierung in Neh 9,14: „Durch deinen Ebed Moses"). Nach Sa 7,12 wird offenbar die Tora über die früheren Propheten (הנביאים הראשנים) insgesamt erlassen („die Tora..., welche er gesandt hat in seinem Geist durch die früheren Propheten"; Vgl. Neh 9,30). In Esr 9,11 heißt es ganz allgemein: Gott hat durch seine Knechte, die Propheten, angeordnet (צוה). Nach V. 14 handelt es sich dabei um Gebote (מצותיך). In der gleichen traditionellen Terminologie ist Dan 9,10 formuliert: Im Rahmen einer inhaltlich dem dtr Geschichtsbild verpflichteten Exhomologese heißt es: „Und nicht hörten wir auf die Stimme Jahwes unseres Gottes zu wandeln in seiner Tora, welche er gegeben hat vor uns durch seine Diener die Propheten". Auch hier wird Tora noch auf Propheten insgesamt zurückgeführt; in dieser Tradition wird dann auch Moses unter die Propheten gerechnet, so in Hos 12,14; Dt 18,15.18 und in Lib Ant 35,6 (Moyses primus omnium prophetarum) und besonders bei Philo[1] (Virt 52 von Moses: ὁ προφήτης τῶν νόμων Spec Leg II,188; Sacr AbCaini 131). In Cong Er Gr 132 wird dann der Weisheit des Moses zugeschrieben, daß sie νομοθετικὴν ὁμοῦ καὶ προφητείαν (Gesetzgebung und Prophetie) gleicherweise umfaßt habe (ἐνθουσιώσῃ καὶ θεοφορήτῳ σοφίᾳ λαβών). Hier steht bereits die spätere Doppelung im Hintergrund.

Belege für die Tradition der Vermittlung des Willens Gottes durch die Propheten sind auch 2 Chr 36,15 und CD II,12; an der letzteren Stelle werden die Propheten genannt „die Gesalbten seines heiligen Geistes" und Seher der Wahrheit, durch die Gott Israel belehrte. Die Propheten werden als Vermittler der Gebote ebenso erwähnt in CD V,21-VI,1; nur wird hier Moses vor ihnen genannt.

Wie in Kap. II gezeigt wurde, rührt die hier zutage tretende enge Verbindung Propheten/Tora bzw. Wille Gottes allgemein noch aus einer Zeit, in der die Verbindung Moses/Tora noch nicht geschaffen

[1] Vgl. dazu auch D. Georgi, Die Gegner des Paulus im 2. Korintherbrief / Studien zur religiösen Propaganda in der Spätantike (WMANT 11), Neukirchen 1964, S. 127ff.

war. Die Verbindung der Tora-Tradition mit Moses ist ein später Ausdruck seines Gerechnetwerdens unter die Propheten[1].

2. In einer Reihe von Texten steht der Prophet dem Priester als dem Verwahrer und Lehrer der Tora gegenüber. Die Doppelheit Propheten/Gesetz ist hier also auf die Doppelheit Propheten/Priester zurückführbar. Der älteste Beleg für diese Tradition ist Jer 18,18: Es wird verlorengehen Tora dem Priester, Rat dem Weisen und Wort dem Propheten (תאבד תורה מכהן...דבר מנביא); im Kontext handelt es sich um das Sich-Auflehnen des Volkes gegen Jeremias. Die Stelle wird fast wörtlich „zitiert" in Ez 7,26, nur ist an die Stelle des Wortes der Propheten das Gesicht der Propheten (חזון) getreten; auch hier handelt es sich um eine Aussage über einen Unheilszustand. Gleiche Tradition und gleiches Vokabular liegt auch Thr 2,9 zugrunde: Im Rahmen einer Schilderung eines Strafgerichtes über Sion wird geklagt, daß es kein Gesetz mehr gibt (אין תורה) und daß die Propheten keine Gesichte mehr von Jahwe haben (נביאה לא מצאו חזון מיהוה). – Die Priester werden wieder genannt in Zeph 3,4, und zwar so, daß man die Propheten als Schwätzer usw. bezeichnet, die Priester als Gewalttäter an der Tora: חמסו תורה). GrBar 16,4 nimmt diese Tradition auf, indem verschiedene Aussagen über den Abfall Israels aneinandergereiht werden. Auf drei negative Aussagen (nicht Hören der Stimme, nicht Halten und Tun der Gebote – ἐντολαί –) folgen durch ἀλλά angeschlossen zwei positive Aussagen: Sie wurden Verächter seiner Gebote und Schmäher der Priester, „die meine Worte ihnen verkündeten" (τοὺς λόγους μου κηρυττόντων). Für diese Stelle ist offenkundig, daß die Zuordnung von ἐντολαί und ἱερεῖς der von Gesetz und Propheten in den übrigen Traditionen entspricht; nur wurden hier die Propheten durch die „Priester" ersetzt[3]. Es handelt sich

[1] In älteren Traditionen gilt Moses ausdrücklich als Prophet in Hos 12,14; Dt 18,15.18. – Innerhalb des AT wird Moses nirgends den Propheten gegenübergestellt: der Ausdruck 'Moses und die Propheten' findet sich noch nicht.

[2] Die Verbindung von Priestern und Tora findet sich auch (1. als Vorwurf der Verfälschung) in Hos 4,6; Zeph 3,4; Jer 2,8; Mal 2,8; (2. als Lehre der Priester) in Dt 33,10; 2 Chr 15,3: ...καὶ οὐχ ἱερέως ὑποδεικνύοντος καὶ ἐν οὐ νόμῳ. Vgl. dazu auch J. Begrich, Die priesterliche Tora, in: Ges. Stud. z. AT (ThB; 21), München 1964, 232-260.

[3] Vgl. dazu O. H. Steck, a.a.O., 200 Anm. 4.5. Daß im chronist. Werk eine Identifikation Leviten / Propheten vorgenommen sei – so Anm. 4 –, ist sprachlich irreführend: es handelt sich um eine Übernahme und Weiterführung der Funktion, wie aus den Belegen und aus Anm. 5c) hervorgeht.

also um eine zu „Gesetz und Propheten" parallele Zuordnung. Nimmt man diese Beobachtungen mit den unter I gemachten zusammen, so ergibt sich: Gesetz und Propheten sind nur dann zwei wirklich disparate Größen, wenn das Gesetz den Priestern zugeteilt wird, aber auch die Priester nehmen häufig die Stelle der Propheten ein; im übrigen aber handelt es sich bei den Propheten lediglich um die Vermittler des Gesetzes (Gott „schickt" – שלח – es durch – ביד – sie). Auch in der rabbinischen Literatur bleibt das Bild der Propheten als der Gesetzes- und Umkehrprediger bestimmend[1]; bisweilen werden Prophet und Schriftgelehrter direkt identifiziert[2].

3. Die Vermittlung des Willens Gottes durch die Propheten wird als Nebeneinander von Tora und Propheten formuliert in einer Reihe von Texten, die in der Tradition des dtr Geschichtsbildes stehen. Schon für 2 Kge 17,13 hatten wir dieses Doppelschema als Hintergrund der Formulierung vermutet (die Tora wurde den Vätern am Sinai befohlen[3] und durch Gottes Knechte, die Propheten, geschickt)[4]. In Neh 9,26 wird als Inhalt des Widerspenstigseins und der Empörung angegeben: „Sie verwarfen deine Tora und deine Propheten töteten sie, die bezeugten (עיד) unter ihnen, um sie zu dir zurückzuführen". Der gleiche Aufbau liegt auch 9,34 zugrunde: Die Autoritäten Israels haben nicht die Tora getan und nicht „die Befehle und Zeugnisse, welche du bezeugtest in ihnen" (vgl. Stamm עיד in V. 26.30) gehalten. Ebenfalls in der Tradition des dtr Geschichtsbildes als Schuld Israels formuliert begegnet das Versagen gegenüber Gesetz und Propheten in Dan 9,5b.6a. Im Rahmen einer Exhomologese wird hervorgehoben, daß „wir" ge-

[1] So O. H. Steck, a.a.O., 96 Anm. 4.

[2] Vgl. dazu j Ber I 3b,26: Der Prophet und der Schriftgelehrte, wem gleichen sie? Zwei Gesandten ein und desselben Königs (vgl. O. H. Steck, a.a.O., 96 Anm. 4).

[3] Die Verbindung der Sinai-Gesetzgebung mit der Lehre der Väter zeigt sich nicht nur in Mt 5,21.33, sondern auch in Test Rub III 8 (μὴ συνιὼν ἐν τῷ νόμῳ... μήτε ἀκούων νουθεσίας πατέρων); Lib Ant 23,12 (et nunc si vos obaudieritis patres vestros, apponam cor meum in vobis in sempiternum...). Besonders in der Gattung der Testamente wirkt sich dann diese Vorstellung der Traditionskette über die Väter aus.

[4] Auch im Blick auf Mt 11,13 ist zu beachten, daß der Ausdruck „alle seine Propheten" bzw. „alle seine Diener, die Propheten" (2 Kge 17,23) sich natürlicherweise nicht auf die Schriftpropheten bezieht. – Zur Gebotsübermittlung durch Propheten vgl. auch Am 2,4f; Bar 2,20.24 und 4 Qp Hosb II 4f (hier begegnet, wie in 2 Kge 17,13 auch das Verb שלח).

sündigt, gefehlt, gefrevelt haben, ungehorsam waren וסור ממצותך וממשפטיך. Der Inf. abs. סור dient dabei zur Zusammenfassung der vorangehenden Verba (GK § 113z). V. 6 fährt fort: „und wir haben nicht gehört auf deine Diener, die Propheten, welche gesprochen haben in deinem Namen...". Diese Tradition wird aufgenommen in Test Levi 16,2. Im Zusammenhang von Abfallsvorhersagen, die der Verf. im „Buch Henoch" las, werden die Söhne Levis das Gesetz außer Kraft setzen (al: verschwinden lassen; τὸν νόμον ἀθετήσετε/ ἀφανίσητε) und die Worte der Propheten zunichte machen (λόγους προφητῶν ἐξουδενώσετε) durch bösen Wandel (ἐν διαστροφῇ κακῇ). Die beiden Glieder gehören zusammen, da sie im Gegensatz zu den folgenden durch καί verbunden sind.
Die folgenden Glieder nennen in verschiedenen Variationen das Verfolgtwerden der Gerechten, Elemente, die zur gleichen Tradition gehören[1]; parallel zu den Worten der Propheten werden hier die Worte wahrhaftiger (sc. Männer) geschändet (λόγους βδελύξεσθε). In V. 3 hat sich damit eine christliche Tradition über die Erneuerung des Gesetzes (καινοποιοῦντα νόμον) durch Jesus, seine Tötung und die deswegen eingetretene Zerstreuung der Juden verbunden. Zwischen Tod Jesu und Zerstörung Jerusalems wird im Sinne des dtr Geschichtsbildes ein Zusammenhang konstruiert: dabei wird Jesus im Horizont der Größen Gesetz und Propheten lokalisiert: Er hat das Gesetz erneuert und wurde deswegen verfolgt. Der Ton liegt dabei auf dem Wort Gesetz, nicht auf dem Wort erneuern: als ein Vermittler des Gesetzes wurde Jesus getötet. Damit wird er verfolgt wie die Propheten und die gerechten Männer vor ihm. In der dieser christlichen Tradierung vorausliegenden Stufe erfolgte das Vergehen gegen Gesetz und Propheten nach V. 2 durch schlechten Wandel[2]; damit wird deutlich, daß beide Größen als Ausdruck des normativen Willens Gottes gewertet werden, der sich auf das gute oder schlechte Handeln der Menschen bezieht.
Das dtr Geschichtsbild liegt auch zugrunde in CD 5,21-6,1. Der Kontext handelt von Männern, die Israel in die Irre führten: Das Land wurde zur Wüste, „denn sie predigten (כי דברו) Aufruhr gegen die Gebote Gottes (סרה על מצות אל)". Daran wird asyndetisch als Attribut angeschlossen: ביד משה וגם במשיחו הרוחו הקודש. Der Text

[1] Vgl. O. H. Steck, a.a.O., 63 und unten S. 220f. A2.
[2] HSS Aa haben die Angabe über den bösen Wandel nicht und lesen statt dessen: καὶ ἀπολοῦνται ἐξ ὑμῶν οἱ νόμοι καὶ οἱ προφῆται. Vgl. dazu die Verwendung von אבד in der unter II genannten Tradition.

fährt fort: Und sie weissagten Lüge. Die „Gesalbten des heiligen Geistes“ heißen die Propheten auch in CD 2,12 (dort treten sie allein als Lehrer Israels auf). Moses und die Propheten sind hier als Vermittler der beider Aufgabe umgreifenden Gebote Gottes dargestellt. Die gleiche Anschauung spiegelt sich auch in 1 QS I,3: Der Anfang der Sektenregel bringt nach der Überschrift eine Formulierung des Hauptgebotes, dann: „zu tun, was gut und recht vor ihm ist, wie er befohlen hat durch Moses und durch alle seine Diener, die Propheten“ (כאשר צוה ביד מושה וביד כול עבדיו הנביאים); dann folgen, analog zu לעשות, eine Reihe weiterer Infinitive „lieben, was er erwählt, hassen, was er verworfen hat“. Der Inhalt dessen, was הטוב והישר ist, ist also durch den Befehl Gottes durch Moses und alle seine Diener, die Propheten, festgelegt. Die Formulierung bezieht sich auf das Befehlen Gottes und daher auf die Gesamtheit der מצות. Von einem Schriftkanon ist hier keineswegs die Rede. Die Wendung „durch alle seine Knechte, die Propheten“ schließt sogar einen Bezug nur auf die Schriftpropheten aus: Moses und die Propheten sind hier als Vermittler des Willens Gottes, nicht aber als Schriftsteller gemeint. Das „zu tun was gut und recht ist“ ist nur die positive Formulierung zu διαστροφὴ κακή in Test Levi 16,2. – In 1 QS 8,15f heißt es: „Das ist das Studium des Gesetzes (תורה), wie (כאשר) er durch Mose zu tun befohlen (צוה) hat gemäß allem, was offenbart ist von Zeit zu Zeit (16) und wie die Propheten geoffenbart haben durch seinen heiligen Geist“. Auch hier treten wie in den übrigen Qumran-Texten Moses und die Propheten als die Offenbarer des Gesetzes auf. Dabei gilt, daß nicht einfach die Tora die Norm ist, sondern „alles, was von ihr geoffenbart ist“[1]. Das gleiche Nebeneinander von Moses und Propheten findet sich auch an einer, allerdings verstümmelten, Stelle in 4 Q Dib Ham III,11-13[2]. Im Kontext ist die Rede vom Zorn Gottes: „und es klebt an uns... die geschrieben hat Moses und deine Knechte, die Propheten (אשר כתב מושה ועבדיכה הנביאים אש]ר ש[לחתה)“. In den Texten von

[1] Vgl. dazu O. Betz, Offenbarung und Schriftforschung in der Qumransekte (WUNT 6), Tübingen 1960, S. 7. Nach S. 7 Anm. 1 bezieht sich in 1 QS 8,15f auch die Offenbarung der Propheten auf die rechte Erfüllung der Tora. – Den Ausdruck 'von Zeit zu Zeit' deutet Betz so, daß die Offenbarung der verborgenen Dinge in der Tora ihren Kairos habe, d.h. in bestimmten Perioden erfolge. Eine dieser Perioden wäre dann die Schriftauslegung der Gemeinde von Qumran.

[2] ed. M. Baillet, Un recueil liturgique de Qumrân, Grotte 4: „Les paroles des luminaires“, in: RB 68 (1961) 195-250.

Qumran begegnet zum erstenmal die dem AT unbekannte Kombination „Moses und die Propheten". Im gesamten AT gibt es für diese Wendung nur eine Andeutung am Schluß von Mal: Die Abfolge von 3,22/23f ist die Abfolge von einem Hinweis auf das Gesetz des Moses und der Ankündigung des Gesandtwerdens des Propheten Elias. Im übrigen aber dürfte der Kombination „Moses und die Propheten" eindeutig die ältere und schon atl zu belegende Zuordnung „Gesetz und Propheten" zugrundeliegen. Die Gründe für diese Annahme sind:

a) CD 5,21-6,1 steht in der Tradition des dtr Geschichtsbildes, in welcher sonst von Tora und Propheten die Rede ist.

b) Die genannten Qumran-Texte zeigen, daß bei dieser Formulierung anfangs noch die Konzeption zugrundeliegt, daß die Tora durch beide, Moses und die Propheten, vermittelt wird. Die Trennung des Moses von den Propheten dürfte darauf zurückgehen, daß Moses unabhängig von den Propheten als Traditionsvater der Leviten bezeichnet werden soll[1].

c) Gleichzeitig zu dieser an sich älteren Konzeption der Unterordnung von Moses und Propheten unter die Größe Tora wird eine neue Auffassung durchgesetzt: die Größe Tora wird ausschließlich an die Person des Moses gebunden. Diese zweite traditionsgeschichtliche Wurzel der Kombination „Moses und die Propheten" zeigt sich nicht in Qumran, wohl aber in den ntl Texten Lk 24,27.44[2]; Jh 1,45: Moses und das Gesetz stehen nunmehr den Propheten gegenüber. Nicht zufällig findet sich in Lk 24,44 bereits die dann später übliche Kanondreiteilung, die eine exklusive Zuordnung Moses/Tora voraussetzt. Hier ist bereits vollzogen, was in allen bisher behandelten Texten noch nicht der Fall war: die Identifizierung der Größen Gesetz/Propheten mit Teilen der Schrift. Wie in den Qumran-Texten so geht aber auch hier die Wendung „Moses und die Propheten" auf eine ebenso verstandene Wendung „Gesetz und Propheten" zurück (s.u.).

In jedem Falle aber dürfte die Aussonderung des Moses aus der Gruppe der Propheten damit zusammenhängen, daß er der Ver-

[1] Vgl. Ex 2,1; Dt 31,9.24; 33,10. – Philo Vit Mos II 169f.

[2] Der Vorgang wird in Lk 24,27 bereits in der Kanon-Reihenfolge vorgestellt: Man beginnt mit Moses, dann folgen alle die Propheten, und schließlich erstreckt sich der Vorgang auf alle Schriften, als deren 3. Teil neben Moses und Propheten in 44 die Psalmen genannt werden. – Zum Ort dieser Schriftauslegung vgl. unten Bd II zu Mt 5,17.

fasser des Dt, der für das dtr Geschichtswerk maßgeblichen Tora, ist. Das gilt sowohl im Blick auf Dt 31,9.24; 33,10 für sein Verhältnis zu den Leviten als auch für die Bedeutung gerade der Moses-Gesetzgebung im dtr Geschichtsbild. Diese spiegelt sich besonders in der späteren Überlieferungsgeschichte von Dt 30,15-20[1]. In dieser steht auch 4 Esr 7,129f. Der für diese Stelle relevante Kontext beginnt ab VII,119; mit „quid enim nobis prodest..." eingeleitet beginnt eine Reihe von Gegenüberstellungen der den Juden gegebenen Verheißungen mit ihrer tatsächlichen Sünde. Die Reihe endet in 129: „quoniam haec est via quam Moyses dixit cum viveret, ad populum dicens: elige tibi vitam ut vivas. (130) non crediderunt autem ei sed nec post eum prophetis, sed nec mihi qui locutus sum ad eos" (vgl. auch 3,7; 6,22). Esra selbst wird dabei offenbar als Weiser vorgestellt (vgl. 12,38; 14,13.36.40). Wegen des Ausgangspunktes in Dt 30,15-20 muß Moses dominieren; aber auf Grund des vorgegebenen Zusammenhanges Tora/Propheten setzen sich diese hier neben Moses durch.[2]
In der Tradition des dtr Geschichtsbildes steht auch Jub 1,12, wo der Begriff des Zeugnisses aus Neh 9,26.30.34 wieder im Zusammen-

[1] Ein direkter Bezug auf diesen Text findet sich in SyrBar 19,1-3; 84,1-5 (wenn ihr das Gesetz übertretet, werdet ihr zerstreut werden... ihr habt das Gesetz fahren lassen); Jub 1,13; Test Levi 19,1 (ἐκλέξασθε ἑαυτοῖς ἢ τὸ φῶς ἢ τὸ σκότος, ἢ τὸν νόμον K. ἢ τὰ ἔργα τ.B.); Jub 1,5.9; AssMos 3,12 (ne praeteriremus mandata illius in quibus arbiter fuit nobis); 4 Esr 7,17-22; Philo Immut 50; Fug Inv 58; Lib Ant 15,6 (dereliquerunt me et increduli facti sunt verborum meorum et evanuit sensus eorum); 19,2-5; 24,4; 28,4; 30,1.7; 32,9; 33,3; 38,2. – In Lib Ant und Test Patr ist die Abfallsweissagung (verbunden mit der Prophezeiung des Vergessens der Gebote) vom „Testament des Moses" in Dt 30 übertragen auf die Gattung der Testamente allgemein. Auch die Tradition vom Weg des Lebens und des Todes, die den Menschen offenstehen, je nachdem, ob sie das Gesetz befolgen oder nicht, findet sich in der Auslegungsgeschichte von Dt 30,15ff. Daher finden sich in dieser Tradition zahlreiche Belege für die weisheitliche Anschauung, daß der Lohn für Gesetzeserfüllung die Gabe des Lebens sei; vgl. Jer 21,8; Prov 18,21; Sir 15,27; Test Aser 1,3-5; Barn 18,1; 12-Apostel-Lehre 1,2; 4,14; 5,1; Sib VIII 399; – SyrBar 46,3 (nach dem Gesetz fragen = den Unterschied zwischen Tod und Leben angeben; vgl 4 Esr 6,21); SyrBar 18,1f; Ass Mos 12,10; b Chag 3b: Die Worte der Tora richten die, die sie lernen, von den Wegen des Todes auf die Wege des Lebens hin.

[2] Der Hinweis auf die Propheten fehlt in Dt 30,15ff und ist auch in der Überlieferungsgeschichte dieses Passus nur für 4 Esr 7,129 belegt. Die Verbindung geschieht hier auf Grund des dtr Schemas, nach dem sich der Abfall gegenüber Moses und Propheten vollzieht. Zu den Weisen in diesem Zusammenhang vgl. Mt 23,35 und O. H. Steck, a.a.O., 208 Anm. 5.

hang mit Gesetz und Propheten erscheint. Gott wird Zeugen (= Propheten) senden, „doch sie werden nicht hören. Sie werden vielmehr die Zeugen töten und auch die, welche das Gesetz suchen, die werden sie vertreiben, und so werden sie alles abschaffen, vor meinen Augen Böses zu tun". Wie in Neh 9,26 wird den Propheten nicht nur nicht gehorcht, sondern sie werden direkt persönlich angegriffen und getötet (vgl. auch Kontext zu Test Levi 16,2).
Im Rahmen einer Aufzählung der Heilsgaben an Israel erscheinen Gesetz und Propheten auch im Testament der Debora in Lib Ant 30,5: Gott hat Israel in die Höhe der Wolken geführt, Engel zu seinen Füßen gelegt „et disposuit vobis legem et mandavit vobis per prophetas" und es durch duces gezüchtigt. Unabhängig davon heißt es weiter unten in 30,5: „et precepit vobis Moyses et Ihesus et Cenez et Zebul, et non obaudistis eis".
In der Tradition des dtr Geschichtsbildes steht auch Jos Ant IX, 281 (über den Fall des Nordreiches 722). In der erweiterten Wiedergabe von LXX 4 Kge 17,7 (καὶ ἐγένετο ὅτι ἥμαρτον) urteilt Josephus, dieses Ende habe die Israeliten ereilt παραβάντας τοὺς νόμους καὶ παρακούσαντας τῶν προφητῶν. Die Propheten hätten denen, die nicht mit Gottlosigkeiten aufhörten, dieses Geschick vorausgesagt.
Die Tradition von Neh 9,26; Dan 9,5f spiegelt sich auch in Pesiqta R 138a: In einer Exhomologese heißt es: „Wir haben dein Haus verwüstet durch unsere Sünden. Wir haben unsere Propheten getötet, und wir haben alle Gebote, die in der Tora sind, übertreten (הרגנו את נביאינו ועברנו כל המצות שבתורה)". Das Töten der Propheten und das Übertreten der Tora sind auch hier die Hauptursachen für den jetzigen Zustand Israels.

4. In einer Reihe weiterer frühjüdischer Texte, die außerhalb der dtr Tradition stehen, ist „Gesetz und Propheten" zur Angabe des von Gott Geforderten verwendet. In CD 7,15-17 wird mit Hilfe eines komplizierten Schriftbeweises nachgewiesen, daß die Doppelheit von Sikkut und Kijjun in Am 5,26 sich bezieht auf „die Bücher des Gesetzes ספרי התורה", die wie die Hütte Davids wieder aufgerichtet werden und auf die „Bücher der Propheten (ספרי הנביאים), deren Wort Israel verachtet hat (אשר בזה ישראל את דבריהם)"[1].
In seinem Therapeuten-Bericht Vit Cont 25 schildert Philo die

[1] Der Zusatz „deren Wort Israel verachtet hat" ist dem Sinne nach hier überschießend und weist sich dadurch aus als ein aus der dtr Tradition der Zusammenstellung von Gesetz und Propheten mitgeschlepptes Element des dtr Geschichtsbildes.

asketische Lebensweise dieser Menschen, erwähnt, daß sie nichts für den Körper Notwendiges brauchten, sondern betrieben „νόμους καὶ λόγια θεσπισθέντα διὰ προφητῶν καὶ ὕμνους und die anderen Dinge, durch die Einsicht und Frömmigkeit gesteigert und vollendet werden". Daß ὕμνοι mit den atl Psalmen identisch ist, ist im Blick auf Vit Cont 29 nicht selbstverständlich; daher ist es fraglich, ob es sich hier um einen Beleg für die Kanondreiteilung handelt. Zu der Reihenfolge „Gesetze" und „Worte, orakelt durch Propheten" ist auf den engen Zusammenhang hinzuweisen, in dem sonst bei Philo θεσπίζειν zu νόμος steht (Spec Leg II,188: τὰ λόγια τῶν νόμων ἐθεσπίζετο; Sacr AbCaini 131 τῶν νόμων οὓς θεσπίζειν ἠξίωσεν). Auch aus Leg Gai 210 wird der enge Zusammenhang zwischen Gesetz und Propheten bei Philo deutlich, da es von den Juden heißt: θεόχρηστα γὰρ λόγια τοὺς νόμους εἶναι ὑπολαμβάνοντες. In Virt 52 wird Moses als προφήτης τῶν νόμων bezeichnet; nach Congr ErGr 132 umfaßte die Weisheit des Moses Gesetzgebung und Prophetie[1].

Mit den Formulierungen bei Mt ist besonders verwandt die Parallelüberlieferung zu Mk 10,17-21 im Hebr Ev (Orig. Comm in Mt XV, 14): Auf die Frage: Quid bonum faciens vivam? antwortet Jesus:

[1] Auch 4 Mkk 18,10-11 (ὃς ἐδίδασκεν ὑμᾶς ἔτι ὢν σὺν ὑμῖν τὸν νόμον καὶ τοὺς προφήτας) ist ein Beispiel für die Verwendung dieses Begriffs im Sinne haggadischer Belehrung. Denn als Exempel für das Lehren aus Gesetz und Propheten werden angegeben: die Ermordung Abels, Isaaks Opferung und Joseph im Gefängnis, Stoffe, deren gemeinsames Thema das Leiden der Gerechten ist (Vgl. V. 15: πολλαὶ αἱ θλίψεις τῶν δικαίων). Damit aber reiht sich auch dieser Beleg in die Tradition des dtr Geschichtsbildes ein. In 18,12-19 folgen, durch ἔλεγεν δὲ ὑμῖν vom Vorangehenden abgesetzt und eingeleitet, weitere Beispiele aus Propheten, aus David, Salomo und Moses, die mit einer aufschlußreichen freien Wiedergabe von Dt 32,29; 30,20 (Zusage von Leben bzw. Auferstehung) enden. Das Thema ist das gleiche wie in V. 10.11, es handelt sich nur um eine nähere Ausführung. Das ganze Stück dürfte Aufschlüsse geben über die Weise frühjüdischer Weitergabe „schriftgelehrter" Tradition. Der gesamte Text erscheint als Belehrung des Vaters (weish. Tradition; vgl. Gattung der Testamente). Nach V. 10 „lehrte" – ἐδίδασκεν – er Gesetz und Propheten, nach V. 11 las er vor, nach V. 12 sprach er und belehrte – ἔλεγεν... ἐδίδασκεν τε – er über atl Helden, Daniel „rühmte er und pries ihn glücklich" (ἐδόξαζεν... ἐμακάριζεν), nach V. 14 prägt er die Schrift des Jesaia ein (ὑπεμίμνησκεν... τὴν γραφήν), David singt er (ἐμελῴδει V. 15), Salomo zitiert er (V.16 ἐπαροιμίαζεν), Ezechiel stimmt er zu (ἐπιστοποίει). Den Gesang des Moses in V. 18f gibt er ganz frei wieder. Vor allem wird (gegenüber späteren rabbinischen Aufzählungen ähnlicher Art) deutlich, in wie vielfältiger Weise moralische Belehrung aus der Tradition Israels weitergegeben werden kann (eine gute Parallele ist Sir 39,1-3 mit der Abfolge νόμος, σοφία, προφῆται usw.).

legem et prophetas fac. In der Gegenfrage an den Mann heißt es dann: Wie kannst du sagen: feci legem et prophetas quoniam scriptum est in lege: diliges proximum tuum sicut te ipsum. – In der synoptischen Version war nur einfach von den ἐντολαί die Rede. Wie in den mt Texten werden daher Gesetz und Propheten als noch immer gültige Norm des Handelns angesehen: Die Verbindung mit facere, das in diesem Sinne im AT von den Geboten verwendet wird, zeigt, daß lex et prophetae soviel wie alle Gebote sind. Auch durch die Forderungen Jesu sind Gesetz und Propheten nicht überbietbar und etwa durch Jesu Aufforderung zum Besitzverzicht nur interpretiert worden. Wie bei Mt wirkt das dtr Geschichtsbild so nach, daß mit lex et prophetae der endgültig verpflichtende Wille Gottes geäußert ist.

5. Bisheriges Ergebnis: Der Ausdruck „Gesetz und Propheten" bezeichnet überall mit beiden Bestandteilen den zur Tat verpflichtenden Willen Gottes; denn vorausgesetzt ist immer, daß die Propheten Vermittler von Tora bzw. Träger der Befehle Gottes sind. Ursprünglich wird Tora allein durch die Propheten oder doch durch sie als die entscheidenden Vermittler verkündet. Ein Auseinandertreten von Tora und Propheten zeigt sich a) dort, wo die Tora den Priestern/Leviten zugeordnet wird, b) dort, wo in Aussagen des dtr Geschichtsbildes die Tora zwar allgemein mißachtet wird, die Propheten aber speziell mit der Aussage des Getötetwerdens verbunden werden und sich so die Bosheit der Israeliten auf doppelte Weise zeigt; c) dort, wo Moses aus den Propheten ausgesondert und ihnen gegenüber mit der Größe Tora verbunden wird; dabei handelt es sich entweder um eine Variation von a) oder um Ansätze zur Kanonzweiteilung, letzteres sicher nur in Lk 24,27.44; Jh 1,45. Auf Bücher der Schrift bezogen ist der Ausdruck „Gesetz und Propheten" außerhalb des NT nur in CD 7,15-17 und wohl in 2 Mkk 15,9 (παραμυθούμενος αὐτοὺς ἐκ τοῦ νόμου καὶ τῶν προφητῶν vgl. bes. Apg 28,23). Ein Beispiel für die Unabhängigkeit des Gliedes „Gesetz" von der geschriebenen Tora ist Test Juda 18,5: In einer Schilderung des Ungerechten heißt es: προφήτου λαλοῦντος οὐκ ἀκούει καὶ λόγους εὐσεβείας προσοχθίζει (Vgl. V. 3: νόμος). Aus V. 5a geht hervor, daß es sich auch hier um eine Wiedergabe der dtr Abfallstradition handelt. – Der Ausdruck „Gesetz und Propheten" muß dort im Sinne einer Periodisierung aufgefaßt werden, wo 1. Tora immer stärker exklusiv Moses zugeordnet wird, so stets deutlicher im Rahmen des dtr Geschichtswerkes, und wo 2. entgegen

anderen Traditionen[1] Moses als der erste der Propheten aufgefaßt wird (so in Lib Ant 35,6 primus omnium prophetarum) bzw. ihnen zeitlich grundsätzlich vorangeht. Diese Vorordnung dürfte in der Mehrzahl der Texte der dtr Tradition bereits im Hintergrund stehen (z.B. in Lib Ant 30,5: disposuit vobis legem et mandavit vobis per prophetas).

Die Überlieferungsgeschichte unserer Formel spielt sich nahezu ausschließlich innerhalb der Tradierung des dtr Geschichtsbildes ab; daher ist der Hintergrund im Kontext fast immer die Feststellung, daß das jeweils gegenwärtige Unglück Israels (z.B. Zerstörung Jerusalems) eine Folge des Ungehorsams gegen Gesetz und Propheten sei. Die Frage, inwiefern die Kombination als solche in diesem Geschichtsbild eine Funktion habe und inwiefern sie daher ansatzweise dieses Geschichtsbild implizieren könnte und voraussetze, konnte besonders im Blick auf 4 Esr 7,129f und die Auslegungsgeschichte von Dt 30,15-19 beantwortet werden: Die Schuld Israels wird dadurch noch größer, daß es nicht nur Moses nicht gehorcht, sondern auch den Propheten nicht und diese sogar tötet[2]. Die Weitergabe der Tora durch die Propheten wird also primär unter dem negativen Aspekt des Ungehorsams Israels gegen Gottes Forderung zur Sprache gebracht: die Kontinuität Tora-

[1] z.B. Gen 20,7 (Abraham als Prophet); in äth Tod des Moses (Übs. Leslau p. 109) sagt der Tod zu Moses: du wirst sterben wie die Propheten starben. (p. 110): er wird sterben wie Abraham und die Propheten.

[2] Hier ist auch auf den Ausdruck „Propheten und Gerechte" einzugehen (vgl. dazu A. Descamps, Les Justes et la Justice dans les Évangiles et le Christianisme primitif hormis la Doctrine proprement paulinienne, Louvain/Gembloux 1950, 43-45.213-218f). Es könnte eine Verwandtschaft bestehen zu dem Ausdruck „die Väter und die Propheten" (2 Kge 17,13; Zach 1,5; vgl. Syr Bar 85,3.1). In der dtr Tradition sind Gerechte wie Propheten Objekte der Verfolgung (z.B. Jos Ant X,38); das Verhalten zu ihnen entspricht also dem zu Gesetz und Propheten (Ansatzpunkte in der atl Manasse-Überlieferung 2 Kge 21,16; 24,4; SyrBar 64,2); ferner Test Levi 16,2, wo auf die Aussage über die Abschaffung von Gesetz und Propheten durch schlechten Wandel parallel die Aussage folgt διώξετε δὲ ἄνδρας δικαίους καὶ εὐσεβεῖς μισήσετε, ἀληθινῶν λόγους βδελύξεσθε, die terminologisch wiederum mit Test Juda 18,5 verwandt ist (προφήτης/λόγοι εὐσεβείας). Die Kombination begegnet dann noch in Test Dan 2,2 in einer Reihe über die Wirkungen des Zornes, wo das Stück προφήτης κυρίου παρακούει ἢ δίκαιος οὐ βλέπει offensichtlich in die übrigen Verwandtschafts- und Freundesbezeichnungen eingeschoben ist. Die Formulierung zeigt, daß das Stück hier in Beziehung zu der von Jer 18,18 ausgehenden Tradition steht und besonders mit GriechBar 16,4 verwandt ist. Dadurch wird die Reihe über die Wirkungen des Zornes

Propheten ist weithin durch den Ungehorsam Israels hergestellt. Dieses Bild ist freilich nicht allein geltend; vielmehr sind auch positiv „Tora und Worte der Propheten“ Umschreibung des verpflichtenden Willens Gottes[1].

hier ausgeweitet zu einer Aussage über eine Zeit des Niedergangs im Geschick Israels. Eine entgegengesetzte Aussage über die Zeit des Heiles in nahezu gleicher Formulierung bietet Mt 13,17 πολλοὶ προφῆται καὶ δίκαιοι ἐπεθύμησαν ἰδεῖν... καὶ οὐκ εἶδαν καὶ ἀκοῦσαι... καὶ οὐκ ἤκουσαν. Dieser Text ist daher nicht nur mit Test Dan 2,3 aufs engste verwandt, sondern auch mit der oben unter II genannten Tradition. Während nach SyrBar 85,1.3 die Gerechten und Propheten als Helfer und Fürbitter für Entsündigung nur zu Zeiten der Väter da waren und jetzt nur das Gesetz blieb, wird in Mt 10,41 die Existenz von Propheten und Gerechten wieder vorausgesetzt. Der gleichen Tradition wie SyrBar 85,1-3 entstammt aber Mt 23,29f, wo vorausgesetzt wird, daß es Propheten und Gerechte (nur?) zur Zeit der Väter gab (In V. 30 ist allerdings nur vom Blut der Propheten, nicht von dem der Gerechten die Rede; die Gerechten fehlen denn auch in der Lk-Fassung Lk 11,47f. Im Blick auf Mt 10,41 dürfte man hier wohl einen Einschub aus matth. Tradition annehmen). Hier bestehen auch „verfassungsmäßige“ Zusammenhänge, wie der Blick auf Propheten/Lehrer in Apg 13,1, Apostel/Propheten/Lehrer in 1 Kor 12,28f, Propheten und Apostel in Lk 11,49 und Apostel/Propheten in Eph 3,5; 4,11 zeigt. – Im Blick auf die unter II festgestellte Tradition von den Priestern, die den Propheten gegenüberstehen und im Blick auf das von O. H. Steck festgestellte Einrücken von Gesetzeslehrern in die Funktion von Leviten/Priestern (bzw. umgekehrt) ist die These zu formulieren: Wo in den urchristlichen Angaben neben den Propheten ein zweites Glied auftaucht, handelt es sich um Lehrer des Gesetzes; in Lk 11,49 werden die Apostel als solche verstanden, in Mt 23,34 heißen sie γραμματεῖς, sonst διδάσκαλοι. Bei Paulus werden die Apostel auf Grund anderer Vorstellungen vom Apostolat vorangestellt, in Eph sind sie wieder mit den Lehrern identisch. – Auf jeden Fall aber dürfte deutlich werden, daß die frühchristliche Doppelgliedrigkeit „Propheten und...“ ihr Vorbild in frühjüdischer Tradition hat. Hierher gehört auch die Verbindung „Propheten und Gerechte“ bei Mt, wie die Verbundenheit von 10,41 mit 10,40 (ἀποστέλλειν!) zeigt. Mt pflegt auch sonst die Apostel als die Gerechten schlechthin darzustellen (s. zu Mt 19,28 usw.). – Als Ergebnis ist festzuhalten, daß die Kombination „Propheten und Gerechte“ sehr häufig eine Beziehung zu der anderen Kombination „Gesetz und Propheten“ aufweist. Im Blick auf unsere Fragestellung ist besonders zu beachten, daß für SyrBar 85,3 Gerechte und Propheten der Zeit der Väter angehören, also in die klassische Zeit der Heilsgeschichte, die von der Zeit, in der man nur das geschriebene Gesetz hat, ausdrücklich abgesetzt wird. In der gleichen Weise sind, so lautet unsere These, auch Gesetz und Propheten primär und weithin als Dokumentationen des Willens Gottes zur Zeit der Väter gemeint und nicht als geschriebenes Buch.

[1] Diese Auffassung von „Gesetz und Propheten“ zeigt sich auch noch in Theoph ad Autol I 14,1 (Schriften der hl. Propheten); II 10,8-12 (Moses

In Lk 16,16 ist ὁ νόμος καὶ οἱ προφῆται nicht Gegensatz zu βασιλεία, sondern zum Verkündigtwerden der Basileia. Nur bis zu Johannes reichte die Zeit, in der Gott seinen Willen durch Gesetz und Propheten erklärte; jetzt geschieht dieses durch die Predigt des Evangeliums von der Basileia. Im Blick auf die Verwendung von גלה in Qumran ist es legitim zu formulieren: eine Weise der Offenbarung Gottes wird durch eine neue abgelöst. Gesetz und Propheten beziehen sich nicht auf die Schrift, sondern auf diesen Offenbarungsmodus für Gottes Willen. Der angeschlossene V. 17 bezieht sich dagegen deutlich auf die geschriebenen Gesetze. Daher fehlt hier auch, ähnlich wie im Verhältnis Mt 5,17/18 die Angabe über die Propheten: Nomos als die geschriebene Tora ist in einer anderen Tradition ebenso Ausdruck für die Gesamtheit des verpflichtenden Gotteswillens wie in der dtr Tradition der Begriff „Gesetz und Propheten"[1]. Auch das εὐαγγελίζεσθαι ist daher primär Aufforderung

gehört zu den Propheten). 30,10; 34,1; 34,8ff: Gott gab das Gesetz und schickte Propheten, um zu verkündigen, daß ein Gott sei, und daß man sich enthalten solle von Götzendienst und Vergehen nach dem 6., 5., 6., 7., 10., 8. Gebot, Zorn, Ausschweifung und Unreinheit und die Goldene Regel beachten müsse. – In K. 35 folgt eine Wiedergabe des 6., 5., 7., 8. (οὐ ψευδομαρτυρήσεις) und 9. Gebotes (οὐκ ἐπιθυμήσεις τὴν γυναῖκα τοῦ πλησίου σου); dieses wird zuvor als ὁ ἅγιος νόμος gekennzeichnet. Am Schluß der Reihe heißt es: ὁμοίως καὶ οἱ προφῆται. 35,13 betont die Übereinstimmung aller Propheten, ebenso III 13. III 11 wird die kontinuierliche Sendung von Propheten hervorgehoben (ganz in Übereinstimmung mit dem dtrG). – In II 14,6 wird betont, daß Gesetz und Propheten die Süßigkeit, Barmherzigkeit, Gerechtigkeit und Lehre der Gebote Gottes ausströmen. – Nach den slav Periodoi Petrou (Übers. I. Franko; 316) besteht die Bekehrung darin, „das Prophetengesetz zu lernen". In dieser alten Bedeutung wird der Ausdruck auch verwendet in der Predigt Hippolyts über den Antichrist (ed. de Lagarde p. 29 und ebenso p. 51: Gott gab Gesetz und Propheten und gab ihnen den heiligen Geist und zwang sie so, Willen und Wunsch des Vaters zu äußern). Auch spätere Nachweise der Übereinstimmung von Gesetz und Propheten (z.B. Ps Clem Rec I 69,1) stehen in dieser Tradition („quia et prophetae quae dicunt, ex lege sumpserint et legi consona sint locuti").

[1] Das zeigt sich schon im unmittelbaren Kontext zu Lk 16,16: V. 17 handelt vom Nomos, V. 18 bringt wohl mit der Nennung des 6. Gebotes einen Fall aus dem Nomos. Die angeschlossene Lazarus-Perikope endet in 16,29-31 in einem doppelten Zusatz in Angaben über Moses und die Propheten. Zunächst gab V. 29 eine abschließende Pointe; sie reihte das Gleichnis in seine jetzige Stellung nach Lk 16,16-18 ein. V. 30f dagegen nehmen das auch für die Konzeption der Apg vorausgesetzte Ergebnis der Missionsreden an die Juden vorweg: Wie sie schon Gesetz und Propheten nicht gehorchten, so werden sie

zu (ethischer) Umkehr, in der luk Tradition die Abkehr von den Sünden. Der Hauptunterschied besteht in der universalen Bedeutung für alle Menschen (πᾶς . . . βιάζεται). Das 2-Äonen-Schema gibt die Grundstruktur für diesen Vers ab[1].

In Mt 11,13 steht gegenüber Lk πάντες οἱ προφῆται voran; dieses ist nicht nur redaktionell zu erklären, sondern entspricht einer atl-frühjüdischen Tradition, die sich bereits in Jub 1,12; Ez 7,26; Zeph 3,4; Pesiqta R 138a findet. Möglicherweise steht auch die ältere Tradition von der primären Toravermittlung durch alle (hier gegenüber der lk Version betont!) Propheten im Hintergrund; diese findet sich zur Zeit des Mt in 4 QpHosb II,4f[2]. Der aktuelle Anlaß für die Voranstellung der Propheten ist hier die Betonung der prophetischen Funktion von Propheten und Gesetz; aus der Verwendung

auch durch Jesu Auferstehung nicht überzeugt werden. Der enge Zusammenhang zwischen dem moralisch verstandenen Hören auf Gesetz und Propheten und dem christlichen μετανοεῖν ist daher zu erklären, daß bei Lk Buße „Umkehr von moralisch schuldhaftem Wandel" (U. Wilckens, Die Missionsreden der Apostelgeschichte, Neukirchen 1962, 181 Anm. 8) ist. Die Auferstehung steht am Endpunkt der Linie, auf der auch Moses und die Propheten stehen. Sie ist die letzte Mahnung zur Umkehr, wird aber wie die vorigen ohne Erfolg sein. Der Zusammenhang des Gleichnisses und das doppelte ἀκούειν zeigen, daß es bei „Moses und den Propheten" nicht um die Schrift geht, sondern um das Auftreten von Mahnern in der Geschichte.

[1] Vgl. dazu den Exkurs zu Mt 5,17f (bes. Mt 5,18). Es ist zu fragen, wie der Sammler dieser Logien sich das Verhältnis zwischen V. 16 und V. 17 gedacht hat. Jedenfalls wird V. 16 durch V. 17 so interpretiert, daß Gesetz, Propheten und christliche Predigt nur sich ablösende Formen der Verkündigung sind: die Boten sind verschieden und die Angesprochenen sind verschieden. Aber das hebt die verpflichtende Geltung der Mahnungen des Gesetzes nicht auf, vielmehr gilt, wie das Ende der Lazarus-Perikope dann zeigt, ein Steigerungsverhältnis: Wer schon nicht auf Moses und Propheten hörte, der wird auch durch eine Auferstehung nicht überzeugt werden (Hier wird die nahe Verwandtschaft von εὐαγγελίζεσθαι und Auferstehung deutlich, die ähnlich auch für Paulus gilt). Durch den grundlegenden Wandel in der Verkündigung wird das Gesetz nicht überflüssig, sondern es bleibt bis zum Ende dieses Äons bestehen. Die vorangehende Epoche wird nicht „destruiert", sondern z.B. gilt das Verbot des Ehebruchs bis zum letzten Tüpfelchen weiter, und überdies ist das Phänomen des Ungehorsams gegenüber Moses, Propheten und Auferstehung gleich (V. 18.29-31).

[2] 4 Qp Hosb II 4f: „Seine Gebote warfen sie hinter sich, die er ihnen gesandt hat mittels seiner Knechte, der Propheten, aber auf ihre Verführer hörten sie..." (Text bei J. M. Allegro, JBL 78 (1959) 145). Vgl. ferner Hebr. 1,1: Demnach hat Gott zu den Vätern insgesamt nur durch die Propheten gesprochen.

dieses Verbs in der gesamten synoptischen Tradition wird freilich deutlich, daß das προφητεύειν keineswegs im Sinne von Reflexionszitaten zu verstehen ist, sondern als geistbegabte Offenbarung verborgener Tatsachen; da der Kontext von Joh dem Täufer handelt, liegt der Ton auf dem Verb und daher auf den mit Joh vergleichbaren Personen, den Propheten (die Betonung der Personen ist auch das Anliegen der Tradition, die Propheten voranstellt). Sie und das Gesetz hatten bis zu Jh die Funktion des Offenbarens, die nun er hat. Noch weniger als in Lk 16,16 ist es hier möglich, an die Schrift zu denken.

Da das dtr Geschichtsbild für die Überlieferung des Mt bekanntlich eine große Rolle spielt[1], sind auch die Formeln in Mt 5,17; 7,12; 22,40 nicht in dem Sinne zu verstehen, als handele es sich um die zwei Teile der Schrift; aus den gleichzeitigen und z.T. auch noch späteren jüdischen Belegen wurde deutlich, daß man eine Anspielung auf die Kanonzweiteilung nur annehmen darf, wo ausdrücklich von Schrift die Rede ist. Das ist aber an den genannten Mt-Stellen nicht der Fall, sondern Gesetz und Propheten bezeichnen hier noch im Sinne der dtr Tradition die Gesamtheit des verpflichtenden Willens Gottes, in welcher Form auch immer er jeweils aktuell formuliert sein mochte. Es handelt sich bei diesen Versen also nicht um Schriftauslegung, sondern um ein Urteil über die Summe des aus der Tradition überlieferten Willens Gottes.

Eine Konfrontation von „Gesetz und Propheten" mit dem geschriebenen Gesetz des Moses findet sich nicht nur in Lk 16,16/17 und in Mt 5,17/18, sondern auch in Hebr Ev (Orig. Comm in Mt XV,4; s.o.) und in Röm 3,21 sowie in Mt 22,36/40. Durch diese relative Häufigkeit der Verknüpfung zweier verschiedener Traditionen wird die Unterschiedenheit von Gesetz und Propheten gegenüber Gesetz nur um so deutlicher belegt: aus dem Gesetz wird entweder zitiert (Mt 22,36ff; Hebr Ev) oder es ist (an κεραία erkennbar) die geschriebene Buchrolle des Moses; für Röm 3,21 sind Gesetz und Propheten gegenüber dem Gesetz des Moses die Gesamtheit der im Laufe seiner Geschichte an Israel ergangenen Offenbarungen des Willens Gottes in diesem Äon[2]. Die genannte Gegen-

[1] Vgl. O. H. Steck, a.a.O., 304-316.

[2] Wenn einerseits „Gerechtigkeit Gottes" die Heilsgabe überhaupt ist und wenn andererseits Gesetz und Propheten (von Ausnahmen in der luk-joh Tradition abgesehen) auch dort, wo es im Sinne von Schrift verwendet wird, die Dokumentationen der Forderungen Gottes an das Tun der Menschen be-

überstellung findet sich auch in einem Kontext in den Acta Ioannis K 112 (H-S II,175): in einer Reihe von Christus-Prädikationen heißt es: ὁ δείξας ἑαυτὸν διὰ τοῦ νόμου καὶ τῶν προφητῶν; sowohl der partizipial-attributive Stil wie auch der Inhalt dieser Prädikation zeigt die Umwandlung einer theo-logischen Aussage in eine christologische; der für Röm 3,21 behauptete Offenbarungsbegriff wird daher, beachtet man diese Übertragung, auch hier belegt. Kurz darauf heißt es aber: ὁ βυθιζομένῃ αὐτῇ εἰς ἀνομίαν νόμος φανείς. Während es sich an der ersten Stelle um den Gegensatz zwischen zwei Zeiten (Äonen) handelte, ist hier „Gesetz" Gegensatz zu „Gesetzlosigkeit" – ein weiterer Beleg für die Verwendung von Gesetz im Gegensatz zu Gesetz und Propheten.

zeichnet, dann ist zu fragen, in welchem Sinne das Heilsgut durch die Forderungen Gottes „bezeugt" werden könne: 1. In der Tradition des dtr Geschichtsbildes steht das Nicht-Hören auf Gesetz und Propheten stets in engem Zusammenhang mit der Strafe, die Israel dafür ereilt hat. 2. Dem entspricht andererseits für den Fall der Gebotserfüllung die Heilszusage. Die Grundsätzlichkeit dieser Alternative wird aus Dt 30,15-19 deutlich. Die Heilszusage für Gebotserfüllung ist also inhaltlich: Leben. Dieses Motiv zweifellos weisheitlicher Herkunft (vgl. zum 4. Dekaloggebot) findet sich aber außer im 4. Gebot (und in der Umkehrung מות יומת) gerade nicht in den sog. Gesetzessammlungen des Pentateuch, sondern in der Weisheitslit., es wird in dtr Tradition aufgenommen (Dt 30,15ff), findet sich sehr häufig in der apok Literatur, ist die Grundlage für die Ausbildung des Schemas von den beiden Wegen, und schließlich ersetzt Paulus in 2 Kor 2,15.16 das Element der Gesetzespredigt in diesem Vorstellungsschema durch das der Christuspredigt. 3. Gerechtigkeit Gottes, die durch Gesetz und Propheten bezeugt ist, bedeutet also: Das von Gott als Lohn für die Gebotserfüllung geschenkte Heil (= Leben). Zwar haben Gesetz und Propheten in der Tradition des dtr Geschichtsbildes faktisch immer nur die Strafe bezeugt, in gleicher Weise aber auch stets die Möglichkeit der Gerechtigkeit Gottes. Der von Paulus gesehene Zusammenhang zwischen Gerechtigkeit Gottes und Leben erhellt überdies aus Gal 3,11.12.21. 4. Paulus versteht den Begriff „Gesetz und Propheten" also speziell im Sinne der dtr Tradition, aus der er diesen Begriff auch selbst empfing: Während er Nomos in 3,21 als „Heilsweg auf der Grundlage der Erfüllung von Forderungen" ansieht, bedeuten Gesetz und Propheten hier: die Verkündigung dieser Forderungen Gottes in der Geschichte Israels, für deren Annahme zugleich Leben oder Tod verkündet werden; dieser Verkündigung entspricht dann die Verkündigung des Evangeliums in 2 Kor 2,15.16; dem entspricht genau die Abfolge 'Gesetz und Propheten'/εὐαγγελίζεσθαι in Lk 16,16. (Das Weiterbestehen des Gesetzes nach Lk 16,17 im „Gegensatz" zu Lk 16,16 wäre demnach unter dem Aspekt der paulinischen Lösung der Gesetzesfrage zu betrachten; denn auch für

Die für CD 7,15-17; 2 Mkk 15,9 bereits belegte Verwendung dieser Kombination zur Bezeichnung der Schrift findet sich dann auch im NT, und zwar in Lk 22,44; Apg 13,15; 24,14; 28,23 und in Jh 1,45. An allen diesen Stellen handelt es sich speziell um den christologischen Schriftbeweis, der zur Bekehrung von Juden geführt wird (der nach Lk erst nach der Auferstehung möglich ist; s.u.). Die Schrift der Juden wird hier als Dokument einer abgeschlossenen Vergangenheit bewertet; in 2 Mkk ein „Schatz" für Paränese, hier das Arsenal der Schriftbeweise, die bekehren sollen. Es wird deutlich, wie völlig anders demgegenüber die aktuelle Bedeutung von Gesetz und Propheten bei Mt ist. Die Identifizierung von Gesetz und Propheten mit dem Kanon (die insbesondere eine Identifizierung „aller" Propheten mit den Schriftpropheten ist) in der luk-joh Tradition bedeutet daher in gewissem Sinne die Ablehnung

Paulus bleibt das Gesetz als Norm in der Zeit der Verkündigung des Evangeliums bestehen – vgl. dazu A. v. Dülmen, Die Theologie des Gesetzes bei Paulus, Stuttgart 1968, 225 –; Lk 16,16f könnte durchaus den Grundansatz der paulinischen Lösung in nicht-paulinischem Milieu widerspiegeln). Gesetz und Propheten stehen also dem εὐαγγελίζεσθαι gegenüber, Nomos dem Christus. Genausowenig wie Evangelium bedeuten aber Gesetz und Propheten für Paulus ein Buch, sondern die Dokumentationen der Verkündigung des Willens Gottes in der Geschichte Israels. Das εὐαγγελίζεσθαι ist demgegenüber universal (vgl. das πᾶς in Lk 16,16!). 5. In der Tradition des Begriffes „Gesetz und Propheten" begegnet das Verb „bezeugen" als עיד bereits in Neh 9,26.30.34, ebenso in Jub 1,12 (und ich werde Zeugen zu ihnen senden, auf daß ich ihnen Zeugnis ablege, doch sie werden nicht hören. Sie werden vielmehr die Zeugen töten...), ferner Pap Lond Egerton Nr. 2: οἴδαμεν ὅτι ἀπὸ θεοῦ ἐλήλυθας. ἃ γὰρ ποιεῖς μαρτυρεῖ ὑπὲρ τοὺς προφήτας πάντας (sc. mehr als alle Propheten Zeugnis ablegen konnten). 6. Die Begriffe „Gesetz und Propheten" und „Gesetz" in Röm 3,21 sind also nicht identisch, so als ob das Gesetz selbst eine über sich hinausweisende Möglichkeit bezeuge (gegen Klaus Berger, Abraham in den paulinischen Hauptbriefen, MThZ 17 (1966) 47-89, 64 Anm. 25.65 Anm. 26 und gegen A. v. Dülmen, a.a.O., 86 (und Anm. 50). Paulus drückt sich hier gerade nicht „paradox" aus. – Röm 3,21 weist aber auch nicht auf Röm 3,31 oder auf den Schriftbeweis in Röm 4 voraus (gegen U. Wilckens, Zu Römer 3,11-4,25, in: EvTh 24 (1964) 586-610, 591). Eine solche Lösung wird jedenfalls durch die sprachlich genaue Unterscheidung zwischen 'Gesetz' und 'Gesetz und Propheten' und durch die inhaltliche Fixierung von 'Gesetz und Propheten' unmöglich. Unser Ergebnis lautet also: Gesetz und Propheten stehen der Verkündigung des Evangeliums gegenüber, während sich andererseits Christus und Gesetz gegenüberstehen. Erstgenannter Ansatz hat ein traditionsgeschichtliches Seitenstück in Lk 16,16f.

eines weiteren jüdischen Traditionsbegriffes und das Sich-Beschränken auf den Kanon allein; dieser Vorgang ist, wie bereits deutlich wurde, nicht nur innerchristlich, sondern korrespondiert der gleichzeitigen rabbinischen Entwicklung zur Kanondreiteilung.

Der entscheidende Ausdruck für das Verständnis von Vers 40 ist das Verb κρέμασθαι. Was bedeutet es, daß Gesetz und Propheten an diesen beiden Geboten hängen?

Das griech. Verb κρέμασθαι wird mit den Präpositionen ἀπό,ἐκ, ἐπί und mit den Vorsilben ἀπό, ἐκ, ἐν, ἐπί gebraucht und bedeutet neben „hängen“ in übertragener Bedeutung: in der Schwebe lassen[1], innerlich abhängen, sich abhängig machen, liebend an einem Wertvollen hängen (nicht notwendig, sondern auf Freiheit beruhend, daher von Sachen nicht ausgesagt)[2]. Ausnahmen von diesen beiden Bedeutungen in übertragener Verwendung sind nur Jud 8,24 LXX (objektive Seinsabhängigkeit des Schwächeren) und Euseb Pr Ev 809C = 15,9,5 (Zitat des Platonikers Attikus): πάντων οὖν τῶν Πλάτωνος δογμάτων ἀτεχνῶς ἐξηρτημένων καὶ ἐγκρεμαμένων τῆς κατὰ τὴν ψυχὴν θειότητος τε καὶ ἀθανασίας... πᾶσαν ἀνατρέπει φιλοσοφίαν. Die Philosophie Platons ist aufgehängt an den Prinzipien der Göttlichkeit und Unsterblichkeit der Seele. Ohne diese grundlegenden δόγματα muß man die Philosophie Platos verdrehen. Der Wert dieser Stelle für Mt 22,40 ist vor allem deshalb groß, weil ἐν-κρέμασθαι gebraucht ist (wenn auch die abhängigen Substantive sich nach dem ἐξ des vorangehenden ἐξαρτᾶσθαι richten). Die Stelle ist überdies ein wertvoller Beleg für die synonyme Verwendung von ἀρτᾶσθαι und κρέμασθαι. – Das Verb ἀρτᾶσθαι wird

[1] So in Aristophanes, Nubes 227; Aristoteles, Rhetorica 3,14 1415a 12 (Vgl. dazu P. Victorius, Commentarii, Basel 1549 Sp. 805); Philo, Exsecr 151; Poster Caini 24-25; Cyrill v. Jerus ed Morel 141 C.

[2] So in Plato, Nomoi VIII 831 C; Xenophon, Symposion 8,19; Plutarch Vitae, Caius Marius 12,4; Anthologia Palatina 9,411,4 (Epigr. Anth. Pal. ed. F. Dübner, I.II); Proth. Anthol. Pal 1,101,2 (I,12); Philo, Poster Caini 26; Sacr Ab et Caini 41 (συναρτήσασα neben ἐκκεκρέμακεν s.u.!); Poster Caini 61; Agric 97; Iulius Pollux, Onomasticon 3,68; Eunapios 475 = VII 2,12; VI,1,4 (ed. Giagrande); Clemens v. A. Strom V, XI, 71,3; VII,IX,56,1; Porphyrius, Abst I,54; Joh Chrysostomos, Epist 96 (ed. de Montfaucon p. 646); Apollinaris v. Laodicea, in Ps 93,29 (MPG 33, 1453,32); Eusebius, Pr Ev 15,9,5 = 809c (ed. Mras).

mit ἐκ konstruiert, nur an einer Stelle mit ἀπό-, nicht mit ἐν. Es bedeutet: Existenzabhängigkeit: Von einem Tun oder einer Person ist der Eintritt eines bestimmten Ereignisses oder die Existenz einer Sache abhängig (im Unterschied zur entsprechenden Bedeutung von κρέμασθαι fehlt das Moment der Freiwilligkeit)[1] oder es bedeutet: Logische Ableitbarkeit aus Prinzipien, und zwar immer in platonisch-aristotelischer Tradition[2]. Besonders hervorzuheben ist Plutarch, Cons ad Apul 28: δυ' ἔστι τῶν Δελφικῶν γραμμάτων τὰ μάλιστ' ἀναγκαίοτατα πρὸς τὸν βίον τὸ γνῶθι σαυτὸν καὶ τὸ μηδὲν ἄγαν· ἐκ γὰρ τούτων ἤρτηται καὶ τἄλλα πάντα· ταῦτα γάρ ἐστι ἀλλήλοις συνῳδὰ καὶ σύμφωνα καὶ διὰ θατέρου θάτερον ἔοικε δηλοῦσθαι κατὰ δύναμιν.

Es geht um oberste Grundprinzipien des sittlichen Lebens, von welchen alle anderen Sprüche des delphischen Orakels sich ableiten lassen. Das Verhältnis zwischen dem Deduzierten und dem Prinzip, in welchem dieses verallgemeinert ist, wird in philosophischer Tradition mit ἀρτᾶσθαι bezeichnet. Dazu gehört auch ἐξαρτᾶσθαι in der genannten Eusebiusstelle.

Von den rabb. Stellen ist zu vergleichen Bar Qappara, Berakh 63a: „Welches ist der kleinste Schriftabschnitt, an welchem alle Bestimmungen der Tora hängen – שכל גופי תורה תלוין בה – ? – Auf allen deinen Wegen achte auf ihn". – Das Verb wird aber auch allgemein verwandt zur Bezeichnung des Verhältnisses der Ableitbarkeit von Stellen untereinander oder auseinander[3].

[1] So in Plato, Nomoi 631b; Herodot c, 109,6; Sextus Empiricus, Adv Logic I 158 (ed. Bury); Herodianos 4,14 (ed. Mendelssohn p. 128); Libanios 30,59 (ed. Foerster; Bd VI); Synesios, Epist. 4 (in: Epistol. Graec); Pausanias 9,5,16.

[2] So Aristoteles, Metaphysik IV 2 = 1003b 17 (das Wissen zielt auf das, von dem alles andere abhängt/hergeleitet wird); Jamblichus, Vita Pythagorae 29 (alle Wissenschaft aus der Geometrie abgeleitet); Plato, Nomoi X 884a (aus Eigentumsvergehen leitete sich alles Unheil ab); Dio Chrysostomos 15,26 (aus Raub oder Kriegsgefangenschaft leiten sich alle anderen Arten von Sklaverei ab); Plutarch, Cons ad Apul 28 (dazu vgl. bereits D. Wyttenbach, Animadversiones II, Leipzig 1821, 89 mit Verweis auf Plutarch, Consolat ad Uxor 611 A und besonders H. Almquist, Plutarch und das Neue Testament, Uppsala 1946,44). In C.H. X,14 wird das Eine, von dem her das gesamte Weltall verstehbar ist, beschrieben durch den Satz: ἐκ μιᾶς δὲ ἀρχῆς τὰ πάντα ἤρτηται. Vgl. C.H. IX,9: καὶ ὑπὸ τοῦ θεοῦ γινόμενα καὶ ἐκεῖθεν ἠρτημένα.

[3] Vgl. ferner Chag 1,8; die 14. Regel des R. Eliezer. Zu beachten ist, daß im Griech. ein Aufhängen „an" nur in seltenen Fällen mit ἐν konstruiert ist,

κρέμασθαι kommt in der Bedeutung, die es in Mt 22,40 haben kann, wohl nur an der zitierten Eusebiusstelle vor, denn von einer Existenzabhängigkeit, die κρέμασθαι ἐκ (!) in Jud 8,24 und ἀρτᾶσθαι an einer Reihe von Stellen bezeichnen, kann man in Mt 22,40 wohl nicht sprechen. An der Eusebiusstelle kommt das Verb in dieser Bedeutung neben ἐξαρτᾶσθαι vor; hier ist der einzige Beleg für eine synonyme Verwendung mit κρέμασθαι im Sinne der inhaltlichen und logischen Ableitbarkeit. Hinzukommt, daß es hier ἐγκρέμασθαι heißt, was nach unseren Erfahrungen etwa gleichbedeutend ist mit κρέμασθαι ἐν.

Nur wenn man sich dazu entschließt, nicht erst bei Eusebius, sondern, ohne daß frühere Parallelbelege vorhanden wären, schon in Mt 22,40 eine Bedeutungsübertragung von ἀρτᾶσθαι in Bedeutung, die es in philosophischer Tradition hat, auf κρέμασθαι anzunehmen, kann man κρέμασθαι aus griechischem Sprachgebrauch ableiten.

ἀρτᾶσθαι kommt in der LXX nicht vor; dafür wird aber in Jud 8,24 in dieser Bedeutung κρέμασθαι verwendet. – Darf man annehmen, daß in der weniger literarischen Sprache κρέμασθαι statt ἀρτᾶσθαι auch für dessen übertragene Bedeutungen verwendet worden ist? Mt steht ja bekanntlich dem Sprachgebrauch der LXX oft sehr nahe, mehr als etwa Philo, bei dem sich beide Verben aber auch nebeneinander fanden. κρέμασθαι wäre dann nicht erst bei Eusebius, sondern auch schon in bestimmten Sprachschichten früherer Zeit in dem Sinne gebraucht, der sonst nur für ἀρτᾶσθαι belegt ist.

Mt 22,40 aus rabbinischem Sprachgebrauch abzuleiten, bringt ebenfalls Schwierigkeiten mit sich: Die wenigen rabbinischen Belege sind dem Alter nach unbestimmbar und die Rolle, die hellenistisches Philosophieren für den Rabbinismus gespielt hat, ist noch nicht ausreichend untersucht. „Hängen“ besagt hier: mit rabbinisch-exegetischen Methoden kann ein Satz aus dem anderen abgeleitet werden, konkretere Sätze für Einzelfälle sind aus einem allgemeineren Satz ableitbar. Freilich bedeutet rabbinisch-exegetische Deduzierbarkeit meist etwas anderes als prinzipielles Enthaltensein und logische Ableitbarkeit aus einem Prinzip im platonischen Sinn. Dies gilt auch dann, wenn sich nicht beweisen läßt,

so aber wohl L. D. Chrysost VI,803,23 (πρὸς αὐτὸν ἐγκρεμάμεθα); Geoponica (ed. H. Beckh) 2,4,2; 7,20,8 und die mit Mt 22,40 nächstverwandte Stelle Eusebius 809c. – LXX 2 Kge 18,9f; Ez 17,23(22); 27,10 bezeichnen mit ἐν nur den Ort, an dem das Aufhängen geschieht, nicht den Punkt, von dem etwas herabhängt.

daß nicht auch die Rabbinen bei der raffinierten exegetischen Ableitung von Sätzen auseinander das „gute Gewissen“ gehabt hätten, der eine Satz sei tatsächlich im anderen enthalten. – Stellen allerdings, die eine „Zusammenfassung“ der Tora im Sinne von Prinzipien geben, sind, wie oben schon aufgezeigt, sehr selten und nicht als für das rabbinische Denken typisch zu bezeichnen. „Hängen“ bedeutet zumeist nur: Ableitbarkeit von weiteren Bestimmungen über ein Sachgebiet aus einer vorhandenen Bestimmung.

Aber auch dann, wenn man Mt 22,40 aus rabbinischem Sprachgebrauch erklären will und nicht aus einem, der der mehr philosophischen Bedeutung von ἀρτᾶσθαι näher steht, wird sich kaum etwas an der Bedeutung des Wortes hier ändern:

In jedem Falle dürfte in V. 40 gemeint sein: Gesetz und Propheten sind ableitbar aus diesen beiden Geboten, sei es im Sinne des inhaltlichen Enthaltenseins, sei es nur mit exegetischen Mitteln. Nicht gemeint ist in diesem Satz, daß, wer diese beiden Gebote erfüllt, damit auch alle anderen erfüllt habe oder daß man die anderen nur in dieser Grundgesinnung erfüllen brauche. – Eine Aussage über das praktische Tun scheint nicht beabsichtigt zu sein, es geht vielmehr um die Frage des grundsätzlichen Verhältnisses dieser Gebote zu allen anderen: diese sind daraus ableitbar. Deswegen sind die beiden Gebote die „größten“, und darin besteht ihr Vorrang vor allen anderen. – Wie die beiden Regeln Plutarchs und die beiden Grunddogmen Platos nach Attikus machen sie nicht alles andere überflüssig, sondern begründen es als dessen innerste Grundsätze, als deren „Lebensgesetze“, als die Prinzipien, mit denen allein alles andere richtig verstanden wird.

Die Formulierung in Mt 7,12: οὗτος ἔστι ὅλος οἱ νόμος καὶ οἱ προφῆται nach der Anführung der goldenen Regel wird kaum eine verschiedene Bedeutung haben sollen: Das Verb ἔστι wird auch wie κρέμαται nicht bedeuten, daß ὁ νόμος καὶ οἱ προφῆται durch die neue Zusammenfassung abgeschafft sind, vielmehr sind die Hauptgebote nur deren Inbegriff, diese aber inhaltlich nichts Verschiedenes, nur Entfaltung. Mt unternimmt mit diesen Formulierungen den Versuch, die Stellung der beiden Hauptgebote zum Gesamt des Gesetzes zu definieren. Mk hatte diese Systematisierung unterlassen, obwohl sich in 12,33 Ansätze zeigten. Für die primäre mk Schicht war es aber offenbar selbstverständlich, daß nur Dekalog und Hauptgebote das Gesetz ausmachen – ähnlich wie nachher für Lk. – Bei Mt wird die von Mk herkommende Tradition wieder mit jenem eigentümlichen spätjüdischen Nomosbegriff konfrontiert, der selbst zum großen Teil die Voraussetzung dafür gewesen war, daß es zur Bildung von Hauptgeboten gerade dieser Art gekommen war. Die jüdisch-hellenistischen „Minimalforderungen" bei Mk werden in der Übernahme durch Mt wieder in einen Bereich hineingestellt, in dem die Größe „Gesetz" noch eine Rolle spielt. – Der Inhalt dieses Gesetzes ist für Mt offenbar eine Reihe atl Sozialgebote, ähnlich wie sie in der sozialen Reihe aufgezählt zu werden pflegen. Der kultische und rituelle Bereich ist inhaltlich in diesem Gesetzesbegriff nicht enthalten. Die Geltung des so verstandenen Gesetzes wird bei Mt durch die Wendung mit κρέμασθαι in Einklang gebracht mit der Existenz zweier Hauptgebote. Sie sind das Fundament und die Verstehensgrundlage für alle anderen Gebote, diese aber nur deren legitime Entfaltung. – Das Problem des Mt ist die christliche Schriftauslegung: der Versuch, die christliche Tradition in Einklang zu bringen mit dem „ganzen" Gesetz und den Propheten, zu beweisen, daß gerade diese Synthese die wahre Schrifterkenntnis ist. Die beiden „größten" Gebote werden so zum inhaltlichen Grundprinzip des ganzen Gesetzes und der Propheten erklärt.

Das so gewonnene Verständnis von Mt 22,40 läßt eine Interpretation der Redaktion der vorliegenden Perikope durch Mt zu:
Der Einführung von μεγάλη neben πρώτη entspricht die von ὁμοία. Beides dient dazu, die Diskrepanz, die zwischen Frage und Antwort bei Mk bestand, zu überwinden. Beide Gebote sind jetzt dadurch geeint, daß sie als gleich an Größe bezeichnet werden können. Ihre alle anderen Gebote überragende Größe ist die gemeinsame Eigenschaft. Dadurch sind die Gebote näher aneinander gerückt, und das bei Mk vorhandene „hierarchische Gefälle" zwischen ihnen ist verschwunden. – Die Frage des Gesetzeskundigen ist jetzt auf die Art eines großen Gebotes gerichtet. Sie fragt wohl nach einem Kennzeichen für große – und damit auch für kleine Gebote.
Die Antwort Jesu widersteht der „Versuchung", einen Maßstab für die Unterscheidung zwischen Wichtigem und Unwichtigem in der Tora zu geben. Angesichts des von Mk überlieferten Stoffes läge diese Versuchung sehr nahe, denn die Annahme eines ersten und zweiten Gebotes fordert eine weitere Einstufung nach wichtig und unwichtig in der Tora geradezu heraus, und damit wäre auch nach dem Maßstab für ein großes Gebot gefragt.
Die Frage, ein wie beschaffenes Gesetz groß sei, ist aber auch, wenn auch in einem anderen Sinne, eine unter Rabbinen mögliche Frage.
Diese Frage des Gesetzeskundigen wird eigentlich nicht, wenigstens aber nicht direkt beantwortet. – Geantwortet wird mit der matthäisch-christlichen Lösung aller dieser Schwierigkeiten: Es gibt ein erstes und größtes Gebot und ein zweites, das dem an Größe gleicht, und alle anderen sind davon ableitbar und ruhen darauf. Der Fortschritt der christlichen Lösung gegenüber der in der Fragestellung sich äußernden Überzeugung ist: Eine Einheit des Gesetzes anzunehmen und für alle Gebote einen inneren Kern aufzu-

zeigen. – Damit ist jede Unterscheidung in große und kleine Gebote hinfällig geworden.
Die Uneinheitlichkeit der Mk-Vorlage ist dadurch behoben, daß jetzt gefragt wird, wie ein großes Gebot ist, und daß geantwortet wird, es gebe zwei größte an Größe gleiche Gebote; zugleich aber werden diese beiden Hauptgebote in eine grundsätzliche Beziehung gebracht zum Ganzen des „Gesetzes“, und die Größe wird, die Fragestellung übersteigend, nicht in der Sonderung von anderen Geboten gesehen, sondern in der Geeignetheit dieser beiden Gebote, alle anderen zu begründen.

§ 6 Die Schriftauslegung in Lk 10,25-29 (37)

Die Lk-Fassung spiegelt nicht nur die griechisch-jüdische Parallelität von Haupt- und Dekaloggeboten, sie betont auch überwiegend das Gebot der Nächstenliebe – und spiegelt damit nur die relativ geringe Verbreitung der Kombination der beiden Hauptgebote im frühen Christentum: bei Paulus etwa ist nur das Liebesgebot Summe des Geforderten – und leistet schließlich einen Beitrag zur jüdisch-hellenistischen Diskussion um den Begriff des Nächsten. Dabei zeigt Lk bereits eine christliche Weiterbildung eines Nächstenbegriffes, der seinen Ursprung im jüd. Hellenismus hat. Das Gleichnis bekommt daher im jetzigen Zusammenhang eine besondere Funktion: es dient der Begriffsklärung. Diese Funktion ist ohne Zweifel sekundär; sie weist aber darauf hin, daß sich das hellenistische Judenchristentum der Problematik im Begriff des „Nächsten“ bewußt war und die christliche Neuprägung durchaus als hervorhebenswert betrachtete. Das gilt jedenfalls für die griech. Fassung. Falls dem Gleichnis eine aram. Fassung voranging, die Lk dann verwendete, wäre das Problem ganz anders zu stellen: Es würde sich dann darum handeln, daß man durch gute Werke, d.h. Barmherzigkeit, in die איש-רעהו Beziehung aufgenommen wird, d.h. zum auserwählten Volk hinzugehört. Diese Möglichkeit ist um so mehr zu erwägen, als die These, daß man Zugehörigkeit zum Volk der Verheißung auf Grund moralischer Qualitäten besitze, auch sonst zu dem Lk vorgegebenen Gut gehört: Am Tun entscheidet sich für Juden wie Heiden die Erlangung der Verheißung, d.h. des Geistes. Auf dieses Volk der Verheißung wird der atl Begriff רע angewandt. – Doch diese Überlegungen müssen hypothetisch bleiben.

Die Abweichungen zu Mk und Mt sind sehr groß, so daß Th. Zahn (Lk [2]1913, 429) und O. Michel (Nächstenliebe, 1947 S. 55 Anm. 5) für Lk eine getrennte

Überlieferung annehmen (ähnlich auch J. Schniewind, Lk 1963, 138). Gegen Mk stimmt mit Mt überein die Einführung des νομικός (singulär bei Mt!), die Auslassung von Dt 6,4 und der Wiederholung der Antwort. Eingefügt ist bei Mt πειράζων, bei Lk ἐκπειράζων, was aber (wegen V. 28) anders als bei Mt zu deuten sein wird. – Eine Ableitung des Textes von Dt 6,5 in V. 27 aus Mk hatten wir bereits wahrscheinlich gemacht; Hauptdifferenz zu Mt und Mk ist aber die Verbindung mit dem Gleichnis vom Samariter. Dadurch bekommt die Perikope folgenden Aufbau: Frage des Nomikos (V. 25b) – Gegenfrage Jesu (V. 26) – Antwort des Nomikos – Hauptgebote (V. 27) – Antwort Jesu: Lob und Imperativ (V. 28) – Frage des Nomikos nach dem Nächsten (V. 29b) – Antwort Jesu: Samaritergleichnis (V. 30-35) – Frage Jesu (V. 36) – Antwort des Nomikos (V. 37) – Antwort Jesu (V. 38)[1].

Aus der Erkenntnis, daß Dekaloggebote und Liebesgebote parallele Versuche sind, das „Gesetz" der (hellenistischen Juden und) Christen hinreichend zu umschreiben, hat Lk die einleitenden Fragen für 10,25 und 18,18 einander angeglichen:
10,25 διδάσκαλε, τί ποιήσας ζωὴν αἰώνιον κληρονομήσω;
18,18 διδάσκαλε ἀγαθέ, τί ποιήσας ζωὴν αἰώνιον κληρονομήσω;
Das ἀγαθέ in 18,18 (aus Mk 10,17) war dort für den Fortgang des Gesprächs notwendig, hier aber nicht. Vgl. auch die beiden ausdrücklichen Hinweise auf das, was aus dem Gesetz für die Beantwortung der gestellten Frage ja ohnehin schon bekannt sei in 18,20b (τὰς ἐντολὰς οἶδας) und in 10,26bc (ἐν τῷ νόμῳ τί γέγραπται; τί ἀναγινώσκεις;); letztere Wendung geht auf einen rabbinischen Ausdruck zurück[2].

[1] Lit.: D. M. Derret, Law in the New Testament: Fresh Light on the Parable of the Good Samaritan, in: NTSt 11 (1964/65) 22-38; I. Hermann, Wem ich der Nächste bin / Auslegung von Lk 10,25-37, in: BibLeb 2 (1961) 17-24; C. H. Lindiger, Oude en nieuwe Visiers op de gelijkenis van de barmhartige Samaritaan, in: NTT 15 (1960) 11-23; B. Maura, Luke X 25-37, in: Exp Tim 58 (1947) 169; F. Mußner, Der Begriff des Nächsten in der Verkündigung Jesu, in: TrThZ 64 (1955) 91-99; M. Rade, Der Nächste, in: Jülicher-Festschrift Tübingen 1927, 70-79.

[2] M.-J. Lagrange, a.a.O., 310: „מאי קראת est la formule rabbinique qui précède les citations bibliques, ou encore מאי דכתיב. Même קרא „lire" signifiait à lui tout seul „lire le Chmâ". Sans insister sur ce point, il est peu probable que Luc ait composé à son gré et pour les gentiles cette introduction". Vgl. W. Bacher, Die exegetische Terminologie der jüdischen Traditionsliteratur I / Die bibelexegetische Terminologie der Tannaiten, Leipzig 1899, 174-177: קרא = „die hl. Schrift lesen". Vgl. C. F. Keil, a.a.O., 329: „πῶς ἀναγινώσκεις entspricht der Formel מאי קראת, mit welcher die Rabbinen bei Disputationen auf Vorschriften des Gesetzes zu verweisen pflegten". Vgl. auch J. Wellhausen, Lk, 305: מאי קראת sei die „gewöhnliche rabbinische Formel, um einen Schriftbeleg zu veranlassen".

Die Auslassung des ἀγαπᾶν bei der Zitierung von Lev 19,18 ist als ein Zeichen für die Annäherung an Deut 6,5 und die zunehmende Betonung der Gleichwertigkeit der Nächstenliebe zu verstehen. Nur noch ein einziges Lieben wird verlangt. Die Auslassung des zweiten ἀγαπᾶν war uns schon in den Formulierungen der Testamente der Patriarchen begegnet[1].

V. 28 ist aus Lob und Imperativ zusammengesetzt; das Lob ist sicher ein Nachklang aus Mk 12,34b, der folgende Imperativ erinnert an Lev 18,5: καὶ ποιήσετε αὐτά· ἃ ποιήσας ἄνθρωπος ζήσεται ἐν αὐτοῖς und ist die Wiederaufnahme der Frage aus V. 25: τί ποιήσας ζωὴν αἰώνιον κληρονομήσω[2].

Das Hauptgewicht der Perikope ist in das Samaritergleichnis gelegt, dieses erscheint als die eigentliche Lehre und Antwort Jesu (vgl. A. Loisy, Commandement, 435) auf die Frage; entsprechend wird die Zusammenstellung der Hauptgebote ganz in den Hintergrund gedrängt und erscheint nicht einmal mehr im Munde Jesu sondern des Nomikos, und zwar als Antwort auf die Gegenfrage Jesu, was in der Schrift über die Gewinnung des ewigen Lebens stehe. Es ist wohl sicher, daß das Samaritergleichnis ursprünglich selbständig überliefert wurde, von Lk vorgefunden worden ist und erst von ihm mit der Perikope von den Hauptgeboten zusammengestellt wurde. – Als Brücke diente Lk dazu die Frage in V. 29b. Man hat schon oft festgestellt, daß diese Brücke etwas künstlich ist (z.B. H. J. Holtzmann, Synoptiker ³1901, 361), denn Lk selbst muß sie mit dem Zusatz versehen, der Nomikos habe nur so gefragt, „um sich zu rechtfertigen". Entsprechend ist auch das Stück V. 36-37ab an das Gleichnis angehängt, um dadurch die als Brücke geschaffene Einleitungsfrage zu beantworten. Es ist möglich, daß V. 37c zum Gleichnis ursprünglich dazugehörte. Es läßt sich nämlich beobach-

[1] Test Iss 5,2: ἀλλὰ ἀγαπήσετε τὸν κύριον καὶ τὸν πλησίον. Vgl. T. Dan 5,3; T. Iss 7,6; T. Napht. Hebr. 1,6. Dazu O. Michel, a.a.O., 68: „In den Kreisen dieser Apokalyptik finden wir die gleiche lockere Art der Zusammensetzung des Doppelgebotes wie im Lk-Text, auch die bes. Auslegung der Nächstenliebe als Barmherzigkeit gegenüber dem Nächsten". Ders., a.a.O., 55 Anm. 3.

[2] E. Klostermann, a.a.O., 120: „τοῦτο ποίει usw.: der Einleitung V. 26 entsprechend (ob mit bewußtem Anklang an Lev 18,5 = Gal 3,12?)". ποίει καὶ ζήσῃ sei im Semitischen als doppelter Imperativ zu verstehen, wobei die Apodosis durch den 2. Impt. angegeben sei (vgl. Blaß-Debrunner § 442; Schultheiß, in: Zeitschr. f. Ntl. Wiss. 21,224). B. Weiss, a.a.O., 452: Das τοῦτο in V. 28 entspreche dem τί in V. 26 wie das ζήσῃ der Fassung der Frage in V. 25. M. – J. Lagrange, a.a.O., 310, verweist auf Lev 18,5.

ten, daß von hier aus der Aspekt des ποιεῖν (vgl. W. Grundmann, Lk[2], 221) sehr stark in die vorangehenden Teile der Perikope eingedrungen ist: V. 25: τί ποιήσας; V. 28: τοῦτο ποίει καὶ ζήσῃ; (V. 37b: ποιήσας τὸ ἔλεος); V. 37d: πορεύου σὺ καὶ ποίει ὁμοίως. – Diese Beobachtungen weisen bereits auf die Gründe hin, welche Lk dazu bewogen haben mögen, die Perikope über die Liebesgebote durch das angehängte Samaritergleichnis zu interpretieren und die Lehre Jesu erst hier zu lokalisieren: Lk beschäftigt allein die Frage, wie das Heil zu erlangen sei, an theoretischen Fragen über das Gesetz ist er nicht interessiert. Vom atl Gesetz hat er nur noch Dekaloggebote und Hauptgebote bewahrt. Die Frage nach dem Heil ist nicht mehr zuerst eine Frage an die Schrift, sondern an die Lehre Jesu; die beiden Hauptgebote kann man unschwer aus der Schrift erkennen, wenn man sie richtig (ὀρθῶς) liest, viel wichtiger aber ist der durch Jesu Lehre aufgezeigte Weg zu ihrer praktischen Verwirklichung. In der christlichen Weiterinterpretation wird der Begriff des Nächsten gegenüber dem durch LXX und Mk überlieferten Sinn umgekehrt und das ἀγαπᾶν durch Begriffe verdrängt, die in einer mehr paränetisch ausgerichteten Sprache des Griech. sprechenden Judentums beheimatet sind und sich weniger deutlich an Lev 19,18 oder vergleichbaren Formulierungen ausrichten, nicht so allgemein, programmatisch und abstrakt formuliert sind, sondern das konkrete Tun (Almosengeben) herausstellen (womit die gewisse Universalität des ἀγαπᾶν verloren geht); die von Lk gewünschte Konkretisierung wird erreicht.

Mit V. 29 wird die Überleitung zum folgenden Gleichnis geschaffen. Dies geschieht, indem nach dem Begriff des Nächsten gefragt wird, und zwar von demselben Nomikos, der doch vorher diesen Begriff gebraucht und verstanden hat (vgl. J. Wellhausen, Lk z.St.). δικαιόω wird hier in der Weise zu verstehen sein, daß der Nomikos seine anfangs gestellte Frage rechtfertigen will, obwohl er ja, wie Jesus ihm gezeigt hat, die Lösung ohne weiteres selbst aus der Schrift finden konnte und daher schon „wußte". Hier werden redaktionelle Schwierigkeiten des Lk bereits dem Nomikos zugeschoben.

Aber die richtige Erkenntnis dessen, was im atl Gesetz steht, bedarf noch der Interpretation Jesu. Im Gegensatz zu Mt wird bei Lk der Nomikos gelobt: ὀρθῶς ἀπεκρίθης (V. 28); das im Gesetz Geschriebene konnte man nach der Meinung des Lk wohl auch ohne Jesus erkennen, nur betrifft seine, die christliche Lehre, jetzt die Verwirklichung dieses Hauptgebotes.
In den Versen 36-37 wird der allgemeine Begriff des Nächsten aus Lev 19,18 LXX uminterpretiert. Die Frage in Vers 29 lautete noch:

τίς ἐστίν μου πλησίον; V. 36 fragt bereits: τίς... πλησίον δοκεῖ σοι γεγονέναι τοῦ ἐμπεσοῦντος. Der Nächste ist jetzt (auch) das Subjekt der Handlung: Nächster wird man für einen, indem man ihm hilft, wenn er in Not ist. Während in der LXX und in der christlichen Tradition der Nächste immer Handlungsobjekt war und dabei jeden Menschen bezeichnete, der auf irgendeine Weise mit mir zu tun hat, muß jetzt das Handlungssubjekt dem anderen zum Nächsten werden, d.h. erst dadurch, daß ich ihm geholfen habe, ihm nahe gekommen bin, ist ein Verhältnis zwischen „Nächsten" entstanden. Zwei Menschen, die auf Grund der Not des einen, und des Erbarmens des anderen miteinander zu tun bekamen, wurden sich Nächste. Das christliche Tun ist nicht erst, einen Nächsten, mit dem man zu tun hat, zu lieben, sondern das einander überhaupt erst zum Nächsten Werden. Ein „christliches" Verhältnis zwischen Menschen ist das Verhältnis zwischen Nächsten. Offenbar ist hier der dem Profangriechischen sonst relativ fremde Begriff des Nächsten schon soweit christianisiert worden, daß „für jemanden der Nächste werden" bereits identisch ist mit „ihn lieben". Nächste sind jetzt von vornherein Subjekt und Objekt im christlichen Liebesverhältnis. Die Mahnung geht darauf, in dieses Verhältnis einzutreten. Die in V. 29 gestellte Frage, wer denn der in Lev 19,18 gemeinte Nächste ist und wann jemandem zu helfen ist, wird so beantwortet durch einen ganz anderen Begriff des Nächsten: Nach der christlichen Uminterpretation dieses Begriffes werden Menschen erst „Nächste", wenn sie durch Not und auf sie antwortendes Erbarmen zusammengeführt werden.

Zu einer Zeit, da aus dem ganzen AT nur noch Dekalog- und Liebesgebote gelten, ist auch rein sprachlich der Einfluß all der anderen Gebote, in denen ὁ πλησίον vorkommt, ausgeschaltet, und, da ὁ πλησίον im Profangriechischen ungeläufig ist, wird dieser Begriff mehr und mehr untrennbar und ausschließlich mit dem christlichen Liebesgebot verbunden. Auch im NT kommt der Begriff primär im Zusammenhang damit vor. Die Spezialisierung dieses Begriffs führte bei Lk dahin, daß „einander zu Nächsten werden" identisch ist mit „einander lieben". ὁ πλησίον aus Lev 19,18 ist zum „terminus technicus" geworden. Das im MT durch איש-רעהו ausgedrückte Verhältnis des einen zum anderen umschloß immer ein Verhältnis der Gegenseitigkeit: der eine ist für den anderen jeweils der „Nächste"; beide Begriffe sind austauschbar. Das gilt auch vom Sprachgebrauch der LXX: ganz gleich, ob איש dabei mit ἄνθρωπος (Gen 26,31), ἀνήρ (Jud 6,29) oder ἕκαστος wiedergegeben ist (40×).

Die Frage in der Lk-Perikope lautete nicht: Wer ist der Nächste der Vorübergehenden gewesen? (Antwort: Der unter die Räuber Gefallene), sondern: Wer ist ihm der Nächste geworden? – Vom griechischen Sprachempfinden her war es selbstverständlich, daß in demselben Augenblick, da ich mit jemandem irgendwie etwas zu tun habe, dieser andere der „Nächste" ist. – Hier jedoch muß diese Beziehung erst durch das christliche Liebestun hergestellt werden. Erst jetzt ist der Vorübergehende dem anderen zum Nächsten geworden – zweifellos für das griechische Sprachgefühl eine nicht leicht eingängige Denkweise.

Eine Parallelentwicklung des Begriffes ὁ πλησίον läßt sich allerdings in Sir feststellen. Infolge des Eindringens griechischer „Freundschaftsethik" war schon in den Prov רע fast ausschließlich durch φίλος übersetzt worden. Diese Eigenart der hellenistischen jüdischen Weisheitsliteratur teilt auch Sir, und zwar insofern, als ὁ πλησίον eine große inhaltliche Nähe zu ὁ φίλος besitzt, insbesondere an den Stellen Sir 22,23; 25,1.18; 27,18. – Das Verhältnis des einen zum „anderen" ist, soweit es durch ὁ πλησίον bezeichnet wird, an diesen Stellen bereits ein durch Freundschaft qualifiziertes. Der eine ist in der Freundschaft für den anderen ὁ πλησίον. Zwar wird man nicht mehr behaupten können, als daß im christlichen Raum eine ähnliche Entwicklung von ὁ πλησίον stattgefunden hat wie in der jüdisch-hellenistischen Weisheitsliteratur: In beiden Fällen ist ὁ πλησίον aber nicht einfach schon der, der mir begegnet.

Die Wiedergabe von Lev 19,18 in Mt 5,43 führt uns einen Schritt weiter: ἀγαπήσεις τὸν πλησίον σου καὶ μισήσεις τὸν ἐχθρόν σου. Dem πλησίον wird ἐχθρός gegenübergesetzt, was gewöhnlich mit „Freund"-„Feind" übersetzt wird. – Auch hier spiegelt sich eine Auffassung von ὁ πλησίον, die wohl an die Bedeutung von ὁ φίλος grenzt. Im Gegensatz zu Mt 5,44: ἀγαπᾶτε τοὺς ἐχθρούς wird aber in Lk 10,36f nicht zur Feindesliebe aufgefordert, sondern dazu, dem anderen Nächster zu werden, was vielleicht inhaltlich nicht weit davon entfernt ist, ihm in einem christlichen Sinne von „Barmherzigkeit" ein Freund zu werden[1]. Lk versteht also ὁ πλησίον in Lev 19,18 LXX mehr im Sinne von Mt 5,44 als im Sinne dieser LXX-Stelle[2].

[1] Eine bislang unbeachtete Parallele zu diesem Gedankengang liegt vor in Fragment 255 des Demokrit (Diehls-Kranz II,196,14ff) „Wenn die Vermögenden es über sich gewinnen, den Unvermögenden beizuspringen und wohl zu tun, so liegt darin bereits schon das Mitleid und daß sie nicht allein sind (μὴ ἐρήμους εἶναι) und *Genossen werden* (ἑταίρους γίγνεσθαι) und das

Man wird also feststellen müssen, daß es in der synoptischen Tradition zwei verschiedene Begriffe des Nächsten gibt: Bei Mk und in Mt 22 ist der Nächste der andere einfachhin, so wie ihn auch die Gesetzeskorpora der LXX verstehen.
In Lk 10,36f und Mt 5,43f dagegen wird der „Nächste" im Sinne der Weisheitsliteratur der LXX verstanden als der Freund oder als der in christlichem Sinne zum Freund gewordene.
In Lk 10,25-37 wird der aus der Mk-Tradition kommende Begriff des Nächsten uminterpretiert durch diesen letzteren Begriff von ὁ πλησίον, welcher wohl eher den Sprachgebrauch der Q-Tradition wiederzugeben scheint.
Lk nimmt die Gleichgestaltung von 10,25 und 18,18 vor, ohne daß er zunächst zu berücksichtigen scheint, daß die Dekaloggebote in Lk 18,22 nicht ausreichen, während die beiden Hauptgebote nach Lk 10,28 zur Erlangung des Lebens hinreichend zu sein scheinen. Nun besteht aber ein merkwürdiges Entsprechungsverhältnis zwischen dem Samaritergleichnis (Lk 10,29-37) und Lk 18,22-30: Das Samaritergleichnis verdeutlicht das Liebesgebot dahin, daß es in aufwendigem Erbarmen gegenüber Elenden konkretisiert wird; in Lk 18,22 wird ebenfalls zu dem Grundstock aus jüd.-hell. Ethik die Forderung nach Verzicht auf Reichtum zugunsten von Armen erhoben. Im Liebesgebot scheint diese Forderung für Lk impliziert zu sein, zu den Dekaloggeboten muß sie hinzugefügt werden. Auch nach dem vergleichbaren Text in Hebr Ev wird der Fragende so belehrt, daß er das Liebesgebot noch nicht ganz erfüllt

Einander Helfen (ἀμύνειν ἀλλήλοισιν) und das einträchtig Sein der Bürger und andere gute Dinge, die niemand aufzählen könnte"; vgl. dazu auch H. Klocker, Wortgeschichte von ἔλεος-οἶκτος in der griechischen Dichtung und Philosophie von Homer bis Aristoteles, Diss. phil. Masch. Innsbruck 1952, 165. – Wie bei Lk wird durch den Vorgang des Helfens nach dieser Vorstellung Freundschaft und Gemeinschaft begründet.

[2] Eine Parallelentwicklung dazu stellen die späteren Aussagen des NT über die Freundschaft der Christen untereinander bzw. die mit dem Stamm φιλ- gebildeten Begriffe für die Nächstenliebe dar.
Vgl. G. Fuchs, Die Aussagen über die Freundschaft im Neuen Testament, verglichen mit denen des Aristoteles (Nic. Eth. 8/9), Diss. Leipzig 1914, 11: „An die Stelle der antiken φιλία ist die christliche ἀδελφότης getreten... Daß auf dieses neue Gemeinschaftsverhältnis die Begriffe der antiken Freundschaft bezogen sind, beweist die Zusammensetzung φιλαδελφία... und φιλάδελφος". Vgl. Apg 4,32!
Vgl. auch: C. Spicq, Charité fraternelle (1 Th 4,9), in: Mélanges Bibliques (Festschr. A. Robert), 1955, 507ff.

habe, da er sich noch nicht genügend der Armenpflege gewidmet habe: Wie kann man angesichts so vieler Armer schon sagen, Gesetz und Propheten erfüllt zu haben? Das bedeutet aber, daß für Lk der „Sinn" des Gebotes der Nächstenliebe in Armen- bzw. Elendenpflege besteht. Daraus aber folgt:

1. In Lk 18,22 zeigt der Archon, daß er zu dem Verhalten nicht imstande ist, welches traditionell bei der Bekehrung eine Rolle spielt (vgl. Lk 19,8; Acta 10,2 etc.), nämlich zur Hingabe des Vermögens an Arme. Entsprechend kann er nicht zu den Jüngern gehören: Ein wesentliches Element im Bekehrungsakt fehlt (vgl. auch Acta 5,1ff).
2. Vergleicht man Lk 10,25ff/Lk 18,18ff mit Mt 19,19 und den dazu aufgetretenen Fragen, so wird deutlich, daß die Forderung nach Almosen sich nicht in den Dekaloggeboten, wohl aber im Liebesgebot Lev 19,18 unterbringen ließ. Daher muß dieses Gebot nicht wie die Dekaloggebote überboten worden, sondern es muß zur Verdeutlichung des Gemeinten lediglich expliziert werden.
3. In der Kombination der beiden Hauptgebote in Lk 10 nimmt daher das erste Gebot die Funktion ein, Inhalt der Bekehrung zu sein (Bekehrung zu Gott), das zweite Gebot ist von Lk im Sinne der mit der Bekehrung verbundenen Almosentätigkeit verstanden worden. Die beiden Hauptgebote bedeuten bei Lk also: Bekehrung zu Gott und Almosen an Elende. Lk hat damit die Frage nach den Hauptgeboten aus der Diskussion um das Gesetz herausgenommen; weniger als Mk und Mt betont er das theoretische Wissen um das Gesetz, stärker hebt er dagegen den praktischen Aspekt des Bekehrungsvorgangs hervor: die Abgabe des Vermögens (oder eines beträchtlichen Teiles).
4. In HebrEv und Lk 10 wird das Liebesgebot daher im Sinne der Forderung von Almosen an Elende erläutert. Damit wird seine Befolgung einerseits in den Bekehrungsvorgang eingeordnet, andererseits durch spätjüdische Traditionen interpretiert, die sich besonders in Test Patr finden, die den Inbegriff der Gerechtigkeit in Almosengeben erblicken und daher das (gefühlvolle) Erbarmen mehr betonen als den Hinweis auf einen so abstrakt-programmatischen Grundsatz wie Lev 19,18.
5. Im Gegensatz zu Mk 10,17ff und Mt 19 wie auch Lk 18 fehlt nun aber in Lk 10 die Verbindung mit der Nachfolge Jesu und damit jedes „christliche" Element. Denn die hier zugrundeliegende, in 3. dargestellte Konzeption von Bekehrung ist die einer Bekehrung zu Gott; Jesus spielt dabei nur die Rolle des verkündigenden Lehrers.

6. An dem gegenüber der Mehrzahl jüdischer Traditionen veränderten Begriff des Nächsten in Lk 10,36f wird freilich deutlich, daß für Lk die Bedingung der Zugehörigkeit zum „Gottesvolk" nicht in der Abstammung, sondern lediglich im Tun der Gerechtigkeit bzw. des Erbarmens gesehen wird (vgl. dazu Lk 1,73-75; Acta 3,25f): Die generelle Bedingung der Zugehörigkeit zum Samen Abrahams besteht in dem Sich-Abwenden von Ungerechtigkeit (vgl. auch Lk 19,8-9!). Damit ist aber eine Bedingung geschaffen, der auch Heiden genügen können (vgl. Acta 10,2). Die Pointe von Lk 10,29ff besteht durchaus darin, daß es ein „übler" Samaritaner ist, der aber dadurch, daß er Erbarmen übt, das Liebesgebot erfüllt und also mit dem Verunglückten in ein „Nächsten"-Verhältnis tritt. Er gehört jetzt zu dem Kreis dazu, in dem man von „Nächsten" spricht. Wo also lediglich Gerechtigkeit das Kriterium der Zugehörigkeit zum Gottesvolk ist, wird auch der Begriff des Nächsten verschoben.
Eine recht deutliche inhaltliche Parallele zu Lk 10,29-37 findet sich in Philo, De Ios 25. Die äußerste Grausamkeit, die die Brüder Josephs diesem hätten antun können, wäre gewesen, ihn hinzuwerfen und unbestattet liegenzulassen (vgl. Lk 10,30b). Von denen aber, die am Wege vorbeigingen (τῶν ἐν ὁδῷ παριόντων vgl. Lk 10,31-33), wäre vielleicht jemand stehen geblieben, hätte ihn erblickt (θεασάμενος vgl. Lk 10,33: ἰδών), hätte das auf der gemeinsamen Natur begründete Erbarmen gezeigt (οἶκτον τῆς κοινῆς λαβὼν φύσεως) und ihn der Obsorge (ἐπιμέλεια; vgl. Lk 10,34: ἐπεμελήθη. 35b) und der Bestattung gewürdigt (ἠξίωσε). Dem Begriff οἶκτος bei Philo entsprechen ἐσπλαγχνίσθη in Lk 10,33 und ἔλεος in Lk 10,37. Die Bestattung von Toten wird im Judentum traditionell als Werk der Barmherzigkeit angesehen (vgl. unten zur „sozialen Reihe"), überdies entspricht dieser Thematik das ἡμιθανής in Lk 10,30. – Darüberhinaus aber sind beide Texte dem inhaltlichen Skopos nach nahe miteinander verwandt: In der Aussage Philos wird damit gerechnet, daß ein Nicht-Jude (d.h. der nicht zu den Söhnen Jakobs, die Josef verkauft haben, gehört) sich des Mißhandelten erbarmt; das Motiv ist das Erbarmen, welches ihn auf Grund der gemeinsamen menschlichen Natur ergreift. Es wurde bereits gezeigt, daß diese Motivierung von Nächstenliebe und Erbarmen im hell. Judentum häufig ist (vgl. oben zu Sir 13,15-16; 28,4; Philo, Virt 140 und die auf Aristoteles, Stobaios und Porphyrios gegründete stoische Schultradition). Daß für Lk 10,29-37 eine ganz ähnliche Tradition vorauszusetzen ist, wird insbesondere dann

deutlich, wenn man die Wandlungen in der Bedeutungsgeschichte von רע/πλησίον beachtet: ὁ πλησίον hat im hellenistischen Judentum universalen Sinn. Die Nennung des Samariters als eines (den Heiden gleichgestellten) Nicht-Juden ist aus dieser jüdisch-hellenistischen Bedeutungstradition von ὁ πλησίον zu verstehen. Die Samariter-Erzählung macht deutlich, daß jeder Mensch zum Nächsten werden kann; der Philo-Text erklärt, daß der Grund für solches Erbarmen theoretisch aus der gemeinsamen Natur zu begründen ist (dem entspricht in Sir 13,15f der Hinweis auf den Schöpfer). In beiden Texten wird das vorgängige Versagen von Mit-Juden ausdrücklich hervorgehoben. Die alttestamentliche Auffassung, nach der mit dem רע eine „theologische" Konzeption verbunden war, nach welcher die Zugehörigkeit des רע zum Gottesvolk jede andere Motivation erübrigte, ist sowohl bei Lukas als auch bei Philo abgelöst worden: Philo gibt eine neue Begründung, Lukas geht aus vom konkreten Vollzug der Tat selbst; von hier aus versucht er eine Neubegründung des Begriffes des „Nächsten". Das „ewige Leben" (Lk 10,28) kann stets durch ein Handeln erworben werden, das die Kennzeichen von Barmherzigkeit hat; der Nächste kann eben jeder Mensch sein. Eben dieses aber wird für einen ähnlichen Fall auch von Philo behauptet. – Es wird deutlich, daß die hell.-jüd. Fassung von ὁ πλησίον und der Verweis auf die allgemeine Menschennatur einander korrespondieren. – Diese Beobachtungen machen deutlich, daß zwischen Traditionen des hell. Judentums und der hier Jesus in den Mund gelegten Erzählung in der Tendenz keinerlei Differenz besteht. Traditionsgeschichtlicher Ursprungsort beider Texte ist vielmehr ein Judentum, welches sich noch innerhalb eines Prozesses befindet, in dem atl humanitäre Aussagen aus dem theologischen Rahmen der Jahwereligion gelöst und universalistisch interpretiert wurden (dazu leistete die Schöpfungsvorstellung Hilfe). Insbesondere bei Lk wird deutlich, daß es sich hier um einen Übergang handelt, da der Begriff des „Nächsten" noch weiterhin eine dominierende Rolle spielt. Dieses ist vor allem daher zu erklären, daß Lk von Lev 19,18 ausgeht.Während nämlich Philo für das gemeinsame Thema des Erbarmens unter „Menschen" eine neue Begründung liefert, ist bei Lk die Begründung durch die Verpflichtungskraft des Gebotes erübrigt; es wird deutlich, daß die ganze Samariterperikope in der Tat nur ein Kommentar zur Zitierung von Lev 19,18 ist, und zwar speziell zu dem Begriff ὁ πλησίον. Für die neue Umweltsituation der hellenistischen Synagoge und auf Grund der durch die LXX gegebenen Übersetzung mit ὁ πλησίον liefert die

Samariterperikope einen Kommentar zu der Frage, in welchem Sinne das geltende Gebot Lev 19,18 zu erfüllen sei. – Dazu wird ein Topos benutzt, der, wie Philo zeigt, für die gleiche Thematik in paränetischer Tradition beheimatet ist.
Vergleichbar ist auch JosAs 29,3-5: Dem verwundeten Feind ist nicht Böses mit Bösem zu vergelten; der Hingestürzte ist nicht vollends zu zertreten. Er wird aufgehoben, das Blut wird abgewaschen, die Wunde wird verbunden, er wird auf sein Pferd gesetzt und zu seinem Vater gebracht. Davon versprechen sich die Söhne Jakobs: ἐὰν ζήσῃ ἔσται ἡμῶν φίλος, und Pharao werde ihr Vater sein. Auch hier wird durch die Hilfeleistung eine Relation hergestellt, die sogar verwandtschaftliche Züge zeigt. Zur Entsprechung φίλος/πλησίον vgl. oben S. 115-117.

§ 7 Die beiden Hauptgebote und die allgemeinere Bedeutung von „Nächstenliebe" in anderen Texten der Evv.

1. Auf die Texte Lk 1,75; 2,25; Apg 3,14; 10,22.35, in denen die hellenistische Kombination von ὅσιος/δίκαιος usw. noch neben der Kombination der beiden Hauptgebote in Lk 10 weiterlebt, wurde oben schon hingewiesen.

2. Lk 11,42
Aus der schon zitierten und besprochenen Stelle Mt 23,23 hat Lk eine Kombination der beiden Hauptgebote gemacht (Lk 11,42). Bei Mt lag, wie wir festgestellt hatten, eine in abstrakten Begriffen und verkürzt wiedergegebene soziale Reihe vor. Lk behält deren eines Element bei, die κρίσις, die als משפט in der sozialen Reihe aus der Forderung nach gerechtem Gerichtsverfahren entsprang, aber zusehends mit Gerechtigkeit im weiteren Sinne identisch wurde. Die πίστις des Mt formt er um zur ἀγάπη τοῦ θεοῦ und hat auf diese Weise das zweite Glied zu einer Formulierung der beiden Hauptgebote erlangt. Die soziale Reihe des Mt erscheint in der Abänderung des Lk als eine Wiedergabe der beiden Hauptgebote.

3. Mt 7,12
Es wurde bereits gezeigt, daß die sog. Goldene Regel vom hellenistischen Judentum mit großer Bereitwilligkeit aufgenommen wurde und unter der Voraussetzung eines bestimmten Gesetzesbegriffes eine Zusammenfassung aller Pflichten darstellte und als weisheitliche Sentenz Summe dieses „Gesetzes" war.

Mt ist der einzige unter den Synoptikern, bei dem jener Gesetzesbegriff auch über die Zusammenfassung in Haupt- und Dekaloggebote hinaus sichtbar wird. Hinweise dafür sind: der unten zu nennende Text Mt 24,12; die mt Gestaltung der Antithesen der Bergpredigt (s.u.); die Einschätzung des Kultischen (9,13; 12,7) – einen kultischen und rituellen Teil des „Gesetzes" gibt es für Mt nicht. Sein Gesetzesbegriff ist vielmehr inhaltlich so strukturiert, daß sich alle dessen Forderungen in der nach Liebe und sozialem Verhalten zusammenfassen lassen. Damit unterscheidet sich der mt Gesetzesbegriff inhaltlich nicht von dem paulinischen in Röm 13; Gal 5 – auf Grund gemeinsamer spätjüdischer Voraussetzungen. Von den Gerechten des Mt-Evangeliums wird die Erfüllung des gleichen Gesetzes = Nächstenliebe verlangt wie von den Gerechtfertigten bei Paulus (Der Unterschied liegt in der Weise, wie man gerecht geworden ist).

Der gleiche Gesetzesumfang liegt auch in Mt 7,12 zugrunde; die Formulierung ist mit der in Mt 22,40 fast identisch. Da beides mt Gut ist – ebenso wie Mt 5,17 – ist die Annahme berechtigt, daß in beiden Fällen das Gleiche ausgesagt werden soll: Die beiden Hauptgebote können auch durch die Goldene Regel ersetzt werden, wobei dann das erste Hauptgebot wegfallen kann (!). Die Auslassung des Gebotes der Gottesliebe (auch bei Paulus gehört es nicht zur Summe des Gesetzes) ergibt sich aus dem Nebeneinander einerseits der Formel εὐσέβεια καὶ δικαιοσύνη, die Grundlage der zwei Hauptgebote ist, und andererseits der spätjüdischen Gebotszusammenfassung in die Forderung nach sozialer δικαιοσύνη. Daß letzteres die Summe des Gesetzes im Spätjudentum bilden konnte, war eine der wichtigsten Voraussetzungen für die Übernahme der hellenistischen Formel, da das Glied δικαιοσύνη gemeinsam war. Beide Arten der Zusammenfassung, die mehr hellenistisch und die mehr jüdisch bestimmte, stehen bei Mt gleichberechtigt nebeneinander.

Der mt δικαιοσύνη-Begriff entspricht dem hier aufgezeigten: δικαιοσύνη ist bei Mt in erster Linie Nächstenliebe als Summe sozialer Forderungen (s.u.).

4. Mt 24,12

Mt 24,12 und die zugehörige Tradition gibt Aufschluß darüber, weshalb die Predigt von der Nächstenliebe – auch sofern sie sich nicht direkt auf Lev 19,18 stützt – im Zusammenhang eschatologischer Paränese einen Ort erlangen konnte. Das gilt insbesondere für die zentrale Rolle der Heilsgüter Frieden, Liebe, Versöhnung in der jüdisch-hellenistischen Gemeinde: der Ursprung dieses Motivs ist apokalyptisch, seine Ausgestaltung z.T. hellenistisch. Nach der zu Mt 24,12 gehörenden Tradition nimmt die Liebe in der Zeit vor dem Ende ab, ist dagegen mit dem Eintreten des Neuen Äon, bzw. mit der Predigt des Elias wieder möglich. Wo der neue Äon als schon angebrochen galt, war auch das Heilsgut der Nächstenliebe möglich. Die gegenteilige Position betont – mit der Hervorhebung des Noch-Ausstehens der Äonenwende – Mt 10,34; Lk 12,41.

Der Stamm ἀγαπα- erscheint bei Mt außer als Zitierung von Lev 19,18 in Mt 5,43 und 19,19 nur noch in 24,12, zugleich außer dem sekundären Lk 11,42 der einzige Beleg für das Substantiv ἀγάπη in der synoptischen Tradition. – Es handelt sich offenbar um eine mt Eigenbildung:

a) Die Liebe der vielen, gemeint sind vermutlich die Christen in Analogie zu 26,28, wird aufhören wegen der zunehmenden Gesetzlosigkeit. Hier offenbart sich deutlich das Gesetzesverständnis des Mt, der sowohl das Gesetz als auch die Gerechtigkeit einfachhin in dem Begriff ἀγάπη zusammenfassen kann.

b) V. 12 gehört in Zusammenhang mit V. 11. Hier ist von Pseudopropheten die Rede. Damit ist auch an dieser Stelle die Doppelheit von Gesetz und Propheten eingeführt. Der Erfüllung des Gesetzes und der Propheten in Jesus entspricht das Auftreten von Pseudopropheten und das Schwinden der Liebe am Ende.

Die Tradition, in die Mt hier den Begriff ἀγάπη einträgt und die er mit diesem Begriff zusammenfassen möchte, ist für das Verständnis seines Vorgehens nicht unerheblich. Unabhängig davon, daß hier die Einfügung des Substantivs ἀγάπη auf Mt zurückgehen konnte, ist der im Hintergrund stehende Überlieferungszusammenhang 'Feindschaft aller gegen alle / Aufhebung dieser Feindschaft und Versöhnung aller am Ende' bedeutungsvoll für eine mögliche Einordnung der ntl Nächsten- bzw. Bruderliebe in die Vorstellungen vom Ablauf der Endereignisse. Es handelt sich dabei um die Tradition vom Kampf aller gegen alle. In dieser spielt auch das Versagen der Freundes-, Bruder- und Nächstenliebe eine große Rolle: die Endzeit ist durch Zerstörung der sozialen Ordnungen gekennzeichnet und daher auch durch Übertretung von Lev 19,18. – Dieser Auseinanderfall der Ordnungen wird nun aber rückgängig gemacht durch die Predigt des endzeitlichen Propheten (Elias), der nach Mal 3,23; Sir 48,10 die Familienmitglieder und die Nächsten (LXX) wieder miteinander versöhnen wird, so den Frieden bringt (Mt 10,34 par) und Israel auf diesem Wege restituiert. Es ist immerhin möglich, daß, wenn nicht nach dem Selbstverständnis Jesu, so doch zumindest nach früher Christologie die sonst so überaus bedeutsame Elias-Typologie auch für die Betonung dieses Zuges in der Predigt Jesu verantwortlich zu machen ist. Für bestimmte Züge im luk Doppelwerk wird man diese Frage am leichtesten bejahen können. Die Traditionsgeschichte des Motivs der Feindschaft aller gegen alle wird hier bereits im Ergebnis vorgeführt:

Atl Ausgangspunkte sind Jes 19,2 (hier schon: es wird Krieg führen der Mann gegen seinen Bruder und der Mann gegen seinen Nächsten) und Micha 7,6 (Verwandte und Hausgenossen).

a) In der folgenden Traditionsgeschichte wird das Motiv von Jes 19,2 (Stadt gegen Stadt, Reich gegen Reich) rein bewahrt in 2 Chr 15,6: καὶ πολεμήσει ἔθνος πρὸς ἔθνος καὶ πόλις πρὸς πόλιν, ὅτι ὁ θεὸς ἐξέστησεν αὐτοὺς ἐν πάσῃ θλίψει; äth Abba Elija, übs Leslau p. 46 (König gegen König, Prinz gegen Prinz); Mk 13,8 parr; AnhgSlavHen 2,5 (der Mensch neidet seinen Nächsten, Volk gegen Volk, Nation gegen Nation. Die ganze Erde ist voll Schmutz und Blut und allem Bösen; vgl. dazu SlavBar 5) und 2,23 (das Volk wandte sich ab von Gott und fing an zu eifern, einer wider den anderen, Volk erhob sich gegen Volk und Nation gegen Nation erhob sich in Streit. Wenn sie auch einer Sprache waren – aber ihre Herzen empfingen Geschiedenes, weil anfing der Teufel zum 3. Mal zu herrschen). 2,5 ist bedeutsam, weil hier wie auch sonst in dieser Tradition das Verhältnis des Menschen zum Nächsten vorangestellt ist (gegen Jes 19,2); 2,23 bietet einen Anklang an die Kombination der beiden Hauptgebote und an die Verbindung des Kampfes aller gegen alle mit der Turmbautradition, die sich auch in Lib Ant findet.

b) Elemente aus Jes 19,2 leben weiter in Verbindung mit Elementen der Tradition Mi 7,6 in der Apok des Esra (Riessler 3,12; ed. Tischendorf p. 27): „ein Volk bekämpft das andere". Sonst lebt aus Jes 19,2 nur das Element über das Sich-Bekriegen des Menschen und seines Nächsten fort, und zwar häufig in Verbindung mit dem Verwandtenmotiv aus Mi 7,6, so noch mit der Bedeutung von Jes 19,2, daß sich die Feinde Israels / der Gerechten untereinander bekriegen in äth Hen 56,7 (ein Mann wird nicht seinen Nächsten erkennen – wǎ'ījā'ämĕro bĕ'ĕsī lä'ĕḥŭhū –, dann folgen Angaben über Verwandte), in der genannten Apk des Esra (ἀδελφὸς ἀδελφὸν παραδίδει εἰς θάνατον, dann: Kinder gegen Eltern, Weib verläßt Mann, ein Volk bekämpft das andere, dann: τότε οὔτε ἀδελφὸς ἀδελφὸν ἐλεεῖ... οὐ φίλοι φίλους, οὐ δοῦλος τὸν κύριον). Die Formulierung weist beachtliche Übereinstimmung mit Mk 13,12 auf, ist aber unabhängig davon (παραδώσει ἀδελφὸς ἀδελφὸν εἰς θ.). Auch in Mk 13,12 sind die Brüder vorangestellt, die übrigen Verwandten folgen; parallel dazu ist äth Hen 100,2: „Denn ein Mann wird seine Hand nicht mitleidig zurückhalten, seinen Sohn oder Enkel zu erschlagen; der Sünder wird seine Hand nicht zurückhalten, seinen verehrtesten Bruder zu töten", ebenso in GrBar 4: οὔτε ἀδελφὸς ἀδελφὸν ἐλεεῖ οὔτε πατὴρ υἱὸν οὔτε τέκνα γονεῖς, in der Tiburtina Graeca p. 16,118: ἀδελφὸς ἀδελφὸν παραδώσει εἰς θάνατον, in Slav Bar 5 (Übs p. 98): „Brother does not love brother, nor father son" usw. Hier wird das Fehlverhalten bereits als Mangel an Liebe gedeutet. Vgl. dazu auch die ar Petrus-Apk (übers. Bratke p. 473) „Und in jener Zeit wird kein Vater seinem Sohne, und kein Sohn seiner Mutter nützen (können), und keine Mutter ihrer Tochter und keine Tochter ihrer Mutter, und kein Bruder seinem Bruder, sondern ein jeder ist um sich selbst besorgt".

c) Auf dieser Traditionslinie liegt auch die direkte Parallele zu Mt 24,12 in der lat. Pariser HS Vit Ad Ev (5327) § 29b: siquidem iterum refrigescet caritas, superhabundabit iniquitas. Vgl. äth Bar L p. 75: „... every year love will decrease". Eine noch deutlichere Parallele ist Did 16,3f: Nach der Erwähnung der Pseudopropheten usw. heißt es: ἡ ἀγάπη στραφήσεται εἰς μῖσος. V. 4 expliziert dieses in der Terminologie der Tradition: αὐξανούσης γὰρ τῆς ἀνομίας μισήσουσιν ἀλλήλους καὶ διώξουσιν καὶ παραδώσουσι... (vgl. Mt 24,10). Ebenfalls im Bereich der Auslegung der Nächstenliebe mit Voranstellung des Bruders / Nächsten liegen die Ps. Ephräm-Apk (ed. Caspari p. 212 K. 3): non dolebit amicus super amicum, nec frater pro fratre, nec parentes pro filiis, nec servus fidelis pro domino (der Hinweis auf die Sklaven auch in der genannten Apk des Esra). Nach 1 QH 4,9 muß der Gerechte mit der Feindschaft der Nächsten (רעי) und Verwandten rechnen. Nachgestellt sind die Nächsten in Epist Apost 34 (45): Verwandte und Kinder werden sich nicht zuwenden „und ein Mensch wird sich seinem Nächsten nicht zuwenden", auf den Bruder bezogen in der Ps.-Beda Sibyll. Verb Interpr. 1184: tradet frater fratrem, auf den Freund in der Apokalypse bei Ps.-Chrysostomus PG 61,775: οὐδεὶς οὐδενὶ παραστήσεται ἢ βοηθήσεται (Vater, Sohn – Mutter, Tochter – Bruder, Bruder – φίλος φίλον), in der Vita Merlini (ed. Gfroerer 385) vir virumque prodet, non invenietur amicus.

d) Ohne die Nennung von Verwandtschaft findet sich ein Kampf des Menschen gegen seinen Nächsten in verbal ähnlicher Formulierung in 4 Esra 5,9 (amici omnes semetipsos expugnabunt); 6,24

(et erit in illo tempore, deballabunt amici amicos ut inimici), in Lib Ant 6,1 (ecce futurum est, ut dispergamur unusquisque a fratre suo, in novissimis diebus alterutrum erimus expugnantes nos) und 7,3 (dividam... dispergam... ut non cognoscat unusquisque fratrem, nec audiant... linguam proximi sui). Beide Texte in Lib Ant beziehen sich auf die Folgen des Turmbaus zu Babel in der Endzeit; ebenso Lib Ant 47,5 et pugnaverunt inter se, et expugnaverunt unusquisque proximum suum. Ebenfalls nur der Nächste wird genannt in 5 (6) Esra 15,19 (non miserebitur homo proximum suum ad irritum faciendum domus eorum in gladium).
e) Nur die Nennung der Verwandtschaft (also die Tradition von Mi 7,6 allein) findet sich in Sib VIII,84 (κοὔτε γονεῖς τέκνοισι φίλοι usw.), in der Paulus Apk K. 6 (aber mit dem Zusatz: „das Weib seines Nächsten verunreinigend") und in der Pers. Dan. Apk (s.u.).
f) Eine Sonderstellung nimmt SyrBar 70,3 ein („und sie werden einander hassen und sich gegeneinander zum Krieg anreizen" usw.), das bis auf die genannten Worte in enger Verbindung mit der verwandten Stelle Jes 3,5 steht. Unabhängig formuliert ist SyrBar 48,32 (alle Bewohner der Erde werden gegeneinander in Aufruhr sein).
Die Traditionsgeschichte zeigt also überwiegend eine Verbindung der Motive aus Mi 7,6 und Jes 19,2 mit zunehmend stärkerer Betonung und Voranstellung des Nächsten und Ausbildung einer Terminologie, die nicht positiv Unrecht ausdrückt, sondern soziales Verhalten verneint (non cognoscat, non miserebitur, non dolebit super, nicht sich zuwenden, nicht lieben).
Dieser Streit wird aber ein Ende haben, und dann werden alle Menschen miteinander versöhnt sein. Unter Aufnahme der herkömmlichen Terminologie für den Kampf aller gegen alle heißt es in Mal 3,24 von Elias: er wird zurückwenden das Herz der Väter zu den Söhnen und das Herz der Söhne zu den Vätern. LXX verbindet, wie wir es auch sonst häufig für diese Tradition beobachtet hatten, gegen MT das Verwandtenmotiv mit dem Motiv des Nächsten und übersetzt: ὃς ἀποκαταστήσει καρδίαν πατρὸς πρὸς υἱὸν καὶ καρδίαν ἀνθρώπου πρὸς τὸν πλησίον αὐτοῦ. Die Tradition von Elias als dem Versöhner lebt dann besonders in der Pers. Dan-Apk weiter: (Übs. Wünsche p. 74). Der Messias ben David wird Elias gebieten, in die Posaune zu stoßen. Der zweite Posaunenstoß des Elias wird die Toten beleben: „Aufstehen werden sie vom Staube, und einer wird seinen Genossen erkennen. Der Mann und sein Weib, der Vater und sein Sohn, der Bruder und sein Bruder, alle

werden zum Messias kommen von den vier Enden der Erde" und in PsJoh Apk 12 (ed. Tischendorf 79): ἐν τῷ κόσμῳ ἐκείνῳ γνωρίσαι ἀλλήλους ἀδελφὸς ἀδελφὸν ἢ φίλος τὸν φίλον ἢ πατὴρ τὰ ἴδια τέκνα ἢ τὰ τέκνα τοὺς ἰδίους γονεῖς. Von einem Wiedererkennen aller spricht auch die B-Version der Ps. Joh Apk p. 80 οἱ δὲ δίκαιοι γνωρίζουσιν ἀλλήλους... Vom Sich-Erkennen der Verwandten war schon die Rede in äth Hen 56,7; Lib Ant 7,3. – Aus der Tradition von Jes 19,2; Mk 13,8 stammt die Formulierung in Sib III,755-757: εἰρήνη μεγάλη κατὰ γαῖαν ἅπασαν, καὶ βασιλεὺς βασιλῆι φίλος... κοινόν τε νόμον (vgl. SyrBar 85,14!). Einfach von „Friede und Ordnung" ist im Gegensatz zum eschatologischen Kampf die Rede in Anhg SlavHen II,22. – Die oben genannte Verbindung von Auferstehung und Versöhnung der Menschen miteinander ist nicht nur in der Elias-Tradition begründet, sondern in SyrBar 30,2 mit der Auferstehung überhaupt verbunden (eine Schar eines Sinnes). Im Zusammenhang mit LibAnt 6,1; 7,3 ist darauf zu verweisen, daß das Sprachenwunder im Pfingstbericht der Apg wohl als Aufhebung der Folgen des Turmbaus von Babel zu verstehen ist; die Formulierung Apg 4,32 erinnert sehr deutlich an SyrBar 30,2.

Vor allem aber parallel zur Darstellung der analog zur Heilszeit geschilderten Zeit der Juden unter Josef in Ägypten Jub 46,1: et facti sunt unanimes (ʿĕrūjān)cordibus suis, ut diligerent singuli fratres suos (jāfqĕr ʾĕḥū ʾĕḥwāhū) et adiungebat se frater proximo suo". Symptom der Heilszeit ist auch die Aussage über das Sich-Vermehren der Juden und ihr Geehrtwerden von den Ägyptern. Besonders zu vergleichen mit AnhgSlavHen II, 23 ist Jub 46,2: „In Josefs Tagen nach seinem Vater Jakob gab es keinen Satan und nichts Böses"; die Verbindung von satansfreier Zeit mit Nächstenliebe zeigt wiederum besondere Verwandtschaft mit dem luk Geschichtsbild[1].

Parallel ist auch die Darstellung in äthBar Apk (Übs. Leslau p. 67f): im Rahmen einer allgemeinen Friedensschilderung heißt es, daß es keinen Haß und keine Rache geben werde und wenn jemand nur

[1] Vgl. H. Conzelmann, Die Mitte der Zeit ⁴Tübingen 1962, 22f; 73f; 146; es ist wenigstens zu erwägen, wie weit Lk nicht nur die Zeit Jesu, sondern auch die als Idealzeit dargestellte Zeit der frühen Gemeinde als satansfreie Zeit gedacht hat; daß andererseits mit der Passion Jesu die Zeit der Existenz des Satans wieder beginnt, wäre dann im Ganzen nur der Ausdruck eines letztlich unausgeglichenen Nebeneinanders von Beginn der Heilszeit einerseits (Zeit Jesu, Pfingsten, frühe Gemeinde) und endgültigem Beginn der endzeitlichen Wirren mit der Passion Jesu andererseits.

Holz von seinem Nachbarn wolle, gebe ihm dieser all seinen Reichtum und „in those days there will be no sorrow or distress, no hunger or thirst, no murder or controversy. In those days people will have one feeling and one thought, and they will walk in the straight path of grace".

Eine genaue und unabhängige Parallele zu Apg 4,32 ist auch Herm Sim IX 13,7: λαβόντες οὖν τὰ πνεύματα ταῦτα ἐνεδυναμώθησαν καὶ ἦσαν μετὰ τῶν δούλων τοῦ θεοῦ καὶ ἦν αὐτῶν ἓν πνεῦμα καὶ ἓν σῶμα καὶ ἓν ἔνδυμα. τὰ γὰρ αὐτὰ ἐφρόνουν καὶ δικαιοσύνην εἰργάζοντο. Der Hinweis auf Geistempfang und auf das Tun der Gerechtigkeit ist dabei von besonderer Bedeutung zur Erhellung der luk Vorstellung[1]. Nach Herm Sim IX 17,4 wird die Einheit unter allen Völkern durch das Siegel (der Taufe) hergestellt – mit der Folge: μίαν φρόνησιν ἔσχον καὶ ἕνα νοῦν, καὶ μία πίστις αὐτῶν ἐγένετο καὶ μία ἀγάπη. Hier wird besonders deutlich, daß die Herstellung der endzeitlichen Einheit mit Liebe identisch ist. Das Tun der Gerechtigkeit in IX 13,7 entspricht dem Tun der Liebe an dieser Stelle; die oft festgestellte Identität von Gerechtigkeit und Liebe für hell.-judenchristliche Tradition wird daher auch hier bezeugt. Die endzeitliche Versöhnung ist also eine Aufhebung des Kampfes aller gegen alle, damit verquickt eine Aufhebung der Folgen des Turmbaus. Sie wird hergestellt durch die ἀποκατάστασις des Elias oder durch die Auferstehung oder durch den Geistbesitz. Ein Gesetz wird es für alle geben.

Es wird deutlich, daß die Darstellungen der synopt. Apokalypsen noch mit dem Kommen der Zeit der schwindenden Liebe rechnen, während nach den Anfangskap. der Apg durch das Kommen des Geistes die Versöhnung der Menschen schon hergestellt ist. Wenn Paulus das Gesetz nur noch in der Liebe erfüllt sieht (unter Aufnahme eines entsprechenden Gesetzesbegriffes) und wenn für Joh Jesus ein neues „Gesetz" gibt, nämlich das Liebesgebot (13,34 usw.), dann setzen sie offenbar an dieser Tradition an, für die Liebe, Friede und Versöhnung der Menschen untereinander zur Ordnung der Heilszeit überhaupt gehören. Für diejenigen, die durch ihre Bekehrung im Besitz von Gesetz und Gerechtigkeit sind, ist durch den Bekehrungsvorgang Eschatologie in bestimmtem Sinne bereits realisiert. Wenn Paulus daher auffordert, „dasselbe zu denken (in

[1] In der Elias-Apk ed. Steindorff p. 167 heißt es von der Endzeit: „An jenem Tage nun wird die Erde erbeben und die Sonne wird sich verfinstern und man wird Frieden – εἰρήνη – auf Erden bringen und den Geist – πνεῦμα –".

Christus)", (2 Kor 13,11; Phil 2,2; 4,2), so handelt es sich dabei um eine Realisierung eben jenes Heilszustandes, den die Apokalypsen andererseits als den noch ausstehenden bezeichnen. Die Erklärung für diese verschiedenartige Realisierung von Liebe, Frieden und Einssein untereinander wird durch den Entsprechungscharakter von Bekehrung und Parusie geliefert. – Es ist freilich zu beachten, daß schon bei Mt und auch bei Joh die Liebesforderung auch mit Hilfe der von Gott empfangenen Liebe motiviert werden kann. Die Grundsätze „Gott vergibt uns nur, wenn wir vergeben" und „Weil Gott uns vergeben hat, müssen auch wir vergeben" (z.B. Mk 11,25; Lk 11,4; Mt 6,12.14f; 18,21-35) entstammen einem ganz anderen Vorstellungsbereich, sind von der Situation der Endzeit relativ unabhängig und auch von Pls nur gelegentlich verwendet (2 Kor 4,1).
Nimmt man das hinzu, was oben zur historischen Situation der Gemeinde gesagt wurde, die die beiden Hauptgebote als Summe des Gesetzes übernahm, dann sind die beiden Liebesgebote der Synoptiker und dann ist die Betonung der Liebe im NT überhaupt nicht nur das Ergebnis der Übernahme eines bestimmten Gesetzesbegriffes; dieser dient vielmehr dazu, die Ordnung unter den Heiligen Gottes darzustellen, die als das Gebot des Friedens seit der Erhöhung des Menschensohnes gilt. Versöhnung aber ist schlechthin das Zeichen der Heilszeit. – Dem steht freilich gegenüber jene andere apokalyptische Tradition, wonach mit dem Leiden Jesu erst die Zeit des Kampfes beginnt und die Liebe gerade nicht herrschen wird. Es ist verfehlt, die eine Position als „hellenistisch", die andere als „apokalyptisch" zu bezeichnen; beide entstammen gleicherweise dem Bereich der Apokalyptik. Zwar hat sich die eine dann vornehmlich im hellenistischen Bereich durchgesetzt, die andere verblieb im apokalyptischen Horizont des matth. Kirchenkreises; aber die Synoptiker bieten bereits selbst das Bild eines Ausgleichs.

Die Betonung der Nächstenliebe in den ntl Schriften dürfte eine Reihe von Wurzeln haben. Ihnen allen liegt wohl die Anschauung zugrunde, daß Nächstenliebe der Inbegriff des Gesetzes sei. Diese Anschauung ist zuerst ausdrücklich formuliert in Sap Sal 6,18, und zwar heißt es von der Weisheit: ἀγάπη δὲ τήρησις νόμων αὐτῆς. Aus dieser Tradition dürfte zunächst zu verstehen sein, weshalb in Joh und 1 Joh die Liebe eine so zentrale Rolle spielt: das Bild Jesu ist in diesen Schriften weitgehend nach dem der Weisheit gezeichnet. Die zweite Wurzel dürfte die Anschauung von Jesus als dem endzeitlichen Propheten wie Elias sein, dessen Tätigkeit im Wesentlichen darin gesehen wird, durch seine Predigt unter den Menschen Friede, Versöhnung und Liebe zu schaffen. Liebe steht hier im Zusammenhang mit bereits verwirklichter Eschatologie. Eine dritte Wurzel liegt darin, daß paränetisches Material, in dem Nächstenliebe und Philanthropia eine große Rolle spielen, aus dem Judentum übernommen und Jesus deshalb in den Mund gelegt wird, weil er der Lehrer (besonders des Gesetzes) ist. Zur Motivation dieser Paränese wird dann bisweilen auch die Deutung des Kommens Jesu oder die seines Todes herangezogen. Das auf die Dauer – auch weit über das NT hinaus – wirksamste und zukunftsträchtigste Element ist zweifellos der paränetische Grundbestand des universalistisch eingestellten jüdisch-hellenistischen Humanismus gewesen.

5. In Ergänzung zu der schon bei der Behandlung des Samaritergleichnisses festgestellten Tendenz ist zu fragen, wie in den späteren Schichten der synoptischen Tradition die „christliche" Nächstenliebe terminologisch – und damit auch inhaltlich – in der Paränese abgewandelt wird. Dabei ist besonders das Verhältnis der Begriffe ἔλεος und ἀγάπη zueinander zu beachten. Von der LXX wurde eine Identifizierung von ἔλεος und ἀγάπη nicht vorgenommen: Nie wird für אהב usw. ἔλεος gesetzt, und nur in wenigen – zumeist inhaltlich bedingten – Fällen für רחם ἀγαπᾶν (Ps 17(18),1; Prov 23,18; Hos 2,23; Zach 10,6; Is 60,10). Das Hauptwort ἀγάπη dagegen wird nur für אהבה verwendet. Im hellenistischen Spätjudentum wird eine Gleichsetzung weitgehend vollzogen. Der Aristeasbrief nennt (265) φιλανθρωπία und ἀγάπησις zusammen, es kann dann aber auch heißen (208): πῶς ἂν φιλάνθρπωος εἴη; πρὸς τὸν ἔλεον τραπήσῃ καὶ γὰρ ὁ θεὸς ἐλεήμων ἐστίν.
ἀγάπησις und ἔλεος sind also mit φιλανθρωπία und untereinander auswechselbar. Eine direkte Gleichsetzung ist aber nicht vollzogen. – In den Testamenten findet sich ποιεῖν ἔλεος neben zahlreichen anderen Ausdrücken zur Bezeichnung des Erbarmens mit dem Nächsten und Bruder. Mit ὁ πλησίον wird ποιεῖν ἔλεος verknüpft in der Hauptgebotsformulierung in Test Zab 5,1: φυλάσσειν τὰς ἐντολὰς τοῦ κυρίου καὶ ποιεῖν ἔλεος ἐπὶ τὸν πλησίον.
Für die synoptischen Evangelien ist das Problem nicht von diesem Befund her bereits als gelöst zu betrachten. Vielmehr ist die Frage nach dem Verhältnis von ἔλεος und ἀγάπη bedeutungsvoll für die innersynoptische Entwicklung der „Nächstenliebe" und besonders für die Frage, wieweit diese im Zusammenhang steht mit der Aus-

legung von Lev 19,18, was für die sprachliche Formulierung wie für den Inhalt zu fragen wäre.

Hingewiesen wurde schon auf das Verhältnis von Lk 10,27 zu Lk 10,37. V. 37 gibt die Antwort auf die in V. 36 zu dem Gleichnis gestellte Frage, wer denn nun der πλησίον sei: ὁ ποιήσας τὸ ἔλεος μετ' αὐτοῦ. In dem von Mk übernommenen Stoff mit Lev 19,18 hieß es ἀγαπᾶν, im lukanischen Eigengut ποιεῖν ἔλεος. Durch die Aneinanderfügung beider Teile sind diese beiden Begriffe redaktionell gleichgesetzt. Zur Klärung dieses Vorgangs und anderer, ähnlicher Erscheinungen müssen wir versuchen, ein Gesamtbild über die Verwendung von ἀγαπᾶν, ἀγάπη einerseits und ἐλεεῖν, ἔλεος, ἐλεήμων, ἐλεημοσύνη andererseits innerhalb der synoptischen Tradition zu gewinnen. Dabei sind auch zu beachten Begriffe wie σπλαγχνίζεσθαι, ἀγαθοποιεῖν, οἰκτίρμων, ferner das literarische Genus, in dem diese Begriffe jeweils begegnen.

A. ἐλεεῖν etc.

a) Bei Mk begegnet ἐλεεῖν nur 3×, in 10,47.48 in der an Jesus gerichteten Formel ἐλέησόν με und in 5,19 von Gott ausgesagt (ἠλέησέν σε).
Zur Bezeichnung des Verhältnisses zum Mitmenschen wird es nicht gebraucht, auch die anderen vom Stamm ἐλε – gebildeten Wörter fehlen bei Mk.
b) Mt. In der Formel ἐλέησόν με, die an den κύριος gerichtet ist, steht ἐλεεῖν in 9,27; 20,30.31; 15,22; 17,15.
Das Verhältnis zum Mitmenschen bezeichnet ἐλεήμων in 5,7 – οἱ ἐλεήμονες ὅτι αὐτοὶ ἐλεηθήσονται – und ἐλεῆσαι in 18,33 – καὶ σὲ ἐλεῆσαι, ὡς κἀγὼ σὲ ἠλέησα.
ἐλεημοσύνη als „Barmherzigkeit" oder „Almosen" begegnet in Gemeinderegeln in Mt 6,2; 6,3 und 6,4. In 6,2 und 6,3 wird es mit ποιεῖν konstruiert.
ἔλεος wird nur auf das Verhalten zum Mitmenschen angewandt in Hos 6,6 nach der Zitation von Mt 9,13 und 12,7, neben κρίσις und πίστις steht es in 23,23, ohne Zweifel auf das Erbarmen Menschen gegenüber bezogen.
c) Lk. Von Gott ausgesagt wird ἐλεεῖν in Lk 1,50.54.58.72.78. Als Anruf begegnet ἐλέησον in 18,38.39; 17,13; 16,24. – 16,24 bildet dabei einen Sonderfall: Der Anruf „Erbarme dich meiner" ist an den Vater Abraham gerichtet.
In Unterweisungen an die Gemeinde begegnet der Imperativ δότε ἐλεημοσύνην in 11,41 und 12,33.
Vom Samariter heißt es in Lk 10,37: ὁ ποιήσας τὸ ἔλεος μετ' αὐτοῦ.

B. Verwandte Begriffe zum Ausdruck des Erbarmens.

οἰκτίρμων begegnet nur in Lk 6,36 γίνεσθε οἰκτίρμονες καθὼς ὁ πατὴρ ὑμῶν οἰκτίρμων ἐστιν. Dazu sind zu vergleichen Mt 5,7; 18,33 und Aristeasbrief 208: πρὸς τὸν ἔλεον τραπήσῃ, καὶ γὰρ ὁ θεὸς ἐλεήμων ἐστίν.

Nur bei Lk begegnet ἀγαθοποιεῖν, in 6,9 (Mk 3,4: ἀγαθὸν ποιῆσαι - κακοποιῆσαι, wieweit durch die Veränderung des Wortes bei Lk die Bedeutung zu einem term. techn., der Nächstenliebe spezifiziert ist, läßt sich nicht entscheiden); 6,33 – ἐὰν ἀγαθοποιεῖτε τοὺς ἀγαθοποιοῦντας ὑμᾶς –; 6,35 – ἀγαπᾶτε τοὺς ἐχθροὺς καὶ ἀγαθοποιεῖτε –. σπλαγχνίζεσθαι wird bei Mk nur von Jesus ausgesagt, und zwar in 6,34; 8,2; 1,41; 9,22. Bei Mt und Lk wird es parallel dazu gebraucht in Mt 9,36; 14,14; 15,32; 20,34; Lk 7,13.
Darüber hinaus wird es aber bei Mt und Lk von Menschen ausgesagt, und zwar nur in Gleichnissen; zunächst in denen, die offenbar von Gottes Barmherzigkeit sprechen; so heißt es in Mt 18,27 vom Herrn: σπλαγχνισθεὶς δὲ ὁ κύριος τοῦ δούλου. Damit ist zu vergleichen der am Ende des Gleichnisses folgende Satz 18,33! – Im Gleichnis vom verlorenen Sohn wird es Lk 15,20 vom Vater des Sohnes gebraucht. – Über diesen Gebrauch hinaus wird es aber auch von menschlichem Verhalten ausgesagt, und zwar vom Samariter in Lk 10,33: Σ. δέ τις ἰδὼν ἐσπλαγχνίσθη.

C. ἀγαπᾶν

Es begegnet zunächst in allen von Mk 12,31.(33) abhängigen Stellen, also in Lk 10,27 und Mt 22,39. Darüberhinaus an Stellen, wo Lev 19,18 allein zitiert wird, also in Mt 19,19 und 5,43.
Als Bezeichnung für das liebende Verhalten zum Mitmenschen im „christlichen" Sinn begegnet ἀγαπᾶν dann nur noch in zwei Q-Sprüchen, nämlich in Mt 5,44 = Lk 6,27.35 ἀγαπᾶτε τοὺς ἐχθρούς – und Mt 5,46 = Lk 6,32 – ἐὰν γὰρ ἀγαπήσητε τοὺς ἀγαπῶντας ὑμᾶς (vgl. dann aber Lk 6,33).
ἀγαπᾶν begegnete bisher nur in zwei Sätzen aus Q (dort in einem Zusammenhang) und in Schriftauslegungen im Anhang an Lev 19,18, die aber ebenfalls Gemeindeunterweisung zum Inhalt haben.
Außerhalb dieser Zusammenhänge begegnet ἀγάπη in Mt 24,12 und ἀγαπᾶν Lk 7,47, in beiden Fällen ohne Objekt. Von der Liebe zu Gott wird es gebraucht in Lk 11,42 (s.o.); Mt 6,24 = Lk 6,13 (Gleichnis); Lk 7,42 (Gleichnis).
Außerhalb von Gemeinderegeln wird ἀγαπᾶν in Lk 7,5; 11,43 und Mk 10,21 in einem Sinne gebraucht, der auch im klassischen Griechisch üblich ist und keinen typisch theologischen Wortgebrauch verrät.

D. Auswertung

1. ἀγαπᾶν zur Bezeichnung der Nächstenliebe ist beschränkt auf Stellen, die Lev 19,18 auslegen und auf zwei paränetische Bildungen aus Q (die ebenfalls mit einer Auslegung von Lev 19,18 - Mt 5,43f – in einem Bd. II zu klärenden Verhältnis stehen).
Zur Bezeichnung der „christlichen" Nächstenliebe wird es sonst bei den Synoptikern nicht verwandt.
2. In allen „Eigenbildungen" bei Mt und Lk wird das christliche

Verhalten zum Mitmenschen durch ἐλεεῖν, ἔλεος, ἐλεημοσύνη oder andere Ausdrücke für barmherziges Verhalten bezeichnet. Alle diese Begriffe fehlen bei Mk.
3. Dabei gibt es einige ältere Bildungen wie Mt 5,7; 18,33 und Lk 6,36, in denen der Vorgang des christlichen Erbarmens zurück- oder vorausweisend dem des göttlichen Erbarmens gegenübergestellt wird.
4. σπλαγχνίζεσθαι wird zunächst nur von Jesus oder – in Gleichnissen – von Gott gesagt. Über diesen Sprachgebrauch führt Lk 10,33 hinaus: Hier wird auch dieses Verb bereits für die Nächstenliebe gebraucht. Vgl. Mt 18,27 und 33. οἰκτίρμων ist ebenfalls eine neue lukanische Vokabel für die christliche Liebe.
5. Aus 3. und 4. wird deutlich, daß in bestimmten Schichten das Verhalten Gottes zum Menschen mit demselben Begriff wiedergegeben wird wie das zum Mitmenschen (vgl. Mt 6,15). – Das Verbum ἀγαπᾶν ist aber von diesem Vorgang nicht mehr betroffen.
Die theologische Entwicklung innerhalb der synoptischen Evangelien hat das Verb ἀγαπᾶν in den älteren Schichten (Mk und Q) belassen und später – und zwar fast ausschließlich in Sätzen, die formal als Gemeinderegeln zu erkennen sind –, ohne auf Lev 19,18 oder auf die Schrift überhaupt (wie es die Art der Gemeinderegeln ja auch sonst ist) Bezug zu nehmen, das christliche Verhalten zum Mitmenschen nur noch mit den genannten anderen Begriffen umschrieben, besonders mit solchen, die vom Stamm ἐλε- gebildet sind. Damit dürfte zugleich eine ganz bestimmte inhaltliche Veränderung eingetreten sein: ἀγαπᾶν wird nicht nur einseitig für das Verhältnis vom Höhergestellten zum Niedrigen gebraucht, sondern auch umgekehrt und zwischen Gleichgestellten. Es ist das „allgemeine", mit Hochschätzung des anderen verbundene Lieben. ἔλεος und ἐλεεῖν können nur ein Handeln „von oben nach unten" bezeichnen und nicht allgemein das Lieben, sondern das Erbarmen geht auf den anderen, der in Not ist, der zu schwach ist, sich selber zu helfen. Die Ursache des Überwiegens von ἐλεεῖν gegenüber ἀγαπᾶν dürfte wohl in erster Linie die Notwendigkeit zur Einengung und zur Konkretisierung sein.
Ein weiterer Grund dürfte sein die noch häufigere Verwendung allgemein spätjüdischer Paränese in Mt gegenüber Mk. Insbesondere für die Test Patr hatten wir schon festgestellt, daß die Ausdrücke für Nächstenliebe sehr stark den Affekt des Mitleids betonten, eine Eigenart, die vom Hellenismus und stoischer Affektlehre nicht unberührt ist. Mt ist ein deutliches Beispiel für die wachsende Ver-

bundenheit christlicher Traditionen mit diesen Bereichen spätjüdischer Paränese[1]. So sehr es richtig ist, daß bei Ml das Liebesgebot sehr viel deutlicher als bei Mk Maßstab der Auslegung des Gesetzes ist, sprachlich vollzieht sich dieser Prozeß nicht auf dem Hintergrund der Auslegung von Lev 19,18 sondern – hauptsächlich – unter dem Stichwort „Erbarmen". Die Schriftverwendung in Mk 12,33 setzte ebenfalls eine Gleichsetzung von ἀγαπᾶν und ἔλεος bereits voraus.

Im Samaritergleichnis wurde ἀγαπᾶν aus der Mk-Tradition durch σπλαγχνίζεσθαι und ποιεῖν ἔλεος ersetzt. Hinzukommt, daß ὁ πλησίον nicht mehr Objekt, sondern Subjekt des Liebeshandelns ist. Die Konkretisierung, die sich bereits in der Wahl der anderen Verben zeigt, ist hier auch auf den Begriff des Nächsten ausgedehnt worden: Den Nächsten lieben heißt: dem, der in Not ist, ein Nächster werden, ihm ein Freund werden durch Erbarmen.

[1] Den σπλάγχνα ἐλέους von Test Seb 7,3; 8,2.6; Lk 1,78 entsprechen in 1 QS 2,1 die רחמי חסד (J. Becker, das Heil Gottes, 173). κατολεεῖν ἑαυτόν wird in 4 Mkk verwendet in 8,10.20; 12,2; vgl. 4 Mkk 14,13: ἡ τῶν σπλάγχνων συμπάθεια. Bereits die LXX betont gegenüber dem MT den Affekt des Mitleids in Prov 21,26; MT lautete: Der Gerechte gibt und geizt nicht; LXX übersetzt frei: ὁ δὲ δίκαιος ἐλεᾷ καὶ οἰκτίρει ἀφειδῶς. Eine Sammlung dieser Termini enthält Or Manasse 7.

Vgl. Art. οἰκτίρω in ThWB V 161-163 (Bultmann), 162: „Ein Unterschied zwischen οἰκτίρειν und ἐλεεῖν oder zwischen οἰκτιρμοί und ἔλεος ist nicht wahrzunehmen. חנן und רחם werden wie durch οἰκτίρειν so durch ἐλεεῖν wiedergegeben. Vgl. Art. σπλάγχνον in: ThWB VII,548-559 (Köster). Im syr. 3. Esra 8,10 begegnet für das griech. τὰ φιλάνθρωπα das syr. ܪܚܡܬܐ ܐܢܫܐ.
R. Bultmann, ThWB V,161 „Bezeichnet ἔλεος den Affekt der Rührung und des Mitleids, so οἶκτος zunächst die Klage, den Jammer, zumal jedoch die Klage, die über das Unglück oder den Tod eines Menschen erhoben wird, daher denn auch häufig die mitleidige Klage, das Mitleid, das Erbarmen". Cf. H. Klocker, Wortgeschichte von ἔλεος-οἶκτος in der griechischen Dichtung und Philosophie von Homer bis Aristoteles, Diss. phil. Masch. Innsbruck 1952. Danach wird ἔλεος bei Homer noch nicht als Leidenschaft aufgefaßt, sondern kann „wie αἰδώς ein Verhalten ethischer Art bedeuten" (258). 229f „Das Mitleid steht bei Homer sowohl Menschen wie Göttern zu, und sein Fehlen wird als Mangel empfunden, ähnlich wie das Fehlen von αἰδώς". Als Mitleid sei es nicht „Zeichen und Äußerung weichen Gefühls, vielmehr Ausdruck überlegenen Herrentums". – Bei Demokrit bedeute οἰκτίρειν tätiges Mitleid und aktive Hilfeleistung (so in frgm 255 = D-Kr II, 196,14ff). Bei Aristoteles stünden sich ἔλεος und φόβος gegenüber zum Ausdruck verwandter Affekte, bei Homer dagegen sei das Nebeneinander der Begriffe ἔλεος und αἰδώς „Ausdruck verwandter Begriffe der Adelsethik" (237). Bei Plato wird ἔλεος als Mitleiderweisen bejaht, als Mitleidsaffekt abgelehnt (235).

§ 8 Ergebnisse für die Frage der Gesetzesauslegung

1. Während bei Mt und Lk die Kombination der beiden Hauptgebote ursprünglich ist, steht bei Mk die Nennung des 1. Hauptgebotes allein am Anfang der noch erkennbaren Entwicklung des Textes; sie gibt die Initialfrage der Diasporakatechese wieder. Mk 12,28-31 nennt die wichtigsten Gebote aus dem, was Gott angeordnet hat. Die antike Kombination εὐσέβεια καὶ δικαιοσύνη ist zu diesem Zweck in Gebotsformulierungen des AT gekleidet. In der hellenistischen Antike und auch im hellenistischen Judentum konnte diese Kombination und auch die gebotsähnliche Umformung die Gesamtheit der sittlichen Forderungen als Summe umschreiben. Das ist zweifellos auch der ursprüngliche Sinn dieser Gebotskombination bei Mk. – Indem diese geläufigen Stoffe des hell. Judentums (Gottesbekenntnis und zwei Hauptgebote) in den Evangelien im Munde Jesu lokalisiert werden, kennzeichnet man Jesus als die allein maßgebliche Autorität; zugleich scheut man sich nicht, die tatsächlich vorhandene Übereinstimmung mit dem Judentum hervorzuheben, dieses aber so, daß der Schriftgelehrte für Jesus zeugt, Jesus aber seine Nähe zur Basileia feststellt. Die Autorität des Schriftgelehrten wird also insbesondere für die soteriologische Frage ganz der Jesu zu- und untergeordnet. Er ist der Lehrer der Weisheit (vgl. Sap Sal).

2. Die Verse Mk 12,32-34 hatten wir als schriftgelehrten Kommentar zum ersten Teil der Perikope erkannt. Es geht nicht mehr um die wichtigsten Gebote, sondern gegenüber den beiden Hauptgeboten wird der kultische und rituelle Teil der Tora grundsätzlich abgewertet. Die Nähe zur mt Auffassung und seinen Zitierungen von Hos 6,6 ist unbestreitbar. – Damit fügt sich aber dieser „Kommentar" ein in die Gruppe jener deutlich antijüdischen sekundären Schriftbeweise, die wir in den Streitgesprächen in Mk 2.7.10 festgestellt haben. Gegenüber den Juden ist der Bereich des Kultes grundsätzlich verworfen, und offenbar gilt hier jener Gesetzesbegriff, für den Gottes- und Nächstenliebe die Zusammenfassung darstellen kann. Damit tritt jener schon oft genannte spätjüdische Gesetzesbegriff auch hier wieder in Erscheinung. Wie in den Schriftbeweisen von Mk 2.7.10 gilt hier der kultische Bereich und (wie Mk 10,1-12 zeigt) auch alles das in der Tora, das nicht unter die Dekalog- oder Liebesgebote subsumiert werden kann, als übertretbare menschliche Überlieferung, von der in Mk 7.10 nachgewiesen werden kann, daß sie gegen den Willen Gottes verstößt. Hier wird

ein innerjüdisch entwickelter Gesetzesbegriff in der Auseinandersetzung mit dem nun bereits abgetrennten Judentum gegen dieses selbst angewendet.
Die Überlieferungsgeschichte von Mk 12,28-34 zeigt also die gleiche Stufung wie die der genannten Streitgespräche: 1. weisheitliche Sentenz oder hellenistisch-jüd. Hauptgebotskombination, beides mit vergleichsweise liberaler Tendenz.
2. „Rejudaisierung" durch den biographischen Rahmen.
3. Nach der Trennung vom Judentum wird das Anliegen der Schicht 1 in gewissem Sinne wieder aufgenommen in antijüdischen Schriftexkursen, deren Voraussetzungen freilich in Auffassungen vom Kult vorgebildet sind, die im hell. Judentum herrschten.

3. In der mt Tradition und Redaktion wird die Frage auf dem Hintergrund des spätjüdischen (und matthäischen) Nomos-Begriffes gestellt, in dessen Geltungsbereich auch jene hellenistische Formel am weitesten verbreitet war. Das so verstandene Gesetz ist inhaltlich ableitbar aus den genannten zwei Geboten (aber nicht faktisch auf sie reduzierbar). Der kultische Bereich gehört zu diesem Gesetzesbegriff nicht dazu, was in der Auseinandersetzung mit dem Judentum betont wird. Auch das Liebesgebot allein kann die Summe des Gesetzes darstellen, wie aus dem mt δικαιοσύνη-Begriff und aus der Funktion der Goldenen Regel deutlich wird.

4. Bei Lk ist der durch die Auseinandersetzung mit dem Judentum geprägte Hintergrund des Mk und Mt verlorengegangen. Die Liebesgebote stehen parallel zu den Dekaloggeboten. Sie sind die einzigen Gebote, die wirklich noch übrig geblieben sind, in der Botschaft des Evangeliums (vgl. Lk 16,16) werden sie als der Weg zum Leben empfohlen und haben in dieser neuen „Verpackung" ein Fortleben. – Der Begriff des Nächsten ist bereits gänzlich christianisiert worden.

IV

Die Grundbedeutung des 4. - 10. Dekaloggebotes und deren Auslegungsgeschichte bis zum NT

§ 1 Die Rolle des Dekalogs im Judentum

Nach seiner Rezeption im Dt hat der Dekalog[1] im Alten Testament keine Rolle mehr gespielt. In der spät-jüdischen Literatur wird er bis zum Ende des 1. Jh. n. Chr. nur bei Philo, Josephus und im Liber Antiquitatum (Ps.-Philo) als Dekalog zitiert. Zwar haben einzelne Dekaloggebote bzw. die mit ihnen verknüpften Traditionen eine langwierige und aufschlußreiche Auslegungsgeschichte durchlaufen, nicht aber bis dahin die Gesamtheit des Dekalogs. Die Rolle einer zusammenfassenden Summe von Einzelgeboten könnte der Dekalog nur im Dt gehabt haben (s.u.), aber weder vorher noch nachher ist in den literarischen Zeugnissen bis auf Philo, Ps.-Philo und Josephus derartiges nachweisbar. Auch das NT rezipiert nur einzelne Gebote, aber nirgendwo die Gesamtheit des Dekalogs. In den christlichen Kirchen hat der Dekalog erst gegen Ende des 2. Jahrhunderts allgemeines Ansehen gewonnen.

[1] Zum Dekalog: V. Aptowitzer, L'usage de la lecture quotidienne du Décalogue à la Synagogue et l'explication de Mt 19,16-19 et 22,35-40, in: REJ 88 (1929) 167-170; P. van den Berghe, De decaloog in het licht van de jongste studies, in: Coll Brug et Gand 8 (1962) 32-48; G. J. Botterweck, Form- und überlieferungsgeschichtliche Studie zum Dekalog, in: Conc 1 (1965) 392-401; R. M. Grant, The Decalogue in early Christianity, in: HThR 40 (1947) 1-17; H. Haag, Der Dekalog (Abh. z. Moraltheol.; 6), Paderborn 1964; A. Jepsen, Beiträge zur Auslegung und Geschichte des Dekalogs, in: ZAW 79 (1967) 277-304; W. Kessler, Die literarische, historische und theologische Problematik des Dekalogs, in: VT 7 (1957) 1-16; N. Lohfink, Zur Dekalogfassung von Dt 5, in: BZ 9 (1956) 17-32; O. Moe, Die Apostellehre und der Dekalog im Unterrichte der alten Kirche, 1896; E. Nielsen, Die zehn Gebote / Eine traditionsgeschichtliche Skizze, Kopenhagen 1965; N. Peters, Die älteste Abschrift der zehn Gebote, der Papyrus Nash untersucht, Freiburg 1905; H. Graf Reventlow, Gebot und Predigt im Dekalog, Gütersloh 1962; H. Schneider, Der Dekalog in den Phylakterien von Qumran, in: BZ NF 3 (1959) 18-31; J. Schreiner, Die Zehn Gebote im Leben des Gottesvolkes / Dekalogforschung und Verkündigung (Bibl. Handbibl.; 3), 1966.

Vor dem Dt konnte der Dekalog keine zusammenfassende Summe darstellen, weil im 5.-10. Gebot[1] eine Reihe von Verben zusammengestellt sind, die ihrer Grundbedeutung nach nur einen umgrenzten Teilbereich bestimmter Delikte ansprechen können. Nur als sich deren Grundbedeutung gewandelt hatte, konnte man den Dekalog als „Summe" verstehen. Dieses war möglicherweise im Dt der Fall (s.u.). Aber auch als Summe hat der Dekalog keine inneralttestamentliche Nachgeschichte erlebt. Stücke wie Hos 4,2 und Jer 7,9 beweisen eher das Gegenteil: Hier spiegeln sich Reste von Traditionen, die sich auch im Dekalog – aber nur im 5.-7. Gebot – niedergeschlagen haben, die aber auch ganz ohne den Zusammenhang des Dekalogs überliefert werden konnten[2].
Die Geschichte des Dekalogs als Reihe beginnt erst wieder mit Philo, Ps.-Philo und Josephus. Daß der Dekalog in den Jahrhunderten vor ihnen und in der sonstigen apokalyptischen Literatur nicht beachtet wurde, kann seine Ursache nur darin haben, daß jene im Dt programmatisch als solche wohl deuteronomistische(?) rezipierte Reihe offenbar nicht lebesfähig war und daher nicht „populär" gewesen ist. Da es einen direkten und thematischen Rückgriff auf einen „Kanon" des AT im Spätjudentum nicht oft gibt, ein solcher vielmehr erst zu neutestamentlicher Zeit üblich wird, leben nur ganz bestimmte Traditionen weiter, die sich in ihrem Frühstadium noch in der Schrift niedergeschlagen haben konnten, aber selbst nie an die Schrift gebunden waren. Es versteht sich von selbst, daß die lebensfähigen Traditionen nicht die gewesen sein müssen, die etwa der betreffende Redaktor des Dt einmal für wichtig hielt und seiner Komposition zugrundelegte. Vielmehr haben die Stoffe, die – durch mannigfache innere und äußere Gründe veranlaßt – überlebten, ein sehr stark entwickeltes Eigenleben, das sich selbst in der Zeit, da die Nähe zur „Schrift" intendiert wird, immer wieder auch gegen die zitierte Schrift behauptet, so auch besonders in der synoptischen Tradition.
In der Auslegungsgeschichte der einzelnen Dekaloggebote haben sich, wie unsere Untersuchung zeigen wird, für jedes Gebot be-

[1] Die Numerierung der Gebote richtet sich im Folgenden nach der seit Augustinus im Abendland gebräuchlichen Zählung, die allerdings keine Stütze im hebr. Text hat.
[2] Zu Hos 4,2 und dessen Verhältnis zum Dekalog vgl. W. Richter, a.a.O., 131 Anm. 33. 132; zum Aufbau von Hos 4,1.2 vgl. a.a.O., 55; zu Jer 7,9: S. 59.

stimmte Bahnen gebildet, die das Verständnis der Tradition bestimmen. Es handelt sich dabei um meist recht wenige und deutlich fixierbare Einzeltraditionen. Zum Teil finden sich hier Fortsetzungen oder ein Wiederaufleben schon im AT angebahnter Verbindungen. Ein deutlicher und durchgehender Zug aber ist die Ausweitung des Inhalts, die eine gewisse „Verschärfung" zur Folge hat. Denn die für das alte Vergehen genannten Sanktionen gelten nun auch für die neue, dem Inhalt nach meist geringfügigere, nun aber unter das Gebot subsumierte Tat. Durch die materiale Ausweitung und Attrahierung von Einzeltraditionen an ein „Gebot" wird eine sehr wesentliche Voraussetzung für die Rolle geschaffen, die der Dekalog bei Philo und im NT spielt, nämlich die Möglichkeit, eine fast unbegrenzte Anzahl von Einzelgeboten im Dekalog „unterzubringen". So wird am Ende die Auslegungsgeschichte der Einzelgebote wieder bedeutungsvoll für die Rolle, die der Gesamtdekalog etwa bei Philo spielen kann.
Durch die Art, wie Philo und Josephus (besonders in Ant IV,196ff) im Ganzen alttestamentliche Gesetze referieren und auslegen, wird bereits deutlich, welche Rolle der Dekalog bei ihnen spielen konnte:

1. Die atl Gesetzessammlungen, die den Autoren durch die LXX in einer langsam gewachsenen und sehr „unlogischen" Reihenfolge vorliegen, werden thematisch geordnet. Josephus referiert die Gebote jeweils kurz, läßt sie aber so aufeinander folgen, daß verwandte Themenkreise zusammenstehen (die gleiche Erscheinung findet sich auch bei Ps.-Phokylides). Josephus entschuldigt sich dann aber besonders für die vom AT abweichende Reihenfolge der Einzelgebote[1]. Philo referiert die Gesetze in einer freieren und entwickelteren Form der Dekaloggebote oder in der Zusammenfassung von Einzelgeboten unter verschiedenen Themen, wie z.B. in De Virtutibus.

2. Bei Philo und bei Josephus zeigt sich die Tendenz, Sozialgebote ausführlich zu referieren, kultische Gebote aber (und in geringem Umfang auch Sozialgebote) allegorisch zu interpretieren oder zumindest auf die Reinheit der Seele hin umzudeuten. Die Tendenz,

[1] Jos. Ant IV,197: νενεωτέρισται δ'ἡμῖν τὸ κατὰ γένος ἕκαστα τάξαι· σποράδην γὰρ ὑπ' ἐκείνου κατελείφθη γραφέντα καὶ ὡς ἕκαστόν τι παρὰ τοῦ θεοῦ πύθοιτο· τούτου χάριν ἀναγκαῖον ἡγησάμην προδιαστείλασθαι, μὴ καί τις ἡμῖν παρὰ τῶν ὁμοφύλων ἐντυχόντων τῇ γραφῇ μέμψις ὡς διημαρτηκόσι γένηται.

Sozialgebote umfangreich zu berichten (z.B. in Philos Schrift De Humanitate) rührt daher, daß man die μισανθρωπία und ἀμιξία, die Heiden dem Judentum vorwerfen[1], „wegdisputieren" möchte, um vielmehr das atl Gesetz darzustellen als die vollkommenste Politeia, in der die natürliche Verwandtschaft aller Menschen (unter Führung der Juden) auf die beste Weise geschützt ist und zum Ausdruck kommt.

3. Wie oben schon gezeigt wurde, mußte sich das hellenistische Judentum um eine einprägsame Zusammenfassung von Geboten bemühen. Der Dekalog war auch deshalb dazu geeignet, weil er sich an den zehn Fingern abzählen läßt und so dem auch den Griechen bekannten πεμπάσεσθαι entgegenkommt[2], vor allem aber, weil durch die LXX die sprachlichen Voraussetzungen dafür geschaffen waren, den Dekalog für eine Aufzählung von Kapitalvergehen zu halten.
Diese genannten Tendenzen treffen sich in der Auswahl des Dekalogs als der Zusammenstellung der wichtigsten Gebote; so kann in Spec Leg und in Decal der Dekalog das Gerippe für die Unterbringung aller Einzelgebote sein, weil er die Summe darstellen kann. Die Gliederung beider Schriften ergibt sich aus den Dekaloggeboten; atl Einzelgebote werden zugeordnet. Die Gliederung von Spec Leg zeigt überdies, welchen Sinn diese Art von Paränese hatte: Der Behandlung der 10 Gebote ist dort vorangestellt eine Erörterung der Beschneidung. Diese erscheint als Initiationsakt und Grundlage der Befolgung der Dekaloggebote. Der Sitz dieser Belehrung dürfte daher die Proselytenkatechese sein, die Rolle der Schrift die eines „Handbuchs für Proselytenkatecheten". Die Voraussetzung für diese Funktion des Dekaloges war zunächst die Übersetzung durch die LXX, die die ursprünglich ganz speziellen Verben des Dekalogs mit so allgemeinen Zeitwörtern übersetzt hatte wie φονεύειν, μοιχεύειν, κλέπτειν, ἐπιθυμεῖν usw.

Es wurde bereits gezeigt, daß für Philo die Dekaloggebote κεφάλαια νόμου sind (neben der Wiedergabe der griech. Kombination von Gottesfurcht und Menschenliebe). Dieser zusammenfassende Charakter wird von Philo

[1] Zum Vorwurf des „Menschenhasses" vgl. jetzt auch M. Hengel, Judentum und Hellenismus, Tübingen 1969, 133.474.549; von der älteren Lit. Th. Reinach, Textes, Hildesheim [2]1963, p. XIII und die Einzeltexte; M. Friedländer, Jüdische Apologetik.
[2] Vgl. Homer, Od 4,412 und Plutarch, De Is. et Osir. c. 56.

theologisch durch besondere „Gottunmittelbarkeit" der Dekaloggebote begründet. Auf die Verwendung des Begriffes κεφάλαιον in sehr ähnlichem Zusammenhang in Thomasakten K. 28 (p. 145) wurde oben bereits verwiesen: Nach Thomas-Akten wird das ganze Gesetz in den drei Kephalaia Unzucht, Habgier und Gefräßigkeit erfüllt.

Grundlegend für die Herleitung der Bedeutung der 10 Gebote aus der Schrift ist die Unterscheidung, die Philo trifft zwischen den Geboten, die Gott selbst, ohne einen Mittler zu gebrauchen, geoffenbart habe und solchen, die er durch Moses kundgetan habe. Eine gewisse Berechtigung dazu konnte Philo in Dt 5,23/6,1 erblicken.
Der Dekalog wurde nach Philo ohne einen anderen (οὐ προσχρησάμενος ἄλλῳ Decal 18), ohne einen Propheten und Dolmetscher (ἄνευ προφήτου καὶ ἑρμηνέως Spec Leg II,7), durch ihn allein (δι' ἑαυτοῦ μόνου Decal 18), von ihm selbst (αὐτοπροσώπως Decal 175) geoffenbart. Daher partizipieren diese Gebote insofern auch am Wesen Gottes, als sie nicht nur Gesetze sind, sondern auch Zusammenfassungen der Einzelgesetze darstellen (Decal 18: τοὺς μὲν αὐτοπροσώπως θεσπισθέντας δι'αὐτοῦ μόνου συμβέβηκε καὶ νόμους εἶναι καὶ νόμων τῶν ἐν μέρει κεφάλαια τοὺς δὲ διὰ τοῦ προφήτου πάντας ἐπ' ἐκείνους ἀναφέρεσθαι). Der göttlichen Natur entsprach es, den allgemeinen Teil der Gesetze selbst zu verkünden (Decal 175)[1]. Die Teilgesetze aber wurden durch den Hierophanten Moses (Decal 18) verkündet, den vollkommensten der Propheten (Decal 175)[2]. Die Gebote, die er mitgeteilt hat, lassen sich auf jene allge-

[1] Vgl. dazu auch J. Leipoldt, Die Frühgeschichte der Lehre von der göttlichen Eingebung, in: Zeitschr. f. ntl. Wiss 44 (1952/3) 118-145, bes. 128-130. Zum Offenbaren des Dekalogs verwendet Philo das Verb θεσπίζω oder auch χρήζω, χρησμῳδοῦμαι (Vit Mos II,97). Dazu vgl. D. Georgi, Die Gegner des Paulus im 2. Korintherbrief (Wiss. Monogr. z. AT u. NT; 11), Neukirchen 1964, 165: „Die dem Orakel zugehörige Dialektik zwischen der Distanz des geheimnisvollen Göttlichen gegenüber der Situation und der gleichzeitigen Situationsbezogenheit ließ sich sehr gut auf das Problem der zeitlichen Distanz übertragen, vor allem wenn man – bei Übertragung auf das Gesetz – die Orakel als geschriebene verstand, angefangen bei dem Dekalog... Das Orakelmotiv verband sich so mit dem Schriftmotiv, und beide ergänzten sich".

[2] Vgl. Philo Praem Poen 2f: Vom Gesetzgebungswerk habe der eine Teil allgemeineren Inhalt, der andere enthalte Einzelgesetze: „zehn Hauptgebote, die nach der Überlieferung nicht durch einen Dolmetscher offenbart wurden, sondern in Himmelshöhe geformt und mit vernünftiger Artikulierung, während die anderen, die Einzelgesetze, durch den Propheten verkündet wurden".

meinen zurückführen. Philo bemerkt selbst, daß es zur Vermeidung jeder Verwirrung einer gewissen Kunstfertigkeit bedurft habe, um jedem der Hauptgebote die zugehörigen Gesetze zuzuweisen[1]. Eine große Rolle spielt bei Philo und auch bei Josephus in diesem Zusammenhang die Reflexion über die göttliche Stimme (Decal 32-35; Ant II,283) und bei Philo – aus pythagoreischen Quellen geschöpft – die Hervorhebung der Vollkommenheit der Zehnzahl.

Bei Josephus wird die Einordnung der anderen Gebote in die Dekaloggebote nicht direkt und reflex vollzogen, nur faktisch dadurch erreicht, daß er die einzelnen Gebiete thematisch behandelt. Aus anderen Stellen wird ersichtlich, daß er den Dekaloggeboten eine „absolute" Vorrangstellung vor den anderen Geboten einräumt, so in Ant XV,136: ἡμῶν τὰ κάλλιστα τῶν δογμάτων καὶ τὰ ὁσιώτατα τῶν ἐν τοῖς νόμοις δι' ἀγγέλων παρὰ τοῦ θεοῦ μαθόντων. Der Kontext handelt von der Unversehrtheit und Heiligkeit von Boten. Bei den Juden seien sogar die heiligsten der Gesetze von Gott durch Boten verordnet.

Nach Ant III,90 fallen die Dekaloggebote unter das Gebot der „Arkandisziplin": οὓς οὐ θεμιτὸν ἐστιν ἡμῖν λέγειν φανερῶς πρὸς λέξιν, τὰς δὲ δυνάμεις αὐτῶν δηλώσομεν. Darauf teilt er in 91 und 92 die Gebote nicht wörtlich mit, sondern gibt für die meisten eine Paraphrase[2]. Nach den Vorstellungen der Mysterienkulte fallen nicht nur die Darstellung des Mythos, die dabei gezeigten Gegenstände, die rituellen Bücher und der Ort der Initiation, sondern auch die Worte des Hierophanten (vgl. etwa Ps-Lysias Andoc 51) unter die Arkandisziplin[3]. In diesem Rahmen hat Josephus offenbar die Mitteilung des Dekalogs verstanden, wie es ja noch in weit höherem Maße Philo tut, der Moses in diesem Zusammenhang ausdrücklich als Hierophanten bezeichnet (Decal 18)[4]. Offenbar galt

[1] Spec Leg IV,132: πρὸς τὸ ἀσύγχυτον τῆς ἀκριβοῦς καταλήψεως φιλοτεχνίας ἐδέησεν, ᾗ χρησάμενος ἑκάστῳ τῶν γενῶν ἐξ ἁπάσης τῆς νομοθεσίας τὰ οἰκεῖα προσένειμα καὶ προσέφυσα.

[2] Ant III,91f (4.-10. Gebot): ὁ δὲ πέμπτος γονεῖς τιμᾶν, ὁ δὲ ἕκτος ἀπέχεσθαι φόνου, ὁ δὲ ἕβδομος μὴ μοιχεύειν, ὁ δὲ ὄγδοος μὴ κλοπὴν δρᾶν, ὁ δὲ ἔνατος μὴ ψευδομαρτυρεῖν, ὁ δὲ δέκατος μηδενὸς ἀλλοτρίου ἐπιθυμίαν λαμβάνειν.

[3] Vgl. dazu Art. „Arkandisziplin" in RAC I, 1950, Sp 667-676 (O. Perler). Nach Sp 671 ist deren Ursprung einmal gewesen „die Furcht, der Kult der Stammesgottheiten möchte Fremden bekannt werden und damit auch der Segen der Gottheiten an dieselben übergehen".

[4] Vgl. dazu Juvenal, Sat. XIV,102ff: tradidit arcano quodcunque volumine Moses / non monstrare vias eadem nisi sacra colenti / qaesitum ad fontes solos deducere verpos (d.h. Beschnittene).

auch die hebräische Urschrift des Dekalogs als die Geheimschrift, in der die Bücher der Mysteriengenossenschaften abgefaßt waren (vgl. Arnobius, adv. nat. 5,5)[1]. In c. Ap II 82 sagt Josephus gegen den Vorwurf der Eselsanbetung, die Eroberer des Tempels hätten nichts davon gefunden „sed purissimam pietatem, de qua nihil nobis est apud alios effabile". Hier ist offenbar die Verehrung des einen Gottes gemeint. Dem Geheimnischarakter der Dekaloggebote entspricht ihre Funktion als „lumen mundo" in Lib Ant XI: Sie sind „das" Gesetz, durch welches die neu hinzukommenden Proselyten erleuchtet werden.

Auf Grund der Eigenart des josephischen Schrifttums spielt der Dekalog bei ihm keine sehr große Rolle. In erster Linie bleibt Philo derjenige, bei dem die Bedeutung, die der Dekalog in diesen Jahrzehnten erlangt haben muß, am allerdeutlichsten wird, und er selbst ist an dieser Entwicklung maßgeblich beteiligt. Diese Entwicklung spiegelt sich freilich auch in der synoptischen Tradition. Der Ausgangspunkt dieser Entwicklung dürfte die Praxis der Proselytenwerbung sein; das bezeugt nicht nur die von Josephus berichtete Mysterientradition, sondern auch etwa Pap. Nash, der Schĕma und Dekalog enthält. War der Dekalog von seinen atl Ursprüngen her Ausdruck des Standesethos der Schicht freier Grundbesitzer gewesen, so erhält er im Diasporajudentum eine ganz neue Funktion: Durch die Übersetzung in das Griech. sind die einzelnen Delikte so umfassend geworden, daß der Dekalog nunmehr einen Katalog von Kapitalvergehen darstellt. Diese Entwicklung besitzt offenbar weithin Popularität, obwohl sie in der Regel erst in späteren (z.T. christlichen) Zeugnissen des hell. Judentums belegt ist. Sie zeigt sich vor allem auch im Eindringen des Dekalogschemas in Lasterkataloge, die soziale Reihe u.a. – Zu beachten ist, daß diese Entwicklung zunächst nicht literarisch ist, wohl aber auf Grund des festen Sitzes im Leben des hell. Judentums große und bestimmende Bedeutung gehabt haben muß. Anders sind auch die theologischen Versuche zur Aufwertung des Dekalogs nicht denkbar.

Im Liber Antiquitatum (Ps.-Philo) wird der Dekalog als „die" Gesetzgebung überhaupt wiedergegeben, und zwar in Kap 11 und in Kap 44. – Vom Dekalog allein gilt in Kap 11, daß er „lumen mundo" und „testamentum cum filiis hominum" sei, Israel zur Verherrlichung und zum Licht, den Gottlosen zur Strafe (11,1). Vor

[1] Vgl. dazu D. Georgi, Die Gegner des Paulus im 2. Korintherbrief, Neukirchen 1964, 202-205.

der Verkündigung des Dekalogs darf drei Tage lang kein geschlechtlicher Umgang gepflegt werden (11,2), und seine Verkündigung ist mit einer Reihe von Naturerscheinungen verbunden. Der Dekalog ist „lex testamenti sempiterni filiis Israel" und „praecepta aeterna" (11,5). – Die übrige Gesetzgebung wird dann nach der Wiedergabe des Dekalogs nur noch kursorisch erwähnt in 11,15: „Et tunc dixit ei Deus iusticias et iudicia sua... et ibi ei mandavit multa, et ostendit ei lignum vite". Nachdem die Wirkung dieses Lebensholzes näher beschrieben ist, werden die hauptsächlichen Kultgegenstände kurz erwähnt unter der Überschrift „et precepit ei in faciem de tabernaculo..." usw. Gegenüber dem Dekalog haben die einzelnen Anweisungen einen ganz sekundären Charakter, und sie werden auch nicht einzeln aufgeführt. Die einzelnen Dekaloggebote sind sehr frei wiedergegeben und – insbesondere in der zweiten Tafel – immer durch Begründungen erweitert. Hier hat der Prozeß der Begründung von Prohibitiven, der schon im AT als eine Folge weisheitlichen Einflusses feststellbar war, auch die Dekaloggebote ergriffen. Die Begründungen hier sind heilsgeschichtlicher Art und beziehen sich auf die Israel gegebenen Verheißungen über Vermehrung und Landbesitz. Damit wird der Dekalog eingeordnet in die spezifische Geschichtstheologie des Liber Antiquitatum, die in alle Perioden der Heilsgeschichte die Frage nach der Erfüllung der Verheißungen einträgt.

Die geschilderte Funktion in der jüdischen Proselytenpraxis hat der Dekalog gemeinsam mit den beiden Hauptgeboten und mit der Goldenen Regel (vgl. etwa Did I,2). Diese stellen in ganz ähnlicher Weise die neue und das Heidentum überragende bessere Gerechtigkeit der Proselyten dar und sind unabhängig von „heilsgeschichtlichem" Material und Ritualvorschriften formuliert. Als negative Formulierungen hatten die Dekaloggebote primär den Sinn, die neu Bekehrten vor dem Abfall vom Weg der Gerechtigkeit zu warnen: Gerecht sind sie durch Bekehrung, jetzt kommt es nur darauf an, diesen Status zu bewahren. Häufig finden sich auch schon im Judentum Kombinationen dieser funktionsgleichen Summare:

Eine Verknüpfung der beiden jüd.-hellenistischen Grundsatzgebote Dekalog und Goldene Regel findet sich in Lib Ant XI,10-13, wo das 5.-10. Gebot nach der Goldenen Regel interpretiert werden. Eine unmittelbare Zuordnung von Dekaloggeboten und Goldener Regel findet sich auch in Stoffen jüdischer Herkunft in der Syr Didaskalie K. 1. Von Jesus wird gesagt, daß er die Zehn Gebote „erneuerte, bekräftigte und erfüllte". Kurz darauf ist von dem „ganz einfachen Gesetz" die Rede: angeführt wird die Goldene

Regel, die nach Art von Ps.-Menander 43.44 auf Dekaloggebote (wie dort: 6. und 7.) angewandt wird (ergänzt durch Nu 24,9).

Auch in Kap 44 des Lib Ant wird der Dekalog als Inbegriff der Gesetze betrachtet. 44,6 berichtet zunächst über die Versprechen der Israeliten, die einzelnen Dekaloggebote zu halten. Es handelt sich um eine Anklagerede im Munde Gottes; er erinnert die Juden an die Situation „cum componerem excelsa in monte Syna" (cf. 11,1: in quo disposui excelsa sempiterna), zählt die einzelnen Gebote auf und erinnert die Juden an ihre Zustimmung zu jedem Einzelgebot. 44,7 stellt dem antithetisch gegenüber den Abfall der Juden. Die einzelnen Dekaloggebote werden in noch freierer Form aufgeführt und jedes einzelne auf den Abfall von Jahwe uminterpretiert, indem der Wortlaut des Gebotes in eine Beziehung zum Götzendienst gebracht wird. – Vers 8 beginnt darauf: „Propterea ecce ego exhorresco genus hominum eorum, et succidam radicem plasmatis". Im Hintergrund steht, wie aus dem Vergleich von K. 11 und 44,8 hervorgeht, das dtr Geschichtsbild.
Die Funktion des Dekalogs, für die zu bekehrenden Heiden die „Erleuchtung" bzw. die Kenntnis des Gesetzes zu sein, wird auch noch sichtbar in einer bei den äth. Falasha-Juden erhaltenen Apokalypse:
Die Apk des Gorgorios endet bei L 90-91 mit einer Wiedergabe des Dekalogs. Die Reihenfolge der mittleren Gebote ist: 6., 5., 7.. Diese Dekalogzitierung ist angeschlossen an die Mahnung: „Nimm die Lampe der Weisheit für deinen Weg, damit du teilst das Erbe der Heiligen und Gerechten in Gerechtigkeit und in Frieden" (vgl. „lumen mundo" in Lib Ant XI). – Die zehn Gebote werden hier mit der Lampe der Weisheit identifiziert.
Die Frage, ob es vor Philo, Josephus, dem Liber Ant und dem NT schon wenigstens indirekte Belege für eine derartige Bedeutung des Dekalogs im Spätjudentum gebe, ist nicht leicht zu beantworten: In der LXX-Übersetzung von Jer 7,9 wurde jedenfalls der atl Bestand dieses Verses nach dem Dekalog geordnet. Außer diesem Hinweis findet sich als außerliterarisches Zeugnis der Papyrus Nash[1], der mit dem Schĕma auch den Dekalog enthält. Möglicherweise ist diese Zusammenstellung ursprünglich eine katechismusartige Hervorhebung der wesentlichen Elemente des jüdischen

[1] Pap Nash enthält Dt 5,6-21 und 6,4-9. Vgl. dazu N. Peters, Die älteste Abschrift der zehn Gebote, der Papyrus Nash untersucht, Freiburg 1905; R. M. Grant, The Decalogue, 1 und R. H. Charles, The Decalogue, 7-38.

Glaubens. Auch in Phylakterien der Qumran-Höhlen wurde der Dekalog in Kombination mit dem Schĕma gefunden[1]. Nach späteren rabbinischen Quellen gehörte der Dekalog zum Schĕma dazu und wurde nur deshalb abgeschafft, weil die Minim behaupteten, der Dekalog allein reiche als Gesetz aus[2]. Offen bleibt freilich, ob sich die Kombination von Dekalog und Schĕma auf Grund der Schriftauslegung von Dt 6,6.8 zu (rein liturgischer) Bedeutung entwickelt hat, oder ob nicht vielmehr das Interesse an einer katechismusartigen Zusammenfassung dahinterstand[3]. In der Entwicklungsgeschichte des Schĕma könnte man also auf gewisse Spuren einer möglicherweise zunächst primär liturgischen Bedeutung des Dekalogs verweisen. Literarische Niederschläge finden sich nicht.

Eine deutlich jüdisch-hellenistisch geprägte Wiedergabe des Deka-

[1] K. G. Kuhn, Phylakterien aus Höhle 4 von Qumran (Abh. d. Heidelb.Akad. d. Wiss. Phil.-Hist. Kl. 1957, 1), Heidelberg 1957. – Danach findet sich der Dekalog in 4 Q phyl[a] (umfaßt insgesamt Dt 5,1-6,3) und 4 Q phyl[b] (umfaßt Dt 5,1-6,9; Ex 13,1-16) und in 1 Q phyl (umfaßt Dt 5,1-6,9; 10,12-11,21; Ex 13, 1-16). Vgl. dagegen H. Schneider, Der Dekalog in den Phylakterien von Qumran, BZ NF 3 (1959) 18-31.

[2] Dazu Moore, Judaism I,29. Vgl. j Ber 3c 11a und b Ber 12a; ähnlich Maimonides nach Surenhuisius, V, 301: Der Dekalog sei abgeschafft worden „ob haereticos, ne dicant, haec dumtaxat a Mose data sunt in Sinai". Vgl. auch R. T. Herford, Christianity in Talmud and Midrash, London 1903, 432.

[3] Vgl. R. H. Charles, The Decalogue, XV: „Nash was possibly a Service Book or a Catechism". K. G. Kuhn, a.a.O., stellt die Frage, warum – etwa im Gegensatz zu den in Qumran gefundenen Phylakterien – Dt 5,22-6,3 im Pap. Nash nicht angeführt seien und stellt die Vermutung auf (S. 28) „Vielleicht ist der Ausdruck in Dt 6,6 „Diese Worte, die ich dir heute befehle" hier speziell auf den Dekalog, Dt 5,6-21, bezogen worden und deswegen nur dieser vorangestellt".
Die Sitte der Phylakterien ging aus von den Textstellen Ex 13,9; 13,16; Dt 6,8; 11,18. Diese Stücke sind der Mindestbestandteil der Rollen. Nach K. G. Kuhn, a.a.O., 27 wählten die Rabbinen die kleinste Texteinheit, die diese Stellen enthielt: die durch ס geschlossenen Paraschen nach dem MT. Diese Einteilung scheint aber in Qumran noch nicht berücksichtigt zu sein. Daher beginnt der Zusammenhang für Dt 6,8 in den Qumran-Phylakterien schon in 5,1.
H. Schneider, Der Dekalog in den Phylakterien von Qumran, meint S. 28, zur Abschaffung des Dekalogs habe nicht nur das Bestreben geführt, „gerade auch die sekundären Bestimmungen gegen jede Abwertung zu schützen", sondern auch liturgisch-praktische Gründe, die eine Kürzung wünschenswert machten: die Phylakterienkapseln in Qumran seien ohne Dekalogwiedergaben.

logs findet sich auch in der von Vassiliev edierten Palaia p. 240f. Der Wiedergabe des Dekalogs vorangestellt ist eine Reihe von prohibitivisch formulierten Mahnungen sozialen Inhalts. Sie entsprechen z.T. atl Geboten oder interpretieren auch bereits Dekaloggebote. Inhaltlich sind sie sehr viel konkreter als die Dekaloggebote. Diese hier vor den Dekalog gestellte Reihe bezeugt die für das hell. Judentum und auch für Mk 10,19 feststellbare formgeschichtliche Nähe von sozialer Reihe und Dekalog. – In der Wiedergabe des Dekaloges ist dann das Sabbatgebot bezeichnenderweise erweitert um eine Bestimmung über das Erlernen des Gesetzes und der Gebote in der Synagoge am Sabbat (ἄπελθε εἰς τὸ ἅγιον καὶ μαθήσῃ τὸν νόμον καὶ τὰς ἐντολάς), welches mit Sündenvergebung verbunden ist (Ersatz des Tempels), das 4. Gebot ist erweitert um die Mahnung, darum zu bitten, das Gebet des Vaters und der Mutter zu erben. – Die Reihenfolge der folgenden Gebote ist: 6., 5., dann eine Erweiterung: οὐ ποιήσεις συκοφαντίαν κατὰ τοῦ πλησίον (von Philo dem 8. Gebot zugeteilt; vgl. aber Spec Leg IV, 84),7.,8. (in Kurzform). – Die Erweiterungen, Veränderungen und vor allem die vorangestellten Sätze über das Verhalten zu Mitmenschen zeigen, daß nicht die Schrift zitiert werden soll – vielmehr wird der Dekalog als eine Summe sozialen Verhaltens gelehrt: Nach einer kurzen Wiedergabe von Stücken, die Verwandtschaft mit Ex 21 besitzen, schließt der Bericht über die Gesetzgebung bereits S. 241 mit dem summarischen Hinweis: ταῦτα καὶ ἕτερα πλείονα ἐνομοθέτησεν ὁ θεὸς τῷ Μωυσεῖ . . . – Von den deutlich jüd.-hell. geprägten Traditionen dieser Schrift her ist es kaum zweifelhaft, daß wir hier ein Dokument über die spätere jüd. Auffassung des Dekaloges vor uns haben. Gewisse Verwandtschaft besteht zu Lib Ant.[1].

Eine besonders hohe Einschätzung des Dekalogs schon in jüdischer Tradition ist aus der Traditionsgeschichte des Motivs der σκληροκαρδία (Mk 10,5) ersichtlich. Demnach wird die Gesetzgebung am Sinai aufgespalten in die Gebung des Dekalogs, dann folgt der Abfall des Volkes zum goldenen Kalb und dann gibt Moses ihnen ein zweites Gesetz, welches als Zugeständnis an ihre durch den Götzenkult bewiesene Hartherzigkeit aufgefaßt wird. Diese geringere Bewertung des auf die erste Gesetzgebung folgenden Ge-

[1] Vgl. besonders die Hinzufügung zum 3. Gebot in Lib Ant 11,8: „ut in eo laudetis dominum in ecclesia presbiterorum (sc. die Synagoge!), et glorificetis fortem in kathedra seniorum".

setzes findet sich (vor allem schon im Anschluß an Ez 20,25 und die zugehörige (Auslegungs-)Tradition) bereits in jüdischen Quellen. Hier liegt die entscheidendste Voraussetzung für die Herausbildung der partiellen Gesetzeskritik wie sie in der synoptischen Tradition geübt wird. – Auf den Dekalog bezogen ist diese Tradition wohl schon in Mk 10,1-12, da dem Gebot des Mose in V. 11.12 das 6. Dekaloggebot gegenübergestellt wird. – Ausdrücklich auf den Dekalog angewandt wird diese Tradition in judenchristlichen Schriften, die direkt in Traditionskontinuität mit jüdischen Argumenten stehen: In Ps Clem Rec I 35,2 heißt es von Moses auf dem Sinai: „et inde lex eis vocibus et visionibus caelestibus traditur decem conscripta praeceptis", dann wird der Abfall zum Götzendienst geschildert, und dann heißt es in 36,1 von Moses, er habe eingesehen, die Wurzel des Übels könne nicht radikal ausgerottet werden und deshalb: „immolare quidem eis concessit", so daß ein Teil seiner Vorschriften als zu verbessernder übrigblieb. – Mit dem Titel Gesetz wird nur der Dekalog bezeichnet, und das gesamte Zeremonialgesetz erscheint als Zugeständnis an die unausrottbare Bosheit des Volkes.

Auf späterer traditionsgeschichtlicher Stufe findet sich dieselbe Anschauung in der syr Didaskalie, und zwar in der Theorie vom „Gesetz", seiner „Erfüllung" und seiner „Wiederholung". Demnach ist Jesus Christus gekommen, um das erste Gesetz zu erfüllen, von der „Wiederholung" aber zu befreien. Unter Gesetz werden dabei die Dekaloggebote verstanden, unter „Wiederholung" jene Satzungen, die nach der Anbetung des Kalbes geoffenbart wurden.

K.2 S. 6: „Das erste Gesetz ist nämlich das, welches Gott in Worten gegeben hat, ehe das Volk sich das Kalb machte und den Götzen diente, nämlich die zehn Worte und Satzungen. Als sie aber den Götzen gedient hatten, hat er mit Recht ihnen die Fesseln angelegt, wie sie verdienten: du jedoch sollst sie dir nicht anlegen, denn unser Erlöser ist um keiner anderen Sache willen gekommen, als das Gesetz zu erfüllen und uns von den Banden der Wiederholung des Gesetzes zu befreien" (vgl. K. IX S. 45.50).

Parallel zu PsClem Rec I,34f ist besonders K. 26 p. 130:

„da ergrimmte der Herr darob, und in der Glut seines Zornes... band er sie mit der Wiederholung seines Gesetzes... darum hat er ihnen bei der Wiederholung des Gesetzes eine Blindheit, würdig ihrer Werke, dazugegeben.. wegen ihrer Schlechtigkeit und Herzenshärtigkeit...".

Schließlich beruft sich die syr Didaskalie selber K. 26 p. 134 auf die zugrundeliegende Tradition und stellt Ez 20,9-11 und 20,25 gegenüber.

Da die hier entfalteten Traditionen zur Interpretation von Mk 10,5 herangezogen werden können, dürfte es sich um eine breiter angelegte und alte Tradition – wohl jüd.-hell. Herkunft – handeln, die letztlich eine theologische Begründung für die Aufwertung des Dekaloges einerseits und die Abwertung der kultischen Gesetze andererseits lieferte. Gerade diese Tradition aber scheint für die synoptische Überlieferung typisch zu sein.

Ein Zeugnis für die umfassende volkstümliche Bedeutung, die der Dekalog für die sozial niederen Volksschichten gehabt haben muß, ist die Tatsache, daß der Dekalog – nach jüdischem Vorbild – in die – eben die „Religion" der unteren sozialen Schichten getreu repräsentierende Magie gefunden hat:

Nach dem Nikodemus-Ev 15,6 (H-S I,345) werden dadurch, daß man die zehn Gebote spricht, Gespenster vertrieben („Wie ihr genau wisset, entweicht ein Gespenst schleunig, wenn es einem begegnet und die 10 Gebote hört"). Diese Anschauung ist zweifellos jüdischen Ursprungs und dürfte in der apotropäischen Verwendung der Phylakterien seinen Ursprung haben. Hier könnte auch der religionsgeschichtliche Ansatzpunkt für die Deutung der samaritanischen Dekaloginschriften liegen.

Es ergab sich, daß der Dekalog in den nach-dtr palästinensischen Traditionen (vor allem in der Apokalyptik) bis zur Zeit des NT[1] überhaupt keine Rolle gespielt hat. Dagegen hat er offenbar eine wichtige Funktion in der Proselytenkatechese des hellenistischen Judentums innegehabt. Auf Grund dieser Funktion ist es erklärlich, weshalb der Dekalog dann bei Philo eine so gewichtige Rolle spielen konnte. Andere Schriften aus jüdisch-hell. und judenchristlicher Tradition bestätigen, daß der Dekalog vor allem als

[1] Im Midrasch über den Tod des Moses (Wünsche I,140.143) wird Dt 3,24 „deine Größe" auf die 10 Gebote gedeutet. – In einer Gottesrede, die zumeist aus Schriftzitaten besteht, zählt Gott in der 1. P. auf, womit er Mose verherrlicht habe, darunter auch: „... ich gebot dir den Sabbat und die Beschneidung; ich gab dir die zehn Gebote; ich deckte dich mit der Wolke; ich gab dir die zwei steinernen Tafeln, und du zerbrachst sie, ich machte dich zum Einzigen in der Welt, ich ließ dich meine Tora erben".

In ähnlicher Weise sagt in Abba Elija L 43 Gott zu Moses: Thou art my beloved, my soul is well pleased with thee, my true servant. I shall give thee as salvation Ten Commandments written by my hand (H 42,8-11: nāhū jĕ'ĕzē 'ĕhūbăkă mădḫānītă ʿăšrū qālătă 'ĕntă ṣĕḥūf bă'ĕdējă). Zu beachten ist, daß die 10 Gebote hier ausdrücklich als Heilsgabe zur Rettung bezeichnet werden.

Zusammenfassung von Sozialgeboten Bedeutung hatte. – Wie so häufig, so haben auch in diesem Fall jüdisch-hellenistische Erscheinungen Parallelen bei den Samaritanern[1]:
Eine besondere Rolle spielt der Dekalog bei den Samaritanern. Das zeigt sich zunächst darin, daß die beiden atl Fassungen vollständig einander angeglichen wurden. Hinter dem 10. Gebot wird eine lange Passage über die Heiligkeit des Berges Garizim eingefügt. Die Stellung dieses Zusatzes hier zeugt sowohl für dessen als auch für der Dekaloggebote Wichtigkeit. Gaster vermutet, daß hier der Grund für die Unterdrückung der 10 Gebote beim jüdischen Schĕma gelegen haben könnte[2]. Origenes fand diesen erweiterten Text in seiner griechischen Bibel vor und hat ihn zum Zeichen von dessen Abwesenheit im MT mit Asteriscus versehen. Der S-Text besteht jetzt aus Dt 5,21-25; Ex 20,19; Dt 5,26-29; Dt 18,16; Ex 20,20-26. – Durch die Einfügung von Dt 18,16ff – Gott werde in Zukunft einen Propheten wie Moses senden – wird dieser Text auch für die Zukunftserwartungen bedeutungsvoll. – Der Einschub hat hohes Alter, da er schon vor der griech. Übs. eingefügt worden sein muß und bezeugt für diese Zeit bereits den Glauben an den kommenden Propheten. Origenes vermerkt nicht, daß der Text samaritanischen Ursprungs sei, wie er das üblicherweise tun würde. Gaster fragt daher, ob eine samaritan. griech. Übersetzung die LXX beeinflußt habe. Der erste Teil des angefügten Textes ist – diese Beobachtung fehlt noch bei Gaster – eine freie Wiedergabe von Dt 27,2-6; 11,30 (vgl. auch Ex 24,4). Dabei sind die Verse Dt 27,3.4 nur sehr lückenhaft und verkürzt wiedergegeben (ganz nach der Weise späterer jüdischer Schriftbenutzung allgemein), in V. 4 wird Gaibal durch Garizim ersetzt. Angefügt ist eine Lagebeschreibung des Berges Garizim, die der des Berges Ebal in Dt 11,30 entspricht und mit geringen Abweichungen von dort übernommen wurde. – Als Motiv für diese Texterweiterung hat Gaster bereits primär die Tendenz vermutet, man habe so die divergierenden Fassungen von Ex und Dt vereinheitlichen wollen. Die Samaritaner haben demnach in den Dekaloggeboten ein höchst wichtiges Kompendium des Gesetzes gesehen: sie versahen diese Sammlung mit dem Gesetzesschlußstück des Pentateuch und verbanden es mit der Erwartung des kommenden Propheten sowie mit

[1] Vgl. dazu unten zu Mk 10,17-21.
[2] Vgl. dazu: M. Gaster, The Samaritans / Their History, Doctrines and Literature, London 1925, Appendix III und Tafel 14 hinter S. 136.

der These von der alleinigen Auserwähltheit des Garizim. Es liegt daher hier ein ethisches und systematisches Kompendium der samaritanischen Lehre vor. Damit zeigt sich hier ein Zug, der auch im griech. Bereich für die Behandlung und Bewertung des Dekalogs maßgeblich ist.
Auch in den späteren samaritanischen Dekaloginschriften spiegelt sich diese Rolle des Dekalogs.

Entsprechend spielen die 10 Gebote (und überhaupt dekalogische Aufzählungen) eine große Rolle in der sam. Schrift Memar Marqah: nach p. 73 gehören die zwei Tafeln zu den 10 besten Dingen; nach p. 88 gibt es 10 Arten der Gottesverehrung, 10 Arten des Opfers, 10 Gewänder; der Hohepriester hat 10 Prärogativen (p. 93); 10 mal wird Josua in der Tora erwähnt (p. 126); Israel hat 10 Namen (p. 129); 10 unsichtbare Mächte begleiteten Israel beim Auszug (p. 138); die zehn Gebote werden 203f genannt „Segnungen des Himmels"; p. 220 werden sie ausdrücklich als „Autograph" Gottes bezeichnet, ähnlich p. 225f. – Hervorgehoben wird, daß Gott keines der 10 Worte mit einer Fluchandrohung versehen habe (p. 107); in Dt 27,16 Tg aber seinen alle 10 Gebote zusammengefaßt. p. 230 spielt die Wiedergabe des 8.-10. Gebotes eine gewisse Rolle.
Eine besondere Rolle spielt der Dekalog auch in dem wohl noch jüdischen Gebet in Const Ap VII 36; in einer Aufzählung der Heilstaten Gottes heißt es über die Gesetzgebung (vgl. dazu besonders Lib Ant 30,5): νόμον αὐτοῖς ἐδωρήσω δέκα λογίων σῇ φωνῇ φθεγχθέντα καὶ χειρὶ σῇ καταγραφέντα. Ausführlich referiert wird dann - und das spricht für den jüdischen Charakter des Kernes des Kontextes – lediglich das Sabbatgebot. Andere Gebote verschwinden gegenüber den 10 Worten und dem Sabbat vollständig. Ähnliches hatten wir für Lib Ant festgestellt.

Die große Bedeutung, die der Dekalog für die einfacheren katechetischen Gattungen (Reihen, Kataloge) gehabt hat, wird auch deutlich aus den dekalogähnlichen Lasterkatalogen im Judentum und in der frühchristlichen Literatur, die Mt 15,19 analog sind. Sie sind literarisch unabhängig vom NT und repräsentieren eine gemeinsame paränetische Tradition, die sich auch in Griech Bar Apk fand; dazu gehören:

die Liste der Vergehen in Slav Hen 10,5, die zugleich eine dekalogähnliche soziale Reihe ist: Diebstahl, Lügen, Verleumdungen, Neid, ungerechter Gedanke, Unzucht, Totschlag, heimliches Stehlen der Seelen der Menschen (6., 5., 7. Gebot) – es folgt eine Reihe von typischen Sozialvergehen.
die Liste der Vergehen in Test Abr Rez A K. 10: Diebstahl, Mord, Unzucht, 10. Gebot.
in der Apk Abr eine Aufzählung der Sünden der Stammeltern: nach der Nennung der Tötung Abels (5. Gebot) folgen durch Sinnverknüpfung nach dem Dekalogschema: 6., 7. Gebot, Homosexualität, 10. Gebot.
die Reihe in der Gorgorios Apk L 87: 8. Gebot, soziale Reihe, 7. Gebot, 2. Gebot, Töten Gerechter (5.), Götzendienst, 6. Gebot.

Sib V 278.280.282f: 6., 4., 5. Gebot.
Sib II 256-258: Morde, Mitwisser, Lügner, Diebe, Betrüger, Schlemmer, Ehebrecher, Verleumder, Götzenanbeter (5., 7., 6., 8. Gebot).
Sib IV 31-34: οὔτε φόνον... οὔτε κλοπαῖον... ἀλλοτρίῃ κοίτῃ (5., 7., 6. Gebot).
der dekalogähnliche Katalog in Ps.-Phokylides 3-7, in der Reihenfolge: 6., 5., 7., 10. (ἀλλοτρίων ἀπέχεσθαι) Gebot.
Herm Mand 8,5 (κλέμμα, ψεῦδος, ἀποστέρησις, ψευδομαρτυρία, πλεονεξία, ἐπιθυμία πονηρά, ἀπάτη) = 7., 8., 10. Gebot.
Herm Mand 6,5,5: Ehebrecher, Trunkenbolde, Verleumder, Lügner, Habgierige, Räuber (6., 8., 7., 10. Gebot).
die Reihe von Vergehen mit Beispielen aus der Heilsgeschichte in Thomasakten K. 84: Ehebruch, Mord, Diebstahl, Völlerei, Habsucht, Prahlerei, Verleumdung, häßlicher Verkehr und Lager der Unreinheit.
Thomasakten K. 59: Diebe, Ehebrecher, Habsucht (7., 6., 10. Gebot).
Kerygma Petri H II,43 (H-S II,76): Ungerechte, Ehebrecher, Mörder.
Ps Clem Hom VIII 23 (Bekehrungspredigt): Götzendienst, 5., 6. Gebot, nicht hassen, die man nicht hassen darf, 7. Gebot, „überhaupt sich in schlechte Taten einlassen".
Paulusapokalypse K. 6: Hurereien, Ehebrüche, Morde, Diebstähle, Meineide (6., 5., 7., 8. (2.) Gebot), Magie, Zauberei – es folgt eine Darstellung des Kampfes aller gegen alle.
Syr Didaskalie 3 (Lehre des Petrus: 5., 6., Unzucht, Knabenschänden, 7. Gebot,... 8. Gebot, Doppelzüngigkeit, Räuberei).
Hippolyt, ed. de Lagarde p. 115: 6., 6., 8. (Lügen) 1. und 5. Gebot (φόνοι, μάχαι).
Die dekalogähnliche und stark auf den Nächsten bezogene Reihe in Anastasia-Apk K. III p. 21: μὴ ἔκλεψας; μὴ ἐπόρνευσας; μὴ ἔχθραν ἔχεις μετά τινος; μὴ ἐσυκοφάντησας κατὰ τὸν πλησίον σου; in der Joh-Jak Apk (ed. Vassiliev p. 317-322) ein nach dem Schema des Dekalogs aufgebauter Lasterkatalog mit heilsgeschichtlichen Beispielen: Verleugnung (Petrus), Hure (Maria M.: 1073 Männer) = 6. Gebot; Mörder (Manasse: Tötung des Jesaia) = 5. Gebot; Räuber (Schächer); 7. Gebot; Ehebrecher (David: Frau des Uria und 99 weitere) = 6. Gebot; Zauberer und Mörder: Cyprian (5. Gebot; Kombination häufig).

Der formgeschichtliche Sitz im Leben dieser Reihen dürfte im vorliterarischen Stadium die Anfangskatechese liegen. Darauf weist gerade die enge Verbindung mit dem Dekalog. Nur ist diesem gegenüber kennzeichend die Reihung von Abstrakta. So wird der negative Charakter zwar beibehalten, der Bezug zum Nächsten geht aber verloren, da nunmehr der griech. Tugend- und Lasterbegriff im Hintergrund steht. Zudem haben diese Reihungen nicht mehr summarischen, sondern meist im Zusammenhang der Paränese nur noch exemplarischen Charakter: sie dienen im Rahmen einer dualistischen Auffassung über Gerechte (Bekehrte) und Ungerechte (Unbekehrte) zur Kennzeichnung der Gegenseite und zur Warnung vor dem schrecklichen Abfall. Daher werden so

häufig gerade Kapitalvergehen genannt. Diese Tatsache korrespondiert also dem Sitz im Leben der Paränese, die ständig um die beiden Größen „Bekehrung" und „Abfall" kreist. Gerade diese Belege aus paränetischen Zusammenhängen weisen – wenn sie auch erst aus nachchristlicher Zeit stammen – auf die Bedeutung des Dekalogs im hell. Judentum und seine Verbreitung hin. Die Tatsache, daß so häufig der Dekalog nicht „rein" zitiert wird, weist (vgl. Mk 10,19) darauf hin, daß nicht Schrift und Kanon zitiert werden sollen, sondern daß die Tradition sehr stark zugunsten des katechetisch und paränetisch Wirksamen verändert werden kann; so spielt etwa das Sabbatgebot in keiner dieser Reihen eine Rolle. Zugleich aber ist nochmals hervorzuheben, daß Reihen dieser Art als „das Gesetz" angesehen werden konnten.
Ein Zeugnis für die summarische Funktion des Dekalogs findet sich bei Philemon (bzw. Diphilus von Sinope), zitiert bei Clemens v. A., Strom V,14,121; Eusebius Praep Ev XIII 13,45, die sie dem Menander zuschreiben. Nicht auf äußere Opfer kommt es an, sondern der Mann soll χρήσιμος sein. Dazu gehört, daß er Jungfrauen nicht schändet, nicht ehebricht, nicht stiehlt, nicht mordet wegen Geld und nicht eine Nadelspitze begehrt (μὴ παρθένους φθείροντα καὶ μοιχώμενον κλέπτοντα καὶ σφάττοντα χρημάτων χάριν μηδὲ βελόνης ἐναμμ' ἐπιθυμήσης...). Die Begründung ist: denn Gott, der gegenwärtig ist, sieht auch dich. Ohne Zweifel handelt es sich um eine freie Wiedergabe des 6., 7., 5., 10. Gebotes. Das Fehlen des 8. Gebotes ist nur ein Beleg für dessen partikuläre Bedeutung, die in anderen Texten eine inhaltliche Anreicherung durch Zungensünden zur Folge hatte.

Das erste christliche Zeugnis für eine Rezeption des Dekalogs und eine Reflexion über diesen Vorgang ist der Brief des Ptolemaios an die Flora[1]. Danach werden im atl Gesetz drei Teile unterschieden: ein Teil, der auf Gott selbst zurückgeht, die zehn Gebote; ein Teil, den Moses aus seinem eigenen Geist gegeben hat, was bereits im Widerspruch stehen kann zu Gott, wie z.B. das Gebot der Ehescheidung; ferner ein dritter Teil, der von den Ältesten des Volkes erfunden worden ist. III,2 gibt die wichtigsten Äußerungen zum Dekalog[2]: „Und es ist das Gesetz Gottes, das reine und mit Schlechterem unverflochtene, nichts anderes als der Dekalog, jene zehn Worte, die auf den zwei Tafeln verteilt waren zur Abwehr dessen, was zu fliehen und zur

[1] Erhalten bei Epiphanius, Haer. 33,5,3 (Holl I,45).
[2] Übersetzung nach A. v. Harnack, Der Brief des Ptolemäus an die Flora / Eine religiöse Kritik am Pentateuch im 2. Jahrhundert (Sitzungsber. d. kgl. preuß. Akad. d. Wissenschaften; 25), Berlin 1902.

Einschärfung dessen, was zu tun, sie, die zwar reine Gesetze sind, aber doch das Vollkommene noch nicht enthalten und daher der Vollendung durch den Heiland bedurften"[1]. Auch die Teile also, die von Gott selbst gegeben sind, besitzen, wie A. v. Harnack zu Recht festgestellt hat, keinen absoluten Wert, sondern müssen noch, und zwar durch Jesus, vollendet werden[2].
Etwa gleichzeitig (ebenfalls um 180) ist die Dekalogrezeption bei Theophilus ad Autolycum III,9. Der Dekalog wird hier inhaltlich gegliedert nach δικαιοπραγεῖν und εὐσεβεῖν.

Die voranliegenden christlichen Zeugnisse für eine Nähe zum Dekalog beschränken sich in der Regel auf eine Wiedergabe nur der zweiten Tafel[3]. Offenbar bildete das Sabbatgebot ein entscheidendes Hindernis für die Anführung des Dekalogs[4]. Erst als man in der Lage war, das Sabbatgebot allegorisch umzudeuten, konnte der ganze Dekalog Eingang finden[5].
Die Überlieferung des Dekalogs im hellenistischen Judentum zeigt, was die Reihenfolge der Gebote angeht, Unterschiede[6]. Die Reihenfolge „Ehebruch, Tötung, Diebstahl" findet sich bei Philo (auch in seinen katalogartigen Aufzählungen[7]), in Pap Nash[8], in

[1] Ptol. ad Flor. III,2: καὶ ἔστι μὲν ὁ τοῦ θεοῦ νόμος ὁ καθαρὸς καὶ ἀσύμπλοκος τῷ χείρονι, αὐτὴ ἡ δεκάλογος, οἱ δέκα λόγοι ἐκεῖνοι οἱ ἐν ταῖς δυσὶ πλαξὶ δεδιχασμένοι... οἳ καίπερ καθαρὰν ἔχοντες τὴν νομοθεσίαν, μὴ ἔχοντες δὲ τὸ τέλειον, ἐδέοντο τῆς παρὰ τοῦ σωτῆρος πληρώσεως.
[2] A. v. Harnack, a.a.O., 14.
[3] Der Dekalog wird auch erwähnt in Barn 15,1, ohne daß aber eine besondere Bedeutung erkennbar wäre.
[4] In Theophil. ad Autol III,9 (p. 214 Otto) fallen das 2. und 3. Gebot aus. Die Umdeutung des Sabbats auf den Tag der Auferstehung Christi wurde möglich mit Hilfe von Traditionen jüdischer Herkunft, die auf eine Identität von Sabbat, Weisheit, Licht und Menschensohn zielen: vgl. Aristobul bei Eusebius Pr Ev XIII,12 (Dindorf p. 193); Clemens v. A. Strom 6,16,138; vgl. dazu N. Walter, Der Toraausleger Aristobul, Berlin 1965, 64f; A. Schlatter, Das neu gefundene hebräische Stück des Sirach, Gütersloh 1891, 164-166; A. Wlosok, Laktanz und die philosophische Gnosis, Heidelberg 1960, 175. Der auferstandene Menschensohn ist als das Licht eben in der Funktion des Sabbats. Daher ist der Tag der Auferstehung der wahre Sabbat.
[5] Bei Irenäus hat sich der Dekalog bereits durchgesetzt; vgl. Adv. Haer. 4,16,2 (II,190) und Epideix. 95-96. Für die atl. Patriarchen erneuert Irenäus die spätjüdische Theorie, daß diese zwar den Dekalog nicht hatten, wohl aber ihnen die virtus decalogi in ihre Herzen geschrieben sei (Adv. Haer. 4,16,2).
[6] Vgl. König, Theologie des Alten Testamentes, 259.
[7] Dazu Philo in De Decal 29: Die Voranstellung des 6. Gebotes wird damit (nachträglich) begründet, daß dies das größte aller Vergehen sei (ἀδικημάτων μέγιστον τοῦτ' εἶναι ὑπολαβών). Es ist gut möglich, daß auch de facto das 6. Gebot seine häufige Prinzipalstellung zu Beginn der 2. Tafel einer Paralleli-

Röm 13,9; Lk 18,20; Jak 2,11, äth. Gorgorios Apk 90f; die Folge „Ehebruch, Diebstahl, Tötung" findet sich im Vat LXX; im Liber Antiquitatum (Ps.-Philo) Kap 44,6 und 44,7 ist die Reihenfolge der Dekaloggebote: stehlen, morden, ehebrechen (in Kap 11 fehlt das 7. Gebot in der Dekalogaufzählung). Die Reihenfolge des MT blieb erhalten in Cod. Alex LXX, Josephus, Pesch und Vg. Die Unterschiede in der Reihenfolge sind einerseits aus der vor allem auch durch die katalogähnlichen Reihen belegten üblichen freien Zitierung des Dekalogs erklärbar, andererseits aus besonderer Betonung des 6. Gebotes.

War im Vorangehenden von dem großen Wiederaufleben des Dekalogs im hell. Judentum die Rede, welches diesem einen neuen Sitz im Leben bescherte, so ist nun zu untersuchen, wie die Einzelgebote verstanden werden konnten, insbesondere welche traditionsgeschichtlichen Voraussetzungen sich für ihre Deutung in den ntl Schriften herausgebildet hatten. Dabei werden im Folgenden nur jene Einzelgebote traditionsgeschichtlich untersucht, die im NT und in den katalogartigen Bildungen des Judentums im Rahmen der Dekalogrezeption eine besondere Rolle spielen: das 4.-10. Gebot. Die ersten drei Prohibitive des Dekalogs spielen in der Rezeption keine nennenswerte Rolle, und das Sabbatgebot fehlt überall dort, wo der Dekalog – wie im NT – als Reihe von Sozialgeboten verstanden wird. In diesem Sinne wurde jedenfalls das 3.-10. Gebot wohl auch bereits von dem „Kompositor" des Dekaloges verstanden, der im Folgenden als „deuteronomistisch" erwiesen werden soll: Im 5.-7. Gebot wird eine ältere traditionelle Reihe aufgenommen, welche Delikte behandelt, die mit der Verunreinigung des Landes und daher mit möglichem Landverlust zusammenhängen. Diese Tendenz wird durch die Zusätze des programmatischen 4. Gebotes verstärkt: Da das 4. Gebot von seiner Tradition

sierung der 1. und 2. Tafel entspricht: Denn traditionell besteht ja eine enge Verbindung zwischen Ehebruch und Götzendienst. Einer solchen Zweiteilung leistet das hell. Judentum mit der Unterscheidung Frömmigkeit/Gerechtigkeit Vorschub.

[8] R. H. Charles, The Decalogue, XXV vermutet, diese Reihenfolge sei ägyptischen Ursprungs. Auf S. XXIX stellt Ch. eine Tabelle über die Textvarianten von Pap Nash zusammen und kommt zu dem Ergebnis, daß „N agrees with D against Ex and is dependent essentially on D or a descendant of D"; S. XXXII: „N agrees with the LXX (Dt) more than with any other authority, and apparently represents a form of the Hebrew text current in Egypt at the close of the third century B.C.".

her als eine Art Überschrift über weisheitliche Mahnungen aufzufassen ist, steht die gesamte folgende Reihe nun auch redaktionell unter dem Thema Gebotserfüllung/Landbesitz. Das 3. Gebot steht zwar voran, da es den kult. Prohibitiven zugerechnet wird und nicht in den Bereich weisheitlicher Mahnung fällt, ist aber an seiner Formulierung (Sklavenschutz) eindeutig als mit dem dtr Programm übereinstimmend erkennbar. Die gleiche sozial-humanitäre Tendenz des Dtr zeigt sich in der Hinzufügung des 8. Gebotes einerseits – dieses wird in Dtr im Zusammenhang mit dem Vergießen unschuldigen Blutes auf dem „Land" gesehen (noch die jüd. hell. Palaia bringt οὐ συκοφαντήσεις im Zusammenhang mit dem 5. Gebot, Philo im Zusammenhang mit dem 8.) – und in der Hinzufügung des 9. und 10. Gebotes andererseits: Hier begegnet der Begriff des Nächsten, der nach dem „Ethos" des Dekaloges in so hohem Maße geschützt wird, daß selbst vorbereitende Machenschaften, die zu seinem Besitzverlust führen könnten, verboten werden. Diese besondere Sorge um das materielle Wohl des Nächsten entspricht speziell der Theologie des Dtr; dem entspricht, daß sich für das 9. und 10. Gebot – im Gegensatz zu den übrigen – Parallelen in der Weisheitsliteratur nicht finden: ein derart ausgeprägter Schutz für den Nächsten begegnet erst im Dtr, in der Weisheit werden nur Niedrigerstehende so geschützt. Gehört aber der Dekalog in die vom Dtr bestimmte Tradition, so könnte sein Sitz im Leben hier bereits die Volksbelehrung über die zum Verlust des Landes führenden Delikte sein. Gleichzeitig eignet den im 5.-10. Gebot genannten Delikten der Charakter mangelnder Aufweisbarkeit der Schuld vor Gericht: Die Gebote sind nicht lex iuridica, sondern gehören dem Bereich des Ethos zu – wohl aus diesem Grunde sind sie schon seit alters mit der hohen Sanktion des Landverlustes verknüpft worden. Diese Sanktion wird durch die in den ersten drei einleitenden Prohibitiven dann erfolgte Jahwesierung noch verstärkt.

§ 2 Das Gebot der Elternehrung

Das Elterngebot[1] ist mit dem gleichfalls positiv formulierten Sabbatgebot vor die Reihe der kurzen Prohibitive gesetzt. Die gleiche Kombination findet sich auch in Lev 19,3; Ez 22,7.8. Auch in Lev 19,3 gehen beide Gebote einer Reihe von Prohibitiven voran und erscheinen, da sie unmittelbar auf die Aufforderung zur Heiligkeit folgen, als eine Art Programm (statt כבד hier ירא). Diese hohe Bedeutung des Elterngebotes ist nicht unabhängig von der ihm beigegebenen Zweckbestimmung. – Die Begründungen des Elterngebotes sind in Ex 20,12 und Dt 5,16 verschieden.

Die Verbindung von „gut ergehen" und „lange in dem Land leben..." ist typisch für das Dt. Außerhalb von Ex 20,12 begegnet das „Langgemachtwerden der Tage in dem Lande..." nur noch im Dt[2]. Der Inhalt dieser Formel entspricht dem, was von der Theologie des Dt bekannt ist: Solange Israel sich an die Gebote hält, wird es im Besitz des Landes bleiben. Die Verheißung bezieht sich nicht auf langes Leben des Einzelnen, sondern auf das Darinbleiben des Volkes im Land. Dt 5,16 dagegen hat offenbar ein älteres Stadium dieser Wendung bewahrt, welches in Ex 20,12 durch einen dt

[1] Spezialliteratur: W. v. Baudissin, Alttestamentliches „hajjim", „Leben" in der Bedeutung von Glück, in: E. Sachau-Festschrift, Berlin 1915, 143-161; V. Hamp, Sinn und Gehalt des 4. Gebotes nach der Hl. Schrift, in: Leb Zeugn I, Paderborn 1954; G. Han, De mandato pietatis filialis in Decalogo (Diss. Antonianum, Roma, Sez. Biblica = Studio Biblico alla Flagellazione), Jerusalem 1961 (n.v.); H. Kremers, Die Stellung des Elterngebotes im Dekalog, in: Ev Theol 21 (1961) 145-161.
Zur Verheißung des Lebens im 4. Gebot vgl. L. Dürr, Die Wertung des Lebens im Alten Testament und im antiken Orient, in: Verz. d. Vorlesgen an d. Staatl. Akad. Braunsberg Wi 1926/27, 1926, 21-30.
Parallelen zum Elterngebot im außeratl Bereich bei A. Gustavs, Parallelen zu alttestamentlichen Gesetzesbestimmungen in akkadischer Weisheitsliteratur, in: ZAW 48 (1930) 231f.
Zur hellenistischen Auslegung: K. Praechter, Hierokles der Stoiker, Leipzig 1901; H. v. Arnim, Hierokles ethische Elementarlehre, Berliner Klassikertexte 4 (1906) 56.57,13ff; Art. πατήρ in: ThWB V, 946-1024 (G. Schrenk).

[2] Der Hinweis auf die Länge der Tage (im Land): Dt 6,2; 17,20; 22,7. Cf. 6,15; 7,6.13; 11,17; 12,1.19; 21,1.23; 26,2,10; 28,4.11.18.21.33.51.63; 29,27; 30,9; 31,20; 32,47. Im Dekalog und in Dt 6,2; 25,15 steht „damit deine Lebenstage lang sind", während es in 4, 26.40; 5,33; 11,9; 17,20; 22,7; 30,18; 32,47 heißt: „...damit du (ihr,er) die Lebenstage langmachst".
Der Hinweis auf das Land, „welches Jahwe dein Gott dir geben will" im Dt in: 4,21; 7,16; 12,9; 13,13; 15,4.7; 16,5.18.20; 17,2.4; 18,9; 19,1.2.10.14; 20,16; 21,1.23; 24,4; 25,18; 26,1.2; 27,2.3; 28,8.
„Damit es dir gut gehe" findet sich im Dt in 4,40; 5,33; 22,7.

Zusatz verdeckt worden ist. Dt 5,16 weist zwei Begründungen auf, deren jede durch למען eingeleitet wird. Die erste Begründung heißt einfach: Damit verlängert werden deine Tage. Erst mit der 2. Begründung werden die für Dt typischen Formeln eingeführt. Das erste Stadium ist auch in Ex 20,12 noch deutlich erkennbar, nur wurde es hier von einem dt Redaktor durch die Formel „auf dem Land..." einfach ergänzt und „modernisiert". So wird der Dekalog des Ex notdürftig der Tendenz des Dt angeglichen. Im Dt dagegen wurde das alte Gebot in seiner ursprünglichen Fassung aufgenommen und durch Formeln aus dem Eigengut des Dt vollständiger und mit deutlichem Neuansatz erweitert.
Lautete die Begründung des Elterngebotes also ursprünglich: „damit langgemacht werden deine Tage", so ist nach der Herkunft dieser Formel zu fragen. Nach dem Sprachgebrauch der Proverbien ist „langes Leben" die innerweltliche und individuelle Vergeltung für alle, die sich an die erhaltenen Lehren halten. Nach Prov 3,2 bringt die Satzung und das Gebot „Länge der Tage (ארך ימים) und Jahre des Lebens und Wohlergehen". In Prov 3,16 heißt es von der Weisheit: „Länge der Tage (ארך ימים) in ihrer Rechten...". Prov 28,16 bringt eine partizipiale Formulierung: Der Hassende ungerechten Gewinn wird verlängern seine Tage (יאריך ימים). Auch als das Dt diese Formel übernahm und mit seiner Interpretation versah, hat es die Zusage des langen Lebens auf dem Lande immer geknüpft an das Halten der Gebote und auch auf Einzelgebote angewandt (Dt 22,7; 25,15). Nach IQ 22 „Sprüche des Moses" (DJD I 93) II.5 ermahnt Moses Israel, nicht das Gesetz zu vergessen, denn dieses sei es, das des Lebens und langer Lebenszeit versichere (כי הוא חייכה ואורך ימיה).

Durch seine Begründung wird das Elterngebot so einer Tradition zugewiesen, die ihre Mahnungen mit einem Hinweis auf „immanenten Erfolg" verband, diese also nicht als „göttliche Gebote" verstand, sondern an die Klugheit der Angeredeten appellierte. Wegen dieser sonst für die Weisheit typischen Eigenart in der Begründung eines Gebotes ist im Folgenden nach der Bedeutung des Verhältnisses zu Vater und Mutter in der Weisheitsliteratur zu fragen. In den Prov finden sich über dieses Thema sehr junge Traditionen neben solchen von offenbar hohem Alter. Daher spiegelt sich in dieser Sammlung auch ein Teil der späteren Geschichte der Tradition des Elterngebotes.
Zu den Stileigenheiten der Weisheitsliteratur des AT gehört die Anrede „mein Sohn". Dem entspricht, daß die Redenden selbst aufgefaßt werden als „Vater und Mutter". Die Aufforderungen, ihrer Lehre und Weisung zu folgen, bilden oft die Anfänge größerer kompositorischer Einheiten im Buch der Prov, und zwar in 1,8; 6,20; 10,1 (Beginn der 1. Sammlung salomonischer Sprüche). Wie das 4. Gebot sind diese Aufforderungen in der ersten Satzhälfte positiv formuliert, in der zweiten dagegen inhaltlich oder

formal negativ. Sätze, die Vater und Mutter erwähnen, sind offenbar Sonderfälle einer formal recht unterschiedlichen Gattung von Einleitungssprüchen für Reihen weisheitlicher Mahnungen. Zumeist wird nur der Sohn angeredet („mein Sohn...") und aufgefordert, die Lehre anzunehmen (Prov 2,1; 3,1; 4,1; 5,1; 7,1). In 4,1 wird bereits ausdrücklich der Vater als Redender erwähnt. Zur literarischen Form von Sammlungen weisheitlicher Sprüche gehören in einer bestimmten Zeit Einleitungssätze dieser Art offenbar dazu. Nicht nur einzelne Gebote werden von den Eltern empfangen, sondern die Gesamtheit der sittlichen Unterweisung wird als ihre Lehre begriffen. Das Verhalten dieser Lehre gegenüber wird umschrieben mit Verben wie „gehorchen, beachten, verwerfen, ablehnen". Aber nicht nur in der Einleitung von Sammlungen, sondern auch im Kontext spiegeln sich ähnliche Anschauungen. Hier gilt das Verhalten nicht nur der Weisung von Vater und Mutter, sondern auch, und zwar in zunehmendem Maße, diesen selbst. Ihnen gehorcht man als Weiser, oder sie verachtet man als Tor. Aus mehreren Gründen ist es naheliegend, das 4. Dekaloggebot in die Nähe von Mahnungen dieser Art zu rücken: Die Motivation dieses Gebotes ist typisch weisheitlicher Art; seine Stellung am Beginn und als Überschrift von Gebotsreihungen, die es mit dem Sabbatgebot teilt, hat große Ähnlichkeit mit der einleitenden Mahnung vor Proverbienreihen; die Allgemeinheit des Inhalts von כבד entspricht der Tatsache, daß die Gesamtheit sittlicher Ermahnungen formal darin zusammengefaßt wird, daß man den Eltern gehorchen soll. In der Mahnung, die Eltern zu „ehren" ist inbegriffen die Mahnung, den gesamten Bereich dessen anzuerkennen, was sie als Weisung dem als „Sohn" vorgestellten Angeredeten gaben.

Wieweit im Hintergrund dieser formalen Rahmung von Mahnungen formgeschichtliche Relikte zu der Unterweisung in der nomadischen Großfamilie stehen, in der der Vater und die Mutter Verhaltensregeln gaben, muß offen bleiben. Soziale Gebilde dieser Art pflegt man ja auch etwa für die Bildung von Reihen wie der im Grundbestand von Lev 18 verantwortlich zu machen. Aber auch ohne einen genau fixierten soziologischen Hintergrund anzunehmen, wird man das 4. Dekaloggebot im Sinne der Weisheitsliteratur als Aufforderung zur Annahme der Weisungen (der Eltern) verstehen dürfen. Trifft diese Deutung zu, dann muß die Hypothese einer ursprünglich negativen Formulierung des Elterngebotes abgelehnt werden. Dieser Schluß fällt um so leichter, da ja auch das mit ihm so oft verbundene Sabbatgebot positiv formuliert ist.

Die Kombination mit dem Sabbatgebot, wie sie nicht nur in den Dekalogen, sondern auch in Lev 19,3 und in Ez 22,7.8 vorliegt, dürfte darauf zurückführbar sein, daß das Sabbatgebot die wichtigste kultische Vorschrift ist, die von Natur aus nicht inbegriffen ist in dem, was man inhaltlich unter Weisungen „von Vater und Mutter" verstand. Im Bundesbuch ist zudem das 3. Dekaloggebot zusammen mit den Vorschriften über das 7. Jahr und den 7. Tag in Ex 23,10-12 die einzige positiv formulierte religiöse Vorschrift. Sie war zu bestimmter Zeit offenbar der wichtigste positive Ausdruck für das Verhältnis der Angeredeten zu ihrem Gott. Wie sehr man beide Gebote als Überschriften für ganze Lebensbereiche wertete, wird noch aus der Darstellung der Traditionsgeschichte der Auslegung beider Gebote hervorgehen.

Traditionen der Auslegung

a) Das Verhalten gegenüber Vater und Mutter in den „Gesetzessammlungen"

Ex 21,12(15)-17: V. 15 ist durch נכה mit V. 12 verbunden, V. 17 durch Stichwortverbindung angehängt. In allen drei VV. bleibt die Strafe gleich, obwohl das Delikt fortschreitend geringer wird. Daß V. 16 dem 7. Dekaloggebot entspricht, war möglicherweise der Anlaß, V. 17 als Gegenstück zum 4. Dekaloggebot hier hinzuzubilden (קלל im Piel direkter Gegensatz zu כבד, erlangte aber die Bedeutung „fluchen", wie aus dem dann gebildeten Gegensatz zu ברך abzulesen ist).
In Ex 21,12-17 handelt es sich um ein Stück, das inhaltlich zu Traditionen des 4., 5. und 7. Dekaloggebotes in Beziehung steht. Die Casus in V. 15.17 dürften die traditionsgeschichtlich ältesten sein, da hier die Todesansage noch im weisheitlichen Sinn verstanden ist; es handelt sich nicht um Todesstrafe, sondern um Ankündigung, daß ein solcher gewiß sterben werde. Jedenfalls in V. 12 ist diese Ankündigung nicht mehr so verstanden worden, wie der Einschub V. 13.14 bezeugt. In V. 15-17 dagegen handelt es sich um Vergehen gegen die Nächsten, die juristisch nicht zu verfolgen waren und deshalb mit der paränetischen Formel מות־יומת sanktioniert wurden. Wie demgegenüber Rechtscasus aussehen, bezeugen die VV. 18-21.
Ex 21,17 ist möglicherweise eine inhaltlich negative Umformulierung des 4. Gebotes im Stil partizipialer מות־יומת-Sätze.
Lev 19,3 ist Ausdruck der natürlichen Eignung des 4. Gebotes, an den Anfang von Reihen gestellt zu werden.
Lev 20,9 ist der Anfangssatz des bis zu V. 21 reichenden Kernstücks dieses Kapitels. Auch in der negativen Formulierung hat das Stück allgemeinere Bedeutung und leitet eine Reihe über den Schutz der Familie (nicht nur über Sexualvergehen) ein.

Auch in Dt 27,16 hat der Satz eine hervorragende Stellung, da er als zweiter Satz der Reihe auf den über die Götzenbilder folgt. Das Verb ist hier der andere mögliche Gegensatz zu כבד. Auch in Ez 22,7 wird es verwendet. Auch in Ez 22,7 steht eine Reihe über Vergehen an Wehrlosen mit dem „Elterngebot" in Verbindung (so wird in Ez 22,7 die Verbindung Eltern/Sabbatgebot aufgesprengt). In beiden Texten folgen die Sexualvergehen betreffenden Sätze erst danach[1] (in Ez 22,9c-11 als kultische Traditionen unter Sabbat subsumiert).
In Dt 21,18-21 wird programmatisch für den Fall der Ausführung von Ex 21,17; Lev 20,9 vorgesorgt. Der traditionelle Hintergrund des 4. Gebotes wird noch in dem Hören auf die Stimme von Vater und Mutter (V. 18) deutlich[2].

Bis auf wenige Ausnahmen zeigen alle Texte über das Verhalten zu Vater und Mutter deutlich den Ursprung dieses Gebotes aus der Weisheitsliteratur: das zeigt sowohl die allgemeine Formulierung als auch die formgeschichtlich ausgezeichnete Anfangsstellung. Wo dieses nicht der Fall ist und das Verhalten zu den Eltern negativ (als Mißhandlung etc.) beschrieben ist, wie in Ex 21,15.17; Dt 21, 18-21, handelt es sich um Stücke aus der מות־יומת-Tradition, deren weisheitlicher Hintergrund noch deutlich erkennbar ist.

b) Das Weiterleben der hinter dem 4. Gebot stehenden weisheitlichen Tradition

Die Tendenz ist überall gleich: Wer auf Vater und Mutter hört, wird ein Weiser. So in Prov 4,3; 15,20; 23,22.25; 30,17; als Einleitung einer langen weisheitlichen Ermahnung in Tob 4,4 (die

[1] Ez 22,7.8: Der Kontext ist eine Anklagerede des Menschensohnes über die Greueltaten Jerusalems. V. 7 bringt die negative Formulierung des 4. Dekaloggebotes. Das Verb קלה ist exakt der Gegenbegriff zu כבד (vgl. Jes 8,23; 23,9). Der Vorwurf, Vater und Mutter würden nicht geehrt, zieht nach sich eine Reihe von Anklagen sozialer Art, eine Erscheinung, die sich noch als typisch für die Auslegungsgeschichte dieses Gebotes erweisen wird, in welcher dann auch das Elterngebot selbst sozialen Charakter gewinnen kann. Jedenfalls handelt es sich hier um eine Reihe nichtkultischer Verhaltensweisen aus dem sozialen Bereich. V. 8 bringt die Formulierung: Mein Heiliges verachtest du, meine Sabbate entweihst du; darauf folgten in den Versen 9-11 eine Reihe von als kultisch verunreinigend verstandenen Delikten. So sind Elterngebot und Sabbatgebot als „Eckpfeiler" die Gliederungsprinzipien der vorliegenden Reihe.

[2] Von Isaak heißt es zu Gen 26,18 in Q in Gen ed. R. Marcus p. 229 Nr. 194 τὰ αὐτὰ ὀνόματα τίθεται, τιμῶν αὐτοῦ τὸν πατέρα.

Mutter ehren = das ihr Gefallende tun und sie nicht „betrüben"); das gleiche Verb wird in inhaltlich gleichem Kontext in ArBr 238 verwendet (vgl. Sir 3,12b). In Philo Spec Leg II,228-230 werden die Eltern als Tugendlehrer geehrt; daher dann auch der Gehorsam (236). Die positive Wirkung des Elterngebotes besteht unmittelbar im Gutsein der Angeredeten. In 261 f läßt Philo das Stück über das Land in der Verheißung aus.

Sir 3,1 ist weisheitliche Einleitung einer dann spezifizierenden Spruchreihe; der gleichen Tradition entstammt Sir 23,14 (bes.d); 41,17

Die weisheitliche Belehrung durch Vater und Mutter spiegelt sich in der Gattung der Testamente (Testamente von Müttern in Tob 4 und Lib Ant 33,1 „obaudite mihi tamquam matri vestre")[1]. Daher ist das Nicht-Hören auf den Wink der Väter parallel dem Nicht-Verstehen des Gesetzes (Test Rub 3,8). Auch für Lib Ant 20,6 gilt der weisheitliche Zusammenhang zwischen Hören auf die Väter, Gesetz und Leben („et vivetis et vos"); ebenso in Lib Ant 23,12 (vgl. 10b), in Offb R Josua b Levi K. 21 (Gaster 596) (Höllenqual, weil er nicht auf des Vaters Gebote hörte) und zweifach in Petrus Apk 11 (Weg Gottes verlassen, Vater und Mutter nicht ehren – den Eltern ungehorsam, Lehre der Väter nicht befolgt, Ältere nicht geehrt), ferner in b Qid 31ab.

c) Entehrung und Verfluchung der Eltern

Die negativen Formulierungen der Elterngebotstradition leben fort in Prov 20,20; 30,11.17; Sir 3,9-13.16; mit Prov 20,20 ist Sprüche Achikars 138 nächst verwandt (זי לא יתרום בשם אבוהי ובשם אמה); ferner: Philo Spec Leg II 242-248 (Todesstrafe für alles, was zur ἀτιμία der Eltern geschieht, er ist ein κοινὸς ἐχθρός: Wie könnte einer anderen wohlgesonnen sein, der es noch nicht einmal gegenüber den Urhebern des Lebens ist); Decal 108-110 (die nicht ehren, sind weder φιλόθεοι noch φιλάνθρωποι); Visio b Esrae 50 (in der Hölle: die Hand anlegten und mit dem Mund Unrecht taten); Offb. d. Moses (Gaster 581-583) (Eltern verfluchen); Herm Vis II,II,2 (καὶ προδόντες οὐκ

[1] Die Gattung der Testamente ist entstanden aus der Verknüpfung von Autobiographie mit folgender Anrede an die Söhne (so schon im Achiqar-Roman) und dem Sitz im Leben „Todesstunde" (so Gen 49,1ff). – Die Verbindung beider Elemente zeigt sich schon in Tob 4,2f; 14,3 (hier sind auch Paränese und Geschichtsabriß noch räumlich getrennt – in den Test Patr fallen sie zusammen). Mit Tob und Achiqar eng verwandt ist Test Hiob (Test Hiob 1,1 = Tob 1,1).

ὠφελήθησαν); Test Sal 20,1-5. – Singulär ist der Satz „der seinen Vater und seine Mutter verachtet, soll sterben" in Teez Sanb L 21 H 16,20f an die Warnung vor dem Verkehr mit der Ehefrau des Vaters angefügt. – Ps.-Menander 5 (Tod für den, der nicht auf Vater und Mutter hört, sondern sie schmäht – eine Verbindung der weisheitlichen Tradition mit der negativen Formulierung); 17; 18 (lieben, fürchten, ehren – ܝܩܪ –, nicht verachten und schimpfen; antithetischer Aufbau); 61.64; zu 1 Tim 1,9 (vgl. Plato, Phaidon 113e.114a; Resp 615c); 1 Tim 1,9 steht in einer breit ausgeprägten jüdisch-hellenistischen Tradition einer freien Dekalogwiedergabe mit Hilfe von Nominalbildungen.

Alle diese Texte haben gemeinsam, daß bereits relativ geringfügige Vergehen gegenüber den Eltern als der Todesstrafe würdig betrachtet werden; im Übergang zu stärker griech. beeinflußten Texten tritt an die Stelle der Todesstrafe übrigens die Hölle – (ein allgemeiner Vorgang und) ein deutliches Zeichen dafür, daß die weisheitlich-paränetische Androhung des Lebensverlustes im Spätjudentum nicht juristisch verstanden worden ist.

d) Zur Auslegung von Dt 21,18-21

Auslegungen dieser Stelle finden sich erst in stark hellenistischen Schriften, aber immer im Zusammenhang mit dem 4. Gebot, so in Josephus c. Ap II 206f; Philo Spec Leg II,232 (abmildernd: Gesetz als Erlaubnis, nicht als Befehl; vgl. Mk 10,4 par!); Nobil 202; Ps.-Phok 208f; Ps.-Menand. 7.

e) Verbindungen von Elterngebot und Hauptgebot

Solche sind auf Grund der zentralen Stellung des 4. Gebotes schon in Lev 19,3; Dt 27,6 nachweisbar. Für fast das gesamte Judentum wird eine enge Verbindung von Gott Ehren und Eltern Ehren charakteristisch, redaktionell schon in Prov 1,7.8, Sir 7,27[1], eben-

[1] In Sir 7,27-30 sind die einzelnen Teile der Hauptgebotsformulierung aus Dt 6,4f in V. 27.29 und 30 zu selbständigen Versanfängen geworden. V. 27 ist in dem schon oft festgestellten weisheitlichen Stil aufgebaut und lautet: ἐν ὅλῃ καρδίᾳ σου δόξασον τὸν πατέρα σου καὶ μητρὸς ὠδῖνας μὴ ἐπιλάθῃ. Entsprechend beginnt V. 29: ἐν ὅλῃ ψυχῇ σου εὐλαβοῦ τὸν κύριον und auch V. 30 ἐν ὅλῃ δυνάμει ἀγάπησον τὸν ποιήσαντά σε. Bei der Redaktion sind wahrscheinlich die beiden Ausgangspunkte für diese kunstvolle, auf V. 31a zulaufende Konstruktion die Verse 27f und 31 gewesen. Zur Verbindung dieser beiden vorgegebenen Sätze sind die Verse 29 und 30 gebildet worden. Sie leiten aus der hauptgebotsähnlichen Formulierung in V. 27a über zum φοβοῦ τὸν κύριον in V. 31a. So wird durch redaktionelle Verknüpfung das Ehren der Eltern in eine Beziehung zur Furcht des Herrn gebracht.

falls mit Stücken der Hauptgebotsformel verknüpft in Sir 3,13b und in Jub 35,13 (ehren mit dem ganzen Herzen).

Im Zusammenhang von Lib Ant 44 werden alle einzelnen Dekaloggebote auf den Abfall zu Götzen umgedeutet, der direkte Bezug auf Gott (der hier nicht zufällig „creator“ heißt) findet sich aber nur zum 4. Gebot: „propter quod dixi eis, ut diligerent patrem et matrem, me inhonorificaverunt creatorem suum“.

Das Hören auf die Eltern ist ein Hören auf Gott nach Sir 3,2.6b Gr. 7 Hebr. 7b Gr., 16 Gr (hier wieder doppelteilig). In Jub 7,20 steht das Gebot, Vater und Mutter zu ehren, zwischen dem Gebot, den Schöpfer zu segnen und den Nächsten zu lieben. Josephus nennt in c Ap II,206.217 die Gebote der Gottesehre und der Elternehre als die beiden wichtigsten; in gleicher Tradition stehen die Formulierungen in Ps.-Phok 8, Ps.-Menand 2.64 und Sib II, 593ff (vgl. Jub 7,20: Verbindung mit Reinheit). Die Formulierungen sind weitgehend übereinstimmend.

Die Äußerungen Philos geben Auskunft über die Ursachen dieser engen Verbindung von Elterngebot und Hauptgebot. Sie liegen in der stoischen Popularphilosophie, nach der die Eltern Abbilder Gottes sind. Sie sind Erzeuger, Herrscher und Lehrer und bilden daher in dem ihnen unterstellten Mikrokosmos Gott ab[1]. – Philo gibt dem 4. Gebot eine Mittelstellung

[1] Vgl. dazu besonders: K. Praechter, Hierokles der Stoiker, Leipzig 1901, 45-54 über das Kapital: πῶς χρηστέον τοῖς γονεῦσιν. Dazu: Exz. Stob fl. 79,53: δευτέρους καὶ ἐπιγείους τινας θεοὺς ἕνεκα γε τῆς ἐγγύτητος, εἰ θέμις εἰπεῖν, καὶ θεῶν ἡμῖν τιμιωτέρους...
Die Ursache für eine solche Lehre sei die stoische Theorie vom Mikrokosmos, die dort insbesondere vom Staat und seinem Oberhaupt angewandt werde (S. 46; das Staatsoberhaupt als Abbild der Gottheit: S. 46 Anm. 1). König-Vater-Gott erscheinen auf einer Linie.
Auch die bei Philo belegte Theorie von der Ähnlichkeit der Eltern mit Gott durch die Zeugung ist stoischen Ursprungs. Dio Chrys. or 12,42 wird Gott als unsterblicher γονεύς bezeichnet. Auch die Vorstellung Philos, das Verhältnis der Kinder zu den Eltern sei wie das der Knechte zu den Herren, ist vor ihm belegt bei Simplikios ad Epikt ench 37. Die Brücke zwischen Simplikios und Philo ist Artemidor, der Eltern, Herren, Lehrer und Götter in einer Reihe nennt (4,69: δεσπόται, γονεῖς, διδάσκαλοι, θεοί) und ebenfalls die Ähnlichkeit durch die Zeugung besonders betont (Artem. onir 2,69).
An Sir 3,5a erinnert Isokrates ad Dem 14: τοιοῦτος γίγνου περὶ τοὺς γονεῖς οἵους ἂν εὔξαιο περὶ σεαυτὸν γενέσθαι τοὺς σεαυτοῦ παῖδας.
Vgl. Diog Laert 7,120 δοκεῖ δ'αὐτοῖς καὶ γονέας σεβήσεσθαι καὶ ἀδελφοὺς ἐν δευτέρᾳ μοίρᾳ μετὰ τοὺς θεούς...ferner Schmidt, Eth d g fr 2, S. 141f und Menand b. Stob fl. 79,26, Zeugnisse dafür schon bei Plato, Nomoi 11,931: Alte Eltern im Haus seien lebende Götterbilder. – Aristoteles, Nik. Ethik IX,

zwischen den Pflichten gegen Gott und denen gegen die Menschen (Spec Leg II,225, vgl. Jub 7,20.). Daraus folgt für ihn die besondere Wichtigkeit dieses Gebotes, aber auch die Unterschiedenheit von den Geboten der 2. Tafel. Nur in der Zusammenfassung am Ende von De Decalogo werden diesem Gebot auch andere eingeordnet, jeweils aber solche, die das Verhältnis von „oben" und „unten" in der menschlichen Gesellschaft zum Thema haben (und im AT zumeist nicht belegbar sind). In Spec. Leg II,224f und Decal 108-120 übernimmt Philo stoische Lehren[1], ebenso Ps.-Philo Praep Ev 8,7,2[2].

Bei der Verbindung von Elterngebot und Hauptgeboten im Spätjudentum laufen demnach mehrere Entwicklungslinien zusammen: Aus jüdischer Tradition die Funktion des Elterngebotes, die Summe aller weisheitlichen Mahnungen zu moralischem Verhalten zu-

2 p 1165 a 24: τιμὴν δὲ γονεῦσι. Vgl. Simplikios ad Epikt ench 37 p. 199c: ὡς καὶ θεοὺς αὐτοὺς ὁρμῆσαι καλεῖν (zitiert nach K. Praechter, Hierokles der Stoiker, Leipzig 1901, S. 47 Anm. 3). Weiterhin nennt Hierokles die Eltern θεῶν εἰκόνες, θεοὶ ἐφέστιοι, εὐεργέται, κύριοι, φίλοι βεβαιότατοι (Exz Stob Fl. 96,22ff). Eine Zusammenfassung bietet Epiktet Diss II,10,7: „Danach gedenke, daß du Sohn bist. Was ist die Aussage über diesen Stand? Alles das Seine zu halten für das des Vaters, in allem gehorchen (πάντα ὑπακούειν), niemals tadeln vor jemanden, und nicht etwas Schädliches ihm sagen oder tun, nachzugeben in allem und zu weichen helfend (συνεργοῦντα) nach Kräften (κατὰ δύναμιν)".

[1] Nach Spec Leg II,224f haben die Eltern an menschlicher und auch an göttlicher φύσις teil, weil sie gezeugt haben und so Nicht-Seiendes zum Sein brachten und auch dem Menschengeschlecht eine Art von Unsterblichkeit verliehen. Alle diese der stoischen Lehre entnommenen Argumente können apologetisch verwendet werden für die Erklärung der Stellung des 4. Gebotes im Dekalog. – Wer daher die Eltern nicht ehrt, die μιμησάμενοι θεόν sind, kann nicht φιλόθεος genannt werden (De Decal. 108-110). In Bezug auf die Kindererzeugung sind die Eltern Diener Gottes, dann aber gilt der Satz: ὁ δ' ὑπηρέτην ἀτιμάζων συνατιμάζει καὶ τὸν ἄρχοντα (De Decal. 119). Was Gott für den Kosmos ist, sind sie für die eigenen Kinder, daher ἐμφανεῖς θεοί (ibid., 120). Daraus wird die moralische Folgerung gezogen: Man kann nicht den Unsichtbaren verehren, wenn man die Sichtbaren entehrt (Verben: εὐσεβεῖσθαι - ἀσεβούντων). Gott und den Eltern gegenüber gelten εὐσέβεια und ἀσέβεια.

[2] Vgl. Philo (nach Eusebius) Pr. 8,7,2: „Wenn du nicht durch die Tat allein, sondern auch durch ein zufälliges Wort gegen Gott selbst... ja auch gegen Vater und Mutter oder deinen Wohltäter frevelst, so steht gleicherweise der Tod darauf". Vgl. Josephus, c. Apionem II,217. Auch die rabbinische Auslegung setzt das Elterngebot in Beziehung zum Hauptgebot, insbesondere wegen der gleichen Verben „ehren" und „fürchten"; vgl. dazu G. F. Moore, Judaism II,131-138. Auch der bei Philo formulierte Gedanke, die Eltern seien Gott durch die Zeugung des Kindes ähnlich, wird bei den Rabbinen aufgenommen: Vater, Mutter und Gott seien in gleicher Weise daran beteiligt, ein Kind ins Leben zu setzen.

sammenzufassen – daher kann es direkt neben dem Hauptgebot stehen, aus stoischer Tradition der Mikrokosmos-Gedanke des Abbildens der (Schöpfer-) bzw. Erzeugertätigkeit. Lib Ant 44,4 könnte bereits einen Zusammenfluß darstellen, da Gott in diesem Zusammenhang als Schöpfer bezeichnet wird.

Eine entsprechend zentrale Stellung nimmt das Elterngebot ein in Theoph ad Autol II 25,8f: Es sei „heilig" vor Gott und den Menschen, in Haplotes und Gutsein den Eltern untertan zu sein. Wenn dieses aber gegenüber den Eltern gelte, um wieviel mehr dann gegenüber Gott.
Nach Memar Marqah umfaßt die Wiedergabe der Tradition des 4. Gebotes in Dt 27,16 Tg. alle 10 Gebote in sich (Transl. p. 107).

f) Verbindungen von Elterngebot und Sozialgeboten

Diese Verbindung zeigte sich schon in Dt 27,16; Ez 22,7. Sie ist begründet in dem Charakter dieses Gebotes, „Ethos" zum Inhalt zu haben. Daher findet sich diese Verbindung auch in Prov 7,20 (Nächstenliebe folgt auf das Ehren von Vater und Mutter); 35,4 (auf „allezeit Gutes gegen alle zu tun" folgt: Vater und Bruder zu ehren). In ArBr 228 folgt auf das Gebot, die Eltern zu ehren das, die Freunde gleich der eigenen Seele zu lieben (zu φίλος für den Nächsten s.o.). Die gleiche Tradition zeigt sich in Ps.-Menander 6 (Vater ehren, Freunde nicht verachten) und in Josephus c. Ap II, 206f (Gott, Eltern und das Alter ehren. 207: κρύπτειν οὐδὲν ἐᾷ πρὸς φίλους). Auch diese traditionellen Verbindungen sind in der Stoa vorbereitet (Diog Laert 7,120: δοκεῖ δ'αὐτοῖς καὶ γονέας σεβήσεσθαι καὶ ἀδελφοὺς ἐν δευτέρᾳ μοίρᾳ μετὰ τοὺς θεούς).

g) Verbindungen von Elterngebot und der Mahnung, das Alter zu ehren

Ausgangspunkt ist Lev 19,31. Verbindung mit dem Elterngebot findet sich in Ps.-Phok 221; Philo Spec Leg II,237; Ps.-Menander 17.19(vgl. 2); Josephus c. Ap II,206. – Eine Übertragung des Elterngebotes auf andere Verwandte wird vorgenommen in Jub 35,1.12f (auf den Bruder); Tob 10,13 (Schwiegereltern: τίμα), Ps.-Phok 180 (Stiefmutter: τίμα).

h) Die Erinnerung an die Schmerzen der Mutter als Motiv weisheitlicher Ermahnung

In den Sätzen weisheitlichen Stils, deren erste Hälfte zum Ehren des Vaters mahnt, behandelt die zweite Satzhälfte, meist negativ formuliert das Verhältnis zur Mutter. Dieser Teil des Satzes heißt in Sir 7,27: καὶ μητρὸς ὠδῖνας μὴ ἐπιλάθη (μνήσθητι ὅτι δι' αὐτῶν ἐγεννήθης). Die Erinnerung an die Schmerzen der Mutter wirkt als steigerndes Element und ist daher paränetisch gut wirksam. Die gleiche Begründung bringen Tob 4,4; Ps.-Menander 18; etwas anders Ps Sal 3,11.

i) Deutung auf den Gehorsam noch nicht erwachsener Kinder

Diese Deutung ist sehr selten. Sie findet sich in Kol 3,20; Eph 6,1; Philo Sacr Ab et Caini 68 (+ Verknüpfung mit dem Hauptgebot). – In einer Reihe von Texten wird es als Vergehen gegen das 4. Gebot und als besondere Art von Ungehorsam bezeichnet, wenn die Töchter vor der Ehe ihre Jungfräulichkeit nicht bewahren können, so in Sib II,280f; Apk Paulus 39; äth Bar Apk 71; Apk Mariae Virg 76. – In Sib II,276 wird vorher das Elterngebot zitiert. Das Motiv wird zunächst unabhängig vom 4. Gebot so formuliert, daß man sagte: „ohne daß die Eltern es wußten".

k) Das 4. Gebot als Aufforderung zu materieller Unterstützung der Eltern

Dem 4. Gebot ist eine solche Auslegung von seinem Ursprung her fremd. Spuren finden sich in Sir 3,12.14 (vgl. 3,3), was durch 3,7.28 erläutert wird: die Unterstützung der Eltern ist das Zurückgeben empfangener Wohltaten, so bei Philo Decal 113-118 (Störche als Beispiel); Ar Br 238; Sib II,273-276 (γονεῖς ἐνὶ γήρᾳ κάλλιπον οὐ τίσαντες ὅλως, οὐ θρέπτρα γονεῦσιν ἀντιπαρασχόντες); Jub 29,20 (Jakob schickt seinem Vater und seiner Mutter „all ihren Bedarf"); vgl. gr Bar Apk 4,17. – Diese Auslegung ist auch in Mk 7 lebendig, denn in der Gegenüberstellung zur Korbanpraxis wird dort einfach vorausgesetzt, daß Vater und Mutter Ehren bedeutet: ihnen den Lebensunterhalt schulden. Diese Deutung ist aber keineswegs selbstverständlich, sondern setzt die Heranziehung der stoischen Popularphilosophie mit der Theorie der Wiedererstattung voraus.

l) Das „Lieben" der Eltern

Hier handelt es sich um eine späte Übertragung aus dem Gebot der Nächstenliebe. Sie findet sich in Lib Ant 11,9 (dilige patrem tuum et matrem tuam, et timebis eos), ähnlich in 44,7; abweichend in 44,6.

m) Die Deutung der Verheißung

Die Verheißung wird nur selten zitiert, meist fortgelassen. Lib Ant 11,9 interpretiert die Verheißung nach eigener theologischer Konzeption um[1]. – Philo bringt einen Teil der Verheißung in Spec Leg II (261f) in verkürzter Form. Eine Reihe von Abwandlungen der Zusage bringt Sir 3,3-6: Lohn für die Einhaltung dieses Gebotes ist: Sünden sühnen, Schätze anhäufen, von den eigenen Kindern erfreut werden und auch (V. 6a): μακροημερεύσει; Eph. 6,2 gibt mit μακροχρόνιος frei wieder. In der Palaia ed. Vassiliev p. 241 wird aus dieser hellenistisch-jüdischen Tradition heraus die Landverheißung ersetzt durch die Angabe langen Lebens „bis zum Alter": καὶ μακροχρόνιος γενήσῃ ἐπὶ γήρους.
Die Überlieferungsgeschichte der Mahnung, die Eltern zu ehren, legt es trotz aller Differenziertheit der Entfaltung nahe, anzunehmen, daß Mahnungen wie das 4. Gebot traditionsgeschichtlich

[1] In Liber Antiquitatum 11,9 wird das 4. Gebot wiedergegeben durch: „Dilige patrem tuum et matrem tuam, et timebis eos, et tunc exurget lumen tuum. Et precipiam celo et reddet pluviam suam, et terra accelerabit fructum suum. Et multorum eris dierum, et habitabis in terra tua, et non eris sine filiis, quia non deficiet semen tuum habitantium in ea". – Von der Gabe des Lichtes an Israel ist auch die Rede in 9,8 (incendam pro eo lucernam meam... et patefaciam ei... lumen sempiternum ut luceat ei), in 11,1 (dabo lumen mundo...; vgl. 10,2), in 15,6 (incendere lucernam populo meo), in 22,3 (et posuit lumen, ut qui in tenebris sunt, videant...). – Auch daß der Himmel seinen Regen gibt, ist für den Verf. ein besonderes Zeichen der Erfüllung der Verheißungen, so in 13,7 (et memor ero in pluvia totius terre), in 21,2 (constituisti pluviam...) und in 60,2 (...ut plueret secundum tempus eius). Das Wohnen im Lande, das mit der dt-Fassung des 4. Gebotes verbunden ist, wird hier ergänzt um den anderen Teil der Väterverheißung: die zahlreiche Nachkommenschaft (vgl. dazu Lib. Ant. 9,3; 9,4.14; 49,6). – Die größte Nähe zu den Erweiterungen des 4. Gebotes besitzt die Verheißung in 13,10: Et festinabit terra dare fructum suum et pluvia erit eis in lucrificationem et terra non sterilizabit.

am Anfang dieser Entwicklung standen. Bereits innerhalb des AT zeigt sich, wie die Mahnung, auf die Weisung der Eltern zu hören, dann selbst zum Einzelgebot unter anderen werden kann und konkretisiert wird. Der aber auch hier noch überall sichtbare weisheitliche Ursprung trifft sich im Spätjudentum mit stoischem Gedankengut in popular-philosophischer Form. Die große Bedeutung und Entfaltung dieses Gebotes gerade bei jüd.-hell. Autoren zeigt beispielhaft das Zusammenlaufen weisheitlich-jüdischer und popularphilosophisch-hellenistischer Tradition. – Der Sitz im Leben von Mahnungen dieser Art ist seit frühen Zeiten konstant: Zumeist handelt es sich um Reihen von Einzelsätzen. Das Elterngebot nimmt darin deshalb häufig eine Schlüsselstellung ein, weil es der alten pädagogischen Einsicht von der Primärfunktion der Erziehung im Familien- und Sippenverbande entspricht. Dabei handelt es sich aber in der Regel nicht um Erziehung von Kleinkindern, sondern angesprochen sind erwachsene Söhne: Die Eltern erscheinen nicht als Pädagogen, sondern als Träger lebensnotwendiger weisheitlicher Überlieferung. Diese Funktion der Eltern wird in der Gattung der Testamente besonders deutlich bewahrt. Hier spielt aber der tatsächliche Familienverband für die Hörer möglicherweise nur eine geringe Rolle – vielmehr dient die Mahnung, Eltern zu hören etc. dazu, Tradition und Weitergabe weisheitlichen Gutes zu „ehren“ (vgl. z.B. Joseph in Jos As K. 7 p. 48 und die Belehrung Asenaths durch Jakob in K.22 p. 72,9ff).

§ 3 Das Tötungsverbot

Das in seiner Bedeutung umstrittene Wort רצח[1] begegnet außer in den beiden Dekalogen in den sog. Gesetzessammlungen nur im

[1] Spezialliteratur: J. J. Stamm, Sprachliche Erwägungen zum Gebot „Du sollst nicht töten“, in: Theol. Zeitschr. 1 (1945) 81-90. A. Jepsen, Du sollst nicht töten! Was ist das?, in: Evang.-Luth. Kirchenzeitung 13 (1959) 384-385; U. Neuenschwander, Das sechste Gebot („Du sollst nicht töten“), in: Schweiz. Theol. Umschau / Wiss. Zeitschr. f. Freies Christent. 31 (1961) 89-103; N. M. Nikolsky, Das Asylrecht in Israel, in: Zeitschr. f. atl Wiss NF 7 (1930) 146-175; Löhr, Das Asylwesen im AT, 1930; David, Die Bestimmungen über die Asylstädte in Jos XX, in: Oudtest. Stud 9 (1951) 30-48; L. Delekat, Katoche, Hierodulie und Adoptionsfreilassung (Münchener Beitr. z. Papyrusforschung u. antiken Rechtsgesch; 47), München 1964; Fr. von Woeß, Das Asylwesen Ägyptens in der Ptolemäerzeit, München 1923.

Zusammenhang mit den Anordnungen über Asylstadtgesetze. In Jer 7,9; Hos 4,2; 6,9 liegen Stücke einer traditionellen Reihe vor, die selbst auch im Dekalog ihren Niederschlag gefunden hat. – Die größte Schwierigkeit bereitet bisher Nu 35,27.30. Auch A. Jepsen, der zu dem Ergebnis gelangt, das Verb bedeute „unschuldiges Blut vergießen", „ohne Grund einen Menschen töten" muß für diese Stellen eine ungeklärte Spezialbedeutung postulieren[1]. Es wird sich ergeben, daß der Funktionswandel der Asylstädte nicht ohne Einfluß auf den Bedeutungswandel von רצח war: es ist zu fragen, wieweit das mit diesem Verb bezeichnete Tun mit einer an dem Land haftenden Blutschuld verbunden ist.

Der dem Dekalog zeitlich am nächsten stehende Text ist wohl Dt 19,1-13. In der ältesten Schicht wird das Verb noch nicht verwendet (3b.4a. 5b.11-12)[2]. In der 1. Schicht liegt der Ton auf dem Schutz

[1] Für Nu 35 nimmt Jepsen eine mehrfach wechselnde Bedeutung von רצח an: In V. 16ff bedeute es: Absichtlich töten; in V. 22ff.25.26.27: versehentlich töten. In V. 27 wie in V. 30 bedeute es allgemein „töten".

[2] Diese Schicht ist an Folgendem erkennbar: 1. weitschweifige inhaltliche Erweiterungen (6.8-10) und kasuistische Differenzierungen (5a.6) fehlen. 2. In der ältesten Schicht ist nur von drei Städten die Rede. 3. Die Erweiterung auf sechs Städte liegt im Rahmen einer ganz bestimmten, in den Begründungen zum Ausdruck kommenden Tendenz: Es geht in der 2. Schicht darum, auf jeden Fall das Land vor dem Vergießen unschuldigen Blutes zu bewahren. Daher muß die Zahl der Asylstädte möglichst groß sein, denn wenn ein unfreiwilliger Totschläger der Blutrache zum Opfer fällt, entsteht Blutschuld (V. 10)! Wird dagegen ein absichtlicher Mörder getötet, so wird die durch seinen Mord verursachte Blutschuld getilgt (V. 13). Aus der Furcht, das Land zu beflecken, wird also in dieser Schicht die Asylstadtverordnung begründet.

Die sekundäre Erweiterung deuteronomischer Verordnungen durch solche über die Unreinheit des Landes hat eine Parallele in Dt 24,4. Die alte Vorschrift zum Schutz der Frau wird hier auf diese Weise erweitert, ebenso hier die Vorschrift der ersten Schicht, die dem Schutz des unfreiwilligen Totschlägers diente. Die Erweiterung geschieht hier durch die Blutschuld-Theorie, wobei die Verdoppelung der Städtezahl aus dem Streben nach möglichst großer Reinheit gleichzeitig eine Verstärkung des Schutzes bedeutet.

Die Reflexion über den weiten Weg in Dt 19,6 ist zugleich die Begründung für die Erhöhung der Zahl der Städte in V. 8-9. In V. 6 wird überdies gefordert, daß der Bluträcher auch außerhalb der Asylstädte den auf dem Weg dorthin Befindlichen nicht töten darf, mit welcher Forderung praktisch die Asylstädte selbst schon überflüssig werden. Eine solche Bestimmung konnte nur dann entstehen, wenn der Ton nicht mehr auf dem Schutz durch die Asylstädte lag, sondern auf der Bewahrung des Landes vor Blutschuld

durch die Asylstädte, in der 2. Schicht auf der Bewahrung des Landes vor Blutschuld um jeden Preis. Vorausgesetzt ist, daß es sich um ein außergerichtliches Töten Unschuldiger handelt. Für die Bedeutung von רצח in diesen Versen gibt es zwei Möglichkeiten:

1. In V. 3b bestimmt die Erweiterungsschicht, daß *jeder*, der jemanden getötet hat, in eine der Asylstädte fliehen soll, gleich, ob willentlich oder nicht. רצח hieße dann: einen Menschen töten im allgemeinen Sinn. Die Gefahr eines Justizirrtums wegen vorschneller Möglichkeit eines Zugriffs des Bluträchers wäre so auf jeden Fall vermieden. Die Entscheidung ist in die Hand der Ältesten gelegt, die den wirklich Schuldigen holen lassen (V. 12). D.h. um unschuldiges Blutvergießen auszuschließen, soll zunächst jeder in eine dieser Städte fliehen. Ist er unschuldig, so wird er durch die Stadt dem Zugriff des Bluträchers entzogen. Der dieser Schicht angehörige V. 6 würde diese Tendenz stärker betonen.
2. Möglichkeit: Die Schicht II bestimmt, daß jeder, der *unvorsätzlich* einen anderen getötet hat, in eine dieser Städte fliehen soll. רצח hieße hier: jemanden totschlagen, ohne daß man es vorher erkennbar wollte (vgl. die Interpretation von V. 4b durch V. 5a!), aus Versehen. Nur solche sollen in die Städte fliehen, nur an solchen hat der Bluträcher kein Recht und darf sie auch auf dem Weg in die Stadt nicht töten, da sie ja auf jeden Fall unschuldig sind, denn sonst würde unschuldiges Blut vergossen (V. 6). Wenn aber einer willentlich einen anderen getötet hat und doch geflohen ist, muß er dem Bluträcher ausgeliefert werden, da er zu Unrecht in eine Asylstadt geflohen ist. Für diese Lösung spricht vor allem, daß die Ältesten in der Heimatstadt keine Gerichtsentscheidung herbeiführen, sondern daß die Tatsache früherer Feindschaft als bekannt vorausgesetzt wird (V. 4b.6b). Erkennbare vorherige Feindschaft ist das Kriterium für die Frage, ob der Totschlag absichtlich geschah. War die Feindschaft vorher offenkundig, so ist der Mörder zu Unrecht geflohen: ein Indizienbeweis aus früherem Verhalten.
Für die 2. Lösung spricht vor allem auch Dt 22,26. Die älteste Schicht umfaßt hier die Verse 23-25.26a. Als Ergänzung wird die 2. Schicht hinzugefügt: „Denn die Sache ist so, wie wenn einer gegen seinen Nächsten aufsteht und ihn tötet (רצח)". – Dieser Satz ist die Begründung dafür, daß eine gegen ihren Willen vergewaltigte Verlobte die Todesstrafe nicht erleiden soll und ihr nichts angetan werden soll. Wurde sie nämlich außerhalb der Stadt vergewaltigt, so gibt es kein Indiz mehr für die Freiwilligkeit, und die Unfreiwilligkeit wird vermutet, obwohl sie nicht strikt bewiesen werden kann. – Der sekundäre Begründungssatz mit רצח ist nur dann sinnvoll, wenn es bei

um jeden Preis, auch unabhängig von Asylstädten. – Auch V. 12 betont die Notwendigkeit des Reinseins von Blutschuld: Der Mörder soll ausgeliefert werden.
In der ältesten Schicht der Perikope fehlt daher der Begriff רצח. Hier ist nur von נכה die Rede. Das Partizip act. mask. von רצח begegnet in den Versen 3b.4a und 6 der zweiten Schicht (V. 4a ist eine fast wörtliche Wiederholung von V. 5b!).

רצח ebenfalls um ein nicht nachweisbar freiwilliges Töten geht. Der Hinweis auf Töten allgemein würde hier nichts nützen, da man hier ja wieder zu fragen hätte, ob es denn freiwillig oder unfreiwillig geschohen sei. Bei der Verlobten wird aber gerade die Tatsache der Unfreiwilligkeit vermutet. Die „Rechtsvermutung“ spricht für Unfreiwilligkeit (vgl. 22,24 als Gegensatz dazu!). Ebenso liegt der Fall bei רצח. Denn dies ist ein Töten, für das Absichtslosigkeit deshalb vermutet wird, weil vorher keine Feindschaft erkennbar war. Bei der Vergewaltigung einer Verlobten auf freiem Feld und bei „fahrlässiger“ Tötung ist nicht mit strenger Gewißheit zu entscheiden, ob die Tat nicht doch absichtlich begangen wurde. Man suchte aber Kriterien und fand sie in vorheriger Feindschaft oder in dem Ort, wo die Vergewaltigung stattfand. רצח erscheint also als unfreiwilliges Töten, und daher mangelt ihm das Moment der Erweisbarkeit vor Gericht; ein offenbar unvorsätzliches, versehentliches, fahrlässiges Töten, für das man nicht belangt werden kann. Das Verhalten des Mädchens ist lediglich juristisch nicht greifbar; damit ist dem kasuistischen Kontext Genüge getan; nichts gesagt ist aber damit über den Bereich „moralischer“ Schuld bzw. über die mögliche Blutschuld für das Land (vgl. unten).

Da die Texte in Dt 19 und 22,26 traditionsgeschichtlich dem Dekalog am nächsten stehen, muß von hier aus eine Deutung des 5. Dekaloggebotes versucht werden: Es warnt vor einem Töten, das wegen Mangels an erkennbarem Vorsatz vor Gericht nicht erweisbar ist. Das 5. Dekaloggebot füllt daher einen wichtigen Raum aus: Es warnt davor, etwas zu tun, für das man vor Gericht nicht belangt werden kann und appelliert an das „Gewissen“. Mit der Mahnung, sich vor einem Töten mit dem Anschein der Fahrlässigkeit zu hüten, steht aber – wie wir sehen werden – dieses Gebot ganz in der Reihe der folgenden Prohibitive des Dekalogs, die ebenfalls auf den gerichtlich nicht feststellbaren Bereich zielen[1].

Die Einzelteile von Dt 4,41 sind aus Dt 19 entlehnt oder sind Weiterbildungen (4,42b = 19,4a.5b), נכה wird nicht aufgenommen, sondern durch רצח ersetzt. Dieses ist – wie auch der Zusatz נבלי־דעת zeigt – Kriterium dafür, daß bei רצח hier der spezielle Aspekt der Fahrlässigkeit besonders betont worden ist. Auch tritt das Verb hier bereits mit Objekt auf. Das Aussondern der Städte, in Dt noch Aufforderung, ist hier bereits von Moses ausgeführte Tatsache.
Auch in Jos 20,1-9 ist das Partizip הרצח näher bestimmt worden durch den Zusatz: מכה־נפש בשגגה (V. 3). Der Akzent liegt auf der Nicht-Aus-

[1] Hingewiesen sei noch auf Dt 27,24 (Verflucht ist, wer seinen Nächsten heimlich erschlägt). Verwendet wird das Verb נכה. Das hier gemeinte Erschlagen בסתר ist in der Tat von רצח zu unterscheiden: Wie in den anderen Vergehen von Dt 27 ist die volle Absicht vorausgesetzt. Nur bleibt hier das Vergehen selbst geheim, während in den רצח-Texten die tatsächliche Absicht verborgen bleibt.

lieferung des Unschuldigen durch die Ältesten. Das Stück „bis zum Tod des Hohenpriesters" ist sekundär vom Verf. von Nu 35 hier eingetragen. Denn die ursprüngliche Tendenz dieses Stückes ist, daß die Gemeinde der Zufluchtsstadt den Totschläger vor Gericht zieht und freispricht[1]. Hier wird nur mit einem unschuldigen Totschläger gerechnet.

Nu 35,9ff ist aus Dt 19 und Jos 20 gespeist. Im Eigengut des Verf. ist ab V. 15 in diesem Kapitel הרצח gleichmäßig der, der einen anderen absichtlich tötet, was die Folge hat, daß Blutschuld entsteht oder daß sie weggenommen wird, wenn ein רצח selbst absichtlich getötet (רצח) wird. Von diesem Verständnis von רצח ausgehend hat der Verf. dieses Textes andere רצח-Stellen in seinem Sinn gedeutet. Der unvorsätzliche Totschläger heißt המכה. – Der Tod des Hohenpriesters hat offenbar die Funktion, das Land von Blutschuld zu reinigen, wovon der absichtliche Mörder ja betroffen ist. Die durch den Bluträcher vollzogene Todesstrafe tritt also nur noch für den Fall ein, daß ein Mörder unvorsichtigerweise vor dem Tod des Hohenpriesters die Asylstadt verläßt[2].

[1] Zum erstenmal wird in Jos 20 die „Gemeinde" genannt. Sie ist in der Asylstadt ansässig und entläßt den Unschuldigen. Anders in Nu 35, wo es sich um die Heimatgemeinde handelt.

[2] Die מקלט הרצח ist für diesen Verfasser eine Stadt, in der der absichtliche Mörder bleibt: In Nu 35,25 ist vorausgesetzt, daß er in eine Asylstadt geflohen ist. Dt 19,3b hat der Verf. also in seinem Sinne verstanden und interpretiert! Der unabsichtliche Totschläger wird nicht mehr mit einer Asylstadt in Zusammenhang gebracht: Zwischen ihm und dem Bluträcher entscheidet das Gericht (V. 24). Vom absichtlichen Mörder handeln die Verse 25-28. Er wird nicht dem Bluträcher ausgeliefert, sondern die Stadt dient ihm zum Schutz. Verläßt er sie vorzeitig, so darf der Bluträcher ihn mit Recht (!) umbringen (V. 26f). Das Normale aber ist, daß der absichtliche Mörder bis zum Tod des Hohenpriesters in der Stadt bleibt und dann zurückkehren darf. Mit Geld ist die Blutschuld nicht auszugleichen (Nu 35,31.32). In V. 30 wird eine weitere, die Tätigkeit des Bluträchers einschränkende Bestimmung getroffen: die absichtliche Tötung dessen, der absichtlich getötet hat, ist nur legitim, wenn mehr als ein Zeuge ausgesagt hat. – Dieser Vers stellt das Ergebnis eines Attraktionsprozesses dar, den Dt 19,15 an Dt 19,1-13 erlitten hat: Dieser Vers wurde durch die Asylstadtbestimmungen attrahiert und ist hier völlig mit ihnen verschmolzen. – In Dt 19,6 wurde das Tun des Bluträchers נכה נפש genannt, hier wird es mit רצח bezeichnet (V. 27.30). Auch dieser Unterschied zeigt die zwischen beiden Texten liegende Entwicklungsgeschichte an.

Nach V. 25 wird vorausgesetzt, daß der רצח in eine der Asylstädte geflohen ist. Dieser Vers ist aus der Interpretation von Dt 19,3b.4 hervorgegangen. – Da der Verf. רצח im eigenen Sprachgebrauch nur in der Bedeutung „absichtlich töten" kennt, kann Dt 19,3b für ihn nichts anderes bedeuten als die Aufforderung an jeden absichtlichen Mörder, in eine der Städte zu fliehen. Davon, daß der unabsichtliche Totschläger fliehen soll, ist nicht mehr die Rede. – Das Recht des Bluträchers wird ausdrücklich hervorgehoben in Nu 35,19, aber die Asylstädte geben den Schutz dafür, daß dieser den Mörder nicht

Der Verf. von Nu 35 faßte auch das רצח in Jos 20,6 in seinem Sinne auf und fügte die Vorstellung ein: bis zum Tod des Hohenpriesters. Der Funktionswandel einer Asylstadt bedingt den Bedeutungswandel von רצח. In Dt 19 steht am Anfang das Interesse, keinen Unschuldigen dem Bluträcher in die Hände fallen zu lassen. Die Asylstadt schützt den Unschuldigen. In der 2. Schicht von Dt 19 wird dadurch verhindert, daß unschuldiges Blut auf das Land kommt. In Nu 35 dagegen wird durch die Asylstädte der Schuldige geschützt. Der Bluträcher ist ganz zurückgedrängt. Die Frage der Blutschuld wird durch den Tod des Hohenpriesters gelöst. Dadurch ist מקלט הרצח eine Stadt für den Schuldigen geworden.

Zwei Faktoren begünstigen diese Entwicklung: 1. Die bei der Zunahme eines geordneten Rechtswesens immer größer werdende Zurückdrängung des Bluträchers. Dt 19 steht am Anfang dieser Entwicklung. 2. Die immer stärker werdende Bindung der Gesetzgebung an priesterliche Traditionen in P. Dadurch wurde die Vorstellung von einer Entsühnung des Landes durch den Hohenpriester möglich gemacht.

Einerseits heißt רצח also: einen Unschuldigen fahrlässig, d.h. nicht nachweisbar freiwillig töten, andererseits (bes. in Nu 35): „jemanden töten, und zwar mit Wirkung für die Blutschuld auf dem Land". Dabei ist zu fragen, wieweit der Bezug auf die Blutschuld diesem Verb schon von Anfang an inhärent ist und wieweit die Mahnung, jemanden auf eine vor Gericht nicht erweisbare Weise nicht zu töten vielleicht mit der Konzeption der Blutschuld auf dem Land in einem inneren Zusammenhang steht. Es könnte ja eine Zuordnung zwischen dem Ethos des 5. Gebotes und der Frage der Verunreinigung des Landes bzw. dem Landbesitz bestehen. Denn dieses könnte gerade von der Bewahrung des „Ethos" abhängig gemacht worden sein.

Diese Frage ist auch für den Dekalog von Paralleltexten her zu bejahen. Bereits in beiden Kasus von Dt 19 handelte es sich darum, kein unschuldiges Blut zu vergießen (V. 10), und zwar „in deinem Land", bzw. „unschuldiges Blut aus Israel hinwegzutilgen" (V. 13): Wer seinen unschuldigen Nächsten erschlagen hat, muß dafür sterben. Nur wo dieses unfreiwillig geschah, ist er nicht

antrifft. Nur wo er sie verläßt, lebt das Recht des Mörders wieder auf, aber, wie eine Zusatzbestimmung deutlich macht, nur wenn vor der Gemeinde mehr als ein Zeuge aussagen konnte.

schuldig. Die Vorstellung ist, daß die Befleckung des Landes infolge schuldbar vergossenen unschuldigen Blutes nur durch das Blut des Täters weggenommen werden kann. Diese Theorie aber entspricht bereits genau der priesterlichen von Nu 35 und Gen 9,6, die in Nu 35,33f ausdrücklich formuliert ist.

Mit dem Land steht aber רצח schon in den alten Texten bei Jer und Hos in Beziehung, so in Jer 7,3.7 zu der älteren Reihe in Jer 7,9 (stehlen, morden רצח, ehebrechen, dem Baal räuchern) und zu der dieser parallelen jüngeren Reihe in Jer 7,6 (Fremdling, Waise, Witwe, unschuldiges Blut nicht vergießen, fremden Göttern dienen); ebenso werden in Hos 4,2 die Delikte Verfluchen, Lügen, Morden, Stehlen, Ehebrechen durch den Satz qualifiziert: „Blutschuld reiht sich an Blutschuld", in V. 3 ist dann ausdrücklich vom Land die Rede. Das Gleiche gilt für Hos 6,9/10 (Priester morden-Israel unrein). רצח ist daher ein Töten, das zur Verunreinigung des Landes in Beziehung steht, da es Blutschuld auf das Land bringt.

Diese Funktion hat es aber mit נאף gemeinsam. Hier liegt der Grund für die überaus häufige Kombination beider Gebote bereits in ältesten Schichten des AT, die sich dann auch im Dekalog zeigt und bis weit über das NT hinaus durchhält. Im Zusammenhang mit dem Land liegt die Verbindung mit נאף bereits in Hos 4,2; Jer 7,9, im Zusammenhang mit Blutschuld in Ez 16,38; 23,25.37 vor. Für die Kombination von רצח und Befleckung des Landes haben offensichtlich Hosea und Jeremia auf die dtr Bewegung gewirkt, und in P-Traditionen lebt dieses Element dann in besonderem Maße fort. Von hier aus wird deutlich, daß der dtr Zusatz im 4. Gebot „auf dem Lande,..." in enger Beziehung zu dem folgenden 5. und 6. Gebot steht. Da sich dieser Zusatz in beiden Fassungen findet, handelt es sich hier um ein sicheres Kriterium für die Annahme eines dtr Ursprungs der jetzigen Gestalt des Dekalogs, für die die Verbindung von Prohibitiven mit dem 4. Gebot charakteristisch ist.

Für die Erklärung der jetzigen Gestalt des Dekalogs ist über die Verbindung von 4., 5. und 6. Gebot hinaus darauf hinzuweisen, daß auch גנב des 7. Gebotes in Hos 4,2; Jer 7,9 zusammen mit רצח und נאף vorgegeben ist. Verbindung mit dieser Tradition (vgl. Fluchen, Lügen, Falschschwören und auch allgemein Bosheit) bewahrt גנב auch in Lev 19,11f (vgl. Jer 5,7; 23,14; 9,1/2; 29,23; Mal. 3,5). – Mit der Verunreinigung des Landes wird גנב aber später nicht mehr in Beziehung gebracht, also nicht außer Hos 4,2; Jer 7,9, wo dieses redaktionell geschieht. Daß גנב sich aber auf Freiheitsberaubung eines Menschen bezieht und Blutschuld bedeutet, ist aus Hos 4,2, also dem ältesten Text, sichergestellt. Es läßt sich daher keine Stufe erheben, in der die Kombination dieser drei Verben nicht Blutschuld bedeutet. גנב hat sich später aus dieser Verbindung gelöst und eine weitere Entwicklung durchlaufen (s.u.) – Bei Töten und Ehebrechen war die Beziehung auf das Land eine bestimmte Konsequenz aus der Vorstellung von Blutschuld in einer bestimmten Tradition.

Außer mit der Reinheit des Landes steht רצח in etwas jüngerer Tradition im Zusammenhang mit Vergehen gegen die typischen sozial schwachen Gruppen. Das ist bereits am Verhältnis von Jer 7,6 zu 7,9 zu beobachten (רצח aus V. 9 ist durch „unschuldiges Blut vergießen" ersetzt in V. 6); in V. 6 werden Vergehen gegen Fremdling, Witwe und Waise genannt; die gleiche Kombination findet sich in Hiob 24: V. 9 ist von Armen und Waisen die Rede, V. 14 vom רצח, der die Dürftigen und Armen tötet (קטל), V. 15 vom Ehebrechen (zur Kombination mit Ehebruch s.o.); ebenso in Ps 94,6, (zertreten dein Volk... töten Witwe und Fremdling, morden Waise ירצחו) und noch in CD 6,16 (zu berauben die Armen des Volkes, daß Witwen ihre Beute sind, und die Waisen ermorden ירצחו sie) sowie in typischer Abwandlung in SyrBar 64,1 (der die Gerechten tötete, Recht beugte, unschuldiges Blut vergoß, verheiratete Frauen unter Anwendung von Gewalt schändete... Priester vertrieb). Von dem gleichen Manasse berichtet auch AscJes 2,5 Vergehen, die aus den genannten Traditionen um רצח stammen, u.a. auch: μαντεία, πορνεία, ὁ διωγμὸς τῶν δικαίων. Vgl. dazu als atl Textgrundlagen 2 Kge 21,16; 24,4; im Sinne der Doppelheit von Gerechten und Propheten wird dieses Tun Manasses gedeutet in Jos Ant X 38: πάντας τοὺς δικαίους τοὺς ἐν τοῖς Ἑβραίοις ἀπέκτεινεν ἀλλ' οὐδὲ τῶν προφητῶν ἔσχε φειδὼ καὶ τούτων δὲ τινας καθ'ἡμέραν ἀπέσφαζεν.). Die Gerechten und die Priester sind in diesen Texten an die Stelle der sozial Schwachen getreten. Das Bindeglied ist die Vorstellung des Vergießens von unschuldigem Blut, sowie die zunehmende Identifizierung der Armen mit den Gerechten.

Die genannte Verwendung von רצח im Zusammenhang mit den sozial Schwachen hat ihren Ursprung zweifellos in dtr Tradition, nach der insbesondere das Verhalten gegenüber diesen Gruppen die Voraussetzung für das Bleiben im Land bilden sollte (vgl. oben zu רע). Wenn רצח daher ein Tun bedeutete, welches mit Blutschuld auf dem Land und mit Landbesitz zu tun hatte, dann war es konsequent, dieses Verb auch mit dem nicht juristisch kontrollierbaren

Verhalten gegenüber diesen niedriger gestellten Gruppen in Verbindung zu bringen. – Von dieser Tendenz zeugt auch noch die unten unter e) genannte Einordnung sozialer Vergehen unter das 5. Gebot. Wo in Reihungen verwandter Art dann vom Töten der Priester oder Propheten die Rede ist, wird der Ursprung der (späteren) dtr Tradition vom gewaltsamen Geschick des Propheten sichtbar (vgl. dazu O.H. Steck): auch hier handelt es sich um ein Töten im Sinne von רצח, welches Blutschuld verursacht.

In Sib II,261.265.266 ist der Mord Unschuldiger verbunden mit dem falschen Zeugnis, und zwar kombiniert mit dem Elementen der dtr Tradition, die im Zusammenhang von רצח begegneten: Morden Gläubiger, Trachten nach dem Leben Gerechter, ...ungerecht richtend, Unrecht tun, von falschen Zeugen beeinflußt (270.271: Witwen, Waisen). Ex 23,1 ist hier mit anderen Elementen der sozialen Reihen und mit der dtr Tradition von רצח verbunden.

Im Buch des Elias III,2 heißt es von den Juden bevor sie Buße tun: „Sie nehmen Häuser, rauben Äcker, erschlagen auf der Straße Witwen und Waisen". Hier ist also die Tradition des 10. Gebotes verbunden mit der sozialen Interpretation des 5. in dtr Tradition. Von dieser späten Stelle her ist es immerhin nicht unmöglich, eine Zuordnung auch des 9. und 10. Gebotes zu der Reihe des (4.)5.-8. hypothetisch zu rekonstruieren: da der Gedanke der Verunreinigung des Landes durch Blutschuld dem 10. Gebot fern liegt, erfolgte seine Zuordnung zur Reihe der Prohibitive unter dem Gesichtspunkt, daß es sich um eine Schädigung des Nächsten handelt. Auf dem Hintergrund der dtr Theologie vom Landbesitz ist die Verbindung von Verunreinigung des Landes und sozialer Zuwendung zum Nächsten im Zusammenhang mit den genannten Verben keineswegs befremdlich. Die Beifügung des 9. und 10. Gebotes ist daher Ausdruck der in der dtr Theologie durchaus möglichen und für das 5. Gebot insbesondere bezeugten Verbindung von „Land" und „Nächstem".

Die gleiche Verbindung des 5. Gebotes mit Traditionen sozialer Art zeigt sich in Hen 99,9-15 (V. 12: falsche Maße, V. 13: Häuser; V. 15: Unrecht, Gewalttätigkeit, den Nächsten töten).

Diese Kombination von רצח mit Vergehen gegen sozial Schwache bezeugt 1. die Zuordnung des Prohibitivs des 5. Gebotes zum Bereich des Ethos (vgl. W. Richter), 2. die enge Beziehung zwischen Landbesitz und dem Verhalten gegen die sozial Niedrigen in der dtr Tradition, 3. von daher die mögliche Zuordnung weiterer sozialer Delikte zum 5. Gebot (z.B. in der 1. Antithese).

Als Ergebnis ist festzuhalten: רצח enthält in sich folgende Elemente: 1. Töten mit Wirkung von Blutschuld, 2. deshalb Verunreinigung des Landes, 3. deshalb zumeist Töten Unschuldiger (aber auch Tötung der Mörder Unschuldiger, denn dadurch wird ersteres gesühnt: in Nu 35 bezeichnet רצח sowohl die Befleckung als auch die Aufhebung der Befleckung durch die entsprechende Handlung, weil Blutschuld/ רצח nur durch Blut/ רצח sühnbar ist), 4. לא תרצח gehört in den Bereich des Ethos, des Appelles an die Verantwortlichkeit, daher wird es in älteren Texten vornehmlich von einem Töten gebraucht, das vor Gericht nicht als schuldbar nachzuweisen ist. Primär ist zwar der Aspekt der Blutschuld, aber das eth. Element kommt in den dtr Texten und in dem Prohibitiv des Dekalogs zum Ausdruck. Es fehlt in Hos 4,2 und in den späteren P-Texten, steht aber in Zusammenhang mit dem Verhalten gegen die sozial Schwachen.

Traditionen der Auslegung [1]

a) Die Verbindung von Mord und Ehebruch unter dem Aspekt der Reinheit

Der Zusammenhang des 5. und 6. Gebotes mit der Verunreinigung des Landes geht insbesondere auch aus Ps 106,38-40 hervor: „Sie vergossen (וישפכו) schuldloses Blut (דם נקי)... so wurde das

[1] LXX und Targumim:
רצח wird ausschließlich durch Bildungen mit φονευ- wiedergegeben. Nur in seltenen Fällen (7-8 mal) dient φονεύειν oder φονευτής zur Wiedergabe von הרג . נכה wird in Zusammenhängen mit φονεύειν meistens wiedergegeben durch πατάσσω (nur in Jos 20,9 durch παίω). Dieser großen Konstanz in der Übersetzung von רצח und נכה im Zusammenhang damit ist es zu verdanken, daß die Asylstadttexte trotz ihrer Kompliziertheit relativ verständlich übersetzt sind. Das gilt vor allem für Nu 35, wo in V. 25 vom φονευτής die Rede ist, eben jenem der Verse 16-18, ganz der Tendenz des Verf. entsprechend. Der fahrlässige Töter heißt πατάξας. Wo in älteren Schichten φονεύω gesetzt wird, geschieht dies immer auf dem Bedeutungsniveau, das רצח in Nu 35 hat: In Jos 21 werden die Asylstädte genannt φυγαδευτήριον τῷ φονεύσαντι, was ungenau ist, da hier noch der ältere Sprachgebrauch vorliegt, der aber im Griech. auch nur durch φονεύειν wiederzugeben ist.
Die die Unvorsätzlichkeit beschreibenden Wendungen werden abwechselnd mit οὐκ εἰδώς und ἀκουσίως wiedergegeben. Mit letzterem wird die griech. Rechtsterminologie vom φόνος ἑκούσιος und φόνος ἀκούσιος aufgenommen.

Land durch Blutschuld entweiht. Sie wurden unrein durch ihre Taten und trieben Unzucht durch ihre Vergehen. Da entbrannte der Zorn des Herrn gegen sein Volk... er gab sie in die Hand der Völker". Hier ist das dtr Geschichtsbild bereits verbunden mit der Verletzung des 5. und 6. Gebotes. Der traditionsgeschichtliche Kontext entspricht dem des Dekalogs (Landbesitz).

Die Verbindung lebt unabhängig von der Kombination im Dekalog fort, und zwar in Teez Sanb H 15,3; L 20 (bei Sabbatgeboten: „Wer schlägt oder tötet oder Unzucht treibt, soll sterben"); Test Abr K. 10 (μοιχεύοντα γυναῖκα ὕπανδρον... ποιῆσαι φόνον; der „einsame Ort" entspricht der Tradition von Dt 19; Nu 35); Teez Sanb H 16,18f (Und der Mann, der eine Seele tötet, sterben wird er. Und der Mann, der ehebricht mit dem Weibe seines Nächsten, sterben wird er – in einer Reihe von kultisch verunreinigenden Delikten); Pers. Dan Apk (Wünsche II,72) (ein Mann wird zum Weibe seines Nächsten kommen, und sie werden die Menschen töten); Jak 2,11; Kerygma Petri H II,43 (H-S II,76); Schatzhöhle 16,24 (enthaltsam bleiben, kein Weib nehmen noch Blut vergießen);

In Dt 19,10b wird die Vorstellung, daß auf dem ganzen Volk Blutschuld laste, nicht übernommen, sondern ersetzt durch οὐκ ἔσται ἐν σοὶ αἵματι ἔνοχος. Für Nu 35 ist noch hervorzuheben die LXX-Wortneubildung φονοκτονεῖν für חנף in V. 33, das sonst noch in Ps 105 (106), 38 für die Befleckung der Erde mit Blut und dessen Substantiv in 1 Mkk 1,24 für das Gleiche verwendet wird. – Die Versio B von Jos 20 gibt die Verse 4-6 nicht wieder und statt dessen nur eine kurze Inhaltsangabe in V. 3, die aus V. 9 entlehnt ist.

In Ex 21,13 hat LXX ὁ φονεύσας und setzt damit diesen Text nachträglich in Beziehung zu den Asylstadtverordnungen.

Targum Onkelos übersetzt das 5. Gebot mit לא תקטול נפש. Diese Übersetzung von רצח entspricht der in Dt 22,26, wo aber נפש schon vorgegeben war. – Offensichtlich liegt bei dieser Übersetzung des 5. Gebotes eine Angleichung an das häufig begegnende hebr נכה נפש vor, das T.O. übersetzt: קטל נפש. Hebr רצח und נכה sind daher in den Asylstadttexten beide gleichförmig durch קטל wiedergegeben. Während in Dt 19 das hebr ומת in V. 12 noch entsprechend mit וימות wiedergegeben wurde, hat 19,6 bereits דין דקטול. Noch verstärkt ist diese Tendenz in Nu 35, wo sowohl רצח als auch מות als auch נכה durch קטל übersetzt werden (so schon Dt 19,6; Nu 35,11.15.30). In 35,16.17.18.21 wird zwar מחהי übersetzt, aber dann näherhin als קטל bestimmt. Eine Ausnahme bildet lediglich Nu 35,22-24. Hier liegt die einzige Stelle in den Asylstadttexten des T.O. vor, an der von einem nicht vorsätzlichen Totschläger (24: מחיא) ausdrücklich die Rede ist. Entsprechend heißt der Tod in V. 23 auch ימות. Dagegen ist ab V. 25 wieder ausschließlich von קטל die Rede.

Durch die Übersetzung der auf רצח stehenden מות־יומת-Strafe mit קטל waren

Ps. Clem Hom VIII,23; Ps.-Heraklit, 7. Brief 3,5; Slav Bar 8; in *katalogartigen Aufzählungen* in Kerygma Petri H XI (H-S II, 78f): (Unrecht ist Mord, Ehebruch, Haß, Habgier); Thomasakten K. 76; Paulus Apk K. 5 (Gottlosigkeiten, Hurereien, Morde) (– in K. 18 ist der atl Bezug auf das Land erhalten: „ich habe getötet, ihr Blut auf die Erde vergossen, mit anderen gehurt"); Petrus Apk H-S II,475f; Ps. Heraklit 7. Brief 4,4; äth Apk Mariae Virg 123 (K. 23).

b) Die Auslegung des 5. Gebotes durch Gen 9,6

Josephus ersetzt bei seiner Wiedergabe von Gen 9 die Stelle Gen 9,6 in Ant I,102 durch eine freie Wiedergabe des 5. Gebotes (σφαγῆς ἀνθρωπίνης ἀπέχεσθαι καὶ καθαρεύειν φόνου); bei Philo steht solche Verbindung im Hintergrund von Spec Leg III,83f; Decal 133. In Spec Leg III,150 formuliert Philo zu Nu 35,33 in Übereinstimmung mit der Tradition von Gen 9,6; Hebr 9,22 und Jub 21,20: αἵματι γὰρ αἷμα καθαίρεται. Diese Regel ist bei ihm von den Asylstadtgesetzen gelöst. – Vergießen von Menschenblut und Blutgenuß werden gegenüber Gen 9,4-6 sehr eng verbunden in Jub 7,27b-33: gewaltsamer Tod ist die kollektive Strafe. Die Grundregel ist V. 30. Als Mittel, auf der Erde vergossenes Blut zu bedecken, wird angegeben: tut Almosen für eure Seelen. Die Sühnung von Blut durch Almosen ist wichtig für die spätere Verbindung von Gen 9,6 mit dem Verhalten gegenüber dem Nächsten, das sich in Slav Hen 59.60 findet (Kasuistik, die jedes Vergehen als Sich-Schaden an der eigenen Seele deutet und analog zu Antithese I der Bergpredigt das Reden gegen jemanden einschließt)[1].

alle Texte dieser Art auf dem Niveau von Nu 35,30 interpretiert worden: Der Schuld entspricht die Strafe (Dt 19,6; Nu 35,16.17.19.21.27).
In Dt 19,10 wird statt des hebr דמים (Blutschuld) übersetzt „Schuld der Strafe des Todes" (חובת דין דקטול). In den hellenistisch-jüdischen Texten wird רצח sehr oft (besonders bei Philo) mit ἀνδροφονεῖν bzw. ἀνδροφόνος übersetzt. In der LXX findet sich dieses Wort nur in den jüngsten Schichten, das Verb in 4 Mkk 9,15, das Substantiv in 2 Mkk 9,28. Ein ntl Beleg ist 1 Tim 1,9: ἀνδροφόνοις. In Jub und Hen wird das äth Verb qătălă verwendet; Sir 34 gebraucht ἐκχεῖν αἷμα, andere Texte auch ἀναιρεῖν. Die Einheitlichkeit des LXX-Stils ist also in diesem Punkte nicht bewahrt worden. In der Wiedergabe durch ἀνδροφονεῖν ist richtig erkannt worden, daß רצח auch im MT nur zum Töten von Menschen verwendet wird.

[1] In rabb. Tradition werden Mord und Gottebenbildlichkeit besonders ver-

Die Tradition von Nu 35,31.33 wird auch ausgelegt in Jub 21,17-20 (Asylstädte und Hohepriester fehlen!). – Nach SibIII,307-313 wird Babylon erfüllt werden πάλιν αἵματος, wie es selbst das Blut der Gerechten vergossen (ἐξέχεας), das jetzt noch zum Himmel schreit. – Ein Nachklang von Gen 9,6 ist auch der Gerichtsgrundsatz in Test Abr Rez A p. 92 Z.9f.

c) Die Sühnung unschuldig vergossenen Blutes

Der Themenkreis Befleckung des Landes / Tötung Unschuldiger / Sühnung unschuldigen Blutes / Tod des Hohenpriesters lebt besonders im Rahmen des dtr Geschichtsbildes fort: das Blut der unschuldig getöteten Gerechten ist noch nicht gesühnt und verlangt nach Rächung. Diese kann aber nur durch die Bestrafung der Mörder erfolgen. Diese wird im Endgericht geschehen; vgl. 6 Esr 1,8f; Hebr 12,24; 5 Esr 1,32; nach Slav Bar 8 muß die Sonne jeden Abend gereinigt werden „wegen der Morde auf der Erde" (Land!). In Mt 23,35 nehmen die Juden insgesamt die Schuld vom Blute Abels an auf sich für alles gerechte Blut, das „auf dem Lande = ἐπὶ τῆς γῆς (Land!) vergossen wurde". Nach dem dtr Geschichtsbild, das hier angewandt wird, bezahlen sie diese Schuld mit der Zerstörung Jerusalems. In der von Vassiliev ed. Palaia p. 240 werden Sozialgebote den Dekaloggeboten vorangestellt. Darin wird das 5. Gebot wiedergegeben: ἀθῷον καὶ δίκαιον οὐκ ἀποκτενεῖς. Den Schluß der Reihe bildet die bezeichnende Formel: καὶ ἡ γῆ συσσείσεται ἀφ' αἵματος τοῦ πλησίον σου. Der Bezug zur Verunreinigung des Landes ist auch hier noch bewahrt. Noch weiterhin mit der Befleckung des Landes verbunden ist das 5. Gebot in der jüd.-hell. Grundschrift der Paläa p. 193 (ed. Vassiliev), in der die Tat Kains gekennzeichnet wird: φόνον ἀπετέλεσεν ... γῆν ἐμίανεν.
Die Vorstellung vom sühnenden Hohenpriester aus Nu 35 ist ev. die Voraussetzung für die Christologie des Hebr und für die Aussage über den levit. hohenpriesterlichen Messias in Test Rub 6,12: ὅτι

knüpft in Mek Bachodesch 8,72ff: Wer mordet, vermindert die Gottebenbildlichkeit: „man vermindert dadurch Gott und fügt ihm Schande zu". Mord ist Gotteslästerung, weil der Israelit Gottes Abbild ist. Weil das Gebot „Du sollst nicht töten" Überschrift der zweiten Tafel ist, kann das ganze ethische Leben in der Forderung nach Achtung der Gottgleichheit zusammengefaßt werden. Vgl. dazu J. Jervell, Imago Dei, 95f.

ὑπερ ἡμῶν ἀποθανεῖται. – Philo begründet die Asylstadtgesetzgebung mit gegenüber Nu 35 noch sehr viel weiter entwickelten Reinheitsvorstellungen[1].
Auch Ps.-Phok 4b; 5 Esr 1,24 sehen Töten als Verunreinigung an.

d) Töten verunreinigt den Sabbat

Vgl. dazu schon oben Teez Sanb H 15,3; L 20, ferner ganz ähnlich formuliert Jub 50,12-13; Philo Vit Mos II,214 (apologetische Begründung für Nu 35,32ff).

e) Einordnung sozialer Vergehen unter das 5. Gebot

Eine Vorbereitung zeigt sich in der Verbindung von רצח mit Vergehen gegen sozial Niedrige (Jer 7,6 usw.). Diese Tradition lebt ungebrochen fort in Sir 34,22 (Vgl. V. 20; Arme, Nächste, Tagelöhner): eine Reihe von Sozialdelikten wird als Blutvergießen be-

[1] Im Aufbau hält er sich an die Gliederung von Ex 21,12ff, dem Inhalt nach bringt er aber ständig Nu 35 damit in Zusammenhang, was zu zahlreichen Schwierigkeiten und Überlagerungen führt, die er durch sekundäre Vorstellungen ausgleichen muß. Das 5. Gebot aus LXX selbst wird nie zitiert, da Philo fast immer nur ἀνδροφονεῖν gebraucht. Ebenso bleiben die Texte Dt 19, Dt 4 und Jos 20.21 unberücksichtigt. Eine Voraussetzung für die Verknüpfung von Ex 21 und Nu 35 ist im MT nicht gegeben und erst durch die LXX ermöglicht, die in Ex 21,13 φονεύειν (und in 14 ἀποκτείνειν) verwendet. – In Spec Leg III,83-91 wird zunächst Ex 21,12.14 ausgelegt. Mit Hilfe von Gen 9,6 wird Mord als ἱεροσυλία erwiesen, weil dieses Vergehen vom Asylrecht ausgeschlossen ist. Nach Spec Leg III,88 geschieht diese Flucht ins Heiligtum nicht nur aus δειλία, sondern auch aus θράσος, denn der Täter erwartet, daß auch Gottes Feinde dort Straffreiheit hätten. Das aber ist unmöglich: πᾶς γὰρ ἀνίατα δρῶν ἐχθρὸς θεοῦ. Das ἀνίατος ist vermutlich aus Platon, Politeia 615e; Phaidon 113e; Gorg 525b entnommen und damit zu begründen, daß ein Mord nicht mehr rückgängig zu machen ist.
Die weiteren Begründungen für die Verweigerung des Asyls entstammen kultischen Traditionen; Reinheits- und Unreinheitsvorstellungen, die nicht in Alexandrien gebildet worden sein können, sondern die Nähe desTempels voraussetzen, fundieren diese. In 88 wird, was LXX noch nicht gekannt hatte, der Begriff ἀσυλία eingeführt. Die Begründung der Ablehnung einer Flucht in das Heiligtum ist hier: Wenn schon das Volk sich waschen muß bevor es in den Tempel geht, wieviel weniger rein ist dann der Mörder. Daher ist das Flüchten in den Tempel παρανομία und ἀσέβεια, die zum Vergehen des

zeichnet (vgl. 27,15). In Sir 22,24 wird vor λοιδορίαι gewarnt, weil sie zu αἷμα führen (vgl. dazu Slav Hen 60 und Antithese I). – Ebenso behandelt Philo in Spec Leg III,204 Ex 21,17; Dt 24,6 unter dem Stichwort ἀνδροφονία.

In katalogartigen Aufzählungen in Syr Bar 73,4 (bald aufhören werden: Prozesse, Anklagen, Streitigkeiten, Rachetaten, Blut, Begierden, Neid, Haß); äth Hen 99,15 (Unrecht, Gewalttätigkeit, den Nächsten töten – wǎjǎqātělū bīṣōmū –) vgl. 100,2 und den Kontext sozialer Vergehen ab 99,11 vgl. 95,5f. – Ferner: Sir 40,9; Philo Leg Gai 302; Conf Ling 117; Spec Leg IV,84; Decal 170.

Mordes noch hinzukommen. Nicht aber sollen wegen des einen die vielen ausgeschlossen sein vom Tempel, denn sie würden nicht in das Heiligtum gehen, solange er darin ist (weil er das Heiligtum verunreinigt, sie selber dann auch unrein würden) (90). Auch sei die Flucht verwehrt, damit nicht die Verwandten den Mörder im Heiligtum töten und das reine Opferblut mit seinem unreinen vermischt würde (91). Die Asylstädte seien dagegen gedacht für solche, die μὴ ἑκουσίῳ γνώμῃ jemanden umgebracht hätten (120). Damit bezieht Philo den Täter von Ex 21,13 auf die Asylstadtgesetze in Nu 35,25ff. Was in Nu 35 auch für die LXX für den schuldigen Mörder galt, wird von Philo umgedeutet auf den unschuldigen Totschläger, „in dessen Hand es Gott gab (ὁ θεὸς παρέδωκεν εἰς τὰς χεῖρας Ex 21,13 LXX)“, was Philo wiedergibt mit παραδεδόσθαι ὑπὸ θεοῦ χερσὶν ἀνδροφόνοις. Philo muß dann aber begründen, warum ein Unschuldiger in die Städte fliehen und vor allem warum er bis zum Tod des Hohenpriesters dort warten muß (denn diese Schwierigkeit ergibt sich ja bei einer Harmonisierung mit Nu 35). Die Lösung gibt Philo mit Hilfe von gesteigerten Reinheitsvorstellungen. In deren Zusammenhang werden die in Lev 21,11 nur für den Hohenpriester geltenden Reinheitsvorschriften auf alle Angeredeten übertragen, ein Vorgang, der sich bei der spätjüdischen Interpretation des 6. Gebotes wiederholt. – Zunächst muß Philo begründen, was es heißt, „von Gott mörderischen Händen übergeben werden“. Der Täter nach Ex 21,13 habe einen Schuldigen getötet, der auf diese Weise vor den „Richterstuhl der Natur (τῆς φύσεως δικαστήριον)“ gezogen worden sei. Aber eine Befleckung entsteht bei ihm dennoch, weil er einen Toten berührt hat. Diese Befleckung ist ἀδηλούμενον und βραχὺς πάντως, und sie ist verzeihbar und vergebbar. Er hat Weniges und Heilbares gesündigt (ὀλίγα καὶ ἰάσιμα διαμαρτάνων) und vollstreckt so die Strafe an denen, die unsühnbare Verbrechen begingen, als ὄργανον ἐπιτήδειον, aber als nicht ganz reines. Daher muß dieser unfreiwillige Töter in die Verbannung fliehen (123). In Ex 21,13b wird aus Nu 35 die 6-Zahl der Asylstädte hineininterpretiert. Der Aufenthalt dort ist die Strafe für eine gewisse Schuld, denn er hat ja „Mord berührt (φόνου προσάψηται 122)“. Diese Schuld wird dem unabsichtlichen Töten zugemutet, obwohl Philo zugeben muß, daß die Versündigung nur gering sein kann.

Die Begründungen, die Philo für den Zwangsaufenthalt in den Asylstädten gibt, sind sehr aufschlußreich für sein Verständnis des 5. Gebotes:

f) Die Frage nach der Gesinnung beim Töten

Vgl. dazu Syr Bar 73,4. Die Nähe von Neid und Haß zu Blutschuld hat ihre Wurzel in der Betonung der feindseligen Gesinnung in Nu 35,20-21. Nach Philo Spec Leg III,86 ist auch geplanter Mord, der nicht ausgeführt wurde, Mord. Zwischen das unfreiwillige und das mit Hinterlist geplante Töten schiebt Philo das aus momentaner Gefühlsaufwallung kommende, das er der Exegese von Nu 35,16-18 entnimmt (Spec Leg III,92.104); syr Didask 3.

I. Der levitische Stamm habe diese Städte erhalten wegen seines Hasses gegen das Schlechte und als Lohn für das Töten des ungehorsamen Volkes am Sinai. „Daher befiehlt (κελεύει) das Gesetz ihm (sc. dem Täter von Ex 21,13), zu fliehen, in Erinnerung daran (ὑπομιμνήσκειν), was jenen freiwillig Tötenden (ἑκουσίως ἀπεκτονόσιν) gegeben wurde". Hier wird also das absichtliche Töten aus gutem Grund betont; daher heißt es auch in 128: μὴ πᾶσαν ἀνδροφονίαν ἐπίληπτον, ἀλλὰ τὴν σὺν ἀδικίᾳ μόνην εἶναι. Damit ist das Problem gegenüber den atl Texten verschoben. Hier ging es in älteren Traditionen nur um die Frage freiwillig-unfreiwillig. Philo bringt an diese Texte die Frage des erlaubten Tötens heran (ähnlich wie Nu 35,27.30 – allerdings unvergleichbar, da dort ganz aus rituellen Vorstellungen).
II. Die Hand des unabsichtlichen Mörders (hier wird wieder diese Angabe betont) hat zwar der Dike gedient, aber ins Heiligtum darf er nicht fliehen, da er ja nicht rein ist (auf Grund der Voraussetzungen, die Philo aus seiner Exegese von Ex 21,14 gewonnen hatte), wohl aber in eine „Hieropolis", denn eine solche nimmt eine Mittelstellung ein zwischen einem Heiligtum und einem unheiligen Ort und gibt doch ausreichenden Schutz vor den Verwandten des Toten (130). Die Asylstädte sind ἱερὰ δεύτερα (Spec. Leg I, 159); dort hat er ἀσυλία wegen der Vorzugsstellung und Ehrenstellung der Bürger dort. Durch ihre Vorrechte schützen sie ihn vor stärkerer Gewalt. – Der atl „Bluträcher" wird wie bei Josephus immer durch συγγενεῖς, d.h. die Verwandten (sc. des Toten) wiedergegeben.
In Sacr Ab Cain 128 fügt Philo zu diesen Gründen noch weitere hinzu: In den Levitenstädten gelte, daß der σπουδαῖος sei τοῦ φαύλου λύτρον. Dort würden auf diese Weise die διαμαρτάνοντες gereinigt, und zwar durch das bloße Zusammenwohnen mit Unschuldigen! Deren Reinheit ist offenbar ebenso „ausstrahlend" vorgestellt wie sonst die Unreinheit, so daß die reinen und gerechten Leviten das Lösemittel sind für die Unreinheit der unfreiwilligen Mörder.
Außerdem seien auch die Leviten Flüchtlinge: ὡς γὰρ ἐκεῖνοι τῶν πατρίδων ἐλαύνονται, οὕτως καὶ οὗτοι κατελελοίπασι τέκνα, γονεῖς, ἀδελφούς, τὰ οἰκειότατα καὶ φίλτατα, ἵνα ἀντὶ θνητοῦ τὸν ἀθάνατον κλῆρον εὕρωνται. Dazu vgl. De Fug et Inv. 88: ἕνεκα ἀρεσκείας θεοῦ γονεῖς καὶ τέκνα καὶ ἀδελφοὺς καὶ πᾶσαν τὴν θνητὴν συγγένειαν ἀπολελοιπότες.
Bis zum Lebensende des Hohenpriesters muß der Täter in den Städten bleiben. Nach Spec Leg III,131 darf er aus Angst vor diesem (!) die Mauern nicht

g) Dem Mörder droht entsprechende Vergeltung

Dieser Grundsatz hat sich aus der Kombination des 5. Gebotes mit der Tradition von Gen 9,6 entwickelt und verselbständigt; er findet sich in Sib III,307-313; Jub 4,31; Mt 26,52b; Apok 13,10 (beide ntl Texte aus gemeinsamer Tradition); Lib Ant 27,11; Ps.-Menander 4.

verlassen. „Denn der Hohepriester ist der allgemeine Verwandte für das ganze Volk (ὁ πάντων κοινὸς ἀγχιστεύς), der Totschläger muß daher in ihm den Vorkämpfer und Streiter für die Getöteten sehen (ὑπέρμαχον καὶ προαγωνιστὴν τῶν ἀναιρεθέντων). – Die Vorstellung , daß durch den Tod des Hohenpriesters die Schuld vom Land weggenommen wurde (Nu 35), wird also nicht rezipiert, sondern durch eine eigenartige Konstruktion aus dem Material von Nu 35,25-28 ersetzt. – Eine weitere Begründung für den Aufenthalt in der Stadt wird im Schutz der Reinheit des Hohenpriesters gesehen: Er darf kein μίασμα berühren, und ihm geziemt es, auf die ἀκουσίως ἀπεκτονότας wie auf ἐναγεῖς herabzublicken. – In De Fuga et Inv. 106 wird die Anordnung, bis zum Tod des Hohenpriesters dort zu bleiben, allegorisch uminterpretiert. Als Grund für diese Deutung gibt Philo an, der Wortsinn bereite ihm Schwierigkeiten, da das Gesetz hier ungleiche Strafen verordne, da beim Tod des Hohenpriesters die einen kürzere, die anderen längere Zeit dort gewesen seien. Dadurch aber würde der Grundsatz der Gleichheit verletzt, was aber im Gesetz des Moses a priori nicht sein kann.
In Spec Leg III,205-207 begründet Philo Nu 19,11f aus dem Verbot des Tötens: „Eine solche Vorsorge aber wurde gemacht, dafür, daß niemand für jemanden schuldig des Todes sei, daß geglaubt wird, daß auch die einen toten Leib Berührenden, der ein natürliches Ende genommen hat, unrein seien, bis sie sich gereinigt haben". Denn wenn die Seele aus dem Leib weggenommen sei, bleibe das, was zurückbleibt, unrein, da der Leib, wenn er des göttlichen Abbildes, der Seele, beraubt ist, in seiner genuinen Unreinheit zutage tritt, denn die Seele ist sonst das ihn rein Machende. Alles aber, was das Unreine berührt, wird ebenfalls unrein. – Daher soll man einen Menschen nicht töten, um nicht an ihm unrein zu werden. Auch wenn man auf gesetzliche Weise tötet, wird man unrein: Nach Vit Mos I,313 befahl Moses dem Hohenpriester, der aus der Schlachtreihe kam, καθᾶραι τοῦ φόνου. Denn wenn auch die σφαγαί an den Feinden gesetzmäßig (νόμιμοι) seien, so scheine doch der Mensch, der tötet, wenn auch mit Recht in der Abwehr, schuldig zu sein (ὑπαίτιος εἶναι) wegen der obersten und gemeinsamen Verwandtschaft (διὰ τὴν ἀνωτάτω καὶ κοινὴν συγγένειαν) aller Menschen. Daher bedurfte es einer κάθαρσις. Die Reinheitstheorien werden hier selbst wiederum durch die stoische Lehre von der Verwandtschaft aller Menschen untereinander begründet.
Eine allegorische Deutung der Asylstädte findet sich nicht nur bei Philo, sondern auch in JosAs K. 19 p. 69,12: Asenaths neuer Name ist πόλις καταφυγῆς, weil durch sie die Heidenvölker zu Gott fliehen werden. Aus dem Kontext geht hervor, daß es sich um den Besitz des ewigen Lebens handelt:

§ 4 Das Verbot des Ehebruchs

Das Verb נאף[1] ist transitiv und wird nur im Zusammenhang mit einer verheirateten Frau verwendet; dabei wird es dann sowohl von der Ehefrau als auch vom fremden Mann gebraucht: das Handeln beider beteiligter Partner wird also gleichwertig beurteilt (Lev 20,10). Da das Verb transitiv ist, wird der Partner als Objekt vorgestellt (für Lev 20,10; Jer 29,23; Ez 23,27 ist את nicht durch „mit" zu übersetzen), wie aus Prov 6,32; Lev 20,10; Jer 3,9 hervorgeht. Das so bezeichnete Tun geschieht „unter" dem Ehemann (Ez 16,32). Der fremde Mann und die Ehefrau vergehen sich beide gegen ihn. Sein Recht, d.h. das des Ehemannes auf geschlechtlichen Alleinbesitz der Frau, soll durch dieses Gebot geschützt werden. Durch ihr Tun entzieht sich die Frau (und wird entzogen) dem alleinigen Besitz durch den Ehemann. נאף heißt: man veranlaßt jemanden, das geschlechtliche Besitzrecht des Ehemannes zu stören (der fremde Mann veranlaßt die Ehefrau dazu und diese den fremden Mann)[2]. חמד im 9. Gebot dagegen heißt: durch Machenschaften in seinen Besitz zu bringen versuchen; folglich geht es im 6. Gebot nicht darum, dem Nächsten seine Frau wegzunehmen. Daraus ist aber auch zu ersehen, daß es beim 6. Gebot um ein Tun geht, das sich der Offenkundigkeit vor Gericht entzieht. Denn im Gegensatz zu den Vergehen an Unverheirateten (Ex 22,15f; Dt 22,13-19), wo

Die Heidenvölker werden nicht bestraft, sondern erhalten so Sühnung (!) und ewiges Leben. Die Lebenszusage der Asylstadtgesetze ist also im weisheitlichen Sinne gedeutet.

[1] Spezialliteratur: J. Blinzler, Die Strafe für Ehebruch in Bibel und Halacha / Zur Auslegung von Joh VIII,5, in: NTSt 4 (1957/58) 32-47; W. Kornfeld, L'Adultère dans l'Orient Antique, in: Revue Biblique (1950) 92-109; N. Wahrmann, Das Ermittlungs-Verfahren gegen eine des Ehebruchs Verdächtigte (Untersuchungen über die Stellung der Frau im Zeitalter der Tannaiten; 1), Berlin 1933; O. Hammelsbeck, Du sollst nicht ehebrechen, in: Kraft und Innigkeit / Hans Ehrenberg als Gabe der Freundschaft im 70. Lebensjahr überreicht, Heidelberg 1953; H. J. Schoeps, Ehebewertung und Sexualmoral der späteren Judenchristen, in: Stud. Theol. II (1959) 99-101. Vgl. auch W. Kornfeld, in: „Studien zum Heiligkeitsgesetz", 1952, Kap II: „Zu den Ehe- und Keuschheitsvorschriften im Heiligkeitsgesetz".

[2] W. Richter a.a.O., 128 Anm. 23: „Die Eigentümlichkeit der Verben N'P und RSH scheint es vielmehr zu sein, daß das Objekt sich aus dem Verb ergibt... Entsprechend findet sich bei beiden Verben nur dann ein Objekt, wenn eine genaue Bezeichnung erforderlich ist, neigen beide Verben zu absoluter Partizipialbildung... Demnach ist die absolute Verwendung des finiten Verbs nicht unerwartet..., wenn sie auch nicht mehr häufig ist".

der geschehene Verlust der Jungfräulichkeit feststellbar ist und das Vergehen daher als Eigentumsdelikt geahndet wird[1], ist vorausgesetzt, daß bei einer Ehefrau dieses Kriterium fehlt. Daher handelt es sich wie beim 5. Gebot so auch hier um eine Mahnung für den Raum, in dem ein Vergehen nicht gerichtsoffenkundig zu machen ist. – Im Gegensatz zu נאף wird שכב mit אם konstruiert, ist nicht auf den Umgang mit einer Verheirateten bezogen und stellt kein in sich verbotenes Tun dar. Eine Bestätigung für unsere Deutung von נאף ist Nu 5,11-31: Die Nicht-Erweisbarkeit vor Gericht muß durch einen kultischen Offenbarungsprozeß ersetzt werden[2]. Möglicherweise ist die Art der Verfluchung, wie sie Lev 20,10 mit mot-jumat vollzogen wurde, durch diesen umständlichen rituellen Prozeß abgelöst worden: Bei illegalem שכב ist das ganze Bestreben darauf gerichtet, die entstandene kultische Unreinheit offenbar zu machen.

Das Verb נאף steht von Anfang an in enger Beziehung zum Hauptgebot bzw. zum Abfall zu anderen Göttern und wie das 5. Gebot zum Landbesitz, so in Lev 20,10 (vgl. 22-24: Land; am Ende der

[1] Vgl. Beer, Ex 115: zu Ex 22,15: „Sie (die Vergewaltigung eines unverlobten Mädchens) gilt als Eigentumsverletzung des Vaters. Der Verführer zahlt den Kaufpreis, durch den einst die Braut den Eltern abgekauft wurde und heiratet das Mädchen". Ebenso auch M. Noth, Ex (1959) und Baentsch, Ex 200. Dazu vgl. M. Noth, Lev (1962), 129: „Der singularisch formulierte mot-jumat-Satz ist auf den ehebrechenden Mann bezogen, erst nachträglich in V. 10bb ist auch die betreffende Frau mit einbezogen worden auf Grund der wohl jüngeren Auffassung, daß sie nicht nur als Objekt, sondern zugleich mit als Subjekt der Ehebruchshandlung zu betrachten sei".

[2] Nu 5,11-31: Der Text ist bekanntlich eine Kombination zweier verschiedener Toroth; deren eine handelt vom Fall des Ehebruchs, der vermutet wird, wegen Mangels an Zeugen aber nicht bewiesen werden kann und nun durch das Eintreffen eines priesterlichen Fluches offenbart und gesühnt wird.

Die 2. Schicht behandelt, noch hinzukommend, den Fall der Eifersucht des Mannes, unabhängig davon, ob die Frau sich verunreinigt hat oder nicht. – Schicht I umfaßt die Verse 12.13.15.18.21.23.24.25bb.26.27b; Schicht II die Verse 14.16.17.19.20.22.23.25aba.27a.26. – Beide Schichten setzen voraus: 1. daß der Umgang der Ehefrau mit einem fremden Mann Verunreinigung bedeutet (13b.14ab.19.20.28.29); 2. daß das Tun der Ehefrau ein Vergehen ist, das, wenn Zeugen fehlen (V. 13), auf „empirischem" Wege nicht erweisbar ist; 3. daß daher zur Offenbarung und zur Sühnung dieses Vergehens der Weg über die kultische Verfluchung beschritten werden muß. – Die Schuld wird, wenn sie vorhanden ist, sich zeigen im Anschwellen des Bauches und im Einfallen der Hüften.

Reihe); Jer 3,8f; Hos 4,2; dann in Slav Hen 18,5; 34,2; weil das Land verunreinigt werden kann, deshalb ist der Landbesitz bei נאף in Gefahr; mit anderen Göttern Ehebruch treiben heißt: den Gott verlassen, der Israel das Land gab. Zugrundeliegend ist jedenfalls die Anschauung, daß נאף kultisch verunreinigend ist.

Die große Nähe zum Götzendienst, die dem Verb נאף von Anfang an inne ist, kommt später vor allem darin zum Ausdruck, daß das Heiraten nicht-israelitischer Frauen als נאף bzw. als Unzucht bezeichnet wird. Mit der Heirat solcher Frauen aber ist naturgemäß die Gefahr des Abfalls zum Götzendienst gegeben. Da insbesondere bei den Propheten der Abfall von Jahwe weitgehend durch נאף umschrieben werden kann, ist zu fragen, ob das Verb נאף wirklich primär und ursprünglich die Rechte des Ehemannes schützen will, ob also die Grenzen, deren Überschreitung durch dieses Verb gekennzeichnet wird, wirklich nur die Grenzen der Familie sind. Das ehebrecherische Verhältnis Israels zu anderen Göttern ist jedenfalls möglicherweise auch so zu deuten, daß Israels Männer die heidnischen, d.h. *fremde* Frauen heiraten. Das Heiraten einer „fremden" Frau aber, die außerhalb des israelischen Volksverbandes steht, würde dann durch נאף bezeichnet. Erst die sekundäre und abgeleitete Bedeutung wäre „ehebrechen", die primäre hingegen: mit familien-, sippen- oder stammesfremden Personen geschlechtlich umgehen bzw. sie heiraten, also: das Heiraten der fremden Frau, bzw. des fremden Mannes.

In Lev 20,10 begegnet das Verb in einer Reihe über den Schutz der Familie. Durch V. 7.8 wird die Einhaltung dieses Verbotes als Heiligung bezeichnet. Während in Lev 20,10 noch das geschlechtliche Besitzrecht und die Ehe des Nächsten geschützt werden, wird dieses Delikt in Lev 18,20 (aus Lev 20,10 entlehnt)[1] ganz als Verunreinigung gedeutet; entsprechend wird statt נאף gebraucht נתן שכבתה (ebenso in 18,23!), statt רע der nur in P vorkommende עמית[2].

[1] Daß Lev 20 auf den Anhang zum Grundbestand von Lev 18 gewirkt hat, wird durch folgende Beobachtungen wahrscheinlich gemacht: Lev 18,21 aus 20,2; 18,22 aus 20,13; 18,23 aus 20,15. – Lev 18 hat die Tendenz, über den Urbestand hinaus möglichst alle Arten von Unzucht zu erfassen, die fehlenden übernahm der Red. aus Kap. 20.

[2] K. Elliger, a.a.O., 267: „Diese Reihe ist nicht auf den Schutz der weiblichen Mitglieder der Großfamilie wie 18,7ff in seiner Grundform, auch nicht auf Ehehindernisse und alle möglichen Formen der Unzucht wie 18,7ff in seiner jetzigen Form spezialisiert...".

Vor allem aber wird die Folge des Tuns als Verunreinigung bezeichnet, so, wie in Lev 15 jede Art von Samenerguß und -fluß, wie in 18,25 der Umgang mit dem Tier; in 19,31 das Befragen von Totengeistern und in 22,8 das Essen von Verendetem. Damit ist „Ehebruch“ in die Ebene der Vergehen gegen den Nächsten und sein Recht noch nicht – wie in Prov und Dtr – hineingestellt und nur in kultischer Perspektive gesehen. Daher hat auch das 6. Gebot in Lev 19 kein inhaltliche Entsprechung mehr.

In Dt 22,22 wird Lev 20,10 rezipiert inmitten von kasuistischen Bestimmungen eherechtlicher Art[1]. Der nächste formal verwandte Satz findet sich in 24,7. Der Vers gehörte ursprünglich mit Dt 22,22 zusammen und wurde nur wegen des geschlossenen thematischen Zusammenhanges, der bis Dt 24,6 reicht, erst jetzt gebracht.

In Dt 22,22 und 24,7 wurden die beiden Hauptvergehen gegen Besitzrecht und Freiheit des Nächsten wie in der Abfolge des 6. und 7. Dekaloggebotes zusammengefaßt. Diese Abfolge findet sich auch im 9. und 10. Dekaloggebot analog dazu und in Prov 6,29.30f; Hos 4,2; Ps 50,8; Ps.-Menander 39f.

Von den beiden Elementen in נאף, Delikt gegen das Recht des Nächsten und Sexualvergehen mit Folge der Unreinheit, wird das zweite Element in der prophetischen, dtr und levitischen Tradition dominierend; das erste Element fällt nie ganz aus und erhält sich besonders in den Verbindungen mit dem 7. Gebot.

Das 6. Gebot ist primär zum Schutz des Ehegatten formuliert – darauf weist schon die Formulierung als Prohibitiv im Rahmen des Standesethos. Aber die Parallelen zum Gebrauch von נאף heben die

[1] נאף wird hier nicht mehr verwendet, wohl aber fehlt die unmittelbar kultische Interpretation. Im ganzen Zusammenhang erfolgt die Zusammenstellung alter Texte nicht nach formalen, sondern nach thematischen Gesichtspunkten und durch Stichwortverbindungen. Den größeren Rahmen bilden drei ältere Kasus mit der Einleitung כי יקח איש אשה in 22,13; 24,1 und 24,5. Durch Stichwortanknüpfung zu diesen Kasus-Einleitungsformeln ist das Kap 23 wegen des einleitenden Prohibitivs לא יקח איש אשה hier eingefügt. – In Kap 22 sind an den Kasus 13-21 durch 23-27 und 28-29 zwei weitere angefügt, die wie jener den Fall des Verlustes der Jungfrauschaft vor der Ehe behandeln, aber unabhängig von dann erfolgter Eheschließung (Gegensatz zu 13-21). – Durch den Einschub von V. 22 wird aus einer Zusammenstellung über Fälle des Verlustes der Jungfrauschaft vor der Ehe eine solche, die überhaupt unerlaubten Geschlechtsverkehr zwischen Mann und Frau, die nicht verwandt sind, betrifft. Dabei ist zu beachten, daß das Phänomen „Großfamilie“, das noch in den Reihen von H und in Dt 27 herrscht, aus dem Blick verloren ist.

Folgen für den Landbesitz (z.B. Lev 18) und die Verunreinigung des Landes so sehr hervor, daß offenbar der Schutz des Eigentumsrechtes nur einen Teil dieses Verbotes erfaßt.
Nun könnten jene Texte, die das 6. Gebot im Zusammenhang mit dem Landbesitz erwähnen, immerhin noch die Funktion haben, dieses für die Integrität des Sippenverbandes bedeutsame Ethos auf radikal wirksame Weise zu sanktionieren: In dieser Verbindung von Ehebruch und Landverlust würden sich dann Ansätze zeigen, die in der dtr Theologie voll ausgebaut werden. Allein, die häufige Erwähnung von נאף im Zusammenhang mit Götzendienst legte nahe, anzunehmen, daß es sich nicht ursprünglich um ein Verbot zum Schutz der Rechte des einzelnen Ehemannes handelte, sondern um ein Verbot, sich mit der stammesfremden Frau einzulassen, da dieses politische und religiöse Gefahren mit sich brachte. Eine Interpretation auf das Verhalten zur „fremden Frau", insofern sie lediglich die Frau des Nächsten ist, ist dann leicht vorstellbar, und zwar im Zuge der sozialen Veränderungen, die den Blick von Stammesverbänden auf Einzelfamilien gleichen Stammes hin lenkten. Dieser Beobachtung über die ursprüngliche Bedeutung von נאף entspricht auch die Warnung vor der „fremden Frau" in der Weisheitslit (Prov 7,5ff מאשה זרה מנכריה)[1]. die als Ehebrecherin geschildert wird. Auch in weisheitlichen Texten, denen die prohibitivische Formulierung entspricht, zeigen sich noch Reste davon, daß es sich um eine „Fremde" handelt.

Während Joseph sonst häufig als Vorbild für die Einhaltung des 6. und 10. Gebotes dargestellt wird, wobei diese Gebote jeweils ausdrücklich zitiert wurden, erscheint Joseph in JosAs K. 7 als Bewahrer des Gebotes, sich vor fremden Frauen zu hüten (φυλάξατε... ἀπὸ γυναικὸς ἀλλοτρίας... ἡ γὰρ κοινωνία αὐτῆς ἀπώλειά ἐστι καὶ διαφθορά). Die Warnung vor der fremden Frau nimmt formgeschichtlich eine sehr ähnliche Stellung ein wie das Verbot des Ehebruchs. Aus der Reaktion der Eltern Asenaths („sie ist keine Fremde, sondern unsere Tochter, hassend jeden Mann...") geht hervor, daß in dem Begriff der „fremden Frau" Sippenzugehörigkeit und sexuelle „Zuverlässigkeit" gleichermaßen negiert werden: Asenath ist noch Jungfrau.

[1] Die beiden Attribute kennzeichnen die Frau als stammesfremd, vgl. zu זרה: Ex 30,33 (wie ξεῖνος b. Herodot 9,11); Ps. 109,11; Hos 7,9; 8,7; אל זר ist ein fremder Gott eines fremden Volkes (Ps 44,21; 81,10), – aus einer anderen Familie bzw. der Nicht-Levit in Lev 22,10; – im Sinne von Ehebrecherin so auch in Prov 2,16; 5,3.20; 7,5; 22,14. – Auch נכר bedeutet „der Fremde" (Gen 17,12 usw.), „fremde Götter" in Gen 35,2; „das Fremde" mit Bezug auf Götzendienst in Neh 13,30; 2 Chr 14,2. – Beiden Bedeutungen ist der Bezug auf den anderen Kult inne, der auch für das mit נאף bezeichnete Vergehen fundamentale Bedeutung hat.

In der späteren Paränese lebt dieses Element dadurch fort, daß mit Unzucht sehr häufig Mischehen bezeichnet werden. – Die kultische Bedeutung von נאף ist daher wohl abhängig von der sozialen Bedeutung, die ein solches Tun für die Stammesgemeinschaft hatte. Dabei steht das Institut der „Ehe" offenbar nicht im Vordergrund, vielmehr geht es um jegliche (stets sexuelle) Verbindung mit der „anderen" verheirateten Frau.

Traditionen der Auslegung[1]

a) Die zunehmende Einbeziehung des 6. Gebotes in den Bereich kultischer Reinheit

Ehebruch mit den Frauen der Volksgenossen steht im Zusammenhang mit dem Abfall von Jahwe in Jer 5,7a; 29,23.

Diese Verbindung von Ehebruch und Götzendienst lebt auch im Judentum fort. Diese Frage gewann nicht nur besondere Aktualität bei der Frage der Mischehen (= „Unzucht"), sondern blieb auch in der grundsätzlichen Zuordnung beider Größen erhalten.

[1] Die LXX übersetzt נאף mit μοιχεύειν, μοιχεύεσθαι und konstruiert mit Akkus. – In Lev 20,10 wird die Dittographie durch verschiedenartige Übersetzung ausgeglichen: ἄνθρωπος ὃς ἂν μοιχεύσηται γυναῖκα ἀνδρὸς ἢ ὃς ἂν μοιχεύσηται γυναῖκα τοῦ πλησίον. שכב wird mit κοιμᾶσθαι wiedergegeben. Ez 23,37 übersetzt: τὰ ἐνθυμήματα αὐτῶν ἐμοιχῶντο statt MT: Sie haben Ehebruch getrieben mit ihren Götzen. – Lev 18,20 ist übersetzt: ἐκμιανθῆναι πρὸς αὐτήν. In der Bedeutung von Ehebruch begegnet πορνεία in Sir 23,23 (ἐν πορνείᾳ ἐμοιχεύθη) und Test Jos 3,8 (εἰς πορνείαν με ἐφελκύσατο sc. die Ägypterin Joseph). Daß „die Satzungen über die Ehe" beim Ehebruch übertreten werden, erwähnt Philo in Spec Leg III,30 (θεσμοὺς παραβᾶσα τοὺς ἀρχαίους), 61 und 63. Damit ist nicht der Vertrag beim Eheabschluß gemeint, sondern das 6. Gebot. θεσμός begegnet nach Stephanus (Thesaurus) und Leisegang (Philo-Indices) immer in großer Nähe, wenn auch in Unterschiedenheit, zu „νόμος". In Ant III,274 gibt Josephus das 6. Gebot wieder: μοιχείαν μὲν εἰς τὸ παντελὲς ἀπεῖπε. Es sei zum Nutzen der Männer und der rechten Abstammung der Kinder gegeben. In Ant 7,131 fügt er in den Bericht der Davidsgeschichte ein: ἀποθανεῖν γὰρ αὐτὴν κατὰ τοὺς πατρίους καθήκει νόμους μεμοιχευμένην. Eine aufschlußreiche Formulierung findet sich in Test Abr Rez A 10 (p. 88). Abraham sieht ἄνδρα μετὰ γυναικὸς εἰς ἀλλήλους πορνεύοντας. Die Unzucht tut man „mit" einem, aber beide gegeneinander; parallel ist die Formulierung in Lib Ant 25,10: mechati sumus alterutrum in mulieres nostras; vgl. dazu Mk 10,11: μοιχᾶται ἐπ' αὐτήν. In der Test Abr Rez B 12 (p. 116) sieht Abraham ἄνθρωπον μοιχεύοντα γυναῖκα ὕπανδρον und sorgt dafür, daß beide von Feuer verschlungen werden.

Nach Lib Ant 25,10 besteht in einer Reihe von Vergehen des Götzendienstes das Vergehen des Stammes Gad darin, daß sie von sich sagen müssen: nos mechati sumus alterutrum in mulieres nostras (vgl. dazu das ἐπ' αὐτήν in Mk 10,11).
Wie in Mk 10,19 am Schluß einer dekalogähnlichen Reihe erscheint das 4. Gebot in der Offenbarung des Moses K. 49 (Gaster 584): Feuer und Würmer sind die Strafe für die, die begangen haben Ehebruch, Sodomie, Götzendienst und die verfluchten ihre Eltern.
In der Reihe kultisch verunreinigender Delikte in Teez Sanb H 16,18f L 21 steht der Ehebruch mit des Nächsten Weib an erster Stelle nach dem Delikt des Götzendienstes. Der Satz ist im Stil der mot-jumat-Sätze formuliert: wăbă'ĕsī zăjĕzēmū bă'ĕsītā bīṣū lăjmūt (Und der Mann, der hurt mit dem Weib seines Nächsten, soll sterben). In der von H zugrundegelegten HS geht ein Satz über das Töten voraus. Damit zeigt sich die traditionelle Zuordnung beider Delikte zum Thema Unreinheit.
Götzendienst und Ehebruch stehen nebeneinander auch in Teez Sanb H 28, 2-3: Unter denen, die in der Wüste starben, waren viele, die nicht „Götzendienst und Unzucht trieben".
In dem dekalogähnlichen Lasterkatalog der Paulus Apk K 6 stehen Hurereien und Ehebrüche am Beginn einer Aufzählung von Abstrakta; in der Reihe in Offenb des Moses K. 49 (Gaster 584) lautet die Abfolge: Ehebruch, Sodomie, Götzendienst, Mord, (4. Gebot). Die Verbindung von Ehebruch und Götzendienst atl Ursprungs findet sich ebenso im äth Buch der Engel L 53: Unzucht, Ehebruch, Götzendienst... Verkehrung des Gerichtes. In Test Jakob (W. E. Barnes p. 153) sieht der Patriarch „adulterers and adulteresses (dann werden verschiedene Formen von Unreinheit aufgezählt), astrologers, oppressors, idolaters, tale-bearers, doublet-ongued".
Ehebruch wird in Test Rub III,11 als ἀνομία, in V. 14 als ἀσέβεια bezeichnet.

In der Formgeschichte der „sozialen Reihe" erscheint der Ehebruch mit der Frau des Nächsten in zweigeteilten Reihen stets im kultischen Teil, so in Ez 18,5-9 in 6; in Ez 18,11-13 in 11; in Ez 18,15-17 in 15 („die Frau des Nächsten verunreinigen"), in Ez 22,7-12 in 11; in Mal 3,5 und auch in Ez 33,25.26. Die zweite Hälfte, wo der Ehebruch dann nicht erscheint, behandelt stets rein soziale Vergehen. Dieses doppelteilige Gliederungsprinzip, in dem der Ehebruch auf der Seite der kultischen Vergehen erscheint, findet sich auch in Test Aser 2,5.8 (ab V. 5 Eigentumsvergehen unter κλέπτει, ab V. 8 unter dem Aspekt der Reinheit (V. 9: καθαροί) unter μοιχεύει καὶ πορνεύει kultische Gebote). Auch Sap Sal 14,22-27 steht in dieser Tradition, so, daß unter dem 5. Gebot Sozialgebote angeführt werden.

Auch in Sap Sal 3,13-16 werden die Delikte auf sexuellem Gebiet ausschließlich unter dem Aspekt der Unreinheit gesehen: Daher wird in V. 13 die unbefleckte Unfruchtbare selig gepriesen und in V. 14 der Eunuch, der deshalb keine Gesetzlosigkeit beging, weil er nie in die Gelegenheit kam, sich zu verunreinigen. Von den Kindern der Ehebrecher heißt es in V. 16, daß sie zugrundegehen werden (ähnlich in Hiob 24,18; Tob 4,12; Jub 20,4; 22,20; 35,14).

Typisch für das spätere Judentum ist die Identifizierung von Ehebruch, Unzucht und Verunreinigung durch Umgang mit Frauen überhaupt: Nach Jub 50,8, Teez Sanb H 13,27 L 19; 415,3; L 20 verunreinigt Geschlechtsverkehr den Sabbat, nach Visio B Esdrae 10 den Sonntag (Strafe: Tod bzw. Hölle), nach CD 12,1 die heilige Stadt Jerusalem.

Im Zusammenhang kultischer Vergehen erscheint der Ehebruch auch in Sib III,763 (μοιχείας πεφύλαξο...) vgl. Sib III,594f. Nach Josephus c. Apion II,203 ist für Juden nach dem Geschlechtsverkehr ein Bad des Leibes geboten, zur ἁγνεία der ψυχή, die befleckt sei. Nach Philo Spec Leg III, 63 besteht dieses Gebot, um vom Ehebruch und von der Beschuldigung des Ehebruchs entfernt zu halten.

Die Reinheit Israels ist das besondere Anliegen einiger formal gleich aufgebauter[1] Paränesen in Jub 30,7-15; 33,9b-20; 41,25-26. Danach verunreini-

[1] Der Aufbau umfaßt als Elemente: 1. Im Gesetzesstil konditional formulierte Angabe von Schuld und Strafe; 2. allgemeines Verbot von Unreinheit; 3. Feststellung, daß dieses im genannten Fall zutrifft mit Wiederholung der Strafangabe; 4. Neueinsatz mit „Du aber, Mose, gebiete den Kindern Israel, daß...". Das, an dem die Unreinheit geschieht, ist immer Israel oder die Kinder Israels, unter denen keine Unreinheit sein soll. Wie schon in K. 30 und 41, so knüpft auch 33,9b-20 an eine konkrete atl Geschichte an: der Zusammenhang der Erzählung wird unterbrochen durch Mahnungen, die an die Lebensgeschichte anknüpfen: Ruben hat durch Umgang mit Bilha, dem Kebsweib seines Vaters, diese verunreinigt, so daß sich Jakob ihr nicht nahen kann. V. 9b formuliert: Und jeder Mensch, der die Decke seines Vaters aufdeckt, sehr böse ist sein Tun, denn verworfen ist es vor Gott. Dazu führt V. 10 ein Gebot aus den himmlischen Tafeln an: Der Ausdruck „die Decke seines Vaters aufdecken" wird interpretiert durch den anderen „daß kein Mensch mit dem Weibe seines Vaters schlafen dürfe". Die Begründung lautet: „denn das ist unrein". Es folgt die Angabe der Todesstrafe. – Der Aufbau ist der gleiche wie in Kap 30 und 41. Denn auf diese Angaben über Schuld und Strafe folgt in V. 11 die allgemeine Mahnung vor Unreinheit mit speziellem Bezug auf Israel: „Und es sei keine Unreinheit mehr vor unserem Gott innerhalb des Volkes, das er sich zum Eigentum erwählt hat". V. 12 wiederholt im Stil von Dt 27 die Anwendung auf den Einzelfall. In den Versen 13-20 wird der sonst nur einmal übliche Einsatz mit „Du aber Mose..." doppelt gebracht. – Das Motiv der Unvergebbarkeit dieser Sünde dürfte dabei aus 30,10 übernommen sein. Ab V. 14 wird betont, daß die, die solches taten, nicht einen Tag mehr zu leben hätten. V. 19 bringt eine charakteristische Aufzählung der Laster; V. 20 fügt dieser Reihe hinzu: Und es gibt keine größere Sünde als die Hurerei, mit der sie auf Erden huren; denn ein heiliges Volk ist Israel Gott, seinem Herrn, und ein Volk des Erbes ist es und ein priesterliches Volk ist es und ein königliches Volk ist es und ein Besitz ist es, und es soll nicht sein, daß dergleichen Unreines inmitten des heiligen Volkes erscheint". – In V. 19 wird das Ganze als „Rede des Bundes" bezeichnet. –

gen die sexuellen Vergehen, die insgesamt Unzucht sind, das heilige Volk Israel. Diese Unreinheit ist der Gegenbegriff zur Heiligkeit Israels (vgl. 22,9). Lib Ant 25,10 wird der Ehebruch mit dem Weib des Nächsten in einer Reihe spezifisch kultischer Vergehen aufgeführt. – Nach Test Aser 2,8 sind die, die Ehebruch und Unzucht treiben, wohl aber die anderen Gebote halten, nur zur Hälfte rein, in Wirklichkeit aber unrein. Unreinheit im Herzen im Zusammenhang mit Ehebruch (vgl. Mt 5,28) kennen Test Benj 8,2; Test Rub 6,1[1].

Häufig ist die *katalogartige* Aufzählung abstrakt formulierter allgemeiner Vergehen, in der die Glieder (Ungerechtigkeit), Hurerei, Unreinheit[2] konstant sind: Jub 9,15; 20,3.6; 21,21; 22,16.19.23; 23,14.17.21; 25,7; 33,19; 35,14, 50,5. – Da auch Begriffe wie Befleckung, Abscheulichkeit, Verderben darin vorkommen, hat Hurerei (zămūt) hier eine allgemeine Bedeutung, die fast „Bosheit" überhaupt ist. Das wird besonders deutlich in Jub 7,20; 20,2-3b/3c-4; 23,16.17. Speziell das Stichwort „Sünde" attrahiert Begriffe

Nirgendwo ist so deutlich wie hier gesagt, daß die sexuellen Vergehen, die insgesamt Hurerei sind, zuerst das heilige Volk Israel verunreinigen. Alles Böse, und besonders die geschlechtlichen Vergehen, werden unter den Begriff der Unreinheit subsumiert, denn dieser ist der Gegenbegriff zur Heiligkeit Israels (vgl. 22,9).

[1] In der einer mot-jumat-Reihe in Teez Sanb vorangehenden lockeren Aufzählung einzelner Vergehen erscheint der Verkehr mit Frauen überhaupt unter den verunreinigenden Taten (Leslau 21): „Who wash not with water, who lie with women, who purify not their manners, who cover not their..." (Text fehlt bei H). Nach Lib Ant 11,32-3 muß das Volk vor der Verkündigung des Dekalogs dadurch besonders geheiligt werden (11,3: et sanctificavit populos), daß drei Tage lang kein Geschlechtsverkehr zwischen Mann und Frau sein darf (11,2 tribus diebus non ascendat vir ad mulierem et tertia die loquar ad te et ad eos). In Ant III,275 berichtet Josephus ausdrücklich, daß die Todesstrafe darauf stünde, sich einer unreinen Frau zu nähern (πλησιάζειν).

[2] Ein Beispiel ist der schon erwähnte Text Jub 7,20: Die Begriffe Hurerei, Unreinheit und Ungerechtigkeit erscheinen jetzt am Ende einer Reihe, standen aber, wie aus V. 21-23 hervorgeht, ursprünglich allein und haben wegen des Begriffes „Ungerechtigkeit" die ersten fünf positiven Verordnungen attrahiert. Dennoch besteht die jetzt positiv formulierte Gerechtigkeit in erster Linie darin, die Scham des Fleisches zu bedecken. Die Ursache dafür ist eine größtmögliche Identifizierung von Unreinheit und Hurerei. In Kap 20 ist der umgekehrte Prozeß bemerkbar, daß zu allgemeinen Mahnungen über das Verhalten zu Gott und dem Nächsten die Warnung vor Hurerei und Unreinheit hinzugezogen wird (vgl. 20,2-3b/3c-4; 23,16.17 und Kap 21). Auch ziehen einzelne Glieder dieser Reihe andere nach sich, so sind in 9,15 zunächst nur Bosheit und Unreinheit genannt. An dieses Stichwort wird dann noch einmal eine viergliedrige Reihe geknüpft, in der nochmals der Begriff Unreinheit erscheint (ferner: Verbrechen, Hurerei und Sünde). Obwohl Hurerei nichts mit dem Kontext von Kap 9 zu tun hat, gehört sie doch zur „Unreinheit" dazu.

dieser Reihe, ferner finden sich Aufzählungen dieser Art oft am Ende formaler Einheiten. – Ähnliche Aufzählungen Slav Hen KR 34,2; Hen 8,2; 1 QS 4,9; CD 8,5; 4,17-5,11. Vorgeprägt in diesen allgemeinen Lasterkatalogen ist die Verbindung mit Götzendienst. Daher ist Ehebruch auch die schlimmste aller Sünden, so in Thomasakten K. 58; Philemon (Rießler 732); Sedr. Apk 6,4.8 (Adam wurde μοιχαλὶς καὶ ἁμαρτωλός vgl. dazu den identischen Sprachgebrauch in Mk 8,38!). Vgl. auch Slav Hen 34,2 KR mit Lib Ant 2,8; atl *Kataloge* wie in Lev 18.20 sind auch im späteren Judentum häufig, so in Jos Ant III,274 (Verwandte); Ps.-Phokylides 175-206; äth Bar Apk L p. 71; Buch des Elchesai Hipp Ref 9,15,1-3; Ps.- Heraklit 7. Brief 5,1.

Sodom und Gomorrha sind Musterbeispiele für solche, die ungerecht waren und sich verunreinigten, so Jub 16,5f (vgl. V. 9); Lib Ant 8,2.

In Ps Sal 8,10 ἐμοιχῶντο ἕκαστος τὴν γυναῖκα τοῦ πλησίον αὐτοῦ, συνέθεντο αὑτοῖς συνθήκας μετὰ ὅρκων περὶ τούτων handelt es sich möglicherweise bereits um eine Ablehnung der Ehescheidung und Wiederheirat[1]: Der Zusammenhang, in dem V. 10 durch V. 9 und V. 11 steht, läßt erkennen, daß solches ehebrecherisches Tun als kultisch verunreinigend aufgefaßt wurde. μεθ' ὅρκου folgt auch schon in 4,4 auf die Angabe eines sexuellen Vergehens. Hier bedeutet das „Vereinbarungen treffen mit Eiden“ eine Verschärfung des Deliktes. συνθήκη ist als Ehevertrag belegt[2], ebenso der Eheabschluß mit kultischen Zeremonien[3] und Eiden[4]: Daher kommt durch den neuen

[1] Falls keine Scheidung vorausging, könnte man an eine Ausübung der κύριος-Stellung des Ehemannes gegenüber der Frau denken, nach der der Ehemann es als sein Recht ansieht, die Frau wie deren eigener Vater weiterzugeben. Vorgänge dieser Art berichten Dio Cassius von Nero und Caligula, Sueton von Augustus und Plutarch von Cato Uticensis. – Man kann fragen, ob der Verf. der Ps-Sal solche konkreten Einzelfälle im Auge hatte (oder auch etwa die Fälle der von Frauen ausgehenden Ehescheidung in der Herodes-Dynastie, die nach atl Recht ungültig waren), als er den Juden diese Vorwürfe machte.

[2] So schon in Aristoteles, Politica 9: ὁ νόμος συνθήκη καὶ ἐγγυητὴς ἀλλήλοις τῶν δικαίων (conventum est veluti sponsor quidam inter cives juris unicuique sui obtinendi) und dann bei Basilius, in Epist. ad Virg. laps. (Epist 46): αὐτὰς ἀπαρνῇ τὰς πρὸς τὸν ἀληθινὸν νυμφίον συνθήκας οὔτε εἶναι παρθένος οὔτε ὑποσχέσθαι ποτὲ βοῶσα...

Ein einzelner Ehevertrag ist συνθήκη in P. Ox 903,18: τὰς συνθήκας (nach Preisigke, Wörterbuch).

Die Kombination συνθῆκαι καὶ ὅρκοι kennen auch Ditt. Syll 116,15 (κατὰ τοὺς ὅρκους καὶ τὰς συνθήκας), 173,15 (οἱ ὅρκοι καὶ αἱ συνθῆκαι), Plutarch Sertor 24, verbal Syll 693,15; συνέθετο καὶ ὤμοσεν; 173,25. Vgl. die Formulierung bei Hippolyt, Dan-Komm III 2: ὅρκια καὶ συνθήκας. Vgl. dazu auch O. Schultheiß, Art Συνθήκη, in: PWRE Suppl VI, 1158-1168; nach Plutarch Lyk 18 wird der Ehevertrag für Monime genannt γάμων συνθῆκαι vgl. P. Oxy 903,18 und ca. 9 weitere Stellen bei Plutarch (Lexik. Wyttenb., 1489).

[3] In Alexandrien ist die Mitwirkung der Priesterschaft bei Eheabschlüssen berichtet: „Alexandrinische Synchoresisverträge dieser Zeit vereinbarten

Eheabschluß das Ehebrechen mit der Frau des Nächsten zustande. Die Scheidung der Ehefrau ist entweder nicht vollzogen, oder sie wird nicht als rechtskräftig angesehen.

b) Ehebruch als Zeichen der Endzeit

Nach Slav Hen 34,2; Lib Ant 2,8 hängt das Kommen der Sintflut mit Ehebruch zusammen; in der Ps.-Ephraem-Predigt (ed. Caspari) K. 1 (p. 209) gehört zu den endzeitlichen Wirren: „in senioribus adulteria, in mulieribus falsus aspectus, in virginibus adulter affectus". – Nach der Pers. Dan Apk (ed. Zotenberg p. 417) werden „sie ihre Wege verderben so sehr, daß ihresgleichen nicht auf der ganzen Erde ist. Ein Mann wird zum Weibe seines Nächsten kommen... und sie werden die Menschen töten". Ähnlich findet sich die Aussage „das Weib seines Nächsten jeder verunreinigend" am Ende einer Darstellung über das Sich-Erheben aller gegeneinander in der Paulus Apk K. 6 (H-S II,541). In Test Sim 5,4-6; Test Dan 5,4-8; Test Benj 9,1 wird der endzeitliche Abfall von Gott als Unzucht und Aufstand gegen Levi gekennzeichnet; die Texte sind eng untereinander verwandt[1] Dazu gehört noch Esra Apk ed. Ti. p. 27; innerhalb der Darstellung des endzeitlichen Kampfes aller gegen alle in Vita Merlini (ed. A. Gfroerer, Prophetae vet. p. 385: non invenietur amicus, coniuge despecta meretrices sponsus adibit sponsaque cui cupiet despecto coniuge nubet...); Ps.-Beda (Sibill. Verb. interpr. 1184): et in diebus illis tradet frater fratrem et cum sorrore commiscebitur... senes cum virginibus cubabunt, et sacerdotes mali cum deceptis puellis".) Tiburtina Graeca ed. P. J. Alexander p. 16, 118: ἀδελφὸς ἀδελφῇ συγκοιμηθήσεται καὶ πατὴρ θυγατρὶ συγγενήσεται, νεώτεροι γραίας λάβωσιν.

nämlich am Schlusse noch die Einholung einer συγγραφή bei den Opferpriestern (ἱεροθύται) binnen fünf Tagen" (K. Ritzer, Formen, Riten und religiöses Brauchtum der Eheschließung in den christlichen Kirchen des ersten Jahrtausends, Münster 1961, 20). Dazu eine Stelle aus Damaskios, erhalten bei Photios, Bibl 242.

[4] Bei R. Taubenschlag, The Law of Greco-Roman Egypt in the Light of the Papyri 332 B.C.-640 A.D., Warschau 1955, 120 Anm. 60 fand ich folgenden Beleg: Cair. Masp. I,67.091: καὶ ὅρκον ἀποθέσθαι μοι τῇ εἰρημένῃ Εἰρήνῃ, ὅτι λαμβάνω (σ)ε εἰς γυναῖκα.

[1] Während nach Test Sim 5,4 die Söhne der Angeredeten in Unzucht verderben werden, besteht nach Test Dan 5,5.6 die πορνεία darin, daß sie mit „den Frauen der Gesetzlosen" Unzucht treiben werden (ἐκπορνεύοντες ἐν γυναιξὶν ἀνόμων) und die Greuel der Heiden tun. In Test Benj 9,1 wird die dann geschehende Unzucht mit der der Sodomiten verglichen (vgl. oben Jub 16,5; ferner: T. Levi 14,6; Napht 3,4; 4,1; Aser 7,1). In Test Sim und Test Dan folgt die Angabe über den Abfall wegen Unzucht jeweils auf eine doppelte Hauptgebotsformel (Test Sim 5,2; Test Dan 5,3). Alle drei Texte berufen sich auf Henoch als Quelle ihres Wissens. Test Dan bietet den Bestand in der ältesten Form, Test Benj in der jüngsten.

c) Warnung vor Unzucht unter Hinweis auf Gen 6,1-4[1]

Das Tun der Söhne Gottes, die die Schönheit der Menschentöchter erblickten, wird als Hurerei und Anfang der Unreinheit bezeichnet und mit dem Kommen der Sintflut in Zusammenhang gebracht und so zum Paradigma für das erwartete Gericht; vgl. dazu Hen 6,3 („große Sünde"); 7,1; 12,3; 15,3 (verunreinigt); 19,1; 69,4f; 106,14.17; Jub 4,22 (beschmutzten); 5,1-3; 7,21 (Anfang der Unreinheit); 20,5 (Hurerei und Unreinheit); CD 2,17f (V. 16: unzüchtige Augen); Test Rub 5,5 (Begierde); 6,1 (Unzucht); Test Napht 3,4-5 (Ordnung der Natur); Jud 6-8 (Unzucht und unnat. Wollust); 1 Q Gen Apocr 2,1 (Augen der Lust); Syr Bar 56,12 (vermischten); Philo Gig 18 (gegen Begierden, οἱ μὲν τὰς δὶ ὄψεως); Jos Ant I,72-74 (γυναιξὶ συνιόντες); Slav Hen 18,5 (Erde befleckt); Schatzhöhle 11,1-21; 12,1-7; 12,16 (Unzucht).20; 15,3-8 (es kann sich nur um die Söhne Seths handeln, nicht um Engel); Thomasakten 32 (Begierden); Ps.-Titus Brief H-S II,97 (Begierde). 92 (beflecken); kopt Adam Apk 83,16f. In einer Reihe von Texten werden hier bestimmte Auslegungsstufen der mit dem 6. Gebot verbundenen Traditionen sichtbar[2]. Häufig wird das Tun der Wächter mit der Übertretung der Naturordnung in Zusammenhang gebracht (vgl. Sodomiter, die ebenfalls Engel verführen wollten und die deshalb den gleichen Vorwurf erhalten). Damit aber ergeben sich Parallelen zu Mk 10,1-12; hinzukommt, daß das Tun der Wächter häufig als Hartherzigkeit bezeichnet wird.

[1] Lit.: F. Dexinger, Sturz der Göttersöhne oder Engel vor der Sintflut? / Versuch eines Neuverständnisses von Genesis 6,2-4 unter Berücksichtigung der religionsvergleichenden und exegesegeschichtlichen Methode (Wiener Beitr. z. Theol.; 13), Wien 1966; C. Goma, La cause del diluvio en los libros apogrifos judios, in: Est Bib 3 (1944) 25-54; P. Joüon, Les unions entre les fils de Dieu et les filles des hommes, in: Rech. d. Sc. Rel. 29 (1939) 108-112; J. Kurtz, Die Ehen der Söhne Gottes mit den Töchtern der Menschen, Berlin 1857; Ch. Robert, Les Fils de Dieu et les Filles de l'Homme, in: Rev Bibl 4 (1895) 340-373; 525-552.

[2] Das Philippus-Ev bringt z.T. in sentenzenartigen Formulierungen Aussagen über den Ehebruch, mit dem mythologische Tatbestände von Ehe-Anschauungen her verdeutlicht werden, so in 42 (Till 109,10-12): „Jeder Geschlechtsverkehr – κοινωνία – der zwischen Leuten, die einander nicht gleichen, stattgefunden hat, ist Ehebruch". Damit wird angespielt auf die Entstehung Kains aus Eva und der Schlange. Möglicherweise steht als positive Vorstellung die Lehre von der Einheit im Fleisch und der Wiederherstellung des vollkommenen Menschen im Hintergrund wie in Phil Ev 71 (Till 116,22-26; 79 Till 118,17-22); Eine ähnliche Sentenz findet sich in 112 (Till 126,12-15): „Dem, den die Frau liebt, gleichen die, die sie gebären wird". Wenn es ihr Gatte ist, gleichen sie dem Gatten, wenn es ein Ehebrecher ist, gleichen sie dem Ehebrecher. Nach 15-18 gleichen die Kinder dem Ehebrecher, wenn sie an ihn statt an den Gatten beim Verkehr denkt. Aus diesen gnomischen Sätzen wird dann etwas über die Liebe zur Welt und das Gott-Ähnlich-Werden abgeleitet.

d) Die Warnung vor Unzucht als Warnung vor dem Anblick von Frauen

Wo es darauf ankommt, sich um jeden Preis vor Verletzung der Reinheit zu bewahren, wird schon der Anblick einer Frau zur unmittelbaren Gefahr für die Reinheit der ψυχή und auch des Leibes. Der Ursprung der Vorstellung ist mit dem atl „Erheben der Augen" gegeben (wie נאף auch vom Verhältnis zu Jahwe aussagbar), in Ps 130,1 LXX parallel zum Erhöhen des Herzens ein Zeichen des Übermuts und Hochmuts, so auch noch in Sir 23,4 (vgl. 2 Mkk 5,21), in Sir 26,9 aber schon für Unzucht gebraucht. Wie es zur Verwendung von „die Augen erheben" für Unzucht kam, kann Jub 39,5 illustrieren; noch nicht im Sinne von Unzucht in Test Benj 6,3. Ein Bindeglied zwischen der theologischen und der sexuellen Vorstellung ist noch in später Zeit apk Midr B-h-M V,50-51; zu einer sexuellen Interpretation heißt es: „that followed their eyes to sin and did not place God before their face": 4 Q p Hab 5,7 kennt ein „Huren hinter den Augen her".

Texte: Jub 20,4b (Huren den Augen und dem Herzen nach; vgl. zur Verbindung von Auge und Herz Mt 5,28); Ps Sal 4,4f; Philo Spec Leg III,176f; Test Rub 2,4 (Geist des Sehens – Begierde); 3,10 (Anblick vermeiden, nicht mit einer Verheirateten alleine sein), vgl. 4,1.8; 6,1 (reines Herz – die Augen vor jedem Weib bewahren); Test Juda 13,3 (Anblick einer schönen Frau).5 (Wein und Schönheit von Weibern); 17,1 (nicht Geld lieben und nicht die Schönheit der Frauen anschauen); Test Iss 7,1 (hurte nicht in Erhebung meiner Augen) vgl. 4,4; Test Benj 8,2 (reines Herz – Frau nicht zur Unzucht anschauen); Lib Ant 43,5 (Samson durch Augen zur Mischehe mit Dalila verführt; der Satz „et nunc erit Samson concupiscentia sua in scandalum, et commixtio eius in perditionem" erinnert wegen der Verbindung von Begierde-Augen-Skandalum an die 2. Antithese); Joh Akten 113 (genaues Betrachten einer Frau ist widerlich); Joh Akten 29 (sittliche Aufgabe: Augen zu erziehen und Unterleib zu verstümmeln); Ps.-Ephraem ed. Caspari p. 209: „in mulieribus falsus aspectus"; Ps.-Titus-Brief nach Zitierung von Mt 5,28 (H-S II,98) (Älteste ließen Susanna ungedeckten Hauptes vor sich stehen, um Begierde durch Ansehen zu befriedigen); ibid., 97 (Ansehen des Weibes-Begierde-Fall); Herm Vis I,2 (Sehen der Schönheit und Begehren); 2,4: Anschauen bringt Sünde und ἐπιθυμεῖν; Mand IV,1; Offenb des Moses K. 36 (Gaster 581) („they looked with an evil eye at fair women and at married women"); Test Isaak 5,13 (Schau nicht aus Lust ein Weib mit deinen Augen) vgl. V. 11 (ehebrechen mit dem Leib); – Josephus Ant IV,129-132 (Midrasch zu Nu 31,16 mit Betonung von ἔρως und ἐπιθυμία beim Anschauen der schönen midianitischen Weiber, ebenso Lib Ant 18,13.14; Lev r 23 167b (nach Levy Wb Bd III,322): „Wer mit den Augen buhlt, wird Ehebrecher genannt"). Vgl. Acta Philippi K. 142 ἄρα οὖν ἡ ἐπιθυμία ἡ ἐν τοῖς ὀφθαλμοῖς πορνεία ἐστίν; ναί... ἰδοὺ οὖν ὅτι ἡ ἐπιθυμία τῶν ὀφθαλμῶν ὁδηγός ἐστιν τῆς μοιχείας, καὶ αὐτή ἐστιν ἡ ἀπατήσασα τὴν καρδίαν Εὔας... ἐκριζώσατε οὖν τὴν ἐπιθυμίαν τῆς καρδίας, ἵνα φαιδροῖς ὄμμασιν ἴδητε τὸν Χριστόν.

e) Einbeziehung der Mischehen mit Heiden in das Verbot der Unzucht

In dem Verbot der Mischehen mit Heiden kommen Elemente zum Ausdruck, die zu den ältesten Grundbestandteilen des 6. Gebotes gehören; sie mußten wieder an Bedeutung gewinnen, als die Juden wieder in fremdstämmiger Umgebung, d.h. in der Diaspora lebten und als Minorität ihre ethnische und religiöse Integrität zu bewahren suchten.

Das Verbot der Mischehen mit Kanaanäern (= Heiden) erscheint in Jub 30,7-15 (Umdeutung von Lev 20,2!; 21,9 LXX: Übertragung von der Priestertochter auf alle Israelitinnen; der Einzelfall wird subsumiert unter die Warnung vor der Verunreinigung Israels durch Hurerei und Unreinheit: V. 8.9)[1]; 20,4.5 (Parallele zu den Riesen); 25,7 (Mischehenverbot von Abraham vgl. 39,6; 25,5; in 39,6 wird das 6. Gebot selbst als Gebot Abrahams dargestellt!); nach Jub 22,16 bestehen die Gebote Abrahams in der Absonderung von den Völkern; Tob 4,12 (keine Unzucht: Frau aus dem Samen der Väter nehmen... „denn wir sind Söhne der Propheten"; Vorbilder Noe und Erzväter; Verbindung mit dem Landbesitz (!)).13 (verbunden mit der Bruderliebe)[2]; CD 8,5; 19,17 (vgl. Tob 4,13); Test Levi 14,6

[1] Aus der Schriftauslegung von Jub 30 wird ein Verfahren sichtbar, das sich in die Grundlagen der synoptischen Tradition hinein und auch für das Buch der Jub selbst fortsetzt: Ein konkretes Anliegen, die Verhütung von Mischehen mit nichtjüdischer Umwelt, wird eingesetzt in Texte atl Gebote. Das Gebot, dem Moloch nicht Kinder hinzugeben, ist auf diese Weise „aktualisiert", d.h. aber: gänzlich seines ursprünglichen Sinnes beraubt worden. Hinzu kommt aber vor allem, daß man dieses Gebot mit einer Strafsanktion verbindet (die ihm ursprünglich fehlte), die das Vergehen als Unzucht klassifiziert, und die sonst nur für Priestertöchter galt. Der spätjüdische Zug, ursprünglich nur für Priester geltende Vorschriften auf das ganze Volk auszudehnen, wird hier an einem Einzelbeispiel greifbar. Zugleich aber wird der Umfang dessen, was als Unzucht bezeichnet wird, durch diese Art der Schriftauslegung erweitert. Der Grund dafür ist, daß sich der Bereich dessen, was als „Unreinheit" gilt, erweitert hat. Da eine Mischehe mit Heiden eine zwischen Mann und Frau bestehende Unreinheit ist, muß sie einbezogen werden in bestehende Unzuchtsgesetze. Die allgemeine Mahnung gegen Unreinheit erscheint ausdrücklich.

[2] In der von E. Kamlah, a.a.O., 156 zitierten sozialen Reihe aus dem Traktat Derek Eres am Ende des 4. Seder des Bab. Talmud wird in der negativen Reihe aufgeführt: „Und der, der in Unzucht mit seiner Frau lebt und der,

(Hinweis auf Sodom und Gomorrha wie in Jub 20,6); Jos As 7,5; Test Levi 9,10; Test Hiob 45; Jos Ant 18,34; Philo Spec Leg III,29; Lib Ant 9,5 (das Motiv wird zur moralischen Aufbesserung der Thamar-Geschichte verwendet). Eine Verbindung mit der Abraham-Tradition auch in Theodotus Frgm 3 (Eusebius 9,22).

Diese Mahnung findet sich vornehmlich in der Gattung der Testamente und wird bis auf Abraham zurückgeführt, zumindest aber ausdrücklich als Tradition bezeichnet.

f) Joseph als Vorbild für die Einhaltung des 6. Gebotes

Hier liegt eine feste spätjüdische Tradition vor, nach welcher regelmäßig als Einschub zur Josefsgeschichte auf das 6. Gebot Bezug genommen wird (noch nicht in Gen 39,10), so in Jub 39,6 (6. Gebot als Wort Abrahams zitiert); vgl. dazu 25,5.7; 30,9 (Textvorlage ist Dt 22,22 und Lev 20,10 ac LXX); in 4 Mkk 2,1-6 (V. 5 führt das 9. und 10. Gebot an: λέγει γοῦν ὁ νόμος· οὐκ ἐπιθυμήσεις τὴν γυναῖκα τοῦ πλησίον σου οὐδὲ ὅσα τοῦ πλησίον σού ἐστιν)[1]; Test Jos 4,6 (Gott

der gegen sie falsche Anschuldigungen äußert, um ihr den Scheidbrief zu geben". – In der positiven Reihe heißt es: „Der, der sein Weib wie sein Leben liebt und der, der sie ehrt mehr als sich selber... der seine Nachbarn liebt und der, der seine Verwandten heiratet".

[1] 4 Mkk 2,1-6: Das Thema des Zusammenhangs ist die Herrschaft der σωφροσύνη über die ἐπιθυμίαι. Der Kontext ist streng gegliedert: In 1,32 war gesagt, daß der λογισμός über beide Arten von Begierden herrscht, ψυχικαί und σωματικαί. Jene Einteilung war vorbereitet durch die Aufteilung κατὰ ψυχῆς / κατὰ σάρκα in 26-27, wobei nun V. 27 eine inhaltliche Entfaltung in V. 33-35 findet. Dabei handelt es sich in 1,31-2,6 im Gegensatz zu 1,26-27 (wo nur von allgemeinen Begierden die Rede war) um den Genuß von Speisen, die nach dem Gesetz untersagt sind. Die Begierde nach solchen Speisen wird jetzt als die des Leibes hingestellt. Dadurch erscheint das Gesetz, wie auch in 2,1-6, als Bekämpfer der Begierden.
Ab 2,1 sind die ἐπιθυμίαι solche der Seele, denn nach 1,31 hatten ja sowohl Leib als auch Seele Begierden. Die Begierden der Seele drangen zur μετουσία mit dem Schönen, aber sie werden entkräftet. Dazu ist in V. 2-4 Joseph das Beispiel aus der Schrift.
Das Schriftbeispiel in 2,2-4 ist parallel zu dem in V. 17 (Moses), zu dem in V. 19-20 (Jacob) und zu dem in 3,6-16 (David). Die Struktur dieser Schriftbeweise ist überall gleich: Für die allgemeine Regel, daß σωφροσύνη durch das Gesetz herrscht, wird ein positives Beispiel aus der Schrift gesucht. Der daraus gezogene Schluß hat sogar überall das gleiche Vokabular (vgl. 2,6 mit 2,18 mit 2,20 mit 3,17). Bei Joseph ist die Entfaltung der ἐπιθυμία die ἡδυπάθεια. V. 4 schafft die Ausweitung von diesem Beispiel auf das Allge-

ist gegen Unreinheit und Ehebruch); Test Rub 4,8 (Joseph bewahrte sich vor jedem Weib); Test Sim 4,1-3; Philo Joseph 43 (zit. Dt 23,18).44; besonders deutlich auch in JosAs K. 7 (ed. Batiffol p. 47f): εἶχεν γὰρ ὁ Ἰωσὴφ πάντοτε πρὸ ὀφθαλμῶν τὸν θεὸν καὶ ἐμέμνητο ἀεὶ τῶν ἐντολῶν τοῦ πατρὸς αὐτοῦ... φυλάξατε, auch in K. 21 p. 71,5 gibt Joseph Sexualgebote: οὐ προσήκει ἀνδρὶ θεοσεβεῖ πρὸ τῶν γάμων αὐτοῦ κοιμηθῆναι μετὰ τῆς γυναικὸς αὐτοῦ. (vgl. syr Didaskalie K. II p. 4) – Lib Ant 43,5 heißt es von Samson: „et non intendit in Ioseph puerum meum, qui fuit in terra aliena, et factus est in coronam fratrum suorum eo quod noluerit contristare semen suum" – die Ablehnung von Potiphars Bitte wird hier abweichend auf die Mischehe gedeutet.

g) Der Ehebruch in der Weisheitsliteratur

Die Weisheit warnt vor den Folgen des Ehebruchs, so in Prov 5,1-14; vgl. Sprüche Achikars 218 (אל יקנה איש לא בעולה); Prov 30,20 (Nicht-Nachweisbarkeit des Ehebruchs); Prov 2,16; Hiob 24,15; Test Rub 4,6 (ὄλεθρος ψυχῆς weish. Motiv; vgl. 3,8); Sir 23,22 (Frau verläßt den Mann – καταλιποῦσα τὸν ἄνδρα – und vergeht sich so gegen das Gesetz); nach V. 24-27 wird sie in der ἐκκλησία verflucht (vgl. Ez 16,40: Steinigung und dazu Jo 8,5). In Prov 18,22a findet sich ein in LXX hinzugefügter Doppelvers, der im Fall des Ehebruchs die Scheidung anrät, „denn wer eine gute Frau entläßt,

meine: Über jede Begierde siegte der λογισμός Josephs. V. 5 führt das 10. Gebot dafür an: λέγει γοῦν ὁ νόμος· οὐκ ἐπιθυμήσεις τὴν γυναῖκα τοῦ πλησίον σου οὐδὲ ὅσα τοῦ πλησίον σού ἐστιν.

Das ἐπιθυμεῖν ist nach V. 6 der Inhalt dieses Gesetzes. Daß die Vernunft über die Triebe herrschen kann, wird noch mehr durch das Gesetz bewiesen, das das vernünftigste ist (und als solches vor den Lesern zu erweisen ist), als durch das Beispiel Josephs. Bemerkenswert ist an diesem Joseph-Beispiel:

1. Die Geschlechtslust wird als ψυχικὴ ἐπιθυμία aufgefaßt. Das ist dadurch bedingt, daß die körperlichen Begierden auf die durch das Gesetz verbotenen Speisen bezogen sind.

2. Die gemeinsame Tradition für Joseph als Beispiel für Einhaltung des 6. Gebotes ist hier auf ἐπιθυμία als Grundübel zurückgeführt. Das Gesetz dient dazu, die ἐπιθυμία im Menschen zu bekämpfen, daher ist wegen seiner sprachlichen Fassung das zehnte Gebot hier eher zur Zitierung geeignet als das sechste. Die Verbindung zwischen 6. und 10. Gebot wird uns auch in Mt 5,28 begegnen. Vgl. auch H. Sprödowsky, Die Hellenisierung der Geschichte von Josephus in Ägypten bei Fl. Josephus, Diss. phil. Greifswald 1937, S. 73 Anm. 45.

wirft das Gute hinaus, der aber behaltende eine Ehebrecherin – κατέχων μοιχαλίδα–, unsinnig und gottlos"[1].
Eine Begründung für den Prohibitiv des 6. Gebotes gibt nach Art der Weisheitslit. aber mit heilsgeschichtlicher Begründung Lib Ant 11,10: „non moechaberis, quia non moechati sunt in te inimici tui, sed existi in manu excelsa".

h) Ehebruch als Vergehen gegen den Ehemann

Diese Tradition wird von meist weisheitlichen Texten getragen; in Prov.-Texten wird נאף verwendet und die ehebrechende Frau als „Frau des Nächsten" bezeichnet[2]. Aufgrund der Zusammenstellung mit dem 8.-10. Gebot erscheint das 6. Gebot bereits in der dtr Fassung des Dekalogs als Vergegen gegen den Nächsten (den Eheherrn). Die allgeneine Bedeutung des Verhaltens gegenüber dem Nächsten in Dtr und die Beziehungen dieses רע-Begriffs zur Weisheitsliteratur lassen die weisheitlichen Texte eine besondere Bedeutung für die Erklärung des 6. Gebotes gewinnen. Besonders Sir 23,22 betont das Vergehen gegen den eigenen Mann; ferner: Philo Decal 124ff; Spec Leg III,11 (zu κοινοὶ ἐχθροί vgl. III,51 das Dirnenverbot: κοινὸν μίασμα); Lev 18 wird sozial gedeutet (der Verbindung mit anderen in aller Welt zu nützen). Die übrigen Sexualdelikte rückt Philo in Beziehung zur μοιχεία (Spec Leg III,78), in III,64 ist das Delikt unabhängig von Geldbußen geworden und wird als persönliches Vergehen an der Frau verstanden; III,65; III,57 (Deutung des Mehls aus Nu 5,11ff). Beziehungen zur Verunreinigung des Landes fehlen bei Philo ganz (eine Spur nur in Spec Leg III,50).

[1] Dazu vgl. R. Taubenschlag, Das Strafrecht im Rechte der Papyri, Leipzig und Berlin 1916,35 Anm. 2 (für das gräko-ägyptische Ehestrafrecht): „Eine Folge des auf Ehebruch lautenden Erkenntnisses war, daß der Ehegatte die Frau, mit der jener begangen war, verstoßen mußte, widrigenfalls er nach dem solonischen Gesetze in Atimie verfiel".

[2] Das „Weib des Nächsten" wird im AT erwähnt als אשת רעו(ך) in Ex 20,17; Lev 20,10; Dt 5,21; 22,24; Jer 5,8; 29,23 (mit רעיהם); Ez 18,6; 18,15; 22,11; 33,26; Prov 6,29. – Als אשת עמיתך in Lev 18,20 und als אשת איש (Weib eines anderen) in Prov 6,26.
Josephus, Ant III,271 bezeichnet den Ehebruch als ein ἀδικεῖν τὸν ἄνδρα. Josephus behandelt die Anordnungen aus Nu 5,1-30 vor dem allgemeinen Hinweis auf das Verbot des Ehebruchs in Ant III,270-273, ordnet aber diesen Fall terminologisch dem Ehebruch zu (ἂν δ' ὑπονοήσῃ μεμοιχεῦσθαί τις αὐτῷ τὴν γυναῖκα). Die Todesstrafe für Ehebruch erwähnt dagegen Josephus: c. Apionem II,215: ζημία γὰρ ἐπὶ τοῖς πλείστοις τῶν παραβαινόντων ὁ θάνατος, ἂν μοιχεύσῃ τις, ἂν βιάσηται κόρην...

Das Vergehen gegen Leib und Jungfräulichkeit wird abgewertet zugunsten des seelischen und sozialen Schadens (De Decal 124). Selbst das Verbot des Nicht-Verkehren-Dürfens bei Blutfluß wird nicht aus Reinheit begründet, sondern „aus Scheu vor dem Naturgesetz" Spec Leg III,32.
Jos Ant III,274 zitiert das 6. Gebot mit weisheitlicher Begründung; Todesstrafe für Ehebrecher gilt nach Ant 7,131.
Als Vergehen gegen den Ehemann wird der Ehebruch auch betrachtet in Ps.-Menander 43 (unreines und stinkiges Wasser wie in Prov 5,15-18; Goldene Regel auch im Folgenden für Stehlen usw.).

i) Die Ausweitung auf die Forderung nach ehelicher Treue des Mannes

So Fl. Josephus c. Ap II,201: die Frau soll dem Mann untertan sein, aber der Mann darf nicht die Frau eines anderen verführen und er darf nicht mit einer anderen als der eigenen zusammensein (ταύτῃ συνεῖναι δεῖ τὸν γήμαντα μόνῃ); Test Iss 7,2 (πλὴν τῆς γυναικὸς ἐμοῦ οὐκ ἔγνω ἄλλην); Sir 23,18 (ἄνθρωπος παραβαίνων ἀπὸ τῆς κλινῆς αὐτοῦ; nach V. 18e handelt es sich um Sünden: der Umgang des Ehemannes mit einer anderen Frau wird als Sünde bezeichnet); CD IV,20-V,2 (s.u.; möglicherweise steht im Hintergrund das Gebot, nur mit einer Frau überhaupt zusammenzusein); Ps.-Phokyl. 177f: (Kuppelei bedeutet durch den Mann verursachter Ehebruch; vgl. Philo Spec Leg III,31; so kann der Mann die eigene Ehe brechen: μοιχικὰ λέκτρα). – Die Forderungen nach der Treue des Mannes findet sich in den Eheverträgen der äg. Papyri[1]: der Mann muß seine Frau gut behandeln (μὴ ὑβρίζειν μηδὲ κακουχεῖν), sie nicht entlassen (μὴ ἐκβαλεῖν), mit keiner anderen Frau verkehren und aus ihr keine Kinder zeugen[2].

[1] Nach L. Mitteis - A. Wilken, Grundzüge und Chrestomathie der Papyruskunde II,1 (Leipzig-Berlin 1912), 215f bringt der Inhalt des bürgerlichen Ehevertrags an 3. Stelle die beiderseitigen ehelichen Verpflichtungen mit diesem Inhalt.
R. Taubenschlag, Das Strafrecht im Rechte der Papyri, Leipzig und Berlin 1916,36 zitiert den ältesten griech. Heiratsvertrag aus Elephantine (Eleph 1 Z. 8/9), nach dem der Mann weder γυναῖκα ἄλλην ἐπεισάγεσθαι ἐφ' ὕβρει Δημητρίας darf, noch τεκνοποιεῖσθαι ἐξ ἄλλης γυναικός.
[2] Tendenzen zur Aufwertung der Frau: In Spec Leg III,71 muß die verführte Jungfrau gefragt werden, ob sie den Verführer heiraten will oder nicht; in LXX Ex 22,15f und Dt 22,28-29 ist nur vom Willen des Vaters die Rede. In Spec Leg III wird es als ὁ νόμος bezeichnet (!), daß auch Frauen sich trennen dürfen (vgl. dazu unten). Vgl. die Eheauffassung von Q in Gen I, 29.30.

k) Die Zurückführung des Ehebruchs auf Lust und Begierde

So Philo Decal 121; Spec Leg III,8; 9. Zwar bringt Philo alle Sexualdelikte ausdrücklich zum Ehebruch in Beziehung, aber das Verbotene ist die ἐπιθυμία selbst. Selbst wenn der Schein des unverletzten Gesetzes gegeben ist, Lust aber da ist, treffen μοιχεία und προαγωγεία und die Strafe des Gesetzes zu (so etwa bei der „Ehescheidung auf Zeit" nach Spec Leg III,30.31)[1]; Test Rub 2,4.8; 6,4; Test Aser 3,2; Test Joseph (ἐπιθυμία der Ägypterin in 3,10; 4,7; 7,6.8; 9,1); Test Dan 5,2 (ἐμπεσεῖν εἰς ἡδονήν, ab V. 4 dann der endzeitliche Abfall); 4 Mkk 2, 1-6 (6. Gebot durch 10. ersetzt); Sus 22.32.34. – Die Reinheitsvorstellungen, die für die Essener der eigentliche Grund waren, nicht zu heiraten, deutet Josephus um als Bemühen, den πάθη nicht zu erliegen (Bell 2,121); psychologisierend deutet Josephus Nu 5,28 in Ant III,271 (vgl. den allg. Zug zur Erotisierung der atl Texte bei Josephus). – Nach Visio B Esdrae 17 sind in der Hölle „maritae... quae se ornaverunt non propter suos viros sed ut aliis placerent, malum desiderium desiderantes" (die gleiche Formel in 18 für Inzucht mit der Mutter); Lib Ant 43,5 (concupiscentia Ursache des Skandalums);

Andere Ausweitungen des 6. Gebotes

In Herm Vis IV,I,9 wird der Begriff des Ehebruchs ausgeweitet: Es ist nicht nur μοιχεία, wenn jemand sein Fleisch beschmutzt, ἀλλὰ καὶ ὃς ἂν τὰ ὁμοιώματα ποιῇ τοῖς ἔθνεσιν, μοιχᾶται. Der Satz ist formal ebenso aufgebaut wie Mk 10,11: Auch in einem solchen Fall darf man mit dem anderen nicht zusammensein.
In einer Reihe von späten Schriften gehört es auch zu den der Hölle würdigen Vergehen, wenn die Jungfrauschaft nicht bis zur Ehe bewahrt wurde (vgl. Ps.-Phok 13: παρθεσίην τηρεῖν), so Pe-Apk 11 (H-S II,479), Visio B Esdrae 44 (istae sunt quae ante nuptias virginitatem violaverunt), Paulus Apk 39 (H-S II,556), äth Bar Apk L 71, JosAs 21,1 (Verbot vorehelichen Verkehrs), äth Apk Mariae Virg ed. Chaine p. 76.

[1] Die Tendenz ist also umgekehrt zu der in Mt 5,28: Denn dort wird selbst durch ein kleines Vergehen die Norm des Gesetzes verletzt, und damit ist die mit Ehebruch verbundene Verunreinigung eingetreten. Überspitzt ließe sich formulieren: Schon durch die Lust wird bei Mt das Gesetz verletzt. Nicht erst die Gesetzesverletzung ist bei Philo ein Kennzeichen für den Besitz der Lust. Bei Mt und bei Philo wird der Umfang dessen, was unter das Verbot des Ehebruchs fällt, erweitert. Bei Philo gilt es, unter keinen Umständen Lust zu haben; bei Mt gilt es, auf keinen Fall, auch nicht durch Lust, das Gebot zu übertreten.
Die Freiheit von der Lust ist das Anliegen Philos, die Reinheit von geschlechtlicher Versündigung gegen das 6. Gebot das bei Mt (s.u.).

Eine Erweiterung findet das Vergehen der Unzucht in der dekalogähnlichen Reihe in der Apk des Gorgorios L 88 („those who fornicated with the body of their flesh, who committed adultery") durch die Angabe: „who lusted exceedingly" (vgl. 10. Gebot).

Die große Bedeutung, die die Auslegungen des 6. Gebotes im Spätjudentum erlangen (und die schwerwiegende Konsequenzen für das NT und noch mehr für die nachfolgende christliche Lit. und Praxis zur Folge hatten), bestimmt sich aus verschiedenen Quellen; die eine ist das Vordringen levitisch bestimmten Reinheitsdenkens. Dieses wurde dadurch ermöglicht, daß die „Lehrer" des Volkes seit chronistischer Zeit sich aus levitischen Traditionen verstanden: die gesamte Gesetzesbelehrung wird von „levitischen" Tradenten vollzogen (vgl. die Stellung Levis in den Testamenten und den Einfluß des Bildes prophetischer Leviten auf die ntl Konzeption von den Boten Jesu); zudem wird das 6. Gebot gerade deshalb in Diasporagemeinden betont, weil, wie wir zeigten, diesem Gebot schon von Anfang an die Konzeption sozialer Absonderung immanent ist: Wo immer die Besonderheit Israels betont wird, ist daher hervorgehoben, daß es mit aller Unreinheit der Heiden nichts zu tun habe. Diese Unreinheit wird nun weniger kultisch-rituell verstanden als vielmehr von Anfang an – sozial sehr wirksam – deutlich mit dem Umgang mit anderen Frauen in Beziehung gebracht. Da die hell.-röm. Umwelt derartige sozial einschneidende Verbote nicht kennt, werden diese Gebote zugleich zum Kriterium der Zugehörigkeit zu Israel. Damit wird aber nur eine alte Grundbedeutung des 6. Gebotes wiederaufgenommen. Götzendienst und Unzucht sind so eng verbunden wie schon eh und je in prophetischer Tradition. Als drittes Element kommt hinzu die stoische Beurteilung von πάθος und ἐπιθυμία als körperhaftes und „niederes" Seelenvermögen: entsprechend der vulgärstoischen Tradition, die hier ebenfalls von ἁμαρτάνειν spricht, wird in zunehmendem Maße die Begierde selbst schon sündhaft: das führt zu der bekannten Ausweitung des 6. Gebotes auf die sexuellen Begierden überhaupt, die als sündhaft angesehen werden. Die Nähe des 9. und des 6. Gebotes wirkte sich hier auf die Interpretation des 6. Gebotes besonders aus. Wie nun die Begierde als das Haupt aller Sünde angesehen wird, so sind Unzucht und sexuelles Begehren die größte aller Sünden. Bereits in jüdischer Tradition führt das zur Ablehnung des Geschlechtsverkehrs überhaupt (T. Levi-Zusätze und T.S. L. 21).

§ 5 *Das Verbot des Menschendiebstahls*

Das 7. Gebot[1] muß vor allem vom 10. Gebot abgegrenzt werden. Die Abfolge des 6. und 7. Gebotes wiederholt sich im 9. und 10. Gebot; die Kombination ist auch in der Folgezeit traditionell: Findet sich das 6. Gebot in diesem Zusammenhang, so wird es primär als Schutz vor dem Angriff auf die Besitzrechte des Nächsten an seiner Frau aufgefaßt. Eine Ausnahme bildet nur Test Aser 2,5-9, wo diese Zweiteilung durch die andere überlagert ist, nach der Ehebruch zu den kultisch verunreinigenden Delikten gehört. – Das 7. Gebot schützt ursprünglich nicht Besitzrechte, sondern die Freiheit des Nächsten selbst. חמד im 9.10. Gebot bedeutet: „etwas an sich zu bringen vorbereiten", גנב: „jemanden heimlich beiseite bringen" (vgl. Ex 21,16; Dt 24,7 und 2 Kge 11,2 = 2 Chr 22,11)[2].

Das Verb[3] wird zwar auch von Sachen als Objekten gebraucht, jedoch handelt es sich bei dieser Verwendung jeweils um kasuisti-

[1] Literatur: A. Alt, Das Verbot des Diebstahls im Dekalog, in: Kleine Schriften zur Geschichte des Volkes Israel I, 1953, 333-340; F. Horst, Der Diebstahl im AT, in: Kahle-Festschrift, 1935, 19-28; M. H. Gottstein, Du sollst nicht stehlen, in: Theol. Zeitschr 9 (1953) 394f. J. J. Petuchowski, A Note on W. Kessler's „Problematik des Dekalog", in: Vetus Test 7 (1957) 397f; M. Jung, The Jewish Law of theft with comparative references to Roman and English law, Philadelphia 1929.

[2] A. Alt ist der erste gewesen, der auf diese Möglichkeit aufmerksam gemacht hat (vgl. den oben genannten Aufsatz). Durch diese Interpretation entstehe eine sinnvolle Ordnung der fünf den Dekalog schließenden Gebote: Es werde geschützt des Nächsten Leben, Ehe, Freiheit, Ehre und Besitz. Ähnlich später: K. H. Rabast, a.a.O., 36 und 38: „Du sollst nicht einen Mann oder eine Frau stehlen"; F. Horst, Art. Dekalog, 3, nimmt eine Bedeutungsentwicklung an, die vom Menschendiebstahl ausgehend zum Diebstahl allgemein geführt habe. M. Noth, Ex 133: „Es wird verboten, freie Israeliten gewaltsam zu versklaven, sei es zum eigenen Gebrauch, sei es zum Verkauf an andere". W. Richter, a.a.O., 128 Anm. 23: „GNB ist nach Wurzelvokal und Bedeutung eindeutig transitiv-resultativ, determiniert aber in keiner Weise das Objekt, das sein kann... Daß das Verb einen positiven Sinn haben kann, beweist das Objekt „Prinz" in 2 Kn 11,2 = 2 Chr 22,11, was auf die Grundbedeutung „beiseite schaffen" führt... Alts Annahme, daß das Objekt von Ex 20,15 „Mann" gelautet haben müsse, läßt sich zwar nicht streng beweisen, wird aber durch den Kontext der Verben N 'P und RSH nahegelegt, die indirekt oder direkt das gleiche Objekt einschließen".

[3] Da Su 12 übersetzt: ἔκλεπτον ἀλλήλους (sie verbargen sich voreinander), was im Hebr wohl sicher גנב voraussetzte.

sche Bildungen mit dem Sitz in der Gerichtspraxis (Ex 22,1-11). Oft ist nicht nur das Heimlich-Beiseiteschaffen mit dem Wort bezeichnet, sondern auch die Nicht-mehr-Nachweisbarkeit des Gestohlenen, weil der Täter es schon weiter verkauft hat (Ex 21,16.37; Dt 24,7), oder weil es bei ihm nicht mehr zu finden ist (Ex 22,6f.9f)[1]. Daher muß in Ex 22,8.9-10 bei verlorengegangenen Gegenständen ein Eid vor Gott die Entscheidung treffen, ob der Verdächtigte die Sache wirklich veruntreut oder gestohlen hat. Ursprünglich dürfte an der Stelle des Eides ein Gottesurteil gestanden haben (V. 6-7), und erst in den VV. 9-10 wird eine solche Veruntreuung durch Eid geregelt. In Prov 29,24 wird, als erweiterte Parallele zu Lev 5,1, für jedes geheim gebliebene Vergehen, dessen Zeuge man war, Anzeige gefordert. Mit dieser Eigenart aber rückt לא תגנב auf dieselbe Linie, auf der auch das 6. und 5. Gebot standen: Das Moment der Nicht-Erweisbarkeit der Schuld war der Anlaß der Zusammenfügung dieser Prohibitive. Deutlich ist die Parallelität von Nu 5,10ff, wo durch ein kultisches Verfahren der Ehebruch ans Licht gebracht werden soll, zu Ex 22,8-10, das dem kultischen Erweis des forensisch nicht nachweisbaren Diebstahls dient. Die Mahnungen des Dekalogs stehen in einer gewissen Konkurrenz zu diesen kultischen Offenbarungsverfahren. Die Nicht-Erweisbarkeit der Schuld, die die Voraussetzung für die Kombination des 5.-10. Gebotes war, wird von den kultischen Kreisen gerade geleugnet, da sie mit Hilfe eines kultischen Offenbarungsverfahrens dennoch glauben, das Delikt ans Licht bringen zu können. Die genannten Delikte sind von diesen Kreisen in ihrer Eigenart richtig erkannt. So gab man sich nicht mit den Mahnungen zufrieden, sondern suchte auf rituellem Weg das verdeckte Vergehen zu einem offenbaren zu machen. Diese Gruppen stehen daher eher in einem Gegenüber zum Dekalog.

Insbesondere das Dtn hat גנב im Sinne von Menschenraub aufgefaßt, denn es verwendet das Verb nur in Dt 24,7. Zu dem in Ex 21,16 vorausgesetzten Verkaufen ist hier noch hinzugetreten, daß der Täter ihn zum Sklaven macht (zu erklären aus der Tendenz des Dtn, die Versklavung von Israeliten durcheinander einzuschränken). Außerdem ist, ebenfalls in dtn Terminologie, betont, daß es sich um einen seiner Brüder handelt –. An die Stelle der Formel מות־יומת trat hier das einfache ומת (und er wird sterben), wobei offenbar

[1] Antike Parallelen über Gottesurteile bei nicht nachweisbaren Vermögensdelikten bei J. Zingerle, Heiliges Recht (Sonderabdruck aus den Jahresheften des österr. archäol. Institutes; Bd 23), 1926, 10-12.

nicht mehr an eine Art Verfluchungsformel gedacht ist, sondern an den Gegensatz zu einer Verheißung langer Lebenszeit: der Tod wird eine bald und sicher von selbst eintretende Folge seiner Handlung sein. Wie in Hos 4,2; Jer 7,9 ist dieses Vergehen gegen den Nächsten jedenfalls in der Ideologie des Dtn durch den Bezug auf die Stammesbrüder mit dem Landbesitz in Verbindung gebracht. Um eine reale Todesstrafe handelt es sich auch in Ex 21,16 nicht, wie aus dem dortigen Kontext hervorgeht.

In Lev 19,11 leitet der Prohibitiv לא תגנבו eine bis 12a reichende Folge von Prohibitiven in der 2. P.Pl. ein. Das Motiv der Zusammenstellung der Reihe hier ist die geheime Hinterhältigkeit des Tuns. Traditionsgeschichtlich steht die Reihe in Zusammenhang mit Hos 4,2; Jer 9,1.2: die soziale Ausprägung (einander betrügen) ist hier erst sekundär, wie der Verzicht auf „ehebrechen“ zeigt. Die Glieder „lügen“ und „falschschwören“ weisen auf theologischen Zusammenhang (vgl. Jer 5,7; 23,14; 29,23; Mal 3,5).

Die vorgeschlagene Deutung des 7. Gebotes auf Menschenraub – heimliche Freiheitsberaubung an dem als Nächsten zu bezeichnenden freien männlichen Israeliten – wurde notwendig 1. durch die Unterscheidung zum 10. Gebot und 2. durch die Nähe dieses Prohibitivs zu den gleichfalls nicht-kasuistischen Texten in Ex 21,16; Dt 24,7. – In Lev 19,11 könnte es sich bereits um ein allgemeines Verbot des Stehlens handeln.

Traditionen der Auslegung[1]

a) Menschenraub

Diese Grundbedeutung hält sich durch in Test Jos 12,1 (Josefs Brüder κλοπῇ ἔκλεψαν αὐτόν); 13,1 (κλέπτεις τὰς ψυχὰς ἐκ γῆς ʽΕβραίων εἰς παῖδας

[1] Die LXX hat das Gebot endgültig und mit Sicherheit als ein Verbot des Diebstahls aufgefaßt, schließt aber den Menschenraub in der Bedeutung von κλέπτειν nicht aus, denn der Stamm ἀνδραποδιστ- ist in LXX noch nicht verwendet. Nur in Gen 31,26, wo es sich um eine Verschleppung von Töchtern handelt, wird גנב mit κλοποφορεῖν übersetzt. Überall wo κλέπτειν begegnet, hat es im MT גנב als Äquivalent. Ex 21,16 hieß im MT nur: Wer einen Menschen raubt und ihn verkauft usw. – LXX hat hier mit Dt 24,7 harmonisiert, sicher nicht ohne aktuellen zeitgeschichtlichen Hintergrund. Sie übersetzt: ὃς ἐὰν κλέψῃ τίς τινα τῶν υἱῶν ’Ισραηλ καὶ καταδυναστεύσας αὐτὸν ἀποδῶται. Nur ein Jude darf nicht verkauft werden! Ebenfalls aus Dt 24,7 eingefügt ist καταδυναστεύσας.

μετεμπωλῶν: der Pharao hält sich so sehr an das Gesetz der Juden, daß er es beanstandet, wenn Juden verkauft und zu Sklaven gemacht werden. Das Verbot ist auf Juden beschränkt); 14,1; Offb d Moses K.43 (Gaster 583): „They have delivered up their brother Israelite to the gentile", ein Vergehen im Kontext einer sozialen Reihe (vgl. παραδιδόναι τοῖς ἔθνεσιν in Mk 10,33 par. Apg 21,11 und bes. Test Jos 12,3 ποίησον μετ' αὐτοῦ κρίσιν mit Mk 10,33 κατακρινοῦσιν αὐτὸν καὶ παραδώσουσιν); Slav Hen 10,5 (in einer Reihe, die Hos 4,2; Lev 19,11f usw. eng verwandt ist: „stehlen die Seelen der Menschen heimlich" nach der Erwähnung von Unzucht und Totschlag); Jos Ant 16,1 (gegen das Verkaufen von Dieben außer Landes); 4,271 (ἐπ' ἀνθρώπου μὲν κλοπῇ θάνατος ἔστω ζημία); Philo Spec Leg IV 13 (Menschenverkäufer ist der schlimmste Dieb; Verbindung mit Gen 9,6)[1].16 (Verkauf von Stammesgenossen ist schlimmer als der von Menschen allgemein)[2]; 1 Tim 1,10 (im dekalogähnlichen Lasterkatalog für das 7. Gebot: ἀνδραποδισταῖς); Ps.-Phok 18 (σπέρματα auch: Juden).

[1] Philo behandelt den Menschenraub ebenfalls im Zusammenhang mit dem Verbot des Stehlens (7. Gebot). In Spec Leg IV,13 heißt es, daß der Menschenverkäufer von allen Dieben der schlimmste sei (κλέπτης δέ τίς ἐστι καὶ ὁ ἀνδραποδιστὴς ἀλλὰ τοῦ τῶν πάντων ἀρίστου...). Das zeige sich schon im Stufenbau der Bestrafung: Bei Gegenständen ist doppelter Wert zu leisten, bei zahmen Tieren der 4-5 fache Preis, auf Menschenraub trifft Todesstrafe. Die Begründung dazu ist die gleiche wie beim 4. und 5. Gebot: der Mensch ist Gott nahe verwandt (ἀγχίσπορος ὢν θεοῦ vgl. Vit Mos I,279). Im Hintergrund dieser Tradition dürfte eine Verbindung mit Gen 9,6 gestanden haben. Die in seiner Zeit aktuelle Frage über das Verhältnis des Verkaufens von Juden und Nichtjuden löst Philo auf eigene Weise: In Spec Leg IV,16 macht er das Verkaufen von Stammesgenossen zum schärfer zu beurteilenden Spezialfall des allgemeinen Verbots, die ἐλευθερία zu rauben. Menschen zu versklaven, geht gegen die φιλανθρωπία, die vom gleichen Volk (ἀπὸ τοῦ αὐτοῦ ἔθνους) aber zu verkaufen heißt: nicht bedenken „die Gemeinsamkeiten von Gesetzen und Sitten, in denen sie aus erster Jugend erzogen wurden" (IV,16). Diese haben dann nicht die Aussicht, heimatlichen Boden noch einmal zu begrüßen. – Auch in der Strafe führt Philo einen Unterschied ein (gegen Ex 21,16): Wer ἑτεροεθνεῖς verkauft, soll bezahlen, was der Gerichtshof beschließt, wer ὁμοφύλους verkauft, soll die Todesstrafe erleiden. Denn, so lautet die Begründung, sie sind eine Art Blutsverwandte und Nachbarn. – In beiden Fassungen der LXX war aber, durch die Harmonisierung von Ex 21,16 mit Dt 24,7 vom Verkaufen der Stammesgenossen die Rede. Die Ausweitung auf Menschen überhaupt ist also von Philo ohne LXX-Grundlage vorgenommen oder, falls er eine andere Version der LXX vorliegen hatte, hat Philo Dt 24,7 als Spezialfall zu Ex 21,16 aufgefaßt, dann aber die Strafe zu Ex 21,16 abgeändert und als Todesstrafe nur für Dt 24,7 bestehen lassen.

[2] Vgl. Lib Ant 27,11: Nur ein Jude darf nicht getötet werden!

b) Kombination mit dem Ehebruchsverbot

Sie findet sich in Ps.-Menander 44 (Goldene Regel für Ehebruch und Stehlen); Test Aser 2,5 (Eigentumsdelikte); 2,8 (κλέπτει/μοιχεύει kultische Vergehen); 4,3; Test Juda 17,1.2; 18,6; in katalogartigen Bildungen in CD IV,17 (Unzucht, Reichtum, Befleckung des Heiligtums); Ps.-Heraklit 7. Brief 10,2 (fremder Reichtum/fremde Weiber); Herm Mand IV,3 (Beginn der Lasterkataloge: μοιχεία-κλέμμα vgl. 5); Sib Or IV,31-34 (zwischen Mord und Unzuchtsvergehen das diebische Handeln um betrügerischen Gewinn); Slav Hen 10,5 (Unzucht, Totschlag, Stehlen); Slav Bar 8 (Streit, Unreinheit, Diebstahl, Bosheit); Thomasakten K. 58 (Diebe, Ehebrecher, Habsucht); K. 84 (6. u. 5. Gebot; Judas Beispiel für das 7. Gebot); Teez Sanb L 21 (stehlen, lügen, falsches Zeugnis geben – in der Tradition von Lev 19,11!); Joh. Akten 36; in der Kombination von πορνεία und πλεονεξία in Eph 5,3; Kol 3,5; Philemon-Fragm bei Euseb Pr Ev XIII,13,45f.

Die Lösung der Sexualvergehen vom Begriff des Nächsten, die sich in den Test Patr am Begriff πορνεία verrät, hatte hier die Zuordnung des gesamten Verhaltens zum Mitmenschen zu Eigentumsgeboten zur Folge. Diese Zuordnung kennt auch Josephus: Auf die Nennung des Diebstahls folgen in Bell II,581 alle weiteren Vergehen gegen den Nächsten. – In Bezug auf das 6. Gebot ist die Schönheit des Weibes, nicht mehr die Schädigung des Ehemannes jetzt in sich zum Verbotenen geworden. Dem Nächsten gegenüber gilt es, Almosen zu geben und für das materielle Wohl zu sorgen. Das Verhältnis zum Weib fällt nicht in den Bereich des Verhältnisses zum Nächsten.

c) Die Zurückführung auf Habsucht

So in Test Dan 5,7; Test Juda 21,8; Test Napht 3,1; Test Gad 2,4; 5,1; Test Benj 5,1; besonders Test Iss 4,2 („Nächster") und Test Rub 3,6 (die Wurzel von κλοπή und Betrug sei die φιληδονία καρδίας, die besondere Eigenart dieses Tuns sei die Hinterlist; vgl. Lev 19,11f); Philo Spec Leg IV,2; Decal 135. – Das Vergehen im Verborgenen sieht Philo als für den Dieb charakteristisch an (Bd V,210,1.15f.19.24); Spec Leg IV,5; IV,39-40 deutet Philo die Gebotsfolge aus Lev 19,11f;[1]

[1] Die Hervorhebung der πλεονεξία und die Betonung dessen, daß Stehlen sich im Geheimen vollzieht – im Gegensatz zum Raub –, sind die besonderen Kennzeichen der philonischen Auffassung dieses Gebotes.
In Spec Leg IV,39-40 deutet Philo noch die Gebotsfolge aus Lev 19,11f. Statt „nicht betrügen" hatte LXX dort: οὐ συκοφαντήσετε.
Philo deutet dieses im Sinne von Spec Leg IV,5: Der unentdeckte Dieb sucht die Schuld auf einen anderen zu schieben; daraus läßt sich dann auch der

Eine Verbindung des 7. und 10. Gebotes findet sich in Visio B Esdrae 32: aliorum res ad se traxerunt iniuste, malum desiderium habuerunt; ähnlich im 2. Buch Jeû K. 43 (nicht zu huren, nicht zu ehebrechen, nicht zu stehlen noch irgendetwas zu begehren). Aus atl Weisheitstradition wird auch gespeist Ps.-Menander 25: „Liebe den Besitz und hasse das Stehlen, denn Besitz ist Leben, und das Stehlen ist jederzeit Tod[1]".

§ 6 *Das Verbot, als falscher Zeuge aufzutreten* [2]

Im Deutschen ist wiederzugeben „falscher Zeuge", nicht „falsches Zeugnis", denn עד bedeutet Zeuge und wird nur dort von der LXX als „Zeugnis" interpretiert (μαρτυρία), wo sie inhaltliche Glättungen vornimmt (Gen 31,44: der Vertrag; Jos 22,17: der Altar – also dort,

Meineid ableiten. – Auf diesem Wege kann Philo alle Gebote der Reihe in Lev 19,11f herleiten aus dem ersten, dieser Reihe vorangestellten: οὐ κλέψετε. Alles folgt aus der Übertretung dieses Dekaloggebotes und ist daher diesem einzuordnen.

[1] CD IX,10f gibt eine Anwendung der Anzeigepflicht auf Diebstahl und zugleich eine Auslegung von Ex 22,1-9: „Und wenn etwas verloren gegangen ist, ohne daß man weiß, wer es gestohlen hat, aus dem Vermögen des Lagers, dann soll man seinen Besitzer einen Flucheid schwören lassen. Und wer davon hört und es weiß, es aber nicht anzeigt, der ist schuldig. – Eine ähnliche Auslegung fanden wir bereits in Prov 29,24.

In Liber Antiquitatum 11 fehlt das 7. Gebot in der Dekalogaufzählung. – In 44,6 und 7 ist die Reihenfolge: stehlen, morden ehebrechen. Nach Test Abr Rez A 10 p. 87f sieht Abraham Männer mit scharfen Schwertern in den Händen. Die Erklärung lautet: οὗτοί εἰσιν κλέπται οἱ βουλόμεναι φόνον ἐργάζεσθαι καὶ κλέψαι καὶ θῦσαι καὶ ἀπολέσαι. Die Deutung auf die Diebe ist primär, sekundär ist die Ptz. Inf. Reihe, die eine Reihe von Vergehen mit Schwert bzw. mit Hand darstellt, die ad vocem κλέπται angefügt wurde.

Das 7. Gebot ist LibAnt 44,6 wiedergegeben: Et constitui eis non furari, et consenserunt; in 44,7: Et quod dixi eis ut non furarentur, in sensu suo furati sunt in sculptilibus. – Wie bei den anderen Geboten, so wird auch hier der Wortlaut ohne weitere Rücksicht auf den Inhalt auf Götzendienst umgedeutet.

[2] Spezialliteratur: H. J. Stoebe, Das achte Gebot (Ex 20,6), in: Wort und Dienst 3 (1952), Bethel 1952, 108-126; H. J. Boecker, Redeformen des Rechtslebens im Alten Testament (Wiss. Monogr. z. A. u. NT; 14), Neukirchen 1964; M. A. Klopfenstein, Die Lüge nach dem Alten Testament, Zürich-Frankfurt 1964; H. van Vliet, No single Testimony / A Study of the Adoption of the Law of Deut 19,15 par into the New Testament (Stud. Theol. Rheno-Trajectina; IV), Utrecht 1958; O. Bär, Das Gesetz über falsche

wo „Zeuge" von Sachen gebraucht wird). – Das verwendete Verb ענה bedeutet: antworten, als Zeuge auf eine Frage hin Antwort geben, nach F. Horst aber jedes prozessuale Vorbringen der im Streit miteinander befangenen Parteien[1]. – Daß es sich bei עד hier nur um den Ankläger von Kapitalverbrechen handelt, wie F. Stoebe vermutet, ist nicht erweisbar, da עד חמס in Dt 19,16 nicht der Zeuge eines Abfalls von Jahwe ist, sondern der gewalttätige Zeuge[2] (vgl.

Zeugen nach Bibel und Talmud, Diss. Berlin 1882, 38f; E. Leisi, Der Zeuge im attischen Recht, Diss. Zürich 1907; R. Corssen, μάρτυς und ψευδόμαρτυς, in: Neues Jahrb. f. d. Klass. Altertum 37 (1916) 424-427; J. Kätzler, ψεῦδος, δόλος, μηχάνημα in der griechischen Tragödie, Diss. Tübingen 1959, 175f; K. Geiger, ΔΙΚΗ ΨΕΥΔΟΜΑΡΤΥΡΙΟΥ im alexandrinischen Recht, München 1959, bes. 23ff: Der Begriff der μαρτυρία im Falschzeugnisverfahren; Art ψευδομαρτυρίων δίκη in: PWRE 23,2; 136f; E. Seidl, Der Eid im ptolemäischen Recht, München 1929, 104f; ψεύστης, in: Glotta 36 (1957) 193.

[1] Neben ענה gibt es auch die Wendung: קום עד d.h. als Zeuge auftreten. Die Sache, die bezeugt wird, steht im Akk., die Person, gegen die man etwas bezeugt, ist mit ב konstruiert.
עד ist zunächst der, der einer Tatsache oder einem Vorgang beiwohnt und ihn im Zweifelsfall bestätigen kann, so in Jer 32,10, wo eine Kaufurkunde durch Zeugen beglaubigt wird (ואעד עדים). Nach Jer 32,44 kauft man Äcker um Geld, verfertigt hierbei Urkunden darüber, versiegelt sie und ruft Zeugen herbei. – In Ruth 4,11 scheint eine Formel überliefert zu sein, die die Annahme der Zeugenschaft bei Kaufverträgen bezeichnet, sie lautet „עדים" d.h. „Zeugen sind wir"; dem entspricht der Aufruf zur Zeugenschaft in 4,9.10. Möglicherweise ist עדים ursprünglich das Antworten auf den Aufruf zur Zeugenschaft beim Rechtsgeschäft selbst. Aus diesem bestätigenden Antworten könnte es zu der Bedeutung „bezeugen" für einen späteren Zeitpunkt gekommen sein.
עד ist ferner, „wer vor Gericht aussagt, durch diese Betätigung einen Rechtsstreit zur Entscheidung bringt oder wenigstens das Recht oder Unrecht einer Partei erweist". Hierher gehört der „falsche Zeuge", ferner die Texte, an denen Gott Zeuge gegen Israel ist und die Texte in Deut-Jes, in welchen die Israeliten Zeugen für Gott sind (was LXX sich mit μαρτυρεῖν zunutze machte, da dieses im Gr. auch bedeutet: einen Glauben bekennen). Der Zeuge bezeugt im Gerichtsverfahren die Existenz oder Nichtexistenz einer Handlung oder eines Geschehens. Augenzeugenschaft ist immer Voraussetzung.

[2] Im Zusammenhang geht es um die צדק eines Angeklagten. Hier ist zweifellos nicht gemeint, daß die Augenzeugen einer Gewalttat auftreten, vielmehr ist ja eine solche gerade nicht geschehen. Ganz ähnlich wird עדי שקר in Ps 27,12 gebraucht; die Kombination mit ויפח חמס, die dort begegnet, bedeutet in zahlreichen Texten der Weisheitsliteratur: fälschlich Unrecht vorbringen. Ein Beleg findet sich ferner im aram. Ahikarroman Nr. 140: Von mir ist mein Fluch ausgegangen, und von wem sollte ich Rechenschaft fordern? Mein leiblicher Sohn hat mein Haus spioniert, hat die Sache einem

Ps 35,11; Ps 27,12; aram Achikar 140). Die Theorie Stoebes über das sakralrechtlich bedeutsame Kapitalverbrechen gegen den Bund mit Israel hat daher keine Stütze. – Der nächste Paralleltext zum 8. Gebot ist Ex 23,1. Der Bereich des Gerichtswesens ist angesprochen. Inhaltlich zielen die Prohibitive in Ex 23 auf ein Verhalten, das durch das Gesetz nicht erzwingbar ist und sich in erster Linie an eine „anständige Gesinnung" richtet, welches, auch wenn man sich nicht nach dieser Mahnung richtet, nicht als strafbar aufzuweisen ist. Weil der Zeuge selbst eine untrügliche Aussage machen soll, von der selbst aber wegen der vermuteten Befangenheit des Täters nicht mehr zu erweisen ist, ob sie wahr ist, muß – wegen dieser Unsicherheit – an das Gewissen des Zeugen appelliert werden. In diesem Sinn ist – da es formal in gleicher Weise als Prohibitiv formuliert ist – auch das 8. Gebot zu verstehen: Es ist ein Appell an das Gewissen, dem Nächsten nicht zu schaden in einem Bereich, wo dieses sehr leicht möglich ist. Denn die Aussage eines Augenzeugen vermutet man als wahr und schenkt ihr mehr Glauben als der des Täters. Diese Deutung des 8. Gebotes wird in besonderer Weise unterstützt durch eine weitere Gruppe von Aussagen innerhalb der atl Gesetzessammlungen, die mit den genannten Prohibitiven in einem Zusammenhang stehen. Es handelt sich um die Texte Dt 19,15-18; 17,2-7; Nu 35,30.

In Dt 19,15 erscheint statt der Mahnung der Prohibitive eine konkrete Vorschrift, die im Blick auf die tatsächliche Gerichtspraxis aufgestellt sein dürfte. Angesichts der Bestimmung, daß nicht ein einziger Zeuge auftreten soll, wird das 8. Gebot in seiner Bedeutung und Tragweite geschwächt: Wenn mindestens zwei Zeugen gehört werden müssen, wird der Spielraum, innerhalb dessen man falsche Anklagen vorbringen kann, sehr verringert; für den Fall, daß sich die Aussagen widersprechen, gibt offenbar der dritte Zeuge den Ausschlag. Den durch das 8. Gebot angesprochenen Unsicherheitsraum muß man vor allem dann verringern, wenn unschuldiges Blut-

Fremden gesagt. Er ward mir frevelhafter Zeuge (הוה לישהר חמס), wer sprach mich da gerecht? – Ein Parallelausdruck ist איש חמס, der böswillige Mensch. Ob in Lev 5,1 von einem Zwang zur Anzeige die Rede ist, mithin eine Verpflichtung zur Anklage bestanden hat für den, der Zeuge war, ist ebenfalls sehr unsicher; erst recht nicht könnte man von diesem Fall auf eine Anzeigepflicht für Kapitalverbrechen schließen. – Möglicherweise ist überhaupt nur daran gedacht, daß der Zeuge den Schuldigen auf seine Verunreinigung oder Verfehlung aufmerksam machen soll. – Ähnlich jetzt auch K. Elliger, Lev, 1966, 64.67.72.

vergießen verhindert werden soll – eine Tendenz, die wir als Grundanliegen der ersten Schicht der unmittelbar vorausgehenden Perikope 19,1-13 oben bereits erkannt hatten.
Damit ist aber das 8. Gebot zugleich in den Zusammenhang eingeordnet, den wir für das 5. und 6. Gebot ausdrücklich, für das 7. Gebot konklusiv über Hos 4,2; Dt 24,7 als „Verhinderung von Blutschuld" d.h. Befleckung des Landes, festgestellt hatten.
Im konkreten Gerichtsverfahren ist die durch Dt 19,15 hergestellte Sicherheit unumgänglich. Jene Prohibitive dagegen gehören in den Bereich des Ethos[1]. In Dt 19,16-18 liegt ein kultisches Offenbarungsverfahren vor, das in sachlicher Parallelität zu den Verfahren bei Ehebruch und heimlichem Diebstahl steht. Das „vor Gott hintreten" in Ex 22,7 ist dem „vor Gott hintreten" in Dt 19,17 parallel. Da es für die Aussage eines frevelhaften Zeugen keine Möglichkeit der Überprüfung gibt, muß das Gottesgericht entscheiden. In Vergleich zu V. 15 zeigt sich hier eine ganz andere Weise, den falschen Zeugen zu entlarven und abzuschrecken: Ihm soll angetan werden, was er seinem Bruder anzutun gedachte. Die Unsicherheit, die mit dem Zeugnis eines Einzigen verbunden ist, wird im 8. Gebot durch den Prohibitiv eingedämmt, in Dt 19,15 durch Einführung mehrerer Zeugen, in Dt 19,16-18 (Schicht I) durch die Möglichkeit eines Gottesurteils, und endlich wird in der Schicht II von Dt 19,16-18 das zu unsichere Gottesurteil ersetzt durch eine priesterliche und richterliche Untersuchung[2].

[1] Vgl. ähnlich das Ergebnis von W. Richter, a.a.O., 190: „Die Bezeichnung „Gesetz" oder „Recht" wird also dem Entstehen und Gebrauch der Prohibitive nicht gerecht, vielmehr stellen sie ein Ethos dar, das ein Verhalten in einer abgegrenzten Umwelt regeln will".

[2] An V. 15 wird in den Versen 16-18 – durch das Stichwort עד verknüpft – ein Kasus anderer Herkunft angehängt. Hier handelt es sich nicht um eine allgemeine Anweisung, sondern um einen Einzelfall aus der Rechtsprechung: ein עד חמס wird als falscher Zeuge erwiesen. – In dem Teil der Apodosis, welcher das Gerichtsverfahren angibt, folgen mehrere sich widersprechende Anweisungen aufeinander. Die erste Schicht ist: „Und es sollen treten die beiden Männer, welche Streit haben, vor Jahwe".
Diese Anweisung wird fortgesetzt durch: „Und siehe, der Zeuge ist ein falscher Zeuge, Falsches hat er ausgesagt gegen seinen Bruder, und du sollst ihm antun, was er seinem Bruder anzutun beabsichtigte". Die zweite Schicht ist die Anweisung: „vor die Priester und vor die Richter, die sind in jenen Tagen, und suchen sollen die Richter". Dieser Satz ist eingeschoben, wie sich später aus dem Vergleich mit Dt 17,2ff und 13,2ff ergeben wird.

Traditionen der Auslegung

a) Die Annäherung an die Verbote der Lüge und des Falsch-Schwörens

Die Tatsache, daß in Lev 19,11; Hos 4,2-3; Jer 7,9 an der Stelle des 8. Gebotes Betrügen, Lügen und Falsch-Schwören steht, ist ein Grund für die spätere Einsetzung dieser Vergehen an die Stelle des 8. Gebotes. Der LXX-Übersetzer von Jer 7,9 hat durch die Umstellung der Reihenfolge an den Dekalog angeglichen und dabei das „zu Unrecht Schwören" an die Stelle des 8. Gebotes gesetzt, ähnlich Philo in Conf Ling 117 βία μετὰ ἀνδροφονίας, σὺν μοιχείαις φθοραί, κλοπαὶ μετὰ ἁρπαγῆς, σὺν ψευδολογίαις ψευδορκίαι (vgl. mit Heres 173: an die Stelle von ψευδομαρτυρία trat hier ψευδολογία und ψευδορκία); 1 Tim 1,9 (als 5. Glied in einer nach dem Dekalog gebauten

In der gleichen Schicht wurde der ganze Fall eingeengt auf die Beschuldigung des Abfalls von Jahwe = סרה.
Zur weiteren Erhellung des Verhältnisses von Dt 19,15 zu 19,16-18 sind die Texte Dt 13,2/13,13-16/13,7-12/17,2-7 miteinander zu vergleichen. In allen Fällen handelt es sich um den Abfall von Jahwe, zum großen Teil mit sehr ähnlichem Vokabular. Diese Texte stehen in ihrer Entwicklungsgeschichte untereinander in Korrespondenz.
In Dt 13,7-12 endete der ursprüngliche Text mit: „töten sollst du ihn". Die LXX-Übersetzung ἀναγγέλλων ἀναγγελεῖς ist mit נגד nach חרה Dt 17,3 harmonisiert worden. Der Zusatz über das ganze Volk ist aus Dt 17,5 herübergenommen worden. Ursprünglich sollte der Verführer sofort getötet werden; dem entspricht das einfache יומת in Dt 13,2. – Nach Dt 13,13-16 jedoch soll bei der Meldung, daß Abfall von Jahwe vorliegt, nicht sofort, sondern erst nach genauer Untersuchung gehandelt werden: „so untersuche, prüfe und forsche sorgfältig nach (דרש, חקר, שאל טוב), und ist es wahr, richtig die Sache, dieser Greuel wirklich geschehen in deiner Mitte...". – Diese Anweisung zu genauer Untersuchung findet sich auch bereits im Grundbestand von Dt 17, 2-7 in V. 4, fast mit den gleichen Worten. Der Text endete ursprünglich mit Dt 17,5. In den angefügten VV. 6 und 7 ist auf den in V. 4 gemeinten Zeugen Bezug genommen; durch V. 6 ist aber bereits die 2-3-Zeugen-Regel eingeführt worden. V. 7 hat dann auf Dt 13,10 gewirkt. – Dt 17,2-7 stellt also die am weitesten entwickelte Stufe einer Reihe von Texten dar, in denen der Abfall von Jahwe geahndet wird. War im ältesten Text Dt 13,7-12 ursprünglich das sofortige Umbringen gestattet, so ist schon nach Dt 13,13-16 eine genauere Untersuchung notwendig, und nach 17,2-7 kommen zu diesen Sicherheiten noch 2-3 Zeugen hinzu.
Vergleicht man Dt 17,6 mit Dt 19,15, so wird deutlich, daß der Prohibitiv in Dt 19,15 und wahrscheinlich auch die positiven Sätze dort älter sind als dieses Gebilde; denn die Einzelsätze in 17,6 können nicht für sich stehen, sondern sind unmittelbar für den Zusammenhang gebildet worden. Der sicherste Hinweis ist die Übernahme von על־פי aus dem ersten Satz. Die für die Praxis entscheidende positive Bestimmung ist hier vorangestellt

Reihe für das 8. Gebot: ψεύσταις, ἐπιόρκοις); griech Bar Apk 4,17 (φόνοι, μοιχεῖαι, πορνεῖαι, ἐπιορκίαι, κλοπαί); 13,4 (φόνος, πορνεῖαι, κλέψαι, ἐπιορκίαι); Did 2,3 (nach der Wiedergabe des 10. Gebotes: οὐκ ἐπιορκήσεις, οὐ ψευδομαρτυρήσεις, οὐ κακολογήσεις; das 8. Gebot fehlte in der vorangehenden dekalogähnlichen Reihe).
Die Verbindung von falschem Zeugnis und Eidbruch lag besonders nach

worden. Durch diese Übernahme der Zeugenregel aus Dt 19,15 ist aber der Text 17,2-7 vor den früher zitierten Texten noch um eine weitere Bestimmung bereichert worden, die die Genauigkeit des Vorgehens und die Sicherheit des Urteils verschärft. – Dt 17,8-9 schließlich dürfte für den Redaktor von Dt 19,16-18 der Anlaß gewesen sein, das ursprünglich geforderte Gottesurteil zu erweitern. Auch in dem דרשו הטיב von Dt 19,16-18 ist ein Element aus Sätzen aufgenommen, die vom Abfall von Jahwe handelten. Dem entspricht, daß der böswillige Zeuge die Anklage hier auf Abfall von Jahwe erhebt.Sowohl Dt 13,7.8 als auch Dt 19,15 haben also auf Dt 17,2ff gewirkt.
J. J. Stamm bezweifelt, ob עד auch der Ankläger bedeuten könne und zwar mit Berufung auf he-id, das nie anklagen bedeute (a.a.O., 301). Diese Beobachtungen sind zwar zutreffend, brauchen aber nicht für die ganze spätere Funktionsgeschichte des Begriffes zu gelten.
Der Werdegang des Textes in Dt 19 ist also so vorzustellen: Die Verse 16-19 sind ursprünglich eine Verfahrensangabe für einen verdächtigen Zeugen, der dem Gottesgericht zu unterwerfen ist. In V. 15 war aber im jetzigen Zusammenhang bestimmt worden, daß mindestens zwei Zeugen hinzugezogen werden müssen. Daher konnten die Verse 16-18 keine allgemeine Geltung mehr haben. Denn in V. 17 ist ausdrücklich die Rede von nur zwei Männern, die miteinander zu tun haben. So werden die Verse 16-18 nur noch für den Fall des Abfalls von Jahwe in Geltung belassen. – Fälle, in denen bei Abfall von Jahwe nur ein Zeuge da war, hatte es ja bereits in Dt 13,2-7 gegeben, auch hier freilich mit nachherigem Ausgleich zum 2-3-Zeugen-Gebot. Der Widerspruch, der sich mit 17,2-7 ergibt, – hier sind ja mindestens zwei Zeugen gefordert –, wird ausgeglichen durch die Einführung des בסתר, weil dort eher mit nur einem Zeugen zu rechnen ist. – Dann aber gelten die in Dt 17 erlassenen Bestimmungen auch für dieses Verfahren, und das Verfahren über Priester und Richter aus Dt 17,8-9 wird hier hinzugefügt, denn hier handelt es sich um einen schwierigen Fall, auf den jene Sätze zutreffen.
Für Dt 19,16-19 und für Dt 13,7-12 wurde ursprünglich nur mit einem Zeugen gerechnet. Dadurch, daß zu bestimmter Zeit für die Rechtssicherheit 2-3 Zeugen verlangt wurden (Dt 19,15), mußten diese Fälle uminterpretiert werden durch Einengung auf bestimmte Vergehen. In Dt 13 wird der eine Zeuge dadurch aufgewertet, daß vorausgesetzt wird, die Tat sei im Geheimen geschehen; Dt 19,16-19 wird in die Reihe jener Bestimmungen gestellt, die den Abfall von Jahwe zum Thema haben, durch diese auch inhaltlich ergänzt und so auf diesen Fall beschränkt. In Nu 35,30 wird der Satz über die 2-3 Zeugen nun ganz in die Asylstadtverordnung hineingenommen, während er ursprünglich nur ein inhaltlich gleichartiges Anliegen vertrat. Die lokale Nähe in Dt 19 dürfte die Ursache für diese Einbeziehung gewesen sein. In Nu 35 dient der Satz der weiteren Einschränkung des Tuns des Bluträchers.

griech. Rechtsauffassung nahe, denn erst ein falscher Eid machte ein falsches Zeugnis strafwürdig[1].
Vorbereitet wird die Verbindung von Lüge und Falsch-Schwören mit dem 8. Gebot auch in der Weisheitsliteratur[2] in einer Reihe von Sätzen, die durch ein bestimmtes, nahezu immer gleichbleibendes Vokabular miteinander verwandt sind. Dazu gehören עד שקר (oder Pl.), כזב = Lüge und פוח. Es handelt

Die genannten Texte gaben nicht nur Auskunft über die verschiedenen Phasen des Verhältnisses des 8. Gebotes zu Sätzen über die Gerichtspraxis, sie erhellen auch die Funktion des עד. Dessen Tätigkeit beschränkt sich offenbar nicht auf das, was man heute unter Zeugenschaft versteht, sondern umfaßt auch die Rolle des Anklägers, der das Vergehen meldet (ענה), wobei aber Augenzeugenschaft Voraussetzung bleibt; besonders in Dt 19,16-19, aber auch an den anderen durch die Traditionsgeschichte mit diesem Text verbundenen Perikopen und am Begriff des עד חמס auch in Texten wie Ps 35,11 dürfte diese Funktion deutlich werden. Das Sich-Erheben zur Anklage wird offenbar mit dem Verb קום wiedergegeben.

[1] Dazu vgl. E. Seidl, Der Eid im ptolemäischen Recht, München 1929, 104: „Im griechischen Recht wird der Eidesmißbrauch von der weltlichen Macht nicht bestraft (S. beruft sich auf Lasaulx, Leisi und Glotz). Wenn aber im Eidbruch zugleich ein Verstoß gegen das weltliche Recht enthalten ist, so muß dieser geahndet werden. Das spielt namentlich bei dem Delikt ψευδομαρτύριον eine große Rolle. Denn wenigstens de facto wird hier μαρτυρία ἐνομωμοσμένα die Regel sein: der durch das Zeugnis Beschwerte wird von seinem Recht, den Zeugen zu vereidigen, Gebrauch machen, ehe er zur δίκη ψευδομαρτυρίου schreitet". Ursprünglich dagegen sei ψευδομαρτύριον „Schädigung einer Prozeßpartei durch falsche Aussage, wobei nebensächlich bleibt, ob die Aussage eidlich oder ohne Eid erfolgt war". Aber auch die Bestrafung für falsche Eide war nur sehr allgemein geregelt. A.a.O. 105: „Wenn die Fluch- und Segensformeln der ptolemäischen Königseide überhaupt eine Andeutung weltlicher Bestrafung zeigen, dann ist es eine unbestimmte: ἐφιορκοῦντι δὲ ἔνοχός εἰμι τῆι ἀσεβείαι. Im griechischen Recht verstand man unter ἀσέβεια jede mögliche Äußerung einer gottlosen Gesinnung". Philo verbietet das Zeugnisgeben auf bloßes Hören hin in Q in Ex ed. R. Marcus p. 242: ἀπείρηται μαρτυρεῖν ἀκοῇ, ὡς τὸ μὲν ἀληθὲς ὄψει πιστευόμενον, τὸ δὲ ψεῦδος ἀκοῇ.

[2] Die lügnerische Zunge ist term techn der Weisheitsliteratur: Prov 21,6; 12,19; 26,28; Ps 109,2 (frevelhafter Mund-Lügenmund-verlogene Zunge). Besondere Beachtung verdient Prov 21,18: Ein lügenhafter Zeuge geht zugrunde, aber ein Mann, der zugehört hat, redet für Dauer. – Der Mann, der zugehört hat, ist hier ohne Zweifel der Weisheitsschüler (vgl. Ptahhotep nach der Übersetzung von A. Erman, Die Literatur der Ägypter, Leipzig 1923, 96, wo „der Hörende" term techn für den rechten Weisheitsjünger ist). Das tertium comparationis zwischen dem Zeugen und dem Weisheitsschüler ist die Dauer des Wortes: des einen Wort vergeht, der andere redet für die Dauer. – Dem Weisheitsschüler wird direkt entgegengestellt das falsche Zeugnis in der Lehre des Amen-en-ope (Kap 13; nach Erman Or Lit Zeitg 1924): „Trage nicht betrügerisch einen Mann in die Liste (der Steuer) ein;

sich (mit Ausnahme des Vetitivs in 24,28) um Aussagesätze, die das Tun oder das Schicksal (אבד) des falschen Zeugen schildern[1]. Verwandt mit dem 8. Gebot ist der Form nach Prov 24,28a, dem Inhalt nach 25,18b (hier hat LXX in Harmonisierung mit dem 8. Gebot übersetzt). – Zu beachten ist besonders auch Prov 6,17, wo in einem Zahlenspruch aufeinander folgen: „eine falsche Zunge (לשון שקר), Hände, die unschuldiges Blut vergießen". – Der Zusammenhang mit der dtn Theologie und der Ursprungsfunktion des 8. Gebotes im Dekalog ist nicht zu leugnen (vgl. Dt 19,10). – Der Begriff des Nächsten wird in Prov 24,28; 25,18 verwendet.
Bei den dargestellten Ergänzungen und Ersetzungen im 8. Gebot (zu denen auch Aboth 1,9 „Untersuche genau die Zeugen, sei aber vorsichtig mit

das ist für Gott ein Greuel. Sei auch nicht ein Zeuge mit falschen Worten und entferne nicht einen anderen mit deiner Zunge (aus der Liste)". – Der Zeuge ist hier der Beamte, der als Berichterstatter fungiert und die Eintragung in die Steuerlisten veranlaßt. Man könnte daher vermuten, daß die Warnung, kein falscher Zeuge zu sein, im Rahmen eines weisheitlichen Standesethos eine bestimmte und sehr konkrete Funktion innegehabt hat, die eng mit bestimmten Berufsaufgaben des (königlichen) Beamten zusammenhing.

[1] Nur in den Prov steht der falsche Zeuge im Zusammenhang mit „Lüge" (כזב). – Die LXX übersetzt sowohl שקר als auch כזב mit dem Stamm ψευδ-, wenn auch nicht einheitlich. – In drei Fällen übersetzt sie עד שקר mit μάρτυς τῶν ἀδίκων oder μάρτυς ἄδικος; sonst immer μάρτυς ψευδής in 14,5: μάρτυς πιστὸς οὐ ψεύδεται (für כזב). In Prov 25,18 wird in Harmonisierung mit dem 8. Dekaloggebot übersetzt: οὕτως καὶ ἀνὴρ ὁ καταμαρτυρῶν τοῦ φίλου αὐτοῦ μαρτυρίαν ψευδῆ. Die Angleichung ist deshalb vorhanden, weil außer in einer Ps.-Stelle nur noch hier עד mit μαρτυρία übersetzt wird (φίλος für רע entspricht der Weisheitslit. in der LXX auch sonst).
Im Dekalog selbst übersetzt LXX für beide Fassungen: οὐ ψευδομαρτυρήσεις κατὰ τοῦ πλησίον σου μαρτυρίαν ψευδῆ. – ענה ist mit ψευδομαρτυρεῖν wiedergegeben; dabei wird bereits bei diesem Verb der Stamm ψευδ- verbal empfunden; ψευδομαρτυρεῖν heißt also nicht: als falscher Zeuge aussagen – das hätte im Griechischen einen Doppelklang: es hieße auch: als Zeuge aussagen, wenn man gar kein Zeuge ist.
Aus dem Vergleich von Lev 19,12 und Lev 19,11b wird deutlich, daß das Schwören beim Namen Jahwes zum Trug und das den anderen Betrügen sprachlich durch die Verwendung von שקר in beiden Sätzen aneinandergerückt wurden. Ob in V. 12 eine Interpretation des 2. Dekaloggebotes vorliegt, wie Reventlow (Dekalog, 44) meint, ist fraglich, aber nicht ausgeschlossen. Wichtig bleibt die Feststellung, daß שקר und שוא große inhaltliche Nähe besitzen und beide sowohl für die mißbräuchliche Nennung des Jahwenamens, besonders im falschen Schwören, als auch für das Einander-Betrügen verwendet werden.
Der Begriff עד שוא in Dt 5,20 hat sonst keine Parallele im AT; der falsche Zeuge heißt עד שקר. – Die Dt-Fassung dürfte daher bereits den Angleichungsprozeß spiegeln, der zwischen dem 2. und dem 8. Gebot stattgefunden hat, der bereits im AT beginnt und für den die Ähnlichkeit von Ex 23,1 mit Ex 20,7 ein legitimer Anknüpfungspunkt sein konnte.

deinen Fragen, damit sie nicht daraus lernen zu lügen" gehört) wird die spätjüdisch-hellenistische Tendenz deutlich, den Dekalog zu einer Aufzählung der wichtigsten Kapitalverbrechen zu machen; für eine solche Tendenz aber ist das Aussagen als falscher Zeuge nur ein spezieller Einzelfall des allgemeinen Deliktes gegen die Wahrhaftigkeit, so besonders in De Decal 138-141; Spec Leg IV,41-54 (Decal 139: ψεύδεσθαι; Zeugenschaft ist Augenzeugenschaft: εἰδέναι καὶ κατειληφέναι διαβεβαιούμενοι); Decal 141 verbindet mit Falsch-Schwören; Spec Leg IV,43 unterscheidet – gegen AT – zwischen κατήγορος und μαρτυρῶν. In Decal 172 ordnet Philo dem 8. Gebot weitere Delikte zu[1]. – Gemäß der theologischen Tradition von Lev 19,11 usw. ordnet Philo auch die falsche Lehre über Gott dem 8. Gebot ein (der Pseudoprophet ist der Pseudomartys)[2]; vgl. ferner Proto-EvJak 15,2 („Lege kein falsches

[1] Philo fügt dem 8. Gebot ein besonderes Kapitel mit der Überschrift τὰ πρὸς δικαστήν bei (Spec Leg IV,55-78). Dabei gibt er in 59-61 eine Auslegung von Ex 23,1. Die Worte der LXX: οὐ παραδέξῃ ἀκοὴν ματαίαν (MT hatte: Gerücht ausstreuen) versteht Philo (wie wohl auch LXX!) vom Richter. Dies sei so zu verstehen, daß man τοῖς ἀκοὴν μαρτυροῦσι nicht zuhören dürfe. Damit wird aus dem attischen Recht eingeführt die Unzulässigkeit des μαρτυρεῖν ἀκοήν, freilich hätten – so fügt Philo ein – die Griechen diesen Grundsatz aus den hochheiligen Gesetzestafeln des Moses übernommen. (Vgl. J. H. Lipsius (vor ihm: M. H. E. Meier und G. F. Schömann), Der attische Prozeß, I Berlin 1883; II Berlin 1883-1887; II,878: „Auf Hörensagen ein Zeugnis abzulegen (ἀκοὴν μαρτυρεῖν ist der Ausdruck dafür) war nur dann erlaubt, wenn die Personen, von denen man etwas gehört zu haben glaubte, schon verstorben waren".)

[2] Nach Spec Leg IV,48 kann sich die Bosheit dahin steigern, daß es Menschen gibt, die sind τῆς μακαρίας καὶ εὐδαίμονος θεοῦ φύσεως καταμαρτυροῦντες. Dann folgt ein Exkurs über Zeichendeuter, Vogelschauer usw. Diese erheben die Lüge bis zum Himmel (τὸ ψεῦδος ἄχρι οὐρανοῦ). Sie bringen eine Verfälschung der Prophetie, sie betrachten ihre Einbildungen als Wahrheit und verführen haltlose Charaktere (50). Aber solche Pseudopropheten werde die Natur bald bloßstellen, denn die Wahrheit werde nur durch eine kleine Sonnenfinsternis verdunkelt. – Möglicherweise ist Philo durch die 2-3-Zeugen-Verordnung in Dt 17 dazu veranlaßt worden, die Pseudoprophetie unter dem 8. Gebot zu behandeln. Andererseits ist der Begriff der „metaphysischen Lüge" auch in den Test Patr und in Qumran belegt, wenn auch nicht im Zusammenhang mit dem 8. Gebot. Lüge ist nach dieser Tradition der Abfall von Gott; wenn daher ψεῦδος unter dem 8. Gebot behandelt wird, gehören auch die unter dieses Gebot, die den Abfall und überhaupt Falsches über Gott lehren. – Eine dritte Möglichkeit gibt es noch für die Einordnung dieser Vergehen unter das 8. Gebot bei Philo, und sie erscheint mir als die wahrscheinlichste: Zum Stichwort ψεῦδος, das für Philo wesentlich den Inhalt des 8. Gebotes bestimmt, gehörte nach seinem Verständnis auch der ψευδοπροφήτης, der in der LXX besonders in Jer begegnet. Während aber noch in der LXX der Inhalt dieses Titels ist, daß jemand auftritt, der in Wahrheit keinen Auftrag von Gott hat und kein Prophet ist, wird bei Philo der Inhalt dieses Begriffes dahin verschoben, daß dieser eine falsche Lehre über Gott

Zeugnis ab, sondern sprich die Wahrheit"); Aristides, Apol 15,3-10 (8. Gebot + „nicht verleugnen sie etwas Anvertrautes"); in Apk des Paulus K. 6 nach Wiedergabe des 6., 5., 7. Gebotes für das 8. Gebot: „Meineide, Magie, Zauberei" (vgl. Sib II,256-258).

b) Die Auslegung der Forderung nach 2-3 Zeugen

Im röm. und griech. Recht ist die Forderung nach drei Zeugen unbekannt. LXX Dt 19,15 hat durch die Übersetzung mit ἐμμενεῖ den Sinn verschoben[1]. Philo gibt Spec Leg IV,53f eine Begründung für die Bestimmung. Josephus führt Ant IV,219 eine neue Sicherheit gegen falsches Zeugnis ein: auch bei einer Mehrzahl von Zeugen sind diese erst dann glaubwürdig, wenn sie ein vorher bewiesener guter Lebenswandel dazu macht (vgl. auch Vit 256: μάρτυρας καλούς!), und ergänzt, man dürfe von Frauen und Sklaven kein Zeugnis annehmen. Bei der Wiedergabe von Dt 19,16-18 ist verändert: der Bezug auf das Gottesurteil fehlt, und das Vergehen ist nicht auf den Abfall von Jahwe beschränkt. – Außer in den beiden Dekalogen begegnet das Verb ψευδομαρτυρεῖν in LXX nur noch in Sus 61, der klassischen Beispielerzählung über falsches Zeugnis. In CD 9-10[2] wird die Forderung nach drei Zeugen

hat, einer, der seine Einbildungen als Wahrheit betrachtet und die Wahrheit selbst verdunkelt (Spec Leg IV,50.51). Diese Interpretation des Pseudopropheten als des Propheten, der falsches lehrt und daher lügt und daher gegen das 8. Gebot verstößt, ist zudem gegenüber dem AT als eine typisch hellenistische anzusehen: Statt der Legitimation von Gott her wird der Inhalt der Lehre beurteilt. Martys ist der „Prophet" auch nach Acta 1,21; 1 Petr 5,1.12.

[1] ἐμμένειν bedeutet „bestehen, Bestand haben", so im absoluten Gebrauch von Verträgen (Thuk 2,1: τέσσαρα καὶ δέκα ἔτη ἐνέμειναν αἱ σπονδαί) oder auch von μαρτύρια (Xenophon, Cyr 1,2,16: καὶ νῦν δ' ἔτι ἐμμένει μαρτύρια τῆς μετρίας διαίτης αὐτῶν). Griechisch sprechende Leser können daher diese Stelle nur verstanden haben: Ein einziger Zeuge gegen einen Mann hat keinen Bestand für die Dauer, er wird sich nicht durchsetzen können. – Diese Übersetzung interpretiert also in einer gewissen Nähe zu Formulierungen der Weisheitsliteratur, nach denen der Gerechte Bestand haben wird.
Das Verb ἐμμένειν wird für קום auch verwendet in Nu 23,19; vgl. Dt 27,26; Jes 7,7; 8,10; 28,18; Jer 51(44),25; Jer 51,28. Nach H. van Vliet, a.a.O., 40 ist hier zu übersetzen mit: „One witness shall not abide, not hold good... to give testimony against a man". Aq: ἀναστήσεται. Vgl. Targum Ps-Jonathan (Jer) Dt 19,15.

[2] Für eine Lösung der hier zu behandelnden Fragen wird man folgende Gliederung des Textes annehmen müssen:

9,16b-17a: Überschrift

I. 17b-20a: Fall eines todeswürdigen Verbrechens; wurde der Täter schon das zweite Mal bei dieser Sache gesehen, so ist die Verurteilung vollendet, d.h. die Todesstrafe trifft zu.

II. 20b-22a: Hier geht es wieder um eine Sache allgemein: Bei zwei glaub-

nicht mehr erwähnt, vielmehr genügen zwei vollauf, da sie ja zuverlässig sein müssen, und für todeswürdige Vergehen und den Ausschluß bei Vermögenssachen genügt sogar ein Zeuge. Offenbar hängt die Verringerung der notwendigen Zeugenzahl zusammen mit dem Bestreben, den Täter auf jeden Fall belangen zu können, um die Reinheit der Gemeinde zu bewahren. Die Tendenz ist also umgekehrt wie in Dt 19,15: dort ging es um den Schutz des Angeklagten, hier um die Reinheit der Gemeinschaft; deshalb gilt für den bloßen Ausschluß von der „Reinheit" schon das Zeugnis eines Einzelnen. – Vgl. ferner Test Abr Rez A K. 13 (Ausgleich durch Dt 19,15 zwischen drei Überlieferungen über die Gerichtsinstanz); arab Test Abr (Übs. Barnes p. 137); Midr R Gen 9,6.

würdigen Zeugen kann man von der Reinheit ausgeschlossen werden. – Bei einem todeswürdigen Verbrechen (17b-20a) genügte es, wenn man zweimal von einem Mann gesehen war.

III. 22b-23: Bei einer Vermögenssache (ההון) müssen zwei Zeugen da sein; nur um von der Reinheit ausgeschlossen zu werden, genügt hier auch ein einziger Zeuge.

23b-10,2a: Ein Todesurteil darf nicht bei Zeugen gefällt werden, die nicht das erforderliche Alter haben.

10,2b-3: Bestimmungen über die Frage, wann ein Zeuge glaubwürdig ist.

Im Fall eines todeswürdigen Vergehens wird also von dem zwei-Zeugen-Prinzip insofern abgesehen, als es nun schon genügt, wenn ein Zeuge den Täter zweimal gesehen hat. Für die Trennung von der Reinheit in allgemeinen Sachen bleibt die 2-Zeugen-Regel bestehen; nur bei einer Vermögenssache genügt für diesen Akt schon ein Zeuge, offenbar weil diese besonders schwer verunreinigend wirkt.

Gegenüber den atl Verordnungen sind folgende Besonderheiten festzustellen:

1. Sehr deutlich wird betont, daß der Zeuge glaubwürdig sein müsse. Nach 9,21 gilt das Zeugnis der zwei nur, wenn sie glaubwürdig sind (אם נאמנים); ebenso werden in 9,23 bei einer Vermögenssache zwei glaubwürdige Zeugen (שני עידים נאמנים) gefordert. Besondere Bestimmungen darüber, wann jemand als glaubwürdig gelten darf (יאמן), gibt 10,1-2a; 2b-3. Für ein Todesurteil wird als positives Kennzeichen erfordert, daß man das nötige Alter haben muß, um in die Gemeinschaft überhaupt eintreten zu können. Negativ wird in 10,2b-3 angeordnet, wer das Gebot absichtlich übertrat, sei solange als Zeuge unfähig, bis er gereinigt sei, umkehren zu können. Keine allgemeine Glaubwürdigkeit ist es also, die ihn zum Zeugnis befähigt – so hatte es aus analoger Tendenz Josephus gefordert –, sondern das נאמנים wird interpretiert durch die Festlegung auf aktuelle Unreinheit: Ihr Andauern, nicht die sie verursachende Übertretung des Gebotes, ist der Hinderungsgrund zur Zeugenschaft.

2. Die Forderung nach drei Zeugen wird nicht erwähnt; vielmehr genügen zwei vollauf, da sie ja zuverlässig sein müssen, für todeswürdige Vergehen und für Ausschluß bei Vermögenssachen genügt sogar ein Zeuge. Offenbar hängt die Verringerung der notwendigen Zeugenzahl zusammen mit dem Bestreben, den Täter auf jeden Fall belangen zu können, um die Reinheit der Gemeinde zu bewahren.

c) Die Übertretung des 8. Gebotes als soziales Vergehen

Das Vergehen gegen den Nächsten wird betont; so Ps.-Philo 11,12 (Goldene Regel; vgl. zum Inhalt: Mk 8,38!; zur Formulierung von Dekaloggeboten nach der Goldenen Regel: Ps.-Menander 43; Ps.-Clem. Hom 7,4); Ps.-Phokyl. (9-)12 (Reihe nach Art eines Richterspiegels).16-17; Ps.-Menander 24; in späten Schriften in sozialen Reihen – zugleich ein Zeichen der Annäherung von Dekalog und sozialen Reihen –, so in Test Isaak 5,11; Teez Sanb L 21; Offenbarung des Moses (Gaster 582); Petrus Apk H-S II,478; äth Gorgorios Apk L 87; dazu vgl. auch die dekalog-ähnliche Reihe in Test Abr Rez B K. 12 (James p. 116,20f), wo zwischen dem 6. und 5. Gebot genannt wird: εἶδεν ἄλλους ἀνθρώπους καταλαλοῦντας ἑταίρους. Abraham befiehlt, daß auch sie sofort von der Erde verschlungen werden. Zur Wiedergabe des Nächsten durch ἑταῖρος vgl. LXX.

d) Die Einordnung in Zungensünden

In der unten unter § 8 genannten Tradition über Höllenstrafen an den Körpergliedern ist das falsche Zeugnis die Zungensünde schlechthin. So heißt es in der alten El Apk von denen, die an der Zunge aufgehängt sind: blasphemi sunt, falsi etiam testes; in M II (cf. § 8) sind die Zungensünder die Verleumder, der Offenbarung des Moses die, die falsches Zeugnis gaben (in einer Reihe mit großer Nähe zum Dekalog) bzw. die nichtige Worte sagten, bzw. in einer soz. Reihe die böse Worte ihren Nachbarn gaben und falsches Zeugnis ablegten; in M IV die Spötter, in der Petrus Apk die den Weg der Gerechtigkeit lästerten bzw. falsche Zeugen (die die Zunge zerbeißen und Feuer im Mund haben), in den Thomasakten Leute, die verleumderische, falsche, häßliche Worte sagten; vgl. äth Gorgorios Apk L 87: die Zungen sind denen bis zur Brust gespalten, „who bore false witness against men". – Es wird deutlich, wie weit der Einzugsbereich des 8. Gebotes hier geworden ist. Da die El Apk hier den frühesten Stand repräsentiert, wird deutlich, wie alle Zungensünden dem 8. Gebot untergeordnet werden.

§ 7 Die beiden Verbote des „Begehrens"

In Ex 20,17 folgen aufeinander zwei kurze Prohibitive (deren zweiter beträchtlich erweitert ist), die beide mit לא תחמד beginnen[1]. Das Haus des Nächsten und das Weib des Nächsten sind die

[1] Spezialliteratur: J. Herrmann, Das zehnte Gebot, in: Sellin-Festschrift / Beiträge zur Religionsgeschichte und Archäologie Palästinas, Leipzig 1927, 69-82; A. Alt, Das Verbot des Diebstahls im Dekalog, in: Kleine Schriften zur Geschichte des Volkes Israel I, 1953, 333-340; J. R. Coates, Thou shalt not covet (Ex 20,17), in: Zeitschr. f. atl. Wiss. 11 (1934) 238f.; C. H. Gordon, A note on the tenth Commandment, in: The Journ of Bible and Rel 31 (1963) 208-209; K. Lüthi, Probleme um das 10.(9.) Gebot, in: Kirchenblatt

Objekte in zwei syntaktisch voneinander unabhängigen und nach Art einer Reihe aufeinanderfolgenden Prohibitiven. Zu dem Verbot, das das Weib des Nächsten betrifft, sind zunächst weitere Personen als Objekte hinzugefügt, dann auch Tiere und die ganze Habe. Im Dt wird der Prohibitiv über das Weib des Nächsten vorangestellt, die übrigen Glieder werden davon getrennt und mit dem „Haus" des Nächsten verbunden, außerdem wird das Verb verändert (אוה), während der erste Prohibitiv חמד beibehält. Der „Acker" ist im Dt hinzugefügt, und wie alle Dekaloggebote, so sind auch diese beiden durch Waw verbunden worden.

Der dtn Redaktor, der die Gebote umstellte und das Haus mit dem übrigen Besitztum verband, die Frau des Nächsten aber durch ein anderes Verb davon unterschied, wollte offenbar eine strenge Trennung durchführen zwischen der Frau des Nächsten und seinem übrigen Besitz. Wie im 8. Gebot so begegnet auch hier der „Nächste", und zwar mehrfach. – Das Verb אוה bezeichnet nicht ein irgendwie innerliches Begehren, sondern die Mitte zwischen „etwas Erstreben" und „etwas an sich Bringen". In ähnlichem Sinne wird das Verb auch sonst verwandt, so von dem Versuch der Aneignung von Landbesitz in Abwesenheit der Besitzer (Ex 34,24), von Beutestücken (Jos 7,21), von Silber und Gold an Götzenbildern (Dt 7,25), von Landbesitz und Häusern (Mi 2,2), im Sinne von „sich bemühen, etwas zu erlangen" oder „in Besitz nehmen" (Ps 68,17). Das Verb חמד ist dagegen dem griech. ἐπιθυμεῖν sehr viel ähnlicher. – Mit der Wahl dieses Verbums für das Begehren der Habe des Nächsten ist zugleich die Voraussetzung dafür geschaffen, daß das 7. Gebot in der Bedeutung „du sollst nicht stehlen" ganz allgemein verstanden wurde, da Stehlen ja nun vom Begehren unterschieden werden kann. Nur für das Wegnehmen der Frau kann das alte Verb beibehalten werden, da das Wegnehmen der Frau immer noch deutlich vom Ehebruch unterschieden ist. Die Ursache für die Voranstellung des 9. Gebotes im Dt sind also nicht besondere humanitäre Gründe, sondern die Funktionsverschiebung des 7. Gebotes, die zwar die gesamten im 10. Gebot genannten Güter ergreift, nicht aber das Verhältnis zum Weib des Nächsten (wegen des eindeutigen Inhaltes des 6. Gebotes). – So stehen sich am Ende dieses Prozesses gegenüber: Ehebruch (6.) und Wegnahme

für die reform. Schweiz 1955, fasc. 15; W. L. Moran, The conclusion of the Decalogue (Ex 20,17 = Dt 5,21), in: CBQ 29 (1967) 543-554; P. Wilpert, Art. Begierde, in: RAC II,62-78.

der Frau des Nächsten (9.), Stehlen (7.) und Begehren (10.) des Gutes des Nächsten. – Die ursprüngliche Folge dagegen lautete: Ehebruch-Mannesraub-Erstreben des Hauses (9.) und der Frau (10.).

Mit der vorangehenden, mit dem 5. Gebot beginnenden Reihe haben das 9. und 10. Gebot die Form gemeinsam sowie die inhaltliche Eigenart, daß es sich um Vergehen gegen den Nächsten handelt. Aber auch das Merkmal, das wir als einen Grund für die Zusammenfügung des 5. bis 8. Gebotes erkannten, die mangelnde Aufweisbarkeit der Schuld, ist hier gegeben. Denn durch חמד und auch durch אוה ist ein Bereich angesprochen, in dem es noch nicht zur Ausführung der Tat gekommen ist, wohl aber bald kommen wird. In beiden Prohibitiven wird verboten, etwas durch sein Tun zu erstreben. Nicht der Raub selbst ist genannt, sondern jene Vorstufen, bei denen man die böse Absicht, zu deren Verwirklichung sie dienen, noch nicht erkennen kann. Das Tun, das die Vorbereitung einer unrechtmäßigen Besitzaneignung ist, wird hier betroffen. חמד bezeichnet genau jenes Tun, das als „Erstreben" im Vollsinn des Wortes selbst noch nicht als absichtlich schuldhaft nachweisbar ist. So kann durch unsere Gesamtdeutung der Reihe des 5.-10. Gebotes die These J. Herrmanns über חמד auch aus der Eigenart de. Dekalogs selbst her weiter vertieft werden[1]. – Damit fügen sich auch das 9. 7 und 10. Gebot inhaltlich ganz in die Reihe der Prohibitive des Dekalogs ein.

Eine gewisse Parallele zum 10. Gebot liegt in Prov 6,25 vor: in V. 24 war von des Nächsten Weib die Rede (אשת רע), hier heißt es: אל תחמד יפיה בלבבך („nicht suche an dich zu bringen ihre Schönheit in deinem Herzen"). Durch den Bezug zum Herz bekommt חמד schon deutlich die Wendung zum „Begehren", den dann ἐπιθυμεῖν in der 2. Antithese Mt 5,28 in der gleichen Verbindung hat (vgl. auch Dt 14,26).

[1] So zuerst J. Hermann, a.a.O. auch mit Hinweis auf Joh. Clericus, Mosis prophetae libri, Amsterdam 1710, zu Ex 20,17: „Ne prae cupiditate uxorum aut rem alienam ullam malis artibus tuam facere nititor"; zu Ex 34,24: „Non de sola cupiditate intra animum latente sed de ipsa rei cupitae invasione".

Traditionen der Auslegung

a) Die Zurückführung auf Begierde überhaupt, besonders auf die nach Frauen und verbotenen Speisen

Durch die Übersetzung mit ἐπιθυμεῖν wird zwar nicht für das 10. Gebot, wohl aber für das 9. etwas Neues geschaffen: Schon das Begehren nach dem Weib des Nächsten wird jetzt im Dekalog verboten, eine Tendenz, die auch in Prov 6,25 schon deutlich geworden war: dort übersetzt LXX: μή σε νικήσῃ κάλλους ἐπιθυμία und fügt gegen MT hinzu: μηδὲ ἀγρεωθῇς σοῖς ὀφθαλμοῖς; auch 6,24 wurde verändert; statt Weib des Nächsten heißt es dort: ἀπὸ γυναικὸς ὑπάνδρου (so auch V. 29). 6,25b lautete im MT: Und nicht soll sie dich fangen mit ihren Blicken; LXX übersetzt: μηδὲ συναρπασθῇς ἀπὸ τῆς αὐτῆς βλεφάρων. In diesen Hinzufügungen und Veränderungen gegenüber dem Hebr wird bereits in LXX jene Tendenz sichtbar, die schon das Anblicken der Frau für den Beginn des Vergehens hält. Vgl. auch Mi 2,2 LXX; Sus 8 (ἰδόντες... ἐπιθυμήσαντες); Dan 11,37 LXX (ἐν ἐπιθυμίᾳ γυναικός); Wiedergabe des 10. Gebotes in 4 Mkk 2,5f (V. 6 dann: μὴ ἐπιθυμεῖν): Die Begierde selbst ist durch das Gesetz verboten. Dabei ist die Geschlechtslust eine seelische Begierde, und die nach Speisen, welche durch das Gesetz verboten sind, eine leibliche: ebenso Philo Decal 51; Heres 173 (μοιχείας, φόνου, κλοπῆς, ψευδομαρτυριῶν, ἐπιθυμιῶν) Decal 142 (ἐπιθυμεῖν ἀπαγορεύει) 151.173; Spec Leg IV,84 (Begierde Quelle von Vergehen gegen das 5.-8. Dekaloggebot); nach Decal 51; Spec Leg IV 85 ist sie das ἀρχέκακον πάθος. Wie in 4 Mkk so sind auch bei Philo die verbotenen Speisen dem 10. Gebot zugeordnet (Spec Leg IV,96-125). Das Vergehen gegen das Gut des Nächsten tritt bei Philos Auslegung völlig zurück und wird nur in Decal 152 und im Katalog Spec Leg IV,84 kurz genannt. Wichtiger sind ihm die Begierden nach Geld, Ruhm, Macht und Schönheit. Ebenfalls nur durch οὐκ ἐπιθυμήσεις wiedergegeben ist das 9./10. Gebot in Röm 13,9 (dem entspricht die Verkürzung nur auf den Prohibitiv in den samaritan. Dekaloginschriften). Der hellenistische Grundsatz von der ἐπιθυμία als der Quelle aller Übel findet sich auch in der Moses Apk § 19: ἐπιθυμία γάρ ἐστιν κεφαλὴ πάσης ἁμαρτίας (sentenzartiger Einschub durch Stichwortverbindung); ebenso am Schluß einer dekalogartigen Reihe (6.7.6.) in der Abraham Apk („Ich sah daselbst die Begierde und in ihrer Hand das Haupt einer jeden Übertretung")[1]. Diese zentrale Bedeutung der ἐπιθυμία macht das 10. Gebot für das hellenistische Judentum zu einem Zentralgebot, da mit der „Begierde" eben auch alle anderen Gebote übertreten sind. Das wird beispielhaft deutlich in Röm 7,7, wonach Pls (wie Adam) eben dieses Gebot (οὐκ ἐπιθυμήσεις) übertrat und damit die „Gesamtheit" der Sünde einbrechen ließ. Diese Auslegung des 10. Gebotes wird vorzüglich deutlich in 1 Thess 4,4-6: Die Warnungen vor Unzucht und

[1] Vgl. auch R. Jakim: Wer das zehnte Gebot übertritt, sündigt gegen alle, nach Bacher, Ag Pal. Am III,708f. Dazu ist zu vergleichen Tanch נשא (B. 4) nach Bacher, Ag Pal. Am III,557: (Über den Ehebruch) „Mit dieser Sünde werden alle zehn Gebote des Dekalogs übertreten".

Habgier werden zurückgeführt auf die Warnung: μὴ ἐν πάθει ἐπιθυμίας. Denn das sei ein Kennzeichen der Heiden. Obwohl im Kontext lediglich davon die Rede ist, daß Unzucht vermieden werden soll (vgl. V. 4.7f), zieht die Nennung der Begierde sogleich auch den Hinweis auf Habsucht nach sich. Die Verbindung von Begierde und Ehebruch findet sich auch in Pistis Sophia K. 140 (Übs. Till 240,3). Auf Speisen und Frauen beziehen sich auch die Begierden in Herm Mand VI,II,5; nach Herm Mand XII,1,3-2,1 bringt Tod die Begierde nach anderer Frau, anderem Mann, nach Reichtum oder Speisen[1]. In syr Didask ist die Deutung des Begehrens schon so weit vorangeschritten, daß schon sich zu schmücken sündhaft ist, weil dadurch das Begehren des anderen hervorgerufen wird (K. 2 p. 4: Daß du durch deinen Putz bewirkt hast, daß ein Weib von Begierde zu dir ergriffen wurde. Denn du hast sie zu einer gemacht, die solches um deinetwillen betroffen hat, daß sie (nämlich) mit ihrer Begierde die Ehe brechen wollte") (vgl. Mt 5,28 !), ferner K. 3 p. 11 („...dadurch Sünde begangen, daß du jenen genötigt und dazu gebracht hast, deiner zu begehren"). Der Kampf gegen die Begierden ist in jeder der folgenden Standesparänesen das Hauptthema der syr Didask. Eine sexuelle Interpretation der übrigen im 10. Gebot genannten Glieder findet sich in der von Vassiliev edierten Palaia p. 241: „Du sollst nicht begehren die Frau deines Nächsten und nicht seinen Sohn und nicht seine Tochter und nicht seine Magd...".

Die Haupttendenzen der Auslegung sind also hier: Verbot der Begierde überhaupt, Kombination der Begierde nach Frauen und verbotenen Speisen, Subsumierung aller übrigen Verbote unter das Hauptlaster Begierde (so auch Herm Sim 10,3).

Die häufige Reduzierung des 10. Gebotes auf das bloße „du sollst nicht begehren" markiert ein Interpretationsstadium, das den Siegeszug des 10. Gebotes über alle anderen Einzelgebote bereits ankündigt. Entsprechend der bereits in der Stoa aufgestellten Relation zwischen Begehren und Sündigen wird das Verbot zu begehren einerseits das Zentralgebot überhaupt, da die Begierde das Urlaster ist; andererseits ist es das typische Kennzeichen gerade des hellenistischen Judentums, diesem Verb einen hauptsächlich sexuellen Akzent verliehen zu haben; aber auch die Verwendung im Sinne des Begehrens von Speisen (woraus dann die Speisegebote abgeleitet werden) läßt erkennen, daß man bei der Übernahme dieses Begriffes gerade diejenigen Inhalte damit verbunden hat, die die jüdische Moral von der der Umwelt unterschieden: Die Zentralfunktion des 9./10. Gebotes kommt gerade darin zum Austrag, daß Begierde im

[1] Parallelen auch in der rabb. Literatur, z.B. Nid 20b: „Mein Mann war auf Reisen, und ich hatte Gelüste nach ihm (וחמדתין)" (nach Levy II,70); Mac 23b: „Raub und Buhlerei, welche die Seele des Menschen begehrt und wonach er gelüstet (וחמדתן)" (nach Levy II,70).

Sinne der speziell jüdischen „Tugenden" interpretiert werden konnte. Aus der Auslegungsgeschichte des 6. Gebotes ging bereits hervor, daß aus mehreren Gründen das Verhältnis zur Sexualität darin den zentralen Platz einnahm. Diese Bewertung der Begierde im jüdisch-hellenistischen Sinne ging dann über judenchristliche Tradition (NT Pastor Hermae, Syr Didaskalie) in das frühe Christentum über und hat – nicht zuletzt durch die Vermittlung Augustins – nachhaltig bis auf die Gegenwart gewirkt.

b) Auslegung auf das Begehren nach dem Gut des Nächsten

So in Test Iss 7,3; Lib Ant 11,13 (ohne 9. Gebot) (hier in Verbindung mit der Goldenen Regel: „... ne et alii concupiscant terram tuam"; hier wird der Bezug auf den Landbesitz sekundär hergestellt); 44,6 (enge Verbindung mit dem 8. Gebot); 44,7 (10. Gebot fehlt; cf. V. 10; zur Formulierung vgl. Prov 6,26); Jub 23,21; Test Abr Rez A K. 10 p. 88; Buch des Elias 3,1 („Sie nehmen Häuser, rauben Äcker, erschlagen auf der Straße Witwen und Waisen": die Auslegung des 5. Gebotes ist hier mit dem 10. Gebot verbunden!); apk Midrasch B-h-M V. 50-51 (Übs. Gaster 603,15); Slav. Hen 10,5 (nach dem 7. Gebot nimmt die soziale Reihe den Platz des 10. Gebotes ein, dadurch wird hier die 2. Tafel des Dekalogs vollständig), ebenso in Vis Esdrae 7 am Ende der soz. Reihe „bonum desiderium desideraverunt", dem entspricht genau in der 2. soz. Reihe der Visio Esdrae 31f: „aliorum res ad se traxerunt, malum desiderium habuerunt". Eine höchst aufschlußreiche Kombination des 6., 7. und 10. Gebotes mit Hilfe jüdisch-paränetischen Materials findet sich in der syr Didaskalie (3. Jh.) I: „Du sollst nicht begehren etwas von deinem Nächsten, weder sein Feld, noch sein Haus... noch etwas von seinen Gütern, denn alle diese Begierden sind vom Bösen. Denn der begehrt seines Nächsten Weib oder seinen Sklaven oder seine Sklavin, ist schon ein Dieb und Ehebrecher".
In hellenistischen Schriften: 4 Mkk 2,5f; Did 2,2 (Formulierung ähnlich); Ps Sal 4,11 (im Blick auf 4,4.5 und Mt 5,28 ist hier die Kombination mit „Augen" bedeutungsvoll); Herm Sim I,11; Jos Ant III,91; Auslegung auf Habgier (πλεονεξία) in Herm Mand 8,5; Ps Sal 4,11-13; Barn 19,6; Ps Clem Hom 11,27,3 (ἀδικία δέ ἐστιν φονεύειν, μοιχεύειν, μισεῖν, πλεονεκτεῖν); Thomasakten K. 84 (6., 5., 7. Gebot, dann: Völlerei, Habsucht). Menander nach Eusebius Pr Ev XIII,13,45ff (2,8-13) nach einer Wiedergabe des 6., 5. und 7. Gebotes: „Mein Pamphilus! Begehre nicht eine Nadelspitze" (μηδὲ βελόνης ἐναμμ' ἐπιθυμήσῃς). Die Einzelobjekte des 10. Gebotes werden hier durch eine hyperbolische Verschärfung zusammengefaßt.

c) Verunreinigung durch Begierden

Mit einer Verunreinigung durch Begierden rechnet die frühgnostische Apokalypse des Adam (Böhlig-Labib f. 75,1-8): „jenes Land, in dem die großen

Menschen sein werden, die sich nicht befleckt haben noch sich beflecken werden durch irgendwelche Begierden (ἐπιθυμίαι), denn nicht ist ihre Seele durch eine befleckte Hand entstanden, sondern sie entstand durch einen großen Befehl eines ewigen Engels". – In 83,16f heißt es dann: „denn nicht wurden sie verdorben durch ihre und der Engel Begierde". Hierbei handelt es sich vermutlich um eine Wiedergabe der Auslegungstradition von Gen 6,1ff. Im ersten Text ist aber Begierde überhaupt verunreinigend, ein Zeichen für die innere Nähe zum 6. Gebot.

In Abr Apk 24,7.8 heißt es: „Ich sah daselbst auch ihre Unzucht und die sie begehrten und ihre (Sg.) Befleckung und ihre (Pl.) Eifersucht und das Feuer ihres Verderbens („Vergänglichkeit") in den untersten Teilen der Erde. Ich sah daselbst den Diebstahl und die zu ihm eilten und die Ordnung ihrer Vergeltung, das Gericht des großen Gerichts". – Das Begehren der Unzucht erinnert an das 10. Gebot und an seine enge Verbindung mit dem 6. Gebot.

§ 8 Die Auslegung von Dekaloggeboten in einer Tradition über Höllenstrafen

Auslegungen des 4.-10. Gebotes, insbesondere aber des 6. Gebotes finden sich in einer Gruppe apokalyptischer Texte, deren Thema die Schilderung von Höllenqualen der Ungerechten ist. Die Bedeutung dieser Tradition besteht darin, daß hier an einem konkreten Beispiel die Beziehung zwischen nach-ntl jüdischen und christlichen apokalyptischen Stoffen sichtbar gemacht werden kann: Die Stoffe sind identisch, ohne daß sie durch kanonische Bücher als gemeinsames Gut vermittelt wären. Die Ausrichtung dieser Schilderungen am Dekalog bestätigt die zentrale Bedeutung, die die zweite Tafel des Dekalogs für die volkstümliche Paränese gehabt hat. Diese Texte sind in 4 apokalyptischen Midraschim und in der Petrus Apk, der ältesten Elias Apk und den Thomasakten erhalten[1]. –Als Träger der Visionen werden angegeben: Elias (M I, El Apk), Jesaia (M II), Moses (M III), Petrus (Pe Apk) und Thomas (ThA). In dieser

[1] 1. Midrasch bei A. Wünsche, Lehrhallen III,70-71 = M I
2. Midrasch Kezad dîn ha-Keber bei A. Wünsche, Lehrhallen III, 94-95 = M II
3. Offenbarung des Moses K 36-45, nach M. Gaster, JARS 1893, 581-583 = M III
4. Schilderung der Hölle bei Jellinek, Beth-ha-Midrasch V,50-51 = M IV
5. Petrus-Apokalypse (H-S II,475) = Pe Apk
6. Thomasakten (H-S II,332 = K. 56; ed. Bonnet p. 172f) = ThA
7. Elias-Apokalypse, in: D. de Bruyne, Nouveaux fragments des Actes de Pierre, de Paul, de Jean, d'André et de l'Apocalypse d'Élie, in: Rev Bénéd 25 (1908) 149-160, S. 153f = Codex Burchardi Würzburg, unter dem Titel „Epistula Petri", = El Apk

Tradition handelt es sich darum, daß die Sünder an Gliedern aufgehängt werden, mit denen sie gesündigt haben. Dafür kommen in Frage Hände, Füße, Augen, Ohren, Nasen, Zungen, Schamteile, Haare und bei Frauen die Brüste. Diese Reihe von Gliedern und die angegebenen Strafen stellen nur die Entfaltung des sehr viel älteren, aus der Anwendung der Talio im göttlichen Gericht erwachsenen Grundsatzes dar: An dem Glied, mit dem jemand sündigt, wird er auch bestraft werden (vgl. dazu: El Apk: per ipsa vero varia supplicia ostenditur uniuscuiusque actus; Lib Ant 44,10: omnis homo in quo peccato peccaverit, in eo et iudicabitur; Jub 4,32 und besonders Sap Sal 11,16 δι' ὧν τις ἁμαρτάνει διὰ τούτων κολάζεται). Der Aufbau der Vision in Bild und Deutung ist aus apokalyptischer Tradition noch in El Apk erhalten. Der älteste Text dürfte aber M I sein: hier werden nur allgemein die Glieder aufgezählt, an denen Menschen hängen (Nase, Hände, Zunge, Füße, Brüste, Augen), in der El Apk sind diese Glieder bereits in der Erklärung gedeutet, und zwar bleiben diese spezifizierenden Erklärungen dann in der vorliegenden Tradition konstant:

a) Aufhängen an den Geschlechtsorganen: El Apk: adulteri sunt et pederasti; M II: die ihre Weiber ließen und mit den Töchtern Israels buhlten; M III: Ehebruch; M IV: Ehebruch; (ThA: Seelen von Frauen, die Männer und von Männern, die Frauen verlassen und mit anderen Ehebruch trieben).
b) Aufhängen an der Zunge: El Apk: blasphemi sunt, falsi etiam testes; M II: die verleumdeten; M III: 1. falsches Zeugnis, 2. (angefügtes Stück:) nichtige Worte; M IV: die spotteten; Pe Apk: die den Weg der Gerechtigkeit lästerten; ThA: die verleumderische, falsche, häßliche Worte sprachen. (Variante: Kauen der Zunge in PeApk: Lästerer und Zweifler an der Gerechtigkeit und ungehorsame Sklaven; Zerbeißen der Zunge und Feuer im Mund: falsche Zeugen).
c) Aufhängen an den Brüsten: El Apk: et foemine mamillis suis cruciabuntur... nam quod foemine mamillis torqueri iubentur, istae sunt, quae in ludibrio corpus suum tradiderunt masculis. Dem entspricht hier ausdrücklich, daß die Jünglinge an den Händen aufgehängt werden. – Während in MI nur allgemein erwähnt wurde, daß Frauen an den Brüsten aufgehängt werden und in El Apk nur das Sich-Hingeben als näheres, damit verbundenes Delikt genannt ist, bleibt in der späteren Tradition die Begründung konstant: an Brüsten werden aufgehängt, „welche das Haar ihres Hauptes lösen und ihre Seiten (die Kleider an den Seiten) aufmachen und auf der Straße säugten, um das Herz der Menschenkinder sich zuzuneigen und sie zur Sünde zu verführen". – Nach M III werden solche Frauen an Haaren und an Brüsten aufgehängt, in M IV handelt es sich nur um das Entblößen der Brüste, um die jungen Männer sündigen zu machen. M IV hat hier das ursprünglichste Entfaltungsstadium von M I bewahrt, M III systematisiert aus M II, da jetzt die Frauen auch an den Haaren hängen. – Der Wortlaut stimmt weit-

gehend überein. In PeApk und ThA fehlt dieses Motiv; dafür werden aber die Brüste der Mütter abgetriebener Kinder nach PeApk besonders bestraft.
d) Aufhängen an den Haaren. Diese Strafe fehlt noch in M I und El Apk, entwickelt sich aus der Verführungsschilderung in M II und findet sich dann in M III (Frauen, die ihre Haare vor jungen Männern entblößten), in M IV wird es von den Männern ausgesagt, die ihre Haare als Schmuck für die Sünde wachsen ließen. – In Pe Apk werden Frauen an Nacken und Haaren aufgehängt, die Haarflechten zur Schaffung des Schönen machten, so aber zu Hurerei und zum Verderben der Männerseelen führten. Nach einer 2., unmittelbar angeschlossenen Tradition werden an Haaren über kochendem Schlamm Frauen aufgehängt, die sich zum Ehebruch schmückten; nach ThA werden an den Haaren Schamlose und solche ohne Kopfbedeckung aufgehängt (vgl. 1 Kor 11,10).
e) Aufhängen an Nasen; fehlt in El Apk, M II und M III, findet sich in M I als kurze Angabe und in M IV: die sich zur Sünde parfümierten. – Daraus wird wiederum deutlich, daß M I noch eine allgemeine Aufzählung von Gliedern bringt, die erst nachträglich auf Einzelsünden bezogen werden; nur M IV nimmt dieses Glied auf, da hier die sexuelle Deutung am konsequentesten durchgeführt ist.
f) Aufhängen an den Augen. In M I entspricht das Aufgehängtsein der Menschen, d.h. der Männer an den Augen dem der Frauen an den Brüsten. Daher handelt es sich hier um die Sünde des begehrlichen Anschauens, so auch in M III: die die Frauen von Verheirateten anschauten; in M IV: die den Augen zur (sex.) Sünde folgten und nicht Gott vor Augen hatten (hier wird noch der Ursprung der sexuellen Augensünde sichtbar!). In einem Teil der Tradition ist das griech. κρέμανται durch das lat. gleichlautende cremare (anbrennen) wiedergegeben, bleibt aber mit dem gleichen Delikt verbunden, so in El Apk: qui oculis vero cremantur hii sunt qui in videndo scandalizati sunt, respicientes in concupiscentia reatu gesta. – Dieser Text und auch die übrigen hier genannten Beispiele sind besonders wichtig für die Deutung der 2. Antithese der Bergpredigt (Bestrafung an Gliedern, scandalizari, concupiscentia). Auch nach Pe Apk werden Augen angebrannt.
g) Aufhängen an Händen; in M I erwähnt, fehlt in M II; nach El Apk trifft es die Jünglinge, die den sich hingebenden Frauen entsprachen (et ipsi iuxta erunt in tormentis manibus pendentes propter hanc rem); nach M III wird man an Händen aufgehängt wegen Diebstahl, Tötung, Mord (zusammen genannt mit dem Aufgehängtwerden an der Scham, also in der Reihenfolge 6., 7., 5. Gebot); in M IV wegen Diebstahl und Raub; in ThA ist zum Stichwort „Hände" eine soziale Reihe angeführt.
h) Aufhängen an den Füßen; in M I erwähnt, sexuell gedeutet in dem konsequent sexuell interpretierenden M IV (zur Sünde gelaufen) und in Pe Apk (VI: an den Schenkeln), sonst sozial gedeutet, so in M III mit dem 2. und 3. Dekaloggebot und dem Verachten der Gelehrten, der Verfolgung der Waisen, dem Nachbarn böse Namen zu geben und falsches Zeugnis abzulegen, so auch in ThA: auf bösen Wegen laufen (vgl. M IV), dann: Kranke nicht besuchen, Tote nicht begraben; El Apk: qui vero inversi pendebant, hii sunt odientes iusticiam dei, pravi consilii, nec quisquam fratri consentit. – Das Stichwort iusticia dei führte dann offenbar dazu, daß in dieser Tradition nach Pe Apk der „Weg der Gerechtigkeit" gelästert wird,

die Gerechtigkeit verleugnet, gelästert und bezweifelt wird. Hier wird besonders die Nähe von Dekalog und sozialer Reihe in später Überlieferung deutlich.

Eine Nähe dieser Tradition zu Dekaloggeboten liegt in M I noch nicht vor, in El Apk zum 6. und 8. Gebot (adulteri, pederasti, falsi testes), in M II zum 10., 8. und 6. Gebot (Begierde nach dem, was den Genossen gehörte, Verleumdung, Unzucht), in M III zum 6. und 8. (Frauen von Verheirateten anschauen, falsches Zeugnis geben), zum 6., 7., 5. (Ehebruch, Diebstahl, Töten, Mord), zum 2., 3., 8. (falsch schwören, Sabbat verletzen, falsches Zeugnis geben), dann zum 6., 5., 4. Gebot vor (Ehebruch, Sodomie, Idolatrie, Mord, Verfluchen der Eltern). Hier handelt es sich also um eine Zusammenstellung von Dekalogvergehen. In M IV liegt eine Nähe vor zum 6. und 7. Gebot (Ehebruch, Stehlen, Rauben), in PeApk zum 6., 5., 8., 4. Gebot (Ehebruch, Mord, falsches Zeugnis, Vater und Mutter nicht geehrt, den Eltern ungehorsam, die Lehre der Väter nicht befolgt), in ThA zum 6., 8., 10. Gebot (Ehebruch, verleumderische Worte, Fremdes wegnehmen).
Dabei wird besonders deutlich die inhaltliche Ausweitung des 6. Gebotes und die beträchtliche Bedeutung der sexuellen Sünden, die variable Formulierung des 8. Gebotes und die Erhaltung weisheitlicher Tradition zum 4. Gebot sowie die Vorbildung der Verknüpfung des 6. Gebotes mit dem 10.
Es ging um die Entfaltung des Grundsatzes der Gliedertalio hauptsächlich mit Hilfe von Dekalogtraditionen. In den ältesten Stücken M I und El Apk ist Elias der Empfänger der Vision. Die besondere Bedeutung der hier aufgezeigten Traditionen besteht einmal darin, daß hier ein Stück ungebrochener außerkanonischer jüdisch-christlicher Traditionskontinuität sichtbar wird. Es handelt sich durchgehend um nach-christliche Texte, wenn auch Einzelstücke der Tradition, wie die 2. Antithese der Bergpredigt beweist, älteren Ursprungs sind. – Wegen der oft wörtlichen Übereinstimmungen mit rabb. Midraschim ist aber zu fragen, wie auch nach der Trennung von Kirche und Judentum im Judentum neu entwickelte Überlieferungen apokalyptischer Art Eingang in die frühchristlichen Schriften fanden. Offenbar ist auch unabhängig von den später im Kanon zusammengefaßten Schriften ein breiter Strom jüdischer Gedanken[1]

[1] Besonders aufschlußreich für die Kombination mit Abwehr allzu großer Anpassung an die hellenistische Umwelt ist M III: In der 2. sozialen Reihe wird an das Motiv „die ihren israelitischen Bruder an die Heiden auslieferten“

in den ersten Jahrhunderten lebendig geblieben, der seinerseits immer wieder neue Elemente aus dem Judentum aufnehmen konnte. Zum anderen wird deutlich, daß der Dekalog zwar nicht in seiner Gesamtheit, wohl aber in Einzelgeboten, die frei wiedergegeben wurden, die paränetischen Traditionen der späteren Apokalyptik deutlich beeinflußt hat; die Tendenz, sexuellen Vergehen breiten Raum zu geben, korrespondiert der frühgnostischen und gnostischen Einstellung der Umwelt.

§ 9 Zur Frage der Komposition des Dekalogs und zur Rolle des Dekalogs im Dt

a) Das 5.-10. Dekaloggebot ist eine Reihe von Prohibitiven[1], die

angefügt: „they denied the oral law and maintained that God did not create the world"; nach einigen Weherufen wird die Anklage fortgesetzt: „They ate all kinds of forbidden fruit and gave them to Israelites to eat, they were usurers and apostates and blasphemers, they wrote the ineffable Name of God for Gentiles... and ate on the fast day of Kippur". – Offenbar steht der vorletzte Vorwurf in Beziehung zu einer griech. Bibelübersetzung. Die Behauptung, Gott habe nicht die Welt geschaffen, weist auf Bekämpfung gnostischer Kreise.

[1] Vgl. zum Thema der Dekalogkomposition G. Fohrer, Das sogenannte apodiktisch formulierte Recht und der Dekalog, in: Kerygma und Dogma 11 (1956) 49-74; W. Richter, a.a.O., 101-107, 126-132. S. 107 sieht R. in Ex 20, 7-12 das beherrschende Mittelstück des Dekalogs, „dem zwei verschiedene Prohibitiv-Reihen (Ex 20,13-17 und Ex 20,3.4a) vorlagen, die er nach weiteren Prohibitiv(Vers 7a)- und Gebots(in Vers 10)-Vorbildern zu einer Einheit gestaltete". Die Rekonstruktion des Dekalogs, die H. Gese, Der Dekalog als Ganzheit betrachtet, in: ZThK 64 (1967) 121-138, vornimmt, ist aus mehreren Gründen unbefriedigend: Die historische Einordnung des Dekalogs vor E steht der späten Formulierung des Sabbatgebotes ebenso entgegen wie den Beobachtungen, die wir für einen dtr Ursprung dieser Fassung anführten; die paarweise Anordnung, für die nach Gese eine Umstellung 6./5. Gebot notwendig wird, damit das 6. Gebot mit dem 4. zusammenpaßt, verkennt den Charakter des 4. Gebotes, vor allem aber ist sie nach rein inhaltlichen modernen systematischen Kriterien aufgestellt und wird – das wird gerade an der abstrakten und textfremden Formulierung bei Gese sichtbar – dem Bedeutungsgehalt der einzelnen Verben keineswegs gerecht. – Gegenüber früheren Rekonstruktionsversuchen bedeutet dieser Vorschlag jedenfalls keinen Fortschritt. Wenn man schon – nach unserer Deutung der traditionsgeschichtlichen Zusammenhänge – sich zu einer paarweisen Gliederung entschließt, dann gehören 3. und 4., 5. und 6., 9. und 10. Gebot zusammen. Aber diese traditionelle Zusammengehörigkeit spielt im jetzigen Dekalogaufbau keine Rolle.

unter einem bestimmten Thema zusammengestellt sind. Damit besteht eine gewisse Analogie zu anderen Prohibitivreihen, etwa zu Ex 23,1ff und zu Lev 18.20[1]. Wir stellten fest, daß das 4. Gebot eine Abbreviatur für die Aufforderung ist, die gesamte weisheitliche Lehre in Empfang zu nehmen. Der Grund der Verknüpfung dieses Gebotes mit der folgenden Prohibitivreihe war an dem gegenüber weisheitlicher Tradition überschießenden Zusatz „auf dem Land..." bereits am 4. Gebot erkennbar. Das 5.-8. Gebot sind unter dem Thema „Blutschuld" und „Verunreinigung des Landes" zusammengestellt. Das 9. und 10. Gebot sind hinzugefügt, weil es bei diesem Verhalten auf dem Lande um den Nächsten geht, denn das Verhalten zu ihm ist nach der dtr Theologie nur eine andere Seite der Aufforderung, das Land vor Blutschuld zu bewahren. In der dtr Theologie wird die Blutschuld-Theorie verdrängt durch die andere, daß von dem Einhalten dieser Gebote der Besitz des Landes abhängig gemacht wird: Der Rahmen der Dekaloggebote in Dt 5 bezeugt dieses deutlich (vgl. Dt 5,32 mit V. 16.29). Dem entspricht die Hervorhebung des Dekalogs durch die Überschrift „Satzungen und Gebote", die eine Gesamtheit bezeichnet (s.u.). Der Dekalog ist also hier „alle Gebote", und von seiner Befolgung hängt der Besitz des Landes ab. Darüber hinaus sind die Prohibitive des Dekalogs als Prohibitive durch eine besondere Eigenart ausgezeichnet: Die Prohibitive des 5.-10. Gebotes haben gemeinsam, daß sie auffordern, etwas nicht zu tun, dessen Schuld vor Gericht und auf empirischem Wege nicht erweisbar ist. Es wird jener Bereich angesprochen, der wegen der Nicht-Aufweisbarkeit der Schuld einen besonderen Unsicherheitsfaktor im sozialen Leben bildet. Es ist der Bereich besonderer Verantwortlichkeit, der außerhalb des Bereiches des gesetzlich Erzwingbaren besteht. – Diese Eigenart der genannten Prohibitive ist in der Regel durch die verwendeten Verben bereits voll zum Ausdruck gebracht. – Die Thematik dieser Reihe fand darin eine Entsprechung, daß sich für das 6., 7. und 8. Gebot besondere kultische Offenbarungsverfahren gebildet haben,

[1] W. Richter, a.a.O., 130f hat die Ausrichtung auch der Dekaloggebote der sog. 2. Tafel auf einen besonderen Stand erkannt: „Die Verbote wenden sich also doch wohl an den freien Nächsten und fordern von diesem führenden Stand Verhaltensweisen, die die bestehende Lebensordnung und Rechtssicherheit garantieren, sind also konservativ. Analog zur Prohibitiv-Reihe in Lv 18, die die Ordnung im Geschlechtlichen etabliert, intendieren sie diese im öffentlichen Bereich, und zwar für den Stand, der die Öffentlichkeit darstellt".

die das empirisch nicht mehr aufweisbare Vergehen dennoch zutage bringen sollen. Für das 5. Gebot fehlt ein solches Verfahren, weil die Tatsache selbst, daß einer erschlagen wurde, ja feststeht. Die Unsicherheit der Feststellbarkeit der Schuld spiegelt sich aber auch in den das Verb des 5. Gebotes verwendenden Asylstadttexten. Wieweit das 8., 9. und 10. Gebot als längere Sätze, die auch den Begriff רע verwenden, zu den vorhandenen kurzen Prohibitiven bereits eine Erweiterungsreihe darstellen, ist nicht mehr feststellbar. Die inhaltliche Tendenz ist für den dtr Redaktor die gleiche und also zumindest das Motiv der Kombination gewesen.

Andersartiger formgeschichtlicher Herkunft sind vor allem ursprünglich das 3. und 4. Gebot, die, wie wir zu zeigen versuchten, oft zusammengehörig sind. Das 4. Gebot ist eine positive Mahnung, der Gesamtheit der Weisungen von Vater und Mutter zu folgen, nicht im Sinne eines Gehorchens, sondern – entsprechend dem Stil der Weisheitsliteratur – als Hören auf die Lebensregeln, die sie geben. Wohl ursprünglich auf diese Mahnung folgend ist das Sabbatgebot, eine der wenigen positiven Aussagen über den Bereich der Gottesverehrung im Bb. – Zumindest das Elterngebot hat den Charakter einer zusammenfassenden Mahnung gegenüber vielen Einzelregeln. Mit dem Sabbatgebot zusammen begegnet es auch sonst am Anfang oder als Gliederungsprinzip von Reihen. Die Stellung dieser beiden Gebote zu Beginn der Prohibitivreihe könnte auf eine solche Anfangsstellung auch für eine Vorstufe des Dekalogs hinweisen.

Die vor das Sabbatgebot gesetzten Prohibitive sind theologisch-kultischer Art und beziehen sich auf das Verbot des Abfalls zu anderen Göttern und des Götzendienstes. Sie haben mit den folgenden Geboten und Verboten inhaltlich nichts gemeinsam und bilden daher gegenüber den beiden Geboten (3.4.) und den auf sie folgenden Verboten (5.-10.) einen dritten und möglicherweise den zeitlich zuletzt addierten Bestandteil der Komposition des Dekalogs. Ihre Voranstellung könnte die Voranziehung des 3. vor das 4. Gebot zur Folge gehabt haben, da hier ein gewisser inhaltlicher Anknüpfungspunkt vorlag, als man den Sabbatbrauch mit der Jahweverehrung in Zusammenhang brachte.

Erst durch die vor das 3. Gebot gesetzten Prohibitive wird der Dekalog „jahwesiert" (Jahwe begegnet in Ex 20,2.5.7), ein Vorgang, der auch bei anderen Reihen dieser Art (etwa in H) als sekundär oft feststellbar ist. Durch diese Komposition mit den Jahwe betreffenden Prohibitiven werden die im 3.-10. Gebot ausgesprochenen Ge- und Verbote verankert in der Nähe von Geboten, die unmittelbar das Verhältnis zu Jahwe betreffen. Dadurch wird der mit diesen Sätzen angesprochene Bereich der Unsicherheit im menschlichen Zusammenleben, für den man nur an die „Verantwortlichkeit" appellieren kann, auf eine neue Weise fundiert. Denn je weniger nachprüfbar und belangbar die Befolgung oder Nichtbefolgung dieser Mahnungen war, um so fester fundiert mußte die Begründung sein. Gerade daß man für diesen Bereich nur an das Gewissen appellieren kann, macht es notwendig, den Verpflichtungsgrund möglichst nahe an das Verhältnis zu Jahwe selbst heranzurücken.

Nicht die wichtigsten Vergehen (Kapitaldelikte) sind hier zusammengestellt, sondern die, deren Schuld man nicht erweisen kann und die deshalb in die Nähe der Forderungen nach dem richtigen Verhältnis zu dem einen Gott gebracht werden mußten.

Durch die Voranstellung des 3. Gebotes unter Hinzufügung der die Jahwe betreffenden Sätze am Anfang wurde das 4. Gebot, das ehedem selbst programmatische Bedeutung hatte, zu einem Einzelgebot. Damit aber war der Weg für spätere Umdeutungen eröffnet, insbesondere der für prohibitivische Formulierungen über das Verfluchen und Schlagen der Eltern.

b) In Dt 5 hat der Dekalog[1] eine andere Funktion als in Ex 20. Diese Differenz findet ihren Ausdruck in der Stellung des Dekalogs inmitten paränetischer Stücke, weit entfernt von weiteren Einzelgeboten. Die „Satzungen und Gebote" (חקים ומשפטים), deren Bewahrung und Ausführung (שמר, עשה) in paränetischen Stücken des Dt immer wieder gefordert wird, beziehen sich nur an einigen wenigen Stellen auf Einzelgebote, in der Regel werden sie ganz allgemein und ohne nähere Konkretisierung verwendet (so auch für die erste Hauptgebotsformulierung in Dt 6,4f). – In 4,44.45; 5,1 wird mit ihnen aber ausdrücklich der Dekalog angekündigt. Nur in einigen, für das Dt sehr charakteristischen Stücken findet sich in gleicher Weise ein Bezug dieser Formel auf Einzelgebote: In Dt 12,1 für das dt Kultstättengesetz, in 17,19 für das sog. Königsgesetz, in 16,12 für das neu eingeführte Passahfest und in 27,10 für die dann folgende Fluchreihe. In die Reihe dieser für das Dt insgesamt theologisch überaus wichtigen Stoffe ist auch der Dekalog ein-

[1] Vgl. dazu N. Lohfink, Zur Dekalogfassung von Dt 5, in: Bibl Zeitschr 9 (1965) 17-32 und die Zusammenstellung bei E. König, Dt (1917), 91-93.

bezogen, und zwar als deren erster. Dadurch, daß die genannten Stücke als „die“ Konkretisierungen der allgemeinen Mahnung, die Satzungen und Gebote zu beobachten, erscheinen, erhalten sie programmatische Bedeutung.

– Anhand des Verhältnisses des 6./7. zum 9./10. Gebot war ferner festgestellt worden, daß durch die Wahl von אוה im 10. Gebot das „Begehren“ der Habe des Nächsten nunmehr deutlicher als mit חמד differenziert ist von dem mit גנב bezeichneten Stehlen selbst. Die jetzt eindeutige Formulierung, daß im 10. Gebot das „Begehren“ verboten sei, ist die Voraussetzung für eine Interpretation des 7. Gebotes im Sinne von Stehlen allgemein (noch in Dtn – Dt 24,7 – war גנב vom Menschenraub gebraucht worden). Umgekehrt formuliert: Die Auffassung des 7. Gebotes als Stehlen allgemein machte eine deutlichere Unterscheidung zu חמד notwendig, die in der Wahl des Verbs אוה ihren Ausdruck fand.

Aber auch in Ex 20 ist der Dekalog möglicherweise als Ganzes ein Einschub aus dtr Redaktion. Das Bundesbuch ware so sekundär der Komposition des Dt angeglichen worden.

Mit den Themen „Landbesitz“ und „Verhältnis zum Nächsten“ sind die beiden wichtigsten Voraussetzungen dazu geschaffen, daß der Dekalog eine Summe wichtiger Grundgebote werden kann. Die Bedeutung dieser beiden Themen in Zusammenhang mit Ehebruch zeigen ja besonders die Aufzählungen in den Anklagereden in Hos 4,2 und Jer 7,9. – In diesen Reihen haben übrigens die verwendeten Verben die gleiche Bedeutung wie im Dt-Dekalog; auch dort handelt es sich um die Aufzählung der Grundverbrechen. Man wird nicht fehlgehen, wenn man zwischen der Absicht des Verfassers des Dt und der Funktion dieser prophetischen Reihen eine Beziehung annimmt. Die prohibitivische Form ist im dt Dekalog traditionsbedingt; inhaltlich aber zeigt sich die gleiche Tendenz in der Herausstellung von Töten, Ehebrechen und Stehlen als der Hauptverbrechen mit den auch im Dekalog verwendeten Verben. So korrespondiert dem dt Verständnis des Dekalogs die Betonung der genannten Delikte bei Hosea und Jeremias. Dem entspricht, daß diese Gebote schon bei Jer und Hosea in Zusammenhang mit dem „Land“ stehen. Da das Verhältnis von Gebotserfüllung und Landbesitz für Dt und für die dtr Tradition bedeutungsvoll ist, wird diese Tradition hier aufgenommen, durch Sozialgebote erweitert und jahwesiert. In deuteronomistischer Fassung wird der Dekalog so zum Katalog der Vergehen, die den Verlust des Landes herbeiführen können. Entsprechend ist der Dekalog später die Summe der Gebote, die „ewiges Leben“ zur Folge haben (Mk 10,19), da die Landverheißung im Judentum häufig durch die Lebensverheißung interpretiert wird.

§ 10 Die Haupttendenzen der Auslegungstraditionen

Unsere Untersuchung der Traditionen der Auslegung zu den einzelnen Dekaloggeboten ergab für jedes Einzelgebot bestimmte Traditionsbahnen, innerhalb derer eine Auslegung sich immer wieder vollzog. Diese traditionellen Interpretationsmöglichkeiten für ein Gebot sind zumeist zahlenmäßig begrenzt und in ihrem Auftreten bisweilen durch längere Zwischenräume getrennt, für die sich keine literarischen Belege eines Weiterlebens der betreffenden Tradition erhalten haben. Oft treffen auch in einer Schrift mehrere Auslegungstraditionen über ein Gebot zusammen. Das spätjüdische paränetische Material ist in hohem Maße durch ältere Traditionen vorgeformt. Ein nicht unwichtiges Nebenergebnis war auch der Aufweis enger inhaltlicher Verbindung zwischen Philo, dem sog. apokalyptischen Schrifttum und der jüdisch-hellenistischen Weisheitsliteratur (Sir, Ps-Phokylides, Ps-Menander). Außer dem Faktum materialer Einzeltraditionen gibt es aber auch gewisse allgemeine Entwicklungstendenzen innerhalb der Auslegungsgeschichte, die wegen ihrer Bedeutung für die synoptische Tradition nicht übergangen werden können.

Innerhalb des bedeutungsvollen formgeschichtlichen Wandels von der Form des Standesethos bis hin zur Proselytenkatechese sind die literarisch greifbaren Formen doch mit großer Konstanz beibehalten worden: Paränese über diese Art von Vergehen wird in der Regel in Form von Satz-, Verbots- oder Nomina-Reihen überliefert. Innerhalb der Dekaloggeschichte sind besonders die jüdischen und christlichen Lasterkataloge von Bedeutung. Selbst dort, wo diese Vergehen im Zusammenhang endzeitlicher Wirren geschildert werden, handelt es sich in der Regel um Reihungen. Dieser bemerkenswerten formgeschichtlichen Tatsache entspricht wohl für die Frage nach dem Sitz im Leben, daß Reihen dieser Art von „Schülern“ auswendig gelernt wurden, und zwar entweder im exemplarischen oder im zusammenfassenden Sinn. Während die Verben ursprünglich noch spezielle Vergehen betrafen, die dadurch ausgezeichnet waren, daß man sie juristisch nicht ahnden konnte, es sich also um eine Summe besonders wichtiger „ethischer“ Gebote

handelte, wird für die Proselyten der Inhalt des Dekalogs keineswegs so selbstverständlich gewesen sein, wie man (auf Grund unserer kulturellen Voraussetzungen) vermuten könnte; es handelt sich um eine Belehrung über Vergehen, die z.T. „neuartig" waren, oder erst vom Judentum für sündhaft erachtet wurden. Von dieser Stellung des Dekalogs her erklärt sich dann sein großer Einfluß auf die einfacheren paränetischen Gattungen und auch die Tendenz, daß andere Gebote den Dekalogvorschriften zugeordnet werden:
Eine allgemeine Erscheinung ist die Subsumption von Einzelvergehen unter einzelne Dekaloggebote. Wie oben schon ausgeführt wurde, war dieser Vorgang die Voraussetzung für die Rolle des Dekalogs bei Philo. Die so subsumierten Einzelvergehen sind immer weniger große Delikte als die in den Dekaloggeboten, denen sie zugeordnet werden. Auf diese Weise werden oft zu bestimmten Zeiten besonders aktuelle Anliegen mit den älteren Geboten verbunden. Insbesondere soziale Ge- und Verbote werden oft mit dem 4., 5., 7., 8. und 10. Gebot verknüpft, derart, daß entweder das Gebot den Anfang einer Reihe bildet oder eine Subsumption stattfindet. Besonders alt ist die Verbindung von Lüge, Meineid, List und Hinterhalt mit dem 8. Gebot.
Eine allgemeine Tendenz ist die Annäherung an Reinheitsvorstellungen, die gleichzeitig immer eine Verschärfung des Gebotes bedeutet. Sie findet nicht nur im 6. und 9. Gebot statt, sondern ist stark betont auch im 5. Gebot, Zeugnisse finden sich aber auch für das 7. Gebot.
Der Ausgangspunkt dieser Einbeziehung in den Bereich von Reinheit und Unreinheit ist oft der Gedanke an eine entstehende „Blutschuld" oder auch jegliche Berührung mit einer Frau. Frauen gelten immer als latent unrein, und da man deren Unreinheit nicht wahrnehmen kann, hält man sich am besten ganz sogar schon vom Anblick fern. Dabei wird das Vergehen nach dem 6./9. Gebot immer weniger ein Vergehen gegen den Nächsten und immer mehr nur Verunreinigung. Die Vergehen gegen den Nächsten und damit alle sozialen Delikte werden immer mehr nur dem 7./10. Gebot zugeordnet und geraten ausschließlich unter den Aspekt des Besitzes. Der Einfluß griechischer und besonders stoischer Popularphilosophie wird besonders deutlich in der Tendenz der Zurückführung auf bestimmte Laster wie ἡδονή, ἐπιθυμία und πλεονεξία, deren Besitz als der Grund zur Übertretung eines Gebotes angesehen wird und die immer mehr das Gebot auch selbst verdrängen. Bei allen Geboten ist die Tendenz, sie als Vergehen gegen den

Nächsten zu deuten, relativ gering. Diese Reduzierung von Sozialgeboten auf abstrakt formulierte Tugenden und Laster wird nur dadurch aufgehalten, daß Josephus und Philo die atl Gebote mit dem Polis-Gedanken in Verbindung bringen und dadurch den Gemeinschaftsbezug noch in etwa wahren können: Josephus gibt an, er wolle über die Politeia des Moses berichten; bei Philo wird man auf Grund einzelner Delikte zum κοινὸς ἐχθρός, d.h. zum Feind der Gemeinschaft.
Die konstitutive Beziehung, die nach dtr und vor-dtr Traditionen das 4.-8. Dekaloggebot zum Landbesitz bzw. zur Verunreinigung des Landes besitzen, lebt auch im Judentum fort, und zwar wird im 4. Gebot die Landverheißung nur bisweilen uminterpretiert; für das 4.-10. Gebot ist diese alte Interpretation noch vorherrschend und gültig in Lib Ant 11,9-13: Jedes einzelne Gebot wird so erweitert, daß nach dem Schema des dtr Geschichtsbildes Israel eben diese Strafe trifft, wenn es das Gebot übertritt: Dem entspricht die Darstellung des Abfalls Israels nach dem Schema der 10 Gebote in Lib Ant 44,6f: Die Gebote werden nicht „individualistisch" gedeutet, sondern kollektiv heilsgeschichtlich und auf den Abfall Israels zum Götzendienst bezogen. Entsprechend wird Israel bestraft: V. 8: „propterea ecce ego exhorresco genus hominum eorum, et succidam radicem plasmatis". – Da diese Bestrafung dem dtr G entspricht, erklärt sich die dtr Interpretation des Dekalogs: Der Dekalog steht hier für das Gesetz schlechthin und wird deshalb in Lib Ant auf den Abfall ganz Israels gedeutet, wie es das dtr Schema erfordert.
In der Auslegung von Einzelgeboten zeigt sich die Auslegung auf die Beschmutzung des Landes noch für das 5. Gebot in Slav Bar 8; Mt 23,25; für das 6. Gebot in Tob 4,12; CD 12,1; Jub 30.33.41. Lib Ant 2,8 (unusquisque in uxorem proximi sui, contaminantes eas et corrumpere terram) für eine ganze Reihe von Geboten (bes. 5. und 6.) in Palaia (ed. Vassiliev p. 240: καὶ ἡ γῆ συσσείσεται ἀφ' αἵματος τοῦ πλησίον σου).
Eine beachtliche Erscheinung bilden immer wieder vorkommende Kombinationen von Geboten. Hierin wird am deutlichsten atl Tendenz fortgesetzt. Innerhalb des AT spielte schon die Verknüpfung des Elterngebotes mit dem Sabbatgebot eine große Rolle; über das AT hinaus findet sich aber besonders die Verbindung des Elterngebotes mit Hauptgebotsformulierungen, mit Sozialgeboten und mit der allgemeinen Mahnung, das Alter zu ehren. – Oft belegt ist die Kombination des 6. und 7. Gebotes, die der des 9. und 10.

Gebotes entspricht. – Dem 8. Gebot sind koordiniert Lüge und Falschschwören. Die deutlichsten Verschiebungen fanden im Spätjudentum in der Interpretation des 4. und des 6. Gebotes statt. Diese beiden Gebote sind es auch, deren Einfluß in der synoptischen Tradition am größten ist.

V

Zur Geschichte der Form von Reihenbildungen mit Forderungen sozialen Inhalts

Für die Vorgeschichte der Schriftauslegung in Mk 10,17-21 ist es nicht ausreichend, allein die Auslegungsgeschichte der Dekaloggebote darzustellen. Denn der genannte Text zitiert nicht den Dekalog und nicht nur Dekaloggebote, vielmehr nur das 5., 6., 7. Gebot, eine Kurzfassung des 8. Gebotes, die Aufforderung, nicht zu „berauben“ und eine Wiedergabe des 4. Gebotes. In der mt Fassung kommt sogar noch Lev 19,18 hinzu. – Zunächst ist zum Vergleich mit dieser Art der Reihenbildung heranzuziehen die Reihe in Mk 7,21-23 und deren Parallele in Mt 15,19-20. Auch hier finden sich einerseits deutliche (bei Mt noch vermehrte) Anzeichen einer Nähe zum Dekalog, andererseits aber keine Erwähnung des 1.-4. Gebotes, ein Verlust der Gebotsform der LXX und Ergänzung durch weitere Delikte. So hat zwar das zeitgenössische Wiederaufleben des Dekalogs bei Philo, Josephus und im Liber Antiquitatum deutliche Parallelen in der synoptischen Tradition (und auch im übrigen NT; s.u.), aber die Nähe zum Dekalog ist offenbar nur eine bestimmte Entwicklungsstufe innerhalb der Geschichte einer Gattung, die ursprünglich nicht Dekalogwiedergabe ist, sondern nur Forderungen sozialen Inhalts aufnehmen kann und daher bei einer Wiederbelebung des Dekalogs auf die Wiedergabe der ersten Tafel verzichten muß. – Der Schluß, daß es sich hier um eine Entwicklungsstufe einer bestimmten Gattung handelt, wird nahegelegt durch den Aufweis einer Anzahl alttestamentlicher und spätjüdischer Reihenbildungen mit Forderungen sozialen Inhalts[1].

[1] Literatur: F. C. Fensham, Widow, Orphan and the Poor in ancient Near Eastern Legal and Wisdom Literature, in: Journ. of Near East. Stud. 21 (1962) 129-139; H. Bruppacher, Die Beurteilung der Armut im Alten Testament, Stuttgart 1924; C. van Leeuwen, Le développement du sens social en Israel avant l'ère Chrétienne, 1955; J. van der Ploeg, Les pauvres d'Israel et leur piété, in: Oud Test Stud 7 (1950) 237-42. R. North, Sociology of the Biblical Jubilee, 1954, 118-119; K. Weidinger, Die Haustafeln / Ein Stück

Die Bedeutung der Erforschung dieser Gattung für die Frage nach der Gesetzesauslegung Jesu liegt darin, daß sich hier eine gattungsmäßige Kontinuität von der Zeit der frühen Propheten bis in die frühchristlichen Schriften hinein feststellen läßt. Diese Gattung berührt sich nur selten mit den sog. Gesetzeskorpora, existierte nebenher in der prophetischen und apokalyptischen Literatur und stellte hier schon immer eine Art Summe des Geforderten dar. Hier begegnen wir also wiederum einer Vorstellung von den materialen ethischen Forderungen der Jahwereligion, die nicht aus der Tora des Moses belegbar ist. Denn Forderungen sozialen Inhalts sind es schließlich, die den Gesetzesbegriff der ntl Traditionen dann weithin bestimmen. Dessen Wurzeln in prophetisch-apokalyptischer Tradition werden hier deutlich. – Die Entwicklungsgeschichte dieser Reihe geht in manchen Zügen der von רע/πλησίον parallel: Während zunächst und auch weiterhin das Verhalten gegenüber den „klassischen" Gruppen Witwe, Waise, Fremdling, Tagelöhner im Vordergrund steht, tritt im Laufe der Zeit der „Nächste" immer stärker neben diese Gruppen (als Bittender, als der, dessen man sich erbarmen soll); der Nächste wird dabei fast ausschließlich unter dem Gesichtspunkt seines materiellen Besitzes gesehen. Ferner spielen eine große Rolle die Hungrigen, Durstigen, Nackten, Gefangenen, Toten, ferner aus gesonderter Tradition Sätze über das Verhalten im Gericht, ferner Fassungen des Elterngebotes (wie anhangsweise in Mk 10,19) und schließlich abstrakt formulierte griech. Tugendbegriffe.

Die entwicklungsgeschichtliche Vorstufe für das, was später zur sozialen Reihe wird, ist die Nennung sozialer Pflichten, die die herrschende Schicht gegenüber den Benachteiligten und Niedrig-

urchristlicher Paränese (Untersuchungen z. NT; 14), Leipzig 1928; A. Vögtle, Die Tugend- und Lasterkataloge im Neuen Testament (Neutest. Abh. 16; 4./5.), Münster 1936; S. Wibbing, Die Tugend- und Lasterkataloge im Neuen Testament und ihre Traditionsgeschichte unter besonderer Berücksichtigung der Qumrantexte (Beih. Zeitschr. f. ntl. Wiss; 25), Berlin 1959; E. Kamlah, Die Form der katalogischen Paränese im Neuen Testament (Wiss. Unters. z. NT; 7), Tübingen 1964; ferner: R. Bultmann, Der Stil der paulinischen Predigt und die kynisch-stoische Diatribe (Forschg. z. Rel. u. Lit. d. A. u. NT; 13), Göttingen 1910; B. S. Easton, The NT Ethical Lists, in: Journ. of Bibl. Lit. 51 (1932), 1-12; M. J. Lagrange, Le catalogue des vices dans l'Épitre aux Romains (1,28-31), in: Rev Bibl (1911) 534-549.

gestellten hat[1]. So werden in der prophetischen Predigt[2] der führenden Schicht Israels Vergehen gegen die Niedriggestellten vorgeworfen, die später zu festen Bestandteilen der sozialen Reihe gehören. Auch die hier erwähnten „Stände“ sind die gleichen, die später immer wieder genannt sind: Arme, Elende, Witwen, Waisen (der Fremdling kommt später hinzu, der Tagelöhner noch später). Regelmäßig beginnt eine solche Anrede mit der Erwähnung von „Recht und Gerechtigkeit“, d.h. das Wirken im Gericht gegenüber den genannten Klassen ist der Hauptinhalt dieser Sprüche[3]. Sehr häufig begegnen schon hier die Verben „bedrücken“ und „berauben“ (עשק und גזל[4] vgl. Mk 10,19). Die Aufforderung zu diesem sozialen Verhalten gegenüber den niederen Schichten ist sodann ein umfangreicher Teil des sog. Standesethos der besitzenden Schicht[5]. Dementsprechend wird das Verhalten zu diesen Ständen im Dt zumeist prohibitivisch formuliert[6]; als eigene literarische Form für Themen dieser Art hatten wir oben bereits den Wenn-Du-Stil erkannt, der sich auch in Lev 25 findet.
Die spätere Traditionsgeschichte der sozialen Reihe ist aber diesen Stoffen gegenüber dadurch gekennzeichnet, daß noch zwei weitere Elemente hinzukommen, so daß also insgesamt drei Traditionsströme in der sozialen Reihe vereint sind:

1. Das Verhalten gegenüber den Gruppen Arme, Niedrige, Witwe, Waise, Fremdling. Inhalt ist das Rechtschaffen im Gericht und die Bewahrung dieser Gruppen vor Bedrückung und Beraubung.

2. Das Verhalten gegenüber dem Nächsten. Hier ist auf die Bedeutung von רע in den Wenn-Du-Sätzen und in den Prohibitiven und Imperativen des Dt zu verweisen. – Im Dt sind im רע nicht nur die genannten Gruppen der Niedriggestellten aufgegangen, sondern dieser Begriff bezeichnet allgemein den „Bruder“ im Volk. Die Mahnungen betreffen das Zinsnehmen, Pfandleihen, den Lohn,

[1] F. Ch. Fensham, a.a.O., 129: Der Schutz dieser Stände sei eine Tugend der Götter, Könige und Richter; vgl. W. Richter, a.a.O., 117 Anm. 265.
[2] Vgl. Is 1,17.23; 10,1.2; Jer 5,28; 7,6; 22,2 von Gott: Ps 10,17f; 146,9; 68,6.7. – Ps 82,3; 94,6.
[3] Vgl. dazu W. Richter, a.a.O. (zu Ex 23), 121f.
[4] Eine Zusammenstellung über die Verwendung von „Berauben“ und „Unterdrücken“ bietet W. Richter, a.a.O., 149f.
[5] W. Richter, a.a.O., 192.
[6] Vgl. dazu W. Richter, a.a.O., 96, 132-136.182.

rechte Maße und Gewichte, kurz, jene Bereiche, in denen man dem Nächsten sehr leicht schaden kann, ohne daß zunächst eine „Kontrolle“ bestünde.

3. Das Verhalten zum Nächsten und Volksgenossen im Herzen und in der Gesinnung nach den Mahnungen in Lev 19, wo bereits eine gewisse Stufe der Verinnerlichung erreicht ist. Da aber nach unserer Feststellung auch Lev 19 noch stark – auch formal erkennbar – von dt Traditionen beeinflußt war, ist anzunehmen, daß für die Bildung der sozialen Reihe die vom Dt ausgehende Sozialideologie der eigentliche Ausgangspunkt gewesen ist. Das inhaltliche Kennzeichen der sozialen Reihe ist also, daß in verschiedenen Formen Verhaltensweisen gegenüber den Mitmenschen aus den drei genannten Traditionsbereichen aneinandergereiht werden. Anfang und Schluß einer solchen Reihe sind meist durch inhaltliche Verallgemeinerungen deutlich erkennbar. Der Inhalt der Einzelglieder ist auch im Spätjudentum durchweg von atl Sozialgeboten der drei genannten Gruppen bestimmt. Die Form des Prohibitivs, die im Dt für Gruppe 1 und 3 galt, hat in der Zeit des Spätjudentums kaum ein Nachleben.

Im Laufe der Geschichte dieser Gattung hat der Sitz im Leben mehrfach gewechselt: Handelt es sich auf ältester Stufe um Aufzählungen der Pflichten der beherrschenden grundbesitzenden Schicht gegenüber der Masse der Niedriggestellten – noch im hell. Judentum wird die soziale Reihe auf Gott angewandt – so wird sie in der Tradition des Dt zu einem Katalog von Pflichten gegenüber jedem Volksgenossen – Symptom dafür ist das Eindringen des Begriffes des Nächsten. Schließlich hat die Reihe im hell. Spätjudentum eine dem Dekalog vergleichbare Funktion und tritt ähnlich wie er – freilich mit größerer formgeschichtlicher Kontinuität – als „das Gesetz“ auf. Nach griech. Gerechtigkeitsverständnis ist die Gerechtigkeit der Proselyten primär sozial bestimmt. Die soziale Reihe wird zum Katalog mitmenschlicher Verhaltensweisen gegenüber „jedem“ Menschen. Diese Gattung wirkt sich daher noch aus in Philos Schrift De humanitate, in welcher der Begriff der φιλανθρωπία entscheidend neugeprägt wird.
K. Elliger hat die These aufgestellt, in Lev 19,11-28, dem Grundstock des Kapitels, seien ein alter Dekalog und ein alter Dodekalog so ineinandergearbeitet, daß an der Nahtstelle, die im alten Ihr-sollt-nicht-Dekalog die soziale von der kultischen Hälfte trennte,

nun die ethische Du-Sollst-nicht-Reihe eingeschoben sei[1]. Die kultische Reihe werde dann nach dieser Unterbrechung erst in 26-28a fortgesetzt. Für unsere Frage ist bedeutsam die Zweiteilung der Ihr-sollt-nicht-Reihe, denn hier liegt der erste Beleg für eine Art der Zweiteilung von Reihen in kultische und soziale Vergehen vor, die eine längere Geschichte hat[2]. Mal 3,5 ist ein gutes Beispiel dafür: Die ersten drei vom Gericht betroffenen Gruppen sind Zauberer, Ehebrecher und Meineidige, drei typisch kultische Vergehen (beachte besonders נאפים unter diesen!). Dann erst folgen die sozialen Vergehen gegenüber den typischen Gruppen Lohnarbeiter, Witwe, Waise und Fremdling, die im Bedrücken und Entrechten bestehen. Den Abschluß bildet eine Hauptgebotsformulierung über das Fürchten Jahwes. Damit erlangt der Katalog hier eine gewisse Vollständigkeit und scheint die „Tora" einer bestimmten Zeit darzustellen. Ein noch deutlicheres Interesse an der Herstellung einer Reihe hat in diesem Fall die LXX: Bei den sozialen Vergehen ergänzt sie zwei Verben und harmonisiert das letzte Glied der Form nach, so daß die ganze Reihe lautet: φαρμακούς, μοιχαλίδας, ὀμνύοντας τῷ ὀνόματί μου..., καὶ ἐπὶ τοὺς ἀποστεροῦντας μισθὸν μισθωτοῦ, καὶ τοὺς καταδυναστεύοντας χήραν καὶ τοὺς κυνδιλίζοντας ὀρφανούς, καὶ τοὺς ἐκκλίνοντας κρίσιν προσηλύτου, καὶ τοὺς μὴ φοβουμένους με.

Die Art der Eingriffe durch den Übersetzer zeigt ein hohes Maß von Interesse an der Herstellung einer Reihe und ist ein Zeugnis für die Lebendigkeit dieser Gattung um diese Zeit.

In Ez 18 liegen drei Beispiele von Reihen nach diesem Aufbaugrundriß vor: 18,5-9. 11-13. 15-17. Die Überschrift bildet eine Formel mit dem Inhalt „Recht und Gerechtigkeit", dann folgen kultische Vergehen, darunter auch die mit der Frau des Nächsten. Die sozialen Vergehen beziehen sich wiederum auf Niedriggestellte: in allen drei Reihen von Ez 18 geht es um das Unterdrücken von Armen und Elenden, den Verzicht auf Pfand und Zinsen und die Unterstützung von Hungrigen und Nackten. – Ein ähnlicher Aufbau findet sich in Jub 23,21. Auch diese Aufzählung ist noch in einen kultischen und einen sozialen Teil geschieden. Auch hier besteht das soziale Delikt im

[1] Dazu K. Elliger, Lev (1966) 252 (über den Ihr-sollt-nicht-Dekalog).

[2] Ein altes Beispiel für diese Zweiteilung in kultische und typisch soziale Vergehen liegt schon vor in Amos 2,6, einem alten Zahlenspruch als doppelteiliger Aufzählung von Verbrechen: „Weil sie den Gerechten um Geld verkaufen, den Armen für ein Paar Schuhe, sie zertreten auf dem Staub der Erde das Haupt der Geringen und drängen die Elenden vom Wege ab..." Es folgt eine Reihe kultischer Vergehen.

Vergehen gegenüber dem Eigentum des Nächsten: „Sie alle werden sich zu Betrug und Reichtum erheben, daß ein jeder seines Nächsten Gut nehme...", dann folgen die kultischen Gebote: Gottes Namen nicht in Gerechtigkeit nennen, das Allerheiligste beflecken usw. – Schon öfter hingewiesen wurde auf Test Aser 2,5.6-9. Nach der Einteilung von κλέπτειν und μοιχεύειν werden hier soziale Eigentumsdelikte von denen kultischer Art geschieden. Die Folge der sozialen Delikte lautet: κλέπτει, ἀδικεῖ, ἁρπάζει, πλεονεκτεῖ καὶ ἐλεεῖ τοὺς πτωχούς.
Das Schema der doppelteiligen sozialen Reihe hat sich erhalten in der äth Apk Mariae Virg (ed. et transl. M. Chaine p. 74): ein „papas" wird in der Hölle bestraft, weil er die Mysterien nicht in Reinheit bewahrte, kein reines Opfer darbrachte, in Unkeuschheit lebte. – Der soziale Teil hat die Glieder: keinen Fremden aufgenommen, Arme und Elende nicht geliebt, Erstlingsfrüchte alleine gegessen, Hungernde nicht gespeist, Durstige nicht getränkt.– Die Ausweitung des Liebesgebotes über Lev 19,34 hinaus auch auf den Armen fand sich schon in Abba Elija H 46.
In Tob 4,5-14 sind, ähnlich wie in Ez 22,7ff, die Mahnsprüche an das Gebot, die Mutter zu ehren, in V. 3 angeschlossen. Sie beginnen in V. 5 mit allgemeinen Aufforderungen, die Gerechtigkeit zu tun. Zusammenfassende Schlußmahnungen enthalten die allgemeine Aufforderung, sich an die Gebote zu halten und beginnen mit καὶ νῦν παιδίον (V. 13; V. 19). In dem Zusammenhang bis V. 13 ist die Gliederung gegeben durch die beiden Grundthemen ἐλεημοσύνη und πορνεία. – Eine gewisse Verwandtschaft besteht auch zu Test Levi 14,5.6.
Der Katalog in Sap Sal 14,22f ist nach Töten und Ehebrechen aufgeteilt. Die sozialen Vergehen erscheinen dabei zum Stichwort Töten: αἷμα, φόνος, κλοπή, δόλος, φθορά, ἀπιστία, τάραχος, ἐπιορκία, θόρυβος ἀγαθῶν, χάριτος ἀμνηστία. Der Ehebruch hat eine Reihe verwandter Laster nach sich, die alle Verunreinigung bedeuten.
Auch in Ez 22,7-12 hat ursprünglich eine Einteilung nach sozialen und kultischen Vergehen vorgelegen. Das Einteilungsprinzip ist eine Verbindung von Eltern- und Sabbatgebot. An das Elterngebot sind die sozialen Delikte gegen Fremde, Witwe und Waise angeschlossen, an das Sabbatgebot das Blutvergießen und die Unzuchtsvergehen. V. 12 ist inhaltlich eine Ergänzung zu den sozialen Delikten, denn in V. 7 fehlten gegenüber Ez 18 noch die Angaben über Zinsen; statt der drei Gruppen der sozial Schwachen werden in V. 12 nur die Volksgenossen allgemein bedrückt (עשק). Eine Verbindung mit dem Elterngebot wie in Ez 22,7 hatten wir auch in Tob 4,4 beobachtet. Die gleiche Verbindung liegt vor in Ps-Phokylides 8-11: ... μετέπειτα δὲ σεῖο γονῆας. πάντα δίκαια νέμειν, μηδὲ κρίσιν ἐς χάριν ἕλκειν. μὴ ῥίψῃς πενιὴν ἀδίκως, μὴ κρῖνε πρόσωπον... : Das Verhalten im Gericht ist mit dem gegenüber dem Armen verbunden.

In Ez 33,14-15 liegt eine Reihe rein sozialen Inhalts vor, die aber wie die in Ez 18 beginnt mit der Erwähnung von „Recht und Gerechtigkeit", darauf folgen zwei Eigentumsfälle, dann die allgemeine Angabe „wandelt in den Satzungen des Lebens, ohne Unrecht zu verüben".

Die Mehrzahl der spätjüdischen sozialen Reihen kennt eine Zweiteilung nach Reinheitsvergehen und Sozialvergehen nicht, und in diesem Bereich finden sich die Vorstufen zu Mk 10,17-21. Wie schon in den oben genannten Aufzählungen spielen aber weiterhin die Witwe, der Arme, der Tagelöhner und die Waise eine große Rolle. Auch für diese einfache Reihe gibt es sehr alte Vorbilder in prophetischer Tradition.

Jer 7,6 und 7,9 stehen in einem gewissen Entsprechungsverhältnis zueinander, da in der vorliegenden Redaktion in V. 6 die Forderung erhoben wird, in V. 9 aber der jetzige Zustand geschildert wird. Inhaltlich besteht Übereinstimmung im letzten Glied (anderen Göttern nachlaufen) und auch in der Wiedergabe von רצח durch „unschuldiges Blut vergießen“. Das Material in V. 9 ist ohne Zweifel älter. Die Vergehen von V. 6 sind also offenbar eine gewisse Interpretation und eine Art Ersatz für das in V. 9 Genannte. Ein Hinweis darauf ist auch die große Ähnlichkeit von 7,6 mit 22,3[1]: Diese Reihe scheint zu den für Jer in höherem Maße charakteristischen Traditionen zu gehören als die in 7,9. Damit ist aber eine wichtige Feststellung gewonnen für die Frage nach dem Verhältnis des Dekalogs (und Teilen von ihm) zu den sozialen Reihen: Diese erfreuten sich offenbar in der prophetischen und spätjüdischen Tradition einer größeren Beliebtheit als die Dekalogprohibitive. Jer 7,6 zeigt gegenüber 7,9 deutlich den Prozeß der Ablösung in der Funktion. Statt der im Dekalog zur Sprache kommenden Delikte werden später solche genannt, die sozial im engeren Sinne sind.

Ganz in der Reihe dieser Tradition steht auch Zach 7,9: „Pflegt wahrhaftiges Recht und übt Güte und Barmherzigkeit gegeneinander! Bedrückt nicht Witwen und Waisen, Fremdlinge und Arme und sinnt nicht auf Arges widereinander in euren Herzen“ (vgl. Jer 7,6; 22,3). Damit ist zu vergleichen die Aufzählung in Zach 8,16: „Dies sind die Taten, die ihr verrichten sollt: Redet aufrichtig ein jeder mit seinem Nächsten und heilsamen Schiedsspruch fällt in euren Toren. Sinnt nichts Böses in euren Herzen ein jeder gegen seinen Nächsten und liebt nicht falschen Schwur, denn ich hasse all dies“.

Diese Aufzählung hat selbst wieder eine unmittelbare Parallele in Prov 6,16 in einer Aufzählung: „hochmütige Augen, eine falsche Zunge, Hände, die unschuldiges Blut vergießen, ein Herz, das Ränke schmiedet, Füße, die eilends dem Bösen nachlaufen, wer Lügen vorbringt als falscher Zeuge, wer Händel stiftet zwischen Brüdern“. Die Überschrift lautete: Sechs Dinge sind es, die der Herr haßt. – Diese Aussage ist parallel zu dem „ich hasse all dies“ in Zach 8,16. Vgl. das Ende des Lasterkatalogs in Paläa p. 273: πᾶν (γὰρ) κακὸν ἔπραττον ὧν μισεῖ ὁ θεός.

[1] Vgl. dazu W. Richter, a.a.O., 119.58.

Fast allen der genannten Reihen ist gemeinsam ein Appell an das ethische Verhalten im Gericht. Oft damit verbunden und auch daneben vorhanden sind die Mahnungen, die sozial Schwachen nicht zu bedrücken und nicht zu berauben. Beide Gruppen von Aussagen sind oft ergänzt über solche, die allgemein brüderliche Gesinnung fordern. – Eine Kombination dieser drei Elemente liegt bereits in Lev 19 voll ausgebildet vor.

Im Gegensatz zum Dekalog zeigt die Gattung der sozialen Reihe ein unvermitteltes Fortleben in den jüdisch-palästinensischen wie jüdisch-hellenistischen Traditionen. Diese beiden Überlieferungsbereiche unterscheiden sich auch in diesem Punkte nur geringfügig. Dieses hohe Maß an formgeschichtlicher und inhaltlicher Beständigkeit, das der sozialen Reihe innewohnt, ihre weite Verbreitung und ihr vitales Fortleben deuten auf die hohe Bedeutung dieser Reihe für die jüdische Paränese.

CD 6,16

„...nicht die Armen seines Volkes zu berauben, daß Witwen ihre Beute sind und sie Waisen ermorden (ירצחו), jeder seinen Bruder zu lieben wie sich selbst, des Elenden und des Armen und des Fremdlings sich anzunehmen und ein jeder zu suchen die Wohlfahrt seines Bruders, und daß keiner treulos handelt an dem, der Fleisch von seinem Fleisch ist, sich fernzuhalten von den Huren dem Gebot gemäß, jeder seinen Bruder zurechtzuweisen und ihm nicht zu grollen von einem Tag auf den anderen". – Der Text enthält deutliche, aber nirgends genaue Anspielungen an Lev 19. Es handelt sich nicht eigentlich um Schriftauslegung, sondern um Fortführung von Reihen mit Aufzählungen von sozialen Vergehen, die durch relativ feste Traditionen geprägt sind. – Zu vergleichen ist CD 8,5, das die gleiche Tradition spiegelt.

CD 14,14

Zwei Tageslöhne pro Monat werden in die Hände des Aufsehers oder der Richter abgegeben: für Waisen, Elende, Arme, für Greise, für Heimatlose (לאיש אשר ינוע), Verschleppte und für Jungfrauen ohne Einlöser. Der Heimatlose ist an die Stelle des גר getreten, das Glied mit dem Verschleppten (in fremde Völker gefangen weggeführt) begegnet noch oft in späteren sozialen Reihen (z.B. in Ps. Clem Hom III 69,1; äth Bar Apk L 67). Das Sammeln für „sitzengebliebene" Jungfrauen ist eine bemerkenswerte Aktualisierung. Ebenso ist beachtenswert, daß im Kontext das Anliegen der sozialen Reihen institutionalisiert worden ist (zum Abgeben an Vorsteher vgl. Apg).

1 QS 8,2

„...vollkommen in allem, was offenbart ist aus dem ganzen Gesetz, zu tun Wahrheit und Recht und Gerechtigkeit (אמת וצדקה ומשפט) und barmherzige Liebe und demütigen Wandel, ein jeder mit seinem Nächsten". – Der Satz ist ein nahezu wörtliches Zitat aus Micha 6,8: Zu tun Recht und Gerechtigkeit und barmherzige Liebe und demütigen Wandel mit deinem Gott. Dieses letzte אלהיך hat der Verf. von 1 QS 8 abgewandelt in רעהו und ist damit dem in dem Aufbau von Micha 6,8 angelegten Formschema einer sozialen Reihe auch inhaltlich konsequent gefolgt – ein Hinweis auf die Lebendigkeit dieser Gattung im Spätjudentum!

Sib III,234-247

Der Text gibt eine Beschreibung des Volkes der Juden in Form eines Exzerptes aus den atl Sätzen sozialen Inhalts. Nach der Überschrift geht es um δικαιοσύνη und ἀρετή, nicht um φιλοχρημοσύνη. Habgier ist offenbar, da die Vergehen gegen den Nächsten ausschließlich unter dem Aspekt des Besitzes gesehen werden, der natürliche Gegensatz zur Gerechtigkeit. – Der Inhalt dieser Gerechtigkeit ist: Die Juden haben richtiges Maß, kennen nicht Diebstahl und Raub, treiben nicht ihre Herden davon, versetzen nicht Grenzsteine. Sie kränken, wenn sie reich sind, die Niedrigen nicht (τὸν ἐλάττονα λυπεῖ 241; das Verb λυπεῖν ist ein term techn für soziale Vergehen vgl. Tob 4,3; Ar.Br. 238; Test Benj 6,3; Sir 3,12b), betrüben nicht die Witwen (242), helfen denen, die nichts haben und den Bedürftigen (244: τοῖς μηδὲν ἔχουσιν). In V. 246 wird die Gesamtheit dieses Tuns abschließend als die Erfüllung des Gesetzes bezeichnet (πληροῦντες... ἔννομον ὕμνον).

Sib VIII,402-411

Der Nächste ist Gottes Bild, daher ist, wie Gott ein reines Opfer zu bringen ist, dem Nächsten ein reiner und unbefleckter Tisch hinzustellen: den Hungernden Brot zu geben, die Durstigen zu tränken, die Nackten zu kleiden... der Bedrückten sich annehmen, dem Erschöpften beistehen. – Dieses wird als „lebendiges Opfer" bezeichnet (ζῶσαν θυσίαν). Die Reihe ist dann mit einer entsprechenden Lohnangabe verbunden (ewige Früchte, ewiges Leben, nach dem Gericht durch Feuer).
Die Verbindung mit der Gottebenbildlichkeit ist eine besondere Art der Motivation der Nächstenliebe im Frühjudentum.

Sib II,265-283

Eine soziale Reihe in Verbindung mit dem Elterngebot; die Reihe beginnt nach klassischem Stil mit der Angabe: κρίνους' ἀδίκως (265), fährt dann fort

mit dem Verbot von Stolz und Hochmut, nennt dann: Wucherer, solche, die Witwen und Waisen schädigten, die diesen nur aus unrechtem Gut gaben, die die schmähen, die von Eigenem gegeben haben, die die Eltern ohne Erstattung im Alter verließen, ungehorsam waren und anvertrautes Gut ableugneten.
Verkürzt ist die soziale Reihe in Sib III,630: „ehre die Gerechtigkeit, bedrücke keinen“ (τὴν δὲ δικαιοσύνην τίμα καὶ μηδένα θλῖβε).

Sir 4,1-10

Die Reihe endet in V. 10 mit der Lohnangabe: καὶ ἔσῃ ὡς υἱὸς ὑψίστου. Bis V. 5 handelt es sich um eine Reihe von griech. Prohibitiven nach strengem Aufbau: Objekt – μή – 1. Verb – καὶ μή – 2. Verb – 2. Objekt. Ab V. 7 folgen positive Mahnungen. Ab V. 7 sind die Sätze nicht mehr durch Stichwortverbindung miteinander verknüpft, ein Hinweis darauf daß die Zusammenstellung hier unter thematischem Gesichtspunkt verlief. – In der Reihe geht es um den πτωχός, den ἐπιδεής, den Hungernden, den Mann in ἀπορία, ein zerschlagenes Gemüt, einen προσδεόμενος, ἱκέτης, δεόμενος, ἀδικούμενος und schließlich auch um ὀρφανοί. V. 6 nimmt Bezug auf Ex 22,22.26; 4,10 nimmt positiv Bezug auf Ex 22,1. V. 9 ist ein Beispiel für die immer wieder durchgeführte Verbindung von Aussagen über das Verhalten zu Niedrigen mit dem Gerichtswesen.

Sir 34,20-22

Der Text bringt vier partizipial formulierte Delikte gegen das Eigentum des Nächsten, besonders das des auch sonst oft genannten Tagelöhners und des Armen. Das Anliegen der Reihe ist die Sicherung des Existenzminimums für die sozial Schwachen.

Sir 35,14-22

Eine soziale Reihe mit Aussagen über Gottes Tun, wie sie ähnlich schon in Ps 10,17f; 146,9; 68,7 begegnen. Das Verhalten des sich der Bedrückten annehmenden Richters (Fortbildung der sog. „Richterspiegel“) ist der inhaltliche Kern. V. 23 schließt die Reihe mit der allgemeinen Bemerkung: ἕως κρίνῃ τὴν κρίσιν τοῦ λαοῦ αὐτοῦ (deutlicher Hebr.: ושפט צדק ועשה משפט).

Sap Sal 2,10

Unter dem Titel νόμος δικαιοσύνης liegt hier die Umkehrung einer sozialen Reihe vor (vgl. oben). Neben dem Armen und der Witwe gehört hier auch der Greis zu den zu schützenden Personen.

Der Text Jub 36,3ff wurde oben schon als Musterbeispiel für den spätjüdischen Nomos-Begriff verwendet. Die Reihe wird durch die Forderung nach Recht und Gerechtigkeit eingeleitet und enthält eine Anzahl von Aufforderungen zur Bruderliebe.

4 Esr 11,41f

Eine negativ formulierte soziale Reihe, die am ersten Glied noch als solche erkennbar ist, bietet 4 Esr 11,41f (et iudicasti terram non cum veritate, tribulasti enim mansuetos usw.).

Jub 7,20

Der schon öfter zitierte Text beginnt mit der Mahnung, Gerechtigkeit zu üben, und schließt damit, sich vor aller Ungerechtigkeit zu hüten. Die Formel „Hurerei und Unreinheit“, die ja nach der Art der Jub nur sündige Vergehen allgemein bezeichnet, hat eine kleine Summe der wichtigsten Einzelgebote attrahiert: die Scham des Fleisches zu bedecken, Gott zu segnen, Vater und Mutter zu ehren und den Nächsten zu lieben. In dieser Mahnung können offenbar alle Sozialgebote zusammengefaßt werden.

Hen 99,11-15

Die Form der Aufzählung sind Weherufe. Das Wehe gilt hier denen, die auf Unglück für den Nächsten hoffen (V. 11), die betrügerische und falsche Maße machen (12), andere versuchen (12), die Häuser durch die Mühe anderer bauen (13), Unrecht tun, Gewalttätige unterstützen und den Nächsten töten (15). – Auf die Genese dieses Textes wurde oben schon hingewiesen. Danach ist die Reihe der sozialen Delikte hier sekundär aus dem Kontext herausgewachsen und hat die Aufgabe, die allgemeine Aussage über den Abfall von Gott zu konkretisieren.

Slav Hen 9

Der Kontext handelt von dem Ort der Gerechten, die verfolgt werden „und die ihre Augen von Ungerechtigkeit abwenden und gerechtes Gericht üben; sie geben Brot den Hungernden und bekleiden die Nackten, bedecken sie mit Gewändern und richten die Gefallenen auf und helfen den Gekränkten; sie wandeln vor Gottes Angesicht und dienen ihm allein“. – Diese Reihe ist ein nahezu klassisches Beispiel der Gattung der sozialen Reihe: Am Anfang steht die bereits atl belegte Verbindung mit dem gerechten Gericht, den Schluß bildet ein Hinweis allgemeinerer Art über das Verhältnis zu Gott.

Slav Hen 10,5

Es handelt sich um eine doppelteilige Reihe; deren erster Teil ist dekalogähnlich (7., 8., 5., 5., 7. Gebot) in Abstrakta formuliert, deren zweiter Teil ist verbal stilisiert („welche stehlen die Seelen der Menschen heimlich"); es folgt eine soziale Reihe: „unterdrückend die Armen und wegnehmend ihre Habe und selbst reich werden aus fremder Habe, indem sie ihnen Unrecht antun, sättigen konnten, durch Hunger töteten, bekleiden konnten, auszogen die Nackenden".

Slav Hen 42,7-10

Auch hier wird der Ort der Gerechten beschrieben (V. 3). Die Verse 7-10 bringen die Verknüpfung von Gericht, Barmherzigkeit und allgemeiner Gebotsbefolgung, die wir schon mehrfach als für soziale Reihen typisch herausgestellt hatten: (7) Selig ist, wer gerecht richtet (9) und Waisen und Witwen, überhaupt jedem Unterdrückten hilft, wer Nackte bekleidet und Hungrigen Brot gibt. (10) Selig ist, wer von verkehrtem Wege läßt und auf dem geraden Pfade wandelt. – Im Gegensatz zu Hen 99, wo Weherufe verwendet werden, bilden hier Seligpreisungen die literarische Form einer solchen Reihe. Eine vermutlich bereits christliche, aber aus atl Traditionen gespeiste Reihe gibt 5 Esra 2,20, eine Aufzählung, die der der „Werke der Barmherzigkeit" gleicht.

Philo, Mut Nom 39f

Philo interpretiert in De Mut Nom 39f das εὐαρέστει ἐνώπιον ἐμοῦ aus Gen 17,1 dadurch, daß das Gefallen nicht nur Gott allein gelte, sondern sich auch auf Werke beziehe: τιμῶν γὰρ γονεῖς ἢ πένητας ἐλεῶν ἢ φίλους εὐεργετῶν ἢ πατρίδος ὑπερασπίζων ἢ τῶν κοινῶν πρὸς ἅπαντας ἀνθρώπους δικαίων ἐπιμελούμενος· εὐαρεστήσεις μὲν πάντως τοῖς χρωμένοις, θεοῦ δ' ἐνώπιον εὐαρεστήσεις. Dieses dürfte inhaltlich genau den Begriff δικαιοσύνη wiedergeben. Die Zuordnung des Elterngebotes ist typisch für diese Art des hellenistischen Judentums (vgl. Mk 10,19). In der Beziehung auf Gott und Menschen ist die Doppelheit der Hauptgebote nachgezeichnet.

4 Mkk 2,8-9

Es werden Beweise für die Behauptung gesucht, daß der λογισμός über die πάθη herrscht, die die Gerechtigkeit (δικαιοσύνη) hindern. Der Grundstock für eine Reihe von Beispielen ist eine Reihe von Wiedergaben atl Sozialverordnungen: δανείζων χωρὶς τόκων, τὸ δάνειον τῶν ἑβδόμων ἐνστασῶν χρεοκοπούμενος. μήτε ἐπικαρπολογούμενος τοὺς ἀμητοὺς μήτε ἐπιρρωγολογούμενος τοὺς ἀμπελῶνας. Ab V. 10 wird eine weitere Reihe angeschlossen, die aber die verschiedenen Arten der πάθη umfaßt. V. 14 ist noch von Bedeutung, da am Beispiel von Dt 20,19ff; Ex 23,4; Ex 23,5 gezeigt wird, daß auch über die Feindschaft nach dem Gesetz die Vernunft Herr werden kann.

Ps-Phokylides 3-7; 21-26

Die erste Reihe ist begrenzt durch den erkennbaren Neubeginn in V. 8. Die ersten vier Glieder in V. 3 und 4 sind formal gleich mit μήτε eingeleitete Infinitive mit kurzer Angabe des Objekts. In V. 5 und 7 beginnt nur das erste Glied mit μή, das zweite ist antithetisch dazu. Der Inhalt entspricht etwa den im Spätjudentum üblichen Auslegungen des 5.-8. Gebotes. Eine Nähe zum Dekalog ist trotzdem nicht anzunehmen. – Ps-Phokylides 8-12 wurde schon erwähnt und verbindet das Verhalten zum Armen mit gerechtem Gericht.
Die Verse 21-26 entsprechen am ehesten einer sozialen Reihe: Beschrieben wird das Unrechttun allgemein (wiederum zu Beginn der Reihe!), das Verhalten zum Armen, zum Bittenden, der nichts hat, zum Obdachlosen, zum Blinden, Schiffbrüchigen und Hinfallenden (Lev 25,35-38; Dt 15,11.14).

Test Issachar 7,3-6

Die Verbindung von πορνεία und οἶνος zu Beginn der Reihe ist vorgegeben. Die Aussagen sind z.T. negativ gehalten, dem Stil der Lebensbeichte entsprechend. Deutlich erkennbar am Abschluß der Reihe findet sich der Hinweis auf εὐσέβεια und die beiden Hauptgebote. – Inhaltlich folgt auf die traditionelle Verbindung von Wein und Unzucht eine Auslegung des 10. Gebotes (?), der Hinweis auf List und Lüge, das Mitseufzen mit dem Betrübten, dem Armen etwas gegeben zu haben, nicht alleine gegessen zu haben und die Grenze nicht verrückt zu haben (cf. Dt 27, 17 etc.).

Test Benj 4

Die Aufzählung ist stilistisch uneinheitlich, weil durch Konditionalsätze unterbrochen. Es geht um die Mahnung, die εὐσπλαγχνία des ἀνὴρ ἀγαθός nachzuahmen, und zwar wiederum mit einer Hauptgebotsformel am Ende, so daß sich folgende Glieder ergeben: ἐλεᾷ πάντας, τοὺς δικαίους ἀγαπᾷ, τὸν πένητα ἐλεεῖ τῷ ἀσθενεῖ συμπαθεῖ, τὸν θεὸν ἀνυμνεῖ.

ar Test Jakob (p. 153)

Für Gastfreundschaft wird man entlohnt wie Abraham und Isaak; für Brot, das man den Armen gibt, wird Gott einem vom Lebensbaum zu essen geben (vgl. dazu Test Isaak 8,11: Wer den Hungrigen Brot zu essen gibt, darf sich am 1000-jähr. Gastmahl in der ersten Stunde beteiligen), für das Bekleiden der Nackten wird Gott einen mit dem Kleid der Herrlichkeit bekleiden und man wird ruhen mit Abraham, Isaak und Jakob. – In einem Zusatz heißt es: Wer das Wort Gottes liest und an die denkt, die es aufschrieben, wird eingeschrieben in das Buch des Lebens.

Soph-Apk 11,4f

Nach Sophonias-Apk 11,4f gibt es im Himmel eine Schriftrolle, auf der verzeichnet ist, wenn man nicht Kranke oder Witwen besucht, eine Waise nicht besucht oder nicht gefastet und rechtzeitig gebetet hat. Die Kombination von Barmherzigkeit, Gebet und Fasten erinnert an den Aufbau von Mt 6.

Test Hiob IX.X

Hier wird ein umfangreicher Katalog sozialer Tätigkeiten geboten. Hiob schildert, wie er Waisen, Witwen, Arme und Schwache unterstützt hat, wie er Güter verkauft und den Armen und Bedürftigen gibt. – Auf diese Gruppen wird dann in K. 53 verwiesen: Die Armen und Waisen und alle Schwachen weinen bei Hiobs Tod.

Teez Sanb H 16f

Ein Teil der umfangreichen mot-jumat Reihe in Teez Sanb H 16f L 21 ist als soziale Reihe mit Dekalogähnlichkeit ausgeprägt. Im Ganzen handelt es sich um eine Sammlung atl todeswürdiger Vergehen, die um zahlreiche Neubildungen erweitert ist und damit das Fortleben der Gattung dieser Reihe in der nachatl Zeit bezeugt. Der Einschnitt in der vorliegenden Reihe zeigt sich daran, daß die soziale Reihe mit der Überschrift beginnt: Der, der nicht auf die Worte des Bundes hört, soll sterben. Dann folgen als Delikte: Stehlen, lügen, falsches Zeugnis geben gegen den Nächsten, die Grenzsteine verrücken, den Blinden vom Weg abbringen, das Gericht der Fremden, Waisen, Witwen verkehren, bedrücken und berauben, den Nachbarn betrügen, lästern, friedlich mit ihm reden und ihn doch im Herzen hassen... „wer falsches Zeugnis gibt oder falsche Information gibt". Die Nähe zum Dekalog tritt dadurch besonders hervor, daß die Fälle aus dem 7. und 8. Gebot in einem Satz zitiert sind, ferner, daß dieser Satz von der sonst die Vorlage bildenden Reihe Dt 27 abweicht und an der Spitze der sozialen Vergehen steht. – Während der erste Teil der Reihe primär die kultischen Delikte aus Dt 27,15ff umfaßte, werden in der sozialen Reihe Delikte aus Dt 27,17-19 zitiert, aber nur die nicht-kultischen.

Teez Sanb L 24

In einer Aufzählung von Abstrakta werden hintereinander genannt: Tun der Gerechtigkeit, Gnade, Almosen, Gerechtigkeit, Demut vor Gott, Geduld, Freundlichkeit, wahres Gericht.

Teez Sanb H 32,27-29 L 34

In einem sozialen Lasterkatalog über ungerechte Könige werden genannt: Böse, Verkehrte, Ungerechte, Bedrücker, Erpresser, und nicht werden sie tun eine Tat der Gerechtigkeit, und sie werden rauben die Sachen der Menschen, und ohne Grund vergewaltigen sie sie und beleidigen Witwe und Waise.

äth Bar Apk L 66

In einer Beschreibung der himmlischen Stadt wird angegeben, wer diese betreten darf, und zwar zunächst in Form eines atl Richterspiegels: „Die Stadt dürfen Könige und Herrscher betreten, die Gerechtigkeit beachteten, die kein Ansehen der Person kannten, die die Waisen, Priester und Tempel liebten (jăfqĕrū), die diese bekleideten wie auch die Witwen mit feiner Kleidung; die Gerechtigkeit liebten und Almosen den Armen und Bedürftigen gaben, die die Hungrigen speisten und den Durstigen zu trinken gaben“. – Bemerkenswert ist, daß hier noch einmal in später Überlieferung der ursprüngliche Ort der sozialen Reihe sichtbar wird: Paränese an die herrschende Schicht (Verbindung mit Prohibitivreihen!). Das Vorkommen von Priester und Tempel im Kontext ist typisch für dieses Entwicklungsstadium der sozialen Reihe, es findet sich auch in dem Geniza-Brief JQR 16 (1904) 478f, und in:

äth Bar Apk L 67 H 83,21ff

Es wird wie auf der vorangehenden Seite eine Schilderung der Stadt Gottes mit Angabe derer, die sie betreten dürfen, gegeben: Die Sanftmütigen (jaūhān), die keine Rache (qīma) in ihren Herzen hatten, die Frieden mit ihrem Nächsten machten, die nicht Böses vergalten dem Nachbarn, der ihnen Böses getan hatte (wă'ĕlla jĕkĕhdĕwō lă'ĕkūj lăzăgăbra lōmū 'ĕkūjă), die jene segneten, die sie verfluchten, die ihr Brot mit den Hungrigen teilten, ihre Tasse mit den Durstigen, ihre Kleider mit den Nackten, die die Gefangenen erlösten mit ihrem Reichtum und von ihrem Gold den Armen liehen“. Auch hier ist die Nähe zur Theologie des Mt unverkennbar, wie besonders das 1. Glied über πραΰς zeigt.

Abba Elijah H 46,1ff L 45f

In die Sabbatparänese ist auch eine soziale Reihe aufgenommen. Diese bildet im Kontext eine selbständige, durch băzătī 'ĕlătă eingeleitete Einheit. Die erste Gruppe bilden 5 Prohibitive: ihr sollt nicht töten (qătălă) eine Seele, ihr sollt nicht tun Übles ('āmăḍā), ihr sollt nicht verleumden (schmähen) euren Nächsten (bīṣ), ihr sollt nicht stehlen (šĕrĕvā), und ihr sollt nicht rauben eine Sache (nĕwăj) eures Nächsten und ihr sollt nicht schwören bei meinem Namen. – Die zweite Gruppe wird wiederum durch băzītī 'ĕlătă eingeleitet: Am Sabbat soll man Milde, Gnade und Almosen geben, nicht einer den anderen um Nahrung erpressen; dann: „ehrt ('ăkbĕrū) den Armen und den Geringen, die Witwe und die Waise, kleidet die Nackenden, speist die Hungrigen, gebt zu trinken den Durstigen und verbergt euch nicht vor denen mit euch, liebt ('ăfqĕrū) den Armen und den Fremden, bring ihn in dein Haus, und ich werde in eurer Mitte sein (wăhălōkū 'ănă măslĕkĕmū). Wenn ihr dieses tut wegen meines Namens, wird euer Lohn nicht verloren sein, und du wirst Ruhe finden im Himmel". – Die Verwandtschaft zu mt Terminologie ist sehr groß (vgl. z.B. Mt 18,20 !), obwohl völlige Unabhängigkeit zu bestehen scheint. – Abba Elija L 47 bringt eine soziale Reihe mit umfangreicher Einleitung (sie erinnert deutlich an Sib VIII,402f): Es kommt darauf an, die Seele zu reinigen. Das geschieht in erster Linie durch Verzicht auf Besitz. Alles ist nichtig, was nicht zur Rettung der Seele dient. Dann folgen soziale Mahnungen: dem Nächsten nicht die Reichtümer verweigern, nicht ungerecht den Reichtum der Nächsten nehmen, den Nächsten nicht schmähen; dann folgen drei prohibitivisch eingeleitete Sätze, deren 2. Teil jeweils mit „sondern du sollst vielmehr" positiv eingeleitet ist, also das Schema: 'ī... bīṣĕkă ḫĕdăs. – Die Tendenz ist gleichmäßig: den Nächsten nicht verachten, sondern lieber sich verachten lassen, nicht schlecht von ihm reden, lieber ihn schlecht reden lassen, nicht ärgerlich sein über ihn, sondern lieber soll er dir unrecht tun. Hier wird ebenfalls eine besondere Nähe zu theologischen Voraussetzungen deutlich, die auch Mt teilt: es werden nicht nur Verachtung, Schmähung und Zorn gegen den Nächsten verboten, vielmehr besteht auch besondere Ähnlichkeit zu Antithese V und VI der Bergpredigt durch die Aufforderung zum Leiden und dazu, sich Unrecht tun zu lassen. Ohne Zweifel steht im Hintergrund eine apokalyptische Vergeltungstheorie; an dieser Stelle ist der bei Mt nachweisbare Grundsatz „Gerechtes tun und Leiden" abgewandelt zu: „kein Unrecht tun und leiden"[1].

[1] Vgl. Teez Sanb L 24, wo in einer Reihe genannt werden: Tun der Gerechtigkeit, Gnade, Almosen, Gerechtigkeit, Demut vor Gott, Geduld, Freundlichkeit, wahres Gericht. In den Falasha-Gebeten L 128 (Nr. 19) findet sich in einer Reihe von Gottesprädikationen auch eine soziale Reihe: „...he makes peace in a quarrel, he covers the naked, he clothes the poor, he is bread for the hungry, he is a spring for the thirsty... he cares for the orphans". – Von Gott heißt es in JosAs 11,13: Vater der Waisen, Tröster der Betrübten, Helfer der Verfolgten; ähnlich in 12,13 als Inhalt der φιλανθρωπία Gottes: „Du Menschenfreund, nur du bist ja der Waisen Vater,

Ein Haftpunkt für soziale Reihen sind auch die oben genannten Traditionen über dekalogähnliche Höllenstrafen. Das ist besonders deshalb bemerkenswert, weil hier das 4.-10. Dekaloggebot, besonders das 6., ebenfalls ihren Ort haben. Die im Judentum fortschreitende Angleichung von Dekaloggeboten an die Forderungen der sozialen Reihen wird daran besonders sichtbar. In der Wiedergabe der Höllenstrafen-Tradition in den Thomasakten K. 56 ist eine soziale Reihe mit dem Aufgehängtwerden an den Händen verbunden: solche sind die, die Fremdes wegnahmen, Ärmeren nichts gaben, stahlen, Bedrängte nicht unterstützten und nicht auf Recht und Gesetzgebung achteten“. – Im Schlußglied ist noch der allgemeine Schluß dieser Reihen aus atl Tradition (משפט וצדקה) erhalten. – Die soziale Reihe wird dann hier fortgesetzt bei dem Stichwort „Füße“: „Kranke nicht besuchen, Tote nicht begraben“. Der Vergleich mit den parallelen Wiedergaben in M III und M IV (zu den Abk. s.o.) zeigt, daß mit den Händen primär die Beziehung zum Diebstahl gegeben ist. Daß sich daraus hier eine soziale Reihe entwickelte, beweist einmal mehr die frühjüdische Subsumption des Verhaltens zum Nächsten unter das Verhalten zu seinem Besitz. – Besonders an der Bestrafung der Füße haften soziale Vergehen, so in El. Apk („Odientes iusticiam dei... nec quisquam fratri consentit“), in M III heißt es nach dem 2. und 3. Dekaloggebot „die Gelehrten zu verachten, die Waisen zu verfolgen, den Nachbarn böse Worte zu sagen, falsches Zeugnis zu geben“. – In M III ist an die erste soziale Reihe noch eine zweite angefügt: Geld anderer auszugeben, zu wuchern, sich zu erheben, die Nachbarn zu beschämen, Israeliten an Heiden zu verkaufen; dann, nach einem Einschub über hellenistische Apostaten: falsche Gewichte zu machen, Geld zu stehlen. – Ähnlich werden als soziale Vergehen auch genannt in Petr Apk: nicht Witwen und Waisen zu helfen, falsches Zeugnis zu geben, Zinsen zu nehmen. – Hierher gehört auch die Schilderung in der äth Apk des Gorgorios L 87: „die falsches Zeugnis gegen Menschen geben, die Häuser der Armen und Fremden heimsuchen... Habe anderer stahlen, ungerecht richteten“. Auch hier sind diese Vergehen mit besonderen Höllenstrafen verbunden.

Visio B. Esrae 4-7.31

Es gibt Menschen, denen die Flammen nichts anhaben: „isti sunt iusti quorum fama elevata est in caelum, qui elemosinam magnam fecerunt, nudos vestierunt, bonum desiderium desideraverunt“. In 31 wird eine Gruppe von Sündern in der Hölle geschildert: detractatores omnibus diebus suis, advenam non susceperunt, elemosinam non fecerunt, aliorum res ad se traxerunt, malum desiderium habuerunt, et ideo in tormentis sunt“. – Zu beachten ist die besondere Nähe zum 10. Gebot.

der Schützer der Verfolgten, der Helfer der Bedrückten“. Der Titel πατὴρ χηρῶν καὶ ὀρφανῶν wird auch auf Menschen angewendet, so in CIJ I Nr. 37 (Frey) auf einem Grabstein.

Der Rest einer negativ formulierten soz. Reihe liegt auch vor im Zusatz zu Tit 1,9 Min. 460: wie ein Diener Gottes soll der Angeredete überführen die Herrscher, die ungerecht richten, Räuber, Lügner und Unbarmherzige (ἀνελεήμονας) sind.
Ein spätes Fortleben dieser Gattung zeigt sich in dem samaritanischen Brief aus der Alt-Kairoer Geniza (ed. A. Cowley, JQR 16 (1904): Samaritana I Samaritan Dealings with Jews, S. 474-483, Text A = 478-481). Von den Samaritern heißt es: Sie suchen einen Namen in dieser Welt, die vergeht. Wenn sie aber Gefallen hätten an dem, was kommt, hätten sie getan Erbarmen (חסד) mit den Geringen (דלים) und Niedrigen (ענוים) und den Armen (אביונים) und den Fremden (גרים) und den Priestern (כהנים).

Aristides, Apol 14,2-3

Ein aufschlussreicher Beleg für die Verbindung dieses Gesetzesbegriffes mit Hauptgebotskombination und Goldener Regel ist Aristides, Apologia 14,2-3. Der Beleg gewinnt dadurch an Wichtigkeit, dass es sich hier ausdrücklich um ein Zitat jüdischer Lehre handelt. 14,2 beginnt mit der Nennung des Hauptgebotes („dicunt deum unum esse creatorem omnium rerum..."). Der Kombination mit Nächstenliebe entspricht dann in V. 3:
„et amore hominum quem habent deum imitantur, cum pauperum misereantur et captivos redimant et mortuos sepeliant et his similia faciant, quae deo accepta et hominibus grata sunt, quae a maioribus suis acceperunt".
Die innere Verbindung zwischen Hauptgebot und Gesetz wird durch den Begriff der Nachahmung Gottes geleistet (vgl. zu Mk 10,17ff). Der Begriff amore hominum (wohl φιλανθρωπία) wird durch eine soziale Reihe interpretiert.

Ps.-Clem Hom III,69

Die Reihe beginnt mit einer Aufforderung zu Bruderliebe (ἐὰν ἀγαπήσατε τοὺς ἀδελφοὺς ὑμῶν) und endet mit der Anweisung, keinen zu hassen (μηδένα μισήσετε). Dazwischen stehen die Aufforderungen, ihnen nichts wegzunehmen, Anteil an der Habe zu geben, Hungernde zu speisen, Durstige zu tränken, Nackte zu kleiden, Kranke zu besuchen, Bedrängten nach Kräften zu helfen, Fremde gern in die Wohnungen aufzunehmen (ξένους εἰς τὰ ἑαυτῶν σκηνώματα προθύμως ἀποδέξεσθε).

Past Herm

Herm Sim I 8 bringt eine kurze soziale Reihe als ἐντολαί Gottes, deren Objekte bedrängte Seelen, Witwen und Waisen sind sowie die Aufforderung, die Habe zu verkaufen.
Herm Mand VIII bringt zunächst als τῶν ἀγαθῶν τὰ ἔργα eine Reihe von

Abstrakta. An der Spitze steht der Glaube. Eine zweite Reihe wird in 10 angefügt: den Witwen zu dienen, für die Waisen und Elenden zu sorgen, die Knechte Gottes aus Nöten zu befreien, gastfreundlich zu sein (ἐν γὰρ τῇ φιλοξενίᾳ εὑρίσκεται ἀγαθοποίησίς ποτε), niemandem Widerstand zu leisten (μηδενὶ ἀντιτάσσεσθαι), ruhig zu sein, bedürftiger zu werden als alle Menschen, die Alten zu ehren, Gerechtigkeit zu bewahren, Bruderschaft zu halten, Stolz nicht zu zeigen, langmütig zu sein, nicht nachtragend, Sünder zurechtzuweisen, Schuldner nicht zu bedrängen und nicht Bedürftige. – An die Stelle des גר trat hier die Betonung der Gastfreundschaft – ein besonderes Anliegen des hellenistischen Judentums. – Die Aufforderung, bedürftig zu sein und nicht Widerstand zu leisten, zeigt deutliche Verwandtschaft mit der Theologie des Mt (vgl. zu Lk 6 und zu Antithese V): in der vorausgesetzten Lohntheorie kommt es darauf an, hier möglichst viel zu leiden, damit eine entsprechende Vergeltung stattfinden kann.

Paulus-Apk

Eine hellenisierte Kurzfassung der soz. Reihe, die aber das atl Glied über das „gerechte Gericht" noch beibehielt, findet sich in K. 35: τῇ δὲ ἀγαθοσύνῃ τοῦ θεοῦ οὐ περιεπάτησεν, κρίσιν δικαίαν οὐκ ἔκρινεν, χήραν καὶ ὀρφανόν οὐκ ἠλέησεν, οὐδὲ ἦν ἀγαπητικὸς οὐδὲ φιλόξενος, in K 38 heißt es in einem Lasterkatalog über Giftmischer und Zauberer, Hurer und Ehebrecher καὶ οἱ πνίγοντες χήρας καὶ ὀρφανούς, in K 40 werden Sünder aufgezählt, die „keine Agape veranstalteten, der Witwen und Waisen sich nicht erbarmten, den Ankömmling und Fremden nicht aufnahmen... und sich nicht des Nächsten erbarmten".

Barn

Die soz. Reihe Is 58,6-10 wird zitiert in Barn 3,3. Eine breit ausgeführte soziale Reihe findet sich in Barn 19. – Am Schluß hat sie noch aus der klassischen Form bewahrt: εἰς τέλος μισήσεις τὸ πονηρόν, κρινεῖς δικαίως.
In der Tendenz des hellenistischen Spätjudentums, mit dem Vorbild und unter Weiterführung dieser atl Gattung Aussagen über das soziale Verhalten zum Mitmenschen zusammenzustellen, stehen auch die Gesamtkonzeption von Philos Schrift De Humanitate und Josephus, Ant IV,8,15-23 und c. Apionem II,27-30. Es handelt sich um Aufzählungen, ausführliche Wiedergaben und Kommentierungen der atl Sozialgebote, besonders der des Dt. Ein Zeichen für die Beliebtheit der Gattung der sozialen Reihe im Spätjudentum ist das Interesse, das Philo und Josephus an den heidnischen Butokylen haben. Es handelt sich um den heidnischen Brauch, bei einem Demeterfest feierliche Verfluchungen gegen bestimmte Vergehen auszusprechen. Dieses geschah durch ein Mitglied des Stammes der Buzygen, deren Stammesheros zuerst einen Stier vor den Pflug gespannt hatte[1]. Philo

[1] Erwähnt auch bei Clemens v. Alexandrien, Strom II,503.

und Josephus bezeugen in diesem Zusammenhang eine Reihe von Humanitätsgeboten. – Philo (Euseb. Praep. Ev 7) erwähnt die Goldene Regel und die Gebote, frei dem Bittenden Feuer und Wasser mitzuteilen, fremde Toten zu bestatten: μὴ πυρὸς δεηθέντι φθονεῖν. μὴ νάματα ὑδάτων ἀποκλείειν. μὴ ταφῆς νεκρῶν ἐξείργειν... μὴ θήκας, μὴ μνήματα ὅλως κατοιχομένων κινεῖν... ἡμῖν τὰ βουζύγια ἐκεῖνα. Josephus erwähnt in c. Apionem II, 27 (206) summarisch die Pflichten gegen Gott, Eltern und Nächste. Für die Nichtjuden stellt er dem direkt gegenüber in II,29 (211): πᾶσι παρέχειν τοῖς δεομένοις πῦρ, ὕδωρ, τροφήν, ὁδοὺς φράζειν, ἄταφον μὴ περιορᾶν...
Das Verhalten der Juden zu diesen Humanitätsgeboten beschreibt der heidnische Dichter Juvenal, Sat XIV, 102ff: Moses habe in geheimnisvollem Buch überliefert „non monstrare vias eadem nisi sacra colenti, quaesitum ad fontes solos deducere verpos (die Beschnittenen)". Es ist der Vorwurf, die Juden praktizierten die Sozialgesetze nur gegenüber Stammesgenossen.

Das bekannteste Beispiel für eine soziale Reihe ist aus dem NT Mt 25,35-39.42-45. Die Glieder sind (bis auf das Besuchen im Gefängnis) traditionell. Bemerkenswert ist, daß der Katalog der sozialen Verhaltensweisen hier zur „Norm" des Gerichtes geworden ist: Außerhalb dieses sozialen Tuns gibt es kein Gesetz, nach dem gerichtet würde. Auch die einzelnen Elemente der sozialen Reihe haben nur insofern Gewicht, als durch dieses Tun Gemeinschaft mit dem Menschensohn begründet wurde; die Identifizierung des Menschensohnes mit den „Geringsten" setzt zweierlei voraus: 1. nach einer mit dem ntl Botenbegriff verwandten Anschauung ist der Menschensohn insofern mit den ihm zugehörigen Heiligen identisch, als „etwas von ihm" in bestimmter Weise in diesen anwesend ist (sein Name, sein Pneuma); 2. nach dem konsequent durchgeführten Schema der eschatologischen Umkehr ist der Menschensohn als der Ranghöchste gerade mit den Niedrigsten in diesem Äon identisch. So, wie er selbst niedrig war und erhöht wurde, sind auch diejenigen ihm zugehörig, die hier gering und arm sind. Daher eigneten sich besonders die Niedriggestellten aus der Gattung der sozialen Reihe dazu, in das Schema vom leidenden und erhöhten Menschensohn bzw. das danach gebildete Schema über die ihm Zugehörigen aufgenommen zu werden. Die genannten Mt-Stücke sind daher dem Satz Mk 9,41 sachlich unmittelbar parallel (auch hier geht es um die Gabe des Trinkens).
Zu 1. ist hinzuzufügen, daß etwa nach Slav Hen Gott selbst als verletzt gilt, wenn sein Ebenbild, der Mensch, angegriffen wurde. – Auch an den übrigen Beispielen der Gattung der sozialen Reihe wurde häufig eine Beziehung zum „Gesetzesbegriff" des MtEv deutlich: Die soziale Reihe entspricht diesem am ehesten, und die Betonung von Hauptgeboten und Goldener Regel ergänzt nur diese

Feststellung, da deren lange traditionsgeschichtliche Verkettung bereits aufgewiesen wurde.

Im Blick auf Mk 10,17-21 sei am Beispiel der Genese von μὴ ἀποστερήσῃς die Geschichte eines Einzelgliedes innerhalb der Gattung der sozialen Reihe aufgezeigt. In Dt 24,14 und Mal 3,5 bringt die LXX das Verb ἀποστερεῖν als Übersetzung von עשק; für גרע steht es in Ex 21,10. – Das Verb עשק ist in sozialen Reihen überaus häufig, es bedeutet „bedrücken“ (so für alle Gruppen der sozial Niedriggestellten verwendet) oder auch „jemanden betrügen, um etwas bringen“ mit der Person im Akk. – In der ersten Bedeutung übersetzt die LXX oft mit (ἀπ)ἀδικεῖν (auch: διαρπάζειν, καταδυναστεία, θλίβειν). In Dt 24,14 wird עשק gegenüber dem Tagelöhner verwendet. Es handelt sich um einen Prohibitiv: „Bedrücke nicht einen Tagelöhner, der arm und bedürftig ist...“ – V. 15 ist eine positive Ergänzung, die verlangt, daß ihm am gleichen Tag der Lohn zu geben sei. – Die LXX hat das עשק in V. 14 im Hinblick auf V. 15 und andere Texte über den Tagelöhner aufgefaßt und durch „berauben“ übersetzt.

In Lev 19,13 finden wir die Aussage über den Tagelöhner in einer sozialen Reihe, und zwar als spezielle Ergänzung zu dem Prohibitiv in V. 13a. Im Anschluß an die in 13a genannten Verben bedrücken und berauben wird gefordert, daß der Lohn des Tagelöhners nicht bis zum Morgen ruhen soll. עשק hatte die LXX hier mit ἀδικήσεις übersetzt, V. 13b lautet: οὐ μὴ κοιμηθήσεται ὁ μισθὸς τοῦ μισθωτοῦ παρὰ σοὶ ἕως πρωί. In V. 14 ist von Tauben und Blinden die Rede; der Tagelöhner erscheint auch hier in der Reihe der sozial Niedriggestellten und Hilflosen, die machtlos gegen beliebige Willkür sind.

In Mal 3,5 wird auf den Tagelöhner wiederum in einer sozialen Reihe Bezug genommen. Aber während der hebr Text die Gruppen „Lohnarbeiter, Witwe, Waise“ zusammenfaßt als Objekte unter dem Verb עשק, bildet die LXX für jede einzelne dieser Gruppen ein eigenes Verb; für den Tagelöhner setzt sie ἐπὶ τοὺς ἀποστεροῦντας μισθὸν μισθωτοῦ. Damit wird eine auch schon im Dt verwendete Übersetzungsweise wiederaufgenommen.

In der sozialen Reihe in Sir 34,22 sind parallel die beiden Glieder ἀφαιρούμενος ἐμβίωσιν und ὁ ἀποστερῶν μισθὸν μισθίου, beides wird als Töten des Nächsten und Blutvergießen bezeichnet. Das Verb ἀποστερεῖν wurde auch schon in V. 21b von der Wegnahme des Lebensunterhaltes des Armen verwendet. – Hiob, der als Vorbild sozialer Tätigkeit dargestellt wird, entlohnt einen, der die Armen

an seinem Tisch versorgt, entsprechend: er sei ein Arbeiter, erwartend seinen Lohn. Dieses wird als Beispiel dafür angeführt, daß Hiob war οὐκ ἔων μισθὸν μισθωτοῦ ἀπομεῖναι παρ' ἐμοὶ ἐν τῇ οἰκίᾳ μου (Test Hiob XII,4).
Auch in der Aufzählung sozialer Forderungen in Tob 4 wird in V. 14 soziales Verhalten gegenüber dem Lohnarbeiter verlangt, das ganz wie in Dt 24,15 und Lev 19,13 gedeutet wird: μισθὸς παντὸς ἀνθρώπου, ὃς ἐὰν ἐργάσηται παρὰ σοὶ μὴ αὐλισθήτω, ἀλλὰ ἀπόδος αὐτῷ παραυτίκα, καὶ ἐὰν δουλεύσῃς τῷ θεῷ, ἀποδοθήσεταί σοι.
Der Satz hat die Tob 4 übliche Doppelgliedrigkeit des weisheitlichen Stils. – In V. 15 folgt die Goldene Regel. Die Beziehung des Tagelöhners zu den anderen Gruppen der atl Sozialvorschriften wird noch einmal deutlich in Ps-Phokylides 19: μισθὸν μοχθήσαντι δίδου, μὴ θλῖβε πένητα. Ein Nachklang findet sich schließlich in einem Katalog der Acta Johannis (ed. Bonnet, 35.36): φονεύς, φαρμακός, περίεργος, ἅρπαξ, ἀποστερητής, ἀρσενοκοίτης, κλέπτης.
In einer dekalogähnlichen Reihe findet sich das Vergehen in Herm Mand VIII: Diebstahl, Lüge, ἀποστέρησις, falsches Zeugnis, Habsucht, böse Begierde, Betrug. Die letzten Glieder könnten das 7., 8. und 10. Gebot darstellen. Ähnlich ist Herm Mand VI,V,5: in einer Aufzählung werden genannt: Ehebrecher, Trunkenbold, Verleumder, Lügner, Habgieriger, πλεονέκτης καὶ ἀποστερητής.
Ebenfalls in einer dekalogähmlichen Reihe begegnet der Begriff in Theoph ad Autol I 2,10: 6.,6.,7.,10. Gebot, ἀποστερητής, weitere Laster, am Schluß zwei Angaben über das 4. Gebot (vgl. Mk 10,19:): εἰ οὐ γονεῦσιν ἀπειθής, εἰ οὐ τὰ τέκνα σου πωλεῖς.
Vgl. dazu auch Anastasia Apk p. 18: ἁρπάζουσιν ἀδίκως τὸν κόπον τῶν πτωχῶν ὡς λύκοι.
Wo dieses Glied in dekalogähnlichen Reihen vorkommt, ist die Nähe zu Mk 10,19 besonders groß; die Formulierungen zeigen, daß es sich um von Mk unabhängige Traditionen handelt. Eigentumsdelikte gegenüber Niederigestellten werden so zusammengefaßt.
Das „Berauben" ist hier ein allgemeines Eigentumsdelikt geworden, und obwohl die genannte Reihe noch deutliche Anklänge an jüdische und frühchristliche Bindung an das AT verrät, ist der Bezug zur atl Gruppe der Tagelöhner fallengelassen.
Die Vorgeschichte des Gliedes Mk 10,19 μὴ ἀποστερήσῃς zeigt, daß sich aus dem Bedrücken des Tagelöhners, das im MT ihm wie allen übrigen niedrigen sozialen Schichten zukommt, durch die mit den Angaben über den Lohn des Tagelöhners inhaltlich harmonisierende Übersetzung der LXX das selbständige Delikt des ἀποστερεῖν her-

ausgebildet hat. So gebraucht es die LXX auch sonst, wenn es um die Wegnahme des Lebensunterhaltes oder des Geldes geht (Ex 21,10: die ὁμιλία der Sklavin; Sir 4,1 τὴν ζωὴν τοῦ πτωχοῦ μὴ ἀποστερήσῃς, 29,6). – In den griechisch gebildeten sozialen Reihen erscheint das Berauben des Tagelöhners fortan als ein selbständiges Delikt, das aber mit der Vorenthaltung seines Lohnes verbunden bleibt. In Mk 10 ist eine solche Beziehung bereits nicht mehr erkennbar, und wie in den späteren Johannesakten ist Berauben zu einem allgemeinen Delikt geworden, unabhängig von Strukturen der atl Sozialordnung. Die Traditionsgeschichte des Gliedes „du sollst nicht berauben“ zeigt einerseits die Konstanz sozialer Reihen, den wechselnden Sitz im Leben auf Grund der veränderten sozialen Zugehörigkeit der Angeredeten, die verschiedenen innerhalb von Reihen möglichen Ausdrucksformen, und schließlich erweist sie, daß die Dekalogrezeption in Mk 10,19 von der Gattung der sozialen Reihe beeinflußt ist.

Es sind im Folgenden einige immer wiederkehrende Hauptmerkmale zu nennen, die es berechtigt erscheinen lassen, von der „sozialen Reihe“ als einer eigenen Gattung zu sprechen[1].

[1] Dem Inhalt nach ergeben sich innerhalb der sozialen Reihen folgende Beziehungen:
Fremdling, Witwe, Waise: Jer 7,6; Ez 22,7; Zach 7,10; Is 1,17; Mal 3,5; Slav Henoch 42; 5 Esra 2,20; Sib III,241; CD 6,16; Sap Sal 2,10; Arme und Niedrige: Ez 18,12; Tob 4,7; Sir 34,24f; Ps-Phokylides 19.22.23.83; Test Iss 7,3; Test Benj 4; Sib III,240; Hen 96,7; Griech Bar 4,17; Sap Sal 2,10; Tagelöhner: Lev 19,13; Mal 3,5; Tob 4,14; Sir 34,27; Ps-Phok 19; der Nächste (im Sinne des Dtn): Lev 19,13.18; Ez 22,12; Sir 34,26; Jub 7,20; 23,21; Hen 95,5; Hungrige und Nackte: Ez 18,7.16; Tob 4,16; 5 Esra 2,20; Slav Hen 9.42; Taube und Blinde: Lev 19,14; 5 Esra 2,20; Ps-Phok 24; Greise: Sap Sal 2,10.
Gerichtsethos: Lev 19,15; Ez 18,8; 22,12; Zach 8,16; 7,9; Is 1,17; 5 Esra 2,20; Ps-Phok 9.11.12; Syr Bar 73,4; Test Gad 3,3; 3,5; nicht zu bedrücken: Lev 19,13; Jer 7,6; Ez 18,7; 18,12.16; 22,7; 22,12; Zach 7,10; Mal 3,5; keine Zinsen zu nehmen: Ez 18,8; 18,13.17; 22,12; 4 Mkk 2,8; dem Schuldner das Pfand zurückzugeben: Ez 18,7.12.16; 33,15; nicht zu übervorteilen: Ez 22,12; Test Iss 4; Test Aser 2,5; 5,1; gerechte Maße zu machen: Hen 99,12; Ps-Phok 14; Sib III,236; die Felder nicht abzuernten: 4 Mkk 2,9; den Grenzstein nicht zu verrücken: Ps-Phok 35; Sib III,239; die Hand dem Fallenden zu reichen: Ps-Phok 26; Slav Hen 9; viel zu helfen: Ps-Phok 140-142; 4 Mkk 2,14 (dem Vieh bei Feindschaft usw.); den Nächsten im Herzen nicht zu hassen, sondern zu lieben usw.: Lev 19,17.18; Zach 8,17; 7,9.10; Prov 6, 18.19; Test Iss 7,3; Hen 95,5; Griech Bar 4,17; CD 6,16ff; 8,5ff 1 QS 8,2; Jub 36,6; Vater und Mutter in soz. Reihen: Ez 22,7; Tob 4,3; Jub 7,20; Ps-Phok 8; Griech Bar 4,17; 4 Mkk 2,10; Betrug, List, Stehlen, Lügen, Rauben:

Das hervorstechendste Kennzeichen ist, daß es sich um eine Aufzählung von nicht sehr zahlreichen und oft wiederkehrenden Verhaltensweisen des sozialen Lebens im engeren Sinne handelt. Besonders die Verbindung mit dem ethischen Verhalten im Gericht und dem Verhalten zu Witwe, Waise, Tagelöhner, Fremdling, Armen und Niedrigen ist oft zu finden und deutlich erkennbar. Weil diese Gruppen im Dt weitgehend durch die Begriffe אך und רע ersetzt worden waren, spielt auch der Begriff des „Nächsten“ in diesen Reihen eine bedeutende Rolle. Er wird dabei verwendet im Sinne der dt Tradition, also ebenso wie in Lev 19,18 – nicht einfach im Sinne des beliebigen „anderen“, sondern als der über das Maß sozial zu behandelnde Volksgenosse.
In der dt Tradition werden soziale Forderungen nicht nur im sog. Wenn-Du-Stil formuliert, sondern auch in singularischen und (späteren) pluralischen Prohibitiven, so in Lev 19. Dort war die rahmende 2. Schicht als prohibitivische Anrede an die 2. Pl formuliert und in eine soziale und kultische Hälfte geteilt. Diese Zweiteilung war möglicherweise für priesterliche Tradenten charakteristisch, denn derartige Doppelkataloge fanden sich in Ez 18; 22; Jub 23,21; Test Levi 14,6, aber auch in Test Aser 2,5.6-9. – Dabei ist charakteristisch, daß der Ehebruch in der kultischen Reihe erscheint.
Auch das Elterngebot spielt eine gewisse Rolle bei Reihenbildungen dieser Art: in Lev 19,3 ist es mit dem Sabbatgebot vorangestellt, in Ez 22 ist es mit diesem das Gliederungsprinzip. Dort und in Tob 4,5-14 ist es der Anlaß für die Bildung einer sozialen Reihe, ebenso auch in Ps.-Phok 8-11 und 4 Mkk 2,10ff. So wird das Elterngebot mehr und mehr als oberstes Sozialgebot verstanden – eine der Bedingungen dafür, daß das Ehren der Eltern selbst nunmehr auch als ein sie Unterstützen aufgefaßt wurde (wie in Mk 7 par.).
Wo die Form der Reihen am deutlichsten entwickelt ist, findet sich eine Art Überschrift mit der Themenangabe „Recht und Gerechtigkeit“. Dieses „Thema“ hat seinen Ursprung in der Verbindung solcher Reihen mit dem ethischen Bereich der Gerichtspraxis, wird aber zusehends unabhängiger davon[1]. Diese Ent-

Lev 19,11; Jer 7,9; Jub 23,21; Hen 94,6; 95,6; Ps-Phok 4-7; Sib III,237; Test Aser 2,5; Sap 14,25; Ps-Phok 18; Griech Bar 4,17; 8,5; Josephus, B. 2,581; Verleumdung: Lev 19,16; Jer 7,9; Prov 6,17.19; Ps-Phok 12; Sap 14,25; Griech Bar 8,5; 13,4; Raub: Ez 18,7; 18,12; 33,15; Lev 19,13.

[1] Bezugnahmen auf atl sog. Richterspiegel finden sich im Spätjudentum oft mit Bezug auf Gott, so in Jub 5,15 und 21,4; Sir 35,11-12.

wicklung muß bei Aussagen über die Entwicklungsgeschichte des Begriffes „Gerechtigkeit“ beachtet werden[1]. – Die letzte Zeile der Reihe wiederholt entweder das Thema oder weist allgemein auf Gebote oder die Hauptgebote hin. – In den Test Patr ist am Anfang oder am Ende solcher Reihen der Ort für die Zusammenfassung in die Hauptgebote, Gott und den Nächsten[2] zu lieben. – Im Einzelnen ergibt sich folgendes Bild:

Jer 7,5 אם עשו תעשו משפט
Ez 33,14-15 ועשה משפט וצדקה
Ez 18,5 (Anfang) כי יהיה צדיק ועשה משפט וצדקה
18,9 (Ende) בחקותי יהלך ומשפטי שמר לעשות אמת צדיק הוא
(fehlt in den folgenden Rekapitulationen der Reihe, ein deutliches Zeichen, dafür, daß bei der Wiedergabe über die Form reflektiert wurde)
Jer 22,3 עשו משפט וצדקה
Zach 7,9 משפט אמת שפטו
Mal 3,5 (Ende) „...und mich nicht fürchten“.
Slav Henoch 9 (Anfang) „Die ihre Augen von Ungerechtigkeit abwenden und gerechtes Gericht üben...“
(Ende) „Sie wandeln vor Gottes Angesicht und dienen ihm allein“
Tob 4,5 (Anfang) δικαιοσύνην ποίει... καὶ μὴ πορευθῇς ταῖς ὁδοῖς τῆς ἀδικίας
4,19 (Ende) εὐλόγει κύριον τὸν θεόν... μνημόνευε τῶν ἐντολῶν μου...
Jub 7,20 (Anfang) „er ermahnte seine Kinder: Gerechtigkeit zu üben...“
(Ende) „...und sich vor aller Ungerechtigkeit zu hüten“.
Josephus, Bellum 2,581 ...τῶν συνήθων ἀδικημάτων
Griech. Bar 8,5 (Anfang) θεωρῶν τὰς ἀνομίας καί τὰς ἀδικίας τῶν ἀνθρώπων
(Ende) ἅτινα οὔκ εἰσι τῷ θεῷ ἀρεστά
4 Mkk 2,7 (Anfang) τὰ κωλυτικὰ τῆς δικαιοσύνης πάθη
Sib II 265-283 κρίνους' ἀδίκως
III 630 δικαιοσύνην τίμα
III,234 (Anfang) οἳ δὲ μεριμνῶσιν τε δικαιοσύνην τ' ἀρετήν τε
III,246 (Ende) πληροῦντες μεγαλοῖο θεοῦ ἔννομον ὕμνον
1 QS 8,2 לעשת אמת וצדקה ומשפט
Test Iss 7,5 (Ende) εὐσέβειαν ἐποίησα... τὸν κύριον ἠγάπησα... καὶ πάντα ἄνθρωπον

[1] Vgl. dazu A. Causse, Du groupe éthnique à la communauté religieuse, 160: „Justice (y) est synonyme de douceur et de miséricorde, la loi d'entr'aide l'emporte sur la loi, de lutte et de revanche; il faut que les forts protègent les faibles, il faut que les faibles soient défendus contre la brutalité des forts, car Israel est un peuple des frères, et Yahvé est le soutien des malheureux sans défense, il entend la plainte du pauvre qu'on dépouille et qu'on opprime; la veuve, l'orphelin, l'étranger, c'est-à-dire les isolés et les délaissés, sont aimés de Dieu“.
[2] Der Begriff des Nächsten hat in diesen Reihen durchgehend dieselbe Färbung wie in der deuteronomischen Tradition nicht-kasuistischer Art.

Paulus-Apk K. 35 (Anfang) τῇ δὲ ἀγαθοσύνῃ τοῦ θεοῦ οὐ περιεπάτησεν, κρίσιν δικαίαν οὐκ ἔκρινεν
Barn 18 (Schluß) κρινεῖς ἀδίκως
Sir 35,22 (Ende) ושפט צדק ועשה משפט
T. Sanbat L. 24: Tun der Gerechtigkeit... wahres Gericht
T. Sanbat H. 32,27ff: Und nicht werden sie tun eine Tat der Gerechtigkeit

Zur Eigenart dieser Gattung gehört es demnach, daß die Anfangs- und Schlußsätze in der Regel allgemeinere Formulierungen über Gerechtigkeit und Ungerechtigkeit und über das Verhältnis zu Gott enthalten. – Eine besondere Rolle spielt am Ende der sozialen Reihe oft eine Aussage über falsches Zeugnis, falsches Schwören und die Befleckung des Namens Gottes, Vergehen, die im Laufe der Zeit einander angenähert werden, da sie in zunehmendem Maße unter das 8. Gebot subsumiert sind. Am Ende von sozialen Reihen finden sich derartige Aussagen in Lev 19,12; Jer 7,9; Zach 8,17; Prov 6,19; Conf Ling 117; Griech Bar 13,4; 1 Tim 1,9.
Zu bestimmter Zeit ist die Zusammenstellung unter dem Stichwort „Dinge, die Jahwe haßt“, üblich, so am Ende von Zach 8,16 („denn ich hasse all dies...“) und am Anfang einer Reihe in Prov 6,16 („Sechs Dinge haßt Jahwe und sieben sind Greuel seiner Seele...“); dazu gehört auch Prov 8,13b „...hasse ich“. Als redende Person ist die Weisheit gedacht, die verschiedene Laster haßt. Hier zeigt sich allerdings der Beginn einer anderen Gattung, in der nominale Abstraktbildungen als „Laster“ gereiht werden (s.u.). – Ein Weiterleben zeigt sich in Griech Bar 8 (Ende): ἅτινα οὐκ ἔστι θεῷ ἀρεστά und in Sir 25,1.2[1].
Die Form der Reihung ist innerhalb dieser Gattung sehr verschieden. Aus ältester Tradition und diese weiterentwickelnd sind alle die 2. P. anredenden Sätze (Lev 19; Jer 7,6; 22,3; Ez 22; Tob 4; Zach 8,16f; Zach 7,9; 5 Esra 2,20; Ps-Phokylides, passim; Test Levi 14,6). Eine besondere Abart sind Weherufe in der 2. und in der 3. Person (Hen 99). Wird die 3. Person sonst verwendet, so handelt es sich entweder um Beschreibungen des Gerechten oder des Bösen (Ez 18; Ez 22; Ez 33,15; Sap Sal 14,22ff; Griech Bar 4 Anfang: Slav Hen 9; Test Aser 2; Test Benj 6). Konstruktionen in der 1. P. Sg sind in den Test Patr entwickelt. Sie stehen in besonderem Zusammenhang mit dem literarischen Genus der Lebensbeichte.

[1] Vgl. Slav Hen 66,1: Hütet eure Seelen vor der Ungerechtigkeit, der Herr haßt sie. Vgl. dazu auch das Apostel-Agraphon bei Macar. de oratione c. 10 (Resch, Agr. 184): τοὺς δὲ ἀργοὺς μισεῖ καὶ ὁ θεός.

Infinitivreihen finden sich aus alter Tradition in Hos 4,2 und Jer 7,9 und in jungen Reihen (Ps. Phok; 1 QS 8,2; CD 6.8). Partizipialstil findet sich in den jüngsten griechischen Schriften wie 4 Mkk 2,8f und in Sir 34.

Nominale Reihen finden sich selten, etwa bei Josephus, Bell 2,581; Sap Sal 14,25.26a; Griech Bar 4.8.13; Philo Spec Leg II,18; 4 Mkk 2,10. – Einige dieser Reihen besitzen eine unmittelbare Nähe zum Dekalog und geben Dekaloggebote in substantivierter Form wieder (s.u.).

Vom Phänomen der „sozialen Reihe“, aber auch von profangriech. Lasterkatalogen zu unterscheiden sind nominale Reihungen von Vergehen, die inhaltlich sehr allgemeinen Charakter haben. S. Wibbing hat solche für einige Schriften des Spätjudentums, für 1 QS 4,2-14 und für die ntl Lasterkataloge außerhalb der Pastoralbriefe festgestellt. Beispiele für solche Reihen von allgemeinen Lastern hatten wir oben bereits bei der Auslegung des 6. Gebotes in Jub aufgeführt. Neben Begriffen wie Ungerechtigkeit und Unreinheit war auch Unzucht eines der häufigsten Glieder. Nur dieses Glied hatte aber einen Hintergrund in atl Geboten, die übrigen Begriffe solcher Reihen waren ohne Beziehung zu atl Gesetzeskorpora[1]. Prov 8,13 könnte durchaus ein erster Ansatz zu dieser Gattung in der Weisheitsliteratur sein; in Hen 92,4 und Sl. Hen 66,6 finden sich weitere Beispiele. Ein deutliches Beispiel der sekundären Verknüpfung mit sozialen Reihen, das zugleich die Verschiedenheit der Gattung offenbart, ist Jub 7,20. Zwar hatten wir oben bei den verschiedenen Formen, die eine soziale Reihe annehmen kann, auch die Erscheinung einer Reihung von Substantiven beobachtet, aber der Hauptunterschied bleibt der thematisch fest gebundene Inhalt der sozialen Reihe, der immer deutlich die Herkunft aus deuteronomischem Traditionsstoff verrät. Grundsätzlich gilt ferner (bedingt durch die Herkunft dieser Reihen) die Regel, daß die sozialen Reihen verbal formuliert sind, während die Aufzählungen allgemeiner Laster[2] notwendig substantivisch konstruiert sind[3].

[1] Dazu auch S. Wibbing, a.a.O., 31: „Diese Art der Aufzählungen hat mit den at.lichen Gebots- und Verbotsreihen nach Form und Inhalt kaum etwas gemeinsam. Nur die Kataloge in den Proverbien bieten erste Ansätze zur Form, wie sie hier vorliegt“.

[2] Dazu S. Wibbing, a.a.O., 31: „Die sittlichen Verfehlungen werden kaum noch im einzelnen aufgezählt, sondern es werden umfassende Begriffe aneinandergereiht“. Nach S. 108 haben die Begriffe der ntl Lasterkataloge mit

Jene sozialen Reihen, die substantivisch geformt sind, weisen die größte inhaltliche Distanz zu den anderen Reihen ihrer Gattung auf. Sie sind am ehesten einem Lasterkatalog angeglichen. Denn bei der Bildung abstrakter Begriffe, etwa im Fall der πλεονεξία, wird vom Verhalten gegen den Nächsten abgesehen und nur das Haben des Lasters selbst verboten. Bereits an der Geschichte der Dekaloggebote konnten wir besonders bei dem 6. und 7. Gebot den Prozeß dieser Umbildung in Laster feststellen[1].

denen der Sektenregel vor allem gemeinsam, daß sie nicht auf bestimmte Taten bezogen sind. Eine Trennung von Gesinnung und Tat sei freilich nicht möglich.

[3] Zu dieser Art von Lasterkatalogen gehören Test Aser 5,1; Test Rub 3,1; Test Juda 16,1; Test Jos 10,1; Test Gad 3,3; Henoch 91,6-8.18; 94,4; 96,6; 98,12. In derartigen Aufzählungen kann bisweilen auch in einem Glied auf den Nächsten Bezug genommen werden, so in Test Iss 4,2: τὸν πλησίον οὐ πλεονεκτεῖ oder in Test Benj 6,3 in einer stilistisch einheitlichen οὐ-Reihe, die aber verschiedenartigste Laster enthält. Gegenüber den Katalogen der Popularphilosophie hat sich im Spätjudentum im Bestand dieser Kataloge eine Reihe von Vergehen entwickelt, die in den heidnischen Aufzählungen nur in Listen von Schwerverbrechen vorkommen, dazu gehören: φόνος, κλοπή, κλέπτης (vgl. A. Vögtle, a.a.O., 205.98).
Typisch für die Diatribe sind dagegen: ἀπιστία, ἀταξία, ἀσέλγεια, φιλάργυροι. Ehebruch, Diebstahl und Raub (μοιχεία, κλοπή, ἁρπαγή) sind nach A. Vögtle, a.a.O., 104 in den Katalogen der Popularphilosophen nur selten genannt, Unzucht (πορνεία) ist völlig unbekannt. – In diesen Fällen liegt also größere Nähe zum AT, zum Dekalog oder zu spätjüdischen Abstraktbildungen vor.

[1] Hier ist auch Stellung zu nehmen zu A. Seebergs These vom „Katechismus der Urchristenheit" (vgl. A. Seeberg, Der Katechismus der Urchristenheit, Leipzig 1903; ders., Die beiden Wege und das Aposteldekret, Leipzig 1906; vgl. G. Resch, Das Aposteldekret 1905; G. Klein, Der älteste christliche Katechismus und die jüdische Propaganda-Literatur, Berlin 1909). Seeberg wollte nachweisen, daß es über die Traditionen von Lev 18.19, die auch die des Dekaloges seien, im Spätjudentum und in den ntl Schriften eine feste katechismusartige Zusammenstellung gab. Diese spiegele sich in den gemeinsamen paränetischen Stücken der ntl Lasterkataloge. Damit verbunden gewesen sei auch ein urchristlicher dogmatischer Katechismus. Der moralische Katechismus sei nach dem Schema der zwei Wege gebildet und überliefert worden. – Der Nachweis seiner Thesen ist A. Seeberg nach allgemeinem Urteil nicht gelungen (vgl. schon A. Vögtle, Tugend- und Lasterkataloge, 5.113-120; und S. Wibbing, Tugend- und Lasterkataloge, 7-8). Insbesondere mit der Eintragung des aus Did und Barn gewonnenen 2-Wege-Schemas ist Seeberg allzu großzügig verfahren (z.B. in: Die beiden Wege, 1906, 9-15). Bei einer Kritik Seebergs ist vor allem zwischen dem Phänomen einer Gattung und dem einer fest geprägten oder sogar katechismusartigen Tradition zu unterscheiden. Für die Frage nach der Gattung haben die

Welche Rolle spielt der Dekalog in der Geschichte der sozialen Reihe im hellenistischen Judentum und im NT? – In Mk 10,17-21 par liegt ein Beispiel dafür vor, daß einige Dekaloggebote in die literarische Form der sozialen Reihe eingedrungen sind, die Tatsache, daß nicht der ganze Dekalog zitiert wird, ferner, daß sich das Glied μὴ ἀποστερήσῃς hier findet, welches eine gute Tradition in sozialen Reihen hat, ferner, daß das Elterngebot erst zum Schluß aufgeführt wird – im Zusammenhang sozialer Reihen erschien es nur zu deren Einleitung, also in ähnlicher Funktion wie hier – all dies weist hin auf das Vorliegen einer sozialen Reihe mit Nähe zum Dekalog in Mk 10,19.

Auch außerhalb der synoptischen Tradition werden die Sozialgebote des Dekalogs im NT in Fortsetzung der Gattung der sozialen Reihe zitiert. Der Abschnitt Röm 13,9-10 gehört in diesen Zusammenhang. Die Gebote οὐ μοιχεύσεις, οὐ φονεύσεις, οὐ κλέψεις, οὐκ ἐπιθυμήσεις werden zusammengefaßt (ἀνακεφαλαιοῦσθαι) in dem Gebot: ἀγαπήσεις τὸν πλησίον σου ὡς σεαυτόν: Die Dekaloggebote werden als Sozialgebote verstanden und im Liebesgebot zusammengefaßt (vgl. etwa Jub 7,20). Das gleiche Phänomen liegt vor in Mt 19,19 und bei einer Reihe frühchristlicher Schriftsteller, die ebenfalls die Sozialgebote des Dekalogs mit dem Liebesgebot zusammenstellen, ein Verfahren, das sich als eine typisch christliche Weiterführung der sozialen Reihe erweist.

Neben dieser Verbindung von Dekalog und sozialer Reihe wurde bereits Mt 15,19 par als Beispiel für eine ganz andere Art der Dekalogrezeption genannt: Während das Eindringen des Dekalogs in die soziale Reihe die Verbindung zweier jüdischer Gattungen darstellt, handelt es sich bei der Verbindung von Dekalog und

Untersuchungen Seebergs eine Reihe nachneutestamentlicher Belege für dekalogähnliche christliche Tugendkataloge erbracht. Die darüber hinausgehende Behauptung, die Gebote des Dekalogs, die beiden Wege und die Goldene Regel seien im Traditionsstoff fest verankert gewesen, kann S. am allerwenigsten für das NT beweisen. – Das Schema der Zwei Wege hat zwar eine lange spätjüdische Vorgeschichte, worauf unten noch hinzuweisen ist, aber die Verbindung mit Einzelgeboten ist erst in Did und Barn vollzogen. Keineswegs gehört dieses Schema zum „Katechismus" von Natur aus dazu, es kann sich aber mit Lasterkatalogen treffen. – Für das Phänomen der sozialen Reihe sei betont, daß es sich dabei nicht um eine Art Katechismus handelt, sondern um eine literarische Gattung mit recht erheblicher Variationsbreite nach Form und nach Inhalt, auch wenn bestimmte Formen und Schemata häufiger wiederkehren.

Lasterkatalog um die Verbindung mit einer heidnischen Reihe. Zu einer solchen Verbindung erwies sich der Dekalog zunächst einmal schon deshalb nicht ungeeignet, weil wie in den Lasterkatalogen sowohl Begründungen als auch sanktionierende Strafen fehlen: die Kürze der Glieder ließ sich auch durch einfache Aufzählung von Lastern leicht ersetzen – so bezeugen denn auch die jüd.-hell. Schriften (bes. Ps.-Phokylides), daß die atl Prohibitivreihe, nicht aber andere atl Casussammlungen, mit den Lasterkatalogen Verbindungen eingehen konnten.

Anders werden Dekaloggebote zitiert in Griech Bar. Kap 4 gibt zunächst eine einfache Reihe von Substantiven: φόνοι, μοιχεῖαι, πορνεῖαι, ἐπιορκεῖαι, κλοπαί καὶ τὰ τούτων ὅμοια. In Kap 8 dagegen wird jedoch deutlich, daß es sich hier nicht um eine soziale Reihe handelt, sondern, wie schon durch die substantivische Formulierung erkennbar, um einen Lasterkatalog: θεωρῶν τὰς ἀνομίας καὶ τὰς ἀδικίας τῶν ἀνθρώπων, ἤγουν πορνείας, μοιχείας, κλοπάς, ἁρπαγάς, εἰδωλολατρείας, μέθας, φόνους, ἔρεις, ζήλη, καταλαλίας, γογγυσμούς, ψιθυρισμούς, μαντείας καὶ τὰ τούτων ὅμοια, ἅτινα οὐκ ἔστιν τῷ θεῷ ἀρεστά. Ebenso ist auch Kap 13 zu beurteilen: φόνος, πορνεῖαι, μοιχεῖαι, κλέψαι, καταλαλίαι, ἐπιορκίαι, φθόνοι, μέθαι, ἔρεις, ζῆλος, γογγυσμός, ψιθυρισμός, εἰδωλολατρισμός, μαντεία καὶ τὰ τούτοις ὅμοια.
In dieser Tradition der Nähe von Lasterkatalogen zum Dekalog stehen auch die Wiedergaben der zweiten Tafel des Dekalogs in abstrakten Begriffen bei Philo[1], und zwar in Heres 173: μοιχείας, ἀνδροφονίας, κλοπῆς, ψευδομαρτυρίας, ἐπιθυμίας; kunstvoller in Conf Ling 117: σὺν μοιχείαις φθοραί, σὺν ἀμέτροις ἡδοναῖς ἀόριστος ἐπιθυμία, μετὰ θράσους ἀπόνοια, μετὰ πανουργίας ἀδικία, κλοπαὶ μετὰ ἁρπαγῆς, σὺν ψευδολογίαις ψευδορκίαι, μετὰ παρανομιῶν ἀσεβεῖαι; einfache Aufzählungen der Delikte der zweiten Tafel finden sich auch in De Decal 51; vgl. Post Cain 82 und Conf Ling 163.

Aus dem NT sind für diese Art der Reihung besonders zu nennen Mk 7,21-23: πορνεῖαι, κλοπαί, φόνοι, μοιχεῖαι, πλεονεξίαι, πονηρίαι, δόλος, ἀσέλγεια, ὀφθαλμὸς πονηρός, βλασφημία, ὑπερηφανία, ἀφροσύνη. Die Mt-Parallele (Mt 15,19): φόνοι, μοιχεῖαι, πορνεῖαι, κλοπαί, ψευδομαρτυρίαι, βλασφημίαι. Mt hat dadurch eine größere Nähe zum Dekalog erreicht, daß er 1. der Reihenfolge dem Dekalog nach ordnete, 2. ψευδομαρτυρίαι für das 8. Gebot einfügte und 3. einige Glieder der mk Reihe fortließ. Weder bei Mk noch bei Mt liegen aber in diesem Falle mit Mk 10,17ff vergleichbare soziale Reihen vor. Der Unterschied zur Gattung der sozialen Reihe dürfte an

[1] Nach A. Vögtle, a.a.O., 111 finden sich bei Philo Lasterkataloge, die vornehmlich konkrete Tatsünden aufzählen, außer Conf Ling 117 immer dort, wo Philo über den Inhalt des Dekalogs spreche. „Reihenfolge und Inhalt des Dekalogs bedingen diese Aufzählungen weithin".

diesen Beispielen besonders deutlich werden, da es sich um zwei ganz verschiedene Weisen handelt, wie Dekaloggebote innerhalb der synoptischen Tradition rezipiert werden können. Die Kombination mit anderen, auch sonst im NT häufig wiederkehrenden Lastern zeigt für Mk 7 und Mt 15 deutlich, daß hier eine jüdisch-hellenistische Form eines Lasterkatalogs mit Nähe zum Dekalog geboten wird. Der Aspekt von Vergehen gegen den Mitmenschen haftet noch nicht einmal den für die Dekaloggebote gebildeten Abstrakta an.

Eine dekalogähnliche Reihe von Vergehen bietet auch Apc 9,21: καὶ οὐ μετενόησαν ἐκ τῶν φόνων αὐτῶν οὔτε ἐκ τῶν φαρμακείων αὐτῶν οὔτε ἐκ τῆς πορνείας αὐτῶν οὔτε ἐκ τῶν κλεμμάτων αὐτῶν. Verwandt mit dieser Reihe, aber nicht dekalogähnlich sind die Aufzählungen in 21,8; 22,15.

Das Gleiche gilt für 1 Tim 1,9. Wie die über die Wiedergabe zu Dekaloggeboten hinaus gebrachten Glieder zeigen, handelt es sich allgemein um Vergehen, die der gesunden Lehre zuwider sind, aber nicht um soziale Delikte.

Das Ergebnis ist also, daß Dekaloggebote (nicht „der Dekalog") bei Philo, in Griech Bar, in der synoptischen Tradition in Apc, in 1 Tim und in den S. 272f. 395 genannten Beispielen aus jüdischer und judenchristlicher Tradition auf zwei verschiedene Weisen rezipiert werden: Sie können substantiviert werden und in allgemeine Lasterkataloge, wie sie auch sonst und ohne Dekalognähe im hell. Judentum gebräuchlich sind, eingebaut werden[1]. Die andere Möglichkeit ist, daß Dekaloggebote sozialen Inhalts verbal übernommen werden und ebenfalls nicht allein für sich stehen, sondern in den Rahmen der überlieferten Gattung einer sozialen Reihe übernommen werden (so in Mk 10,17ff und Röm 13, ferner in Slav Hen 10,5, Ps-Phok 3-7 21-26, Teez Sanbat H 16f, Abba Elija H 46,1ff und in der Tradition über Höllenstrafen).

[1] Diese Beobachtung wird bestätigt durch die Art der Aufzählung in Did 5,1, die ganz heidnischen Lasterkatalogen formal entspricht, obwohl eine Reihe von Gliedern dem Dekalog entnommen ist: φόνοι, μοιχεῖαι, ἐπιθυμίαι, πορνεῖαι, κλοπαί, εἰδωλολατρίαι, μαγεῖαι, φαρμακίαι, ἁρπαγαί etc.
Mit den sozialen Reihen ist diese Aufzählung nicht vergleichbar. Eine Reihe dieser Art findet sich auch bei Theoph. ad Autolyc II,34: οἱ (προφῆται) καὶ ἐδίδαξαν ἀπέχεσθαι ἀπὸ τῆς ἀθεμίτου εἰδωλολατρείας καὶ μοιχείας καὶ φόνου καὶ πορνείας, κλοπῆς, φιλαργυρίας, ὅρκου ψεύδους, ὀργῆς καὶ πάσης ἀσελγείας καὶ ἀκαθαρσίας...
Eine dekalogähnliche Reihe dieser Art späterer christlicher Herkunft findet sich in Sib I,176.

Der „Sitz im Leben" der sozialen Reihe ist gleichbleibend: In den Anklagereden wie auch in den Weisheitssprüchen des hellenistischen und palästinensischen Judentums bedeutet die Aufzählung dieser Sozialdelikte immer eine Summe dessen, was von Gott gefordert ist. Durch den Hinweis auf „Recht und Gerechtigkeit" am Anfang und auf das Hauptgebot am Schluß der Reihe kann eine solche sogar die Gesamtheit dessen einschließen, was als „Gesetz" (s.o.) gefordert ist. Der Gesichtspunkt ist zwar hauptsächlich ein sozialer, aber wir sahen, daß es auch eine Reihe von Doppelkatalogen aus priesterlicher Tradition gibt, die im ersten Teil soziale, im zweiten Teil kultische Delikte enthalten.
Am Verhältnis von Jer 7,6 zu 7,9 wurde deutlich, daß die Reihe mit Angaben über das soziale Verhalten in bestimmten Schichten die in der sog. zweiten Tafel des Dekalogs sich spiegelnde Reihe von Vergehen verdrängt hat. Das häufige Vorkommen dieser Gattung entspringt der Notwendigkeit einer Zusammenfassung ethischer Mahnungen für das soziale und oft als solches gesetzlich nicht erzwingbare Verhalten zu den Mitmenschen. In dieser Funktion hat die soziale Reihe in prophetischer und spätjüdischer Tradition den Dekalog – verstanden im Sinn der LXX – faktisch ersetzt. Für das Spätjudentum ist diese Ersatzfunktion vor allem deshalb verständlich, weil das Verhalten zum Nächsten vornehmlich als eines zu seinem Besitz betrachtet wurde. Diese Tendenz hatten wir bei der Auslegung des 6./7. und 9./10. Dekaloggebotes für diese Zeit bereits deutlich festgestellt. Daher wird auch das erste Glied der sozialen Reihe, die „Gerechtigkeit", häufig zu „Almosengeben" umgedeutet, ein Prozeß, der sich auch in LXX spiegelt.

In der im hell. Judentum deutlich ausgeprägten Reflexion über den Besitz des Nächsten zeigt sich deutlich das Nachwirken der atl Programmschriften mit ihrem Desiderat des Wohlstands für alle im Rahmen der konsequenten Realisierung der Landverheißung. Im Rahmen eines eschatologischen Entwurfes, der sich aus den gleichen Traditionen hauptsächlich dtr Herkunft speist, ist dieses Projekt in Sib III,234-247 ausgeführt: Die soziale Gerechtigkeit gegenüber allen wird damit motiviert, daß Gott das „Land" allen gemeinsam gab (πᾶσι γὰρ Οὐράνιος κοινὴν ἐτελέσσατο γαῖαν).

Zur Zeit Philos gewinnt der Dekalog wieder an Ansehen. Die Folge ist, daß jener Prozeß, den wir bei Jer feststellten, „rückgängig gemacht" wird: Weil der Dekalog wieder als Summe gelten kann, dringt er wieder in soziale Reihen ein und ist dabei, diese, wie bei Philo und in der späteren christlichen Tradition, zu verdrängen. In Mk 10 ist jene Stufe erreicht, auf der einzelne Dekaloggebote der zweiten Tafel im Rahmen einer sozialen Reihe auftreten. – Im Blick auf die Gesamtgeschichte der sozialen Reihe ist so zu erkennen, daß die prohibitivisch und in Wenn-Du-Sätzen formulierte Paränese des Dt sich am Ende wieder mit prohibitivischen Formulierungen trifft, die durch ihre Form mit diesen schon immer verwandt waren. Die Dekaloggebote der zweiten Tafel sichern der spezifisch sozialhumanitären Gattung der sozialen Reihe auch in neutestamentlicher Zeit und unter dem Aspekt des jüdisch-hellenistischen Nomos-Begriffes einen Platz. Denn durch die Übersetzung der LXX hatten die Dekaloggebote die Beziehung zu den wichtigsten Hauptvergehen gewonnen. In einer Zeit, für die es zusehends üblich wird, nur noch die wichtigsten Sozialvergehen als Gesetz zu bezeichnen, dienen die Dekaloggebote zur Erhaltung der Gattung der sozialen Reihe, weil mit ihnen auch die wichtigsten Kapitalvergehen genannt sind. Die Bedeutung, die die soziale Reihe für den spätjüdischen Nomos-Begriff hat, wurde bei dessen Behandlung oben schon angedeutet. Sie ist dort offensichtlich, wo die soziale Reihe *eine* Tora im Kleinen darstellt. – Die Verknüpfung mit dem Dekalog beweist sowohl diese Tendenz der sozialen Reihe (und damit die Richtigkeit unseres Vorgehens, sie zur Bestimmung des Nomos-Begriffes heranzuziehen) als auch das, was wir über den Inhalt des Nomos-Begriffes im Spätjudentum und im NT feststellten: er ist vornehmlich sozial geprägt. Der Nomos-Begriff weiter Kreise des Spätjudentums steht so in einer unauflösbaren Beziehung zur sozialen Reihe. Die soziale Reihe findet in den nachneutestamentlichen Schriften christlicher Herkunft eine gewisse Fortsetzung in der Kombination von Dekaloggeboten mit der Goldenen Regel. Die Beispiele hat A. Seeberg, Die beiden Wege, 1906, 2-9 gesammelt und seiner (nicht beweisbaren) These des nach den beiden Wegen aufgebauten urchristlichen Katechismus zugeordnet. In Wahrheit sind diese Aufzählungen inhaltlich nicht so fest gebunden und haben auch keine nachweisbare Beziehung zu den „Wegen". Es handelt sich um Zusammenstellungen von einzelnen Dekaloggeboten der zweiten Tafel mit anderen Formulierungen, der Goldenen Regel oder dem Liebesgebot, inhaltlich also um eine Zusammenfassung sozialer Pflichten. Vorbild bzw. frühe Beispiele dürften besonders Mt 19,18 f und Röm 13,9 gewesen sein. Die Verbindung von Dekaloggeboten und Liebesgebot wird so fortgesetzt und die endgültige Rezeption des Gesamtdekaloges (s.o.) vorbereitet[1].

[1] Deutlich in der Tradition der sozialen Reihe steht noch der Apologet

Mit der Behandlung der Traditionsgeschichte der Dekaloggebote und der sozialen Reihe sind die Voruntersuchungen für die Analyse der folgenden mk Perikopen gegeben, in denen jeweils soziale Dekaloggebote das in der Gemeinde gültige „Gesetz" darstellen.

Aristides (Apol 15,3-10): Er zitiert das 6. Gebot, das Verbot der Unzucht, das 8. Gebot, das Verbot der Unterschlagung, das 10. Gebot als Verbot des Begehrens, das 4. Gebot und das Gebot, den Nächsten zu lieben (τοὺς πλησίον φιλοῦσι) und schließlich – aus der Tradition der atl Reihen –: δίκαια κρίνουσι. Ps.-Clemens Hom 7,4 zitiert das 5., 6. und 7. Gebot und die Goldene Regel; in 11,4 steht die Goldene Regel in Verbindung mit einer sozialen Reihe nicht-dekalogischer Art: die Hungrigen speisen, die Dürstenden tränken, die Nackten kleiden, für die Kranken sorgen, den Fremdlingen ein Dach geben, die Gefangenen im Kerker besuchen; Tertullian adv Marc IV,16 erwähnt die Goldene Regel, zitiert Jes 58,7, führt dann auf das 5., 6., 7. und 8. Gebot und nochmals eine Formulierung der Goldenen Regel; Athenagoras zitiert in De res cadav. das 6., 5., 7. Gebot, das Verbot des Raubes, das 4. und 10. Gebot; es folgt eine weitere Auslegung des 4. Gebotes. Clemens v. A. zitiert in Protrept 10,108 das 5. und 6. Gebot, dann das Verbot der Knabenschändung, das 7. und 8. Gebot, das Gebot der Gottesliebe und das der Nächstenliebe; Paed III,12 zitiert nur die Goldene Regel und die beiden Hauptgebote. – Ebenfalls nur die zweite Hälfte des Dekalogs zitiert Clemens v. A. in Paed III,89. Die Zitation ist sehr frei. Das 9. und 10. Gebot entfallen, das 6. Gebot ist um die Knabenschändung ergänzt, aber auch, spätjüdischer Tradition entsprechend, um das Verbot des Götzendienstes: οὐ μοιχεύσεις, οὐκ εἰδωλολατρήσεις, οὐ παιδοφθορήσεις, οὐ κλέψεις, οὐ ψευδομαρτυρήσεις. Im Gegensatz zu den oben genannten Stellen Didache 5,1 und Theophilus ad Autol II,34, die die Dekaloggebote in heidnische Laster einreihen, wird hier durch die ständige Verbindung mit Liebesgebot und Goldener Regel die soziale Reihe fortgesetzt. Freilich entsteht der Eindruck, als sei das, was die Reihe jetzt noch mit dem AT verbindet, nur mehr allein jenes Gut, das auch in die synoptische Tradition aufgenommen wurde.
Ein Beispiel aus rabbinischer Tradition ist die von E. Kamlah, a.a.O., 156 zitierte Reihe aus dem Traktat Derek Eres (V: Der, der seine Nachbarn liebt und der seine Verwandten heiratet und der, der dem Armen in der Stunde seiner Not Geld besorgt. Die, die in Gerechtigkeit richten, und die, die zurechtweisen in Wahrheit).

VI

Dekaloggebote als Weg zum ewigen Leben in Mk 10,17-22

§ 1 Die Funktion von Mk 10,17-19 im Aufbau von Mk 10,13-31

Das Stück Mk 10,17-21a erweist sich als traditionsgeschichtlich isolierbarer Bestandteil der jetzigen Perikope, Mk 12,28-31 vergleichbar. Er wurde mit den übrigen Einzelblöcken dieser Perikope zusammengefügt unter dem gemeinsamen Thema „Eingehen in die Basileia / in das ewige Leben". Die widerstreitenden Antworten aus den Einzeltraditionen werden durch den Aufbau des Gespräches ausgeglichen. Die sozialen Dekaloggebote wurden in der isolierten Fassung von Mk 10,17-21a als hinreichender Weg zum Leben betrachtet: Jesus verzichtet gerade darauf, neue Gebote zu geben. Diese soziale Dekalogethik der hellenistischen Gemeinde wird in der Redaktion der Perikope mit sehr anders gearteten Vorstellungen über den Erwerb des Lebens aus jüdisch hellenistischer Bekehrungstradition konfrontiert. Die letzteren lassen die Erfüllung von Geboten als ungenügend erscheinen und machen darüber hinaus Verzicht auf Güter notwendig. Dieser Güterverzicht wird in V. 29 als ein Verzicht „wegen meiner und wegen des Evangeliums" gedeutet und damit christologisch aufgefaßt: Der reiche Jüngling, der die Abgabe des Besitzes verweigerte, gehört entsprechend nicht zu den Jüngern Jesu. – In der Entwicklungsgeschichte dieser Perikope wird daher beispielhaft die Zusammenführung heterogener jüdisch-hellenistischer Traditionen deutlich. Das erste Stück ist ein Beleg für die Verbindung der sozialen Reine mit Dekaloggeboten; es ist ebenfalls Zeuge einer bestimmten Christologie.
Mk 10,13-16 ist eine erste Einheit, in der V. 15 die traditionsgeschichtliche Ausgangsbasis ist. Im Anschluß an das dort genannte ὡς παιδίον wurde im Zuge der Biographisierung eine Szene über das Segnen von Kindern geformt. Inhaltlich schloß V. 15 an 9,37.42 an, wo παιδίον und μικροί Gemeindebezeichnungen sind. Diese Stufe ist in Mk 10,13-16 bereits überwunden, da παιδίον nunmehr als wirkliches Kind verstanden wird. Dadurch aber paßte das Logion in den Zusammenhang mit dem Thema Ehescheidung in V. 1-12.

Die kombinierte Behandlung von Ehe und Kindern findet sich auch sonst im hellenistischen Spätjudentum (s.u.).
Durch V. 15 ist das Stichwort εἰσελθεῖν εἰς τὴν βασιλείαν gegeben, ein Ausdruck, der außer in 9,43.47 nur in Mk 10 begegnet, und zwar außer in V. 15 noch in V. 23.24.25. Ebenfalls nur in Mk 10 findet sich – parallel dazu – ζωὴν αἰώνιον κληρονομεῖν (V. 17), bzw. λαμβάνειν (V. 30). Auch in 9,43.45.47 sind in drei parallelen Sätzen Leben und Basileia parallel und synonym. Die Beobachtung, daß beide Begriffe in der Redaktion des Mk gleichbedeutend sind, ist ein wichtiger Schlüssel zum Verständnis dieser Perikope.
Die VV. 17-21 sind die nächstfolgende Einheit[1]. Diese ist als Episode mit einem εἷς gestaltet, der Jesus befragt nach dem, was er tun muß, um das Leben zu erben, worauf Jesus zwei verschiedene Antworten gibt (V. 19 und V. 21). Beide Antworten können dadurch zueinander in ein Verhältnis gesetzt werden, daß der Frager in V. 20 sagt, er habe die soeben genannten Dekaloggebote bereits gehalten, Jesus ihm aber sagt, es fehle ihm noch etwas. So sind die Voraussetzungen geschaffen für Antwort II in V. 21, die nun inhaltlich der ersten Antwort gegenüber als Steigerung erscheint.
Der ursprüngliche Text der Perikope reichte wohl bis V. 21a (ἠγάπησεν αὐτόν). Das „Lieben" (liebgewinnen, umarmen, möglich

[1] Literatur: A. Caspari, Der gute Meister, in: Christentum u. Wiss. 8 (1932) 218-231; H. J. Degenhardt, Besitz und Besitzverzicht in den lukanischen Schriften / Eine traditions- und redaktionsgeschichtliche Untersuchung, Stuttgart 1965, bes. 138 ff; M. Goguel, Avec des persécutions / Étude exégétique sur Marc 10,29-30, in: Rev. d'Hist. et de Philos. rel. 8 (1928) 264-277; M. J. Gruenthaler, The Old Testament and retribution in this life, in: Cath. Bibl. Quart. 4 (1942) 101-110; W. Grundmann, Art ἀγαθός in: ThWB I, 10-18, bes. 15; P. S. Minear, The Neadle's Eye / A Study in Form Criticism in: Journ of Bibl. Lit 61 (1942) 157-169; P. J. Du Plessis, ΤΕΛΕΙΟΣ / The Idea of Perfection in the New Testament, Kampen 1959, 170-173; R. Schnackenburg, Die Vollkommenheit des Christen nach dem Evangelium, in: Geist und Leben 32 (1959) 428-433; A. Schulz, Nachfolgen und Nachahmen / Studien über das Verhältnis der neutestamentlichen Jüngerschaft ur vorchristlichen Vorbildethik (Studien z.A.u.NT; 6), München 1962; F. Spitta, Jesu Weigerung sich als „gut" bezeichnen zu lassen, in: Zeitschr.f. ntl.Wiss. 9 (1908) 12-21; W. Wagner, In welchem Sinne hat Jesus das Prädikat ἀγαθός von sich abgewiesen?, in: Zeitschr.f.ntl.Wiss. 8 (1907) 143-161; N. Walter, Zur Analyse von Mk 10,17-31, in: Zeitschr. f. ntl. Wiss. 53 (1962) 206-218; J. Weiss, „Zum reichen Jüngling" Mk 10,13-27, in: Zeitschr. f. ntl. Wiss. 11 (1910) 79-83; W. Zimmerli, Die Frage des Reichen nach dem ewigen Leben, in: Ev Theol 19 (NF 14) (1959) 90-97; H. Zimmermann, Christus nachfolgen, in: Theol. u. Glaube 53 (1963) 241-255.

auch küssen) des Jünglings ist weniger ein Zeichen der Sympathie als vielmehr ein quasi-hoheitliches Tun dessen, der (Rechts-) belehrung und -entscheide gibt. Damit hängt zunächst zusammen, daß die Patriarchen zu Beginn ihrer Belehrungen in den Testamenten und an deren Ende ihre Kinder küssen (Test Rub 1,5; Test Dan 7,1). – Insbesondere ist aber eine Parallele zu Mk 10,17-21a das Stück 2 Sam 15,4-6. Es ist von Absaloms Tun die Rede, mit dem er die Kinder Israels gewinnt: er will jedem zu sein Recht verhelfen. V. 5 lautet: καὶ ἐγένετο ἐν τῷ ἐγγίζειν ἄνδρα τοῦ προσκυνῆσαι αὐτῷ καὶ ἐξέτεινεν τὴν χεῖρα αὐτοῦ καὶ ἐπελαμβάνετο αὐτοῦ καὶ κατεφίλησεν αὐτόν. Das προσκυνῆσαι entspricht dem γονυπετήσας V. 17, in beiden Fällen wird diese Hoheitsbezeugung abgelehnt, das ἠγάπησεν entspricht dem κατεφίλησεν αὐτόν. In beiden Fällen wird eine hoheitliche Person um eine Entscheidung und Belehrung angegangen. Der Kuß als Abschluß der Belehrung findet sich auch in Barth Ev 4,71 und ebenso in Barth Ev 28,1: καὶ ὅτε κατέστειλεν ἠγάπησαν αὐτὸν οἱ ἀπόστολοι καὶ ἔδωκεν αὐτοῖς τὴν εἰρήνην τῆς ἀγάπης.

Der Kuß als Zeichen für Übermittlung der Lehre begegnet auch im äth Adambuch (Übers. Dillmann p. 79): Seth berichtet Adam über die Erscheinung des Satans in Gestalt eines Engels: „Und als Adam diese Geschichte von ihm hörte, küßte er ihn auf das Gesicht und belehrte ihn darüber und tat ihm kund, daß das der Satan sei, der ihm erschienen war";

In VV. 17-19 lehnt Jesus die Anrede ἀγαθός für sich ab und behauptet, sie komme allein Gott zu[1]. Dieser Satz ist isoliert nicht ver-

[1] Die Mehrzahl der Exegeten deutet dieses ἀγαθός als „gütig", so J. Wellhausen, Mk 86; F. Hauck, Lk 224 (Jesus möge ihm nicht zu Schweres zum Gewinnen des Reiches Gottes auflegen); J. Schmid, Mk 191 („das Gespräch eröffnende Bitte um gnädiges Gehör"); E. Klostermann, Mk 101; W. Wagner, a.a.O., 144; zutreffend dagegen B. Weiss, Mk 162: „...er habe keinen Grund, ihm das Prädikat beizulegen, das Jesus also im nächsten sittlichen Sinne nimmt, in welchem es keinem, außer einem, nämlich Gott, zukommt". Der kirchlichen Exegese hat es immer große Schwierigkeiten bereitet, die Ablehnung des Titels „gut" durch Jesus mit dogmatischen Lehren in Einklang zu bringen. W. Wagner untersucht die Deutungen dieser Schwierigkeit und stellt drei Lösungsgruppen zusammen:

1. Jesus habe den Titel nur im Munde des Fragers von sich abgelehnt.
2. Jesus habe den Titel nur im absoluten Sinne zurückgewiesen.
3. Jesus habe den Titel vollkommen und ohne jede Einschränkung abgelehnt.

W. selbst deutet das Wort als „gütig" mit dem Hinweis darauf, daß bei Philo ἀγαθότης synonym sei für χάρις und χρηστότης (S. 157). Der reiche

ständlich, sondern mit Hilfe dieser Feststellung soll offenbar das Verhältnis Jesu zu den dann angeführten Geboten ausgesagt werden: Indem Jesus den Titel „gut" für sich ablehnt, lehnt er es in diesem Kontext zugleich ab, einen eigenen, neuen und besseren Weg zum ewigen Leben angeben zu können[1]; er verweist auf Gott, der gut ist und die Gebote gab. Das alleinige Gutsein Gottes ist der Grund dafür, daß Jesus nichts anderes tun kann, als auf dessen Gebote zu verweisen. Dem Verfasser muß der Schluß offenbar zwingend erschienen sein, daß nur ein Guter, und weil es nur einen einzigen Guten gibt, nur der einzige Gute, Gebote geben kann[2]. Warum aber kann nur der einzige ἀγαθός Gebote geben? – Die Nähe zum hellenistischen Judentum, die bereits die Terminologie auszeichnet, ist bislang fast immer übersehen worden. μόνος ἀγαθός heißt Gott auch bei Philo in Mut Nom 7 (ἐζήτει τὸν τριπόθητον καὶ μόνον ἀγαθὸν ἰδεῖν), der einzige Gute ist Gott in Somn I, 149 (ἵνα εἷς ὁ ἀγαθὸς εἰσοικίσηται; hier im Zusammenhang mit Tugendstreben, daß man Gottes Haus werden soll). Als der Urheber der Gebote ist Gott der Gute in Decal 176: Es wird die Frage erörtert, warum die Dekaloggebote ohne Strafsanktionen seien. Die Antwort: θεὸς ἦν, εὐθὺς δὲ κύριος ἀγαθός, μόνων ἀγαθῶν αἴτιος, κακοῦ δ'οὐδενός. Die Gebote selbst werden als Güter angesehen, die in dem guten Gott ihre Ursache haben. Die entsprechende umgekehrte Erfahrung über den Menschen kommt zum Ausdruck in Koh 7,20 LXX: ὅτι ἄνθρωπος οὐκ ἔστιν δίκαιος ἐν τῇ γῇ. ὃς ποιήσει ἀγαθὸν (טוב) καὶ οὐχ ἁμαρτήσεται. – Die Argumentation des Mk-Textes, in dem die Aufstellung von Geboten für das ewige Leben

Jüngling habe Jesus nur um eine Gefälligkeit gebeten, die Antwort Jesu aber sei scharf gegen jede Menschenvergötterung gerichtet, denn gnädig sei nur Gott. Wagner beruft sich für diese Deutung (sicher zu Unrecht) auf Justin Apol 1,16: niemand sei ἀγαθός als Gott allein, der alles geschaffen habe. Daraus leitet W. die Identität von gut und gütig ab. Jesus habe also nicht seine eigene Sündlosigkeit und sittliche Vollkommenheit geleugnet. – Die Argumente für eine Übersetzung mit „gütig" sind nicht ausreichend und daher ist an der Bedeutung „gut" im Sinne von „sittlich gut" festzuhalten. So auch G. Wohlenberg, Mk 273 Anm. 89: „Wenn LXX das hebr טוב, von Gott gebraucht, mit Vorliebe mit χρηστός übersetzen und nicht mit ἀγαθός, so hätte eben gerade an unserer Stelle der Jüngling χρηστός sagen müssen; ἀγαθός heißt an sich nie bloß gütig-gnädig, auch nicht Mt 20,15".

[1] Zutreffend J. Schniewind, Lk 210; J. Wellhausen, Mk 86.

[2] Der Hinweis auf den einen und einzigen göttlichen Gesetzgeber, findet sich in ähnlicher Formulierung (εἷς ἐστιν νομοθέτης καὶ κριτής), aber in anderem Kontext in Jak 4,11.12.

aus dem alleinigen Gutsein Gottes abgeleitet wird, ist ebenfalls wohl am ehesten aus hellenistischem Judentum verständlich zu machen: Das Ziel der Gebotserfüllung ist das Gutsein. Das Gute aber oder der Gute ist allein Gott. Daher muß er nachgeahmt werden (μιμεῖσθαι) und man muß ihm folgen (ἕπεσθαι). Das geschieht dadurch, daß man sein Wesen nachahmt und seinen Spuren auf seinen Wegen folgt. Nachfolgen aber und Nachahmen gegenüber Gott geschieht dadurch, daß man seinen Geboten gehorcht. Gott der allein Gute hat so durch die Gebote den Weg angegeben, daß man gut werde wie er. Belege für diese Anschauungen finden sich nicht nur im weiten Umfang bei Philo, sondern auch im Aristeasbrief und in den Test Patr[1]. Gegenüber den antiken Vorstellungen vom Nachahmen Gottes ist der Einbau der Größe „Gesetz" in dieses Streben das besondere Verdienst des Spätjudentums[2]. In dieser Nachahmung Gottes tritt bisweilen besonders der soziale Aspekt hervor (vgl. bereits oben zur universalist. Auslegung des Liebesgebotes in Sir und Mt), so in Spec Leg IV,73.186-188. (Cf. S. 433-435).

Nach Mk 10,18 ist nach Jesu Wort nicht er selbst der Gute, der Gebote geben könnte, sondern allein Gott, der, so darf man aus dem traditionellen Hintergrund dieser Argumentation ergänzen, sein eigenes Gutsein durch deren Befolgung nachgeahmt wissen will. So ist für Jesus die Ablehnung des Titels „gut" ein Mittel, darauf hinzuweisen, daß nicht seine eigenen, sondern nur Gottes Gebote

[1] Vgl. dazu Art. μιμέομαι in: ThWB IV,661-678. A. Schulz, Nachfolgen und Nachahmen, bes. 213-221: „Gott als sittliches Vorbild im hellenistischen Judentum". W. Völker, Fortschritt und Vollendung bei Philo v. Alexandrien / Eine Studie zur Geschichte der Frömmigkeit, Leipzig 1938, 207.216. 220.327f.333 und Philo v. A., besonders De Decal 96-101, wo das Sabbatgebot aus der Ruhe Gottes selbst abgeleitet werden kann. Wie in anderen Dingen, so solle man auch hier Gott folgen (101 Ende: ἐξομοιοῦντες θνητὴν φύσιν ὡς ἔστιν ἀθανάτῳ κατὰ τὸ λέγειν καὶ πράττειν ἃ χρή...); vgl. das Zitat aus Platon, Theaetet in De Fug et Inv 63; Sacr Ab Cain 68 (Nachahmen = Gehorsam = erfüllen des Gebotes = Gutes tun); Opif Mundi 79 (Nachahmen = dem Plan der Schöpfung sich Einfügen = Gesetz Bewahren); De Virt 205 (Adam wandelt in den Spuren = Tugenden des Schöpfers); Opif 144; Gig 64; Spec Leg IV,186-188 (Gutes tun = niemandem schaden, sondern nutzen = Gott folgen = Gott ähnlich werden); zu Migr. Abr 128 vgl. W. Völker, a.a.O., 209 Anm. 1; vgl. auch Test Aser 4,3.5; Aristeasbrief 188.280.210.281; Syr Bar 18,1. Gott wird ἀγαθός genannt in LXX Ps 117,1ff; 1 Chr 15,34; 2 Chr 5,13; 2 Esr 3,11.

[2] Vgl. W. Völker, a.a.O., 209 Anm. 1: „Man folgt dem Logos, wenn man den Geboten Gottes gehorsam ist, d.h. die gesetzliche Frömmigkeit der Juden steht im Vordergrund, die stoischen Formeln sind von hier aus zu deuten".

zu erfüllen sind. Der Vorgang der biographischen Verankerung ist daher so vorzustellen: Der Verfasser referiert nicht nur die in der Gemeinde als Weg zum Leben bekannten Gebote, sondern will zugleich darstellen, daß Jesus keine neuen Gebote aufstellen wollte, sondern sich an Gottes Wort = Dekaloggebote hielt[1]. – Zum Erweis dessen wählt er den Weg über den Gegensatz Gott-Mensch: Gott allein konnte die Gebote aufstellen, er allein ist gut. Zu dieser Aussage mußte aber ein Anlaß im Leben Jesu konstruiert werden: Er wird gesetzt in der (sonst nicht belegbaren)[2] Anrede διδάσκαλε ἀγαθέ. Damit ist das Stichwort gefallen, in dessen Aufnahme Jesus verdeutlichen kann, warum er sich an Gottes Wort hält[3]. – Der Bericht über den Kniefall des Fragers dürfte die gleiche Fehleinschätzung Jesu verdeutlichen (vgl. aber dazu unten).

Die Gebote erscheinen so durch redaktionelle Rahmung nicht nur als ein Weg zum Leben, sondern indirekt auch als Weisen, Gott, dem ἀγαθός, nachzustreben; besonders durch das letztere wird der hellenistische Hintergrund der Perikope wahrscheinlich, zudem

[1] Unrichtig daher E. Lohmeyer, Mt 287: Die Abweisung „guter Meister" sei bei Mk für den Gang des Gespräches bedeutungslos und bleibe isoliert. Das gilt höchstens für die jetzige Redaktion.

[2] Dazu vgl. E. Lohmeyer, Mk 208: „Mag solche Anrede auf hellenistischem Boden üblich oder auch nur möglich sein (ὦ ἀγαθέ), in jüdischer Umgebung ist sie niemals Brauch, ja auch in besonderen Fällen ausgeschlossen gewesen". – Vgl. W. Grundmann, Mk 210: „Diese Huldigung zusammen mit der Anrede 'guter Meister' ist in Palästina ungewöhnlich, wenn auch nicht völlig ausgeschlossen (Bill II,24), im griechischen Bereich hingegen sind Anreden wie ὦ βέλτιστε oder ὦ ἀγαθέ nicht unbekannt". Vgl. Platon, Menon 93 C und die attische Anrede ὦ ἀγαθέ. Die rabb. Anrede ist רבי ohne weiteres Epitheton (vgl. F. Spitta, a.a.O., 13).

[3] Eine neuartige Lösung hat H. J. Degenhardt, Besitz und Besitzverzicht, 138f vorgeschlagen. Demnach sei V. 18b ein isoliertes Logion gewesen mit dem Inhalt: „Jeder Mensch ist heilsbedürftig, weil niemand ἀγαθός von sich aus ist. Nur Gott ist der Gute. Weil niemand gut ist, ist es so wichtig, den Weg zum Heil zu wissen". Die Gegenfrage Jesu sei im Hinblick auf die Anrede 'guter Meister' gebildet, „weil man auf diese Weise ein anderes, frei überliefertes Logion Jesu unterbringen konnte, das vom Gutsein Gottes handelt und dem Menschen ein solches Gutsein abspricht". Die Logik sei allein von der schriftstellerischen Seite der Perikope her zu erfassen. – Die Möglichkeit einer ursprünglichen Isoliertheit von V. 18b kann man nicht bestreiten, nur ist die Bildung dieses Satzes auch aus dem Beweisanliegen der ursprünglichen Perikope ebensogut zu erklären: Um zu erweisen, daß Jesus keine neue Lehre bringt, muß darauf hingewiesen werden, daß Gott der allein Gute ist. Außerdem hätte bei isolierter Tradierung das Nicht-gut-Sein des Menschen wohl stärker hervorgehoben werden können.

weist die Tatsache, daß es sich hier um Dekaloggebote handelt, auf den jüdisch-hellenistischen Bereich.

Die Frage, wo und inwiefern eine Beschränkung auf die sozialen Dekaloggebote für eine christliche Gemeinde denkbar sei und in welcher Christologie Jesus nichts anderes als die Gebote des Vaters lehren könne und dürfe, ist im Hinblick auf den christologischen Skopos von V. 17-21a zu entscheiden: Es soll betont werden, daß Jesus gerade nichts von sich selbst her hinzufügt. Seine Gebote sind identisch mit denen des Vaters. Dieser Ansatz bedeutet nun aber nicht radikales Judenchristentum oder Rejudaisierung. Es wurde ja bereits gezeigt, daß das Stück im Ganzen eindeutig jüdisch-hellenistischen Charakters ist. Gerade diese Beobachtung aber ermöglicht es auch, die vorliegende Christologie genauer zu lokalisieren: Es handelt sich um eine Christologie, die sich – wenn auch in Bezug auf die Gesetzesfrage selbst verändert –, bei Joh und im paulinischen Apostelbegriff spiegelt: Zugrundeliegend ist jene besondere Auffassung vom göttlichen Gesandten, der für seine menschliche Person ganz zurücktritt und nichts als Worte und Aufträge Gottes auszuführen hat[1]. Gerade durch dieses Zurücktreten hinter dem, für das er „Gefäß" ist, gewinnt er an Autorität und gewinnt dadurch Unersetzbarkeit, daß seine Worte nicht die eigenen, sondern die Gottes sind. Diese Auffassung vom göttlichen Gesandten ist sehr frühen Ursprungs, da Paulus sie für seinen Apostelbegriff schon voraussetzt. Sie ist hier noch auf Jesus bezogen.

Die zweite Antwort Jesu, zu der V. 20.21a jetzt die Überleitung bilden, enthält drei Imperative und eine mit dem zweiten Imperativ verbundene Lohnangabe. Inhaltlich sind z.T. der Herkunft nach sehr verschiedene Motive aneinandergereiht und verknüpft: das Verkaufen der Habe, Ablieferung an die Armen, ein Schatz im Himmel als Lohn, Nachfolge Jesu. Um die Entstehungsgeschichte dieses Verses darzustellen, ist zunächst auf die der folgenden Verse einzugehen. – VV. 22.23a sind offenbar komponiert im Hinblick auf V. 23b. Die Begebenheit ab V. 20 erscheint von da aus als Illustration zu diesem Satz. Das wird besonders deutlich aus dem erklärend nachhinkenden „denn er war habend viel Vermögen" in V. 22. Diese Bemerkung hätte sich in den ersten Teil der Perikope schlecht einfügen lassen, da sie nicht vom Besitz, sondern von der Frage nach dem ewigen Leben handelt (Vgl. H. J. Degenhardt, a.a.O.,

[1] In der 2. Apokalypse des Jakobus (Böhlig-Labib f 49,8-15) heißt es: „Ich bin der Gerechte, ich bin der Sohn des Vaters. Ich rede, wie ich gehört habe. Ich bestimme, wie ich das Gebot empfangen habe. Ich lehre euch, wie ich erkannt habe". Auch nach Pap Berol S. 8,12-9,5; Till 65-67 sagt Jesus: „Auch habe ich kein Gesetz gegeben (νόμος) wie der Gesetzgeber (νομοθέτης), damit ihr dadurch nicht erfaßt werdet".

147). Durch diesen Satz aber wird nachträglich die Bildung der VV. 20-22a auf V. 23 hingeführt.
Die VV. 23b und 24a selbst sind eine vorwegnehmende Interpretation von VV. 25-26. V. 24a wiederholt fast wörtlich V. 26: das ἐθαμβοῦντο gibt das ἐξεπλήσσοντο wieder. V. 23b ist aus verschiedenen Elementen der jetzt vorangehenden und der folgenden Stücke zusammengesetzt: πῶς δυσκόλως... εἰς τὴν βασιλείαν τοῦ θεοῦ εἰσελεύσονται stammt aus V. 24c: πῶς δύσκολόν ἐστιν εἰς τὴν βασιλείαν τοῦ θεοῦ εἰσελθεῖν. Die οἱ χρήματα ἔχοντες finden sich wieder in V. 22b ἔχων κτήματα (D it b K Cl: χρήματα πολλά).
Die Behauptung, V. 23b und 24a seien eine interpretierende Vorwegnahme von 24c.25.26 bedarf einer näheren Begründung: N. Walter hat in seiner Analyse einleuchtend gezeigt, daß V. 25 ursprünglich nichts mit dem πλούσιος zu tun hatte. Die VV. 24c.25 handeln ursprünglich von der *allgemeinen* Schwierigkeit, in das Reich Gottes einzugehen (πλούσιον fehlte hinter ἤ)[1]. Vor allem werden nur so die VV. 26b.27 verständlich. – Die erst sekundäre Deutung von VV. 24c.25 durch den „Reichen" wird nun durch V. 23c.24a bereits im vorangehenden Text verankert, so daß sich nach dieser Vorbereitung V. 25 gut einfügt. Das Bildwort von V. 25 wird in V. 23 seines rätselhaften Charakters entkleidet und ist eine popularisierende Deutung. – Auch V. 24c scheint bereits eine positive Umformulierung von V. 25 zu sein, die das Stichwort εἰς τὴν βασιλείαν τοῦ θεοῦ εἰσελθεῖν aus V. 25 aufnahm und entsprechend inhaltlich abmilderte. Dieser Vers scheint aber noch derselben Redaktion anzugehören wie VV. 26.27, wo V. 27 ebenfalls abmildert, indem ein Ausweg aus der hoffnungslosen Lage des versperrten Zugangs zu Basileia aufgezeigt wird. Die Komposition

[1] N. Walter ist hauptsächlich durch folgende Beobachtungen zu seinem Ergebnis gelangt:
1. V. 23b und 24b sei inhaltliche Doppelung.
2. Das Betroffensein der Jünger nach V. 26 steht nicht in Verhältnis zu V. 28
3. V. 27 bleibt im jetzigen Zusammenhang nebensächlich.
210: „Nun liegt die Folgerung nahe, daß Markus bei der Anfügung von VV 24b-27 dieses Stück im Hinblick auf die vorausgegangene Geschichte umgedeutet hat, daß also die Spezialisierung des Kamel-Nadelöhr-Wortes auf den Reichen von ihm stammt (man mag annehmen, daß er ein ursprüngliches ἄνθρωπον durch πλούσιον ersetzt hat)...". Der ursprüngliche Sinn von VV. 24-27 sei gewesen: „Vom Menschen aus gesehen ist das Vorhaben, in das Reich Gottes einzugehen, so unmöglich, wie es unmöglich ist, ein Kamel durch ein Nadelöhr gehen zu lassen. Das Bild will ein absolutes Paradoxon sein".

V. 24c-27 ist daher ein vorgeformtes Stück, in dem der fehlende Bezug zum Reichen noch in V. 24c erkennbar ist.
Auch bisher hatte man beobachtet, daß V. 24 gegenüber V. 23 inhaltlich nur eine Erweiterung bedeutet. Ehe man aber daraus das Vorhandensein einer Dublette folgert, ist doch zu prüfen, ob vielleicht der inhaltlich engere Rahmen von V. 23 redaktionell bedingt sein könnte. Durch die Feststellung N. Walters, V. 25 habe ursprünglich ebenfalls einen weiteren Horizont besessen, d.h. sei noch nicht auf den Reichen eingegrenzt gewesen, liegt es nahe, auch V. 24c zu diesem älteren Stück zu ziehen. Damit aber wird die Frage akut, welche Mittlerstellung V. 23 zwischen der Perikope vom Reichen und VV. 24c-27 haben könnte: es zeigt sich, daß V. 23 den V. 24 vorwegnehmend inhaltlich auf den Reichen begrenzt, von dem bislang die Rede war. Hätte man V. 24 unmittelbar an V. 22 anschließen lassen, so wäre der Grund und der Sinn dieses Anschlusses nicht verständlich. Sämtliche sprachlichen Bestandteile von V. 23 zeichnen außerdem diesen als redaktionelle Übergangsbildung aus. Da auch den VV. 17-22 das Thema Reichtum ursprünglich fremd war und erst in V. 22b angehängt worden ist, ebenso auch die VV. 24c-27 erst sekundär auf „Reichtum" uminterpretiert worden sind, entsteht die Frage, woher dieses Thema in den Kontext gelangt ist.
V. 28 gehört offenbar einer ähnlichen Redaktion an wie V. 21b, da inhaltlich das Alles-Verlassen mit der Nachfolge verbunden ist. Zunächst ist aber dieser Vers nicht von V. 21b her zu erklären, sondern als eine Übergangsbildung zum folgenden Stück VV. 29-31. V. 28 ist ohne Zweifel vom Inhalt dieses Stückes her komponiert worden, wenn auch nicht ohne entscheidende Sinnveränderungen. Das Stück Mk 10,29-30 ist nur zu verstehen, wenn man es in die Tradition der jüd.-hell. Bekehrungsberichte einordnet. Insbesondere mit Test Hiob ergeben sich wichtige Vergleichspunkte (s.u.). Demnach bezieht sich das Verlassen der Einzelgüter auf den Akt der Bekehrung, in dem man sich Jesus anschließt, die Wiedererstattung ist – ähnlich wie bei Hiob – zu verstehen als noch innerweltliche Belohnung für überstandenen Verlust, Versuchungen und Trübsal. Solange dieser Äon währt, ist man aber ständig von Verfolgungen bedroht, und das Zielgut, das ewige Leben, ist erst im kommenden Äon zu erwarten. Der Vergeltungsgedanke ist der Bekehrungstradition entlehnt, für die der Bekehrte in gewissem Maße präsentischer Eschatologie teilhaftig wird (Überschneidung weisheitlicher und apk Tradition).

Die VV. 29-31 sind traditionsgeschichtlich uneinheitlich und spiegeln bereits eine längere Entwicklung. In V. 29 ist zunächst ἕνεκεν ἐμοῦ καὶ ἕνεκεν τοῦ εὐαγγελίου als christliche Zusatz zu betrachten. Die gleiche Doppelheit von „ich" und „mein Evangelium" findet sich in Mk 8,35 (wo durch diesen Zusatz der Parallelismus gestört wird) und 8,38 („ich" und „meine Worte"; hier wohl ursprünglich; auch der mk Begriff εὐαγγέλιον fehlt noch). Der Zusatz steht in inhaltlicher Analogie zu 8,35.38; in allen drei Fällen handelt es sich um das Schema der adäquaten Vergeltung im Jenseits.

Durch die Anwendung der mit Mk 8,38 verwandten Formel auch in anderen Texten werden auch die Inhalte dieser Sätze angeglichen: Sich Jesus und seiner Worte nicht schämen ist gleichbedeutend mit: sein Leben verlieren für ihn und sein Ev., und mit: seine Besitztümer verlassen für ihn und sein Evangelium. Auf das ἐὰν μὴ λάβῃ ἑκατονταπλασίονα in 10,30 folgte ursprünglich die Aufzählung οἰκίας καί... ἀγρούς. Die Gründe für diese Annahme ergeben sich aus folgenden Beobachtungen:

1. Aus dem Vergleich mit anderen frühen Texten in Mk 8-10 und Lk 6 (s.u.) ergibt sich, daß der Grundsatz einer entsprechend reichen Vergeltung jeweils der ältesten Schicht zugehört. Dem, was man hier aufgibt, entspricht das, was man dafür demnächst überreich erstattet bekommt. Die einfache Ausgleichstheorie ist hier dadurch paränetisch wirksamer gestaltet worden, daß die entsprechende Erstattung hundertfach vorgestellt wird. Zugrunde liegt die Einsicht, daß mit der Verkündigung eines bloßen Ausgleichs noch kein Antrieb zum Handeln gegeben ist (sondern höchstens ein Trost). – Die bisherigen Erklärer haben sich dadurch den Weg zum Verständnis dieses Verses versperrt, daß man annahm, der ursprüngliche Text habe nur bis ἑκατονταπλασίονα gereicht[1]. Dadurch mußte man die polysyndetische Reihe für die Erstattung der verlassenen Güter als späten und recht unerklärlichen Zusatz ansehen[2].

[1] Nach R. Bultmann, Geschichte der synoptischen Tradition, [5]115, habe das Wort ursprünglich nur bis ἑκατονταπλασίονα gereicht; die Spezialisierung des Lohnes im Diesseits sei ganz sekundär. „Ursprünglich ist die hundertfache Vergeltung zweifellos eine 'jenseitige', d.h. sie bedeutet Lohn im messianischen Reich".

[2] Dazu N. Walter, 216: „Der Übergang zu V. 31 wäre noch glatter, wenn vorher nicht schon von einer Belohnung der Jünger auch im καιρὸς οὗτος die Rede gewesen wäre". In der jetzigen Fassung handelt es sich wohl kaum um eine doppelte Belohnung. Andererseits kann ich auch M. Goguel nicht zustimmen, der meint, VV. 29-30ab sei ironisch gemeint auf die dumme Frage der Jünger nach Belohnung hin. Die Stelle wurde bislang meistens dahin gedeutet, daß die Belohnung auf Erden im Erlangen vieler Brüder und Schwestern in der Gemeinde besteht. Auf die „in der Gemeinde gegebene Gemeinschaft und Geborgenheit" deutet auch N. Walter, a.a.O., 216. So auch R. Schnackenburg, Sittliche Botschaft [2]1962,120: „...an die geistige Fa-

Aus den vergleichbaren Texten ist zu entnehmen, daß diesem Ausgleichsdenken eine Beziehung auf Jesus ursprünglich nicht inhäriert; diese wird daher auch hier sekundär sein. Diese Beziehung wird gegenüber jüdischen Vorbildern erst dadurch hergestellt, daß nun Jesus der Bote Gottes ist, angesichts dessen (ἕνεκεν) man sich zu Gott bekehrt.

2. In die vorgegebene Ausgleichstheorie wurde nun schon in vor-mk Tradition das Zwei-Äonen-Schema eingetragen, und zwar auf eine höchst aufschlußreiche Weise: Statt des entsprechenden Ersatzes in Schicht I wird nun das „ewige Leben" als Lohn angegeben, und zwar als Lohn für Verfolgungen. Damit aber verschob sich das ursprüngliche Schema von Verlassen und Erstattung dahin, daß, was ursprünglich Angabe des erstatteten Lohnes war, nun, um die Wendung μετὰ διωγμῶν bereichert, noch in den Bereich des Verdienens des Lohnes gehört (D it kommen dieser Deutung entgegen). Wer seine Habe verlassen hat, der erhält sie in diesem Äon bereits ersetzt, aber „mit" Verfolgungen, bekommt dafür im kommenden Äon das ewige Leben. Das Verlassenmüssen der Habe setzt sich darin fort, daß man verfolgt wird: Das Leben des Gerechten auf Erden besteht darin, daß er seine Dinge zwar bereits erstattet erhält, aber unter dem Aspekt der Verfolgung, und sie so gewissermaßen aufgegeben hat.

3. Die Einschübe ἕνεκεν ἐμ. κ.τ. εὐαγ. und μετὰ διωγμῶν gehören derselben Schicht an wie die Einführung des Zwei-Äonen-Schemas und auch der Zusatz in V. 31. Der Beweis dafür ist vor allem in der auch sonst belegten Verbindung dieser Motive zu erblicken. Sie spiegelt sich in Mk 4,17 und Lk 6,22f. An letzterer Stelle ist das Motiv der Verfolgung ebenfalls mit vorangehenden Stoffen verbunden, die nicht christologisch motiviert waren, sondern inhaltlich die einfache Erstattungstheorie spiegeln. Mk 10,31 macht deutlich, daß die jetzt Verfolgten dann die Ersten sein werden. Auch in Mk 8,35.38 stand ja das Motiv der Verfolgung der Gerechten im Hintergrund (s.u.).

4. Der Redaktor dieser Verse ist gegenüber seiner Tradition so konservativ, daß er die alte Lohnangabe in V. 30 nicht streicht, sondern nur durch μετὰ διωγμῶν inhaltlich verändert. Dadurch entstand eine eigenartige Spannung zwischen dem Aufgeben des Besitzes im Vordersatz und seinem „Empfangen mit Verfolgungen". Daß der Redaktor sie in Kauf nahm, ist nur dadurch erklärlich, daß für ihn das Entscheidende nicht in der Theorie vom Verlassen

milie, die christliche Gemeinde zu denken", mit Hinweis auf Mk 3,33-35; der Zusatz „mit Verfolgungen" deute an, daß dies noch nicht die Erfüllung sei und eher Trost als Lohn. Eine besondere Lösung bietet Clemens von Alexandrien: ἔχειν μετὰ διωγμῶν εἰς ποῦ; der Ersatz irdischer Güter wird auch für den αἰὼν οὗτος abgelehnt, und zwar als wertlos wegen der Verfolgungen (Vgl. J. Wellhausen, Mk 88). Auch eine Beziehung zur Feindschaft unter den Verwandten vermag ich aus diesem Logion nicht zu entnehmen; so aber N. Walter, a.a.O., 215: Der Besitzverlust sei als zwangsweise zugefügt vorgestellt „infolge der an diesem Bekenntnis sich entzündenden Feindschaft selbst der nächsten Angehörigen" mit Verweis auf Mk 13,9.11-13; Mt 10,23. – Man sollte dagegen den Retributionsaspekt hier stärker betonen, besonders mit Hinweis auf die älteste Schicht in Lk 6 (s.u.).

und Erstatten lag, sondern darin, daß man durch Verfolgungen um Jesu willen das ewige Leben erwirbt. Die inhaltliche Nähe zu 8,35-38 ist sehr groß.

Mk hat, wie der überleitende Vers 28 zeigt, den Ton vor allem auf dem ὃς ἀφῆκεν von V. 29 gesehen und kommt damit der ursprünglichen Bedeutung dieses Verses wieder näher. Ohne daß er die eigenartige Formulierung in V. 30 weiter erklärt, sind für ihn nur die erste und die letzte Aussage bedeutungsvoll. Die Aufgabe einzelner Güter deutet er als das „alles Verlassen", wofür das „ewige Leben" gegeben wird. Durch das ἀφήκαμεν πάντα wird V. 29 einseitig in Richtung auf Besitz interpretiert, und zugleich versteht Mk die Aufgabe der Habe[1] als Nachfolge.

Damit aber ist deutlich geworden, daß der Ausgangspunkt für die Eintragung des Motivs des Besitzverzichtes in Mk 10 das Stück 29-31 in mk Verständnis gewesen ist. Von hier aus dringt das Motiv des Reichtums in das Stück V. 24c-27 ein[2], von dort aus wiederum entstehen die Bildungen V. 23.24a, von dort aus als Überleitungen zu V. 17-19 die Verse 20-22. Dieser Prozeß ist von hohem Interesse für das Verständnis der Gesetzesauslegung in VV. 17-19 durch Mk und in der folgenden Tradition und ist daher noch näher zu erläutern:

Drei Blöcke erwiesen sich als der mk Redaktion vorgegeben: 17-19;

[1] Hier ist die Frage zu stellen, weshalb Reichtum für christliche Gemeinden überhaupt in diesem Maße ein theologisches Problem werden konnte. Die Antwort ist zweifellos in jener für Lk 6 näher zu entfaltenden Lohntheorie apokalyptischer Herkunft zu suchen, nach der die Äonenwende eine grundsätzliche Umkehrung aller Verhältnisse bringen wird: Nach diesem Gesichtspunkt gilt aber: wer hier arm ist, wird einst reich sein – und umgekehrt. Dabei wird nicht Reichtum in sich schlecht gewertet (im Gegenteil, man erhofft ja für demnächst alles Glück), es wird auch nicht auf die moralisch verderblichen Folgen des Reichtums Bezug genommen, vielmehr gilt nach dem Schema der Äonenwende allein der Zeitpunkt des Besitzes von Reichtum als entscheidend. Das sekundäre Logion Mk 10,31, das redaktionell den ganzen Abschnitt kommentierend zusammenfaßt, bringt dieses Gesetz der Umkehr auf die kürzeste Formel. Eine bloße Stellensammlung und also ein unvollständiges Beispiel für religionsgeschichtliche Arbeitsweise bringt zu diesem Thema M. Hengel, Nachfolge und Charisma, Berlin 1968, S. 36 Anm. 60. Nützlich ist lediglich die Anführung von Jos As 13.

[2] Zutreffend macht N. Walter auf die nun erfolgte Umdeutung von V. 27 aufmerksam (a.a.O., 212f): „...auch für /213/ die Reichen ist nicht alle Hoffnung aufgegeben (so ist V. 27 nun zu verstehen), während das Erschrecken der Jünger in V. 26 jetzt stellvertretend den bzw. die Reichen betrifft und nicht mehr sie selbst, wie V. 28 zeigt".

24c-27 und 29-31. Diese Blöcke stehen in ihrer Thematik nicht nur einander, sondern auch V. 15 nahe, der demnach als viertes Stück dazugehört und nur redaktionell anders verarbeitet wurde. Das Motiv für die Zusammenstellung dieser vier Stücke war ohne Zweifel die Frage nach dem Eingehen in das Reich Gottes = Erwerb des ewigen Lebens (daß beides synonym ist, wurde oben schon gezeigt): V. 15 handelt vom εἰσελθεῖν εἰς τὴν βασιλείαν, V. 17 stellt die Frage nach dem Erwerb des ewigen Lebens; V. 24c vom εἰς τὴν βασιλείαν τοῦ θεοῦ εἰσελθεῖν (so auch V. 25); V. 30.31 vom λαβεῖν... ζωὴν αἰώνιον. Zur Frage, wie man den Zugang zum Reich Gottes, bzw. das ewige Leben erwerbe, waren demnach vier selbständige und verschiedenartige Antworten zusammengestellt worden. Das Nebeneinander dieser verschiedenen Antworten erforderte einen inhaltlichen Ausgleich. – Dabei hat Mk die erste Antwort V. 15 offenbar als weiter entfernt zunächst ausgeschieden und isoliert eingekleidet. Es blieb die Aufgabe, das Verhältnis zu bestimmen zwischen Geboterfüllung (I), der Aussage, daß nur bei Gott das schwierige Eingehen in das Reich möglich sei (II), und der Aussage vom Erwerb des ewigen Lebens durch Aufgabe von Gütern (III). Das Ziel ist gleich, nur die Möglichkeit zu dessen Erreichung wird in den genannten Texten sehr verschieden beurteilt; am leichtesten schien Mk die Erfüllung der Dekaloggebote in V. 19 zu sein. Das Verhältnis zu II und III wird dann im Folgenden so bestimmt, daß III als Steigerung zu I erscheint, unter Hinweis besonders auf II. Denn da es nach II mit größten Schwierigkeiten verbunden ist, in das Reich Gottes zu gelangen, kann Stufe I nicht ausreichen. Während III ursprünglich nur etwas über die Entstehung des himmlischen Lohnes durch (primär) Aufgabe von Gütern und (sekundär) Verfolgtwerden aussagte, wird nun die Aufgabe aller Dinge als Bedingung für das Erwerben des Lebens aufgefaßt. Der Beweggrund für diese Interpretation war offenbar die Aussage von II: Es entstand die Frage, worin dieses δύσκολον bestehe und wie es zu umgehen sei. Die ursprüngliche Antwort aus V. 27 wird dabei vernachlässigt, und die neue Antwort markiert die Wendung zum Moralischen: sie ist darauf gerichtet, wie dieser Zugang nun doch vom Menschen gewonnen werden kann. Diese Antwort wird gegeben mit Hilfe von Materialien andersartiger Herkunft, die nun in gewisser Radikalität (die durch II gefordert ist) interpretiert werden: durch gänzlichen Verzicht auf alles (ἀφήκαμεν πάντα V. 28) kann der so schwierige Eingang in das Gottesreich gefunden werden. Diese Aussage ist redaktionell und bedingt durch das Nebeneinander von II und III. Denn in V. 29 hieß es nur in polysyndetischer Reihung ἀφῆκεν...ἢ...ἢ...ἢ...ἢ d.h. der Ton lag nicht auf einem *alles* Verlassen, sondern auf der Erstattung für jeweils ein Gut, das man verließ. Erst durch die von Stufe II geforderte Radikalität werden die Dinge, die man nach III verlassen kann, zu πάντα uminterpretiert. Das ἀκολουθεῖν in V. 28 hat in 29-31 keine Entsprechung, ist also redaktionell, ebenso wie auch das ἀκολούθει μοι in V. 21b[1].

Zur Klärung des Verhältnisses von V. 21b zu V. 28 ist folgendes zu beachten: Durch V. 28 werden die Jünger und Petrus als solche hingestellt, die diese Bedingung zum Eingehen in das Reich Gottes, die sich aus II + III ergab, erfüllten. Der „eine" von V. 17 erfüllt diese Bedingungen nicht. Um in die Basileia einzugehen, muß man alles verlassen wie Petrus und die Jünger. Durch die Identifizierung derer, die in das Reich eingehen werden, mit dieser Gruppe, ist in das Verhältnis der drei Blöcke zueinander zugleich eine ekklesiologische Note eingetragen: der εἷς von V. 17 steht außerhalb.

Die Genese von V. 21b ist also wie folgt vorzustellen: Durch die Verbindung von II und III war das Eingehen in das Reich Gottes an das Verlassen aller Güter gebunden. Die Radikalität dieser Forderung mußte mit der Verheißung der Erlangung des Lebens durch Erfüllung von Dekaloggeboten ausgeglichen werden[2]. Die von V. 29-31 ausgehende Thematik „Besitz" wurde zunächst in V. 25 eingetragen. Dadurch wird hier die Schwierigkeit, in das Reich Gottes einzugehen, auf diesen Faktor begrenzt und zu einer

[1] Die Aufforderung καὶ δεῦρο ἀκολούθει μοι findet sich auch in der Apk Mosis 18 als Aufforderung Satans an Eva (δεῦρο δώσω σοι, ἀκολούθει μοι), ferner in Test Abr Rez A p 103 Z. 1, wo der Tod zu Abraham sagt: Lasse alles Fragen, καὶ δεῦρο ἀκολούθει μοι, wie es der Gott und Richter aller mir auftrug. Beide Texte weisen auf einen Nachfolgebegriff, der nicht aus rabbinischer oder prophetischer Jüngergemeinschaft abgeleitet sein kann, sondern sehr viel stärker auf Gott bezogen ist: Dem Satan nachfolgen heißt: sich von Gottes Gebot abwenden; dem Boten Gottes folgen heißt: Gottes Willen tun. Auch die theologischen Nachfolgesprüche im NT dürften so zu verstehen sein, daß Nachfolgen sich hier auf Gott bezieht bzw. auf den Boten, durch den er erscheint (s.u.).

[2] Eine Aufzählung von Gütern und die Frage des Verhältnisses von Besitz und Gesetzesbefolgung findet sich auch in Herm Sim I,4-6: Da man hier in der Fremde lebe, tue man gut daran, schon jetzt nach dem Gesetz der künftigen Stadt zu leben. Darauf folgt in 8 eine soziale Reihe über das, was man hier schon mit dem Reichtum erwirken könne.

moralischen Frage. VV. 23-24b nehmen dieses vorweg. Die Schwierigkeit des Eingehens in die Basileia, die nun nicht ohne Besitzverzicht erlangt wird, wird nun im Verhältnis zu V. 17-21a so bestimmt, daß die Aufgabe des Besitzes als Ergänzung und Steigerung gegenüber dem Einhalten der Dekaloggebote erscheint. Das aus V. 25 über V. 24 (hier formulierte und) nach V. 23 gedrungene πῶς δυσκόλως wird in VV. 20-22 in *biographischer Form erläutert.* Der Vorgang ist also: Um von V. 24c ausgehend darzustellen, wie schwierig es ist, in das Reich Gottes einzugehen, wird im Zuge der Biographisierung die Szene komponiert, daß der „eine", der Jesus gefragt hatte, gegenüber der Forderung nach Besitzverzicht versagt. Nachdem so in V. 22 der Jüngling betrübt weggegangen ist, kann V. 23 das gewünschte Ergebnis zusammenfassen: so schwierig ist es, in das Reich Gottes einzugehen. V. 21b stellt also die Summe der Forderungen von VV. 24-31 zusammen. Dabei erleidet insbesondere der Stoff von VV. 29-31 charakteristische Uminterpretationen: Während ursprünglich das Verlassen einzelner Güter nach dem Schema entlohnt wurde „je ärmer hier, desto seliger demnächst", dieses dann in V. 28 allgemein auf das Verlassen des Besitzes = Nachfolge gedeutet wurde, wird nun in V. 21 deutlich, wie Mk selbst das Verhältnis zum Besitz betrachtet: Das Verkaufen der Habe ist zwar mit dem Erwerb eines himmlischen Schatzes verbunden, aber diese Vergeltungstheorie ist ergänzt durch eine soziale Zielbestimmung: der Verkauf der Habe geschieht für die Armen. Im Sinne der älteren Ausgleichstheorie der VV. 29-31 wäre ein solches Weggeben an die Armen nicht sinnvoll, denn auf diese Weise würde man ja Arme reich machen, was diesen aber nach der zugrundeliegenden Ausgleichstheorie den Zugang zum Lohn selbst versperren würde: Um selbst Lohn zu bekommen, würde man den Armen den Lohn unmöglich machen, weil diese so reicher würden. Daraus ergibt sich: Die Verbindung von Besitzverkauf und Weggabe an die Armen ist in dieser Perikope nicht primär, sondern setzt voraus, daß die Vergeltungstheorie von VV. 29-31 für den Verfasser keine Geltung mehr besitzt (schon der Redaktor von 29-31 hatte ja einen anderen Weg angegeben: den der Verfolgungen in der Jesusnachfolge). Diese ältere Theorie ist in V. 21 abgelöst durch die ebenfalls noch im Rahmen des hellenistischen Judentums geläufige Theorie vom Schatz, den man sich durch Almosengeben (nicht durch Armwerden an sich) erwirbt: für das, was man hier den Armen tut, wird Gott einem etwas im Himmel tun. Folgte in der älteren Theorie, bildlich gesprochen, auf das irdische Minus ein

himmlisches Plus, so wird hier für das irdische Plus ein himmlisches Plus erwartet: statt des negativen wird das positive Tun des Menschen und das dem entsprechende Anrechnen Gottes erwartet[1]. Auch bei der Analyse von Lk 6 wird sich zeigen, daß hier in der ersten Schicht die gleiche Auffassung herrscht wie in der von Mk 10,29-30, welche dann in jüngeren Schichten ebenfalls durch den Hinweis auf Verfolgung erweitert und dann durch Auffassungen verdrängt wird, nach denen ein positives Tun notwendig ist.
Diese Parallelität in der Entwicklung von Lk 6 und Mk 10 ist sehr beachtlich; in Mk 10 handelt es sich um z.T. bereits vor-mk Gut, in Lk 6 um Schichten innerhalb von Q. Älteste Schicht ist in beiden Stoffen eine Ausgleichstheorie nach dem Schema: je weniger man jetzt hat, um so mehr bekommt man demnächst. Mk 10,21 ist ein Beleg dafür, wie dieses Gut in hellenistischer Tradition zu dem Gedanken der Armenfürsorge[2] umgebogen werden konnte.

[1] Einen Schatz durch Almosen erwirbt man sich auch nach Tob 4,9 (μὴ φοβοῦ ποιεῖν ἐλεημοσύνην) θέμα γὰρ ἀγαθὸν θησαυρίζεις σεαυτῷ εἰς ἡμέραν ἀνάγκης; Ps Sal 9,5 kennt die Vorstellung der Ansammlung von Schätzen durch Almosengeben (Vgl. ThWB II 198,26ff). Vgl. 4 Esr 6,5; 7,77. – Vgl. das Verhältnis von Almosengeben und Verdienst nach Werken in Sir 16,14: πάσῃ ἐλεημοσύνῃ ποιήσει τόπον ἕκαστος, κατὰ τὰ ἔργα αὐτοῦ εὑρήσει. Vgl. dazu W. Pesch, Lohngedanke S. 5 (Besprechung rabb. Beispiele für das Erwerben eines himmlischen Schatzes durch Almosengeben). Aus der gleichen Anschauung entstammen die beiden Versionen eines Q-Logions, Mt 6,19-21 (Warnung vor dem Schätzesammeln auf Erden / Mahnung, Schätze im Himmel zu sammeln); Lk 12,33f (Mahnung, sich durch Almosen einen Schatz zu schaffen; jüngere Fassung). – Vgl. dazu J. Weiß, Das Urchristentum I,1-3, Göttingen 1914, 51: „Mehr und mehr trat in der Auffassung der Urgemeinde das Almosen als gutes, geradezu als erlösendes Werk nach jüdischer Anschauung in den Vordergrund". Eine innere Beziehung zu stoisch-hellenistischem Verzicht auf Gelderwerb scheint also nicht vorzuliegen (Vgl. Philo, Omn Prob Lib 76f; Josephus Ant 18,1,5). – Zum himmlischen Schatz vgl. auch Abba Elijah p. 48.
[1] E. Lohmeyer, Mk 210.212 sieht in der besonderen Zitierung der Dekaloggebote eine Frömmigkeit zum Ausdruck kommen, die von der pharisäischen verschieden sei; V. 21 weise darauf hin, daß „dieses Gespräch vom Standpunkt einer eigentümlichen Armenfrömmigkeit aus erzählt" sei. Eine solche vermag ich darin nicht zu entdecken; im Hintergrund steht Lohmeyers These von den galiläischen Anawim. Vgl. a.a.O., 218. – Es geht nicht um das Armsein an sich, sondern in der ältesten Schicht um Erwerb himmlischen Lohnes durch die Aufgabe irdischer Bindungen (nicht nur des Besitzes), in der späteren Schicht (V. 21,28) um Armenpflege. – E. Percy, Botschaft, 105 vermutet, der Grund für die Unmöglichkeit, daß der Reiche in das Gottesreich gelangen könne, liege nicht darin, daß dieser unwillig gewesen sei, seine

Von den vier vorgegebenen Blöcken in Mk 10 wird nur in dem, der die VV. 17-21a umfaßt, die Antwort auf die Frage nach dem Zugang zum Leben mit Hilfe des Verweises auf atl Gebote gegeben. In keiner der anderen Traditionen wird die Größe Gesetz auch nur erwähnt.

Die Erfüllung bestimmter Gebote des Gesetzes ist demnach keineswegs der einzige Weg, den man zum Erlangen des Lebens angeben konnte. Aufgeben von Gütern, Verfolgtwerden, Werden wie ein Kind sind Lösungen, die ebenfalls zum Thema „Bekehrung" nahelagen. Insbesondere aber wird der Unterschied der VV. 17-21a zu diesen Traditionen deutlich an den Bildungen der VV. 21b-28. Hatte nach 17-21a Jesus jede Eigeninitiative abgelehnt, so besteht nach diesen Versen der Weg gerade darin, Jesus nachzufolgen und sich der Gemeinde (Petrus usw.) anzuschließen. Damit werden die alten Stoffe aus Schicht I, II und III insgesamt „christianisiert" und in eine Beziehung zur Gemeinde gebracht. Nur für VV. 29-31 ist dieses schon in einer Mk vorliegenden Redaktion geschehen, hier im Hinblick auf das Thema der Verfolgung der Gerechten wie in Mk 8 (s.u.). Damit ergab sich zugleich, daß die Bezeichnung des Heils als „Eingehen in die Basileia" in Mk 10,15.24c.25 in traditionsgeschichtlich älteren Schichten vorkommt als die Bezeichnung „ewiges Leben". Denn letztere begegnet nur in der redaktionellen, wenn auch vor-mk Schicht in VV. 29-31 und in VV. 17-21a. Hier hatten wir aber bereits für den Rahmen hellenistischen Hintergrund wahrscheinlich gemacht, und auch V. 19 legt dessen Annahme nahe (s.u.).

Die Frage nach der Funktion der Schriftauslegung in Mk 10,17-21a im Ganzen von Mk 10 ist also wie folgt zu beantworten: Ursprünglich sind die VV. 17-21a eine isolierte Antwort auf die Frage nach dem Weg, das Leben zu erlangen. Die Antwort wird gegeben mit Hilfe von Dekaloggeboten. Da Mk aber sehr verschiedenartige Traditionen gesammelt hat, liegen ihm außer dieser Antwort noch drei weitere Lösungsversuche vor. Im Ausgleich dieser Ansätze stellt Mk das Motiv des Besitzes (von einer bestimmten Interpretation von V. 29f ausgehend) in den Vordergrund, dadurch werden alle vorgegebenen Lösungen in ein Verhältnis gebracht. VV. 25-27 wird abgemildert, während VV. 17-19 „verschärft"

Reichtümer in den Dienst der Liebe zu stellen, sondern daß er sein Herz überhaupt an Besitztum gehängt habe. Damit hat P. zu sehr von Mt 6,24 her interpretiert.

wird: Die Erfüllung von Dekaloggeboten, die ursprünglich ausreichte zum Besitz des Lebens, ist nunmehr als nicht mehr genügend dargestellt. Hinzukommen mußte der Erwerb eines Schatzes durch Almosengeben, was mit Nachfolge identifiziert wurde. Der Unterschied der Gemeinde zu anderen liegt gerade darin, daß die Erfüllung der Dekaloggebote mit diesem Schatz-Nachfolge-Motiv verbunden ist. Die Ursache für diese Überbietung der Dekaloggebote liegt in der durch V. 25 angedeuteten großen Schwierigkeit, in die Basileia einzugehen[1].

[1] Für die bisherigen Gliederungsversuche war immer das Verhältnis von V. 23b und V. 24b ein großes Problem. R. Bultmann nimmt an, daß es sich um Dubletten handelt (Geschichte der synoptischen Tradition, [5]20): 17-22 sei das Kernstück; die Anhänge seien 23-27; 28-30. – V. 24 dränge sich zwischen 23 und 25, die ein altes Logion bildeten, das Mk schon mit 17-22 vorgefunden habe. 24 und 26f seien dazugefügt worden. – R. Bultmann übersieht aber, wie die Analyse N. Walters gezeigt hat, die inhaltliche Einheit V. 25-27.
Beobachtungen zum Aufbau der Perikope finden sich bei M. Dibelius, Formgeschichte [3]47f.48: „Das Ganze aber ist erzählt um des Wortes willen, das die Geschichte beschließt – von dem Reichen und dem Himmelreich 10,25 – das bei Mk freilich samt seiner ermäßigenden Deutung 10,27 zu einem kleinen Dialog verarbeitet ist". – Hat man freilich erkannt, daß der „Reiche" in V. 25 nicht ursprünglich ist, fällt diese Beobachtung dahin.
J. Weiss versucht, aus der vorliegenden Perikope Argumente für einen Ur-Mk zu gewinnen, der vor der Endredaktion des jetzigen Mk Mt und Lk vorgelegen habe: Mt und Lk hätten ein Exemplar gehabt, dem die dramatisierenden Züge noch fehlten, besonders aber V. 24 habe noch darin gefehlt und damit auch der Anlaß zur dramatischen Steigerung zu V. 24: „Diese Verallgemeinerung des δύσκολον geht nun über den Rahmen der Erzählung hinaus; die allgemeine Empfindung πῶς δυσκόλως entspringt schon der Reflexion eines Lesers, der in der Perikope eine Mahnung für jeden Christen sah, sich seiner Besitztümer zu entäußern" (81). Die Einfügung von τοὺς πεποιθότας ἐπὶ τοῖς χρήμασιν als Subjekt zu εἰσελθεῖν sei eine „anti-asketische Milderung" (83). – J. Weiss hat demnach die Doppelung von V. 23 und 24 dadurch gelöst, daß er V. 24 zu einer späteren und verallgemeinernden Reflexion zu V. 23 erklärt. E. Klostermann, Mk 101, bietet einen Ansatz zur Beurteilung des Aufbaus: „Das Kernstück bleibt die kleine Geschichte 17-22, in der die Frage nach der Seligkeit im Vordergrund steht, nicht die nach dem Besitz"; VV. 23-27 seien dazu schon die erste Erweiterung. Das Problem der Verse 23-25 löst K. dadurch, daß er eine inhaltliche Steigerung annimmt, dann aber in V. 25 die Worte ἢ πλούσιον - εἰσελθεῖν streicht: V. 23 sage, daß der Zugang für den Reichen schwer sei, V. 24, daß er überhaupt schwer sei; durch die Streichung in V. 25 brauche dieser nun die allgemeine Aussage nicht wieder auf den Reichen zu spezialisieren. Ähnlich auch J. Wellhausen, Mk 81: „Wenn Jesus eine Äußerung erst allgemein getan und sie dann eingeschränkt hätte, so wäre die Vergrößerung des Schreckens der

Durch die Synthese verschiedener theologischer Ansätze zur Lösung eines gleichen Themas wird so im Vorgang des redaktionellen Ausgleichens selbst eine neue Antwort gefunden. Sie besteht im Kern aus einer – durch mehrere Schichten vermittelten – Synthese jüdisch-hellenistischer Dekalogethik mit einer Lohnethik, die der ersteren gegenüber größere Nähe zu älteren Jesus-Traditionen besitzt. Ausgangspunkt für die Gestaltung des Verhältnisses dieser Größen zueinander ist V. 25. Am Anfang aber war für eine bestimmte, selbständige Tradition nach VV. 17-21a die Erfüllung von Dekaloggeboten ein ausreichendes Mittel zur Erlangung des ewigen Lebens, so sehr ausreichend, daß Jesus mit dem Hinweis auf die Gutheit Gottes es von sich weist, neue Wege anzugeben. Die Funktion von Mk 10,21b läßt sich zusammenfassen: Die sozialen Dekaloggebote werden durch das Almosengeben ergänzt und intensiviert, dadurch aber wird ein himmlischer Lohn überhaupt erst garantiert, und schließlich wird durch die Nachfolgevorstellung diese Forderung christologisiert und in eine Beziehung zur Gemeinde gebracht.

Jünger sinnlos. Indessen läßt sich die unentbehrliche Steigerung vielleicht besser ohne Umstellung dadurch herstellen, daß man ἢ πλούσιον κτλ am Schluß von V. 25 aushebt".

E. Sundwall, Die Zusammensetzung des Markusevangeliums, hat einige zutreffende Bemerkungen über Beziehungen in unserer Perikope gemacht, wenn auch im Ganzen kein überzeugendes Bild entsteht; so hat S. die Beziehung von VV. 23b25 zu 10,15 erkannt (Stichwortverbindung); ob die VV. 26 und 27 nur durch das Stichwort δύναται und nicht vielmehr ursprünglich zusammengehalten werden, ist fraglich; die Nähe von V. 28 zu V. 21 erkennt S. zwar, schließt aber daraus, V. 28ff seien die ursprüngliche Fortsetzung von V. 22 gewesen. Zutreffend ist auch der Hinweis auf das Verhältnis zwischen 9,35 und 10,31 (S. 67); allerdings ist zu beachten, daß diese Logien zwar gleiche Struktur, aber durch jeweiligen Kontext verschiedene Bedeutung haben: Während sich 9,35 auf die Gemeindeordnung bezieht, ist 10,31 noch eschatologisch verstanden.

E. Bammel, Art πτωχός in: ThWB VI,885-915 hält den Zusammenhang bis V. 22 für von Mk übernommen, fragt, ob V. 23 vielleicht schon in vormarkin. Zeit hinzugefügt sei: „Durch die vom Evangelisten angefügten Verse wird das Thema Besitz zugleich ausgeweitet V. 23.29 und relativiert V. 24.27, das Problem scheint also in seinem Umkreise nicht mehr so bedeutsam gewesen zu sein". „Das von Mk übernommene Gut weist auf zwei verschiedene Sitze im Leben hin, die Polemik gegen den Reichen V. 23.25 und das Verständnis der Geschichte im Sinne der jüdischen Verdienstlehre durch einen ersten Bearbeiter". V. 21d passe nicht in den Zusammenhang! – N. Walter läßt mit V. 23b die Geschichte über den Reichen auslaufen. In V. 24a

Eine andere, bereits ähnlich von J. Weiß vorgeschlagene Lösungsmöglichkeit ist, V. 17-22 als zusammengehörig zu betrachten, V. 28 dann als daran anschließend: die Jünger sind gegenüber dem Reichen positive Vorbilder; die VV. 23.25-27 sind sekundär eingefügt, V. 24 ist, vergleichbar mit 12,32-34, nochmals sekundär (fehlt bei Mt. Lk!). – Nach dieser Deutung wäre zugleich V. 17-21a nicht isoliert überliefert vorstellbar, vielmehr bezöge sich die Nachfolge-Forderung von Anfang an auf eine Überbietung der Gebote: beides gilt in der Gemeinde, Gebot und Nachfolge. Zum hellenistisch-jüdischen Gut ist die Nachfolge als Besonderes hinzugefügt. – Die Schwierigkeit dieser Lösung besteht darin, daß eine einheitliche Konzipierung für etwas beansprucht wird, in dem dann im Endergebnis ein sinnvoller theologischer Ausgleich zwischen Gebotsbefolgung und Nachfolgeethik doch nicht geleistet werden kann: denn beides steht, nur durch ἕν σε ὑστερεῖ verbunden, nebeneinander. – Wenn aber, wie wir zu zeigen versuchten, auch der Standpunkt einer bloßen Gebotsbefolgung christologisch und theologisch innerhalb

schließe die Überlieferungseinheit stilgerecht mit der Bemerkung über das Entsetzen der Jünger. Das Stück V. 24b-27 sei dann durch πάλιν von Mk angeknüpft. Anlaß dafür sei die gleichlautende Wendung πῶς δυσκόλως bzw. πῶς δύσκολον gewesen. Das so angefügte Stück sei nun auf das Thema Reichtum umgedeutet worden. Es gehören also nach Walter 23-24a noch zu 17-22; 24b-27 sind erster, zur vorangehenden Geschichte umgedeuteter Anhang, in V. 28-31 seien die Stücke 28 und 30bc von Mk. Von dem Schluß der Geschichte des Reichen aus sei in die angehängten Überlieferungsstücke das Thema Besitzverzicht eingedrungen. Während es auch in der Geschichte vom Reichen ursprünglich um die Nachfolge Jesu als den eigentlichen Weg zum Leben gegangen sei, sei durch die Art der Anfügung der Anhänge das Thema einseitig auf die negative Entscheidung des Jünglings und den Hinweis auf die vielen Güter gelegt worden. – Obwohl die Bemerkungen N. Walters besonders zu VV. 25-27 sehr verdienstvoll sind, ist doch seine Gesamtdeutung der Perikope nicht überall befriedigend: 1. Es wird übersehen, daß V. 17-19 ursprünglich eine selbständige Perikope sind. 2. Daher mußte auch das besondere Verhältnis von V. 21 zu V. 28 unbeachtet bleiben. 3. N. Walter könnte nicht einsichtig machen, durch welche Notwendigkeit der Redaktor veranlaßt war, das Thema Besitzverzicht über V. 23 hinauszutragen und auch die folgenden Stoffe auf dieses Thema einzugrenzen. Für V. 25-27 könnte dieses wohl noch verständlich gemacht werden: die Schwierigkeit des Zugangs zur Basileia wäre jetzt nur auf den Reichtum beschränkt. An V. 29f bringt aber erst redaktionell V. 28 das Moment des Allesverlassens und der Nachfolge heran. 4. Die Doppelung V. 23/24 konnte wie bei R. Bultmann nur durch die Annahme von Dubletten erklärt werden; unsere Deutung hat demgegenüber die Position und die Entstehungsgeschichte von V. 23 verständlich machen können. 5. Wegen des in 1. und 2. Bemerkten ist das Thema Besitzverzicht daher nicht vom Anfang der Perikope her in die angehängten Stücke eingedrungen, sondern vom Schluß her und entstand aus der Notwendigkeit der Koordinierung verschiedener Heilswege. Durch seine Deutung von V. 29 auf den endzeitlichen Streit unter Verwandten hat sich W. dieses Verständnis versperrt.

christlicher Gemeinden denkbar ist, dann liegt es am nächsten, hier eine Verbindung von ursprünglich entgegenstehenden und isoliert selbständigen christlichen Traditionen anzunehmen. Es gelingt in diesem Ausgleich nur schwer, den entscheidenden Inhalt von Nachfolge in einer der Reihe der Dekaloggebote vergleichbaren Bündigkeit zu formulieren (vgl: Verkaufen der Habe/Gabe an die Armen/Schatzmotiv/Reichtum überhaupt macht den Eingang zur Basileia fast unmöglich/Aufgabe von Einzelgütern/Verfolgungen/hier die letzten sein). Das ist vor allem deshalb schwierig, weil die Konzeption von Nachfolge nur oberflächlich einer älteren Tradition mit weisheitlich-apokalyptischem Umkehrschema übergestülpt ist. Die „reine" Ausgleichstheorie ist etwa formuliert in äth Hen 103,3.4 („Viel Gutes gegeben wird als Vergeltung für eure Mühe"); sie wird in den apokalyptischen Schichten von Mk 10 verbunden mit den Motiven von Verfolgung und himmlischem Schatz. Dabei ist das Motiv der Verfolgung noch am ehesten mit der Vorstellung von der Nachfolge Jesu zu verbinden. Damit wird die Tradition des dtr Geschichtsbildes von der Verfolgung Gerechter (vgl. Asc Jes 2,5 usw.) mit der apokalyptischen Umkehrtheorie verbunden. Daß nun beide Traditionen unter die Nachfolge Jesu subsumiert werden, setzt theologische Anschauungen voraus, welche die Niedrigkeit Jesu und seiner Jünger auf Erden zusammen mit den umfassenden Konsequenzen der künftigen Wende betonen. Hier begegnen sich zwei verschiedene theologische Ansätze, die, wie unser Exkurs zu Mt 5,17 zeigen wird, sich in ihren wesentlichen Elementen auch in Mk 10,17-31 spiegeln: das Stück 17-21a entspricht sowohl seiner christologischen Deutungsmöglichkeit nach wie auch besonders im Inhalt des Geforderten der Position einer jüdisch-hellenistischen nachösterlichen Gemeinde mit einer Hoheitschristologie, die sich bei Joh und in den Apostelbegriffen spiegelt; V. 21b-31 sind an einer Theologie orientiert, die – von Schema der Umkehr ausgehend – mit Armut, Mangel und Niedrigkeit, besonders aber mit Leiden und Verfolgung für Jesus und seine Jünger hier rechnet, damit der Lohn im kommenden Äon um so größer wird. Das Auf-Sich-Nehmen der Bedingungen dieses Äons wird dann als Jesus-Nachfolgen bezeichnet.

Es wird deutlich, wie für die apokalyptischen Stücke von Mk 10 das Gerechtsein nicht abhängig ist von dem Verhalten zum „Gesetz". Das gilt so auch für Mt 19,12 und besonders auch für Mt 5,44-48. Vergeltung, Gericht und Äonenwende werden sich zugunsten der Gerechten ereignen, wenn sie nicht gegen das Gesetz verstießen und abgefallen sind. Diese Beobachtung ist für die Beurteilung der Gesetzesfrage im gesamten frühen Christentum von Bedeutung: Die Gesetzeserfüllung ist nach dem Ausweis der Evangelien ein unzureichender Weg gerecht zu werden. Es ist denn ja auch in den Evangelien keineswegs so, daß ständig auf die Notwendigkeit von Gesetzeserfüllung hingewiesen würde. Die Funktion des Gesetzes besteht vielmehr im Folgendem: Die Gerechtgewordenen werden durch das Gesetz vor dem Abfallen gewarnt; daher werden weiterhin die negativen Formulierungen der Dekaloggebote beibehalten.

Primär ist vielmehr hier in Mk 10 die apokalyptisch bestimmte Ausgleichstheorie: Es kommt darauf an, hier etwas aufzugeben, ja sogar das Leben zu verlieren „um Christi willen". Diese Formel besagt, daß das Schicksal der Jünger sich nach Bild und Vorbild des Geschickes Jesu und mit gleichem Erfolg sich vollzieht. Aus der Gegenüberstellung von Gesetz und Schicksal nach dem Vorbild Jesu werden jedenfalls die traditionsgeschichtlichen Ansätze dafür deutlich, weshalb es Paulus möglich war, an die Stelle des Gesetzes Christus zu setzen. Schon in apokalyptischen vor-ntl Texten ist das Gesetz keineswegs der einzige mögliche Weg, die Äonenwende heilvoll zu überstehen. Im NT wird ein anderer Weg eng mit dem Geschick Jesu verbunden, durch die ἕνεκεν -Formel in den Evv, durch die Tauftheorie bei Paulus. –

§ 2 Die Gesetzesauslegung in Mk 10,19

Die in V. 19 angeführten Gebote erhalten durch den Kontext die Bedeutung, ein Mittel zur Erreichung des Lebens zu sein. Durch V. 19a werden sie als „die Gebote" einfachhin klassifiziert. – Beide Tatsachen betonen die große Bedeutung, die die Reihe dieser Gebote für die Gemeinde hatte, in der sie tradiert wurde.
Die Dekalogzitierung in Mk 10,19 in der Form der sozialen Reihe weist auch in Einzelheiten Nähe zur jüdisch-hellenistischen Dekalogrezeption auf: Von diesem Bereich her kam es überhaupt dazu, daß der Dekalog im Ganzen wieder beachtet wurde.
In Art und Inhalt der Reihe verbinden sich zwei Elemente, deren Traditionsgeschichte wir im Vorangehenden erläutert hatten: die jüdisch-hellenistische Dekalogrezeption und die Gattung der sozialen Reihe. – Die formgeschichtlich zunächst im nicht-literarischen Bereich (Proselytenpraxis), literarisch besonders durch Philo, aber auch durch Fl. Josephus und Ps-Philo Lib Ant wiederentdeckten Dekaloggebote haben für bestimmte Kreise des hell. Judentums den Charakter einer Gebotszusammenfassung, dies nicht ohne Anhaltspunkte schon im Dt, in der LXX und auch in der dekalogischen Form. – Die soziale Reihe hat im Judentum und Spätjudentum schon lange vor Wiederentdeckung des Dekalogs die Funktion der Darstellung dessen, was Gerechtigkeit gegenüber dem Mitmenschen bedeutet. So hat die soziale Reihe im Ganzen dieselbe Funktion wie die Dekaloggebote der zweiten Tafel. Im Gegensatz zu den Dekaloggeboten ist die soziale Reihe aber nicht ein Zitat

aus der Schrift, sondern eine Gattung, inhaltlich bestimmt durch vom AT ausgehende, sich ständig weiterentwickelnde Traditionen mit gewisser Variationsbreite, aber doch immer wiederkehrenden Motiven. Die Verwertung des Dekalogs (wenigstens teilweise Schriftzitat!) steht auch im Zusammenhang mit der im 1. Jh in Übung kommenden Zitierung des AT, wie sie sich ähnlich bei Paulus, in Qumran und dann in den späteren rabbinischen Zeugnissen findet. Die soziale Reihe aber ist freier gegenüber der Schrift. Da sie inhaltlich relativ offen ist, kann sie auch soziale Schriftgebote in sich aufnehmen. In Mk 10,19 liegt eine soziale Reihe mit großer Dekalognähe vor. Daß die Gattung der sozialen Reihe hier[1] gegeben ist, wird durch folgende Elemente erwiesen:

1. Die Dekaloggebote der ersten Tafel fehlen. Die „Gebote" sind für diese Tradition nur Sozialgebote.

2. Das Elterngebot ist an den Schluß gerückt. Dadurch wird eine Eigenart des 4. Gebotes aufgenommen, die in der Auslegungsgeschichte dieses Gebotes und in der Traditionsgeschichte der sozialen Reihe bereits festgestellt wurde: Das 4. Gebot wird nie als nur ein Sozialgebot unter anderen angeführt, ist aber in Texten, die dessen ursprüngliche Bedeutung nicht mehr kennen, oft Anfang und Ausgangspunkt von Aufzählungen sozialer Pflichten und daher z.T. auch selbst sozial (als materielle Unterstützung) verstanden, so auch in Mk 7,10. Bei Philo und in allen Texten, wo das Elterngebot zwischen Hauptgebot und anderen Sozialgeboten steht, wird seine Zwischenstellung deutlich. Die Verbindung zu den übrigen

[1] W. Zimmerli, Die Frage des Reichen nach dem ewigen Leben, bemüht sich die Form dieses Schulgespräches traditionsgeschichtlich zu verankern in der atl Tradition der sog. Beichtspiegel, d.h. der Befragung des zum Heiligtum Kommenden an der Schwelle des Heiligtums. Er verweist dazu besonders auf Jer 7,9 (fälschlich gibt er an: 26,9) und Micha 6,8.
Die Befragung an der Schwelle des Heiligtums ist allerdings für die Mehrzahl der genannten Stellen ein Postulat, eine Institution, die aus einer Gattung erschlossen wurde. – Ferner ist zu bemerken 1. Die Gattung, aus der die Gebotsaufzählung hier zu verstehen ist, dürfte ohne Zweifel die soziale Reihe sein, die in diesem Fall mit dem Gesetzesbegriff dieser Gemeinde identisch ist; 2. Die Lebensverheißung für Gebotserfüllung ist im Spätjudentum nicht an die Befragungen an der Schwelle des Heiligtums und auch nicht an derartige Sündenkataloge gebunden; sie findet sich vielmehr hauptsächlich in der Fortsetzung deuteronomischer Tradition und besonders in der Auslegungsgeschichte von Dt 30,19.

Sozialgeboten ist zwar immer wieder gegeben, aber doch locker. Eben diese Eigenheit in der Verwendung des 4. Gebotes zeigt sich auch in der sozialen Reihe in Mk 10,19.

3. Im Gegensatz zu Dekalogzitationen ist die Nähe zur Schrift durchaus frei. Das wird bereits durch das in 1.2. Bemerkte deutlich, besonders aber am Fehlen des 10. Gebotes. In dieser Freiheit gegenüber der Schrift spiegelt sich eine Eigenart der sozialen Reihe.

4. Das Glied μή ἀποστερήσῃς hat eine lange Traditionsgeschichte innerhalb der Gattung der sozialen Reihe gehabt (s.o.). Es könnte hier das 9. und 10. Gebot ersetzen; daß dazu aber gerade dieses Verb gewählt wurde, ist nicht zufällig. Schon vor Mk hatte Paulus in Röm 13 unter einem ähnlichen Gesetzesbegriff die sozialen Dekaloggebote (ohne 8.) als „Gesetz" bezeichnet und in der Formel Lev 19,18 zusammengefaßt gesehen. Das Elterngebot fehlt hier. Die Dekaloggebote der zweiten Tafel erscheinen auch hier als ausgesprochene Sozialgebote. – Da in Mk 10 die Dekaloggebote in der Form einer sozialen Reihe zitiert werden, sind sie inhaltlich alle als Vergehen gegen den Nächsten zu interpretieren. Damit aber sind eine ganze Reihe von Interpretationsmöglichkeiten, die das Spätjudentum für Dekaloggebote bietet, hier ausgeschlossen. In einer Umgebung, in welcher die Beantwortung der Frage nach dem Weg zum Leben in Anlehnung an die Schrift gegeben wurde, und zwar mit Dekaloggeboten, konnte die Gattung der sozialen Reihe durch Auffüllung mit sozialen Dekaloggeboten fortleben. Ihr Charakter, Summe der Gerechtigkeit zu sein, traf sich darin mit diesen Dekaloggeboten. Der Gesetzesbegriff, der zugrundeliegt, ist der in Kap. III aufgewiesene des Spätjudentums: αἱ ἐντολαί sind die in der Form der sozialen Reihe gefaßten Dekaloggebote. Im Vergleich zu Mk 7,21f; Mt 15,19 wird der Unterschied deutlich zwischen dieser gebotsartigen Dekalogrezeption und der mehr katalogartigen, ganz am Vorbild der Lasterkataloge orientierten.

Die Formulierung der Einzelgebote als mit μή verneinter Impt Aor findet sich in keiner der Dekalogrezeptionen der LXX, Philos oder des Paulus. Die Ungebundenheit gegenüber der Schrift kommt auch in dieser Abweichung vom futur. Gesetzesstil zum Ausdruck. Auch in Mk 12,19 weicht Mk vom futur. Gesetzesstil ab und konstruiert mit ἵνα + Konj Aorist. Bei der Wiedergabe der beiden Hauptgebote dagegen folgt Mk dem futur. Gesetzesstil. – Die einzige ntl. Parallele zu einer Wiedergabe von Dekaloggeboten mit μή + Konj Aor bietet Jak 2,11 mit μὴ μοιχεύσῃς und μὴ φονεύσῃς. Vermutlich handelt es sich um eine jüdisch-hellenistische Weise der Abwandlung. In der LXX sind so konstruiert Dt 22,1.4 und Ex 22,21. Der Stil in Ps.-Clem Hom VIII 23 (μὴ φονεύσητε...μὴ μισήσητε) zeigt, daß die Art der Formulierung bei Mk aus der Paränese herausgewachsen ist, d.h. die Formulierung des Dekalogs wurde der in der Paränese (Bekehrungspredigt) üblichen Form μή + 2.P. + Konj. Aorist angeglichen.

Das 8. Gebot wird, jüdisch-hellenistischer Tradition entsprechend, sehr verkürzt zitiert, so daß nur das Verb erhalten bleibt. Bei der Wiedergabe des 4. Gebotes schwanken die Handschriften in der Wiedergabe des zweiten μου hinter μητέρα (vgl. zu Mk 7,10).

Eine Nachstellung des Elterngebotes hinter die sozialen Dekaloggebote ist im Spätjudentum selbst kaum[1] belegt, sie findet sich aber in der dann folgenden christlichen Tradition, so bei Athenagoras, De resurr cadav 23; Theophilus ad Autol 1,1 und Clemens v. Alexandrien Paed III,12. Auf Ps-Phok 8 als jüdisches Vorbild kann man sich nicht berufen, (so aber A. Seeberg, Die beiden Wege und das Aposteldekret, Leipzig 1906, 26), da hier mit Hauptgebot und Elterngebot ein neuer Abschnitt beginnt, nicht aber diese beiden der Schluß einer früheren Reihe sind.

Hier ist die bemerkenswerte Tatsache zu erwähnen, daß die Fassung des Dekalogs von Mk 10,19 ihre nächsten Parallelen in samaritanischen Dekaloginschriften hat. Diese Inschriften geben den Dekalog frei wieder. Sie bringen ihn nicht vollständig, und zwar in solchen Fällen nur das 4.-10. Gebot, so Spoer Nr 4, wo „im Namen Jahwes" vor dem 4. Gebot steht, ebenso bringt Spoer Nr. A (Jakobsbrunnen) nur das 4.-10. Gebot. Besonders typisch sind dabei dann Verkürzungen des 4. und 10. Gebotes: Beim 4. Gebot wird die Zweckbestimmung weggelassen (wie in Mk 10,19), das 10. Gebot wird auf den bloßen Prohibitiv verkürzt (so auch sonst häufig im späteren Judentum). – Ferner ist zu beachten, daß diese Erscheinung der sonst belegten hohen Bedeutung des Dekalogs bei den Samaritanern parallel ist. Beides weist auf eine traditionsgeschichtliche Verwandtschaft zu Mk 10,19, die aber vorläufig nicht aufklärbar sein

[1] Eine Wiedergabe des Elterngebotes am Ende einer dekalogähnlichen Reihe fand sich in der Offenbarung des Moses K. 49 (Gaster 584) nach der Nennung des 6. Gebotes, des Götzendienstes, des 5. Gebotes: „and who have cursed their parents".

dürfte. Das ist auch dadurch erschwert, daß die samaritanischen Texte z.T. zwar noch aus dem Altertum, aber in erster Linie aus später Zeit stammen[1].

Die Verbindung von Gebotserfüllung und Lebenszusage hat eine lange bereits atl Tradition; sie findet sich besonders ausgeprägt im Dt (nicht Dtn) und dann in der Weisheitsliteratur[2]. Ein besonderes Kapitel in der Geschichte dieser Kombination ist die Auslegungsgeschichte von Dt 30,15.19, in der sich die Vorstellung von den beiden Wegen herausbildete. Unabhängig davon wird man die These Seebergs, mit den beiden Wegen sei schon in vorntl Zeit ein „Katechismus" von Tugenden und Lastern verbunden gewesen, als unbegründbar abweisen müssen (s.o.). Auch in Mk 10,19 ist von den beiden Wegen nicht die Rede.

§ 3 Der traditionsgeschichtliche Hintergrund der Perikope Mk 10,17-31

Durch die jetzige Redaktion sind die vier genannten Blöcke über das Eingehen in die Basileia oder den Erwerb des Lebens eingeordnet in die Erzählung einer erfolglosen Jüngerberufung. Der Skopos der Perikope offenbart so das Ungenügen einer bloßen Erfüllung von Dekaloggeboten. Das „folge mir nach" in 10,21 und die Wendung „wegen mir und des Evangeliums" in 10,29 kennzeichnen die Mehrforderung als Bedingung für den Eintritt in die Gemeinschaft mit dem Menschensohn. Dominierend ist bei diesen Aussagen das apokalyptische Schema der Umkehrung bei der Äonenwende. In Test Benj 9,5b ist es programmatisch formuliert und erschließt das Verständnis für den Hintergrund der Aussagen über Besitz-

[1] Vgl. H. H. Spoer, Notes on some new Samaritan Inscriptions, in: Proc Soc Bibl Arch 30 (1908) 284ff; A. Alt, Zwei samaritanische Inschriften, in: ZDPV 48 (1925) 398ff; J. Bowman, S. Talmon, Samaritan Decalogue Inscriptions, BJRL 33 (1951) 211ff; A. Alt, Zu den samaritanischen Dekaloginschriften, in: VT 2 (1952) 273-276.

[2] Vgl. Ps Sal 3,12 (ewiges Leben als Lohn für Gottesfurcht) und Lev 18,5 (Lebensverheißung für Beobachtung (φυλάξεσθε) der Gebote). Zum Ausdruck „ewiges Leben erben" vgl. Ps Sal 3,16; 9,5; 13,11; 14,4-7.10; 1 Hen 37,4; 40,9; 58,3; 4 Esr 7,129; Dn 12,2; 2 Mkk 7,9; Test Aser 5,2; 6,6; CD 5,6. Vgl. dazu auch Teez Sanb H 21,7-9 L 24: „Dieses sind die Gebote des Sabbats. Welche sie beachten, werden leben; welche sie nicht beachten werden gerichtet in Ewigkeit".

verzicht und Wiedererstattung etc.: ἔγνων δὲ οἷος ἔσται ταπεινὸς ἐπὶ γῆς καὶ οἷος ἔνδοξος ἐν οὐρανῷ. Allein, in Mk 10 sind diese Aussagen dadurch „christianisiert", daß diese Gesetzmäßigkeit jetzt nurmehr in der Gemeinschaft mit dem Menschensohn gilt. Der Übertritt in die Gemeinschaft mit ihm ist identisch mit dem Erlangen der Voraussetzungen für himmlische Doxa. Das bloße Erfüllen der Gebote reicht deshalb nicht aus,weil der Übertritt zur Gemeinde als ein Akt der Bekehrung zu Jesus aufgefaßt wird. Elemente aus jüdisch-hellenistischen Bekehrungsgeschichten waren es, die der Perikope ihr jetziges Gesicht gegeben haben. Das wird sowohl an den einzelnen Elementen von Mk 10,29-31 deutlich als auch an der Einschätzung des Reichtums im Ganzen der Perikope:

1. Vergleicht man den Aufbau von Mk 10,29f mit Test Hiob 4,6f[1], so wird deutlich, daß dasselbe Schema des Aufbaus zugrundeliegt: In Mk 10,29f gilt die Abfolge: Verlassen aller Güter und Verwandten um Jesu willen / Wiedererstattung in diesem Äon im Zusammenhang mit Verfolgungen / ewiges Leben. – Nach Test Hiob 4,5 wird Hiob alles genommen, seine Habe und seine Kinder (T. Hiob 4,5: ἀφαιρεῖταί σου τὰ ὑπάρχοντα, τὰ παιδία σου ἀναιρήσει...) – das entspricht Mk 10,29. Nach Test Hiob 4,6 kommt es darauf an, nunmehr auszuhalten (ὑπομένειν)[2]; derselbe Terminus begegnet in traditionsgeschichtlich verwandten Stücken Lk 22,28; 2 Tim 2,12; Apk 3,10.12a; Elias-Apk p. 165 (ed. Steindorff). In Mt 19,28 ist an die Stelle dieses Terminus ἀκολουθεῖν getreten. Auch das ἀκολουθεῖν in Mk 10,21.28 ist von daher zu deuten und im Sinne der Schicksalsgemeinschaft mit dem Menschensohn aufzufassen. Nach Test Hiob 4,7 gilt: καὶ πάλιν ἀνακάμψω σε ἐπὶ τὰ ὑπάρχοντά

[1] Das Test Hiob stellt – im Gegensatz zum kanonischen Hiob – die Leiden Hiobs dar als Folgen des Übertritts Hiobs zum Judentum: Nach K. III erfährt Hiob eine Bekehrungsvision, auf Grund deren der dann den Tempel zerstört. Dies aber nimmt Satan zum Anlaß, ihn zu verfolgen. Die gesamte Hiobgeschichte stellt sich daher als Bewährung des durch den Übertritt zum Judentum gerecht Gewordenen dar.

[2] Nach Test Hiob I,5 ist Hiob der Vater dieser Kinder in vieler „Geduld" geworden. Damit ist das für das Verständnis von 4,6 entscheidende Stichwort gewonnen: Durch die Vermittlung der überliefernden Söhne wird Hiobs Name wegen seiner Lehre für alle Geschlechter berühmt sein. Ein solcher Lehrer der Gerechtigkeit konnte Hiob aber nur werden, indem er „aushielt", d.h. die Leiden überstand, die sein Übertritt zum Judentum mit sich brachte.

σου, καὶ ἀποδοθήσεταί σοι τὸ διπλάσιον. Dem entspricht Mk 10,30 ἐὰν μὴ λάβῃ ἑκατονταπλασίονα... und Lk 18,30 ὃς οὐχὶ μὴ λάβῃ πολλαπλασίονα ἐν τῷ καιρῷ τούτῳ. Darauf folgt in Test Hiob 4,9 die auf die fernere Zukunft gerichtete Aussage: καὶ ἐγερθήσῃ ἐν τῇ ἀναστάσει. Dem entspricht in Mk 10,30b das καὶ ἐν τῷ αἰῶνι τῷ ἐρχομένῳ ζωὴν αἰώνιον. – Es wird zunächst deutlich, daß der gesamte Aufbau von Mk 10,29f in jüdischer Bekehrungstradition vorgegeben ist. Das Aufgeben der Güter und Verwandten wird ferner offenbar nicht als dauerndes Verhalten angesehen, sondern lediglich auf den Akt der Bekehrung bezogen bzw. auf dessen unmittelbare Folgen.

Die Verbindung der Bekehrung mit der Aufgabe von Gütern und Verwandten ist jüdisch traditionell. Es spiegelt sich darin vielleicht die faktische Situation von Proselyten, die sich dem Judentum unter dem Preis der Aufgabe ihrer bisherigen sozialen Bindungen anschließen. Die theologische Deutung verbindet sich mit dem Befehl an Abraham nach Gen 12,1ff, Heimat und Verwandte zu verlassen: dieser Befehl wird im Judentum als Bekehrungsvision gedeutet. Die Aufgabe von Gütern und Verwandten findet sich in einer Reihe von Texten:

Asenath, die sich nach JosAs zum Judentum bekehrt, ist von allen verlassen (p. 53,16; 55,13) und gehaßt (p. 53,16) und hat ihrerseits alles verlassen (p. 57,1f: ἀπέφυγεν ἐκ πάντων... πάντα τὰ τῆς γῆς ἀγαθὰ κατέλιπον καὶ πρός σε κατέφυγον, κύριε); sie hat ihre Habe aufgegeben (p. 56,20ff: ihr Erbe; 57,3f). – Das, was von Asenath über ihr Verhältnis zu Verwandten, Gütern und besonders zum Reichtum berichtet wird, entspricht genau dem, was in Mk 10 von denen gefordert wird, die Jesus nachfolgen sollen.

Da das Tun Asenaths häufig als „Flucht" zu Gott dargestellt ist (p. 54,10; 55,4; 55,16f; 56,15; 57,1.2; 57,25), wird die Parallele in Philo Sacr Ab Cain 128f um so deutlicher:

Im Zusammenhang mit den Asylstadtgesetzen behandelt Philo die Flucht der unfreiwilligen Mörder und vergleicht sie mit der Flucht, die die Leviten (deren Städte die Asylstädte sind) auch selber vollzogen haben, denn sie lassen Flüchtlinge zu sich kommen, weil sie selber ihrem Wesen nach auch Flüchtlinge sind „Denn wie jene aus ihren Heimatländern vertrieben werden, haben auch diese Kinder, Eltern und Geschwister, Nachbarschaft und Freundschaft hinter sich gelassen, um an Stelle des irdischen das ewige Erbe zu 'finden (τῶν πατρίδων ἐλαύνονται, οὕτως καὶ οὗτοι καταλελοίπασι τέκνα, γονεῖς ἀδελφούς, τὰ οἰκειότατα καὶ φίλτατα ἵνα ἀντὶ θνητοῦ τὸν ἀθάνατον κλῆρον εὕρωνται...). Diese Flucht sei freiwillig gewesen um der Liebe zu den edelsten Dingen willen (Vgl. Leg Alleg II,49-51).

Damit ist zunächst in JosAs zu vergleichen p. 56,20-23: πάντα τὰ δώματα τοῦ πατρός μου... ἅ δέδωκέ μοι εἰς κληρονομίαν, πρόσκαιρα εἰσὶ καὶ ἀφανῆ· τὰ δὲ δώματα τῆς σῆς κληρονομίας κύριε, ἄφθαρτα εἰσὶ καὶ αἰώνια. Auch hier wird das irdische Erbe zugunsten des himmlischen Erbes aufgegeben. – Es kommt hinzu, daß Asenath nach p. 61,10 als neuen Namen den Titel „Stadt der Zuflucht" erhält, weil durch sie viele Völker zu Gott gelangen sollen. Dieser Beziehung zu Leviten entspricht, daß nach K. 22 p. 73 ein besonders enges Verhältnis zwischen Asenath und Levi besteht, der ihr seine Geheimnisse mitgeteilt hat.

Das Tun der Asenath wird also mit Material beschrieben, das sonst vornehmlich in levitischen Traditionskreisen beheimatet zu sein scheint. Diese Beobachtung trifft sich mit der anderen, daß die Jünger Jesu, die als Boten Jesu nach dem Bild prophetischer Leviten gezeichnet werden, es sind, die in gleicher Weise Verwandtschaft und Besitz hinter sich lassen sollen, an den Geheimnissen Jesu anteil erlangen usw.
Der Funktion prophetischer Leviten als Gesetzesprediger kommt auch 4 Esra 13,54-56 entgegen:

„Dereliquisti enim tua et circa me vacasti et legem quaesisti vitam enim tuam disposuisti in sapientiam et sensum tuum vocasti matrem et propter hoc ostendi tibi quae merces apud Altissimum".

Der Engel kündigt Esra auf diese Weise seinen Lohn für die Beschäftigung mit dem Gesetz an. Auch hier begegnen die typischen Elemente: Alles verlassen – eine neue Mutter gewinnen – himmlischer Lohn. Nur ist in der synoptischen Tradition an die Stelle des Gesetzes das Evangelium getreten (vgl. schon Mk 10,30).
Die Tradition der jüdischen Bekehrungsgeschichten wirkt auch vor allem nach in den christlichen Apostelakten. Symptomatisch und in seiner Nähe zu dieser Tradition für Mk 10,17ff bedeutungsvoll ist Thomasakten K. 61: Innerhalb eines Gebetes um Vollendung (vgl. τέλειος Mt 19,21 mit: τέλεσον... ἕως τέλους) hebt der Apostel für die Neubekehrten (vgl. K. 59) hervor, seinetwegen hatten sie verlassen Häuser und Eltern (κατελείψαμεν τοὺς οἴκους ἡμῶν καὶ τὰ γονικὰ ἡμῶν) und seien gern Fremdlinge geworden, den eigenen Besitz hätten sie verlassen, um den unzerstörbaren Besitz zu erwerben (τὴν ἰδίαν κτῆσιν κατελείψαμεν διὰ σέ, ἵνα σὲ τὴν ἀναφαίρετον κτῆσιν κτησώμεθα); die Verwandten, Mütter und Nährer (καταλείψαντες τοὺς πατέρας ἑαυτῶν καὶ τὰς μητέρας...) wurden verlassen, um in Gott den neuen Vater zu finden. Ebenso sind auch Frauen

und Früchte des Landes verlassen worden, damit man himmlische Gemeinschaft und Früchte erlange[1].

Noch ganz aus jüdischer Tradition zu verstehen sind zwei Stücke aus gnostischer Überlieferung:
Im 1. Buch Jeû K. 2 heißt es: „Wir sind dir gefolgt mit ganzem Herzen, haben Vater und Mutter verlassen, haben Weingärten und Äcker verlassen, haben Güter (κτῆσις) verlassen, haben die Herrlichkeit des Königs verlassen und sind dir gefolgt, damit du uns das Leben deines Vaters, der dich gesandt hat, lehrest". – Vgl. auch 2. Buch Jeû K. 43: „Jetzt nun, da ihr eure Väter und Mütter und eure Brüder und die ganze Welt verlassen habt und mir gefolgt seid und alle Gebote (ἐντολαί), die ich euch aufgetragen habe, vollführt habt, jetzt nun höret mich, daß ich euch die Mysterien sage".
Im Gegensatz zu Mk 10,29f ist hier noch nicht von der Umkehr der Verhältnisse die Rede, der Lohngedanke fehlt, und der Ton ist allein darauf gelegt, daß dieses Aufgeben der irdischen Güter befähige, die Geheimnisse zu empfangen. Genau das aber ist traditionell auch mit der Bekehrung zu Jesus gemeint. Auch diese wird – schon im NT – verstanden als Mitteilung von Geheimnissen.

Da man aber zwischen Bekehrung und Berufung zum Amt der Verkündigung kaum wird unterscheiden können, dürfte die These zutreffen, daß es sich allgemein um ein Bekehrungsschema handelt. Das wird auch durch weitere Übereinstimmungen bestätigt:

2. Der Zusatz μετὰ διωγμῶν in Mk 10,30 findet ebenfalls seine Erklärung in dem geläufigen Bekehrungsschema: Asenath wird gehaßt (p. 53,16) und verfolgt (p. 54,16: τῶν δεδιωγμένων βοηθός 56,1ff λέων καταδιώκει με 55,17: ἀπὸ τῶν καταδιωκόντων με).
Von diesen Texten her wird das Gehaßt- (Lk 6,22.27; Mk 13,13par; Mt 10,22) und Verfolgtwerden (Mt 5,10f; Lk 21,12; Joh 15,20; Röm 12,14; Gal 4,29) von Jüngern Jesu verständlich: Es handelt sich um Erscheinungen, die traditionell mit einem Übertritt vom Heidentum zum Judentum verbunden waren. Diese als notwendig erwarteten Folgen einer Bekehrung werden nun auf die Bekehrung zum Christentum übertragen. Es zeigt sich, daß nicht nur der Modus der Bekehrung, sondern auch die Konsequenzen, die eine solche erwarten ließ, bereits in jüdischer Tradition vorgefunden und schematisch übernommen wurden: Das Bild der Bekehrung vom Juden zum Christen wird in allem der Bekehrung vom Heiden zum Juden nachgezeichnet.

[1] Aufschlußreich ist in diesem Zusammenhang auch Hebr 11,13-16. Der Auszug Abrahams wird gedeutet als Auszug zur himmlischen Polis, der Titel „Gott Abrahams, Isaaks, Jakobs" begründet sich von daher (V. 16b).

Schon in Test Hiob wird – im Gegensatz zum kanonischen Hiobbuch – das Leiden Hiobs dargestellt als vom Satan angezettelte Folge seiner Bekehrung zum Judentum. Entsprechend wird auch Asenath vom Teufel verfolgt (p. 56,1-6), auch hier rettet Gott aus dieser Verfolgung.
In Mk 10,30 spiegelt sich also in dem Zusatz μετὰ διωγμῶν das schematisch erwartete Element der Verfolgung von Bekehrten: Die Aufgabe aller Güter ist mit Verfolgungen verbunden, und diese werden als Versuchungen auch immer wieder den neu erhaltenen Besitz gefährden: Die Versuchungen sind vielfältig, aber der gerechte Gott sorgt jeweils für überreiche Erstattung.

Hiob erlebt diese Wiederherstellung noch zu Lebzeiten (vgl. Test Hiob K. 44ff). – Der Vorgang der Wiedergewinnung der irdischen Güter ist nur aus der weisheitlichen Tradition zu verstehen, die mit immanenter Vergeltung rechnet: Der Weise, der für den Besitz der Weisheit alles hingab, wird noch viel mehr erlangen, wenn er wirklich der Weisheit teilhaftig geworden ist. Im Zusammenhang mit der Erwähnung der Bekehrung durch Jesus Christus, der aus Finsternis und Unkenntnis ins Licht rief, spielt der Gedanke des Ausgleichs eine besondere Rolle in 1 Clem 59,2: Die Augen des Herzens wurden geöffnet, damit Gott erkannt würde, „der den Übermut der Prahler demütigt, der die Pläne der Heiden vereitelt, der Demütige erhöht und die Hochmütigen demütigt; der reich macht und arm, der tötet und lebendig macht". Direkt im Zusammenhang mit der Bekehrung werden hier Begriffe verwendet, die mit dem Zeitpunkt der Bekehrung bereits eine Umkehrung der Verhältnisse zu verbinden scheinen. Bereits für JosAs läßt sich feststellen, daß der Begriff ταπεινόω usw. das Ideal des vor der Bekehrung zu erreichenden Status wiedergibt. Alles, was man im Zusammenhang mit der Bekehrung verläßt und aufgibt, wird einem danach um so reicher wieder zuteil. – Vgl. dazu auch Acta Philippi K. 35: ἐὰν δέξησθε τὸν ἐν οὐρανοῖς πλούσιον, πλουτίσει ἡμᾶς.

3. Mit der genannten Bekehrungstradition ist schließlich auch das Element der prinzipiellen Geringachtung des Reichtums verbunden: Das bestätigen zwei sehr ähnliche Texte in Test Hiob und Jos As:

Test Hiob 15,8: διὰ τί δὲ καὶ διακονοῦμεν; διότι βδέλυγμά ἐστιν ἐναντίον τοῦ θεοῦ ἡ ὑπερηφανία

Jos As p. 55,14: σοβαρὰ καὶ ὑπερήφανος καὶ εὐθηνοῦσα ἐν τῷ πλούτῳ μου τῷ γονικῷ...

Die gleiche Einschätzung des Besitzes im Zusammenhang der Bekehrung zeigt sich auch in SapSal 5,8: Die Toren, die zugeben, daß das Licht der Gerechtigkeit ihnen nicht geleuchtet habe, daß sie in Unkenntnis und Gesetzlosigkeit geirrt seien, fragen nun: τί ὠφέλησεν ἡμᾶς ἡ ὑπερηφανία; καὶ τί πλοῦτος μετὰ ἀλαζονείας συμβέβληται ἡμῖν; Der Hochmut wird auch hier mit dem Reichtum in

engste Verbindung gebracht. In Verbindung mit Hochmut und Aufschneiderei hindert der Reichtum die Bekehrung (daher die Frage: τί ὠφέλησεν). Die in V. 6 folgende Mahnung an seine Vergänglichkeit erinnert an Test Hiob K. 33.
Die Einschätzung des Reichtums als Hindernis für die Bekehrung in Mk 10,25 wird daher aus dieser Tradition verständlich. Möglicherweise spiegeln sich darin bestimmte Verhältnisse der jüdischen Diasporasituation.

4. Der reiche Jüngling Mk 10,21 wird aufgefordert, seine Habe zu verkaufen und den Erlös den Armen zu geben. Die Entledigung vom Besitz im Zusammenhang mit der Bekehrung und die Verbindung mit Armenpflege ist zunächst etwas anders zu beurteilen als das Verlassen aller Güter; vielmehr steht hier der sozial-humanitäre Aspekt im Vordergrund, der ein besonderes Anliegen des hellenistischen Judentums gewesen ist. Die soziale Tätigkeit an den Armen ist in besonderem Maße Ausdruck des Bekehrtseins – das geht schon aus der jüd.-hell. formulierten Perikope Lk 19,1-10 V.8 hervor. Insbesondere aber wird Hiob dargestellt als Freund der Armen (K. IX-XV des Test Hiob); Hiob begründet seine Haltung in dem oben zitierten Satz 15,8. – Auch Asenath gibt ihren bisherigen Besitz an die Armen: K. XI p. 53,19 (δέδωκα αὐτοὺς πένησι). Zu vergleichen ist insbesondere auch die Bekehrungsgeschichte des Cornelius nach Acta 10,2.30-32. Der Hinweis, daß er viele Almosen (ποιῶν ἐλεημοσύνας πολλάς) tat, erinnert unmittelbar an die Aufforderung Mk 10,21, der Hinweis, daß er ständig betete (10,2) und daß schließlich sein Gebet erhört wurde und der Almosen vor Gott gedacht wurde, hat eine deutliche Parallele in der Vision JosAs K. 15 (p. 60,22-61,2): ἰδοὺ γὰρ εἰσήκουσε κύριος ὁ θεὸς πάντων τῶν ῥημάτων τῆς ἐξομολογήσεώς σου καὶ τῆς προσευχῆς σου. ἑώρακε δὲ καὶ τὴν ταπείνωσιν καὶ θλίψιν τῶν ἑπτὰ ἡμερῶν τῆς ἐνδείας σου. Auch in Acta 10,30-32 handelt es sich um die Vision eines Mannes im leuchtenden Gewand. Gebet und Almosen erscheinen hier als Vorbedingung der Bekehrung; darin spiegelt sich letzt lich ein Begriff von Gerechtigkeit, der soziales Verhalten nahezu mit Gerechtigkeit identifiziert (vgl. CIJ I Nr. 203: φιλόλαος, φιλέντολος, φιλοπένης).
Deutlich lebt diese jüdische und frühchristliche Tradition fort etwa in Acta Barnabae K. 13: Im Anschluß an die Taufe durch den Apostel bringen die Getauften ihm Geld, das er an die Armen verteilt (προσήνεγκαν δὲ χρήματα αὐτῷ καὶ εὐθέως διέδωκεν αὐτὰ Βαρνάβας

τοῖς πτωχοῖς). Diese Aktion wird am leichtesten verständlich, wenn man den jüdischen Bekehrungsvorgang im Hintergrund sieht.

Von einer Aufgabe des Vermögens im Zusammenhang der Bekehrung ist ebenfalls die Rede in: Acta Thomae K. 12 (Predigt des Apostels), K. 61, Acta Ioh ed. Zahn p. 170 (ἰδοὺ ἐγὼ καὶ ὁ υἱός μου καὶ πάντα τὰ ἐμὰ εἰς τὰς χεῖράς σου ἐσμέν vgl. mit Acta 5,2 ff); Acta Xanth et Polyx K. 32. Slav Ps. – Clem Rec p. 153 („und uns beitreten..., wie eure Schwester Sophia, nachdem sie ihr Vermögen verteilt hat") – Parallel zu Mk 10,29-30 ist auch Qoran, Sure 64,15-18.

5. Aus der Nähe zu Traditionen über die Bekehrung wird auch die Zuordnung des Stückes Mk 10,13-15 verständlich, die wir bereits beobachtet hatten: Mt 18,4 liefert das zur Deutung dieses Stückes entscheidende Stichwort ταπεινόω. Die übrigen Belege von ταπεινο- im NT bestätigen, daß diese Haltung für die Zugehörigkeit zur Gemeinde besondere Bedeutung hat[1]. Die Niedrigkeit aber ist in JosAs stets die häufig genannte Voraussetzung für das Aufgenommen werden in das Gottesvolk (ταπεινο- wird verwendet in 53,23; 54,8.10.13.17; 60,23). Parallel dazu redet Asenath Gott als Vater an (54,15) und bezeichnet sich selbst als Kind (παιδίον νήπιον 55,18), das zu ihrem Vater flieht, der die Hände ausbreitet und es an seine Brust nimmt (vgl. auch 56,19: σὺ μόνος εἶ, κύριε, πατὴρ γλυκὺς καὶ ἀγαθός...). Die Einkleidung des Wortes Mk 10,15f in die Szene einer Kindersegnung wird so verständlich, insbesondere auch das Gesegnetwerden durch Jesus: Nach JosAs 45,1, 55,18; Acta 3,26 ist der Segen der spezielle Aufnahmeritus der Bekehrten. Die Aufforderung, niedrig zu werden wie ein Kind, ist daher die Bedingung des Aufgenommenwerdens in die Gemeinde.

6. Der formgeschichtliche Zusammenhang zwischen Mk 10,17-31 mit Test Hiob, insbesondere der mit Test Hiob 4,6f, leitet dazu an, nun auch die „Erfüllung" von Test Hiob 4,6f in Test Hiob K. 33 zu vergleichen mit der Redaktion der Mk-Perikope in Mt 19,28: Nach Test Hiob K. 33 erhält Hiob als Lohn für seine Leiden und Versuchungen (nach 4,6 für sein ὑπομένειν) Doxa, einen Thron zur Rechten Gottes und unvergängliche Basileia[2]. Dieser Lohn aber

[1] Der inhaltliche Zusammenhang mit Besitzverzicht wird deutlich aus Test Dan 5,13: ἐν ταπεινώσει καὶ πτωχείᾳ... ὁ πιστεύων... βασιλεύσει...

[2] Test Hiob 33,3 ἐμοῦ ὁ θρόνος ἐν τῷ ὑπερκοσμίῳ ἐστιν (5) ἐμοὶ δὲ ὁ θρόνος ὑπάρχει ἐν τῇ ἁγίᾳ γῇ (!). 33,9 ἐμοὶ δὲ ἡ βασιλεία εἰς αἰῶνας αἰώνων...

entspricht dem für die Jünger Jesu nach Mt 19,28. Die Einfügung an dieser Stelle bedeutet also keinen Fremdkörper, sondern ist traditionsgeschichtlich präformiert mindestens in Test Hiob K. 33.

7. Daß der junge Mann Jesus zu Füßen fällt, dürfte ebenfalls aus dem Stil der jüd. Bekehrungsgeschichten, und zwar speziell aus den Bekehrungsvisionen, zu erklären sein; und zwar wird in den Visionen regelmäßig davon berichtet, daß der zu Bekehrende dem Engel zu Füßen fällt, der ihn dann aufrichten muß. – Dieses Element wird nun auf die Bekehrung anderer Menschen durch den menschlichen Boten übertragen; so heißt es in Poimandres K. 29 von der Verkündigungstätigkeit des Hermes οἱ δὲ παρεκάλουν διδαχθῆναι, ἑαυτοὺς πρὸ ποδῶν μου ῥίψαντες. ἐγὼ δὲ ἀναστήσας αὐτοὺς καθοδηγὸς ἐγενόμην τοῦ γένους, τοὺς λόγους διδάσκων... Auch hier erwarten die Menschen eine Belehrung von dem ausgesandten Boten. Der gleiche Botenbegriff zeigt sich in Acta 14,7-13 und Acta 28,6b. Das ursprünglich in der Vision beheimatete Element des Niederfallens ist also auch schon außerhalb von Mk 10,17 auf das Auftreten des Boten vor Menschen angewandt worden. Der Rolle des Wegweisers in C.H. I,29, der „lehrt" (διδάσκει), entspricht hier die Funktion Jesu. Daß Jesus den Gestus des Kniefalls ablehnt, entspricht dem Verhalten der Apostel in den genannten Acta-Stücken, die nicht als göttliche Wesen angesprochen werden wollen (vgl. dazu auch syr Acta Thomae Übers. Wright p. 291: „Ich bin nicht Jesus..., sondern einer, der vor ihm dient"). – In allen Texten wird eine bestimmte jüd.-hell. Auffassung über den göttlichen Boten sichtbar. Nach einer formgeschichtlich festen Tradition lehnt der Bote Gottes die Proskynese ab mit dem Hinweis darauf, daß er nur der Bote sei. Vorbild ist das Schema der Angelophanie. Zu diesen Texten gehören: ThEv 12; Elias-Apk (Steindorff p. 152); Asc Jes 8,4.5 (Griech. Rez. 2,10); Ps.-Matth-Ev III 3 (Ti. p. 59); Acta Petri et Andreae K. 5; Acta 10,25 f cf. Acta 14,11-15. – Die Ablehung der Proskynese hat die Funktion, den Boten von dem ihn sendenden und in ihm erscheinenden Gott zu unterscheiden (und seine Botschaft so zu legitimieren, denn so wird sinnenfällig hervorgehoben, daß nicht der Bote Gottes Ehre beansprucht, sondern dieser nur Gottes Ehre sucht).
Der Dialog in Mk 10,17ff ist also insbesondere durch seine Einleitung mit visionären Darstellungen von Botenepiphanien verwandt. Ähnliches könnte man auch für Mt 5,1 annehmen, wenn man dieses

Stück mit Ez d.Tr 68-82 (Rießler) und mit Herm vis I 2,2 vergleicht (die Autorität des Lehrers wird durch Elemente aus der Thronvision begründet). In beiden Fällen würde es sich dann um eine verkürzende Entsprechung zu Elementen aus der visionären Lehrsituation handeln. Dann aber hat der Dialog zwischen Jesus und dem Jüngling seine Parallele in Dialogen, wie sie sonst innerhalb von Visionen geführt werden. Wo in visionären Dialogen direkt paränetische Stoffe überliefert werden, handelt es sich dann wie in Mk 10,17ff um Initialkatechese; vergleichbar sind lediglich Poimandres (3. paränet. Stoffe in 23) und Herm vis (z.B. I 1,9 und die kond. Relativsätze wie in I 1,2; in Herm geht es um die im Allgemeinen initiierende Metanoia). Parallel wären demnach Jesus/der Jüngling und Poimandres/Hermes und die Frau/Hermas. Andere, mit Mk 10,17ff formgeschichtlich vergleichbare Texte sind mir nicht bekannt (vgl. auch die Frage in Mand III 3 mit Mk 10,26 par). Eine möglicherweise verwandte Form eines weisheitlichen Lehrgespräches (zwischen Vater und Sohn) findet sich in der kanonischen Weisheitsliteratur nicht; hinzuweisen wäre auf Ex 12,26f und auf bestimmte Züge im Achiqar-Stoff. Aber eine befriedigende Erklärung aus weisheitlicher Tradition kann man (merkwürdigerweise) (noch) nicht geben.
Auch weitere Einzelelemente aus Mk 10,17ff werden aus verwandten Bekehrungsgeschichten des Judentums verständlich[1].

[1] Der Satz über das bei Menschen Unmögliche, bei Gott aber Mögliche in diesem Zusammenhang dürfte seine Herkunft in der formgeschichtlichen Gattung der Gebete bei der Umkehr haben; zu vergleichen ist besonders JosAs p. 56,15: καὶ οὐκ ἔστι μοι ἄλλη ἐλπὶς πλὴν σοῦ κύριε, οὐδὲ ἑτέρα καταφυγὴ πλὴν τοῦ ἐλέους σου, φιλάνθρωπε... Zu Mk 10,27 ist auch die Formulierung in Acta Xanth et Polyx K. 5 zu vergleichen, in der Xanthippe vor ihrer Bekehrung zu ihrem Gemahl sagt, der sie trösten will: „οὐ γὰρ δυνατὸν ἀνθρώπῳ ἐκκόψαι μου τὴν ἀπληροφόρητον λύπην". Formulierungen dieser Art haben daher möglicherweise einen festen Sitz im Zusammenhang von Bekehrungen. Darauf weist auch der wohl ursprüngliche Sitz im Zusammenhang von Schöpfungsaussagen:
Nach Theophilus ad Autol II, 13,2-4 schafft Gott aus Nicht-Seiendem (ἐξ οὐκ ὄντων) und überdies so wie er will. Als Begründung wird gegeben: τὰ γὰρ παρὰ ἀνθρώποις ἀδύνατα δυνατά ἐστιν παρὰ θεῷ. Zum Beleg wird Gen 1,1 angeführt. Um ein Zitat aus Mk sein zu können, ist der Satz hier allzu disloziert und paßt er zu genau in den Zusammenhang hier. Es könnte sich daher um einen Beleg für die innere Zuordnung von Schöpfung und Bekehrung handeln, wie er auch in JosAs und im NT bezeugt ist.
In Spec Leg I 280-282 ist davon die Rede, daß die Seele sich mit „porneia" befleckt, die sich Lastern hingibt. – Welche Zeit kann diese Befleckungen

Wie in den jüd. Texten erscheinen Besitzaufgabe, Armenpflege und das Leiden der Bekehrten als Folge der Bekehrung zur Nachfolge Jesu. Neu ist also lediglich, daß diese Elemente nunmehr auf die „Nachfolge" Jesu bezogen sind. Die Verwendung dieses Terminus ist hier vielleicht deshalb möglich gewesen, weil es sich um den leidenden Menschensohn handelt, – in Analogie zu ihm und in Geschicksgemeinschaft mit ihm erlangen die ihm Nachfolgenden wie er die himmlische Doxa. Traditionell aber sind diejenigen, die das gleiche Geschick wie der Menschensohn erfahren, seine „Heiligen". Diese Stelle aber nehmen hier die Zwölf ein, und zwar als die Ältesten Israels.

Für die Beurteilung von Mk 10,17ff ergeben sich aus diesen traditionsgeschichtlichen Untersuchungen vor allem folgende Gesichtspunkte:

1. In Mk 10,29f spiegeln sich – analog zu Test Hiob 4,6f – zwei Entwicklungsstufen der jüd. Vergeltungslehre, die weisheitlich bestimmte innerweltliche, die traditionell am Schicksal Hiobs dargestellt werden konnte, und die apokalyptische. Insbesondere Test Hiob 4,8.10 betont, daß es sich dabei um den gerechten Ausgleich der Taten handelt. In Test Hiob 43,14f wird das innerweltliche Gericht Gottes beschrieben mit den Farben apokalyptischer Tradition aus Dan 7: Indem Gott Hiob wiederherstellt, ereignet sich das Gericht. So ist auch in Mk 10,30 die Erlangung von Gütern in diesem Leben bereits als ausgleichendes Gerichtshandeln Gottes zu verstehen[1]. – Die besondere Verwandtschaft zwischen dieser Stelle

reinigen? –: ἔγωγε οὐκ οἶδα. Wer sollte eine Seele, die von Unzucht befleckt ist, wieder zu Schönheit bringen? „Die Welt (oder: die Zeit αἰών) nicht, Gott aber allein, ᾧ δυνατὰ τὰ παρ' ἡμῖν ἀδύνατα. Die Situation ist durchaus der in Mk 10 vergleichbar. An der Stelle von Reichtum in Mk 10 steht hier als umfassendes, von Gott trennendes Laster die Unzucht (vgl. oben zur Beziehung von Unzucht und Götzendienst und zur engen Verknüpfung von Unzucht und Habgier im späteren Judentum). – Zu κληρονομήσει in Mt 19,29b ist zu vergleichen JosAs p. 56,20ff.

[1] Vgl. Test Hiob 43,14: ἰδοὺ ὁ κύριος παρεγένετο, ἰδοὺ οἱ ἅγιοι ἡτοιμάσθησαν, προηγουμένων τῶν στεφάνων μετ' ἐγκωμίων (15) χαιρέτωσαν οἱ ἅγιοι. Die Wiedererstattung nach den Bekehrungsleiden entspricht der anderen Tatsache, daß mit der Bekehrung die Auferstehung aus Toten und die Neuschöpfung als bereits vollzogen betrachtet werden. Demnach wird der Gerechte auch der Güter des kommenden Äon teilhaftig. Derartige Aussagen präsentischer (und darin aber z.T. nur weisheitlich-traditioneller) Eschatologie sind bereits im Judentum deutlich vorbereitet.

und Test Hiob 4,6 besteht aber darin, daß diese Abfolge von zeitlicher und ewiger Vergeltung in beiden Fällen im Zusammenhang mit Bekehrungsstoffen überliefert ist.

2. Nach jüdischem Verständnis ist Bekehrung gleichbedeutend mit einer Besserung des Lebenswandels, die durch Einsicht in das Gesetz erfolgt. Die Umkehr von den bösen Werken ist gleichbedeutend mit der Hinkehr zum Gesetz, so etwa auch in Acta 3,26. – Aus der jetzigen Redaktion von Mk 10,17ff geht hervor, daß die Erfüllung des Gesetzes zwar Voraussetzung zu einer Bekehrung überhaupt ist (deshalb heißt is: eines fehlt dir) und auch weiterhin Bedingung zur Erlangung des Lebens ist; aber damit ist eine Zugehörigkeit zur Gemeinde Jesu noch nicht gegeben – ein solcher Beitritt erfordert vielmehr alle Elemente und alle Merkmale einer echten und grundsätzlichen Bekehrung „um Jesu und des Evangeliums willen". Die Schicksalsgemeinschaft mit dem Menschensohn kann nur dann erreicht werden, wenn via Bekehrung jener Zustand von Besitzlosigkeit und Niedrigkeit geschaffen wird, der eine Belohnung durch Gott erst möglich macht. Das apokalyptische Schema von Verzicht, Niedrigkeit / Lohn, Hoheit ist also beibehalten – es gewann nur dadurch besondere Relevanz, daß es sich um die Nachfolge des Menschensohnes handelt, der eben solches erlitten hatte. Nicht zufällig entspricht auch das häufige διακονεῖν in Test Hiob dem von Mk 10,45[1].

[1] Während in Mk 10,17-19 Jesus den Anspruch zurückweist, von seiner Weisung sei der Zugang zum Leben abhängig, scheint er diesen doch faktisch wenigstens formal in der Nachfolgeforderung zu erheben. Der redaktionelle Ausgleich durch Mk zeigt, daß die jüdisch-hellenistischen Traditionen früher hellenistischer Gemeinden vor allem auch mit einer fortgeschrittenen hell.-jüd. Interpretation der μετάνοια-Predigt Jesu in Zusammenhang gebracht werden: Das spezifisch Christliche besteht – so wird aus V. 21 deutlich – jetzt formal in der Nachfolge Jesu. Die Beobachtung der Dekaloggebote, die ursprünglich damit nichts zu tun hat und sogar ausdrücklich unchristologisch gedacht ist, wird so „gewaltsam" mit der Person Jesu in Beziehung gebracht. Auch die Lohntheorien von Mk 10,29-30 und sogar die Verfolgung als Vorbedingung zum Lohn waren ursprünglich ohne Beziehung zur Person Jesu. Aber bei Mk und in Q haben wir einen Prozeß festgestellt, in welchem diese apokalyptischen Traditionen in zunehmendem Maße als Nachfolge Jesu interpretiert wurden, was sich in den Ausdrücken ἀκολουθεῖν, ἄξιον εἶναι, μαθητὴς εἶναι spiegelt. Zu einer Verbindung von Nachfolge und Nächstenliebe ist es in der synoptischen Tradition nicht mehr gekommen. Die Entwicklung bleibt bei der Verbindung mit der Armenfürsorge stehen.

Die heilsbegründende Funktion des ntl Nachfolgebegriffes kann man weder aus dem Hinterhergehen hinter einem Rabbi noch allein aus der Tradition von 3 Kge 19,20 hinreichend erklären[1], aus beidem ergibt sich noch keineswegs die Konzeption einer Gemeinschaft mit dem Geschick des Menschensohnes, die für das Heil konstitutiv ist. Nun ist zwar – auf Grund des Berufungsschemas in Mk 1 – zu vermuten, daß der Begriff der Nachfolge aus der Elia/Elisa-Überlieferung mit der Jesus-Tradition verbunden worden ist. Aber die theologische Bedeutung konnte das Nachfolgen erst dann bekommen, wenn das Sich-Anschließen an Jesus als Bekehrung zu dem Boten aufgefaßt wurde, auf dessen Antlitz Gott selbst eschatologisch sichtbar wurde. Insofern Gott durch diesen Boten erscheint, wird das atl הלך אחרי / ἀκολουθεῖν aus LXX und Judentum nun nicht mehr eine Bezeichnung des Verhältnisses zu Gott und Göttern und zum Gesetz, sondern zu Jesus. Sich Jesus anzuschließen bedeutet jetzt: Sich dem bevollmächtigten Boten Gottes und damit Gott selber anschließen. Die Verwendung von ἀκολουθεῖν im Sinne des heilsentscheidenden Verhaltens ist m.E. nur daraus zu erklären, daß das Verhältnis zu Gott jetzt von dem Verhalten zu Jesus abhängig ist.

In LXX wird ἀκολουθεῖν meistens vom Hinterhergehen hinter anderen Göttern verwendet, so in Jud 5,7 (τοῖς θεοῖς) Hos 2,5(7); Ez 29,16; Sm Jer 7,6; 13,10; 16,12; 42(49),16; Ez 13,3; Ps 16,4. – Von Gottes Geboten: 2 Makk 8,36; Test Aser 6,1 (τὰς ἐντολὰς κυρίου ἀκολουθοῦντες). Hinzuweisen ist auch auf die oben S. 409 Anm. 1 zitierten Belege für ἀκολούθει μοι in Apc Mos und Test Abr (Satan bzw. Engel). – Philo verwendet nicht ἀκολουθεῖν, sondern ἕπεσθαι, und zwar meistens in der Form „mir und meinen Geboten folgen", so in Abr 204.60; Decal 98,100; Spec Leg IV,186f.188; Praem Poen 98; vgl. ferner die oben S. 400 Anm. 1 genannten Beispiele für das Nachahmen Gottes, weil er der Gute und der Gesetzgeber ist (zu Mk 10,17f); sieht man die Nachfolgeforderung von Mk 10,21 in diesem Licht, so wird in der Tat deutlich, daß die Jesus geleistete Nachfolge eigentlich nicht ihm als Person, sondern nur ihm als dem Boten Gottes und insofern Gott gilt. – Vgl. auch Acta Thom K. 156. Im Dt ist Hinterhergehen hinter Gott = Gebotserfüllung.
Besondere Beachtung verdient Spec Leg IV,186f.188: Das Gott Nachfolgen wird in einer kurzen Regel zusammengefaßt (Niemandem zu schaden,

Der innere Grund für die Verbindung dieser Traditionen mit der Person Jesu lag darin, daß durch den Akt der Bekehrung zu ihm eben eine solche präsentische Realisierung der Eschatologie stattfindet. Vorausgesetzt ist, daß alle dieser μετάνοια bedürfen.

[1] Vgl. dazu jetzt M. Hengel, Nachfolge und Charisma (BZNW; 34), Berlin 1968, bes. S. 68-70.80-82.

allen zu nützen), und Gottes Tun wird besonders den Herrschern zur Nachahmung empfohlen. In dem jüdischen Zitat in Aristides 14,2f wird innerhalb einer Kombination der Hauptgebote (2. Hälfte durch Philanthropia bzw. soziale Reihe) die Liebe zu den Menschen als Nachahmung Gottes bezeichnet (der Gesetzesbegriff steht Mt nahe; vgl. zu Mt 5,48).
Von Abraham heißt es in Memar Marqah p. 9 (Übers. MacDonald): „He (God) called to Abraham and he walked after Him" (והתהלך בתרה). Von der Nachfolge Gottes ist besonders p. 183 die Rede: Dt 13,4 wird zitiert; die Feinde werden vernichtet: „because they did not wholeheartedly follow the Lord" – das aber ist identisch mit der Nicht-Befolgung der Gebote. – Im Zusammenhang mit Abraham und Moses ist p. 188 von den „Wegen des Glaubens" die Rede.

Die besondere Bedeutung des Mose-Bildes in Memar Marqah liegt darin, daß wir hier einem Nachfolgebegriff begegnen, der eine adäquate Parallele zum synoptischen Nachfolgebegriff darstellt. Dabei wird freilich deutlich, daß das Moses-Nachfolgen – übrigens ebenso wie das Glauben an Moses – dem Gott-Nachfolgen entspricht. Traditionsgeschichtlich ist es aus dieser dtr Wendung zu verstehen: Moses ist der Bote Gottes, und ihm nachfolgen bedeutet Gott nachfolgen, da er Gottes Worte und Gebote lehrt. Daß es sich eigentlich um eine Nachfolge Gottes handelt, wird ebenso deutlich wie die besondere Verknüpfung mit dem Gesandtsein des Moses.

Von Moses heißt es p. 140: „O men, learn from him and walk after him and hold fast to his command and do not forget his statutes. Woe to those who lack it and turn from its light!". p. 143 heißt es: „The way of Enoch is the way of the True One; in it Abraham was led; in it Isaac walked and was magnified; and likewise Jacob...". Im Folgenden wird Moses mit Henoch und Jakob verglichen. – p. 154 heißt es über Moses: „Let us walk after the great prophet Moses and keep his commandments which he has taught us and by which he has glorified us...". p. 160 wird gesagt: „They walk after you, for your Lord is your owner and they learn from your words... Let us follow after the great prophet Moses who leads us well, for our Lord sent him to us (נרגל בתר נביה רבה משה דו נגודה טבה דשגרה מרן)"; p. 165: „As a child obedient to his teacher was Moses to his Lord, and so Israel seek to be... Let us walk after the great prophet Moses and listen to what he says, perchance we may live by what he has taught us".

Da das Mosebild von Memar Marqah auch sonst viele übereinstimmende Züge mit früher Christologie aufweist, ist es methodisch statthaft, den Versuch zu unternehmen, den synoptischen Nachfolgebegriff jedenfalls in den sog. Nachfolgesprüchen aus dieser Tradition zu verstehen. Träfe diese traditionsgeschichtliche Analogie zu, dann wäre der Jesus, dem die Nachfolge gilt, speziell der prophetische, bevollmächtigte Bote Gottes, der Gottes Wort lehrt und dem nachzufolgen nichts anderes bedeutet als Gott nachzufolgen. Mit der Verwendung von ἀκολουθεῖν in Mk 10,21.28 stimmt diese Konzeption jedenfalls überein, da Jesus hier als der Bote Gottes erscheint, der Bekehrung fordert (die mit Güteraufgabe verbunden ist). Weitere Belege: H mand 6,2,9; vis 3,8,4; Ign Sm 8,1.

Daher ist mit der Nachfolge des Moses auch der Besitz des ewigen Lebens verbunden, so heißt es in Memar Marqah p. 169 zunächst von Gott: „Let us keep His commandments, that we may be kept", dann anschließend von Moses: „He who follows in the footsteps of Moses the faithful prophet will not go astray, nor be guilty of sin, but will serve in both worlds".

Auf diese Weise wird erklärt, wie es zu einem soteriologischen Verständnis der Nachfolge Jesu kommen konnte: Nachfolge bedeutet Bekehrung zu ihm und Annahme der Lehre von ihm und damit die Voraussetzung für jegliche Gerechtigkeit.

Von daher gewinnt besonders der traditionsgeschichtlich offenbar frühe Nachfolgebegriff von 1 Petr 1,16; 2,21f Bedeutung; vgl. auch syr Thomasakten Übers. Wright p. 288 („in Thy footsteps all thy redeemed followed").

Texte, die auch das Nachfolgen von Propheten mit Leiden verbinden (Vita proph. ed. Schermann p. 53f) und die Konzeption der Prophetenschülerschaft mit der des leidenden Propheten verbinden, können nicht ausreichend die soteriologische Rolle der Jesus-Nachfolge in den Nachfolgelogien erklären. Dieses ist nur möglich, wenn man eine traditionsgeschichtliche Verbindung zur Nachfolge Gottes erstellen kann; dafür kann das samaritanische Moses-Bild Aufschlüsse geben. Parallel ist das „Glauben an Jesus", welches einem Glauben an Moses bzw. an Gott entspricht.
Trifft diese These zu, dann besitzt die Christologie von Mk 10,17-19 große Ähnlichkeit zu der der Nachfolgesprüche (Jesus als 'der' Bote Gottes). Wer *Jesus* nachfolgt, hört und tut *Gottes* Gebote.
Der Hinweis auf die Notwendigkeit einer Bekehrung läßt die Distanz zwischen Judentum und Gemeinde als ebenso groß erscheinen wie die traditionelle Distanz zwischen Heiden und Judentum. Erst die Erfüllung der Bedingungen einer Bekehrung schafft die Voraussetzungen für eine Geschicksgemeinschaft mit dem Menschensohn.
Die Erfüllung der Dekaloggebote steht angesichts dieser Lösung in einem merkwürdigen Zwielicht: Wie gezeigt worden ist, handelt es sich um ein überkommenes ursprünglich selbständiges Stück Gemeindeparänese, und die Behauptung, daß man durch Erfüllung der Dekaloggebote das ewige Leben erlangen könne, wird auch nicht aufgehoben. Mk und Mt bezeugen überdies, daß Liebes- und Dekaloggebote weiterhin die Norm für die Gemeindeparänese ab-

geben. Es ergibt sich dasselbe Bild wie etwa auch in Röm 13,8ff: Die Befolgung der traditionell-jüdischen Paränese gilt auch nach dem Übertritt wieder in alter Bedeutung. Nur für den Übertritt selber, für den Akt, der Zugehörigkeit zur Gemeinde begründet, ist eine Erfüllung lediglich des Gesetzes unzureichend. Konstituierend für die Zugehörigkeit zu den Heiligen des Menschensohnes ist allein die Bekehrung zum Menschensohn hin. Die Aufgabe des Besitzes und die Abgabe an die Armen tritt also nicht als Forderung neben die Erfüllung von Dekaloggeboten und ergänzt sie keineswegs auf gleicher Ebene, sie begründet vielmehr nur Bekehrung und Zugehörigkeit – und schon im irdischen Leben sorgt der gerechte Gott für Ersatz. Freilich bringt diese Zugehörigkeit zu Jesus Verfolgungen mit sich, aber die Unsicherheit, die damit den irdischen Erstattungen droht, wird überboten durch die Verheißung ewigen Lebens.

Jesus predigt nach Mk 10,17ff demnach kein Armutsideal, vielmehr handelt es sich lediglich um die Nennung der traditionellen Bedingungen für eine Bekehrung. Die Geltung der Dekaloggebote wird nicht bestritten – ihre Erfüllung hat Bedeutung für die Voraussetzungen zur Umkehr und für den Wandel der Bekehrten. Nur für das einmalige Gerechtwerden selber sind sie nicht konstitutiv. In diesem Sinne ist die Zugehörigkeit zum Menschensohn die Bedingung des Heils, und dennoch bleibt die Erfüllung der sozialen Dekaloggebote die Bedingung für den Erwerb des ewigen Lebens. Denn ein Zuwiderhandeln bedeutet Abfall.

Die Funktion des Dekalogs in hellenistisch-jüdischer Proselytenpraxis ist so noch deutlich gewahrt, und gerade weil Mk 10,29f das Thema Bekehrung behandelte, gehört der Dekalog sachlich in diese Diskussion hinein. Nur bildet für die Bekehrung selber die Hinwendung zur Nachfolge Jesu die einzige Bedingung, auch wenn sie jetzt de facto nichts weiter ist als ein Titel[1], unter dem sich dann die alten

[1] Eine Bedeutung des Nachfolgens für alle Christen nimmt auch an H. Zimmermann, Christus nachfolgen, 249 (Erläuterungen durch Mk 2,14 und Lk 9,57-61 par; Lk 14,25-35 par.) 255: „Weder die älteste Tradition noch die... Evangelien selbst sind an diesem ursprünglichen Wortsinn (sc. Verhältnis der Jünger zum irdischen Jesus) interessiert". Der Vorgang ist demnach umgekehrt wie A. Schulz, Nachfolgen und Nachahmen, 122f annimmt. Nach ihm sind die Nachfolgeforderungen zunächst immer ohne Lohnangabe und das ἀκολουθεῖν zunächst auf den historischen Jesus beschränkt und erst später zur Schicksalsgemeinschaft ausgeweitet worden. Gegen R. Schnackenburg, Gottes Herrschaft und Reich, [1]74 sehe ich den Ursprung der Nach-

Bedingungen zum Erwerb des Lebens wieder einstellen. – Die Erhellung dieses traditionsgeschichtlichen Hintergrundes ergab zugleich, daß der Gesamtcharakter der Perikope nicht nur jedenfalls nachösterlich ist, da ein theologischer Nachfolgebegriff vorausgesetzt wird, sondern deutlich jüdisch-hellenistisch, da auch die apokalyptischen Elemente[1] auf dem Weg über die dem Diasporajudentum entlehnte Bekehrungstradition hier eingeflossen sind. Dazu gehört auch insbesondere die Rezeption der Dekaloggebote.

Vergleicht man die Art der Gesetzesauslegung in Mk 10,17ff mit der Paränese in Mk 8-10, so zeigt sich, daß Mk 10,17-19 der einzige Text ist, in dem die Gesetzesauslegung der Gemeinde in ein Verhältnis zu anderen paränetischen Stoffen gesetzt ist. In Mk 8,34-38 ist lediglich von einer theologischen Nachfolgeethik die Rede, die im Prinzip der von Mk 10,28ff entspricht; auch hier werden traditionell jüdische Stoffe über die Umkehrung des Geschicks in Beziehung gesetzt zur Schicksalsgemeinschaft mit dem Menschensohn[2]. – Auf Grund von Mk 9,36 ergeben sich auch Vergleichs-

folgesprüche also nicht in einer persönlichen Lebensgemeinschaft mit Jesus, sondern in der Schicksalsgemeinschaft mit dem Menschensohn und in der Übertragung der Vorstellung von der Nachfolge Gottes auf dessen bevollmächtigten Boten. Vgl. Herm mand 6,2,9.

[1] Das Verhältnis von Erfüllung der ἐντολαί zu den „apokalyptischen" Anschauungen über Lohn und Ausgleich ist also noch einmal verschärft zu formulieren: Mit den letzteren verbindet sich die Lehre von der „Nachfolge" Jesu bzw. dem Aufgeben irdischer Güter auf das engste. Hier liegt offenbar eine bestimmte Deutung des Geschickes Jesu vor, denn die Aufgabe der irdischen Güter reicht bis zu der des Lebens. Diese Schicksals- und Lohnesgemeinschaft wird durch ἕνεκεν bezeichnet. Während die „Gebote" auf das Verhalten zum Nächsten gerichtet sind, wird in den hier überwiegenden Traditionen das Noch-Ausstehen der Äonenwende betont.

Unabhängig von der Bekehrungstradition ist die alte Theorie vom Ausgleich voll erhalten in Agraphon 171 (Resch p. 198) bei Ephraem Opp. Graec II p. 232 μηδὲν ἐπὶ τῆς γῆς κτήσασθε, parallel in den Historiae apostolicae Lib VI. De Simone et Juda C. 12 (Fabricius II p. 617): Nobis non licet aliquid possidere supra terram eo, quod nostra possessio est in coelo. – Offenbar ist die Besitzlosigkeit hier die Bedingung für den Besitz des himmlischen Schatzes (vgl. Lk 16).

[2] Mt rezipiert Mk 8,34-35 in 16,24f. Den mk Vers 38 läßt er an dieser Stelle aus, bringt nur dessen letzten Teil in stark veränderten Form: Der Menschensohn wird jedem nach seiner Tat vergelten. Darauf liegt jetzt der Ton. Der mk Aufruf, sich verfolgen zu lassen, ist zurückgetreten. Nun kommt es nur noch auf die πράξεις an. Betont ist daher das ἀκολουθεῖν in V. 24c, und zwar in jenem weiteren Sinne, den Mt ihm verliehen hat. Statt Mk 8,38 findet sich

punkte zu Mk 9,35-50. Wie in K. 8, so herrscht auch hier ein deutlicher Dualismus – hier der zwischen Gemeinde und Welt: Das Schicksal der „restlichen" Welt entscheidet sich an ihrem Verhältnis zur Gemeinde[1]: Das Jesus-Nachfolgen ist ersetzt durch das Nachfolgen der Gemeinde (ἀκολουθεῖν ἡμῖν Mk 9,38). Eine Beziehung zur Gesetzesauslegung findet sich weder in der Grundschicht noch im Rahmen; es geht aber auch nicht um eine inhaltliche Bestimmung

ein Q-Logion in Mt 10,33; Lk 12,9. Gegenüber Mk 8,38 hat dieses Logion den Vorzug, doppelteilig formuliert zu sein: ein positiver Teil über das Bekennen steht voraus. War Mk 8,38 nur eine Gerichtsdrohung, so ist das Q-Logion zugleich auch eine Lohnverheißung. Welches Logion älter ist, kann auch hier nicht geklärt werden, nur scheint das Q-Logion jüngere Tradition darzustellen. Das gleiche gilt auch für das Verhältnis von Mt 10,38; Lk 14,27; zu Mk 8,34f parr. Die Christologisierung hat in Q gegenüber Mk erheblich zugenommen: Nicht mehr sein Leben zu verlieren, sondern Jesu würdig zu sein (Mt ἄξιος) oder Jesu Jünger zu sein (Lk μαθητής), ist der Erfolg dafür, daß man sein Kreuz auf sich nimmt und Jesus nachfolgt. Hier geht es nicht mehr darum, wie Jesus den Lohn des leidenden Gerechten zu erlangen, sondern das Heil besteht schon in der Verbindung mit seiner Person.

[1] Wenn tatsächlich nur in dieser Gemeinde das Heil ist, dann kann die drängende Frage danach, was aus der übrigen Welt werde, nur dadurch gelöst werden, daß sich deren Schicksal am Verhalten zur Gemeinde entscheidet, was dann aber so weit interpretiert wird, daß selbst das geringste positive Anzeichen als Möglichkeit für die Erlangung des gleichen Lohnes gewertet wird. Hier liegt demnach ein erster Versuch vor, auf dem Boden eines scharfen Dualismus die Frage nach dem Heil der außerhalb der Gemeinde Stehenden zu lösen.
Den Kern dieser Gemeindeparänese des Rahmens bilden einige Stücke ganz anderer Herkunft: Es handelt sich um die Verse 9,37.38-39.40.41.42 und die Verse 9,43-49. Die erste Gruppe ist eine geschlossene Sammlung über das Verhältnis zwischen Gemeinde und Welt: Wer der Gemeinde auch nur das Geringste tut, wird himmlischen Lohn erhalten, wer ein Glied aus ihr zum Abfall bringt, ist verloren, wer eines von ihnen aufnimmt, nimmt Gott auf. Im gleichen Sinne wird das Verhältnis zu christlichen Missionaren außerhalb der Gemeinde geregelt in VV. 38-40: Wer nicht gegen sie ist, ist für sie. So wie in der Paränese nach der ersten Leidensweissagung das Verhältnis zu Gott davon abhing, ob man als Gerechter und wie der Gerechte zu leiden gewillt war, also von dem Verhältnis zu Jesus, hängt in dieser Perikope das Schicksal der Welt ab von ihrem Verhalten zur Gemeinde. Diese beansprucht in vollem Umfang die Funktion, die in Kap. 8 der Gerechte Jesus innehatte. Stand in Mk 8 im Vordergrund, daß man sich als Gerechter erweist im Leiden und Verfolgtwerden durch die Welt, so ist auch in 9 der Gegensatz zur Welt aufrecht erhalten, freilich eher positiv: Was die Welt der Gemeinde tat, tat sie Gott und für ihr Heil. Das Selbstbewußtsein der Gemeinde ist hier so groß, daß das Heil des Außenstehenden abhängig ist von dem Geringsten, was er ihr tut.

des Gerechtseins, sondern um das Verhältnis zwischen Gerechten und Ungerechten und um die Warnung vor Abfall. σκανδαλίζεσθαι ist nicht das Erleiden einer bestimmten Versuchung, sondern der Anlaß zum Abfall allgemein – erst bei der Rezeption von Mk 9,43ff in Mt 5,27ff wird der Stoff auf ein konkretes Gebot – das 6. Dekaloggebot bezogen. – Diese Vergleiche lehren, daß man sehr wohl unterscheiden muß zwischen dem apokalyptisch geprägten Selbstverständnis der Gemeinde als der Heiligen des Menschensohnes sowie der „Nachfolge Jesu", dem Auf-Sich-Nehmen des Kreuzes u.ä. als „formaler". Kennzeichnung der Tatsache, daß sich diese Gerechten in Gemeinschaft *gerade* mit *Jesus* wissen – und der material inhaltlichen Füllung dieses Gerechtseins durch traditionelle jüdisch-hellenistische Sozialethik.

§ 4 Die Bedeutung der Paralleldarstellung in Acta Petri et Andreae K. 5

Petrus und Andreas treffen einen γέρων auf dem Feld beim Pflügen (Nachbildung der Szene 1 Kge 19,19-21). Während dieser ausgeschickt wird, Brot zu holen, übernehmen die Apostel seine Arbeit, und sogleich sproßt der Acker und trägt Frucht. Der Alte kommt zurück, legt die Brote zu Füßen der Apostel (vgl. Acta 4,35.37; 5,2) und fällt ihnen zu Füßen (προσεκύνησεν αὐτούς). Er spricht sie als Götter an (ἄρα θεοί ἐστε ὡς θεοὺς γὰρ ὑμᾶς θεωρῶ). Petrus aber befiehlt ihm, aufzustehen (ἀνάστα) und weist darauf hin, daß sie nicht Götter, sondern nur Apostel des guten (wie Mk 10,18) Gottes seien (οὐ γάρ ἐσμεν θεοὶ ἀλλὰ ἀπόστολοί ἐσμεν τοῦ ἀγαθοῦ θεοῦ); dieser habe die Zwölf auserwählt und ihnen gute Lehren übergeben (παρέδωκεν ἡμᾶς ἀγαθὰς διδασκαλίας). Diese sollen sie die Menschen lehren, daß sie vom Tod gerettet das ewige Leben erben (ζωὴν αἰώνιον κληρονομήσουσιν vgl. Mk 10,17; Mt 19,29; Lk 10,25; 18,8). Petrus stellt sich vor ihn hin (vgl. Acta 2,14: σταθεὶς δὲ ὁ Πέτρος) und belehrt ihn: ἀγαπήσας κύριον τὸν θεόν σου ἐξ ὅλης τῆς ψυχῆς καὶ ἐξ ὅλης τῆς καρδίας σου· μὴ μοιχεύσης, μὴ κλέψης, μὴ ψευδομαρτυρήσης, παίδευσόν σου τὰ τέκνα ἐν φόβῳ θεοῦ καὶ ζήσεις καλὴν ζωὴν καὶ ἔρχῃ εἰς τὴν δόξαν αὐτοῦ. Der Belehrte fragt, ob, wenn er dieses tue, er wie die Apostel den Acker zum Sprossen bringen könne. Daraufhin antwortet Petrus mit einem Amen-Wort: „Amen, ich sage dir, wenn du alles dies tust, wirst du tun, was du willst". – Dieses Amen-Wort steht in einer Tradition von Amen-Worten über die unfehl-

schichtliche Parallelität läßt so eine Reihe von Rückschlüssen auf die Bekehrungsgeschichte in Mk 10 zu.

8. Im Unterschied zu Mk 10 ist das Thema von K. 5 wie auch von K. 13.14.20-22 dieser Schrift, auf welche Weise man dazu gelangen könne, wie die Apostel Wunder wirken zu können, d.h. über das „aus sich selbst wirksame Wort" zu verfügen. Dieses Problem besteht auch schon in der synoptischen Tradition, und im Laufe der Erörterung dieser Frage kommen – etwa in K. 8 – früh-ntl Überlieferungen zum Ausdruck. Das bedeutet, daß die Acta P. et A. auch in diesem Punkte altertümliches Material bewahrt haben, welches in Mk 10 fehlt (dafür spricht auch das altertümliche und von ntl Amen-Worten unabhängige Amen-Wort des Petrus in K. 5).

Die Bedeutung dieses Stückes für die Erhellung von Mk 10,17ff besteht in Folgendem:

1. Die Proskynese in Mk 10,17 hatten wir bereits mit einem bestimmten Verständnis Jesu als des Boten Gottes in Verbindung gebracht (vgl. oben S. 401 und S. 429f). Das wird nunmehr bestätigt; es handelt sich um Wiedergaben eines bereits spätjüdischen Botenbegriffs, nach dem das Auftreten des göttlichen Boten theophane Züge trägt. Entsprechend fallen die zu Bekehrenden den Boten jeweils zu Füßen, werden aber dann über den wahren Charakter deren Gesandtseins aufgeklärt.
Das Motiv findet sich ebenso in Acta 14,10f: Auf ein Wunder hin ergeht auch hier der Befehl ἀνάστηθι ἐπὶ τοὺς πόδας σου (aus dem Visionsschema). Das Volk hält die Apostel für Götter. Das Gleiche liegt in Acta 28,6 vor. Weitere Texte bestätigen, daß es sich dabei um einen festen Topos handelt: In Acta Thomae 106 heißt es über Thomas: τὸ δὲ πλῆθος ὥσπερ θεὸν προσεκύνουν αὐτόν.
In den Actus Petri cum Simone 5,29 wird zu Petrus gesagt: „o quisquis es, parum te novi, deus es aut homo, sed ut intellego, dei ministrum te esse existimo". (Nach der Vollbringung eines Wunders): „ex eadem hora adorabant eum tamquam deum pedibus eius devoluti". Nach Thomasakten K. 9 urteilt eine hebr. Flötenspielerin über Thomas: οὗτος ὁ ἄνθρωπος ἢ θεός ἐστιν ἢ ἀπόστολος τοῦ θεοῦ.
Zu vergleichen ist die Anbetung der Schafe durch die Völker nach äth Hen 90,30: Daraus geht hervor, daß von Anbetung offenbar deshalb die Rede ist, weil sowohl das endzeitliche Israel als auch die

Boten Gottes nach Art von Engeln dargestellt wurden. Botenepiphanie aber bedingt Proskynese.
Indem nach Acta P. et A. den Aposteln dasselbe widerfährt wie Jesus in Mk 10,17 wird deutlich, daß es sich um ein Verhalten gegenüber dem Boten Gottes handelt.

2. Die Diskussion über den, der gut ist und daher Gebote geben kann, findet sich in diesem Stück verschlüsselt in dem Hinweis auf den guten Gott und die guten Lehren. Die These, daß die Fähigkeit, Gebote zu geben, abhängig ist von dem ἀγαθός-Sein des Gebers, wird bestätigt.

3. Durch die Begriffe „Errettung vom Tod", „Erben des ewigen Lebens" und χάρις in K. 5 wird der Bericht eindeutig als Bekehrungsgeschichte gekennzeichnet. Damit und durch den Kontext wird unsere These bestätigt, daß es sich in Mk 10,17ff um eine Bekehrungsgeschichte handle.

4. Die Voranstellung des Hauptgebotes vor die Dekaloggebote bedeutet im Kontext der Perikope den für die Bekehrung entscheidenden Punkt. Damit aber rückt die Kombination Hauptgebote / soziale Dekaloggebote in die Nähe der Kombination der beiden Hauptgebote, in welcher nach ursprünglichem jüd. Verständnis (vgl. oben S. 257) das Liebesgebot die Sozialgebote zusammenfaßt. Die hier aufgezählten Dekaloggebote bilden daher hier die Summe aller Gebote überhaupt (an der Stelle, die formgeschichtlich sonst den Hinweis auf „alle Gebote" enthält). – Die Voranstellung von ψυχή vor καρδία ist singulär und verrät deutliche Hellenisierung.

5. Die Dekaloggebote zeigen daher in ihrer Auswahl ein bestimmtes Gesetzesverständnis, das wir bereits als typisch für das hell. Judentum und das NT dargestellt hatten. Die Formulierung ist wie in Mk 10,19. – Die Auslassung des 5. Gebotes könnte darauf beruhen daß die Reihe an Lasterkatalogen ausgerichtet ist; im 8. Gebot fehlt der Nächste wie in Mk 10,19 (und auch sonst häufig).

6. Das 4. Gebot ist wie bei Mk nachgestellt, nur hier, da es sich um einen Alten handelt, in bisher singulärer Weise auf die Erziehung von Kindern gedeutet. An der abgewandelten Verheißung des 4. Gebotes (Verbindung des Lebens mit dem ewigen Leben, d.h.

der Doxa; vgl. ähnlich zum 4. Gebot Spec Leg II,262: Unsterblichkeit) kann man aber den Grund dafür erkennen, weshalb das 4. Gebot in Aufzählungen dieser Art (und daher auch in Mk 10,19) nachgestellt wurde: Die mit diesem Gebot verbundene Lebensverheißung konnte man dann auf alle Gebote beziehen, die in dieser Reihe genannt waren. Auf diesen Zusatz richtet sich nun in Mk 10,17 zweifellos die Frage; er wird aber in V. 19 fortgelassen und erscheint erst am Ende von V. 30, d.h. wird von der Erfüllung der Zusatzbedingungen abhängig gemacht.

Es wird deutlich, wie sehr sowohl der νεανίας (Mt 19,20; weil ein solcher noch den Eltern zu gehorchen hat) als auch seine Frage in Mk 10,17 bereits ausgerichtet sind auf die Reihe der Dekaloggebote, insbesondere auf das 4. Gebot.

Das Element des Verzichts auf die Habe, das innerhalb der traditionellen Bekehrungsgeschichten nur eines unter vielen gewesen ist, wird in Mk 10 zum entscheidenden Kriterium der Nachfolge bzw. der Bekehrung zu Jesus erhoben. Nicht in der an der negativen Fassung der Dekaloggebote ausgerichteten Vermeidung des Abfalls liegt die geforderte Leistung, sondern in der Hingabe des Besitzes an die Armen. Ohne Zweifel wird hier das aktuelle paränetische Anliegen des Verfassers von Mk 10,17ff sichtbar: Er will seiner Gemeinde deutlich machen, wie sehr es darauf ankommt, konkrete Nächstenliebe durch Geben von Almosen zu üben. Der Vergleich mit Acta P. et A. zeigt, daß dazu das traditionelle Bekehrungsschema nicht unwesentlich verändert worden ist.

§ 5 Die Gesetzesauslegung in Mt 19,16-22

Mt fügt das Liebesgebot hinzu und stellt damit den Text in Zusammenhang mit 22,26 und 7,12. Neu wird der Vollkommenheitsbegriff eingefügt; er stimmt hier mit Mt 5,48 überein: Es kommt darauf an, bis zur Äonenwende hier aufzugeben, zu leiden usw., um beim Ausgleich um so reicher und glücklicher zu sein. Die bei Mk bereits vollzogene ekklesiologische Eingrenzung auf Petrus und die Jünger wird hier auf die Zwölf hin fortgesetzt: Das Sitzen auf Thronen erscheint als Lohn für Verzicht und Leiden hier. Diese Eingrenzung auf die Zwölf kommt letztlich aber der Möglichkeit der Gebotserfüllung zugute, die offenbar gültig ist. Aber der Weg des Verzichtes als Weg zum Heil ist nicht den Zwölf allein vorbehalten: Nach V. 29 ist der Erwerb des ewigen Lebens auch allen möglich, die jetzt etwas Wichtiges aufgeben. Die gleiche Tendenz hat das angeführte Gleichnis: Der Lohn ist für alle gleich. Ein Ausgleich dieser Aussagen mit denen über die Gebotserfüllung wird nicht erst versucht. Vollkommen sind offenbar die Zwölf.

Im Blick auf Mt 5,48 ist festzuhalten, daß hier wie dort der Heilserwerb durch Gesetzeserfüllung programmatisch überboten wird durch die Theorie vom Heilserwerb nach apokalyptisch geprägten Lohn- und Ausgleichstheorien.

Die Frage wird gegenüber Mk so umgeformt, daß Jesus nicht mehr das Prädikat ἀγαθός von sich weisen muß; dementsprechend muß in der Anrede das ἀγαθός vor διδάσκαλος weggelassen werden und wird statt dessen in die Frage gesetzt: τί ἀγαθὸν ποιήσω; Entsprechend stellt Jesus die Gegenfrage: Was fragst du mich über das Gute, einer ist der Gute... Der Anstoß zur Änderung wird christologischer Art gewesen sein. Wenn auch die Hauptaussage stehen bleibt, daß Gott der allein Gute ist, so kann nach Mt Jesus doch nicht von sich gesagt haben, nicht gut zu sein, denn er ist doch der Lehrer der Gerechtigkeit. Der Sinn der jetzigen Fassung ist demnach: Nicht Jesus soll man über das Gute fragen, sondern Gott, der sich als der Gute schon in seinen Geboten zu dieser Frage geäußert hat. Das Wort ἀγαθός verwendet Mt auch sonst häufig meist von den zwei sich gegenüberstehenden Gruppen πονηροί-ἀγαθοί (5,45; 22,10 cf. 20,15). – In V. 17b wird mit εἰ δὲ θέλεις nach der Auskunft darüber, daß Gott allein die Gebote gibt[1], die Frage des εἷς wieder aufgenommen. Statt des ζωὴν κληρονομήσω hat V. 16 σχῶ ζ.α., V. 17b εἰσελθεῖν εἰς ζ. Vom Erben ist die Rede erst in Mt 19,29 (gegen Mk 10,30).

Die Gebote sind gegenüber Mk verändert, und zwar wurde zugunsten der Übereinstimmung mit der LXX der futurische Gesetzesstil mit οὐ+Ind Fut gegen Mk wiederhergestellt[2]; die ganze Reihe wird substantiviert durch ein vor das 5. Gebot eingeschobenes τό (ob dieses, wie P. Bonnard, Mt 288 annimmt, „une expression catéchétique chrétienne primitive" ist, „comme nous disons le Notre Père", sei dahingestellt). Das σου hinter πατέρα ist zugunsten der Parallelität mit μητέρα fortgelassen. Das μὴ ἀποστερήσῃς des Mk ist ausgelassen, weil Mt es im Zusammenhang mit Dekaloggeboten nicht in der LXX fand und weil bei ihm nur noch Dekaloggebote galten (neben den beiden Hauptgeboten).

Vor allem aber ist Lev 19,18 LXX hinzugefügt, durch syndetisches καί von den übrigen Geboten abgesetzt (vgl. E. Lohmeyer, Mt 286). Damit aber ist deutlich, daß Mt die mk Aufzählung als soziale Reihe verstanden hat. Denn so werden die vorangehenden Gebote auf dieses Gebot hin interpretiert und in ihm zusammengefaßt (vgl. Röm 13,9) wie ähnlich auch am Schlusse paränetischer Einheiten in den Test Patr (s.o.). Mt hat die angegebene Reihe als Summe der sozialen Pflichten und als Ausdruck seines Gerechtigkeitsbegriffes verstanden, ebenso wie in 22,40 und in 7,12. Das erste Hauptgebot kann fehlen, da das Gesetz nur die Sozialgebote zu umfassen

[1] Zu ποίας (V. 18) vgl. Mt 22,36: ποία ἐντολὴ μεγάλη (beides nur Mt!).

[2] Mt stellt gegen Mk den reinen LXX-Text wieder her in Mt 15,8 (gegen Mk 7,6); 19,18; 22,32.24; 19,5.

braucht. Das positiv formulierte Liebesgebot gehörte wegen seiner inhaltlich sehr viel weiteren Aussage naturgemäß als eine Art Krönung und Zusammenfassung an das Ende dieser sozialen Reihe[1].

In V. 20 wird aus dem Frager plötzlich ein νεανίσκος, veranlaßt durch das mk ἐκ νεότητος („obwohl er, um der damit ersetzten Worte... willen doch gerade kein Jüngling mehr sein wird. Die bewußte Auslassung dieser Worte zeigt, daß die Altersbestimmung eine willkürliche Machenschaft des Mt ist" H. J. Holtzmann, Mt 208). Im Gegensatz zu Mk fragt hier der Jüngling von sich aus (!) τί ἔτι ὑστερῶ. Dadurch wird der Aufbau gegenüber Mk straffer gegliedert: Der Jüngling kommt jetzt, weil er ahnt, daß ihm über die bereits erfüllten Sozialgebote hinaus etwas fehlt (Vgl. A. Schulz, Nachfolgen und Nachahmen, 77: Das Fehlen der Angabe eines Grundes für das mk ἕν σε ὑστερεῖ habe Mt ausgeglichen). Die Aussage, daß Jesus den Jüngling liebte, wird fortgelassen, auch im Folgenden strafft und verdeutlicht Mt dadurch, daß er gegen Mk das πλούσιος aus V. 25 von Anfang an bereits in V. 23 einführt. So spart er sich die mk Doppelung von V. 23b und 24c. Denn den letzten Rest einer allgemeineren Bedeutung, den in Mk V. 24c darstellte, hat Mt nun fortgelassen. Damit wurden aber nur markinische Tendenzen fortgesetzt.

Die bedeutendste Änderung gegenüber Mk ist der Einschub in V. 21 εἰ θέλεις τέλειος εἶναι. Um dieses Einschubs willen mußte bereits der Jüngling selbst fragen τί ἔτι ὑστερῶ. Der Sinn dieses Einschubs wird nur aus der Umarbeitung des mk Stoffes durch VV. 27-29 deutlich. Nach Mk 10,28 hatte nur Petrus gesagt „wir haben alles verlassen...", worauf Jesus als Lohn das ewige Leben angibt. Bei Mt wird V. 28 eingeschoben. Dieser Vers ist parallel zu Lk 22,30. Eine Analyse ergibt, daß die Lk-Fassung traditionsgeschichtlich älter ist und erst bei Mt zwölf Jünger als Angeredete voraussetzt: die Angabe der zwölf Throne fehlt bei Lk noch. Nur wegen der besonderen Funktion der Zwölf wird bei Mt dieses Tun auf sie begrenzt. In Lk 22,30 sind es noch alle Gerechten. Bei Mt wird durch die Parallelisierung mit zwölf Thronen dieser Lohn auf die Zwölf eingegrenzt. Daraus folgt aber: In Mt 19 sind die Zwölf

[1] Die Zurückführung dieses Zusatzes darauf, daß Mt eine Vorliebe für die Verbindung von Dekalog und Heiligkeitsgesetz habe, wie R. Schnackenburg (Die Vollkommenheit des Christen, 424) annimmt, halte ich daher für nicht zutreffend. Daß Mt dabei jüdischer Tradition gefolgt sei, entnimmt Schnackenburg hier der Diskussion über die „beiden Wege" zu Beginn dieses Jahrhunderts (Vgl. dazu aber oben S. 389f). M.-J. Lagrange, Mk 249, stellt die Frage, warum nur die auf den Nächsten sich beziehenden Gebote zitiert werden. – Den besonderen Gesetzesbegriff des Mt hat L. nicht beachtet.

die τέλειοι, denn nur sie haben, wie Petrus in V. 27 feststellt, der in V. 21 aufgestellten Forderung Folge geleistet, nicht aber der reiche Jüngling. Die Geschichte begründet nunmehr die Funktion der Zwölf im Endgericht. „Die" Vollkommenen sind zunächst die abgegrenzte Gruppe von zwölf „Super-Gerechten". Die Herkunft des Motivs an dieser Stelle wurde bereits formgeschichtlich erhellt: Die Vorhersage des Sitzens auf Thronen für diejenigen, die im Leiden bewährt sind, hat eine deutliche Parallele in Test Hiob K. 33, nachdem Hiob schon in 1,5; 4,6 mit ὑπομένειν in Verbindung gebracht worden war. Im Hintergrund steht gegenüber Lk 22,30 eine Verbindung von Davidssohn- und Menschensohntradition: Die Angeredeten sind mit den „Heiligen" des Menschensohnes identifiziert, die, da dieser Menschensohn aber der Davidide ist, nun auch entsprechend an seiner Basileia über Israel teilhaben bzw. theoretisch diese ersetzen (wie schon in Dan 7 die Heiligen mit dem Menschensohn konkurrieren).

Die Angabe über Petrus und die ἡμεῖς in Mk 10,28 hat Mt im Sinne seiner Konzeption aufgefaßt, nach der die μαθηταί überhaupt mit den Zwölf identisch sind[1]. Die Zwölf werden hier so etwas wie Älteste Israels gegenüber dem kommenden Davididen, Mitregenten. Der Ton liegt ganz auf der Schicksalsgemeinschaft mit Jesus, die seit seiner Erhöhung Heils- und Regentschaftsteilhabe bedeuten muß. Aus der Menschensohntradition stammt also das Mitleiden/Mitherrschen, aus der Davidsohntradition das Herrschen über Israel. – Zu vergleichen sind vor allem die Überwinder-Sprüche der Apk, bes. Apk 3,8-12; vgl. ferner Apk 20,4 mit Dan 7,9f.22.26. Elias-Apk Steindorff p. 165.

V. 29 setzt dagegen betont mit καὶ πᾶς ein; Mk hatte nur eine umständliche οὐδείς-Konstruktion. Mit καὶ πᾶς wird der Kreis der Zwölf wieder verlassen, und es sind alle die angesprochen, die irgendein Gut verließen „wegen meines Namens" (gegen: wegen mir und des Evgl. bei Mk) und das ewige Leben erben. Das bedeutet aber: Die Forderung von V. 29 wird bei Mt der von V. 18 zur Seite gestellt. Denn εἰς τὴν ζωὴν εἰσελθεῖν (V. 17) ist dasselbe wie ζωὴν αἰώνιον κληρονομεῖν (V. 29). Damit ist aber gesagt, daß das Erfüllen der Sozialgebote bei Mt den gleichen Lohn bringt wie das Verlassen einzelner Güter. Das Wort κληρονομεῖν verwendet Mt

[1] Während bei Mk die Zwölf gänzlich getrennt sind von den μαθηταί (bedingt durch die fast überall nur sekundäre Einfügung der Zwölf in den Rahmen), setzt Mt die Zwölf mit den μαθηταί gleich und spricht von den δώδεκα μαθηταί (10,1.2.5; vgl. daher den Umbau von Mk 16,7 zu Mt 28,16-20), daher bezieht sich 10,42 auf das Verhalten gegenüber Missionaren.

sammenhang der Bekehrung Hiobs handelt es sich dabei um das Verhältnis von Test Hiob 4,6 zu K. 33. Das ὑπομένειν zu dem Hiob aufgefordert wird, bezieht sich auf die zahlreichen Versuchungen (πειρασμοί), die ihm vom Satan her auf Grund seiner Bekehrung drohen und ihn zum Abfall bringen sollen. Von eben solchen πειρασμοί ist auch in der Parallele zu Mt 19,28 in Lk 22,28-30 die Rede; das διαμένειν ist zum Zeichen der Schicksalsgemeinschaft mit Jesus geworden. Dieses Aushalten der Versuchungen wird traditionell belohnt mit dem Sitzen auf Thronen (T. Hiob K. 33). Das „Nachfolgen" in Mt 19,28 ist daher eine theologische Interpretation des Aushaltens der Versuchungen. In 2 Thess 1,4-6 ist die ὑπομονή verbunden mit Verfolgung und Trübsal – das alles geschieht aber, um in die Basileia zu gelangen. – Zu vergleichen ist auch Sap Sal 5,3-9.15-16: Die sich bekehrt haben, erben ewiges Leben und Königtum. – Die Versuchungen des Gerechten sind daher ein Thema, das deshalb im Zusammenhang mit der Bekehrung steht, weil diese erst die Bewährung bringen (vgl. dazu den Zeitpunkt, an dem Abraham der Titel „Freund Gottes" verliehen wird). Kontext und Vorlage verhalten sich also zu Mt 19,28 wie Test Hiob 4,6 zu K. 33, wie Initiation zur Feststellung endgültiger Bewährung dieses Status. Die Vollkommenheit, von der Mt 19,21 spricht, bezieht sich daher wohl primär auf V. 28, d.h. der Inhalt von V. 21 ist auf dem Hintergrund von V. 27-28 zu verstehen (das τέλειος und V. 28 entstammen ja der gleichen Redaktionsschicht). Das aber bedeutet: Gegenüber der Bekehrung ist Vollkommenheit der sich durchhaltende, dauernde Status der Bewährung in direkter Fortsetzung der bei der Bekehrung schon gezeigten Haltung der Niedrigkeit, des Verzichts usw. Die Spannung zwischen Gerechtsein und Vollkommensein ist also die zwischen Bekehrung und endgültiger Erlangung des Lohnes, zwischen Initiation und Bewährung. Vollkommensein heißt nach Mt 5,48 (vgl. dazu in Band II) insbesondere: Ertragen der Bedingungen des gegenwärtigen Äons und Verzicht auf Vorwegnahme dessen, was die Gerechten erst demnächst erwarten können. Ebenso ist auch der Vollkommenheitsbegriff in Mt 19 im Zusammenhang von V. 28 zu verstehen als das Aushalten und Ertragen des hier für den Gerechten „notwendigen" Schicksals in der Nachfolge. Vollkommenheit wird daher im Laufe eines Prozesses verwirklicht. Nach Mt 19,28 haben die Zwölf diesen Prozeß bereits hinter sich gebracht. Als Begleiter Jesu sind sie die Prototypen derer, die mit ihm in Geschicksgemeinschaft stehen. Nun ist aber Vollkommenheit kein neuer Status (keine neue „Qualität“) gegenüber dem Gerechtsein, vielmehr ist es nur dessen Bewährung, die Fortsetzung der Bekehrungshaltung durch das ganze Leben hindurch und daher die Vorbereitung der Umkehrung bei dem Kommen des Menschensohnes. Vollkommensein bedeutet primär: den Versuchungen zum Abfall widerstehen. Daher können die negativ gefaßten Dekaloggebote durchaus noch verwendet werden, weil sie vor einem „Abfallen“ warnen. Dazu kommt aber bei Mt noch ein weiteres Element: Während bei Mk in 10,29f eine Restitution schon auf Erden zu erwarten ist (so entsprach es der trad. Auffassung von der Bekehrung!), fehlt dieses Element bei Mt und wird durch V. 28.29f ersetzt. Das bedeutet: Zugunsten seiner starken Betonung der alleinigen Relevanz der Äonenwende beim Kommen des Menschensohnes verblaßt eine irdische Restitution nach der Bekehrung für die Zwölf. Jede Art von bereits eingetretener oder verwirklichter Vergeltung wird von Mt strikt abgelehnt, um die erst kommende Vergeltung nicht zu gefährden. Das entspricht der auch für die Antithesen der Bergpredigt (bes. für V.VI.) feststellbaren Tendenz des Mt, jede Art von „antezipierter Eschatologie“ abzulehnen und die Umkehrung allein von der kommenden Äonenwende zu erwarten.

Durch den Einschub hat Mt die mk Perikope aus einer Erzählung, die über die Bedingungen des Eintritts in die Gemeinschaft Jesu belehrte, umgestaltet zu einem Bericht, der die Autorität der Zwölf legitimieren soll: Die Zwölf sind als erprobte Vollkommene daher ebenso als Lehrer der Gerechtigkeit legitimiert wie es Hiob auf Grund seiner Leiden und der dadurch erlangten himmlischen Doxa ist: Dies ist die Voraussetzung dafür, daß er als Lehrautorität in einem Testament auftreten kann; Test Hiob 1,5 ist Hiob zum Vater dieser Kinder in vieler Geduld geworden, und nach Test Hiob 4,6 wird eben wegen seiner Geduld sein Name für alle Geschlechter berühmt sein. Diese Vaterfunktion und der Ruhm seines Namens äußern sich aber eben gerade in der Form des Testaments: Sein eigenes Geschick ist Inhalt seiner Lehre, er selbst stellt sich autobiographisch dar als Gerechten und als Vorbild und eben so als Traditionsbegründer. Eine ähnliche Konzeption muß wohl Mt 19,28 zugrundeliegen, dessen Parallelität zu Test Hiob K. 33 wir bereits erkannt hatten: Die Zwölf haben sich zu Jesus bekehrt, sind die Vollkommenen, und eben darin beruht ihre Autorität; de facto ist sie für Mt die Autorität von Traditionsträgern bzw. -fundamenten. Sie beruht darauf, daß sie Jesus nachgefolgt sind und ein Geschick haben werden, das dem seinen entspricht. Die Zwölf sind für Mt ein „Rest" Israels, und die erfolglose Jüngerberufung macht deutlich, warum sie die Heiligen des Menschensohnes aus Israel sind.

Die Kennzeichnung der Zwölf als der Vollkommenen hat nun in der Tat zur Folge, daß in Mt 19,17 die bloße Erfüllung von Dekaloggeboten aufgewertet wird: Ihre Erfüllung ist ein Weg zum Leben, wenn man sie vom Gebot der Nächstenliebe aus versteht. Das ist offenbar Gemeindetradition des Mt, und nach 7,12; 22,40 kann man kaum bestreiten, daß Mt hier seinem Gesetzesverständnis Ausdruck verleiht. Die auch bei Mk in dem ursprünglich selbständigen Stück Mk 10,17-21 zum Ausdruck kommende Tradition ist bei Mt in voller Selbständigkeit wieder erstanden: Gebotserfüllung genügt in der Tat zur Erlangung des Lebens. Lag bei Mk der Ton auf der *Bekehrung* selber, so ist bei Mt der Blick auf eine *bestehende Gemeinde* gerichtet – und auf das, worauf sie sich beruft: die 12 vollkommenen Lehrer der Gerechtigkeit.

Andererseits läßt der Blick auf Mt 19,29 und Mt 5,48 keinen Zweifel daran, daß der Vollkommenheitsbegriff, der auf die Zwölf angewandt wurde, auch weiterhin allgemeine Relevanz hat und für alle gilt. Nur scheinen in Mt 19 die VV. 17 und 29 zu konkurrieren, eine innere Zuordnung gelingt Mt hier nicht. Ein Vergleich mit Lk 10,25-37 und mit dem verwandten Stück im HebrEv zeigt, daß dieses durch die Hinzufügung des Liebesgebotes möglich wurde: für eine bestimmte judenchristliche Tradition konkretisiert sich das Liebesgebot in der Abgabe von Almosen. Dadurch wird ein Zusammenhang hergestellt zwischen Liebesgebot, Armenpflege und Aufgabe von Gütern. Nur darf man beides nicht so gegenüberstellen, als sei das eine der „vollkommenere" Weg, vielmehr hat man beide Stücke von ihrem verschiedenen Sitz im Leben her zu beurteilen: V. 17 behandelt die Praxis der Gemeinde, V. 29 entstammt dem Schema der Bekehrung; der verschiedene Sitz dieses Nebeneinanders wird bei Mt nicht deutlich, vielmehr erscheint es so, als handle es sich um zwei Wege. Gemeindeparänese und Bekehrungsparänese stehen hier nebeneinander.

Eine Verbindung beider Traditionen gelingt Mt in den Antithesen der Bergpredigt. Man kann zwar nicht sagen, daß die Dekaloggebote hier außer Kraft gesetzt werden, wohl aber hat der dem Bekehrungsschema entlehnte Gedanke der ausgleichenden Umkehr im Gericht und die spätjüdische Tradition vom „Gutestun und Leiden" dort sosehr die jüd.-hell. Normalparänese durchdrungen, daß eine Verbindung zwischen Vollkommenheitsforderung und

Dekalog- bzw. Sozialgebotsparänese entsteht: Der Gerichts- und Umkehrgedanke hat so sehr die Paränese im Ganzen durchdrungen, daß nun weder der Akt der Bekehrung noch Dekaloggebote die beiden Pole der Paränese bilden – vielmehr ist das ständige Tun der Christen danach ausgerichtet, im Gericht nach dem Umkehrschema entlohnt zu werden. Es ist ohne Zweifel eine weithin wirksame Leistung des Mt in den Antithesen, die Gemeinschaft mit dem Menschensohn nicht nur im Akt der Bekehrung zu begründen, sondern sie darüber hinaus in der Ethik der Christen in Form von Liebe, Leiden, Geduld zu verankern: Die Bekehrungshaltung durchdringt die Paränese im Ganzen. Insofern gehen die Antithesen über das theologische Konzept von Mt 19 hinaus. Andererseits wird diese Tendenz des Mt auch schon daran deutlich, daß er den Dekaloggeboten das Liebesgebot hinzufügte, da sich hier sein eigener theologischer Ansatz mit Bestimmtheit meldet[1].

[1] G. Barth, Gesetzesverständnis 89-96 erläutert das Verhältnis von Gesetzeserfüllung und Nachfolge. Nach S. 90 ist Mt 19,22ff der unumgängliche Weg zum Leben angegeben und nicht eine höhere Vollkommenheit – der Jüngling habe ja auch gefragt, was ihm noch fehle, d.h. zum Leben. Das ἀκολούθει μοι in V. 21 sei das entscheidende Ziel des Gebotes. Nachfolge aber werde bei Mt nirgends nur von einem Teil der Gemeinde verlangt. S. 91 wird τέλειος hier von 5,48 aus interpretiert: es sei das Merkmal der Gemeinde. 19,21 sei eine Radikalisierung der in 19,17 ausgesprochenen Forderung; beide Stücke verhielten sich zueinander wie Gesetz und Antithesen in der Bergpredigt (S. 93). Das Gebot der Nächstenliebe bei den Dekaloggeboten stehe nicht in Widerspruch zu seiner Überbietung in V. 21, sondern sei nach 5,43 zu interpretieren. Die Vollkommenheit bestehe in der Nachfolge. μαθηταί seien bei Mt die Kirche allgemein (93 Anm. 2). Zur Deutung von Mt 5,48 vgl. Bd II. – Die übrigen Ausleger betrachten entweder die Vollkommenheitsforderung Jesu als die wahre Erfüllung des Liebesgebotes (Ps-Clem. Hom 12,26; Bisping, Mt 401; C. Spicq, Agape 36; A. Merx, Mt 285f; J. Du Plessis, ΤΕΛΕΙΟΣ / The Idea of Perfection in the NT, Assen 1955, 172f) oder als Erfüllung des Gesetzes in einem radikalen, erst durch die Nachfolge Jesu ermöglichten vollkommenen Sinn (W. D. Davies, The Setting of the Sermon on the Mount, Cambridge 1964, 96; H.-J. Degenhardt, Besitz und Besitzverzicht, 140; R. Hummel, Kirche und Judentum, 152) oder in dem Sinn, daß Vollkommenheit nicht von allen gefordert sei (H. Braun, Radikalismus I, 76 Anm. 1; E. Klostermann, Mt 158; E. Bammel, ThWB VI,903; H. J. Holtzmann, Mt 268). R. Schnackenburg, Die Vollkommenheit des Christen, 429 bezieht die Aufforderung zur Vollkommenheit auf alle; nur sei die Höhe individuell verschieden und bedeute im Falle des reichen Jünglings Verzicht auf die Besitztümer. – Dadurch ist ein Ausgleich mit Mt 5,48 hergestellt.

§ 6 Die Gesetzesauslegung in Lk 18,18-23

Für Lk fügt sich die genannte Perikope gut in seine Auffassung über den Besitz ein; deshalb übernimmt er sie verschärft. Durch die Einführung des ἄρχων erhält die Perikope eine deutlicher antijüdische Tendenz: Der Begriff ἄρχων begegnet außer in Mt 9,18.23; 20,25 (Heidenherrscher) in der synoptischen Tradition nur noch bei Lk, und zwar regelmäßig im Sinne von Repräsentanten der Juden, so in 8,41; 12,58; 14,1; 18,18; 23,13.35; 24,20; Apg 3,17; 4,5.8.26; 13,27. Damit ist es ein Repräsentant des jüdischen Volkes, der den Besitzverzicht nicht leisten kann. Dem entspricht die Funktion der ἄρχοντες bei Lk auch sonst. Zugleich stellt die Einführung des ἄρχων hier eine Verstärkung der Parallele zur Liebesgebotperikope dar. War es dort der νομικός, den Jesus nachdrücklich belehren konnte, so ist es hier ein anderer Repräsentant, dem Jesus auf seine Frage hin mitteilt, daß jüdische Praxis nicht ausreicht (vgl. dazu auch Lk 14,1-3; bes. V. 3): Jesus erweist die Überlegenheit seiner Lehre gegenüber den Repräsentanten seines Volkes; im Falle des ἄρχων zeigen diese zugleich ihr Versagen.

Die Angabe aus Mk 10,16, Jesus habe die Kinder gesegnet, läßt Lk fort. So schließt die Perikope über den Reichen unmittelbar an den Spruch über die Kinder an; da Lk den negativen Ausgang der Berufung des Reichen voraussetzt, könnte er die Bezeichnung des Reichen als ἄρχων aus der Absicht eingeführt haben, den Gegensatz zu παιδίον in V. 17 zu steigern[1]. Das sechste Gebot wird in der Dekalogaufzählung vorangestellt. Damit folgt Lk bestimmter jüdisch-hellenistischer Praxis (s.o.), die von Philo sogar theologisch gerechtfertigt wird. Auch Clemens v. A. kennt in III,233,3.15.20; 303,25 diese Art der Reihenfolge. Das μὴ ἀποστερήσῃς läßt Lk wie Mt fort, da er nur noch Dekalog- und Liebesgebote kennt, wie bereits anhand der Parallelisierung von Lk 18,18 und 10,25 nachgewiesen wurde: Der Prozeß der Angleichung von Dekalog- und Liebesgeboten, der durch das hellenistische Judentum vorbereitet war, findet hier seinen Abschluß. In V. 22 wird gegenüber Mk ein verstärkendes πάντα eingefügt: alles, was er hat, soll er verkaufen; entsprechend steigert V. 23 die Betonung des Reichtums durch πλούσιος σφόδρα. Mk V. 24 behandelt Lk wie Mt als Doppelung und bezieht

[1] Eine Deutung dieses ἄρχων im redaktionellen Zusammenhang versucht A. Spitta, a.a.O., 15-19. Er setzt voraus, daß ἀγαθός mit „gütig" übersetzt werden muß. Die Szene mit dem Reichen sei in Kontrast gesetzt zu der vorangehenden Kinderszene. Bei Lk trete die Schroffheit der Äußerung besonders hervor, da sich Jesus hier unvermittelt dem Reichen zuwende (S. 17).19: „Er will nichts davon wissen, daß der reiche Oberst ihn als gütig bezeichnet, in der Meinung, daß sich die Haltung, die er den Kindern gegenüber eingenommen, auch bei ihm zeigen werde".

so den Spruch vom Kamel und Nadelöhr noch enger auf den Reichen. Dadurch wird bei Lk – da bei ihm eine Beziehung auf die Zwölf fehlt – die Radikalität des Besitzverzichtes betont; freilich ist der Zugang zum Reich Gottes in erster Linie nur noch durch zu viel Besitz erschwert. – Jede Äußerung des Schreckens der Jünger fehlt (bei Mt wenigstens noch in V. 25). V 27 ist eine elegante und sinnverändernde Umbildung zu Mk 10,27. In V. 28 wird statt des mk πάντα nur τὰ ἴδια gesetzt. Im 29.30 hat Lk die Zweiteilung des Lohnempfangs beibehalten: viel erhalten in dieser Zeit und in der kommenden das ewige Leben. Durch diese Interpretation ist der etwa im lukanischen Sondergut in 16,25 (vor-lk) zum Ausdruck kommende Dualismus der Vergeltungstheorie aufgehoben. Die Verschärfung[1] des Hinweises auf den notwendigen Besitzverzicht nimmt Lk durch Einfügung des πάντα auch vor in 5,11 (gegen Mt 4,22; Mk 1,20) und in 5,28 καταλιπὼν πάντα (gegen Mt 9,9 Mk 2,14). Lk hat also den mk Stoff ziemlich unverändert aufgenommen und die Tendenz zum Besitzverzicht, wie auch sonst, verschärft[2]. Denn für ihn ist der tatsächliche Besitz ein Haupthinderungsgrund für den Eintritt in das Gottesreich (vgl. W. Grundmann, Lk, 374). Durch die Auslassung der mk Doppelung von V. 23b und 24c erreicht Lk eine „Kurzschließung", durch die V. 24 (Mk 25) noch unmittelbarer an die Geschichte vom reichen „Führer" angeschlossen wird und diese selbst „noch stärker auf den Gegensatz Reich Gottes-Reichtum" festgelegt wird (Vgl. N. Walter, a.a.O., 212).

Die gegenüber Mk verschärfte Betonung des Gegensatzes zwischen Reich Gottes und Reichtum hat ihre Wurzel in der idealisierenden Konzeption, die Lk an die Anfänge des Christentums heranträgt.

[1] E. Bammel, Art πτωχός in: ThWB VI,885-915, 904: „Lk 18,22 wird die Forderung nach Verkauf und Verteilung der Habe an die Armen – sie wäre, wenn das Mt 19,20 zurücktretende ἔτι streng interpretiert werden darf, als allg. Gebot zu verstehen – durch ein πάντα (vgl. τὰ ἴδια V. 28) unterstrichen und die Nichterfüllung derselben einem Stand (V. 18 ἄρχων) zur Last gelegt".

[2] Vgl. dazu H. Zimmermann, Christus nachfolgen, 253: „Alle diese redaktionellen Änderungen zeigen die gleiche Tendenz: Lukas will darin für die Christen seiner Zeit das Ideal des christlichen Lebens herausstellen, das er in dem „Alles-Verlassen", in der Armut also, verwirklicht sieht"; mit Hinweis auf Apg 2,42-47; 4,32-35; 5,11-16 und H. Zimmermann, Die Sammelberichte der Apostelgeschichte, Bibl Zeitschr NF 5 (1961) 71-82, bes. 82. Besonders auffallend sei καταλιπὼν πάντα in Lk 5,28, obwohl danach derselbe Levi in seinem Hause ein großes Gastmahl veranstaltet. – Vgl. A. Schulz, Nachfolgen und Nachahmen, 91: „Lk ist eigen eine Radikalisierung der Forderung nach Trennung von allen zeitlichen Gütern im Zusammenhang mit der 'Nachfolge'". S. verweist dazu auf den häufigen Zusatz von πάντα in Lk 5,11 (cf. Mk 1,18; 1,20); Lk 18,22 (cf. Mk 10,21); Lk 18,28 (cf. Mk 10,28). – H. Braun, Radikalismus II,76 Anm. 1: Lk verschärft (Lk 12,33) die Warnung des Mt vor dem Schätzesammeln (Mt 6,19...) zu πωλήσατε τὰ ὑπάρχοντα ὑμῶν; vgl. auch den Fortfall des πρῶτον von Mt 6,33 in Lk 12,31.

vom Liebesgebot als dem Inbegriff von Gesetz und Propheten stimmt dabei mit der Theologie des Mt überein, jener Synthese zwischen der Alleingeltung des Liebesgebotes und der behaupteten Weitergeltung der atl Willensoffenbarungen Gottes[1].
Die Aufforderung zur Nachfolge ergeht auch hier (veni, sequere me), und konsequent wird nun der Inhalt der Nachfolge nichts anderes als eine besondere Art von Barmherzigkeit, wie sie dem Schema nach den Neubekehrten auszeichnet. Spuren einer Theorie vom jenseitig-künftigen Ausgleich finden sich nicht mehr. Der Inhalt von Gesetz und Propheten wird wie in der Theologie der Synoptiker – insbesondere des Mt – wiedergegeben mit Lev 19,18.

§ 8 Ergebnis

Die Gemeinde, die das Einhalten der sozialen Dekaloggebote für einen ausreichenden Zugang zum ewigen Leben hielt (Mk 10,17-21a), war vormarkinisch. Sie hatte den inhaltlich rein sozial bestimmten Gesetzesbegriff weiter Kreise des hellenistischen Judentums und wehrte die Zumutung ab, Jesus habe in dieser Hinsicht etwas Neues lehren wollen. Diese Gemeinde dürfte die gleiche sein, der auch die Zusammenfassung des Gesetzes in die beiden Hauptgebote enstammt; auch dort ist sekundär durch Mk kommentiert, freilich anders als hier. Bei Mk handelt es sich darum, daß redaktionell ein Ausgleich hergestellt wird zwischen der faktisch geltenden Dekalogethik der Gemeinde und der Nachfolgeforderung; die letztere ist christologisch bestimmt und wird auf den Akt der Bekehrung bezogen. – Mt hat diesen Ausgleich wieder rückgängig gemacht, da bei ihm das Einhalten der durch das Liebesgebot interpretierten Dekaloggebote ausreicht. Zwar kennt er auch die Schwierigkeit für Reiche, in den Himmel einzugehen, aber τέλειοι, die wirklich alles verließen, sind für ihn aus Israel nur die Zwölf. Trotzdem ist der Lohn, das ewige Leben, für alle gleich. Die Zwölf haben nur ihre besondere Funktion im Richten über das ungerechte Israel. – Während durch die Redaktion des Mk der Besitzverzicht bereits eine ekklesiologische Note bekam, (nur die Bekehrten, die Gemeinde, Petrus und die Jünger, nicht solche wie der Frager, haben diese Forderung erfüllt) wird bei Mt der radikale Besitzverzicht zunächst auf eine noch kleinere Gruppe eingeschränkt. Freilich ist

[1] A. F. J. Klijn, The question of the rich young man in a Jewish Christian Gospel, in: NT 8 (1966) 149-155.

der redaktionelle Aufbau der Antithesen der Bergpredigt durch Mt (s.u.) der redaktionellen Verwertung der Traditionen in Mk 10,17-31 durchaus ähnlich. Auch dort werden Stücke mit apokalyptischen Lohntheorien in Beziehung gesetzt zur Schriftauslegung der hellenistischen Gemeinde, Liebes- und Dekaloggeboten. Mt findet dann aber eine eigene Lösung. In Mt 19 geht es um die Feststellung, warum die Zwölf heilsgeschichtlich einmalige Vollkommene sind, in der Bergpredigt um die allgemeine Aufforderung, vollkommen zu werden. Lk hat die Deutung in Richtung auf Armut verschärft, da für ihn Reichtum das Haupthindernis für das Eingehen in das Gottesreich ist.
Die Traditionsgeschichte von Mk 10,17-19 ist ein Beispiel für den Weg jüdisch-hellenistischer Elemente in der synoptischen Tradition. In dieser Geschichte geht es um den Ausgleich zwischen Dekalogrezeption und apokalyptischen Anschauungen von der Erstattung des Lohnes im kommenden Äon, die sich mit jüdisch-hellenistischen Traditionen über den Akt der Bekehrung verbunden haben. Die Dekaloggebote werden so aus ihrem Sitz in der Gemeindeparänese herausgenommen, und jedenfalls für die konstituierende Zugehörigkeit zur Gemeinde genügt ihre Erfüllung nicht. Der himmlische Lohn wird nicht auf Grund der Dekaloggebote erlangt – sie sind ja auch schon traditionell nicht mit Lohnangaben versehen und erfüllten schon immer lediglich die Funktion, vor dem Abgleiten vom rechten Weg zu bewahren. Das himmlische Erbe wird vielmehr dadurch erworben, daß durch den Einfluß des Bekehrungsschemas apokalyptische Ausgleichstheorien eine Belohnung im kommenden Äon erst möglich machten. Durch das Aufgeben irdischer Güter erst wird man in den Stand versetzt, nach diesem Schema Güter im kommenden Äon zu erben. Nur ist die Aufgabe von Gütern nicht mehr zur universalen Forderung erhoben, die für das ganze Leben gälte, sie ist vielmehr bereits in jüd.-hell. Tradition auf den Akt der *Bekehrung* und dessen unmittelbare Folgen beschränkt (vgl. Test Hiob 4,6). Auf diesem Wege gelangen apokalyptische Thesen über den Erwerb von Gütern über die Bekehrungstraditionen in die synoptische Tradition. – Bei Mt hat sich dieses Bild gewandelt, die beiden grundverschiedenen Traditionen existieren bei ihm nebeneinander (VV. 17-19 und V. 29). Die Erstattungstheorie ist verlassen, weil für alle der Lohn gleich ist. Die sozialen Dekaloggebote sind wieder selbständiger geworden und aus ihrer mk Umklammerung gelöst. – Lk betrachtet den Reichtum als die entscheidende Bindung an die Welt, die auch die wahre κοινωνία

verhindert. Daher muß das hellenistische Ideal der Freundschaft auch schon im Evangelium gefordert sein. Wie aus V. 30 hervorgeht, müssen auch ihm apokalyptische Theorien inzwischen unverständlich gewesen sein. Die Dekaloggebote genügen nicht deshalb für ihn nicht, weil man mit ihnen keinen himmlischen Lohn erwerben kann, sondern weil sie nicht ausreichend auf den notwendigen Verzicht des Reichtums eingehen.

Das besondere Verhältnis von Gebotserfüllung und Nachfolge bestand nach Mk darin, daß Jesus als derjenige vollmächtige Bote Gottes begriffen wird, in Verbindung mit dem die Gebotserfüllung allein heilswirksam ist. Diese Konzeption hat nicht nur gewisse Entsprechungen in der paulinischen Konzeption von Gebotserfüllung und Verbundensein mit Christus, der ganze Abschnitt Mk 10,17ff besitzt auch eine Parallele in einem Visionsdialog in Herm mand IV 2,3-4. Auch hier wird die Frage gestellt, was man tun muß, um das ewige Leben zu erlangen, und zwar wird darauf eine „besonders genaue", d.h. eine neue Antwort erwartet. Die Antwort des göttlichen Boten heißt: „Du wirst leben, wenn du *meine Gebote* bewahrst und in ihnen wandelst". Das aber bedeutet: 1. Es handelt sich um eine neue (genauere) Offenbarung von Geboten, die der Bote Gottes als „seine" Gebote bezeichnen kann, 2. heilswirksam ist daher die Metanoia, die angesichts dieses Boten Gottes und seiner Offenbarung geleistet wird. 3. Der Ursprung der Forderung nach Metanoia bei dem Boten ist daher der Besitz von göttlicher Offenbarung in Form von Geboten.
Auf Mk 10 übertragen bedeutet das: Jesu Nachfolgeforderung gründet darin, daß er es ist, der die Forderungen Gottes kennt und sagt und daß er diese gerade nicht von sich selbst her hat (V. 17-19).
Diese Verbindung von Metanoia, dem Anspruch, Offenbarung zu besitzen und die eng damit verbundene Behauptung, diese eigenen neuen Gebote seien die Gebote Gottes, ist demnach wohl sicher apokalyptischen Ursprungs und ist konstitutiv für die Beurteilung der Gesetzesauslegung Jesu nach den Evv.
Der Unterschied zwischen Herm mand IV 2,3f und Mk 10,17ff besteht nun aber darin, daß es sich dort um „neue", nicht der Schrift entnommene Gebote handelt, während Jesus die Legitimität seines Gesandtseins gerade dadurch erweisen kann, daß er keine eigenen neuen Gebote lehrt, sondern Gott als den bezeichnet, der allein Gebote geben kann: Seine eigene Lehre ist nichts anderes als Gottes Wort (freilich in einem bestimmten, traditionell seligierten Umfang, so wie es eben in der hellenistischen Gemeinde üblich war). Die Auffassung von Herm mand IV ist eher mit der des Sprechers der Antithesen in Mt 5 vergleichbar; auch dort geht es um die genauere, neue Offenbarung. Gemeinsam ist freilich P Herm, Mk 10 und Mt 5, daß das ewige Leben auf jeden Fall nur von den Worten dieses jetzt redenden Offenbarers abhängt, seien nun seine Worte neu oder seien sie schon immer als Gottes Wort bekannt.

VII

Elterngebot und Korbanpraxis

§ 1 Die Funktion von Mk 7,6-13 in Mk 7

Mit Mk 7,1-23 gehen wir innerhalb der mk Texte zu den sog. Streitgesprächen über. Diese bilden eine formal und formgeschichtlich sehr eng zusammenhängende Gruppe, die ursprünglich wohl ein einheitliches Corpus gebildet haben mag. Diese Gruppe umfaßt Mk 2,16-17; 18-20.23-28; 3,1-4; 7,1-23; 10,1-12; 12,13-17. Der gemeinsame Aufbau dieser Stücke ist durch Analysen festzustellen. Hier muß schon hervorgehoben werden, daß den Perikopen dieser Gruppe als Pointe jeweils ein weisheitlicher Satz mit antithetischer Struktur zugrundeliegt (in Mk 7: V. 15). Vor diese Pointe ist nun in Mk 7 und in Mk 10,1-12 jeweils eine Gesetzesauslegung formgeschichtlich sekundär gesetzt worden. Diese Gesetzeszitierungen haben eine ähnliche Funktion wie die Schriftbeweise in den genannten Lehrgesprächen in Mk 12; während es dort aber um den schriftgelehrten Erweis der Überlegenheit der Lehre Jesu ging, handelt es sich in Mk 7 und Mk 10,1ff jeweils darum, zu zeigen, daß „die Juden“ mit ihren Einrichtungen dem ursprünglichen Gebot Gottes entgegengesetzt sind[1]. So wird in Mk 7 erwiesen, daß

[1] Literatur: J. Behm, Art. βρῶμα in: ThWB I,640-643, bes. 640 Anm. 1 (zu Mk 7,10); ders., Art. κοιλία in: ThWB III,786-789, bes. 788; S. Belkin, Dissolution of Vows and the Problem of Antisocial Oaths in the Gospels and contemporary Jewish Literature, in: JBL 55 (1936) 227-234; W. Brandt, Jüdische Reinheitslehre und ihre Bedeutung in den Evangelien (Beih. Zeitschr. f. atl. Wiss. 19), Gießen 1910; W. Brandt, Die jüdischen Baptismen oder die religiösen Waschungen und Bäder im Judentum mit Einschluß des Judenchristentums, Gießen 1910; N. Brüll, Origine et développement de la législation relative à la purification des mains, in: Beth Talmud 3 (1883); G. W. Buchanan, The Role of Purity in the Structure of the Essene Sect, in: RQ 4 (1963) 397-406; J. Daller, Die Reinheits- und Speisegesetze des AT in religionsgeschichtlicher Bedeutung (Atl Abh VII 2/3), Münster 1917; J. A. Fitzmyer, The Aramaic Qorban inscription from Jebel Hallet et-Tûri and Mk 7,11 par Mt 15,5, in: JBL 78/1 (1959) 60-65; W. H. Gispen, The Distinction between Clean and Unclean, in: OTSt 5 (1948) 190-196; H. Grégoire, Une nouvelle inscription juive / La première mention du κορβᾶν ou

die Juden mit Hilfe ihrer Überlieferung Dekaloggebote übertreten, während die Gemeinde gerade durch dekalogähnliche Paränese von Jesus instruiert wird.

Die Pharisäer fragen nach dem Grund für die Unterlassung des Händewaschens (V. 5). In V. 3-4 war eine Erklärung vorangegangen über die jüdischen Bräuche dieser Art, die offenbar eine Belehrung für Heidenchristen ist. Wegen dieses Einschubs mußte nun in V. 2 der Anlaß ihres Fragens bereits erwähnt werden; hier wird auch der in V. 5 nicht weiter erläuterte Begriff κοιναῖς χερσίν erklärt durch τοῦτ' ἔστιν ἀνίπτοις. Mit dem Stichwort παράδοσις in V. 5 ist das Thema für die eingeschobenen Verse 6-13 gegeben. Daß V. 2 und V. 5 ursprünglich aufeinander gefolgt wären, ist wegen der Doppelung der Ausdrücke unwahrscheinlich. Möglicherweise entstammt auch die Erwähnung der παράδοσις in V. 5 erst derselben Schicht wie auch die Einschübe V. 3f.6-13. V. 5 hätte dann den Charakter einer Übergangsbildung, da er einerseits den Hinweis auf die κοιναὶ χεῖρες enthält, was mit der Situation verbindet, andererseits eine systematisch-theoretische Frage ist, die erst durch den folgenden Einschub in die Perikope eingetragen wird und weit über den konkreten Anlaß hinausgeht. Erst in V. 15 gibt Jesus die Antwort auf die in V. 5 gestellte Frage. V. 15 ist eine allgemeine Aussage über die Beziehung zwischen Außen und Innen, Reinheit und Unreinheit. Die Verse 17-19 und 20-23 sind ein Kommentar

κορβανᾶς biblique dans l'épigraphie grecque, in: Acad. roy. de Belgique Bull. Classe des Lettres 5.39 (1953) 657-663; F. Hauck, Art. καθαρός in: ThWB III, 416-434, bes. 428; ders., Art. κοινός in: ThWB III,789-810, bes. 791.797.810; J. H. A. Hart, Corban, in: JQR 19 (1907) 615-650; H. Hommel, Das Wort Karban (κορβᾶν) und seine Verwandten, in: Phil 98 (1955) 132-149; J. Horst, Die Worte Jesu über die kultische Reinheit, in: ThStKr 87 (1914) 429-454 bes. 429ff.434f; A. Jülicher, Die Gleichnisreden Jesu II, Nachdr. Darmstadt 1963, 54-67 („Von der wahren Verunreinigung“); P. Kretschmer, Art. karbanos, in: Glotta 31 (1951) 250; ders., Die Danaver, Anz. d. Wien. Akad. 1949, 199 Anm. 17; H. Laible, Korban, in: Allg. Ev-luth Kirchenzeitg 54 (1921) 597-599; 613f; J. Mann, Oaths and Vows in the Synoptic Gospels, in: The Americ Journ of Theol 1917, 260-279; H. Oort, De verbintenissen met „Korban“, in: Theol. Tijdschr 37 (1903) 289-314; K.-H. Rengstorf, Art. κορβᾶν in: ThWB III,860-866; S. Stein, The Dietary Laws in Rabbinic and Patristic Literature, in: Stud Patrist II (1956) 141-154; Strack-Billerbeck I (1922) 711-717; Z. Taubes, Die Auflösung des Gelübdes, in: MGWJ 73 (1929) 33-46; A. Wünsche, Jesu Konflikt mit den Pharisäern und Schriftgelehrten wegen der Unterlassung des Händewaschens seiner Schüler, in: Vierteljahrschr. f. Bibelkde II (1904/5); S. Zeitlin, Korban, in: JQR 53 (1962) 160-163.

dazu. V. 15 ist antithetisch aufgebaut und spricht von ἄνθρωπος. – Die Verse 3-4 sind erkennbar sekundär, das Gleiche gilt für 6-13: V. 14 setzt ganz neu ein, obwohl in V. 15 erst die Antwort auf die vorangehenden Fragen noch kommt.

In V. 6-13 geht es um die Frage des Gegensatzes zwischen ἐντολή und παράδοσις, zwischen Gott und Mensch. Das Thema der Hände tritt hier völlig zurück. – Der Einschub V. 6-13 ist aus der gleichen Hand wie der in V. 3f und die umgearbeitete Frage in V. 5:

1. wegen der Rolle der παράδοσις der Alten in V. 4, die dann von Jesus als παράδοσις ἀνθρώπων ans Licht gestellt und erwiesen wird.
2. Schon V. 3f bereitet – über V. 2.5 hinaus – den weiteren Rahmen dieses Einschubs vor, besonders durch das καὶ ἄλλα πολλά ἐστιν. Dieses wird in V. 13 am Schluß des allgemeinen Einschubs wieder aufgenommen: καὶ παρόμοια τοιαῦτα πολλά.

Als Grundschicht der Perikope bleiben daher bestehen: V. 1.5.15. Für eine ursprünglich isolierte Existenz von Mk 7,15 spricht ThEv 14. Als Begründung für Anweisungen über die Mission (alles essen, was vorgesetzt wird; Krankenheilungen) wird gegeben: „Denn alles, was in euren Mund hineinkommen wird, wird euch nicht verunreinigen; aber was aus eurem Mund herauskommt, das wird euch verunreinigen". Unmittelbar vorher wurden Fasten, Almosen und Beten abgelehnt. Die Aufforderung, das Vorgesetzte zu essen, steht daher im Kontext der Verwerfung jüdischer Kultbräuche und ist hier, wie die damit verbundene Aufforderung zur Krankenheilung zeigt, sekundär mit diesen zusammengewachsen. Der zu Mk 7,15 parallele Satz hat den Charakter einer weisheitlichen Begründung bestimmter mit der Mission verbundener Bräuche, die vom Judentum abweichen. Das Heilen der Kranken wird möglicherweise als Folge des vorbehaltlos mitgeteilten Segensgrußes und damit als Gabe des Pneumas verstanden (vgl. Lk 10,4; 2 Kge 4,29) und steht so in Beziehung zu der aus dem Mund herausgehenden Reinheit. Im Gegensatz zu Mk 7 wäre also die Anwendung im Ganzen nicht „ethisch", sondern „pneumatisch" und auf den apostolischen Dienst bezogen.

Auch in Eph 4,29f ist offenbar das Äußern häßlicher Worte in Beziehung gesetzt zum innewohnenden Pneuma (dieses aber bedeutet primär Besitz der Reinheit) (vgl. CD 7,12: „und auch ihren heiligen Geist verunreinigen sie durch Lästerreden"); cf. ebenso Past Herm, mand 3,4; 5,1.2ff; 10,1-3. Cf S. 507.

Für die allgemeine, antithetisch formulierte Regel in V. 15 wird durch V. 1.5 ein konkreter Anlaß im Leben Jesu gesucht. Die von R. Bultmann (Geschichte der syn. Tr., 15 Anm. 1) behauptete Inkongruenz zwischen V. 5 und V. 15 hat ihre Ursache darin, daß

V. 15 vorgegeben war und V. 5 nur eine dazu konstruierte Einzelfrage ist. Der Schriftbeweis in V. 6.7 und die Gesetzesauslegung Jesu in V. 10 gehören der sekundären Schicht an, die inhaltlich eine weiterführende, grundsätzliche Auseinandersetzung mit der in 1.5.15 vorgegebenen Frage bringt. Eine Verbindung zweier ursprünglich selbständiger Perikopen ist daher nicht anzunehmen, da die zweite Schicht deutlich ein bestimmtes Überlieferungsstadium der ersten repräsentiert.

Sekundäre Stücke sind die Verse 2.3-4.6-13.14.17-19.20-22. Dabei erwiesen sich die Verse 6-13 als aus gleicher Hand stammend wie die Verse 3-4. Durch diesen erklärenden und die Frage ausweitenden Einschub wurde der Beginn der Perikope verändert: V. 2 wurde zur Angabe der Situation vorangestellt und wiederholte dabei interpretierend vorgegebene Stoffe aus V. 5. Dieser schloß ursprünglich an V. 1 an (so auch E. Hirsch, Frühgeschichte I, 69), ist selbst aber mit der Hinzubildung von V. 2-4 um die Erwähnung der Übertretung der „Überlieferung" bereichert worden. Das gemeinsame Thema dieser Einschübe ist an dem gegenüber dem ursprünglichen Bestand der Perikope (Verse 1.5.15) verallgemeinernden (V. 4b. 13b) und inhaltlich weiterführenden Stichwort παράδοσις (V. 3.5. 8.9.13) erkennbar.

Da die Verse der zweiten Schicht ein bestimmtes Überlieferungsstadium derer der 1. Schicht darstellen, ist es notwendig, zunächst die Tendenz von Schicht I genauer festzustellen. Ausgangspunkt ist V. 15. Nicht von außen her wird der Mensch verunreinigt, sondern von innen her. In der Form einer doppelteiligen antithetischen Sentenz wird eine Regel für die Beurteilung des Reinheitszustandes eines Menschen formuliert. Was aus dem Menschen herausgeht, sind offenbar Handlungen, die seinem Inneren entspringen. Der Satz richtet sich gegen die aus atl priesterlicher Tradition (Lev 11,40; 17,15f; 20,25f) stammenden Theorien über Verunreinigung durch Berührung. Deren Möglichkeit wird geleugnet; nur was aus dem Herzen kommt, verunreinigt. Das Anliegen der Sentenz ist aber weiterhin die Belehrung über die Reinheit des Menschen vor Gott. Die Reinheitsvorstellung wird nicht abgeschafft, sondern nur auf den Bereich des Innen übertragen.

Die Auslegungsgeschichte der Dekaloggebote, besonders des 5. 6. und 9. zeigte deutlich, wie im Spätjudentum weite Bereiche der sittlichen Verfehlungen in Beziehung gesetzt wurden zu den Verunreinigungen durch Blut und Geschlechtsverkehr (daher bedeutete schon der Anblick eines Weibes und der Entzug der Nahrung eines

Armen Verunreinigung). Reinheitsvorstellungen dieser Art haben sich auch in der synoptischen Tradition erhalten (s.u.).
Der hier vorliegende Vers entstammt einer anderen Denkweise. Zwar wird das Verhältnis zu Gott weiterhin mit der kultischen Kategorie der Reinheit umschrieben, aber der Orientierungspunkt ist nicht die Nähe zur Verunreinigung durch Blut und Geschlechtsverkehr, sondern der Gegensatz von Innen und Außen. Nur aus dem Innen des Menschen kann die Ungeeignetheit vor Gott noch entstehen. Auf diesen Bereich ist die kultische Vorstellung der Entfernung vom Göttlichen übertragen.
Die große Nähe dieser Sentenz zum hellenistischen Judentum wird deutlich aus einem Vergleich mit Philo, De Spec Leg III,208-209. Es handelt sich um eine Auslegung von Nu 19,22 LXX (καὶ παντὸς οὗ ἐὰν ἅψηται αὐτοῦ ὁ ἀκάθαρτος, ἀκάθαρτον ἔσται, καὶ ἡ ψυχὴ ἡ ἁπτομένη ἀκάθαρτος ἔσται ἕως ἑσπέρας). Philo gibt als Begründung für die erste Satzhälfte: μετουσίᾳ τοῦ μὴ καθαροῦ μιαινόμενα. Die Ursache der Verunreinigung ist also μετουσία. Der Satz offenbart für Philo eine allgemeinere Lehre (καθολικωτέρα ἀπόφασις), denn das körperliche Berühren ist nur ein kleiner Ausschnitt aus der Gesamtheit der Berührungen, durch die Verunreinigung möglich ist (οὐκ ἐπὶ σώματος... μόνον ἱστάμενος): Der Spruch bezieht sich nicht nur auf das Körperliche, sondern auch auf die ἤθη und τρόποι der Seele. Die Möglichkeit leiblicher Unreinheit wird daher noch nicht geleugnet, nur heißt es im Folgenden: ἀκάθαρτος γὰρ κυρίως ὁ ἄδικος καὶ ἀσεβής. Das κυρίως bezeichnet die gänzliche Vorordnung der Seele vor den Leib. Die Unreinheit dessen, dem mit den Eigenschaften ἄδικος und ἀσεβής die Gesamtheit des sittlich Guten abgeht (s.o.), muß selbst aber noch aus Reinheitsvorstellungen begründet werden: Ihm fehlt die αἰδώς, er unterscheidet nicht, denn er ist πάντα φύρων καὶ συγχέων wegen der ἀμετρία der πάθη und dem Übermaß seiner Schlechtigkeiten. Daher ist alles, was er berührt, unrein, da es mitverändert wird (συμμεταβάλλειν) durch die Lasterhaftigkeit des Täters. Daher seien umgekehrt die Taten der Guten gut. Zum Schluß folgt der Satz: ἐπειδὴ πέφυκέ πως τὰ γινόμενα τοῖς δρῶσιν ἐξομοιοῦσθαι. Im vorangehenden Kapitel 207 hatte Philo die aus der Berührung von Toten folgende Unreinheit begründet durch die Eigenart der menschlichen Seele, denn wenn sie, Abbild der Idee des Logos, abwandere, werde alles verunreinigt, was zurückbleibt. Die Seele ist durch ihre Göttlichkeit das den Leib Reinmachende, verschwindet sie, so bleibt nur Unreinheit zurück. Aus der gleichen Voraussetzung wird in 208f der Fall beantwortet, daß Unreinheit

von Unreinem ausgeht. Da die Seele das den Leib Reinigende ist, macht ihre Abwesenheit den Leib unrein, und dieser Charakter der Bosheit geht auch auf die Umgebung über. Freilich zeigt sich hier ein Bruch in der Argumentation: Nach atl Voraussetzungen sind von Unreinem berührte Gegenstände unrein, daher heißt es in Zeile 5 noch: ὧ ἂν ἐφάψηται πραγμάτων, in Zeile 6 aber bereits αἱ πρᾶξεις. Die Taten dessen, der böse ist, haben teil an seiner Unreinheit-Bosheit. Die Begründung dazu liefert der traditionelle griech. Satz, daß das, was geschieht, dem Handelnden ähnlich sei. Was ist hier aus der jüdischen Reinheitsvorstellung geworden? Der jüdische Satz hieß: Wer unrein ist, verunreinigt durch Berührung auch anderes. Dieser Satz gilt nach Philo κυρίως nicht vom σῶμα, sondern von der ψυχή: Ihre Reinheit bestimmt die des σῶμα. Da aber die Reinheit oder Unreinheit der Seele nach Heiligkeit und Gerechtigkeit bemessen wird, ist der Leib dann rein, wenn in ihr die ἀρεταί sind. Diese Reinheit geht über in die Handlungen. Nach dem atl Satz der μετουσία (S. 207 Z. 19), die durch Berührung entsteht, wird hier der griechische Satz der Ähnlichkeit der Handlungen mit dem Täter gedeutet. Der griechische Grundsatz kann dadurch mit dem (auch wieder erst von Philo so gedeuteten!) alttestamentlichen in Zusammenhang gebracht werden, daß die Ursache von Reinheit oder Unreinheit in die Seele verlegt wird. Die von dort her kommenden Laster sind es, die den Menschen verunreinigen. Die Laster werden genannt allgemein ἤθη, τρόποι (S. 208 Z. 1) οὐκ αἰδώς, ἀμετρία τῶν πάθων (S. 208 Z. 4) τῶν κακιῶν ὑπερβολαί (Z. 4f) μοχθηρία (Z. 6) ἀρεταί (Z. 7). – Die Begründung dafür, warum die Seele unrein werden kann, wird ebenfalls gegeben: Sie ist alles verwirrend und ohne Maß, sie unterscheidet nicht und verläßt die gesetzten Bahnen. Dies ist das Vergleichsbild zur leiblichen Reinheit! Die Voraussetzungen sind anthropologischer Art: Je mehr die Seele sich durch Mangel an Gerechtigkeit und Heiligkeit vom Göttlichen entfernt, um so mehr wird der Leib unrein bzw. lebt seine Unreinheit auf. Eine wirkliche Unreinheit des Leibes kann bei Philo bewirkt werden durch die Entfernung der Seele von Gott; das Innen ist die Ursache der Unreinheit. Freilich wird es nicht ganz klar, wieweit der Leib wirklich verunreinigt wird oder auch noch weiterhin von außen verunreinigt werden kann. Die Unreinheit der Seele scheint in erster Linie auf die Handlungen überzugehen und nicht auf den Leib. Im Grundansatz müßte statt des „hauptsächlich" ein „allein" gesetzt werden, nur geschieht es nicht wegen des Kompromißcharakters der philonischen Lehre auch in diesem

Punkt. Der Wert der philonischen Stelle liegt darin, daß hier im Rahmen des Judentums, in dem ja auch Mk 7,15 steht, eine Zurückführbarkeit der Unreinheit auf das Innen nicht nur behauptet, sondern mit einer Reihe hermeneutischer Mittel auf philosophische Weise aus dem AT begründet wird. Der mk Satz hat einen anderen Sitz im Leben; die Philostelle zeigt, wie das gleiche Anliegen auf einer „philosophischeren" Stufe formuliert und begründet wird. Auf der Stufe stärkerer Reflexion mußte zugleich das Verhältnis dieses Anliegens zu den überkommenen Traditionen mit Hilfe der Schriftauslegung geregelt werden. Die Formulierung ist ein Kompromiß, das Ergebnis eine Koexistenz, aus allem aber wird deutlich, daß eine Sentenz wie Mk 7,15 sehr wohl zu dieser Zeit innerhalb des Judentums möglich war. Bereits bei der Besprechung von Mk 12,33 hatten wir darauf hingewiesen, wie sehr auch andere jüdisch-hellenistische Schriftsteller mit Hilfe kultischer Kategorien die Alleingültigkeit des Sittlichen gegenüber dem Kultischen darstellen, aber dadurch im Judentum bleiben, daß sie dieses im Zuge einer Auslegung des AT tun. – In unserer Sentenz wird die Alternative für die Annahme des Ursprungs der Unreinheit durch das Gegenüber von Innen und Außen auf eine knappe Formel gebracht.
Aber auch eine sentenzartige Formulierung von gleicher antithetischer Schärfe wie Mk 7,15 ist aus dem hellenistischen Judentum erhalten: Ps-Phokylides 228: ἁγνείη ψυχῆς, οὐ σώματος εἰσι καθαρμοί, was in dieser Lesart (οὐ in Codd Baroccian. 10. Jh und Vindobonens. 13./14. Jh) zu übersetzen ist: Die Reinheit betrifft die Seele, nicht auf den Körper beziehen sich die Reinigungen (der Vers steht unmittelbar vor dem allg. Schluß des Gedichtes in 229f und hat daher besondere Bedeutung). ἁγνείη und καθαρμοί entsprechen sich, ψυχή und σῶμα sind entgegengesetzt. Reinheit oder Unreinheit des Körpers ist völlig belanglos, eine Beziehung zur Reinheit der Seele gibt es nicht; Reinheit der Seele allein gilt. Diese und die genannte Philostelle sind nicht zufällige Einzelzeugnisse, sondern spiegeln die auf atl Reinheitslehren angewandte hellenistisch-jüdische Anthropologie[1].

[1] Der sittliche Reinheitsbegriff findet sich besonders auch bei Flavius Josephus, so in Ant 18,117: Die Taufe des Johannes habe nur der Reinheit des Leibes gedient, nachdem vorher die Seele bereits durch die Gerechtigkeit rein gewesen sei. Vgl. Bell 4,562; 2,455; Ant 1,102; 19,315. – Die Übertragung der kultischen Reinheit auf den Bereich der Sittlichkeit findet sich im Spätjudentum u.a. auch in Jub 11,17; 22,14.19; 23,14; 30,13.22; 33,19;

Ähnliche Aussagen finden sich bei Philo in Spec Leg I 201; Somn I 177; Det Pot 169f; Leg Alleg III 148; Cher 52. Als Dokument konservativerer Tendenz ist Fug Inv 115 mit Mk 7,15 zu vergleichen (Stichwort: ἔξωθεν).

Der Begriff Unreinheit steht etwa in Jub für Götzendienst im Ganzen; insofern nun das Gottesverhältnis im Sinne der dtr Tradition deutlich im Zusammenhang mit Gesetzen aufgefaßt wird, bedeutet Unreinheit das gesetzlose Tun der Heiden überhaupt. Das geht aus einigen typischen Texten hervor:

Jub 1,17 heißt es von Abraham im Zusammenhang seiner Bekehrung: „Und er fing an, vor dem Allschöpfer zu beten, daß er ihn vor der Verirrung der Menschenkinder errette, und daß sein Los nicht hinter die Verirrung in Unreinigkeit und Greuel her falle".

Das Tun der Heiden wird als solches als Unreinheit bezeichnet. Jub 22,14 segnet Abraham den Jakob mit einer Gebetsformel, die Analogien hat in den Aufnahmegebeten der Proselytenaufnahme (vgl. Jos As p. 49,21; 57,19ff):

„Und er reinige dich von aller Ungerechtigkeit und Unreinheit daß du Verzeihung erlangest von allen Sünden, die du in Unkenntnis verschuldet hast.." (vgl. V. 19).

Nach 30,22 ist das Übertreten des Bundes = des Gesetzes identisch damit, auf den Wegen der Unreinheit zu wandeln. Wo also – wie im Kontext von Mk 7 – ebenfalls die wahre Unreinheit in der Übertretung von Geboten gesehen wird, bestimmt sich dieses nicht aus kultfeindlicher Tendenz, sondern vielmehr daraus, daß die entscheidende Differenz zum Heidentum im Besitz des Gesetzes bzw. der besseren Moral besteht. Insbesondere dort, wo jener oben aufgezeigte Gesetzesbegriff herrscht, ist das Gottesverhältnis primär durch das Verhältnis zu diesem so verstandenen Gesetz bestimmt. Die Unreinheit der Heiden, der Götzendienst, ist daher ihre Gesetzlosigkeit.

Die Kategorien des Reinheitsdenkens werden auch in Mk 7,15 nicht aufgegeben; es wird vielmehr nur eine Abgrenzung der Art geschaffen, daß konstituierendes Element der Unreinheit der böse, verworfene Wille des Menschen ist. Zum Vergleich war insbesondere die Terminologie des Jubiläenbuches heranzuziehen: Unreinheit und Befleckung sind (neben „Hurerei" u.a.) ständig wieder-

Henoch 5,4 (unreiner Mund!); 91,7; Syr Bar 60,2; Test Rub 6,1; in CD IV, 11 ist Unreinheit parallel zu Hartherzigkeit; Test Levi 10,2; Napht 3,3; Benj 5,2; Jak 1,27.

kehrende Bezeichnungen für Bosheit überhaupt. Nur entstehen Unreinheit und Befleckung durchaus auf „traditionelle" Weise: Durch Übertretung von Sexualgeboten, Nichtbeachtung kultischer Zeiten und Orte, Blutvergießen usw. – Aber der Grund, weshalb all dieses verunreinigt, liegt nicht mehr nur in der äußeren Berührung, sondern darin, daß das äußere Delikt Folge eines inneren Abfalls von Gott ist. Unreinheit ist nur ein Zeichen von Bosheit schlechthin. Daß diese Unreinheit durchaus noch im Zusammenhang mit den traditionellen Casus entsteht, wird etwa an der 2., 3. und 4. Antithese der Bergpredigt deutlich: Sexualdelikte und Verunreinigung des Namens Gottes sind klassische Ursachen von Unreinheit. Aber diese entsteht nicht nur zufällig, durch Berührung, sondern weitaus prinzipieller, als Abfall von Gott, Unreinheit ist etwas Grundsätzliches geworden.

Als Beispiel mag außer der oben schon erwähnten Kombination von Hurerei, Befleckung und Unreinheit in Jub auch die Schilderung der gottlosen Völker in der Lat Ps.-Ephrem Apk (ed. Caspari) S. 213 (Nr. 4) gelten: Gentes enim illae horribiles nimis, profanissimae et coinquinatae, quae nec vivis parcunt nec mortuis, (vivos conterent, mortuos comedent), carnem morticinam edunt, sanguinem iumentorum bibunt, terram polluunt, universa contaminant...

Man könnte sagen, daß im Rahmen des apokalyptischen Dualismus von Gerechten und Ungerechten die Unreinheit (vgl. „Sünde" bei Paulus) zu einer Art Macht geworden ist, die im Herzen der Gottlosen ansetzend lauter Verunreinigungen hervorbringt. – Damit tritt neben die hellenistische Herleitung von Mk 7,15 (s.o.) eine apokalyptische. Beides schließt sich nicht aus, vor allem nicht im Nacheinander. Wenn Mk 7,16 ursprünglich ist, handelte es sich in V. 15 in dieser Rahmung um ein Rätselwort; Rätselworte enthalten aber durchgehend Belehrungen über apokalyptische Geheimnisse. Es ist also gut möglich, daß ein hellenistisches Logion weisheitlicher Art in apokalyptischer Tradition so gerahmt wurde. Hier wird es dann – durch die Hinzubildung des weiteren Rahmens, der dieses Rätselwort ebenso deuten soll wie der Kommentar ab V. 16 – antijüdisch verstanden, da die Juden eben die Unreinen weil Ungerechten sind. – Unreinheit nach diesem apokalyptischen Verständnis ist also nicht etwas, das man leichthin beseitigen oder punktuell aufheben könnte – es handelt sich vielmehr um eine tief verwurzelte Eigenschaft und Macht. Entsprechend wird in Test Abr A 17 p. 99,16 der Teufel als das Unreinste gekennzeichnet: πάσης ἀκαθαρσίας ἀκαθαρσιωτέραν. Insbesondere aber wird Unreinheit durch den

Mund bewirkt, und damit ergibt sich bereits große Nähe zu Mk 7,15: Nach Jub 23,21 werden in der Endzeit die Menschen „den großen Namen nicht in Wahrheit, noch in Gerechtigkeit nennen, und das Allerheiligste werden sie durch ihre Unreinheit und durch die Verderbnis ihrer Befleckung beschmutzen". – Da die Heiden unrein sind, besteht ihr lästerhaftes Reden gegen das Judentum in Unreinheit; dieselbe Tradition zeigt sich auch in Barn 10,8: ...οἵους ἀκούομεν ἀνομίαν ποιοῦντας ἐν τῷ στόματι δι' ἀκαθαρσίαν, οὐδὲ κολληθήσῃ ταῖς ἀκαθάρτοις ταῖς τὴν ἀνομίαν ποιούσαις ἐν τῷ στόματι. Entsprechend sind auch die Laster in Mk 7, 21f typisch „heidnische" Laster, βλασφημία und ὑπερηφανία spielen nicht zufällig eine besondere Rolle darin; auch nach Ass Mos 7,9 werden die jüdischen Heuchler dadurch gekennzeichnet: et manus eorum et dentes immunda tractabunt, et os eorum loquetur ingentia. – Zu vergleichen sind die „großen" Worte des Antiochus nach Dan 7 vgl. Hen 1. Es handelt sich um heidnische Äußerungen gegen das Judentum. – Während Jos Ant 18,117 die Taufe des Johannes lediglich zur Herstellung der Reinheit des Leibes nach erlangter Reinheit der Seele verstanden wissen will, wird der in Mk 7 diskutierte Brauch des Händewaschens in späterer liturgischer Tradition eben mit dem Hinweis darauf (aus dem Judentum übernommen und) gerechtfertigt, daß das Waschen der Hände ein Symbol der Reinheit des Herzens sei, so in Const App 8,11.12: ὑποδιάκονος διδότω ἀπόρρυψιν χειρῶν τοῖς ἱερεῦσιν, σύμβολον καθαρότητος ψυχῶν θεῷ ἀνακειμένων. – Hier herrscht also noch grundsätzlich ein aufgeklärter jüdischer Hellenismus: Der jüdische Brauch ist lediglich Zeichen der wahren Reinheit; der Brauch wird nicht unterlassen wie in Mk 7, sondern die jüd.-hell. Kompromißlösung wird aufrecht erhalten.

Für eine traditionsgeschichtliche Einordnung der Aussagen von Mk 7 stehen nun nicht nur die genannten jüd.-hell. Äußerungen und insbesondere Ps.-Phok 229f zur Verfügung, sondern auch eine Reihe von ntl und frühchristlichen Aussagen, die zeigen, daß die gesamte Thematik von Mk 7 jüdisch-hellenistischer Tradition entstammt; dieses zeigt sich bis in Einzelheiten der Argumentation, die einer relativ festen Tradition zugehören.

Stichwort dieser Tradition ist der Satz „alles ist rein". Die Traditionsgeschichte dieses Satzes erhellt ein Stück des Weges, auf dem frühgnostische Erscheinungen ihren Weg aus dem Judentum nehmen. Der Satz „alles ist rein" wird in jener Tradition hervorgebracht, die den Wert der Schöpfungsordnung betont, im Gegen-

satz dazu stehen Kreise, die von jüdischen Reinheitsvorstellungen geleitet Speiseverbote streng beachten und die Ehe ablehnen. Im Umkreis hellenistischen Judentums haben sich offenbar diese beiden einander entgegengesetzten Richtungen in der Auseinandersetzung herauskristallisiert – und die ntl Schriften nehmen Anteil an dieser Debatte.
Zunächst ist für einzelne Belege die traditionsgeschichtliche Nähe (von Abhängigkeit kann keine Rede sein) zu Mk 7 zu bestimmen:

a) Tit 1,14: Die jüdischen Mythen und die Gebote von Menschen (ἐντολαῖς ἀνθρώπων vgl. Mk 7,8f; Mt 15,9) werden dem Grundsatz gegenübergestellt: Alles ist rein – für die Reinen. Dabei ist „rein“ im ersten Falle kultisch, im zweiten moralisch verstanden. 1,15b macht deutlich, daß die Unreinheit der Ungläubigen im Sinn und im Gewissen besteht. Die Menschengebote beziehen sich also auf die jüdischen Reinheitsgesetze, und wahre Reinheit besteht in „jedem guten Werk“ (V. 15b). Die Unreinen sind daher die Sünder und Heiden und vor allem solche, die nur vorgeblich Gott kennen (V. 16a θεὸν ὁμολογοῦσιν εἰδέναι...), aber dem nicht in ihren Werken entsprechen: es wird deutlich, daß der Vorwurf der Hypokrisis an die Pharisäer (Mk 7,6; Mt 15,12-14) in diesem Zusammenhang vorbereitet ist: Auf sie wird der schon Ass Mos 5,5 für die magistri et doctores der Endzeit geltende Vorwurf bezogen, den falschen Schein zu lieben und die Gerechtigkeit zu pervertieren. Dies ist nur eine Entfaltung des traditionellen Motivs speziell im Hinblick auf die Gegner des irdischen Jesus; es ist der Tradition inhärent und bezieht sich nicht ursprünglich auf Pharisäer.

b) Kol 2,8.21. Die Irrlehre jüdischen Ursprungs wird als Philosophie gekennzeichnet und als „Überlieferung der Menschen“ (κατὰ τὴν παράδοσιν τῶν ἀνθρώπων) und als solche dem κατὰ Χριστόν entgegengesetzt. Das aber entspricht dem Gegensatz von Überlieferung der Menschen und Gottes Gebot in Mk 7 par. Aus Kol 2,21 scheint hervorzugehen, daß es sich ebenfalls um Reste jüdischer Reinheitsvorstellungen handelt. Die Argumentation in V. 22 entspricht der in Mk 7,19. Wie in Mk 7,6f wird dann Jes 29,13 zitiert, hier in größerer Übereinstimmung mit LXX.

c) Röm 14,20 nimmt mit dem Satz πάντα μὲν καθαρά offenbar ein bereits geläufiges Stichwort auf.

d) Justin, qu et resp 35 differenziert: Von Natur aus ist alles rein (φύσει μὲν καθαρὰ ὑπάρχει πάντα τὰ ζῶα), Gott aber wollte die Juden unter das Joch des Gesetzes in Sklaverei zwingen und nannte einige Dinge unrein: Diese sind rein von Natur, unrein wegen des Gesetzes (καθαρὰ μὲν διὰ τὴν φύσιν, ἀκάθαρτα δὲ διὰ τὸν νόμον).

e) Derselbe Verweis auf die Schöpfung begegnet auch in 1 Tim 4,4 im Zusammenhang der Argumentation gegen Leute, die, ebenfalls wohl auf jüdischen Reinheitsvorstellungen aufbauend, Ehe verboten und den Genuß (bestimmter) Speisen untersagten. Wie in Mk 7 ausdrücklich und der Sache nach in Tit 1,14, so fällt auch hier das Stichwort ὑπόκρισις zur Kennzeichnung der Gegner (V. 2).

f) Acta 10,15. Hier ist es eine Himmelsstimme, die den allgemeingültigen Satz verkündet: ἃ ὁ θεὸς ἐκαθάρισεν σὺ μὴ κοίνου. Aus 15,9 geht wiederum hervor, daß dieser Satz für die gilt, die durch den Glauben, bzw. den Besitz des heiligen Geistes rein geworden sind (15,9: τῇ πίστει καθαρίσας τὰς καρδίας αὐτῶν). – Über den Zeitpunkt der Reinerklärung gehen die Meinungen auseinander: entweder ist es die Proklamation selber (Haenchen) oder man läßt den Zeitpunkt offen (Conz). Haenchen erwägt eine Beziehung zum Worte Jesu in Mk 7,19b und meint, diese Worte könnten auf die Petrusvision anspielen (S. 293 Anm. 5). Nun heißt καθαρίζω in der Tat „für rein erklären" (Lev 13,13 LXX). Die Frage nach dem Zeitpunkt der Für-Rein-Erklärung läßt sich durch drei Überlegungen dahin beantworten, daß wahrscheinlich an die Schöpfungsgeschichte gedacht ist und die Beurteilung der Schöpfungswerke als gut – dies aus folgenden Gründen:
1. Die Reinheit aller Dinge wird in den Stücken dieser Tradition stets mit der Schöpfung aller Dinge als „gut" begründet (vgl. Gen 1,31 mit 1 Tim 4,4: ὅτι πᾶν κτίσμα θεοῦ καλόν).
2. Höchst aufschlußreich ist der Vergleich von Acta 10,15 mit Mk 10,9: ἃ ὁ θεὸς ἐκαθάρισεν σὺ μὴ κοίνου
ὃ οὖν ὁ θεὸς συνέζευξεν, ἄνθρωπος μὴ χωριζέτω
Für Mk 10,9 gibt es keinen Satz, der eine näher verwandte Struktur aufzuweisen hätte. In Mk 10 aber ist das Tun Gottes eindeutig aus der Schöpfungsordnung zu begründen.
3. Auch wenn Jesus in Mk 7,19 alle Speisen für rein erklärt, so tut er dies mit dem Hinweis auf einen „natürlichen" Vorgang, der vulgär-medizinischem „weisheitlichem" Wissen entspringt und also ein Argument aus der Ordnung der Natur ist.

Damit ist deutlich, daß Acta 10,15 wie Mk 10,9 in sehr ähnlicher Satzform jüdische Partikulargesetze außer Kraft setzen mit dem Hinweis darauf, daß Gottes Wille in der natürlichen Ordnung zwingend zum Ausdruck gebracht wird. Damit aber bleibt die Argumentation im Rahmen der oben genannten Tradition, die die Reinheit aller Dinge schon immer aus der Schöpfungsordnung begründete und darin bereits jüdischen Ursprungs ist.

g) Als von Mk 7 unabhängig zu betrachten und wohl der gleichen Tradition einzureihen ist auch Lk 11,38-41; in V. 41 fällt das Stichwort πάντα καθαρὰ ὑμῖν ἐστιν. – Die Perikope ist ähnlich wie Mk 7 aufgebaut und teilt mit Mt 15 den besonderen antipharisäischen Affekt. Im Vergleich zu Mt 23,25f kann man erkennen, daß der Anstoß des Pharisäers an Jesu Tun, der traditionelle Verweis auf den Schöpfer und die Aufforderung, Almosen zu geben, entweder luk sind oder von Lk in seiner Q-Fassung vorgefunden wurden; das letztere ist wahrscheinlicher, und so handelte es sich wohl um eine Parallele zu Mk 7 in Q: Darauf weisen vor allem die vielen traditionellen Elemente, die wir für andere Belege dieser Tradition ähnlich feststellten. Die wahre Reinheit wird nach Mk 7 durch die Aufzählung von Lasterkatalogen dargestellt, die hier den Gesetzesbegriff in hellenisiertem Zustand (mit Dekalogähnlichkeit) wiedergeben – bei Lk steht an dieser Stelle das Almosengeben – ein guter Beleg für jenen oben aufgezeigten, primär durch Sozialforderungen bestimmten Inhalt von „Gesetz" bzw. Forderung Gottes. – Daß von der Größe „Gesetz" nur in der mk Variante dieser Tradition die Rede ist, zeigt das relativ späte Stadium der mk Überlieferung.
Die antipharisäische Ausrichtung ist also typisch für die Belege dieser Tradition, die sich innerhalb der Evv-Überlieferung finden. Ass Mos 7 scheint zu bezeugen, daß sich die Verbindung von Heuchelei und extremem Reinheitsanspruch bereits im Judentum findet (vgl. den Schluß 9b.10: et superdicent: noli tu me tangere, ne inquines me). Nahezu alle Stellen weisen darauf hin, daß der Satz „alles ist rein" nicht isoliert und daher nicht grundsätzlich formuliert wurde, sondern mit dem Zusatz oder unter der Voraussetzung „für die Gerechten, die sowieso innerlich rein sind und daher die wahre Reinheit besitzen" (vgl. Tit 1,14; Lk 11,41), so, wie es schon Ps-Phok 229 formuliert: Die Reinheit geht die Seele an und nicht den Leib. Wer daher an der Seele rein ist, ist schlechthin rein. Ähnlich bringt diese Tradition auch Justin in Dial 14,2

noch zum Ausdruck: βαπτίσθητε τὴν ψυχὴν ἀπὸ ὀργῆς καὶ ἀπὸ πλεονεξίας, ἀπὸ φθόνου ἀπὸ μίσους (vgl. Mk 7,21f!) καὶ ἰδοὺ τὸ σῶμα καθαρόν ἐστι.

Der Satz von der Reinheit aller Dinge setzt daher einerseits eine Übertragung der Reinheitsvorstellungen auf die Erfüllung des moralischen Gesetzes voraus, und andererseits werden kultische Reinheitsgebote, insbesondere Speise- und Sexualvorschriften, dadurch relativiert und erledigt, daß man auf die Schöpfungsordnung hinweist – teils einfach mit dem Hinweis auf natürliche Vorgänge (Kol 2,22; Mk 7,19), teils mit dem Hinweis auf das Gutsein alles Geschaffenen. Im Prinzip geschieht auch in Mk 10,1-12 nichts anderes als eine Relativierung jüdischer Spezialvorschriften unter Hinweis auf die Schöpfungsordnung. – So treffen sich in den Argumentationen dieser Tradition drei typische Kennzeichen des jüd.-hell. Religionsverständnisses: 1. Die Gleichsetzung von Unreinheit und Götzendienst überhaupt (daher wird der Beitritt zum Judentum als καθαρισμός bzw. βαπτισμός bezeichnet, vgl. Mk 7,4b mit Justin Dial 14,2), 2. die primär moralische und sozialethische Auffassung der jüdischen Religion und ihres Gesetzes (der Proselyt ist gekennzeichnet durch den Besitz einer besseren Gerechtigkeit; bestehende Reinheitsgesetze werden auf moralische reduziert: ArBrief), 3. die Betonung der Schöpfertätigkeit Gottes und die damit verbundene Begründung von Geboten aus der Schöpfungsordnung (vgl. zu Mk 10,1ff): dazu eigneten sich aber am besten Gebote allgemeineren moralischen Charakters, auf denen man ein Konkurrenzverhältnis zum Heidentum begründen konnte und die nicht mit dem Vorwurf kultischer Absonderlichkeit dem bloßen Staunen oder dem reinen Spott ausgesetzt waren. Diese Elemente sind jüdischen Ursprungs – aus ihnen ist nicht nur die These erklärbar, daß die wahre Reinheit in der Befolgung sittlicher Gebote besteht, sondern auch die weitere, daß daraufhin eben der Gerechte bereits rein ist (Äußere Riten *dann* nur symbol.: Josephus, ArBr, Apost Const). Abgesehen von diesem jüd.-hell. Traditionshintergrund von Mk 7; Lk 11 muß man zusätzlich aufgrund von Th-Ev 14 (s.o.) fragen, ob nicht zwischen der Mißachtung von Reinheitsregeln und der Missionspraxis selbst bzw. dem „aktiven" Besitz des *Reinheit* gebenden *Pneumas* ein enger und folgenreicher Zusammenhang besteht.

Die Gegner, deren Reinheitsvorschriften als pure Menschensatzung gekennzeichnet werden, sind zweifellos ebenfalls von jüdischen Traditionen bestimmt; diese sind eher levitischen Ursprungs; auch

diese Traditionen haben ihre Spuren in ntl paränetischen Traditionen hinterlassen, wie insbesondere für Mt 5,27-37; 19,12 zu zeigen sein wird und wie bereits aus der Auslegungstradition insbesondere des 6. Gebotes hervorging. Insbesondere das Verhältnis zur Sexualität hat innerhalb dieser Tradition das Weltverständnis im Ganzen betroffen, so daß die Gegner schon mit dem Hinweis auf die Schöpfungsordnung argumentieren mußten. – Die Möglichkeit aber, diese jüdischen Reinheitsvorstellungen (und ihre Ausweitungen) als bloße Menschengebote zu kennzeichnen, speiste sich wiederum aus innerjüdischen Voraussetzungen: aus der Theorie vom endzeitlichen Abfall vom Gesetz und seiner Ersetzung durch Menschengebote und aus der Abwertung derjenigen Gesetze des Moses, die nach der Anbetung des Kalbes gegeben wurden – zugunsten einer Aufwertung des Dekalogs (vgl. zu σκληροκαρδία).
Die enge Beziehung der auf die Sittlichkeit übertragenen Reinheitsvorstellungen gerade zum Ritus des Händewaschens ist ebenfalls nicht erst in Mk 7 hergestellt, sondern bereits jüdisch-hellenistische Tradition. Das geht hervor aus der Weise, in der dort in übertragener Bedeutung von der Reinheit der Hände gesprochen wird. Atl Ansatzpunkt ist bereits Ps 24(23)4: ἀθῷος χερσὶν καὶ καθαρὸς τῇ καρδίᾳ im Judentum Sir 38,10 εὔθυνον χεῖρας καὶ... καθάρισον καρδίαν und schließlich ganz parallel aufgebaut Jak 4,8: καθαρίσατε χεῖρας, ἁμαρτωλοί, καὶ ἁγνίσατε καρδίας. Der Begriff der καρδία begegnet auch in unserer Perikope in Mk 7,19.21; Mt 15,18f. – Während das Judentum die Reinheit der Hände durchaus im sittlichen Sinne parallel zur Reinheit des Herzens versteht, wird in Mk 7 eine nur äußerlich („Heuchler") verstandene Reinheit der Hände der wahren Reinheit des Herzens gegenübergestellt. Da der Sitz im Leben von Mk 7 ohne Zweifel Belehrung der jüd.-hellenistischen Gemeinde über die wahre Reinheit ist, dienen die Pharisäer und die „jüdischen Bräuche" als negative Folie; die Anknüpfung am Händewaschen ist aus der Tradition vorgegeben.

Nimmt man schließlich zur Erklärung auch Philo, Virt 183 (Ende) hinzu, so wird deutlich, welche Rolle die Glieder Herz, Hand und Mund (Mt 15,11. 17.18) in der Paränese spielen: der Mund bezeichnet das Wort (λόγος), das Herz den Willen (βούλευμα), die Hände die Taten (πράξεων δὲ χεῖρες (σύμβολον)). Vgl. auch die Rede von der Reinheit des Mundes, deren Bewahrung dann der καθαρὸς λόγος entspricht, bei Hippolyt, Dan-Komm X 6.

Durch die Verse 1 und 5 wurde Mk 7,15 in Schicht I in das Leben Jesu hineinversetzt. Durch die Art der Fragestellung spiegelt sich in dieser Biographisierung die Situation einer Gemeinde, die im

Gegensatz zu den Pharisäern den Ritus des Händewaschens nicht mehr beachtet[1]. Für diese Abweichung beruft man sich auf den viel grundsätzlicheren Satz in V. 15; dieser muß jetzt die Unterlassung eines rituellen Einzelbrauchs begründen. Aber weder mit V. 15 noch mit diesem Brauch stellt man sich – für damalige Vorstellungen – außerhalb des Rahmens des Judentums oder gar gegen die Autorität des Moses. Die Traditionen des hellenistischen Judentums zeigen den weiten Umfang dessen, was zu dieser Zeit innerhalb des Judentums möglich war. Mußte man sich ausführlicher für diese Ansichten legitimieren (s.o. bei Philo), so konnten exegetische Methoden immer noch das gewünschte Ergebnis bringen. Man darf die Frage eines Verstoßes gegen die Autorität des Moses nicht von unserem Verständnis des AT her beurteilen, wie Käsemann[2] es tut, wenn er sagt, durch Mk 7,15 werde der Wortlaut der Tora, die Autorität des Moses und das gesamte antike Kultwesen getroffen. Liegt nach unseren Begriffen eine Verletzung der Reinheitsgebote aus Nu und Lev vor, so hatte das hell. Judentum nicht nur die Möglichkeit, jene Gebote allegorisch-moralisch zu interpretieren – vielmehr ist auch grundsätzlich zu fragen, welche Autorität die Tora des Mose allgemein hatte. Im Laufe unserer Untersuchung wies bisher alles darauf hin, daß die Autorität des Gesetzes bzw. des Moses und der Propheten nicht die Autorität des Kanons gewesen ist, sondern vielmehr eine inhaltlich variable Größe. Das trifft nun mutatis mutandis auch für die Reinheitsgesetze zu. Da der Kanon nicht im Ganzen und vor allem nicht in gleichmäßiger

[1] Nach W. Brandt, a.a.O., 3 bedeutet „Brot essen" soviel wie „Mahlzeit halten". – Die Vorschrift des Händewaschens vor jedem Essen, d.h. auch dann, wenn man sich nicht verunreinigt hat und ohne jeden Bezug auf eine Verunreinigung findet sich in Ber IV,8 b. 43a; vgl. dazu W. Brandt, a.a.O., 27: „Dies Händewaschen bei Gelegenheit eines Gastmahls war bei den Juden ohne Zweifel nur Nachahmung griechischer feiner Sitte". S. 31: „Als ein Waschen der Hände, nicht um eine ihnen eigene Unreinheit aufzuheben, sondern nur zum Wegspülen einer ihnen äußerlich anhaftenden unreinen Materie, und zwar als solch ein Waschen für alle Sicherheit, wenn es auch oftmals unnötigerweise stattfinden sollte, wird das Händewaschen vor dem Brotessen zur religiösen Pflicht gemacht worden sein". Das rituelle Händewaschen erwähnen Ar Br 305 und Josephus Ant 12,106. Die Bedeutung des rituellen Händewaschens tritt besonders hervor in Sib III,592f (ὄρθριοι ἐξ εὐνῆς αἰεὶ χρόα ἁγνίζοντες ὕδατι).

[2] Vgl. E. Käsemann, Das Problem des historischen Jesus, in: Zeitschr. f. Theol. u. Kirche (1954), 125-153, 146. Vgl. W. Brandt, a.a.O., zu Mk 7,15: „...widerspricht... einigen ganz unzweideutigen Aussagen und Bestimmungen des mosaischen Gesetzes" (besonders Lev 11,40; 17,15f; 20,25f).

Weise als Autorität galt, waren Reinheitsgesetze wohl in hohem Maße prinzipiell diskutierbar. Ein Religionsverständnis, welches Monotheismus und Moral bzw. Sozialgebote deutlich betonte, ist eben für das hell. Judentum weithin belegt. – So handelt es sich nicht um eine prophetisch-revolutionäre Neuerung Jesu, vielmehr beweist die Möglichkeit, daß man Mk 7 traditionsgeschichtlich einordnen kann, daß hier die christliche Gemeinde eindeutig an jüdisch-hellenistischer Tradition partizipiert.
In Schicht I liegt die Frage vor, in welchem Verhältnis die Unterlassung der Händewaschung zur wahren Ursache der Unreinheit steht: Die wahre Reinheit wird von dieser Unterlassung nicht berührt – die Apologie der Gemeindepraxis ist hergestellt.

Der Ausdruck κοιναῖς χερσίν ist nicht ganz korrekt, da nicht einzelne Glieder, sondern nur der ganze Mensch oder Gegenstände unrein sein können. Auch κοινός müßte genauer durch ἀκάθαρτος wiedergegeben werden; κοινός begegnet in dieser Bedeutung von „profan" nicht außerhalb des jüdisch-hellenistischen Sprachgebrauchs. Daher muß das Wort in V. 2 durch τοῦτ' ἔστιν ἀνίπτοις erklärt werden; dieser Begriff ist dem Nicht-Juden auch im übertragenen Sinne geläufig, wie die Zitierung von Ilias VI,266 in Philo, Spec Leg II,6, bezeugt (ἀνίπτοις χερσίν).

Schicht II ist eine grundsätzlichere und zugleich antijüdische Kommentierung von Schicht I. Wir stellten bereits fest, daß alle mk Streitgespräche mit sekundärer Schriftauslegung auch einen nachträglichen Kommentar zum ursprünglichen Logion besitzen. Man wird daher auch den Kommentar der Verse 17-23 zur Schriftauslegung in V. 6-13 in Beziehung setzen müssen. V. 17-19 erklärt, warum „alle die Speisen" den Menschen nicht verunreinigen, V. 20-23, daß eine Reihe von Lastern ihn wirklich verunreinigt. Der Kommentar ab V. 17 ist daher zweiteilig aufgebaut nach dem Gegensatz von καρδία und κοιλία. Der Aufbau entspricht genau dem von V. 15. – Der weisheitliche Charakter der ganzen Belehrung wird besonders an der Verwendung des Bildes in Mk 7,18 f deutlich: Belehrung über die Öffnungen des Leibes gehört zur weisheitlichen Schöpfungstradition (so äth Adambuch, Übers. Dillmann, p. 57: „Und Gott... machte ihnen plötzlich die Öffnungen, durch die sie sich entleeren könnten, wie es zur Natur geworden ist bis auf diese Stunde, damit sie nicht umkommen. Adam und Eva aber stießen das aus, was sie in ihrem Bauche hatten..."; es handelt sich um eine spezielle ätiologische Darstellung des Verdauungsvorganges), und als weisheitliche Lehre dient solches Wissen der Widerlegung des Götzendienstes, so in Acta Apollonii 20 (ed. Knopf/Krüger p. 32):

τὸ κρόμμυον ... τῶν Πηλουσίων θεός, ἅτινα πάντα εἰς κοιλίαν χωρεῖ καὶ εἰς ὀχετὸν ἐκβάλλεται.
Auch die Juden nach Mk 7 betrachten etwas als heilig und zu Gott gehörig, was in Wahrheit nur dem Verdauungsvorgang zugehört. Besondere Beachtung verdient aber Test Hiob 38,3: Die Freunde Hiobs verlangen einen Beleg dafür, daß Hiob mit seiner Theodizee noch bei Sinnen sei (37,8). 38,3 betont das Wunderbare darin, daß Festes und Flüssiges durch denselben Mund hineingehen und doch nachher wieder voneinander getrennt werden (ὅταν δὲ καταβῇ τὰ δύο εἰς τὸν ἀφεδρῶνα...): Hiob belehrt, daß Gott es ist, der beides wieder trennt. Da seine Freunde sich aber noch nicht einmal auf diesen weisheitlichen Gotteserweis verstehen, können sie noch viel weniger die ἐπουράνια begreifen, d.h. den Lauf der Gestirne (37,8) noch wohl auch die Theodizee Hiobs. Dieselbe Figur begegnet in den Slav Periodoi Petrou (Übers. Franko; p. 321). Auch hier handelt es sich um weisheitliche Fragen; auch hier ist die Antwort, daß nur Gott dieses wisse; dem hier genannten Topos vergleichbar ist die Nennung der „Glieder jegliches Menschen". Die Belehrung in Mk 7 hat als weisheitliche Lehre eine ähnliche Funktion: Der Hinweis auf natürliche Vorgänge erweist die Weisheit des Lehrers, und so kann man ihm auch Vernunft in theologischen Entscheidungen zumuten. – In V. 19 soll eine vulgärmedizinische Begründung für V. 15a geliefert werden. Statt Außen-Innen wird der Gegensatz Herz-Bauch verwendet, wobei durch den Bauch die Speisen ja wieder ausgeschieden werden und daher deutlich als zum Außen gehörig erwiesen sind: Selbst wenn sie unrein wären, könnten sie ihn nicht verunreinigen, da sie ihn wieder verlassen. Aus dem Herzen dagegen kommt eine Reihe von Lastern. Nach sechs dekalogähnlichen, pluralisch formulierten Vergehen (es spiegeln sich die jüdisch-hellenistischen Auslegungen des 6., 7., 5., 6., 10. Gebotes mit dem zusammenfassenden πονηρίαι als ursprünglichem Abschluß?) folgt eine Reihe aus Katalogen, die auch sonst im hellenistischen Judentum belegt sind.
Durch diesen Kommentar ist also das, was von innen kommt und den Menschen verunreinigt, identifiziert mit einer Reihe von Dekalog- und anderen Sünden. In der Art der genannten Laster spiegelt sich ohne Zweifel eine gewisse Summe dessen, was man überhaupt als verboten ansieht. Vergleicht man mit Philo und dem Aristeasbrief, so erkennt man, daß jene Elemente, die auch dort faktisch den Inhalt des Ethos bestimmen, hier genannt werden, nur hier ohne nachträgliche allegorische Fundierung im AT. Das

jüdische Element in diesem Katalog zeigt sich aber deutlich in der Voranstellung (und formalen Unterschiedenheit) der Dekalogsünden. Die Frage nach dem Inhalt des Gebotenen ist also auch hier noch auf eine für das hellenistische Judentum typische Weise gelöst worden. Auch im Einschub in V. 10 erscheint ja ein Dekaloggebot als Argument. Da in V. 9-13 von ἐντολή und λόγος τοῦ θεοῦ die Rede ist, besteht inhaltlich eine Beziehung zu den in V. 21.22 genannten Vergehen, die wahre Verunreinigung bedeuten. Dadurch wird der Kommentar zu V. 15 in ein antijüdisches Licht gestellt (s.u.). Am Ende wird sogar die Vorstellung der Reinheit verlassen und das dem Herzen Entspringende einfach als böse (πονηρά V. 23) bezeichnet.

Zugleich wird in V. 15-23 das mk Stilmittel der Parabeltheorie eingetragen. Dem Aufruf σύνετε in V. 14 entspricht das ἀσύνετοι in V. 18. παραβολή bedeutet hier offensichtlich nicht Gleichnis, sondern Rätselwort, ähnlich in Sir 47,17; 39,3; 47,15; Barn 6,10; 17,2 (Vgl. J. Jeremias, Gleichnisse 10 und O. Eißfeldt, Der Maschal im Alten Testament (BZAW 24), 1913, 17-20). Die Kommentierung der Verse 17-23 wird durch dieses Stilmittel mit dem ursprünglichen Logion verknüpft.

Mk 7,16 ist aus formgeschichtlichen Gründen als sehr wahrscheinlich ursprünglich anzusehen; der Satz gehört an das Ende von Parabeln und apokalyptischen Belehrungen über Verborgenes; um eine solche Parabel handelt es sich nach V. 17 aber auch in V. 15. Bisweilen steht der genannte Aufruf erst am Ende der Gleichnisausdeutung, sofern eine solche vorhanden ist. Da sie hier sekundär hinzutritt, wird dies der Grund für die Auslassung von V. 16 gewesen sein. Ursprünglich dagegen endete das Stück mit V. 16[1].

So wie Mk 10,9 ebenfalls einer speziellen Belehrung im Hause bedarf und dadurch als weisheitliches Wort besonderer Tragweite geschildert wird, dessen wahren Sinn zu wissen nur den Eingeweihten zukommt und wie Act 10,15 dem Petrus gar erst durch eine Himmelsstimme kundgetan wird und so die gebührende Legitimation erhält, wird Mk 7,15 dadurch herausgehoben, daß man diesen Satz als παραβολή erklärt. Dadurch wird dieser Satz als weisheitliches Geheimnis ebenso gekennzeichnet wie durch den wohl ursprünglichen Zusatz „wer Ohren hat zu hören, der höre“ in V. 16. Ursprünglich dagegen dürfte es sich an dieser Stelle um eine bloße Übersetzung des hebr. משל handeln, und zwar im Sinne des weisheitlichen Sprichwortes (cf. Sir 3,29; Procopius v. Gaza, Catenae in Octateuchum Num 23,3: PG 87.864B: παραβολὴν τὸν σοφὸν λόγον εἴωθεν ἡ γραφὴ λέγειν; Olympiodor v. Alexandrien fr. Prov 1,6: πᾶς λόγος σοφός ... διεξιών, οὐχ ὁμοιώματα ἀλλὰ λόγους σοφούς und schon LXX Ps. 77,2; in Lib Ant 18,10 wird parabola im Sinne weisheitlicher Belehrung durch den Propheten Bileam verwendet). – Die Nähe von Weisheitswort und Rätselwort ist aber traditionell (vgl. Prov 1,6 LXX), insofern ist eine weitere Erläuterung stilgerecht, und andererseits müssen auch „Gleichnisse" im Sinne weisheitlicher Belehrung verstanden werden. Die Interpretationsbedürftigkeit von V. 15 wird dadurch erwiesen, daß der Satz selbst als παραβολή, die Hörer (hier die Jünger) der Parabeltheorie entsprechend als ἀσύνετοι[1] dargestellt werden. Der

[1] Zur Beurteilung dieser Formel ist zunächst auf das ὁ ἔχων οὖς ἀκουσάτω τί τὸ πνεῦμα λέγει ταῖς ἐκκλησίαις der ntl Apokalypse zu verweisen. Diese Formel steht jeweils am Ende formgeschichtlicher Einheiten, die mit τάδε λέγει beginnen, so in Apk 2,7.11.17.29; 3,6.13.22. Es handelt sich jeweils um eine nach bestimmtem Plan aufgebaute prophetische Gottesrede, die jeweils mit der Angabe von Lohn oder Strafe endet. In Apk 13,9 findet sich die Formel εἴ τις ἔχει οὖς ἀκουσάτω wie bei Mk am Ende der zugehörigen Vision 13,1-9, die sie als Ganzes beschließt. Innerhalb von Apk ist noch auf 13,18 ὁ ἔχων νοῦν ψηφισάτω τὸν ἀριθμόν... zu verweisen: es handelt sich um die Bestimmung der Zahl 666. Die Formel wendet sich jeweils an die Hörer einer als Paränese oder als Gleichnis gegebenen apokalyptischen Offenbarung. Handelt es sich ursprünglich um eine Aufforderung zum Hören, die sich an alle richtet, die Ohren haben, d.h. an alle Umstehenden, so wird die partizipiale bzw. konditionale Formulierung in apokalyptischem Kontext so ausgelegt, daß nur die, denen Gott das Zuhören gab, die weisheitliche Rede verstehen. Im NT wird das insbesondere dann deutlich, wenn Gleichnisse zugleich als Rätselrede aufgefaßt werden. Wer hören kann, ist auserwählter Traditionsempfänger und -übermittler. Die Einschränkung des Weckrufes auf die, denen es gegeben ist, beruht traditionsgeschichtlich auf dem Einfluß der prophetischen Verstockungstradition, die sich hier mit apk Dualismus überschneidet.
Die konditionale Formulierung wird nun z.T. so gedeutet, daß auch das Hörenkönnen eine Gabe von Gott ist. Die synoptische Tradition läßt erkennen, wie hier prophetische, weisheitliche und apokalyptische Elemente miteinander verbunden sind bzw. nebeneinanderstehen. Mk 4,9/Mt 13,9/ Lk 8,8b steht am Schluß der Gleichniserklärung über die verschiedene Frucht; bei Mk entspricht diesem Schluß in V. 3 der Imperativ ἀκούετε. Eine genaue Parallele dazu ist Mk 7,14 (ἀκούσατε μου πάντες καὶ σύνετε). 16 (εἴ τις ἔχει ὦτα ἀκούειν, ἀκουέτω). Dem entspricht, daß V. 15 in V. 17 ausdrücklich als παραβολή bezeichnet wird. Die Einheit V. 14-16 enthält also typische Elemente einer Parabole und wird außerdem als solche bezeichnet. Daher sprechen alle formgeschichtlichen Gründe für die Echtheit von V. 16. Auch in Mk 4,23 steht der Satz εἴ τις ἔχει ὦτα ἀκούειν ἀκουέτω am Ende eines Bildwortes nach dessen Deutung (wie in Mk 4,9). In Mk 8,18 handelt es sich um die symbolische Erklärung der Brote bei der Brotvermehrung. In Lk 14,35 steht der

Hinweis auf πάντα τὰ προβλήματα in V. 19 (als Subjekt zu καθαρίζων möchte ich Jesus annehmen) läßt erkennen, daß in diesem Teil der Perikope die Abkehr von den Speisegesetzen ganz allgemein begründet werden soll[1]. Damit ist zwar der Horizont von V. 15 verengert (alle Unreinheit nur durch Berührung ist jetzt nicht behandelt), aber der von V. 2.5 erweitert. Dem Hinweis auf die Speisen korrespondiert auch die Schilderung der Verdauungsvorgänge in V. 19. Demnach hat der Redaktor der Schicht II V. 15 in diesem

Satz am Ende des Gleichniswortes über das Salz (und bezeugt damit die Verbundenheit zum Wort über den Leuchter – vgl. Mt 5,13-16!). In Mt 11,15 folgt der Satz ὁ ἔχων ὦτα ἀκουέτω auf die Erklärung, Johannes sei Elias. Hier handelt es sich zweifellos um die Enthüllung eines endzeitlichen Geheimnisses. Mit den Gleichnissen hat es gemeinsam, daß der endzeitliche Sinn verborgen ist. In Mt 13,43 handelt es sich um eine Lohnansage für Gerechte. Daß das Verstehen der Gleichnisse als besondere Gabe aufgefaßt wird, zeigt besonders die an Mk 4,9 angeschlossene sog. markinische Parabeltheorie (βλέποντες βλέπουσι usw.). Das Verstehenkönnen apokalyptischer Rede ist selbst eine Gabe (μ. δέδοται usw.). Es wird ebensowenig als eine Sache des „bloßen Verstandes“ angesehen wie sein Gegenteil, die Verstockung. Das wird nochmals deutlich an Mt 19,11.12 (οὐ πάντες χωροῦσιν τὸν λόγον τοῦτον, ἀλλ' οἷς δέδοται... ὁ δυνάμενος χωρεῖν χωρείτω). Das Eunuchenwort wird durch diesen Zusatz formgeschichtlich eindeutig als Gleichniswort gekennzeichnet. Ebenfalls am Schluß eines Gleichnisses begegnet der Satz in Lk 21,21 (HU al): ταῦτα λέγων ἐφώνει· ὁ ἔχων ὦτα ἀκούειν ἀκουέτω. Hier wird wieder einmal durch HSS lebendige formgeschichtliche Kontinuität bezeugt. Auch in ThEv 7 wird das Gleichnis vom größten Fisch beschlossen mit dem Satz: Wer Ohren hat zu hören, der höre. Eine Deutung dieses Gleichnisses wurde nicht gegeben. Durch diesen Zusatz werden Gleichnisse nach einem Selbstverständnis beschlossen, das sich aus der Tradition des Ez her bereits als „prophetisch“ bezeichnen läßt.

Der formgeschichtliche Ursprung als Aufforderung liegt in Ez 3,27: „Wenn ich aber mit dir rede, so öffne ich deinen Mund, und du sollst zu ihnen sagen: So spricht der Gebieter und Herr! Wer hören will, der höre, und wer es nicht will, der lasse es (ὁ ἀκούων ἀκουέτω καὶ ὁ ἀπειθῶν ἀπειθείτω Tg: דמקביל יקביל אולפן ...) denn ein Haus der Widerspenstigkeit sind sie“.

Die genannte Einleitung wird hier also als formal zu einem prophetischen Spruch zugehörig charakterisiert. Jedenfalls legt die apk Tradition diese Stelle so aus. Zum Sprachgebrauch in prophetischer und weisheitlicher Tradition, der die Formulierungen im Sinne einer „Gabe“ vorbereitet

vgl. Is 32,3 οὐκέτι ἔσονται πεποιθότες ἐπ' ἀνθρώποις, ἀλλὰ τὰ ὦτα δώσουσιν ἀκούειν

Is 43,8 ὀφθαλμοὶ τυφλοί... καὶ κωφοὶ τὰ ὦτα ἔχοντες

Is 50,4 κύριος δίδωσίν μοι γλῶσσαν παιδείας... προσέθηκέν μοι ὠτίον ἀκούειν

Bar 2,31 καὶ δώσω αὐτοῖς καρδίαν καὶ ὦτα ἀκούοντα

Ez 12,2 ἀδικιῶν... ὦτα ἔχουσιν τοῦ ἀκούειν καὶ οὐκ ἀκούουσιν

Sir 17,6 ὦτα καὶ καρδίαν ἔδωκεν διανοεῖσθαι αὐτοῖς.

Der Struktur nach verwandt sind eine Reihe von Logien apokalyptischer

Sinn verstanden. Nun aber wird auch die Funktion des Verses 14 deutlich: Das ursprüngliche Streitgespräch V. 1.5.15 wurde durch den Redaktor in zwei Teile zerlegt, deren erster nun bis V. 13 reicht. Mit V. 14 beginnt ein neuer Einsatz über das Thema der Abschaffung der Speisegesetze[2]. Damit wird das „Außen" von V. 15 interpretiert durch die Speisen, denn sie gehen wieder nach außen. Das „Innen" wird durch das „Herz" interpretiert, dem eine Reihe von Lastern entspringt.

Tradition, für die Apk 22,11 (ὁ ἀδικῶν ἀδικησάτω ἔτι... καὶ ὁ ἅγιος ἁγιασθήτω ἔτι) ein Beispiel ist (vgl. auch Eus. H.E.V.1 ὁ ἄνομος ἀνομησάτω ἔτι, καὶ ὁ δίκαιος δικαιωθήτω ἔτι). Tendenz dieser Logien ist offenbar, eine Verschärfung des eschatologischen Dualismus zwischen Gerechten und Ungerechten zu fordern und herauszustellen, so daß sich am Ende das größte Unrecht der einen und die größte Gerechtigkeit der anderen Seite gegenüberstehen. Logien wie „wer es fassen kann, der fasse es", sind prinzipiell an einem gleichen Dualismus orientiert: Gute und Böse sind schon vorhanden, und die Guten zeichnen sich dadurch aus, daß sie imstande sind zu hören, die anderen nicht (vgl. Dan 12,10 Th). Ähnlich aufzufassen ist Ps.-Ignatius Smyrn VI p. 246: ὁ χωρῶν χωρείτω, ὁ ἀκούων ἀκουέτω. Die Formel bildet den Übergang zwischen der eschatologischen und der paränetischen Aussage.
Für die spätere „Gnosis" ist hier (wieder einmal in konsequenter Weiterführung des weisheitl.-apokalypt. Ansatzes) einer der Ansatzpunkte für die Mysterienlehre gegeben, so in Barthol.-Ev IV,68: „Diese Dinge (sc. Geheimnisse) sind nämlich auch wegen derer geheim zu halten, die sie nicht fassen können. Denn alle, die sie fassen können, werden an ihnen teilhaben". Noch die syr Didaskalie versteht die Formel im Zusammenhang mit dem Aufruf zum Hören prophetischer Predigt und der Widerspenstigkeit Israels; K. 5 p. 18 heißt es: „Auch der Herr hat im Gesetz gesagt: Höre Israel – und bis auf den heutigen Tag haben sie nicht gehört. Und wiederum im Evangelium erinnert und sagt er oft: Jeder, der Ohren hat zu hören, der höre – und sie haben nicht gehört, auch die nicht, die gehört zu haben glaubten".

[1] Zu V. 18 vgl. A. Jülicher, a.a.O., 57: „Das οὕτως wird mit B. Weiss als Bezeichnung des Grades, nicht konsekutiv, zu fassen sein: in so hohem Maß, wie Euer Fragen bei diesem Anlaß es zeigt (ähnlich wie Mt 16,11 πῶς οὐ νοεῖτε)".

[2] Im Spätjudentum (außerhalb der rabbinischen Überlieferung) werden jüdische Speisegesetze erwähnt in Dan 1,8.16; 1 Mkk 1,48.62; 2 Mkk 5,27; 6,19; 7,7; Judith 11,5; 12,2.19; griech Esther 4, 28; 3 Mkk 3,4ff; 4 Mkk 1,32-35; 12,2f; 5,25f; 4,26; Tob 1,10; Jub 22,16; Aristeasbrief 162.143f.161-168.145-148.150-152.153-161; Spec Leg IV,97-118. In Teez Sanb L p. 28 H 26,10 wird das Verbot an Adam bereits als Speisevorschrift gedeutet: „Du hast nicht befolgt seine Befehle, nicht zu essen und nicht zu trinken bestimmte Dinge (H: daß er nicht übertreten soll und daß er nicht essen soll und daß er nicht trinken soll von dem, was er sagte)".

Durch diese Abtrennung[1] der Verse 14-23 bilden die Verse 1-13 nunmehr ein Ganzes. Die Frage nach den ungewaschenen Händen wird der Anlaß zu einer antijüdischen Polemik über das Thema παράδοσις. Gegenüber der Vorlage, die nur Φαρισαῖοι (V. 1) kennt, wird in dieser Redaktionsschicht in V. 3 der Kreis erweitert: καὶ πάντες οἱ Ἰουδαῖοι. Damit ist die Perikope aus der innerjüdischen, nur antipharisäischen Auseinandersetzung herausgetreten: die Gegner sind jetzt alle Juden. Die Aussage ist also deutlich prinzipiell gehalten. Zu demselben Zweck muß in V. 3 und 4 die Frage von V. 5 in einen weiteren Horizont gestellt werden; der jetzt auch als Situationsangabe in V. 2 erwähnte Vorwurf der Pharisäer wird dargestellt als ein Einzelfall, der aus einem umfassenden System von Überlieferung zu erklären ist, das durch die Aufzählung in V. 4 kurz und mit einer gewissen Vollständigkeit geschildert werden soll. Bereits in V. 5 ist dieses allgemeinere Thema mit der über den Einzelanlaß hinausgehenden Frage von V. 5a eingetragen worden. Vor allem ergibt sich dieser Schluß aus dem Vergleich mit allen anderen Streitgesprächen, die immer von konkreten Einzelfragen ausgehen, und aus der Eigenart des Einschubs in V. 3.4, der die „Überlieferung“ bereits erwähnt. Die Frage des Händewaschens wird bis V. 13 dann nicht mehr genannt, und deshalb ist auch schon in V. 5 die allgemeinere Frage nach der Überlieferung vorangestellt.

Die Verse 6-13 stellen nun die Überlieferung der Juden dem göttlichen Gebot gegenüber. Die Folge der Schicht I: Händewaschen – wahre Verunreinigung wird aufgespalten; das Händewaschen ist nur ein Spezialfall rein menschlicher und widergöttlicher Überlieferung. In V. 15 konnte der Redaktor aber dieses Thema nicht zur Sprache bringen; daher war die Abtrennung notwendig. War ursprünglich die Händewaschung auf die Frage nach Rein und Unrein bezogen, so gehört sie jetzt zum Thema „Überlieferung der Juden“.

[1] A. Jülicher, a.a.O., 55: „Das προσκαλεῖσθαι zum Zweck der Anrede übt Jesus gerade bei Mc häufig, z.B. 8,34“.

§ 2 Der Schriftbeweis in Mk 7,6-13

Für den Begriff der παράδοσις τῶν πρεσβυτέρων, der nun aus V. 3.5 vorgegeben war, wird zunächst ein Prophetenzitat angeführt[1]. Das Stichwort ist ἐντάλματα ἀνθρώπων in LXX Jes 29,13. Mk 7,8 gibt den redaktionellen Kommentar zu dieser Stelle, indem die genannte Wendung ersetzt wird durch παράδοσις ἀνθρώπων, dieses dann wiederum in V. 9.13 durch die παράδοσις ὑμῶν. Jes 29,13 lautet im MT (Übers. Duhm, Jes 181): „Und es sprach der Herr: Weil sich nähert dieses Volk mit seinem Munde und mit seinen Lippen mich ehrt und sein Herz entfernt hat von mir, daß ihre Furcht vor mir werde ein erlerntes Menschengebot (מצות אנשים מלמדה; Procksch, Jes 376: „Und ihre Furcht vor mir ist leer, erlerntes Menschengebot"; E. König, Jes 266: „Und sein Fürchten in Bezug auf mich nur ein eingelerntes Menschengebot war"; E. Balla, Botschaft der Propheten, 144: „und weil seine ganze Gottesfurcht nichts als angelernte Menschensatzung ist"), drum siehe, behandle ich es ferner wunderbar, untergeht die Weisheit seiner Weisen und die Einsicht seiner Einsichtigen". – Vom zwecklosen Beten des Volkes ist auch die Rede in Jes 1,15. Nach O. Procksch bezieht sich das Nahen des Mundes „eher auf den Kuß der heiligen Schwellen und Stätten als auf Gebetsworte" (Jes., 377). Die Sprache dieses Textes ist durchgängig vom Dt geprägt, sowohl das ירא (Dt 4,10; 5,26.), als auch der Ausdruck מצות für Gebot (O. Procksch, Jes 377) und besonders die Erwähnung des Herzens, mit dem man Gott dienen und ihn lieben soll (Vgl. oben zu Kap IV und B. Duhm, Jes 181). Unter ירא könnte man die Gesamtheit der „religio" verstehen (für die das AT kein Äquivalent hat) einschließlich der kultischen Verehrung und der Einhaltung der rituellen Vorschriften (Vgl. S. Plath, Gottesfurcht, 175). Bekämpft wird der rein äußerliche Gottesdienst, in dem Jahwe nur gefürchtet wird, weil es von Menschen so geboten ist durch ein Gesetz, „das erlernt wird und dem in der äußerlichen Einhaltung Genüge getan werden kann" (S. Plath, Gottesfurcht, 44). Gesetz und Herz stehen sich gegenüber. O. Procksch (Jes., 377) versteht unter dem Gesetz das Dt selbst. – Am nächsten verwandt dürfte Jes 1,10-17 sein.

Die LXX übersetzt den Anfang des Verses abweichend von Mk: ἐγγίζει μοι ὁ λαὸς οὗτος. τοῖς χείλεσιν αὐτῶν τιμῶσιν με. Im hebr. Text standen sich die Verben נגש und רִחַק (nahen – entfernt halten) gegenüber; LXX liest für רִחַק nun רָחֵק und übersetzt entsprechend πόρρω ἀπέχει faßt „Herz" also nicht als Objekt, sondern als Subjekt[2].

[1] Wegen der Zugehörigkeit von Mk 12,13-17 zu dieser Gruppe von Streitgesprächen kann sich auch die Anklage Mk 7,6.7 in Pap Lond Egerton Nr. 2 in antijüdischer Schicht bei der Steuerfrage finden: Jesus erkennt die διάνοια seiner Hörer und antwortet so.

[2] Während im Hebr. das Ehren mit Lippen nur durch ein Waw mit dem Entfernthalten des Herzens verbunden war, betont LXX den Gegensatz zwischen beiden durch Übersetzung des Waw mit δέ und bereitet dadurch die Bezeichnung als ὑπόκρισις vor. σέβεσθαι begegnet fast nur in späten Texten

Für das hebr. ותהי (und es wird sein) las LXX ותיהו (das „Leere“ cf. Gen 1,2) und hat mit μάτην übersetzt. Die nur angelernte Religion wird so als „Nichtigkeit“ bezeichnet (gegen die Lesart תהו für MT ist Duhm, Jes 181: für die Jahwefurcht kämen so „zwei allzu ungleichartige Prädikate zustande“). Das מלמדה wurde zweifach übersetzt durch διδάσκοντες und durch διδασκαλίας.
Die Ursache für die Vergeblichkeit der Verehrung Gottes ist nach LXX, daß die Angeredeten sind διδάσκοντες ἐντάλματα ἀνθρώπων καὶ διδασκαλίας. So betont LXX den Gegensatz zwischen Gott und Mensch und sieht ihn begründet in falscher und rein menschlicher Lehre. Während nach dem MT die Furcht vor Jahwe durch den äußerlichen Gottesdienst zur Befolgung von nur Menschengebot wird, ist nach LXX die Verehrung Jahwes wertlos, da nur menschliche Erfindungen als Gebote gelehrt werden. Die Lehren der Menschen sind nach LXX die eigentliche Ursache für die Nichtigkeit des Kultes, sie sind Gott entgegengesetzt (Vgl. die Aussagen des AT über die heidnischen Götter als menschliche Erfindungen!). Nach dem MT sollten die Gesetze nicht nur als Gebote, sondern aus dem Herzen befolgt werden, nach LXX überhaupt nicht. Der Ton liegt in LXX nicht auf Gesetz (ἐντάλματα), sondern auf der falschen Lehre über Gott (2× διδασκ-) (Vgl. oben über den Begriff des Pseudopropheten bei Philo!). Syr Pesch übersetzt ähnlich wie LXX, nur attributiv: „Und ihre Furcht vor mir ist in Gebot (ܒܦܘܩܕܢܐ) und in Lehre von Menschen (ܘܒܝܘܠܦܢܐ ܕܐܢܫܐ). Targum Onkelos übersetzt dagegen näher zum MT „und ihr Herz hat sich entfernt von meiner Furcht, und ihre Furcht vor mir wurde wie ein Gebot lehrender Menschen“. Mk verändert gegenüber LXX: das καί zwischen ἐντάλματα ἀνθρώπων und διδασκαλίας läßt er weg und stellt um; daher ist die Doppelheit von Menschengebot und -lehren beseitigt zugunsten einer prädikativen Fassung. Es ist zu vermuten, daß diese Fassung von Mk stammt, denn sie ist die unmittelbare Voraussetzung für seinen Beweis, zu dem er ἐντάλματα als Lehren von Menschen benötigt. Die Doppelheit von ἐντάλματα und διδασ-

der LXX, Josue, Sap, Daniel, Mkk; in Is 66,14 AS steht es für עבד; B hat φοβεῖσθαι. Der Begriff σέβασμα begegnet nur in Sap und Dan. μάτην ist ein Lieblingswort des Übersetzers von Is-LXX; es begegnet dort in 27,3; 28,17; 29,13; 30,5; 41,29 und hat nur an der letzten Stelle ein Äquivalent im MT! Sonst ist es überall dazugesetzt. – Die Kombination von Gebot und Lehren begegnet in LXX in Dt 4,14; 2 Esr 7,10; 1 Esr 9,48; 8,7; Da Su LXX 3; Th Su 3; Vgl. Is 9,15: διδάσκοντα ἄνομα; Jer 13,21.

καλία, die die LXX eingeführt hatte, wird hier reduziert auf die inhaltliche Gleichsetzung beider; auf jeden Fall aber setzt Mk LXX voraus und nicht MT. Das Zitat beweist nur auf der Grundlage der LXX, ist allein deshalb schon im Munde Jesu hier nicht denkbar.
Mk hat LXX Jes 29,13 so gestaltet, daß den Juden vorgeworfen wird, ihre Lehren seien nur Menschengebote. Der Gegensatz zwischen Gott und menschlicher Lehre ist so bei Mk noch mehr betont. Das ἐγγίζει der LXX konnte Mk nicht gebrauchen, da es hätte positiv verstanden werden können. Durch die Worte οὗτος ὁ λαός, die nunmehr das Zitat einleiten, wird der gesamte Vorwurf auf das ganze Volk der Juden bezogen, nicht mehr nur auf die Pharisäer. Dem entsprach schon in V. 3 „und alle die Juden". Redaktionsschicht II verallgemeinert also deutlich von Pharisäern zu Juden. V. 6b wurde aber nicht nur wegen λαός mitzitiert, sondern auch wegen des Gegensatzes χείλη-καρδία, der dann auch den Vorwurf ὑποκριταί hervorgebracht hat. Dieser Gegensatz hat zwar in der 2. Redaktion der Verse 1-13 keine unmittelbare Bedeutung, wohl aber ab V. 14; dort wird ja in gleicher Redaktionsschicht in VV. 19.21 der Begriff καρδία eingeführt. So ist durch das Zitat in V. 6f das Thema zur Beurteilung der Juden auch in der 2., jetzt abgetrennten Hälfte der Perikope gegeben. Auch das, was ab V. 15 folgt, kann auf diese Weise antijüdisch gedeutet werden: Die Juden sind die, die nur auf das Außen achten und vergessen, daß ihre Unreinheit und Schlechtigkeit aus ihrem Herzen kommt.
In V. 8, dem Kommentar zu V. 6.7, geht der Verfasser über das Zitat hinaus. In seiner Funktion hat dieser Vers große Ähnlichkeit mit Mk 10,8b. – Die antijüdische Tendenz wird gegenüber V. 6.7 erheblich verschärft: Der Begriff ἐντολὴ τοῦ θεοῦ begegnete bisher in der Perikope noch nicht und wird als Gegensatz zu den ἐντάλματα ἀνθρώπων des Zitates eingeführt. Statt ἐντάλματα heißt es aber in V. 8 παράδοσις. Durch diese Ersetzung kann Mk auf sein Beweisthema zurückkommen, die Überlieferung der Juden. Schon der Prophet Isaias hat über sie gesagt, daß sie nur Menschensatzungen lehren. Diese sind, so behauptet Mk durch V. 8, 1. identisch mit der Überlieferung der Juden und 2. als Menschensatzung gegen Gottes Gebot gerichtet. Auf Grund des ἄνθρωποι in V. 7 kann Mk hier den Gegensatz Gott-Mensch einführen, der ihm auch sonst geläufig ist. Er dient zur Abgrenzung Jesu und der Gemeinde von den jüdischen Gegnern. Der Gegensatz begegnet bereits in den gnomischen Sentenzen der Streitgespräche (Mk 10,9), klassifiziert in 8,33 Petrus als den, der nicht das Gottes, sondern das der Menschen denkt, von

ihm her ist die Taufe des Johannes zu beurteilen (ἐξ οὐρανοῦ-οὐκ ἐξ ἀνθρώπων) und er gilt in 12,14 von Jesus, der nicht auf das Gesicht der Menschen sieht, sondern den Weg Gottes lehrt.
Das Außerkraftsetzen der Gebote Gottes war in V. 8 nur aus dem Gegensatz erschlossen worden. In V. 9-13 wird dafür ein konkreter Beweis gesucht. Diesen kann Mk aber nicht in dem Brauch des Händewaschens finden, – von diesem kann man nicht nachweisen, daß er Gottes Gebot verdrängt. Kann man dieses aber für eine andere Überlieferung der Juden, so ist bewiesen, daß die Satzung der Juden in der Tat nur Menschenwerk ist, daß also ihr Herz weit weg ist von Gott und der Gesamtvorwurf des Propheten auf die Juden zutrifft: wegen ihrer Überlieferung ist ihre Gottesverehrung vergeblich. – Der Schluß aus dem Gegenteil und die Gleichsetzung von ἐντάλματα und παράδοσις in V. 8 hatten noch nicht genügt. V. 9 zeigt deutlich den Gedankenfortschritt gegenüber V. 8 und die Beweisabsicht von 10-13:

1. Von der παράδοσις ἀνθρώπων in V. 8 geht Mk jetzt über zur παράδοσις ὑμῶν in V. 9.

2. Das partizipiale Verhältnis ἀφέντες-κρατεῖτε in V. 8 (κρατεῖν weist übrigens auf die gleiche Redaktionsschicht wie in V. 3!), das dem Isaias-Zitat (σέβονται-διδάσκοντες) entspricht, wird hier ersetzt durch einen ἵνα-Satz. Dieses ἵνα offenbart das wahre Verhältnis zwischen der Überlieferung der Juden und Gottes Gebot. Um die erstere bewahren zu können, setzen die Juden letzteres außer Kraft. Die Bewahrung des einen schließt das andere aus. Das μάτην σέβονται des Zitates ist so bewiesen, denn die Juden setzen Gottes Gebot außer Kraft.

3. Durch die ἵνα-Verknüpfung ist auch, was durch V. 6-8 nicht erkennbar war, der Gegensatz von χείλη und καρδία identifiziert mit dem von παράδοσις und ἐντολή. Auf der Seite der Juden entsprechen sich also: Lippenverehrung, vergeblicher Gottesdienst, als Lehren Menschengebote, Überlieferung der Menschen (Ü. von euch V. 9, eure Ü. V. 13) und „ihr" (V. 11). – Auf der Seite der „Christen" stehen das Herz, das nicht von Gott entfernt ist (V. 6), Gottes Gebot (V. 8.9), Moses (V. 10), der λόγος τοῦ θεοῦ (V. 13).

Mit V. 10 beginnt der Einzelbeweis dafür, daß die Juden, um ihre Überlieferung zu halten, Gottes Gebot außer Kraft setzten (ἀθετεῖν

V. 9; ἀφέντες V. 8). Moses wird als Gesetzgeber auch genannt in Mk 1,44; 10,3.4; 12,19.26. – Das vierte Gebot wird übereinstimmend mit LXX Dt 5,16 zitiert (In Ex 20,12 fehlt außer in B c das σου hinter μητέρα). Alle Zusätze, die über die Angaben der beiden Objekte hinausgehen, werden fortgelassen, wie es auch sonst im Spätjudentum üblich war. Der Formulierung nach gehört das 4. Gebot zu den wenigen als Imperativen formulierten Geboten der LXX: der einfache Imperativ Präsens findet sich nur noch in Dt 15,9; 23,15; etwas häufiger ist der Impt. Aorist (Dt 14,3; 23,13.14); der verneinte Impt. Präs. findet sich in Lev 18,24; 19,26, der Impt II in Lev 19,3. – Das Spätjudentum respektiert in seiner Wiedergabe des Gebotes diese Formulierung, so hat Ps.-Phokylides in V. 8 τίμα, Sir 3,8 ἐν ἔργῳ καὶ λόγῳ τίμα τὸν πατέρα σου. In Ps-Philo (Lib.Ant) ist der Unterschied im Lat. erhalten: er unterscheidet zwischen „dilige" und „moechaberis" (11). Philo hat in Spec Leg II,285 zunächst τίμα im Zitat, fährt dann aber fort mit τιμήσεις δέ. – An die Zitierung des 4. Gebotes ist angefügt ein weiterer Text, der inhaltlich eine negative Umkehrung darstellt. Die Grundlage dürfte Ex 21,16 sein; nur zweimal wäre αὐτοῦ weggefallen. Mit θανάτῳ τελευτάτω richtet sich diese Wiedergabe nach der auch in LXX A überlieferten, während B τελευτήσει θανάτῳ hat; in Ex 21,17 hat B θανάτῳ τελευτάτω, A dagegen θ. θανατούσθω – Die Wiedergabe mit τελευτάτω findet sich in LXX nur an diesen beiden Stellen; τελευτήσει begegnet mit θανάτῳ als Wiedergabe von מות יומת noch in Ex 19,12, in Hiob 27,15 BSR und in Ez 6,12. Bei Philo wird diese Wiedergabe häufiger: In De Fug Invent 54 finden sich θ. θανατοῦσθαι und θανάτῳ τελευτᾷ nebeneinander, in De Jos 216 heißt es θανάτων ἀξία τελευτάτω, in Mut Nom 62 θανάτῳ τελευτήσει. – Inhaltlich verwandt mit Ex 21,16, aber hier als Zitationsgrundlage kaum in Frage kommend, ist Lev 20,9 (κακῶς εἴπῃ... θ. θανατούσθω).

Warum hat Mk das Elterngebot durch diesen Satz ergänzt? Offenbar soll die Schwere des göttlichen Gebotes durch die Größe der Strafe zum Ausdruck gebracht werden. – Schon Philo hatte in Spec Leg II,241 nach der Behandlung der Einzelgebote der ersten Tafel auch die zugehörigen Strafen eigens behandelt. Wegen der inneren Verwandtschaft der Vergehen gegen diese Dekaloggebote war für alle die Todesstrafe festgesetzt. – Die nächste Parallele für eine Anführung des Einzelgebotes mit seiner Umkehrung, durch die das Vergehen der Übertretung betont wird, findet sich bei Josephus, Ant IV,201/202: Der Beginn der Verfassung der Politeia des Moses lautet: θεὸς γὰρ εἷς καὶ τὸ Ἑβραίων γένος ἕν. ὁ δὲ βλασφημήσας θεὸν καταλευσθεὶς κρεμάσθω δι᾽ἡμέρας καὶ ἀτίμως θαπθέστω (Vgl. Ant IV,219 über das Zeugengesetz). Es handelt sich also um eine im hellenistischen Judentum übliche Art, positive Mahnungen mit den Sätzen für Übertretung und Strafe zu verbinden.

Mk 7,10 und 11f sind antithetisch zueinander formuliert: Moses sagte – ihr aber sagt. Dabei gilt das Gesetz des Moses hier als Gesetz und Wort Gottes. Ebenso wird auch in Mk 10,5/10,6 die Herzenshärte der Juden dem Tun Gottes gegenübergestellt.

Der Vorwurf der „Menschensatzungen" wird in apokalyptischen Texten auf die Juden in der Endzeit angewandt; die Verdrängung der Gebote Gottes durch Menschengebote[1] ist eines der Kennzeichen des großen Abfalls am Ende. Die Texte, in denen dieses Motiv begegnet, sind formgeschichtlich ausnahmslos Weissagungen über den künftigen Abfall Israels, der in die Endereignisse hineingehört. Der Inhalt dieser verkehrten Satzungen sind Unreinheit und Unzucht. In der Mehrzahl der Texte ist einfach von „Gesetzlosigkeit" oder „Abfall von den Geboten" die Rede; der Vorwurf der Menschensatzungen ist also die Konkretisierung dieser allgemeineren Aussage (cf. oben zu Ass Mos 5,5).

Mit Menschengeboten im Gegensatz zu Gottesgeboten rechnet Test Aser 7,5: ἐγὼ γὰρ ἔγνων ὅτι ἀπειθοῦντες ἀπειθήσετε καὶ ἀσεβοῦντες ἀσεβήσετε μὴ προσέχοντες τῷ νόμῳ τοῦ θεοῦ, ἀλλ᾽ ἐντολαῖς ἀνθρώπων κακίᾳ διαφθειρόμενοι. Der unmittelbare Kontext beginnt ab V. 4. Die himmlischen Tafeln enthalten diese Abfallsweissagung. Die Folge ist nach V. 6 die Zerstreuung, auf die dann freilich nach V. 7 eine Wiederversammlung folgt.

Ein ähnlicher Vorwurf wird gegen die Juden erhoben in Test Levi 16,2: καὶ τὸν νόμον ἀθετήσετε καὶ λόγους προφητῶν ἐξουδενώσετε ἐν διαστροφῇ κακῇ, διώξετε δέ... Zu vergleichen sind CD IV.V und Jub 23,21.

Der Vorwurf gottwidriger Satzungen der Juden findet sich in Test Levi 14,4 τὸ φῶς τοῦ νόμου... θελήσετε ἀνελεῖν, ἐναντίας ἐντολὰς διδάσκοντες τοῖς τοῦ θεοῦ δικαιώμασιν. Wenn die Juden das Gesetz

[1] Das Problem spielt bereits eine Rolle in der Frage nach den wahren bzw. falschen Propheten: Der falsche Prophet redet nicht Gottes Worte, sondern seine eigenen, vgl. Jub 6,35: „Denn ich weiß, und von jetzt an will ich es dir kund tun, und zwar nicht aus meinem eigenen Herzen, sondern ein Buch ist vor mir geschrieben...". Der jüdische Traditionsgedanke wehrt also den stets möglichen Vorwurf der „eigenen" Erfindung dadurch ab, daß mit Hilfe der Weitergabe und Abschrift von Büchern eine Lehre in der Offenbarung an einen Urvater verankert wird.

aufheben, haben sie der Gottlosigkeit der Heiden nichts voraus. Im Folgenden handelt es sich dann um Vergehen gegen die Reinheit (V. 5-8).

Von einem ausdrücklichen Abfall von den Geboten spricht auch die in Acta Philippi K. 142 wiedergegebene Apokalypse: Die Menschen werden dann Götzendienst betreiben und: καταλείψουσιν τὰς παραδεδομένας αὐτοῖς ἐντολάς... Zu beachten ist der Hinweis darauf, daß es sich um die „überlieferten" Gebote handelt; im Gegensatz zu Mk 7 wird der Begriff Überlieferung hier positiv gewertet.

Von besonderer Bedeutung ist die Parallelität zu Mk 10,1-12 auch in diesem Punkt; es wird zu zeigen sein, daß die hier genannten Texte alle formgeschichtlich in die gleiche Gruppe von Abfallsweissagungen gehören, der auch das Thema Ehescheidung – als Sonderfall von Unzucht – in CD IV und Mk 10,1-12 angehört. In der sekundären antijüdischen Schicht von Mk 7 wendet sich also Jesus nicht gegen das Gesetz, sondern er weist den Juden ihre Gesetzlosigkeit nach. Die antijüdische Stoßrichtung ist nicht soziologisch zu erklären; vielmehr wird das Material aus der apokalyptischen Tradition über den Abfall Israels bezogen. Der Nachweis wird in Mk 7, in Mk 10 und in CD IV mit Hilfe des Schriftbeweises geleistet.

Korban bedeutet ursprünglich Opfergabe und ist term. techn. für die Erklärung, die über eine Sache abgegeben wird, sie gehöre Gott als δῶρον[1].

Aus der umfangreichen Literatur zu dieser Institution, besonders aus der Monographie von K. H. Rengstorf, sind folgende Punkte für das Verständnis von Mk 7 besonders wichtig:

1. Im AT bedeutet קרבן das Opfer (Lev 1,13; Nu 7,3f) ohne weitere Spezifizierung. LXX übersetzt mit δῶρον, die anderen Übersetzungen mit προσφορά[2].

[1] A. Schlatter, Mt 480: „Die Unverletzlichkeit des δῶρον beruht darauf, daß der Name Gottes mit dem betreffenden Gegenstand verbunden ist".

[2] J. A. Fitzmyer, a.a.O., (s.o.), deutet mit Berufung auf J. T. Milik, Trois tombeaux juifs récemment découverts au Sud-Est de Jerusalem, in: Stud Bibl Franc Lib Ann VII (1956) 232-239, eine Inschrift des Kedron-Tals auf das Korban-Institut, näherhin die Worte קרבן אלה מן רבגוה. Die Inschrift übersetzt er: „All that a man may find to his profit in this ossuary (is) an offering to God from him who is within it". Zur Identität mit dem Ausdruck in Mt 15,5 beruft F. sich auf die syr pesch Fassung dieser Mt-Stelle: ܩܘܪܒܢܝ ܡܕܡ ܕܬܬܗܢܐ ܡܢܝ S. 63: „The use of קרבן in the ossuary inscription is identical with that preserved in the Greek of Mark: κορβᾶν ὃ ἐὰν ἐξ ἐμοῦ ὠφεληθῇς". – In beiden Fällen sei „Korban" „an expression that puts a ban on something, reserving it for sacred use and withdrawing it from the profane".

2. Josephus führt, wo er die Institution erwähnt, sowohl die hebr wie die griech Bezeichnung ein (Ant IV,73 κορβᾶν δῶρον δὲ τοῦτο σημαίνει. c. Ap I,166f κορβᾶν-δῶρον θεοῦ). Daß er das seinen Hörern unverständliche hebr. Wort aufnimmt, zeugt für dessen technische Bedeutung (Rengstorf, a.a.O., 860,20-25).

3. Bei der Auslegung des Dekaloggebotes, den Namen Gottes nicht in leichtfertiger Weise zu verwenden, erwähnt Philo auch solche, die aus Menschenhaß (ἄμικτοι, ἀκοινώνητοι, μισανθρωπία) im Zorn durch Eid gelobten, „mit dem und dem nicht an einem Tische oder in einem Hause zu sein oder ihm keinen Vorteil gewähren oder nichts von ihm annehmen zu wollen bis an ihr Ende" (ὁμοτράπεζον ἢ ὁμωρόφιον ἕξειν τὸν δεῖνα... ἢ πάλιν τῷ δεῖνι μὴ παρέξειν ὠφέλειάν τινα ἢ παρ' ἐκείνου τι λήψεσθαι μέχρι τελευτῆς). Diese sollten Gott um Heilung bitten, da kein Mensch sie heilen könne (Spec Leg II 16).

4. Für den rabbinischen Bereich gilt, daß das Aussprechen von קרבן/קונח/קונם/קונס im Blick auf etwas bedeutet, „daß es wie alles, was קדוש/ἅγιος ist, von nun an jeglicher Möglichkeit profaner Nutzung entnommen sein soll" (Rengstorf, a.a.O., 862). – Die Abgelobung gilt in der Regel der eigenen Person, d.h. man gelobt, keinen Nutzen von einer Sache zu haben (a.a.O., 863). Hier ist dann nur der Genuß unmöglich, ohne daß die Gaben dem Tempel anheimfallen. Ned 8,7 kennt auch die Anwendung auf einen anderen mit der Formel קונם שאתה נהניתה לי d.h. „daß du keinen Nutzen von mir hast". „Die Auswirkungen eines solchen Gelübdes reichen unter Umständen sehr weit und können bis zum völligen Abbruch aller gegenseitigen Beziehungen führen mit allem, was das einzuschließen pflegt" (zwischen Mann und Frau: Ned 8,7; 9,4.5; zwischen Eltern und Kindern: Ned 9,1; 5,6) (a.a.O., 863). Nach Rengstorf hat Mk 7,10 in diesen Sätzen eine Parallele, da die Abgelobung des Nutzens neben der Leistung des Lebensunterhaltes auch alles andere ausschließt, was ein Sohn einem Vater zu leisten pflege.

5. Aus der genannten Philostelle und aus der Angabe des Josephus (c. Ap I, 167), nach Theophrast verböten die Gesetze der Tyrer, fremde Eide zu schwören, unter denen auch der Korban-Eid sei (ὅρκον κορβᾶν), geht hervor, daß diese Institution oft mißbraucht wurde, weil man sich auf diese Weise der Verpflichtungen gegeneinander entziehen konnte. Die Unbeliebtheit dieses Instituts könnte vor allem von seiner Anwendung im Handel herrühren (H. Hommel, a.a.O., 144: „...daß phoinikische Händler mit der bequemen Beteuerungsformel קרבן = κορβᾶν ihren Geschäftspartnern gegenüber bereits den gleichen oder einen ähnlichen Gebrauch zu treiben pflegten, der aus der rabbinischen Überlieferung bekannt ist"). Das griech. Wort καρβάν für östlich, Ostwind, östlicher Aussatz könnte von der Verwendung dieser Formel im Umgang mit palästinensischen Kaufleuten herrühren (H. Hommel)[1].

[1] In der antiken griech Literatur begegnet καρβάν, καρβάς bei Aischylos, Hiketiden 118-121 = 129-132.914; Agam. 1060f; Hesych.-Glossen vgl. Hommel, a.a.O., 134; Aristoteles, De Ventis p 973 b 5; Theophrast, De ventis 62 (vgl. Theophrast bei Josephus c. Ap I 166f; vgl. dazu auch H. Hager,

6. Eine Darbringung einer als Korban bezeichneten Gabe als Opfer ist, wie man aus Philo schließen könnte, schon zu dieser Zeit nicht mehr notwendig. Es könnte sich demnach um ein Scheingelübde handeln, ein 'bloßes' Versagungsgelübde, „durch das der Gelobende sich selbst nicht zur geringsten Leistung verpflichtete" (J. Schmid, Mk 137).

Auch unter Berufung auf Jes 29,13 (so Rengstorf, a.a.O., 866) kann für diese Mk-Stelle nicht behauptet werden, daß die dem Vater geschuldeten Güter wegen des Korbaneides tatsächlich an den Tempel hätten gegeben werden müssen (Vgl. Philo)[1]. – Das Anliegen des vorliegenden Textes ist lediglich, zu zeigen, daß die religiöse Überlieferung der Juden die Erfüllung des vierten Gebotes verhindert. Der Vorwurf trifft nicht nur den, der die Korban-Formel sprach, sondern die Juden im Ganzen: οὐκέτι ἀφίετε ποιῆσαι[2]. Nur so können sie insgesamt für die Übertretung von Gottes Gebot haftbar gemacht werden. Das ihnen hier vorgeworfene Tun ist das Bestreben, die Überlieferung zu „bewahren".
Das vierte Gebot wird hier in einem Sinne ausgelegt, der mit der Bedeutung dieses Satzes im Dekalog nichts zu tun hat, aber vom Spätjudentum vorbereitet ist. Denn hier ist als der Sinn des Gebotes vorausgesetzt, daß man Vater und Mutter etwas „tun" soll, weil man ihnen etwas schuldig ist, offenbar im Sinne der materiellen Unterstützung. Wer sich diesen Verpflichtungen entzieht, hat das Gebot übertreten und für ihn gilt die Strafe, die mit der Gebotsumkehrung formuliert ist. Wenn allenfalls noch das „ehren" im Sinne einer materiellen Unterstützung gedeutet werden kann, so wird man das „verfluchen" nur mit größter Schwierigkeit auf den Entzug des Lebensunterhaltes beziehen können – allein, verfluchen ist das Gegenteil von ehren und nach rabbinischer Hermeneutik gilt alles, was von einem Satz gilt, auch von dessen Umkehrung (Analogieschluß vgl. oben zu Mk 12,28-34). Besondere Beachtung verdient die Gleichsetzung des Wortes des Moses (V. 10) mit dem Wort Gottes (λόγος τοῦ θεοῦ V. 13) bzw. dem Gebot Gottes (V. 9).

Theophrastus περὶ νόμων, in: Journ of Philol 6 (1876) 1-27). – H. Grégoire, a.a.O., (s.o.) deutet aus einer bei Saryserli gefundenen Inschrift das Wort ΙΣΚΟΡΒΑΡΙΑ im Sinne eines Opfers; die Inschrift sei jüdischen Ursprungs, in griech. Inschriften entspreche dem der Ausdruck ἀνατίθημι εὐχήν.

[1] J. Schniewind, Mk 69: „Was der Sohn seinen Eltern geben sollte, hat *für sie* wie eine Opfergabe zu gelten".

[2] Vgl. G. Wohlenberg, Mk 205.

Im hellenistischen Judentum werden Dekaloggebote als Worte Gottes bezeichnet von Philo in Spec Leg III,7 (s.o.)[1].
Eine Beziehung zu dem Verbot, ein Gelübde nicht auflösen zu dürfen (Nu 30,2f), wird offenbar nicht gesehen und liegt außerhalb des Blickfeldes. Die Einhaltung des Korbangelübdes wird als menschliche Überlieferung gekennzeichnet und gerade nicht als Gottes Gebot. Durch die Überlieferung wird Gottes Wort entkräftet (V. 13). Der Schluß in V. 13 (Ende) verallgemeinert wieder und deutet so an, daß der Schriftbeweis ab V. 9 nur die Funktion eines erläuternden Beispiels zu V. 6-8 gehabt hat. Der Meinung W. G. Kümmels kann man daher nicht zustimmen, daß hier ein Toragebot (Elterngebot) gegen ein anderes („Du sollst dein Gelübde halten" Dt 23,24) ausgespielt werde[2]. Wie immer dieses für unsere Vorstellungen in einem solchen Satz impliziert sein mag – Mk hat offenbar nicht daran gedacht: Er erwähnt kein Toragebot, sondern Moses als die Autorität gegenüber der nur menschlichen Überlieferung der Juden. Angegriffen wird das Korbangelübde als Entzugseid. Offensichtlich liegen auch die Möglichkeiten, die die Kasuistik für die etwa notwendige Auflösung eines Gelübdes ersonnen hatte, nicht im Horizont dieser Perikope[3]. – Der Jesus dieser

[1] Zu λόγος im Sinne von Gesetz vgl. G. Delling, Jüdische Lehre und Frömmigkeit in den Paralipomena Jeremiae, BZAW 100, Berlin 1967,24f: Ps 119 (118) und Dt 30,14.

[2] Vgl. dazu: W. G. Kümmel, Jesus und der jüdische Traditionsgedanke, in: Zeitschr f. ntl. Wiss 33 (1934) 123.

[3] In der jüdisch-christlichen Diskussion um diese Perikope im 19. und beginnenden 20. Jh wurde vor allem die Frage erörtert, ob nicht Jesus die Praxis der Pharisäer mißdeute, weil nach rabbinischer Theorie eine bestimmte Kasuistik zur Auflösung von Gelübden existierte; Ansatzpunkt war vor allem das mk οὐδὲ ἀφίετε in 7,12. Für die Zeit Jesu nahm man vor allem die Auflösung von antisozialen Eiden an, wovon dann auch solche gegen das vierte Gebot betroffen seien. Die Lösung von J. A. H. Hart (1907) lautet: „Jesus speaks as a Sadducee among Pharisees and suggests to them that, as transgressors of God's Law, they have no right to arraign the transgressors of mere human traditions". Die Verbindung mit der Unreinheit sei in dieser Perikope vorgenommen worden wegen der Verunreinigung durch Schwören bei ungerechter Sache (vgl. unten zu Mt 5,33-37). – Die Auffassung, daß antisoziale Eide nicht als bindend angesehen wurden, hat zum erstenmal vertreten J. Mann (1917), sie wurde aufgegriffen von S. Belkin (1936). Dieser beruft sich auf Spec Leg II,7ff; Josephus Ant V,2,12 und Philo nach Eusebius Pr Ev VIII,7 und urteilt dann über das Philo und Jesus Gemeinsame a.a.O., 234: „... but while they both preach that oaths must be fulfilled they are both opposed to fulfilling antisocial oaths". Zur erst-

mk Schicht wendet sich weder gegen das atl Gesetz, man müsse sein Gelübde halten, noch rechnet er mit den Möglichkeiten zu dessen Auflösung. Deren Erwähnung wäre seinem Beweisziel abträglich: Mk konstruiert einen Fall, in dem eine Institution der jüdischen Überlieferung gegen ein Gottesgebot verstößt: bei Bewahrung der Überlieferung, auf die die Pharisäer, so setzt er voraus, von Natur aus drängen, wird hier zwangsläufig das Gottesgebot übertreten. Die Ursache des Übels ist also, daß die Pharisäer überhaupt Wert darauf legen, die Überlieferung zu „bewahren". Am Aufweis der hier sich dadurch ergebenden Ungerechtigkeit (die für die Kasuistik der Grund zur Auflösung des Gelübdes war) ist ihm hier gerade gelegen. Bei Philo ist Gerechtigkeit Bedingung für die Erlaubtheit eines Gelübdes (Spec Leg II,12: „Alle Eide müssen gehalten werden, durch die wir uns – bestimmt durch Einsicht, Gerechtigkeit und Frömmigkeit – zu schönen und zweckmäßigen Handlungen zu unserem eigenen oder zu allgemeinem Besten verpflichten"). Mk kommt es darauf an, zu zeigen, daß, wo der Inhalt des Eides ungerecht ist, das Bewahren der Überlieferung gegen Gott gerichtet ist. Damit ist für ihn aber überhaupt bewiesen, daß Überlieferung gottlose Menschensatzung ist. Den Mittelweg der jüdischen Kasuistik auch zur Zeit Jesu, im Falle der Kollision die Überlieferung der Forderung nach Gerechtigkeit unterzuordnen, geht er nicht. Für eine Kollision in einem konstruierten Einzelfall wird die Alternative Gottessatzung-Menschensatzung aufgestellt: Antijudaismus und Legitimation der Abschaffung der Überlieferung

genannten Philostelle ist zu sagen, daß hier von einer Möglichkeit der Eidaufhebung durch Menschen nicht die Rede ist. Allerdings sagt Philo (Spec Leg II,14), daß Erfüllung ungerechter Eide doppeltes Unrecht sei (15): „Daher unterlasse er das frevelhafte Tun und bitte Gott, ihn an seiner Gnade teilnehmen zu lassen und ihm den unbesonnenen Eid zu verzeihen". Von Eiden gleicher Art heißt es in 17: „Daß sie Gott mit Gebet und Opfer um Gnade bitten, damit sie die erforderliche Heilung für ihre seelischen Krankheiten finden, von denen sie kein Mensch zu heilen vermag". Nur in Pr Ev VIII,7 ist die Rede von der Auflösung (ἔκλυσις) von Eiden durch den Hohepriester. – Jos Ant V,169 motiviert die Übertretung eines Eides in erster Linie damit, daß er aus Zorn und Unbedachtheit geschworen sei, aber auch damit, daß die Existenz eines ganzen Stammes auf dem Spiele stand. – Noch J. Klauser, Jesus von Nazareth, 306 gibt zur Lösung der genannten Streitfrage drei Möglichkeiten an: Die Regelung sei anders gewesen oder Jesus erhebe einen ungerechten Vorwurf oder er verwechsle in V. 12 Erlaubnis mit Verbot.

sind die vorgängigen Motive, für die der Schriftbeweis aufgebaut worden ist.

Für die Vorgeschichte dieser Alternative „rein menschliche Erfindung/Gottes Wort" ist Lib Ant 25,13 aufschlußreich: die Übriggebliebenen vom Stamme Benjamin rechtfertigen ihren Abfall von Gott, indem sie sagen: nos voluimus in hoc tempore librum legis perscrutantes cognoscere, utrum manifeste Deus scripsisset quae erant in eo, an Moyses docuisset ea per se". Die Fragestellung ist dem AT fremd und entspringt aktueller jüdischer Problematik: Wenn Moses das Gesetz von sich aus gelehrt hat, ist man offenbar nicht verpflichtet, es zu halten (Auch im vorangehenden Kontext wollten die einzelnen Stämme jeweils etwas „erproben" – ab 25,9 –, d.h. Gott versuchen).
Aufschlußreich ist auch die bereits im Zusammenhang mit der Erörterung des Nomos/Tora-Begriffs genannte Inschrift IGLS I p. 20,30 aus Syrien. Nomos wird hier im Sinne von Kultvorschrift verwendet und entspricht also dem Gebrauch der levit. Kreise der hell. Synagoge: νόμον δὲ τοῦτον φωνὴ μὲν ἐξήγγειλεν ἐμή, νοῦς δὲ θεῶν ἐκύρωσεν.

Mit V. 13[1] ist der Beweis abgeschlossen, daß die Juden widergöttliche Menschensatzungen lehren, die nicht nur abzulehnen sind, sondern vergeblichen Gottesdienst bedeuten und die Juden schuldig werden lassen. Aus dem Vorwurf gegen die Christen in V. 2 ist so die Verurteilung der Frager geworden. Die Juden trifft das Zitat Jes 29,13, und sie sind die, die Gottes Gebot verletzen[2].
Von diesem Ergebnis her sind noch einmal die Verse 14-23 zu betrachten: Das καὶ ὑμεῖς ἀσύνετοι in V. 18 bezieht sich wohl auch zurück auf die Verurteilung der Juden in V. 1-13. Die wahre Rein-

[1] In Mk 7,13 ergänzen D it zu τῇ παραδώσει ὑμῶν: τῇ μωρᾷ. Damit ist die antijüdische Tendenz verschärft. syr sin hat ܡܛܠ ܦܘܩܕܢܝܗܘܢ (nicht in syr pesch).

[2] Sehr aufschlußreich für die Weise, in der vielleicht auch hellenistische Juden das Verhältnis von Sittlichkeit und Ritualobservanz bei den Juden beurteilten, ist Strabo (Geographie 16,2): Moses habe den Eingottglauben und die Gerechtigkeit gelehrt. Seine Nachfolger hätten dies eine Zeit beibehalten, Gerechtes tuend und gottesfürchtig (δικαιοπραγοῦντες καὶ θεοσεβεῖς). Danach aber sei ein Geschlecht tyrannischer Menschen gekommen, die aus Aberglauben (ἐκ δεισιδαιμονίας) die Enthaltung der Speisen, von denen sie sich auch jetzt noch zu enthalten pflegen und Beschneidungen und Ausschneidungen und Ähnliches einführten und sich so zum Schlechteren wandten (ἐκτραπόμενοι δ'ἐπὶ τὸ χεῖρον). Das Verhältnis der Speisegesetze usw. zu Gerechtigkeit und Heiligkeit wird in dem Bilde des Abfalls von einer ursprünglichen Idealzeit gefaßt. Bei Mk dürfte eine ähnliche Interpretation in 10,1-11 vorliegen. In Mk 7 dagegen wird mit dem Gegensatz von Gott und Mensch argumentiert. Sind hell. Juden Strabos Quelle?

heit besteht in der Einhaltung von Dekaloggeboten (und der Vermeidung anderer Laster), die die Juden aber übertreten.
So sind im Gesamtbild der beiden Perikopen die Juden diejenigen, die sich nicht an Gottes Gebot halten und nur äußerliche Reinheit pflegen; ersteres war in der ersten Perikope negativ bewiesen worden; in der zweiten wird positiv der wahre Reinheitsbegriff eingeführt und der der Juden als unmöglich dargestellt. Durch den Reinheitsbegriff Jesu belehrt, sind die Jünger in der Lage, Gottes Gebot zu halten, Beibehaltung jüdischer Überlieferung hätte sie daran gehindert[1]. Diese ist aber primär Folie der „Ungerechtigkeit".

[1] Die wichtigsten bisherigen Versuche zur Gliederung und Entstehungsgeschichte der Perikope sind:
1. M. Albertz, Streitgespräche, 37f hält Mk 7,6-8 und 9-13 für die beiden ältesten, parallel gebauten Teile des Streitgespräches. Die Parallelität der beiden ersten von A. angenommenen Schichten ist zu bezweifeln, die Behauptung, die radikalst antijüdische Schicht müsse die ursprüngliche sein, beruht auf einer vorgegebenen Ansicht über die Gesamtentwicklung des Urchristentums.
2. Nach R. Bultmann, Geschichte der syn. Tradition, 15f seien der Grundbestandteil die Verse 1-8; V. 6-14 sei keine Einfügung des Mk, da V. 15 nicht die ursprüngliche Antwort Jesu sein könne, denn dieser beziehe sich nur auf unreine Speisen; dagegen seien VV. 9-13 angefügt. Mit V. 15 und dem Kommentar in V. 18b.19 sei ein weiteres Stück hinzugekommen; die Verse 20-23 seien von einem noch späteren hellenistischen Verfasser; V. 15 dagegen sei älteste Tradition. Die Verse 1-8 entstammten der palästinensischen Gemeinde, für die die Frage nach der Überlieferung aktuell gewesen sei. – Wir hatten gezeigt, daß V. 8 nicht von V. 9 getrennt werden darf, da der Schriftbeweis in 9-13 notwendig zu VV. 6-8 gehört; ferner, daß die Verse 17-23 einen einheitlichen Kommentar mit antithetischer Struktur bilden, daß V. 15 erst durch diesen Kommentar auf unreine Speisen spezialisiert worden ist, ursprünglich dagegen eine sehr viel allgemeinere Regel ist, die auch als (traditionsgeschichtlich ältere) Antwort auf die Frage in V. 5 verstanden werden kann. – Einschübe und Umgliederungen in der Perikope wurden aus der zunehmenden Lösung vom Judentum erklärt. Dieser Prozeß hat Parallelen in anderen Perikopen.
3. M. Dibelius, Formgeschichte ^{4}1961, 222f: – Die Deutung von Dibelius zerteilt in Einzelstücke, die ursprünglich nichts miteinander zu tun hatten. Daher kann D. weder eine Erklärung für das Zusammenwachsen geben, noch rechnet er damit, daß spätere Schichten Stufen der Traditionsgeschichte früherer sein können.
4. J. Horst, Die Worte Jesu über die kultische Reinheit, (432-444). – Ein zutreffendes Verständnis hat sich H. dadurch erschwert, daß er Mk 7,15 ausschließlich auf Speisegebote bezieht. Auch durch unreine Hände werden aber die Speisen unrein (Vgl. W. Brandt, Jüdische Reinheitslehre, 20-31).
5. E. Hirsch, Frühgeschichte I,69-72. – Die von Hirsch vorgenommene Auf-

§ 3 Der Schriftbeweis in Mt 15,1-20

Die in der mk Fassung ursprünglich mit V. 15 beendete, in der jetzigen Redaktion aber schon durch V. 13 abgeschlossene Frage nach der Verunreinigung durch ungewaschene Hände wird bei Mt[1] wieder deutlich auf den Gesamtstoff bezogen (V. 2; V. 20). Zwischen diesen einrahmenden Sätzen sind mk Gliederung und Wortlaut

teilung in V. 1-5; 6-13; 14-21 ist für die Gliederung der jetzigen Redaktion zutreffend, ebenso die Erkenntnis, daß die Wiederholung aus V. 2 in V. 5 durch den Einschub in 3-4 verursacht ist (S. 69), ebenso, daß das καί in V. 5 an V. 1 anschließt („3.4 setzen 2 voraus und sind daher mit dem Subjekt in 5 zusammen von einer dritten Hand hinzugefügt worden, nachdem die zweite Hand 1 τινές bis 2 Ende bereits in den Text gesetzt hatte"). Unzutreffend ist die Aufteilung in 6-8.9-13 als zwei verschiedene Antworten Jesu, die beide mit καλῶς begännen, das in 6 als Lob, in 9 aber ironisch gefaßt sei. – Die beiden καλῶς schließen sich aber nicht aus, sondern korrespondieren: dem Spruch des Propheten entspricht das Tun der Juden. – Der Aussonderung des 2. atl Zitates in V. 10 durch E. Hirsch ist willkürlich. Die ursprüngliche Antwort an die Pharisäer ist nach Hirsch in 9-13 gegeben. 19-20 sei eine Glosse als Ausdeutung von V. 15 „durch einen nüchternen kleinen Verstand und eine (ich weiß kein anderes Wort) pedantische Phantasie".

6. Nach J. Schmid, Mk 133 bilden 9-13 über 6-8 hinaus einen neuen Gedankengang; V. 9 wiederhole V. 8 (!), sei eine Dublette. 6-8 sei die ursprüngliche Antwort, 9-13 aus anderem Zusammenhang, mit V. 14 beginne ein neues Thema. VV. 14-23 bildeten eine Einheit, aus der V. 15 nicht herauslösbar sei. Grundstock der Rede sei V. 1f; 5-8. – V. 8 ist aber keine Wiederholung von V. 9 und in 5-8 wird nicht ursprünglich eine Antwort auf die Frage nach dem Händewaschen gegeben, sondern erst redaktionell.

7. Gegen die Thesen A. Suhls ist zu sagen: V. 8 ist nicht von 9-13 trennbar; daher erklärt sich auch das Verhältnis von V. 3 zu V. 13b zu diesem Stück, denn 9-13 bringt einen Einzelfall. παράδοσις im Sg ist die Gesamtheit der Überlieferung, ἐντολή τοῦ θεοῦ das von Gott Gebotene im gleichen Sinne wie λόγος τοῦ θεοῦ in V. 13. Auch nach diesem Sprachgebrauch gehören also die Verse 8-13 zusammen. Die mk Anreihungsformel in V. 9 spricht noch nicht für ursprünglich selbständige Überlieferung. – Daß V. 8 ursprünglich eine Gegenfrage gewesen sei (S. 80 Anm. 60), durch die Jesus seine Gegner bloßstellte, ist erst für die mt Redaktion vorgenommen worden. A. Suhl hat richtig erkannt (S. 81), daß es in der jetzigen Fassung nicht mehr um die Verteidigung der Christen, sondern um Polemik gegen die Juden geht.

[1] Lk hat m.E. Mk 7 im Zusammenhang mit seinen antipharisäischen Weherufen verkürzt wiedergegeben in 11,37-41. Die Verse 37-38 sind Wiedergabe von Mk 7,2-5. V. 39 ist Abwandlung eines Q-Weherufes (Mt 23,25) und entspricht Mk 7,3-7. Die Verse 40-41 sind Wiedergabe des Restes von Mk 7; V. 40 bringt eine Begründung des Wegfalls der Reinheitsgesetze aus der Schöpfungsordnung: Weil Gott beides geschaffen hat, Äußeres und Inneres, hat er auf beides einen Herrschaftsanspruch und daher untersteht beides

vielfach verändert. Der erste Abschnitt, in dem der Stoff Mk 7,2-13 verarbeitet wird, reicht bis V. 9. – Die Wiederholung, die sich bei Mk in V. 2 und V. 5 zeigt, kann jetzt ausgelassen werden, da Mk 7,3.4 nicht rezipiert werden: Der jetzige Mt-Text kommt also dem ursprünglichen Mk-Text wieder näher. Dadurch aber ist bei Mt die Frage nach dem Übertreten der παράδοσις ganz unvermittelt und ohne einleitende Situationsangabe soz. als Grundsatzfrage an den Anfang gestellt. Die Händewaschung genügt als Beispiel für die Überlieferung der Juden. Den Begriff „unreine Hände" kennt Mt nicht, in V. 11.18 ist ihm nur ein Verunreinigen des Menschen bekannt. Mk hatte in 7,2 jenen Begriff bereits übersetzen müssen durch τουτ' ἔστιν ἀνίπτοις; Mt setzt nur noch οὐ νίπτονται τὰς χεῖρας. Entweder geht Mt hier korrekter vor, weil es streng genommen ein Verunreinigen nur der Hände nicht gibt (s.o.), oder er hat so wenig Kenntnisse über jüdische Reinheitsfragen, daß er von diesen ganz absieht und das Händewaschen nur noch als bloße Überlieferung der Juden kennzeichnen kann. Auch der Begriff κορβᾶν wird bei Mt nicht mehr verwendet, obwohl es sich um einen term. techn. handelte. Mk hatte seinen Lesern diesen Begriff durch δῶρον interpretiert (wie Josephus).

Das Verb παραβαίνειν, das bei Mk fehlt, verwendet Mt zweimal hintereinander in den parallelen Satzanfängen in V. 2 und V. 3 (beide Sätze beginnen mit διὰ τί)[1]. Das Handeln der Jünger und das der Pharisäer und Schriftgelehrten entsprechen sich (verdeutlicht durch καὶ ὑμεῖς in V. 3). Die Jünger übertreten die Überlieferung der Alten, die Angeredeten Gottes Gebot. Was bei Mk als Beispiel dafür gedient hatte, wie sich die menschlichen Kultüberlieferungen der Juden widergöttlich auswirken, wird hier zur Gegenfrage im Streitgespräch: Der Vorwurf an die Gemeinde wird mit dem viel größeren Vorwurf gegen die Judenführer beantwortet. – Daher tritt das Prophetenzitat ganz an den Schluß als Kommentar nach der Art der Reflexionszitate. Wie die Verse 2 und 3 antithetisch aufgebaut sind, so auch V. 4 und 5 (ὁ γὰρ θεὸς εἶπεν –

seiner Forderung nach Reinheit. In Bezug auf das Innere soll man Almosen geben, so wird auch dort die Reinheit hergestellt, dann hat man sie innen und außen. Der Lasterkatalog am Ende von Mk 7 ist hier positiv ersetzt worden durch die Forderung nach ἐλεημοσύνη, die ja bei Lk Inbegriff des christlichen Handelns geworden war. Damit ist die Überleitung gegeben zum folgenden, aus Q übernommenen Vers.

[1] Zum Sprachgebrauch παραβαίνειν νόμον vgl. Josephus, Ant 2,176; 10,214; zu ἀθετεῖν νόμον vgl. Jes 24,17 (31,2: λόγον αὐτοῦ).

ὑμεῖς δὲ λέγετε). Durch die Ersetzung des „Moses sagte" mit „Gott sagte" ist der Gegensatz zu den Angeredeten noch erheblich verschärft. – Mk 7,11 ist ganz umgestaltet worden. Das Wort κορβᾶν ist durch δῶρον ersetzt worden, wobei δῶρον allgemein die Opfergabe bedeutet und der Bezug zum Korbaninstitut verlorenging. Damit rückt aber dieser Text in die mt Polemik gegen Opfer und Kult (δῶρον in ganz ähnlichem Zusammenhang in Mt 5,23; vgl. Mt 12,7 und 19,13 !). Der Leser kann nicht anders verstehen, als daß es sich hier um einen Konflikt Opferwesen - Dekaloggebot handelt, weil das Kultgebot dem Sozialgebot entgegensteht. – Statt des οὐκέτι ἀφίετε bei Mk setzt Mt οὐ μὴ τιμήσει (sc. seinen Vater und seine Mutter). Auch diese Umbildung ist sehr bedeutsam:

1. Hier wird eine Parallelisierung zum 4. Gebot selbst (τίμα) vorgenommen und der Übertretungscharakter wird um so deutlicher (Mk hatte nur: „dem Vater und der Mutter etwas zu tun"). Die spätjüdische Deutung des vierten Gebotes als Aufforderung zu materieller Unterstützung der Eltern ist daher nicht mehr einfach vorausgesetzt.

2. V. 5/6a ist als Satz in der Form von Rechtssätzen der LXX konstruiert. ὃς ἂν εἴπῃ leitet die Protasis ein, οὐ μὴ τιμήσει ist die im futurischen Gesetzesstil gehaltene Apodosis. „Wer δῶρον gesagt hat, kann und darf nicht mehr Vater und Mutter ehren". Die Juden haben gegenüber dem Dekaloggebot ein Gegengebot aufgestellt, das auch der Form nach als solches zu erkennen ist.
Rechtssätze mit ὃς ἐάν in der LXX finden sich in Ex 21,17; Dt 19,4; Lev 17,3-13; 18,29; 20,9.13.14.15.17.20.21 (hier oft durch ἄνθρωπος ἄνθρωπος und πᾶς eingeleitet).
So hat V. 5/6a wirklich die vom Is-Zitat in V. 9 geforderte Form eines ἐντάλμα bekommen.

3. Diese Gebotsformulierung der Juden bedeutet ein Übertreten von Gottes Gebot. Lag bei Mk die Übertretung der Juden nur darin, daß sie den Mann hinderten, das vierte Gebot zu erfüllen, so ist bei Mt der Gegensatz zum Judentum dahin verschärft, daß es nicht nur eine falsche Praxis hat, sondern falsche Lehren und Gegengebote aufstellt: Die Erkenntnis ist verdunkelt.
Die Juden übertreten Gottes Gebote mit Hilfe jener Gebote von Menschen. V. 6b ist entstanden aus dem verselbständigten Partizipialsatz Mk 7,13; obwohl er jetzt durch καί angeschlossen ist,

führt der Inhalt nicht weiter, denn wie aus dem Vergleich mit dem gleichlautenden διὰ τὴν παράδοσιν in V. 3 hervorgeht, sind παραβαίνειν ἐντολήν und ἀκυροῦν τὸν λόγον τοῦ θεοῦ identisch (wie schon in Mk 7,9.13). V. 6b drückt vielmehr das Ergebnis der antithetischen Gegenüberstellung aus.

Im Aufbau von V. 2-6 sind so Händewaschen und Korbanpraxis viel näher aufeinander bezogen als bei Mk; bei Mk war die Verbindung erst über die Vermittlung des allgemeinen Satzes von der nur menschlichen Überlieferung der Juden geschaffen, für die beides Beispiele waren, von deren einem aber nur der Gegensatz zu Gottes Gebot nachgewiesen werden konnte, was dann auf die Überlieferung allgemein bezogen wurde. Bei Mt steht der übertretenen παράδοσις die übertretene ἐντολή gegenüber. Eine weitere Rechtfertigung der Unterlassung des Händewaschens ist nicht mehr zu geben, denn es kann gezeigt werden, daß die jüdische Paradosis ihrem Wesen nach Heuchelei ist: Die Anrede ὑποκριταί hat eine zentrale Stellung in der mt Perikope: Sie ist die Schlußfolgerung aus dem Bisherigen und wird durch das Is-Zitat aus der Schrift belegt.

Auf die Begriffsgeschichte von ὑπόκρισις/ὑποκριτής in der synoptischen Tradition ist kurz hinzuweisen:

1. In Mk 12,5 bedeutet ὑπόκρισις: mit List und unter falschem Vorwand etwas tun: die Frage ist nur scheinbar ernst gemeint. ὑπόκρισις ist der Anschein, den man sich gibt, um die wahre Absicht zu verdecken. Lk hat in der Parallele: πανουργία (20,28).

Die Anrede ὑποκριταί in Mk 7,6 wird inhaltlich geprägt durch das folgende Zitat, besonders durch den Gegensatz zwischen Herz und Lippen[1].

2. Der lk ὑποκριτής-Begriff ist von dem mk verschieden (cf. 20,23); in 20,20 fügt Lk aber gegen Mk ein ὑποκρινομένους ἑαυτοὺς δικαίους εἶναι d.h. von sich etwas annehmen, ohne einen Grund dafür zu haben; ähnlich ist die Vorstellung in 12,1f: Nicht das Verhältnis von außen und innen wird hervorgehoben, sondern das von jetziger Verborgenheit und einstiger Erkennbarkeit. Der Begriff wird offenbar verwendet, wenn ein bestimmter Anspruch erhoben wird, der ohne objektive Grundlage ist, auch bei subjektiver Gutwilligkeit.

3. Q und vorlukanische Stoffe: ὑπόκρισις ist der Ausdruck für ein Handeln, das die wahren Größenverhältnisse nicht in Bezug auf die Person des Handelnden, sondern in der Wirklichkeit unterschätzt, d.h. das Unwichtige statt des Wichtigen tut, so in Lk 12,56; Lk 6,42/Mt 7,5; Mt 16,3 läßt ὑπόκρισις gegenüber Lk aus, obwohl Mt sonst diesen Begriff zu ergänzen pflegt, weil der Begriff in dieser Verwendung nicht seiner Konzeption entspricht; aus vorlukanischer Quelle (Tochter Abrahams!) ist Lk 13,15: Eine

[1] Vgl. W. Grundmann, Mk 149 zu ὑπόκρισις bei Mk.

Kuh wird am Sabbat befreit, aber nicht eine Tochter Abrahams. – Inhaltlich entspricht dem ὑπόκρισις-Begriff von Q auch Lk 11,42, obwohl der Begriff in Q hier nicht begegnet.
In den genannten Texten ist „Heuchelei" die Beachtung des Unwichtigen und die Auslassung des Wichtigen.
4. Mt hat einen eigenständigen und theologisch bedeutsamen ὑπόκρισις-Begriff entwickelt. Heuchelei ist bei ihm der Gegensatz zwischen frommem äußeren Schein und der tatsächlichen inneren Ungerechtigkeit. „Heuchler" sind die, die vor den Augen der Menschen Almosen geben, beten und fasten, um gesehen zu werden (Mt 6,2.5.16); sie haben auf diese Weise ihren Lohn; nach 23,13 sind die Pharisäer Heuchler, weil sie vor den Augen aller Menschen die Schlüssel des Himmelreiches führen, aber nicht selbst hineingehen noch hineinlassen; nach 23,15 tun die Pharisäer zwar nach außen hin alles, um einen Proselyten zu gewinnen, erfüllen ihn aber dann mit Ungerechtigkeit. In V. 16 folgt darauf die Anrede ὁδηγοὶ τυφλοί (Vgl. Mt 15,14 zu V. 7 !); gegen Q hat Mt den Begriff eingeführt in 24,51: Lk 12,46 hat ἄπιστοι (sonst nicht bei Lk; daher Q-Ursprung wahrscheinlich); die Unglaubenden sind für Mt identisch mit den „Heuchlern". Der Zusammenhang offenbart das typisch mt Verständnis: Obwohl der δοῦλος (gegen Q aus οἰκοδεσπότης geändert)[1] über das Hauswesen bestellt ist, ist er in Wahrheit ein κακὸς δοῦλος, der seine Mitknechte mißhandelt. Vor den Menschen steht er an der Spitze, in Wirklichkeit aber ißt, trinkt und säuft er (cf. Mt 24,38). Aufschlußreich ist auch Mt 23,28: Der vorangehende Weheruf V. 27 hat gegen Q (Lk 11,44) den Gegensatz ἔξωθεν-ἔσωθεν ausdrücklich gemacht. Von außen scheinen die Menschen gerecht (δίκαιοι), von innen aber sind sie voll von ὑπόκρισις und ἀνομία. Durch diese beiden Begriffe wird ἀκαθαρσία in V. 27 interpretiert: 1. ὑπόκρισις ist parallel zu ἀνομία. So wird ἀκαθαρσία interpretiert im Sinne des mt Gesetzesbegriffs; was hier ausdrücklich wird, gilt auch für alle anderen mt ὑποκριτής-Stellen. 2. Wie in Mt 15 wird bei der Frage nach rein und

[1] Der lukanische Zusammenhang (Lk 12,42-46) dürfte ursprünglicher sein und Q repräsentieren. In Q war an das Logion vom οἰκοδεσπότης (Lk 12, 39-40; Mt 24,42-44) aus Gründen der Stichwortanknüpfung angeschlossen das Wort vom οἰκόνομος. Es endet mit einer (imperativisch zu verstehenden) Frage. An diese ist wegen des dadurch erscheinenden Gegensatzes zu ὁ κύριος das Wort vom δοῦλος angeschlossen, den der Herr über sein Vermögen setzt. In V. 43 wird er selig gepriesen. In V. 45 wird dieses eschatologische Logion auf die Parusieverzögerung angewandt: ἐὰν δέ... ὁ δοῦλος ἐκεῖνος. Offenbar ist dieses Logion in einer Situation entstanden, in der ein Gemeindeleiter abgefallen war. Sein Teil wird mit den ἄπιστοι sein. Bei Mt dagegen wird der οἰκονόμος aus Q zugunsten größerer Einheitlichkeit des Übergangs von V. 45 zu V. 46 zu δοῦλος umgewandelt. Jetzt ist ein δοῦλος an die Spitze gestellt, der auch selig gepriesen wird. In V. 48 wird eingefügt, daß er ein schlechter Knecht ist. – Zur Vereinheitlichung hat Mt ὁ κακός vor δοῦλος ἐκεῖνος gegen Q eingefügt ! – An diesem Beispiel wird deutlich die Kompositionstechnik in Q (Stichwortverbindung, auch durch Gegensatzbildung) und die ganz anders geartete späterer Stücke (inhaltliche Vereinheitlichung und Einführung neuer theologischer Aspekte).

unrein die scheinbare und nur äußere Reinheit durch die Klassifizierung als ὑπόκρισις entlarvt und die wahre Unreinheit als ἀνομία dargestellt, denn dadurch, daß die Juden nicht die Dekaloggebote halten, sind sie gesetzlos[1].

In Mt 15,7f kam der durch Mk vorgegebene Gegensatz von Lippen und Herz dem mt Verständnis von ὑποκριτής[2] sehr entgegen, so daß es nahelag, diesen Begriff nicht nur beizubehalten, sondern noch mehr zu betonen. Entsprechen aber die Verse 2-6 dem Inhalt der mt ὑπόκρισις? Der in den vorangehenden Versen antithetisch formulierte Gegensatz besteht für Mt zwischen dem Opferkult der Juden, der das Herz unberührt läßt, aber frommen Schein verleiht, und der tatsächlichen, aber dadurch verdeckten Ungerechtigkeit, die im Mangel an mitmenschlicher Gerechtigkeit = Übertretung des vierten Gebotes besteht. Die ὑπόκρισις der Juden ist hier sogar als Gebot formuliert. Das nur äußerlich zu erfüllende Gebot ist bei Mt – das zeigt seine Anwendung von ὑποκριτής – identisch mit der Satzung der Juden. Während bei Mk die erste Hälfte des Jes-Zitates hauptsächlich für den zweiten Teil seiner Perikope galt, ist bei Mt durch die Betonung des Gegensatzes zwischen Gott und Juden und die zu dessen Beurteilung verwendete Bezeichnung als Heuchler V. 8 sehr viel enger auf V. 9 bezogen. Im Gebot der Juden prägt sich ihre ὑπόκρισις aus. Diese Relation zwischen dem Gebotsverständnis der Juden und der Heuchelei ist für das Verständnis der Antithesen der Bergpredigt nicht unwichtig.

In Mt 15,10-20 wird das Verhältnis zwischen wahrer Unreinheit und wahrer Gerechtigkeit aufgezeigt. Während in V. 3-9 gesagt war, daß die Überlieferung der Juden nur ihrer Heuchelei dient, wird hier nachgewiesen, daß die Forderungen nach wirklicher Reinheit identisch sind mit denen nach wirklicher Gerechtigkeit. – Mk 7,15 ist in Mt 15,11 verdeutlicht[3] und zugleich eingeschränkt auf das,

[1] In Herm Vis III,VI,1 sind „Gesetzlosigkeit", „Heuchelei" und „Bosheit" parallel: οἱ υἱοὶ τῆς ἀνομίας. ἐπίστευσαν δὲ ἐν ὑποκρίσει, καὶ πᾶσα πονηρία οὐκ ἀπέστη ἀπ' αὐτῶν. Vgl. Teez Sanb H 30,26f L 32: Michael und sein Heer kämpfen gegen Bernael und „mit ihren Krallen nehmen sie diese Heuchler, das Heer der Hölle, bei der Gurgel". Die „Heuchler" sind Leute, die den Sabbat mißachtet haben, prinzipielle Gesetzesübertreter.

[2] Zur Heuchelei (ὑπόκρισις) der Pharisäer vgl. auch Ass Mos 5,5; 7,9f.

[3] Zu V. 11 vgl. A. Jülicher, a.a.O., 55: „Die Fassung des Mt... glättet und vereinfacht, formt die Gegensätze ganz gleichmäßig (οὐ τὸ εἰσερχ. – ἀλλὰ τὸ ἐκπορ., εἰς τὸ στόμα - ἐκ τοῦ στόματος, κοινοῖ τὸν ἄνθρ. - τοῦτο κοινοῖ τ.α.) während bei Mc der Bau von 15a nirgends genau dem von 15b entspricht".

was zum Mund hineingeht und zum Mund hinausgeht[1]. Ursache für diese Redaktion ist der bei Mt stärker beachtete Bezug auf die anfängliche Frage, was sich dann wieder in V. 20 äußert. Zugleich wird der allgemeine Satz von Außen und Innen wesentlich klarer gestaltet. Nach diesem Aufbau von V. 11 richtet sich dann auch, analog zu Mk der Kommentar zu diesem Logion (VV. 17-19). V. 17 nimmt von Mk κοιλία auf und kann es jetzt sinngemäß durch στόμα ergänzen, ebenso V. 18[2].

Das bei Mk sehr unausgeglichene Nebeneinander von Außen-Innen (V. 15) und Bauch-Herz (V. 19.21), das Mk nur zu beheben versuchte durch die Demonstration der Wiederausscheidung der Speisen nach außen, wird von Mt gestrafft und vereinheitlicht durch die Zuordnung Mund-Herz, Mund-Magen. – Im Lasterkatalog muß Mt dann entsprechend Wert legen auf Sünden, die tatsächlich aus dem Mund kommen können: böse Gedanken, Falschzeugnisse, Lästerungen; von den mk Sünden fielen weg alle die, die nicht aus dem Mund kommen: Habgier, List, Unmäßigkeit, böses Auge, Überheblichkeit, Unverstand. Beibehalten sind aber Dekalogsünden, die auch jetzt nach der Reihenfolge des Dekalogs geordnet sind, zu denen ψευδομαρτυρία (auch Mund-Sünde!) hinzugetreten ist. Die Betonung der Verunreinigung durch Zungensünden in Mt 15,18f entspricht einer breiteren Tradition, insbesondere zum Stichwort βλασφημίαι in Mt 15,19; man vergleiche CD 5,11f (Verunreinigung des Geistes durch Lästern); Herm mand III 1-4; Jub 23,21; Eph 4,30f; Philo, Vit Mos II 114 (die Zunge wird dadurch gereinigt, daß man Weisheit spricht).

Die beiden Prinzipien für die Redaktion des Lasterkatalogs gegenüber Mk sind daher: 1. Dekalognähe, 2. Mund-Sünden. Ähnlich wie die Verse 7-9 enthalten hier die Verse 12-14 scharfe antipharisäische Polemik; V. 13 ist als Logion offenbar ursprünglich unabhängig von solcher. Das in der Apokalyptik häufige Bild von der Pflanzung (insbesondere wird Israel als Pflanzung der Gerechtigkeit bezeichnet) wird hier in einer eschatologischen Drohung

[1] Zum mt στόμα vgl. A. Jülicher, a.a.O., 62 („doch war die Beziehung des in den Menschen Eingehenden auf das von ihm Gegessene durch Mc 2-5 sehr nahe gelegt") mit Hinweis auf Plato Tim 75, zitiert bei Philo Opif 119.

[2] Zu V. 18 vgl. A. Jülicher, a.a.O., 61: „Statt ἐκ τοῦ ἀνθρώπου muß Mt auch hier wieder ἐκ τοῦ στόματος schreiben; weil aber doch auch bei ihm (19) in dem Begründungssatz das Herz und nicht der Mund als Ausgangspunkt alles wahrhaft Unreinen genannt wird, muß er in den Text des Mc einschieben: das kommt aus dem Herzen hervor".

verwendet, nach der die Ungerechten ausgerottet werden. V. 14b entstammt ebenfalls anderen Zusammenhängen und ist eine in Bezug auf Weisheit und Erkenntnis formulierte Sentenz aus Q (Lk 6,39). „Blinde“ im übertragenen Sinne des Wortes werden bei Mt nur die Pharisäer genannt (15,14; 23,16.17.19.24.26). In Mt 23 sind alle τυφλός-Anreden aus der Hand des Mt. Dort besitzt diese Anrede jeweils aber keine unmittelbare Fundierung im Kontext, im Gegensatz zu 15,14, wo die Anrede noch durch eine Sentenz begründet werden konnte. Zumindest der Titel ὁδηγοὶ τυφλῶν in 23,16.24 dürfte sich aus der Komposition von Mt 15,14 herleiten – ein Symptom für die große Bedeutung, die Mt dieser Perikope für das Streitgespräch mit Gegnern gibt (cf. H vis 3,9,10). V. 13 bezieht sich auf die faktische Ungerechtigkeit der Pharisäer, V. 14 auf ihre Lehrtätigkeit: Sie wollen Wegführer sein, sind aber selbst blind. Damit ist – in dieser Zuspitzung von religiösem Anspruch und mangelnder Erkenntnis und Gerechtigkeit – der typisch mt Tatbestand von „Heuchelei“ gegeben. Der Vorwurf von V. 13.14 erläutert so den von V. 7; er ist hier eingefügt, weil die Pharisäer nicht über das Verhältnis von Reinheit und Gerechtigkeit informiert sind. Anlaß für die Polemik gerade an dieser Stelle dürfte die Mk-Fassung sein mit der Deutung dieses Verses als παραβολή und dem darauf folgenden Vorwurf in 7,18 (καὶ ὑμεῖς ἀσύνετοι). Die Unverständigen sind hier nicht das (neutrale) Volk, wie (in erster Linie) bei Mk, sondern die jüdischen Gegner. Die Unverständigkeit der Jünger schwächt Mt entsprechend durch die Einfügung eines ἀκμήν (= noch nicht; vgl. A. Jülicher, Gleichnisse II,57) ab. Unbelehrbar sind die pharisäischen Gegner, die Christen sind belehrbar, der (neu eingeführte) Petrus (V. 15) bittet darum: den blinden Blindenführern tritt gegenüber die auf Jesus hörende Gemeinde mit Petrus an der Spitze. Jesus ist der Lehrer der wahren Reinheit und damit der Gerechtigkeit. Die Pharisäer erscheinen hier einerseits als die „Heuchler“, wie auch sonst bei Mt, andererseits aber auch als Gesetzeslehrer. Jesus steht diesen Blinden als der gegenüber, dem die „Augen geöffnet“ sind und der das Licht des Gesetzes erkennt und als Lehrer äußert. So wird durch diesen Zusatz Jesus kontrastierend als der wahre Gesetzeslehrer gekennzeichnet – Mt verschärft so einerseits den Gegensatz zu den jüdischen Gesetzeslehrern, betont aber andererseits, daß Jesus gerade als Lehrer des Gesetzes auftritt (und keineswegs als dessen Auflöser). Die schroffe Gegenüberstellung der pharisäischen Blindheit und der Belehrung durch Jesus ist von Mt gegen Mk in diesen Teil der Perikope neu eingetragen, in der abgesehen von den Antithesen der Bergpredigt und den antipharisäischen Weherufen ein Großteil der mt Auseinandersetzung mit dem Judentum stattfindet. – Durch die Annäherung von Heuchelei/Unreinheit/(Ungerechtigkeit) bei Mt ist auch die Übertretung des 4. Gebotes näher an die der anderen Gebote herangerückt worden[1]. Im Ganzen zeigt die Redaktion des Mt in Mt 15 folgende Züge: Der Gegensatz zum Judentum ist verschärft, was sich, wie immer bei Mt, zeigt an der Beurteilung der Pharisäer und Schriftgelehrten. Hauptanklagepunkte sind (wie auch sonst bei Mt) Heuchelei, Ungerechtigkeit und Blindheit. Die Beurteilung ihrer Lehre als aus Blindheit geborenes Gegengebot zu Gottes Gebot schließt eine Weitergeltung jüdischer Ritualobservanz aus. Dem Elterngebot ist gegenübergestellt ein Fall der allgemeinen Opferpraxis und damit auch für diese Perikope des Mt das Sozialgebot dem Opferdienst.

[1] Die Deutungsversuche zur Erklärung der Umformung der mk Perikope durch Mt sind in der Regel völlig entgegengesetzt, je nachdem ob ein judenchristlicher Standpunkt des Mt vorausgesetzt wird oder nicht, wobei „judenchristlich" hier im Sinne der Beibehaltung des Ritualgesetzes und der Reinheitslehren verstanden wurde.
Nach R. Hummel (Kirche und Judentum, 46ff) kann bei Mt den Christen der Vorwurf der Übertretung der Tradition nicht gemacht werden, da das Unterlassen der Waschung als Ausnahmeregelung begründet werde. In V. 20 formuliere Jesus „nur eine spezielle Halacha über das Händewaschen" (S. 46). Auch ein pharisäischer Rabbi könne so geurteilt haben, ohne die ganze Tradition zu verwerfen (47). Vorwurf sei nur die Heuchelei. „Für Matthäus und seine Kirche hat die schriftgelehrte Tradition grundsätzlich Autorität" (47). Mt leite aus dem mk Stoff „nur einzelne, den pharisäischen widersprechende gesetzliche Entscheidungen ab" (49). – Die Beobachtungen, auf denen Hummel seine Schlüsse aufbaut, haben ihr Fundament in der inhaltlich glättenden und straffenden Komposition des Mt. – Da die Lehre der Pharisäer als die von blinden Blindenführern hingestellt wird, die Gottes Gebot verdrängt, kann ich keinen Grund für eine Geltung pharisäischer Tradition in der Gemeinde erkennen. Die ὑπόκρισις ist bei Mt nicht nur ein moralischer Vorwurf, sondern auch gegen die nur menschliche Lehre der Ph. gerichtet. Wenn Mt das „reinigend alle die Speisen" (Mk 7,19) wegläßt, so ist doch in 15,11 dieser Satz bereits aufgehoben und nur fortgelassen, weil Mt exemplarisch das Thema Händewaschen behandelt. Auch G. Barth (Gesetzesverständnis, 80-84) setzt eine juden-christliche Gemeinde voraus. Gegenüber Mk erfolge die Ablehnung des Händewaschens „nicht von der Ablehnung der Tradition überhaupt, sondern von der Auslegung des Gesetzes her" (S. 82), da etwas anderes, die Laster, den Menschen verunreinige. – Abgesehen davon aber, daß diese Begründung sich auch schon bei Mk findet (V. 20/21), wird bei Mt die menschliche Tradition der Pharisäer

§ 4 Ergebnis

Sowohl in Mk 7 als auch in Mt 15 hat die direkte Schriftauslegung antijüdischen Charakter; damit stimmt die Tendenz dieser Schichten überein mit der zweiten Schicht der Hauptgebotsperikope in Mk 12. Während in den katalogartigen Aufzählungen am Schluß der Perikopen in Mk 7 und Mt 15 noch allgemeine Wiedergaben von Dekaloggeboten genügen, wird, wo es in der gleichen Schicht auf Argumente gegen die Juden ankommt, ein ausführlicher und auch durchaus kunstvoller Schriftbeweis angebracht. Wie in Mk 12 wird in dieser Schicht dabei das eigentlich antijüdische Argument der Kultkritik der prophetischen Bücher der LXX entnommen.
Hinter der Abfolge der einzelnen Schichten stehen verschiedene Gemeinden mit je verschiedenem Verhältnis zur pharisäischen Überlieferung und zum atl „Gesetz". Am Anfang stand das Logion Mk 7,15. Auch wenn man die formgeschichtliche Eigenart einer solchen Sentenz berücksichtigt, wird man eine Nähe zum gleichzeitigen Denken des hellenistischen Judentums nicht leugnen können. Der allgemeine Hinweis auf prophetische Kultkritik und eine Fortsetzung derselben durch Jesus trägt hier nichts aus, da vorher die Frage zu stellen ist, wo in dieser Zeit Elemente tradiert wurden, die Ähnlichkeit mit den „prophetischen" hatten. Am ehesten würde eine solche Sentenz erklärbar sein aus den allgemeinen

noch viel radikaler verurteilt und Gottes Gebot gegenübergestellt als bei Mk. – Bacon, Studies in Matthew, 1930, 352 entnimmt aus Mt 15,20, hier gehe es nur um das Händewaschen. In V. 11 werde das Außen nicht abgeschafft, sondern nur untergeordnet (wie 23,23). – Dieser Meinung schließt sich auch G. Barth (a.a.O., 84) an. – Mt hat aber Mk 7,19 nicht deshalb ausgelassen, weil die Speisegesetze noch gelten und er nur eine Halacha für das Händewaschen geben will; die Ursache sind vielmehr seine gegenüber Mk andersartigen Vorstellungen über Reinheit und Unreinheit. Er ist offenbar der Meinung, daß nach Ansicht der Juden die Speisen dadurch rein werden, daß man mit gewaschenen Händen ißt. Unreine Hände kennt er nicht (V. 2.20), nur ungewaschene. Er stellt die Meinung seiner Gegner so dar, daß der Mensch verunreinigt wird (κοινοῖ τὸν ἄνθρωπον V. 11.18.20) durch Dinge, die zu seinem Mund hereingehen, welche Unreinheit durch das Händewaschen beseitigt würde.
G. Strecker (Weg der Gerechtigkeit, 30f) betont mit Recht den Abstand zur jüdischen Zeremonialgesetzlichkeit. „Für ihn ist die rituelle Observanz nur noch Kennzeichen der Juden, er selbst lehnt sie eindeutig ab" (S. 31). Eine Deutung von Mt 5,33f unter Hinweis auf K. W. Clark ist wohl nicht notwendig (s. Bd. II).

Denkvoraussetzungen des hellenistischen Judentums. Durch die Rahmung findet sich der Spruch in einer Gemeinde, die die Ablehnung der Händewaschung rechtfertigen muß: die innerjüdischen Gegner sind „Pharisäer". Die II. mk Schicht zeigt uns das Bild einer vom Judentum getrennten Gemeinde, die nicht nur die Händewaschung, sondern auch alle Speisegebote und die gesamte „Überlieferung" abgeschafft hat. Als Norm des Handelns kennt diese Gemeinde eine Reihe von Dekaloggeboten, die in einem Lasterkatalog mit Lastern „heidnischer" Herkunft verbunden sind. Mt zeigt durch seine Umstellungen, daß der Gegensatz zum Judentum verschärft ist. Die Führer der Juden sind nicht nur in ihrem Tun Heuchler, sondern auch in ihren widergöttlichen Satzungen, denn sie sind blinde Blindenführer. Es ist daher sehr verwunderlich, daß anhand von Mt 15 die These aufgestellt werden konnte, in der Gemeinde des Mt habe die pharisäische Überlieferung Geltung besessen. Das Händewaschen steht ebenso für „die" Paradosis wie das Elterngebot für „die" Gottesgebote des Dekalogs; nicht (nur) das Korbangelübde wird angegriffen, sondern der gesamte Kult. Die mt Gemeinde weiß sich an die Satzungen der „blinden Blindenführer" nicht gebunden. Die Dekaloggebote sind in noch stärkerem Maße zur Mitte der Norm des Handelns geworden.

Zum näheren traditionellen Hintergrund von Mk 7, 15b Folgendes: Der Satz gehört mit Sir 21, 27f; CD 5, 11f; Jk 3, 6-9 in eine Tradition, nach der böse Worte (gegen jemanden) wie ein Fluch funktionieren, d.h. wenn man selbst böse ist, richten sich diese Worte gegen einen selbst. Verunreinigen ist dabei mit Unheil-Bringen identisch (priesterlicher Einfluß). Vorausgesetzt ist ferner ein strenger Gut/Böse-Dualismus. Das bedeutet: Man kann sich selbst durch seinen eigenen Mund verunreinigen – dann nämlich, wenn man eigentlich auf die Seite der Bösen gehört: Böse Worte, die man dann ausspricht, richten sich dann gegen die, die in Wirklichkeit gut sind, dort prallen sie ab. Sie treffen vielmehr den, der eigentlich böse ist, suchen den Ort, wo sie wirksam werden können und finden ihn bei ihrem Urheber selbst (zur Vorstellung vgl. auch entsprechend vom Segen: Lk 10,6). In hebr Sir 21, 27 geht es um die Verfluchung des angeblich bösen Widersachers durch den in Wahrheit Bösen. Der Frevler stellt sich ohne Recht auf die Seite der Guten. Da er aber (griech. Sir) de facto selbst auf der Seite des Satans steht, trifft der Fluch ihn selbst. Ebenso schadet nach CD 5, 11 sich selbst, wer ohne Recht behauptete, die Gebote seien nicht von Gott, also unheilig. Der „Fluch", der das vermeintlich Unheilige treffen soll, trifft den unheiligen Sprecher selbst. So wie hier im Kontext von der Verunreinigung des Heiligtums gesprochen wird, handelt es sich in Jk 3, 6-9 um die Ebenbildlichkeit Gottes – nach Ausweis der verwandten Stelle Gen 9, 6 deutlich priesterlicher Einfluß. Der Mitmensch ist aufgrund seiner Ebenbildlichkeit „heilig".

VIII

Ehescheidung und Ehebruch

Mk 10,1-12 ist eingebettet in mk Gemeindeparänese (9,33-37 (37-50a alter Kern).50b; 10,13-16). Die Kombination der Themen „Ehe" und „Kinder", wie sie in Mk 10,1-16 vorliegt, ist ein jüdisch-hellenistischer Topos – sie findet sich auch bei Josephus c. Ap II 203/204, in Ps. Menander 207/209 und in der Schilderung des Kampfes aller gegen alle in der Esdra Apk ed. Ti. p. 27: „Kinder werden gegen die Eltern aufstehen, und die Frau wird den eigenen Mann verlassen (τὸν ἄνδραν! τὸν ἴδιον καταλιμπάνει)... es erbarmt sich nicht der Mann der Frau, noch die Kinder der Eltern". Zu beachten ist das Thema Ehetrennung in diesem Zusammenhang.
Leicht erkennbar ist, daß V. 9 und V. 11.12 verschiedenen Überlieferungsbereichen entstammen. V. 9 ist eine weisheitliche Sentenz, während V. 11.12 die Scheidungspraxis der Juden als Übertretung des 6. Gebotes klassifizieren. Durch die Schriftbeweise in V. 6-8, die nur auf Grund des Textes der LXX möglich sind, wird die Schöpfungsordnung als das verbindlichere Gesetz dem Gesetz Dt 24,1ff entgegengesetzt. Das 6. Gebot nach der Auslegung der Gemeinde stimmt daher mit der Schöpfungsordnung überein. Insbesondere Bestimmungen über die Ehe wurden im nachbiblischen Judentum häufig aus den Schöpfungsberichten abgeleitet. Im Folgenden ist vor allem die Frage zu stellen, welche theologischen Voraussetzungen im Judentum das ntl Verbot der Ehescheidung historisch erklären können. Denn es ist nicht anzunehmen, daß der Schriftbeweis mit der künstlichen Gegenüberstellung von Dt 24,4 und den Gen-Stellen der Ausgangspunkt für dieses Verbot war; vielmehr hat hier wie überall der Schriftbeweis sekundären Charakter und setzt V. 11.12 bereits voraus.
In Mk 10,11 und Mt 5,32 (mit Klausel) liegen zwei verschiedene Ansätze über das Verbot der Ehescheidung vor: ein jüdisch-hellenistisch geprägter und ein Ansatz, der auf Grund von Unreinheitsvorstellungen aus P-Traditionen eine Wiederheirat der Frau verhindern möchte. – Die zunächst darzustellende Aus-

legungsgeschichte von Dt 24,1–4 und von Gen 1,27; 2,24 zeigt bereits Annäherung an diese Thematik und diese Lösungsansätze; Dt 24,1-4 gehört in eine Reihe formal gleich aufgebauter eherechtlicher Kasus mit sozial-humanitärer Tendenz zum Schutz der Frau; dem diente auch der Scheidbrief selber. Der sekundäre P-Zusatz bringt die Ehescheidung bereits in Verbindung mit Unreinheitsvorstellungen; damit ist bereits der entscheidende Ansatz zum Verständnis von Mt 5,32 gegeben.

§ 1 Grundbedeutung und Auslegungsgeschichte von Dt 24,1-4 bis zum NT

a) Dt 24,1-4 MT

Das vorliegende Konditionalsatzgefüge[1] wird durch כי eingeleitet, worauf jeweils durch Waw angeschlossen und am Anfang mit אם eingeleitet 15 nähere Bestimmungen folgen für den Fall, daß der Mann kein Gefallen an seiner Frau findet. Während in einem echten Kasus die Apodosis bereits mit וכתב beginnen würde, folgt diese hier als Prohibitiv לא יוכל erst am Ende. Darauf folgt eine Begründung und ein prohibitivischer Abschluß („Du darfst das Land nicht verunreinigen...“). Unter den verschiedenen Typen kasuistischer Sätze im Dt (כי + 3.P., z.B. 17,14ff; כי + 2.P., z.B. 21,10; והאיש אשר + Verb, z.B. 17,12; 20,6; כי + Verb + איש, z.B. 24,1; כי + Form von היה + Präp. ל od. ב vor איש + Subjekt, z.B. 21,18; כי + ימצא + איש + Partizip, z.B. 24,7) gehört unser Text zu der Gruppe, die mit der Formel כי + Verbum + איש eingeleitet sind. Nach diesem Schema finden sich noch folgende Texte: Dt 22,13-21; 22,22; 22,25-27; 22,28; 24,5. – Es handelt sich bei den mit dieser Formel eingeleiteten Sätzen ausnahmslos um Ehe- und Sexualrecht, d.h. dieses Formschema ist inhaltlich gebunden (Dt 22,23

[1] Zur Ehescheidung im AT: B. J. Botterweck, Schelt- und Mahnrede gegen Mischehen und Ehescheidung, in: Bib und Leb 1 (1960) 179-185; J. Döller, Das Weib im AT (Bibl. Zeitfr. 7-9), Münster 1920; A. Eberharter, Das Ehe- und Familienrecht der Hebräer (Atl. Abh V,1.2), 1914; L. Rost, Fragen zum Scheidungsrecht in Gen 12,10-20, in: Gottes Wort und Gottes Land / H.-W. Hertzberg-Festschrift, Göttingen 1955, 186-192; B. N. Wambacq, De libello repudii (Deut 24,1), in: Verb Dni 33 (1955) 331-335; R. Yaron, On Divorce in Old Testament Times, in: Rev. Internat. des Droits de l'Antiquité 4 (1957) 117-128.

ist wegen des gleichen Themas in den Zusammenhang gekommen, obwohl es diese Form nicht aufweist). – Darüber hinaus findet sich speziell die Formel כי יקח איש אשה noch in Dt 22,13-21 und 24,5 (Kap 23 ist wegen der Ähnlichkeit der einleitenden Formel לא יקח איש אשה eingefügt), d.h. aber: Dt 24,1-4 bildet mit diesen Texten zusammen eine Gruppe von Fällen, die mit dem Eingehen einer Ehe zusammenhängen und Umstände bei der Eheschließung selbst berücksichtigen. Auch in Dt 22,13ff wird der Fall der Scheidung behandelt ebenso wie das „Hassen". Inhaltlich haben die drei Texte gemeinsam die Betonung und Stützung des Zusammenseins von Mann und Frau zugunsten der Frau. – Dt 24,1-4 ist das Verbot, die eigene Frau, ist sie einmal geschieden und wiederverheiratet gewesen, nochmals zu heiraten. Der Kasus hatte ursprünglich keine weitere Begründung dieses Verbots; damit entspricht er dem üblichen Formschema der Kasuistik (Vgl. die ebenfalls nur angehängte Begründung im Parallelfall Dt 22,21cd). Absicht ist der Schutz der Frau, womit dieses Kasus (wie auch die formalen Parallelen) in die Reihe der Humanitätsgesetze des Dt gehört: damit die Frau nicht leichtfertig entlassen wird, soll der leichtsinnigen Scheidung vorgebeugt werden. Ähnlich geht es in 22,13 um den Schutz der Frau vor ungerechter Beschuldigung. In Dt 22,28 und 22,20 ist sogar ein (jeweils gleichlautendes) Scheidungsverbot ausgesprochen, das mit לא יוכל beginnt und daher Dt 24,4a schon rein formal verwandt ist. Auch in Dt 21,10-14 wird die Frau geschützt. – In Dt 22,28 ist das Scheidungsverbot deutlich als Zusatz zu Ex 22,15 erkennbar. Die an Dt 24,4 angehängte Begründung „denn sie ist unrein geworden" und die folgenden Sätze sind sekundär. Wie in der zweiten Rahmenschicht von Lev 18 (Vgl. dazu K. Elliger, Lev 18, in: ZAW 67 (1955) 1-27) findet sich hier die Vorstellung von der Verunreinigung des Landes durch geschlechtliche Vergehen und die Bezeichnung dieses Tuns als Greuel. Die Begründung mit „Greuel" hat „ihren Sitz in der Begründung zu Prohibitiven sexuell kultischer Art, war also 'weisheitlich-priesterlich'" (W. Richter, Recht und Ethos, 161; dort auch Lit.). Hier liegt bereits eine Verwendung vor, in der jede Art von „Unzucht" als Greuel bezeichnet wird, ähnlich wie in Jer 7,1-6 sittliche Vergehen gegen den Dekalog so genannt werden. – Nach Dt 21,22-23 wird das Land auch verunreinigt durch unbestattete Leichen. – Durch spätere Redaktion ist also Dt 24,1-4 so ergänzt worden, daß es in die Texte über sexuelle Verunreinigung eingereiht werden konnte. Den Übergang bildete in V. 4 der Satz „...denn sie ist unrein geworden". So wurde aus der Mahnung, die

Frau nicht leichtfertig zu entlassen, die Warnung vor dem sexuellen Vergehen, das durch Wiederheirat begangen würde. Da ohne die לא יוכל-Formel die Sätze in VV. 1-4 keinen vollständigen Sinn ergäben, ist diese hier als ursprünglich anzunehmen und als einer Schicht entstammend, die für Dtn charakteristisch ist. Die Zusätze sind aus priesterlicher Tradition.

Der Scheidungsgrund wird mit ערות דבר angegeben. ערוה bedeutet Schamgegend (Gen 9,22; Ex 38,42) oder Schande (Ez 16,37; Jes 47,3; Hos 2,11.12 im Sinne von „buhlerischer Nacktheit"; Is 20,4). Die Wendung ערות דבר findet sich im AT nur noch in Dt 23,15 (nächtliche Pollution und menschliche Exkremente würden das Lager verunreinigen und werden so bezeichnet), was in 1 QM VII,7; X,1 aufgenommen und mit dem erläuternden Adjektiv רע versehen wurde. Eine „Schande einer Sache" kann daher nur etwas sein, das die Frau selbst verunreinigt hat. Der Vergleich mit 22,13.14 (וּשְׂנֵאָהּ entspricht dem „und er findet keinen Gefallen an ihr"; ע״ דבר entspräche 22,14b) würde die Annahme nahelegen, daß es sich um voreheliche Unzucht handelt, d.h. um fehlende Jungfräulichkeit (zum Sprachgebrauch „hassen" vgl. Jub 41,2: „Er haßte sie – ṣäl'ā – und wohnte ihr nicht bei"). – Dagegen spricht vor allem, daß vorehelicher Geschlechtsverkehr im AT nicht als Verunreinigung, sondern als Eigentumsdelikt angesehen wird (so auch noch in Dt 22,19.28f). Ehebruch gilt dagegen schon relativ früh als Verunreinigung und später in zunehmendem Maße. Die älteste vergleichbare Stelle (Da Th Su 63) legt ebenfalls die Deutung „Ehebruch" nahe (s.u.). – Aus den Begründungen in V. 4 ist darüber nichts zu entnehmen, wohl aber treten hier Vorstellungen über Verunreinigung im Zusammenhang mit Ehescheidung zutage, die freilich möglicherweise erst mit der priesterlichen Begründung dieses Kasus festgesetzt wurden. Verunreinigung tritt hier erst durch Wiederheirat der eigenen Frau ein. Vergleichbar sind Lev 21,7 und 21,14: Ein Priester und ein Hoherpriester dürfen nicht eine Frau heiraten, die von ihrem Mann verstoßen ist (גרושה); daneben stehen Witwe, Entehrte und Buhlerin. – Die Begründung für das Heiratsverbot ist hier, daß der Priester seinem Gott heilig sei. Die Heirat ist also wegen der Unreinheit verboten, die eine Frau an sich hat, die schon mit einem anderen Mann zu tun gehabt hat; daher wird auch die Witwe hier genannt. Diese Vorstellungen dürften wenigstens die Art der Begründungen in Dt 24,4f erklären: der priesterliche Redaktor begründete den in Dt 24,1-4 vorgefundenen alten Kasus mit Vorstellungen über Unreinheit, die denen in Lev 21 analog sind und hier ad hoc umgeformt wurden[1].

b) Jer 3,1.2.8.9

3,1 enthält den Kerngedanken in einem Schluß a minori ad maius. Dt 24,1-4 ist inhaltlich vorausgesetzt. Wenn schon nach Ehescheidung und Heirat eines anderen Mannes eine Rückkehr unmöglich ist, wieviel mehr würde dann erst das Land völlig entweiht, wenn die Angeredete, Israel, zurückkehrte, da sie mit vielen Freunden Ehebruch getrieben hat. Wegen des Ehebruchs wurde sie auch entlassen und bekam den Scheidbrief (V. 8). Die chronologische Reihenfolge ist also: Ehebruch, Scheidung, Buhlerei mit vielen, Unmöglichkeit der Rückkehr. Vergleichspunkte mit Dt 24,1-4 sind die Unreinheit des Landes und die Unmöglichkeit der Rückkehr (nicht aber die Unreinheit der Frau bloß weil sie geschieden ist, so aber F. Nötscher, Jer 49) und wohl auch der Scheidungsgrund (Ehebruch!)[2].

c) Dt 24,1-4 LXX

Die LXX-Fassung von Dt 24,1-4 ist die Vorstufe für die Interpretation dieses Textes in Mk 10,4; auch Josephus versteht diesen Text als Gebot, einen Scheidbrief auszustellen. Philo qualifiziert im Zusammenhang der Auslegung dieses Textes die Ehescheidung jedenfalls als Unrecht und aktualisiert das Verbot der Wiederheirat als Kuppelei-Verbot: Für ihn besteht dann die Ehe unabhängig vom Scheidbrief weiter, und Wiederheirat rückt in die Nähe des Ehebruchs. – Parallelen und Übersetzungen zu ערות דבר in Dt 24,1

[1] Bisherige Lösungen: S. Oettli, Dt 1893,84: durch den Scheidbrief sei der erste Mann für die Frau soz. tot und daher unrein. – Ausgesagt ist aber nur, daß die Frau jetzt unrein ist. – A. Bertholet, Dt 1899 meint, die Frau habe in der Zwischenzeit für ihren ersten Gatten soz. im Ehebruch gelebt, die nach Lev 18,20; Nu 5,13f das Weib verunreinige. – E. König, Dt 1917, 168: Durch die Unreinheitsbestimmung sollte die Leichtsinnigkeit der Scheidung verhindert werden. – G. v. Rad, Dt 1964, 108 hält die kultische Begründung für ursprünglich.

[2] Auf diesen Text bezieht sich Schatzhöhle 51,2: „Als alles vollendet war, wurde der Gemeinde ein Scheidbrief geschrieben, und sie ward verstoßen und des Gloriengewandes beraubt". Vgl. 4 Q 179,1 II,3 („and we are defiled with the dead...) like a hated wife..." und 2, 4-6 „How lonely sits the city... princess of all nations is desolate like an abandoned, and all her daughters are abandoned like a woman forsaken, like a woman grieved and like a wife abandoned by her husband...".

zeigen, daß in Mt 5,32 eine Interpretation dieses Scheidungsgrundes vorliegt.

Im MT waren in der Protasis 13 Verben von כי abhängig, welches durch אם לא und durch או כי in V. 3 wieder aufgenommen wird. Die 13 Verben sind einander gleichgeordnet, durch Waw eingeleitet und geben einen zeitlichen Ablauf wieder. Die LXX macht daraus einen Satz mit 5 von ἐάν abhängigen Verben in der Protasis und einem futurischen Verb in der Apodosis. Die übrigen Verben aber, die jeweils den Scheidungsvorgang wiedergeben, sind an den zwei Stellen, wo sie vorkommen (V. 1 und V. 3), gleichmäßig durch futurische Formen wiedergegeben: καὶ γράψει – καὶ δώσει – καὶ ἐξαποστελεῖ. So ergibt sich folgendes Bild: Die 5 von ἐάν abhängigen Verben sind: λάβῃ, συνοικήσῃ, γένηται, μισήσῃ, ἀποθάνῃ. Durch die mit καὶ γράψει eingeleiteten Einsprengsel wird das im Hebr. einförmige Konditionalsatzgefüge gesprengt und unterbrochen. Die schematische Mitübersetzung des Waw vor den Formen macht die Konstruktion im Griechischen noch schwerfälliger. – Der Übersetzer ist zu diesen Einschüben gekommen durch seine Übersetzung des והיה im 3. Glied des V. 1. Im MT verbindet das והיה die Vordersätze miteinander und weist proleptisch voraus auf לא יוכל. Ein Parallelfall findet sich in Dt 30,1-3. Hier weist das והיה über 4 von כי abhängige Verben hinweg auf die beiden Hauptverben in V. 3. Das והיה übersetzt nun die LXX in der Regel durch καὶ ἔσται – das gilt für beide möglichen Bedeutungen von והיה / καὶ ἔσται: für die jussivische (21,14: καὶ ἔσται, ἐὰν μὴ θέλῃς αὐτήν, ἐξαποστελεῖς αὐτὴν ἐλ.; 27,2.4; 17,18 im Dt) und für die rein futurische (Dt 28,15). Ausnahmen in Konditionalsätzen des Dt, in denen והיה nicht übersetzt wird durch καὶ ἔσται, sind Dt 11,13; 15,16; 20,11 (letztere wohl wegen des nochmaligen καὶ ἔσται in der Apodos.); 18,19. In diesen Fällen steht einfaches ἐάν. Das Verb, auf das es dieses καὶ ἔσται bezieht, steht durchweg im Futur. So werden die einfachen kasuistischen Sätze im Dt in dem Glied, das mit והיה beginnt, meist folgendermaßen übersetzt: καὶ ἔσται + durch ἐάν oder ὅταν eingeleiteter Konditionalsatz im Konj. + καί + Verb im Futur in der Apodosis. Das hier verwendete καί Apodoseos kommt im klassischen Griechisch nur ganz selten vor, dafür aber öfter im lässig stilisierten Vulgärgriechisch (vgl. K. Beyer, a.a.O., 87), welches damit dem das Hebr. meist einfach übersetzenden Sprachgebrauch der LXX nähersteht. So übersetzt Dt LXX das Waw Apodoseos meistens durch καί, obwohl es im Griechischen überflüssig ist.

Der Übersetzer hat in Dt 24,1-3 durch die Beziehung des והיה auf die drei unmittelbar danach folgenden Verben (anders als im MT!) in das Konditionalsatzgefüge in V. 1 eine völlig selbständige positive Bestimmung eingefügt, welche lautet: „Und es soll sein, wenn er... findet, so soll er schreiben (und er soll...) und ...geben und entlassen". In V. 3 werden analog die 3 Verben, die den Scheidungsvorgang bezeichnen, ohne daß והיה voransteht, ebenfalls futurisch gesetzt, offenbar rein um der Analogie willen, und ohne daß eine grammatische Begründung vorliegt. – In V. 1 sind also durch die Übersetzung καὶ ἔσται auch die drei nächsten folgenden Verben mitbetroffen, da der Übersetzer vermutlich in seine auch sonst praktizierte regelmäßige Übersetzung nach dem oben angeführten Schema hineingeriet. Er wollte mit dem Bezugspunkt für καὶ ἔσται nicht erst bis zum οὐ δυνήσεται warten. Nach seinem allgemeinen Schema folgt auf den bedingenden Satz unmittelbar durch καί eingeleitet die Apodosis. Damit liegt, wenn man ἔσται jussivisch versteht, an dieser Stelle ein Gebot vor, im Falle, daß man... findet, einen Scheidbrief zu schreiben, ihn auszuhändigen und die Frau zu entlassen (vgl. dazu unten in 6.!). Das ἐνετείλατο in Mk 10,4 ist vom griechischen Text her durchaus zu rechtfertigen. Auch im LXX-Text beginnt die eigentliche Vorschrift erst mit V. 4 (οὐ δυνήσεται), aber durch καὶ γράψει wird eine Zwischenbestimmung eingefügt. – Freilich kann man auch aus dem hebräischen Text ein eigenständiges Gebot herauslesen, wenn man diesen Satz isoliert sieht; er würde dann dem im Dt üblichen Aufbau folgen: והיה + כי + Nebensatz + Waw + Verb im Hauptsatz. Allein – aus dem Zusammenhang des MT ist dies nicht zu rechtfertigen.

Der griechische Leser muß das ἔσται also entweder jussivisch verstehen – dann liegt ein Scheidungsgebot für bestimmte Fälle vor, oder mindestens futurisch – dann sieht er darin eine sichere Erwartung, wird also mindestens daraus schließen können, daß Ehescheidung positiv erlaubt ist.

Ein anderes Beispiel für ähnliches Vorgehen gegenüber dem MT in der LXX ist LXX Dt 22,13ff.

Im MT sind 14 Verben durch Waw verbunden dem כי in V. 13 untergeordnet, die Apodosis ist asyndetisch mit לא יוכל angehängt. Dieses ist aber literarisch sekundär. Der Anfang des Hauptsatzes ist also im Hebr. nicht mehr erkennbar. Die LXX dagegen durchbricht bereits nach 6 Verben, die von ἐάν in V. 13 abhängig sind, die Kette der hebr. Waw durch das ἐξοίσουσιν in Vers 15 und läßt mit diesem Vers die positiven Rechtsbestimmungen beginnen. Die Situation wird nur durch die 6 auf ἐάν folgenden Verben expliziert.

d) Die Auslegungsgeschichte von ערות דבר

Für Dt 24,1 hatten wir die Bedeutung „Ehebruch" vermutet. Jer 3,1 könnte diese Vermutung mit der Angabe von Ehebruch als Scheidungsgrund bestätigen. LXX Dt 24,1 hat ἄσχημον πρᾶγμα, in Dt 23,15 aber ἀσχημοσύνη πράγματος, was die hebr Konstruktion genauer trifft. Der Sprachgebrauch von Dt 24,1 LXX findet sich auch in der Susannageschichte. Nach dem ergebnislosen Versuch der Ältesten, Susanna zum Ehebruch zu verführen, heißt es in V. 63: Sie lobten Gott ὅτι οὐχ εὑρέθη ἐν αὐτῇ ἄσχημον πρᾶγμα. Hier ist ἄσχημον πρᾶγμα inhaltlich ohne Zweifel gleich Ehebruch. Daraus ist zu folgern, daß zur Zeit des NT dieser Ausdruck in Dt 24,1 als Ehebruch verstanden wurde, und zwar trotz der Vieldeutigkeit auch des griech. Ausdrucks, denn ἄσχημος kann sowohl Schande (vgl. Ditt. Syll 736,4 μηδὲ ἄσχημον μηδὲ ἄδικον ποιήσειν) als auch Scham (Lev 18,7ff LXX) bedeuten. In 1 QH ist die Kombination von Unreinheit und Schande (ערוה) zweimal belegt (1,22; 12,25). In der rabbinischen Auslegung[1] wird die Stelle wiedergegeben in

[1] Zur rabb. Auslegung von Dt 24,1-4: I. Abrahams, Studies in Pharisaism and the Gospels I-II, Cambridge 1917-1924, Kap.: First Century Divorce; L. Blau, Die jüdische Ehescheidung, Straßburg 1911; ders., Der jüdische Scheidbrief, Straßburg 1912; E. Bulz, Le divorce en droit rabbinique dans ses rapports avec le droit laïque moderne, La Chaux-de-Fonds 1954; B. Cohen, Concerning Divorce in Jewish and Roman Law, in: Proc Am Acad. for Jew. Research 21 (1952) 3-34; D. Daube, Evangelisten und Rabbinen, in: ZNW 48 (1957) 119-126,125; L. M. Epstein, The Jewish marriage contract, New York 1927; M. Eschelbach, Vom Sinn der jüdischen Trauung, in: Der Morgen 6 (1930) 435ff; S. B. Gurewicz, Divorce Symposion / Divorce in Jewish Law, in: Res Iudicatae 7/4 (1957) 357-362; A. Guttmann, Hillelites and Shammaites – a clarification, in: HUCA 28 (1957) 15ff; P.C. Hammond, A Divorce Document from the Cairo Geniza, in: JQR 52 (1961) 131-153; S. Krauss, Talmudische Archäologie II, Leipzig 1911, 50-53 (Ehescheidung); L. A. Mangel, La formation du mariage en droit biblique et talmudique, Paris 1935; J. Neubauer, Beiträge zur Geschichte des biblisch-talmudischen Eheschließungsrechtes (Mitteilungen d. vorderas. Gesellsch. 24.25) Leipzig 1920.

Ähnlich wie in CD 5,2 David gegen Gen 1,26 f bzw. Dt 17,17 verstoßen hat, wird er auch in der von MacDonald ed. 2. Samaritanischen Chronik mit Traditionen über Ehescheidung und Ehebruch in Verbindung gebracht (p. 136f); David habe zunächst die Scheidung der Frau des Urias verlangt; dem Mörder des Mannes sei die Heirat unmöglich; David habe nicht nur Dt 24,1-4 verletzt, sondern auch die Schaubrote gegessen. – Dt 17,17 wird später ausdrücklich auf Salomo angewandt (S. 150).

An zwei Hauptstellen der rabb. Lit. wird die ursprüngliche Gesamtbedeutung

des Ehebruchs, ist nur der Formulierung nach umfassender. In Mt 5,32 wird es sich daher um eine Auslegung von Dt 24,1 handeln[1].

e) Die Beziehung zwischen Ehebruch und der Auslegung von Dt 24,1-4 bei Philo und Josephus

Flavius Josephus entnimmt der Stelle Dt 24,1-4 zwei Vorschriften: Das Gebot, bei Scheidung einen Scheidbrief auszustellen und das Verbot der Wiederheirat der gleichen Frau (Ant IV,253). Eine Begründung für das Verbot der Wiederheirat gibt er nicht – im Gegensatz zu Dt 24,4, aber in Übereinstimmung mit der meist üblichen rabbinischen Auslegung. – Auf Grund der Übersetzung der LXX konnte er in Dt 24,2 das Gebot ausgesprochen finden, einen Scheidbrief auszustellen, er ist damit ein Zeuge der gleichen Auffassung, die sich auf Grund der LXX auch in Mk 10,4 gebildet hat. Das Ausstellen des Scheidbriefes hat bei ihm die Funktion, den Verkehr der Frau mit einem anderen Mann zu legitimieren, was vorher verboten war (πρότερον γὰρ οὐκ ἐφετέον). Der Scheidbrief legitimiert den Verkehr mit einem anderen Mann, d.h. das, was sonst als Ehebruch bezeichnet würde.
Mit dieser Deutung des Scheidbriefgebotes der LXX, die gegenüber LXX und MT neu ist, äußert sich offenbar ein bestimmtes zeitgenössisches Verständnis der Funktion des Scheidbriefes[2].
In Spec Leg III,30.31 gibt Philo eine doppelteilige Auslegung von Dt 24,1-4. Das Verbot der Rückkehr der Frau zum früheren Mann ergänzt er: „...aber allen anderen soll sie eher verehelicht werden als diesem, da sie die alten Satzungen überschritt (θεσμοὺς παρα-

[1] Für die Annahme, daß in Mt 5,32 eine Deutung von ערות דבר vorliege, sprechen sich aus: Tertullian, Origenes (MPG 13,1245-60), Paulus von Burgos, H. Grotius (Annot, in NT; 1755 108f), Jäger (1804), Zenger, Straubing (1819), Bisping (1867), A. v. Scholz (1904), Oischinger (1851), Gspann (1906), E. Klostermann, Greeven, K. Staab, G. Kittel, V. Hasler. – Ausdrücklich dagegen wenden sich J. Sickenberger (1949) und A. Vaccari (1955). – Vgl. ausführliche Belege dazu bei A. Ott, Ehescheidung, 1910.
[2] Dt 22,19 wird von Josephus eingeschränkt: eine Frau, die man fälschlich der Unzucht beschuldigt hatte, darf man doch entlassen, wenn man etwas Schimpfliches an ihr fand, so Ant IV,8,23: πλὴν εἰ μὴ μεγάλας αἰτίας αὐτῷ παράσχοι καὶ πρὸς ἃς οὐδ' ἀντειπεῖν δυνηθείη. Die gleiche Einschränkung findet sich auch in Ket 39a (נמצא בה דבר ערוה). Art und Inhalt der Klausel stimmen deutlich mit der von Mt 5,32 gebotenen überein: Das Scheidungsverbot – bei Jos. hier durch ein atl Gesetz aus humanitärer Tendenz vorgegeben – wird für den Fall der Unzucht eingeschränkt.

βᾶσα τοὺς ἀρχαίους), die sie vergaß, als sie die neuen Liebesbande (φίλτρα καινά vgl. φίλτρα ἀρχαῖα ibid., 35) den alten vorzog". Der Begriff θεσμοί begegnet in Philos Eherecht noch in Spec Leg III,61: „Wenn du die Satzungen der Ehe (τοὺς ἐπὶ γάμοις θεσμούς) nicht übertreten hast (οὐ παραβέβηκας) und kein anderer Mann verkehrt hat mit dir, indem du dich entzogest dem, was gegen den nach dem Gesetz mit dir Zusammenwohnenden gerecht ist (τὰ πρὸς τὸν νόμῳ συνοικισθέντα δίκαια), so sollst du schuldlos und straffrei sein". Der gleiche Begriff begegnet ibid. 63: Die Waschungen nach dem Geschlechtsverkehr seien notwendig, um die Beschuldigung der μοιχεία abzuwenden auch für die, die zusammen seien κατὰ τοὺς ἐπὶ γάμοις θεσμούς, d.h. nach den ehelichen Satzungen (zum Sprachgebrauch vgl. Od 23,196: λέκτροιο παλαιοῦ θεσμὸν ἵκοντο). Vergleichbar sind die ἐπὶ γάμου εὐχαί (Ehegelöbnisse), in denen der Mann beim Ehebruch der Frau getäuscht wird (De Decal 121), die die Männer durch Ehebruch widerrufen (τὰς ἐπὶ γάμοις εὐχὰς παλιμφήμους; Spec Leg III,11). Ehescheidung wird also in jedem Falle negativ qualifiziert als Übertretung der ehelichen „Gesetze" und Gelöbnisse und die Heirat des neuen Mannes sprachlich ebenso behandelt wie Ehebruch. Diese Nähe zwischen Ehescheidung mit Wiederheirat und Ehebruch wird noch deutlicher in der zweiten, auf den Mann bezogenen Hälfte der Auslegung von Dt 24,1ff in Spec Leg III,31: Der Mann, der sich wieder aussöhnen wolle, sei als Weichling und unmännlich zu brandmarken, denn er habe den Haß gegen das Böse verloren, denn er habe die zwei schlimmsten Sünden begangen, da er der μοιχεία und der προαγωγεία (Kuppelei) schuldig geworden sei. Die Versöhnung beweise beides, beide müßten daher des Todes sterben. Eine Entsprechung findet sich im AT nicht, wohl aber steht im attischen Recht auf Kuppelei Todesstrafe (Vgl. Aeschines c. Timarch 26,17: καὶ τὰς προαγωγοὺς καὶ τοὺς προαγωγοὺς γράφεσθαι κελεύει, κἂν ἁλῶσι, θανάτῳ ζημιοῦν; 14: νόμον ἔθηκε... τὸν τῆς προαγωγείας τὰ μέγιστα ἐπιτίμια ἐπεγράψας, ἐάν τις ἐλεύθερον παῖδα ἢ γυναῖκα προαγωγεύσῃ; vgl. Plato, Theait. 150 A; Aristoteles Nik Eth 5,3; Dio Cass 46,6). Auch Ps-Phokylides 177f ergänzt die atl Gebote um dieses Verbot. – Der Tod beider an einem Vergehen beteiligter Personen wird für Ehebruch gefordert in Lev 20,10; Dt 22,22. – Die Bewertung als Kuppelei und Ehebruch setzt voraus, daß der Scheidbrief des Mannes als nicht existent angesehen wird, obwohl er ausgestellt wurde und juristisch gültig ist. Dadurch hat der Mann Ehebruch gegen die eigene Ehe veranlaßt (die Möglichkeit, daß er durch die Wiederheirat seiner eigenen Frau die Ehe des anderen bricht, scheidet aus, da die seine noch besteht), da er seine Frau einen anderen heiraten läßt (ἄλλοις ἔνσπονδος... γενέσθω), denn eine Frau kann nicht gleichzeitig mit zwei Männern verheiratet sein. Zwar geht aus III,64 hervor, daß die Vergewaltigung einer Geschiedenen nicht als Ehebruch bewertet wird, sondern als nur halb so schlimm, daß also bei einer Scheidung ohne die Absicht auf Wiederheirat die Ehe nicht mehr besteht; aber es gilt doch 1. Die Sünde des Ehebruchs ist trotz legaler Scheidung dann gegeben, wenn eine Frau die neue Liebschaft der alten vorzieht und dieses zur Befriedigung ihrer Lust tut, wie die nachherige Versöhnung mit dem eigenen Mann zeigt (vgl. I. Heinemann, Übers. 192 Anm. 1); 2. Es gibt offenbar hier die Vorstellung, daß der Mann des Ehebruchs an seiner eigenen Ehe schuldig werden kann; 3. Philo hat so den atl Text zu einer Bestimmung über Kuppelei umgewandelt aber dabei Vorstellungen über den Ehebruch eingetragen, die dem AT fremd sind: Der Ehebruch besteht unabhängig von der Rechtsform der Scheidung. Die wirkliche Absicht ist maßgeblich für die Beurteilung. Wenn also trotz des Scheidbriefes die Ehe noch besteht, ist die Entlassung der Frau Veranlassung zum Ehebruch. 4. Die Analyse von Spec Leg III,30 zeigte, daß eine Wiederheirat nach Scheidung weitgehend dem Ehebruch gleichgestellt ist als eine Übertretung der Satzungen über die Ehe (vgl. auch καινὰς δὲ ἐζήλωσας ἐπιθυμίας in 61). θεσμός ist nahezu mit dem Gesetz identisch. Bei diesem Ausdruck ist auch zu erinnern an die Form des bürgerlichen Heiratsvertrages (Mitteis-Wilcken II,1,215f), der die Verpflichtung enthielt, die Frau nicht zu entlassen (μὴ ἐκβάλλειν ibid. 217: „Einseitige Scheidung durch den Mann (ἀποπομπή) muß natürlich als Verstoß gegen seine Verpflichtung zum μὴ ἐκβάλλειν mit den oben genannten Rechtsnachteilen belegt worden sein") und an Formulierungen in Pap Ox 905,9 (II) τὰ τοῦ γάμου δίκαια Ox 1273,23 (III). Preis 2,8; 3,8 (IV): κατὰ τοὺς νόμους τῶν γάμων (nach Preisigke, Wörterbuch).

Das hellenistische Judentum hat demnach, wie an Philo deutlich wird, die Ausstellung des Scheidbriefes als bloße Formalität betrachtet und das Weiterbestehen der Ehe davon unabhängig gemacht, ja sogar eine Wiederheirat in die Nähe des Ehebruchs gerückt[1]. Auch Josephus sieht die Funktion des Scheidbriefes in einem Verhältnis zum Ehebruch.

[1] Dazu: Isaak Heinemann, Philos griechische und jüdische Bildung / Kulturvergleichende Untersuchungen zu Philos Darstellung der jüdischen Gesetze, Neudruck, Hildesheim 1962, 318f.

§ 2 Grundbedeutung und Auslegungsgeschichte von Gen 1,27 bis zum NT

Die Grundbedeutung von Gen 1,27 hat mit der Verwendung dieser Stelle in Mk 10,8 nahezu garnichts zu tun. In Targumim und nachbiblischen Auslegungen wird die Stelle bereits in Zusammenhang mit der Stiftung der Institution der Ehe gesetzt. Das gilt auch für CD IV,21, einen Text, der aus gleicher Tradition wie Mk 10,6 stammt: Wie dort wird die Heirat einer zweiten Frau als Unzucht bezeichnet. Der Kontext von CD IV gibt Aufschluß über die ursprüngliche Heimat der ntl Ehescheidungsaussagen in spätjüdischen Reinheitsdiskussionen. Diese sind freilich nicht auf priesterliche Kreise beschränkt; vielmehr wird etwa aus Jub deutlich, daß der Vorwurf der Unreinheit zu den generellen Anklagen gegen Ungerechte und Feinde Gottes gehört. Die Behandlung der 2., 3. und 4. Antithese der sog. Bergpredigt wird zeigen, daß die Diskussion um die Reinheit – die freilich nicht einfachhin „kultische" ist – einen festen Sitz in der Jesus-Tradition innehat. Ein Widerspruch zu Mk 7,15 besteht durchaus nicht: Unrein wird man nicht einfach durch Kontakt; dennoch besteht ein enger Zusammenhang zu den klassischen Unreinheitsvorstellungen des AT.

Gen 1,27[1] wird durch drei ברא-Gruppen in drei Unterglieder zerteilt. In V. 27c tritt gegenüber V.b im Objekt ein Numeruswechsel ein. Diese Differenz verleitet dazu, V.c als Anhang anzusehen (vgl. aber schon V. 26a mit V. 26b). Während bei Pflanzen und Tieren hinzugefügt wurde „nach ihren Arten", tritt hier an die Stelle der Unterscheidung der Arten die Unterscheidung der Geschlechter (so W. H. Schmidt, Die Schöpfungsgeschichte der Priester-

[1] Lit. a) zu Gen 1,27; 2,24 im AT: V. Aptowitzer, Zur Erklärung einiger merkwürdiger Agadoth über die Schöpfung des Menschen = Festschrift i anledning af Professor David Simonsens, Kopenhagen 1923, 112-128; L. Arnaldich, La creación de Eva / Gen 1,26-26; 2,18-25, in: Sacra Pagina 1 (1959) 346-357; J. Boehmer, Wieviel Menschen sind am letzten Tage des Hexaemerons geschaffen worden?, in: ZAW 34 (1914) 31-35; E. Lussier, Adam in Genesis 1,1-4,24, in: CBQ 18/2 (1956) 137-139; I. Morgenstern, Beena Marriage / Matriarchat in Ancient Israel and its historical implications, in: ZAW NF 5 (1929) 91-110; NF 8 (1931) 46-58; W. Plautz, Monogamie und Polygynie im AT, in: ZAW 75 (1963) 3-27; W. Reiser, Die Verwandtschaftsformel in Gen 2,23, in: ThZ 16 (1960) 1-4; H. W. Schmidt, Die Schöpfungsgeschichte nach der Priesterschrift (Wiss Monogr z. A. u. NT; 17) Neukirchen 1964, 146.161; J. B. Schaller, Gen. 1.2 im antiken Judentum / Untersuchungen über Verwendung und Deutung der Schöpfungsaussagen von Gen 1.2 im antiken Judentum, Diss. Göttingen 1961.

schrift (Wiss. Monogr. z. A. u. NT; 17), Neukirchen 1964, 146). In Gen 5,1 wird die Stelle wörtlich zitiert. Während in V. 1.3a (zu V. 1 vgl. Gen 10,1 ff; 11,10ff.27ff) Adam als Eigenname gebraucht wird, ist er in V. 1b-2, der Wiedergabe von Gen 1,27, als Gattungsname verwendet („und er nannte ihren Namen Adam"). Der Wechsel vom Eigennamen zum Kollektivbegriff dürfte hier verursacht sein durch den Versuch einer etymologischen Deutung zur Harmonisierung von Überlieferungen. In der Toledoth-Quelle wird Adam als Eigenname gebraucht, in P = Gen 1,27 als Gattungsbegriff; auch die vorangehenden Schöpfungsstufen bringen nur sing. Kollektivbegriffe. In V. 27b wird die Kollektivvorstellung „Mensch" ergänzt durch die Erfahrungstatsache, daß der Mensch nur in der Zweiheit der Geschlechtlichkeit existiert. Ob dadurch der Abstand zu Gott betont wird (so G. v. Rad, Theologie I, 160), ist nicht ersichtlich. Die Wendung זכר ונקבה ist für P charakteristisch (Gen 6,19; 7,2 (2×).3.9.16), ferner Dt 4,16 und in Papyrus Assuan G 17 (ed. Kraeling). Gen 1,27c hat ätiologischen Charakter: Alles Bestehende stammt von Gott, ohne Werden und Entwicklung (vgl. W. H. Schmidt, a.a.O., 147).

Bei der Übersetzung von Gen 1,27 LXX ist אדם mit ἄνθρωπος wiedergegeben worden, wie auch in Gen 1,26 (ohne Art.); 2,5 (ohne Art.); 2,7 (2×).8.15.18.24 (ohne Art. für איש!); 5,1 (damit ist der störende Einschub beseitigt und der Stammbaum beginnt mit dem Rekurs auf die Schöpfungsgeschichte). Ἀδάμ hat die LXX dagegen an allen Stellen, wo dem Sinne nach, wie der Übersetzer meinte, von einer Einzelperson die Rede ist, also wenn Gott zu Adam spricht (2,16) oder wenn Adam selbst spricht (2,19.20.23) oder bei der Erzählung von der Entnahme der Rippe (2,22.23), die nur bei einem Einzelmenschen verständlich schien. Sonst wurde

b) zur Auslegungsgeschichte von Gen 1,27; 2,24: I. Dreyfus, Adam und Eva nach Auffassung des Midrasch, Diss. Straßburg 1894; L. Ginzberg, Eine unbekannte jüdische Sekte, in: MGWJ 57 (1913) 284-308, bes. 297-300; 671ff; 58 (1914) 27ff; J. Jervell, Imago Dei / Gen 1,26f im Spätjudentum, in der Gnosis und in den paulinischen Briefen (Forschungen z. Rel. u. Lit. d. A. u. NT.; 76), Göttingen 1960; J. Maier, Zum Begriff יחד in den Texten von Qumran, in: ZAW 72 (1960) 148-166; M. Lehmann, Gen 2,24 as the Basis for Divorce in late Judaism, in: ZAW 72 (1960) 263-267; J. de Waard, A comparative study of the Old Testament in the Dead Sea scrolls and in the New Testament (Studies on the Texts of the desert of Judah; 4), Leiden 1965; L. Wächter, Der Einfluß des platonischen Denkens auf rabbinische Schöpfungsspekulation, in: ZRGG 14 (1962) 36-56; P. Winter, Sadoquite Fragments IV,20.21 and the Exegesis of Gen 1,27 in late Judaism, in: ZAW 68 (1956) 71-84; dazu: J. Hempel und O. Eißfeldt, Anmerkung der Schriftleitung, ibid., 84; P. Winter, Zu ZAW 68,84, in: Zeitschr f. atl Wiss 68 (1956) 264; ders., Gen 1,27 and Jesus' sayings on Divorce, in: ZAW NF 29/30 (1958/59) 260-261.

immer mit ἄνθρωπος übersetzt, was besonders auffällig ist im Wechsel von 2,15 nach 2,16[1]. ברא wird von LXX mit κτίζειν oder mit ποιεῖν wiedergegeben (vgl. Art. κτίζω in: ThWB III,999-1034; Art. ποιεῖν in: ThWB VI,456-483). – Nach Mekh Ex 12,40 habe man in der griech. Übersetzung für König Ptolemäus abweichend übersetzt: „Den Mann und seine Öffnungen (ונקוביו) schuf er sie (vgl. Z. Frankel, Vorstudien zur LXX,31). Den Numeruswechsel im Objekt zwischen Gen 1,27b und c gleicht das Fragmententargum aus, indem auch für Gen 1,27b gesetzt wird יתהון (vgl. dazu J. B. Schaller, Gen 1.2., 27), in V.c wird übersetzt: „Einen Mann (דכר) und seine Ehegenossin (וזוגיה) schuf er sie". – Damit wird diese Stelle bereits mit der Stiftung der Ehe in Zusammenhang gebracht (so auch J. B. Schaller, Gen 1.2,33), was für deren Verwendung in Mk 10 bedeutungsvoll ist. Targum Jerushalmi I übersetzt (nach dem Stil von P!): „männlich und weiblich in ihrer Art (בגוונהון) schuf er sie" und gleicht so den Numeruswechsel aus. Dasselbe versucht Aquila für Gen 1,27b (ἐν εἰκόνι θεοῦ ἔκτισεν αὐτούς). Philo ist bei seiner Auslegung von Gen 1,27b von der Doppelheit der Schöpfungsberichte in Gen 1 und 2 ausgegangen, welche als Doppelung im Ausdruck nach seinen Prinzipien allegorisch so zu deuten ist, daß Gen 1 von der Ideenwelt berichtet, Gen 2 von der sichtbaren Welt. Nach Opif Mundi 134 war der Mensch nach Gen 1,26f weder männlich noch weiblich (οὔτ' ἄρρεν οὔτε θῆλυ), unkörperlich und unvergänglich, der nach Gen 2 leiblich und Mann oder Weib (ἀνὴρ ἢ γυνή); vgl. über den himmlischen und erdhaften Menschen Leg Alleg I,31. Nach Leg Alleg II,13 waren im Gattungsmenschen das männliche und das weibliche Geschlecht vereinigt (τὸ ἄρρεν καὶ τὸ θῆλυ γένος): Nach Gen 1 wird die Gattung geschaffen, die Arten aber, männlich und weiblich, durch die die Menschen ihre Gestalt erhalten, in Gen 2. – An eine androgyne Gestalt denkt Philo demnach nicht, da in Gen 1 es noch keine Leiblichkeit gibt. Freilich ist

[1] Eine Übersicht über die Wiedergabe von אדם in den Targumim gibt J. B. Schaller, a.a.O., 30: „...der Wechsel zwischen kollektiver und personaler Übertragung erfolgt in fast allen Targumim genau dem MT entsprechend... Es kann daraus gefolgert werden, daß nach dem Verständnis der Targumim die Erschaffung der Menschheit (T. Onkelos: אינשא) mit der Erschaffung Adams sich ereignet hat. Offensichtlich haben die Targumisten Gen 1,26f historisch verstanden. Sie sehen in Adam den ersten Menschen, auf den alle anderen Menschen zurückgehen".

dieser Idealmensch, der für Geschlechtliches und Materie indifferent ist, der immaterielle Maßstab für den Weg der Einzelseele[1].
Wie im Fragmententargum, so wird auch in CD IV,20-21 Gen 1,27 in eine Beziehung zur Ehe gesetzt, und zwar in Form eines Schriftbeweises. Den „Erbauern der Mauer" wird der Vorwurf gemacht, sie seien von זנות = Unzucht gefangen worden dadurch, daß sie zwei Frauen zu ihren (mask! הם-) Lebzeiten genommen hätten. Daß dieses Tun Unzucht sei, wird durch drei aufeinanderfolgende Schriftstellen bewiesen (Gen 1,27 – Gen 7,9 – Dt 17,17). In Gen 1,27 wird der kollektive Sing. זכר ונקבה als spezifischer gedeutet, und zwar als Gegensatz zu שתי in Zeile 21. Betont wird, daß in Gen 1,27 von *einem* Mann und *einem* Weib die Rede sei. Auch Gen 7,9 wird angeführt wegen des שנים שנים „zu zwei und zwei". Da es in Gen 1,27 fehlt, gilt aber nach rabbinischem Prinzip, daß, wenn dieser Ausdruck in ähnlich lautender Parallelstelle begegnet, er auch für die erste Stelle gilt (= 23. der 32 Regeln). Dt 17,17 dient im MT nicht dem Verbot der Wiederheirat, auch nicht dem der Polygynie. Der König soll nur nicht im Übermaß fremdländische Frauen heiraten. Das לא ירבה von V. 17a wird hier isoliert ausgelegt: „Du sollst nicht dir zahlreich machen die Frauen" heißt hier: Du sollst nicht mehr haben als eine. Wie das „zu ihren Lebzeiten" zu deuten ist, ist umstritten. Bedeutet es: Verbot einer 2. Heirat überhaupt oder nur Verbot von Ehescheidung und Neuheirat oder das Verbot, zwei Frauen auf einmal zu haben? Die letzte Möglichkeit scheint auszuscheiden durch den Zusatz „in ihrem Leben", dann aber ist auch gleichgültig, ob das Nacheinander durch Tod oder durch Entlassung bedingt wäre. Die Ansicht dürfte daher zutreffen, daß hier die Forderung nach Einehe auf Lebenszeit vorliegt, daher ein Verbot von Scheidung mit Wiederheirat impliziert ist[2]. CD

[1] In Teez Sanb L 38 wird der Ausgleich zwischen Gen 1 und 2 dadurch geschaffen, daß unterschieden wird zwischen Erschaffung und Einander-Gezeigtwerden (H 38,8f: „Und in der ersten Woche wurde geschaffen Adam, wurde geschaffen die Frau. Und in der zweiten Woche zeigte er sie ihm".). In der Sedr Apk sind Gen 1.2 einfach so zusammengefaßt: Ich bildete den Adam und sein Weib (ἐγὼ ἔπλασα τὸν Ἀδαμ καὶ τὴν γυναῖκα αὐτοῦ); ähnlich Schatzhöhle 1,24; äth Gebete L 138 (Nr. 36) „He created Eve after taking a rib of his ribs to be his wife". – Hier findet sich also überall bereits die Auslegung auf die Ehe.

[2] Ähnlich J. de Waard, a.a.O., 34: Ob man sich für ein Verbot von Polygamie oder von Scheidung und Wiederheirat entscheide, in jedem Falle könne man nicht sagen, daß Scheidung erlaubt sei.

13,17 kann man nicht als Erlaubnis der Ehescheidung mit Wiederheirat(!)[1] ansehen. – Damit geht aber die Forderung hier noch über Mk 10,11f hinaus. Gen 1,27 wird in CD IV ferner bezeichnet als **יסוד הבריא**, d.h. als „Fundament der Schöpfung". Der atl. Sprachgebrauch kennt **יסוד** nur in der Bedeutung „Grundmauer, Fundament". In den Qumranschriften wird dieses Wort auch im übertragenen Sinne von „Grundgesetz" gebraucht, so besonders in 1 QH 12,8 und an einer Reihe von Stellen, in denen P. Wernberg-Moeller **יסוד** in **סוד** verbessern wollte, was aber nicht notwendig ist, wenn man die Bedeutung „Grundgesetz" annimmt, so wird **יסוד**

[1] G. Jeremias, Der Lehrer der Gerechtigkeit, 95-103, spricht sich dagegen aus, daß hier Ehescheidung verboten sei (97 Anm. 6:) „Es ist außerdem ganz undenkbar, daß die so toratreue Gemeinde die in der Tora (Dt 24,1) expressis verbis erlaubte Ehescheidung für verboten erklärt hat" (mit Berufung auf CD 13,17). Gefordert sei nur die Einehe auf Lebenszeit (98). – Dagegen ist einzuwenden, daß das Verbot der Ehescheidung an sich keineswegs gegen die Tora verstößt (jedenfalls nach Ansicht der damaligen Zeit), vielmehr gerade als deren Auslegung denkbar ist (Mk 10,11 !), oder ganz unabhängig von der Tora als religiöse Lebensweisheit formuliert werden kann (Mk 10,9).– Im NT wie in CD wird überdies nicht der bloße Scheidungsvorgang an sich getadelt, sondern immer das darauf folgende Wiederheiraten eines Teiles oder beider Teile. Für einen Vergleich mit dem NT trägt daher CD 13,17 nichts aus. CD richtet sich nicht gegen das Entlassen selbst, wohl aber, wie das NT, gegen Entlassen und Wiederheiraten. Daher ist auch der Zusatz „in ihrem Leben" zu erklären, der bei einem bloßen Polygamie-Verbot unverständlich wäre.
Das Ideal der Einehe, wie es in den Pastoralbriefen von Bischöfen, Diakonen (1 Tim 3,2.12; Tit 1,6) und Witwen (1 Tim 5,9) gefordert wird, besagt m.E. inhaltlich das Gleiche und impliziert das Verbot der Wiederverheiratung Geschiedener (Vgl. G. Jeremias, a.a.O., 99; L. Frey, La signification des termes μόνανδρος et univira / Coup d'oeil sur la famille romaine aux premières siècles de notre ère, in: RSR 20 (1930) 48-60; F. Büchsel, Die Ehe im Urchristentum, in: ThBl 21 (1942) 113-128 vermutet zeitgenöss. Kulte, an denen nur einmal Verheiratete teilnehmen durften –. Vgl. auch B. Kötting, Th. Hopfner, Art. Bigamie, in: RAC II,282-286; B. Kötting, Die Beurteilung der zweiten Ehe im heidnischen und christlichen Altertum, Diss. Bonn 1943. Die nur einmalige Heirat einer Frau wird besonders hervorgehoben auf einer jüd.-hell. Grabinschrift (CIJ I Frey) Nr. 392: Ῥεβέκκα μόνανδρος. – C. Rabin, The Zadokite Documents, Oxford 1954, hatte aus CD 13,17 erschlossen, Scheidung sei erlaubt. Dagegen J. de Waard, a.a.O., 34 Anm. 1: „That **מגרש** cannot be read as a substantive because of the syntax is quite true. But why should **גרש** be Mishna-Hebrew and why should it be used here, per se, in the sense of „to divorce"? Is it not possible that a part. plural of **גרש** in biblical Hebrew gives a less pronounced explication here?".

היחד gebraucht als „Grundlage der Gemeinde" in 1 QS 7,17f; 1 QSa 1,12; CD 10,16. – In Lib Ant 32,7 wird in verwandter Terminologie (vgl. CD 6,20!) die Sinai-Gesetzgebung in der Schöpfung sanktioniert. Von Moses heißt es: „et protulit eis fundamentum intellectus praeparatum ex nativitate saeculi".
Die Stelle ist ein wichtiger Beleg für die Anschauung der Identität der gesamten mosaischen Gesetzgebung mit den Schöpfungsgesetzen. Leitet man nun aus der Schöpfungsordnung neue Gebote ab, so geht man den prinzipiell umgekehrten Weg. בריא ist für CD ein Äquivalent für das griech. φύσις, wie aus CD 12,15 hervorgeht. – Dem Verf. ist demnach daran gelegen, die fundamentale Bedeutung des Sing. „Mann und Weib" für die ganze Schöpfung zu betonen. G. Jeremias vermutet mit Ginzberg, daß die Gemeinde zu ihrer Ansicht gekommen sei durch eine Auslegung von Lev 18,18, in der das ואשה אל אחתה übertragen verstanden worden sei im Sinne von „eine Frau zu einer anderen" und statt בחייה gelesen worden sei בחייהם (a.a.O., 100 Anm. 8). – Wie in Mk 10 wird in diesem Text Gen 1,27 mit dem Verbot der Heirat einer weiteren Frau verbunden und die Erschaffung zu einem Mann und einem Weib als Grundlage der Schöpfung bezeichnet.
Die rabbinische Diskussion deutet אדם in Gen 1,27 als Individuum und behandelt die Frage, ob Adam als androgynes Wesen erschaffen worden sei, im Anschluß an den Gegensatz von אתו in V.b zu אתם in V.c (vgl. Gen 5,2). Da man Adam als Individuum im Sg verstehen wollte, blieb keine andere Möglichkeit, als in V.27c ebenfalls אתו zu lesen oder zu fragen: Von wem kann man im Sg wie im Pl sprechen? Das Ergebnis war in beiden Fällen gleich: Adam war als Mann und als Weib zugleich erschaffen, und zwar als Doppelwesen mit zwei Gesichtern und zwei Vorderseiten, das dann in der Mitte durchgesägt wurde, auch unter Berufung auf Ps 139,5 („vorne und hinten schufst du mich, d.h. mit zwei Gesichtern"; Midr Ps 139,5). Diese Anschauung widersprach der Erschaffung Evas aus der Rippe, was von den Rabbinen hervorgehoben wurde, die durch die Androgynität die Unterordnung der Frau gefährdet sahen. Dagegen wurde dann die Deutung von צלה als Gesicht angeführt; die Gegner deuteten dieses als Schwanz: Eva sei aus dem Schwanz Adams gebildet. Die Androgynitätsvorstellung ist ohne Zweifel durch platonischen Einfluß zu erklären.
Daneben findet sich eine Deutung von Gen 1,27 und 5,2 auf die Ehe. Auch diese Interpretation geht aus von der Frage: Wer ist der gottebenbildliche Mensch von Gen 1,27b im Verhältnis zu V. 27c,

bzw. wer ist in 5,2 der Adam im Verhältnis zu Mann und Weib? Die Antwort dieser Gruppe darauf ist: Mann und Frau werden nicht jeder für sich Mensch genannt, sondern nur beide zusammen. Daher ist das „Natürliche" für sie die Ehe: Als bloße Einzelwesen sind sie nur Teile, erst in ihrer ehelichen (Geschlechts-)Gemeinschaft sind sie beide zusammen der gottebenbildliche Mensch. Durch die Ehe ergänzen sie sich gegenseitig zu dem Menschen nach Gottes Bild – der gottebenbildliche Mensch ist das Ehepaar (Vgl. Sohar 1,55b). So legt Jeb 63a dem R. Eleazar in den Mund: „Wer kein Weib hat, ist kein Mensch; denn es heißt: Als Mann und Weib schuf er sie und er segnete sie und nannte ihren Namen Mensch". Ähnlich Gen R 17: „R. Chija b. Gamda hat gesagt: 'Wer kein Weib hat, ist auch kein vollständiger Mensch; das will sagen: sie beide zusammen heißen Mensch'" (vgl. auch Koh R 9,9).
Die Androgynitätsvorstellung denkt historisierend, die Deutung auf die Ehe läßt immer wieder neu in der Ehe den einen Menschen entstehen und nähert sich damit der Auslegung von Gen 2,24. In beiden Fällen wird der kollektive (generische) Sing. אדם als individueller (spezif.) Sing. verstanden.
Eine ägyptisch-jüdische Zitierung von Gen 1,27 liegt vor in dem von R. Merkelbach[1] besprochenen Text Pap Graec Mag V 98-159. Dort heißt es von Gott (V. 60: τὸν κτίσαντα γῆν καὶ οὐρανόν) in 103/4 σὺ διέκρινας τὸ δίκαιον καὶ τὸ ἄδικον 104/5 σὺ ἐποίησας θῆλυ καὶ ἄρρεν (106-108: du hast gemacht, daß die Menschen einander lieben und einander hassen). Die Aussage von Gen 1,27 erscheint hier im Kontext von Aussagen über den grundsätzlichen schöpfungsimmanenten Dualismus. θῆλυ ist bezeichnenderweise vorangestellt. – R. Merkelbach vergleicht dann mit der Selbstoffenbarung der Isis von Kyme[2]. In diesem dualistischen Sinne wird Gen 1,27 auch von späteren sog. gnostischen Texten interpretiert, und zwar insbesondere in eschatologischen Aussagen, d.h. im Sinne einer Aufhebung dieser Unterschiede für die Endzeit, so in den Thomasakten K. 129 (weder Licht noch Finsternis,..., Armer und Reicher, Mann und Weib, Freier und Sklave). Nach der Ps.-Joh-Apk sterben die Menschen als ἄρσεν καὶ θῆλυ, werden aber körperlos auferstehen und wie Engel sein (K. 11; ed. Ti. p. 78). Das Philippus-Ev rechnet mit einem ursprünglich androgynen Adam.

[1] R. Merkelbach, Der Eid der Isismysten, in: Zeitschr f. Pap u. Epigr 1 (1967) H 1,55-73.
[2] ed. Salač, in: Bull Corr Hell 51 (1927) 378ff.

Da der Wortlaut nicht übereinstimmt, ist mit einer älteren zugrundeliegenden Tradition zu rechnen (so auch J. B. Schaller, a.a.O., 29).
Im Buch der Jubiläen wird bei der Wiedergabe von Gen 2,24 V.c bereits interpretierend verkürzt vorangestellt: „Deswegen *sollen Mann und Weib eins sein* (jĕkūnū bĕ'ēs wăbĕ'ĕsīt 'āḥădā), und deswegen soll der Mann seinen Vater und seine Mutter verlassen *und mit seinem Weibe vereint werden* (wăjĕṣāmăr mĕslă bĕ'ĕsītū) und sie werden ein Fleisch sein" (3,7). Die Aussage der LXX wird durch die beiden Zusätze im Sinne des Geschlechtsverkehrs interpretiert!
In 3 Esra (LXX 1 Esra) 4,20.25 wird Gen 2,24 wiedergegeben. Der Kontext beginnt ab V. 14: Die Gebieter aller sind die Weiber. Im Folgenden soll die Gier nach dem Weibe geschildert werden (19:) Der Mensch (ἄνθρωπος) verläßt den Vater (τὸν ἑαυτοῦ πατέρα ἐγκαταλείπει), der ihn ernährt und seine Heimat und hängt sich an sein Weib (πρὸς τὴν ἰδίαν γυναῖκα κολλᾶται). V. 21 zeigt, daß der Mensch nur noch an sein Weib denkt (ἀφίησι τὴν ψυχήν). In V. 22 wird daraus der Schluß gezogen, „daß diese Weiber euch beherrschen". Alle Mühen und sogar alle Räubereien dienen nach 23.24 dazu, der Geliebten zu gefallen. 25: Es liebt der Mensch sein eigen Weib mehr als den Vater und die Mutter (πλεῖον ἀγαπᾷ ἄνθρωπος τὴν ἰδίαν γυναῖκα μᾶλλον ἢ τὸν πατέρα καὶ τὴν μητέραν). 26 schildert, daß deswegen viele zu Sklaven und Verbrechern wurden (28-31 erläutern dieses am Beispiel eines weiberhörigen Königs). – Es handelt sich um eine Schilderung weisheitlicher Art mit der indirekten Tendenz, vor Triebabhängigkeit zu warnen. Der zweifach (nicht wörtlich) zitierte Satz Gen 2,24 soll hier die Triebhörigkeit des Mannes illustrieren, die über Verwandtenliebe, über allen Besitz und sogar über die Normen der Gerechtigkeit geht. Der ursprüngliche Sinn von Gen 2,24 dürfte mit dieser Deutung auf die Triebhaftigkeit des Mannes getroffen sein. In ganz ähnlicher Weise erläutert nach Josephus Ant XI,III,5 König Zorobabel die Macht der Frauen. Dabei heißt es: ἐγκαταλείπομεν δὲ καὶ τὰς πατέρας [καὶ μητέρας] καὶ τὴν θρεψαμένην γῆν, καὶ τῶν φιλτάτων πολλάκις λήθην ἔχομεν διὰ τὰς γυναῖκας, καὶ τὰς ψυχὰς ἀφιέναι μετ'αὐτῶν καρτεροῦμεν. Schon im Satz zuvor war davon die Rede, daß man um einer schönen Frau willen alle Schätze läßt. In 3 Esra handelte es sich ebenfalls um eine königliche Tafelrunde (Dareios). Es müßte untersucht werden, wieweit die weisheitlichen Aussagen über die Macht des Weibes zur Gattung der Tischgespräche hinzugehörten (fehlt im ArBr).

In Teez Sanb H 6,18f L 14 wird auf den Satz Gen 2,23 (Knochen von meinem Knochen, Fleisch von meinem Fleisch) der Passus „sie soll sein mein Weib, welches gab mir Gott zu wohnen mit mir" (tĕkŭnäni b'ĕṣitĕjā 'ĕntă wăhăbăni 'ĕgzīăbĕḥēr tĕnbăr mĕṣlējā) an die Stelle von Gen 2,24 gesetzt. Daran wird deutlich, daß diese Stelle hier auf die Ehe gedeutet ist. Daß die Eheleute nach Gen 2,24 ein Fleisch geworden sind, wird in Jos As 20,4 vorausgesetzt: Asenath will Joseph die Füße waschen: „Denn deine Füße sind ja meine Füße und deine Hände meine Hände und deine Seele meine Seele". – In der Apk des Moses § 42 leitet Eva aus der Tatsache, daß sie aus Adams Gliedern geschaffen sei, die Bitte ab, mit Adam zusammen in einem Grab ruhen zu dürfen: „Ich war mit ihm im Paradies und nach der Sünde ungetrennt zusammen. So scheide uns niemand" (μὴ ἀπαλλοτριώσῃς με... οὕτως καὶ οὐδεὶς μὴ χωρίσῃ ἡμᾶς). Eine Auslegung von Gen 2,24 liegt möglicherweise auch vor in Sir 13,16 (vgl. dazu auch zur Auslegung von Lev 19,18). Wie alle Lebewesen nach ihrer Art zusammenkommen, so wird der Mann an dem ihm Ähnlichen hängen. Die Beziehung auf die Frau ist erweitert auf das ihm Ähnliche überhaupt. Daß hier auf Gen 2,24 angespielt wird, liegt deshalb nahe, weil das Spätjudentum in steigendem Maße Anspielungen an die Schöpfungsberichte der Gen kennt (J. B. Schaller hat allein für Sir etwa 11 wörtliche Anspielungen festgestellt, vgl. S. 51-58). Die Wiedergabe mit ἀνήρ entspricht dem איש MT, nicht dem ἄνθρωπος LXX und auch nicht dem אדם HT dieser Stelle. – Die Vorstellung aus Gen 2,24c wird auch aufgenommen in Sir 25,26 (so auch N. Peters, Sir 215; A. Eberharter, Sir 94). Wie in Mk 10 und in Jub 3,7 herrscht hier bereits die Vorstellung, daß die Frau zum Fleisch des Mannes gehört, so daß damit die Innigkeit der Verbindung angedeutet ist. Doch ist die Vorstellung des Ein-Fleisch-Seins hier kein Hindernis zur Scheidung. Auch wenn die Eheleute ein Fleisch sind, ist Trennung als Abtrennung möglich. Auf dem gleichen Vorstellungshintergrund wie in Mk 10 wird aus Gen 2,24 eine entgegengesetzte Folgerung gezogen. Das Ein-Fleisch-Sein ist ein gutes Bild, um die Ehescheidung darzustellen als „Abschneiden von seinem Fleisch". – Wie an dieser Stelle und auch in Mal und Targ Onk findet sich eine Deutung der Erschaffung Evas auf die Ehe auch in Tob 8,6. Bevor Tobias heiratet, erwähnt er die Erschaffung Evas und ergänzt: ἔδωκας αὐτῷ βοηθὸν τὴν γυναῖκα αὐτοῦ... Auch hier wird dieser Bericht in Zusammenhang mit der Stiftung der Ehe gebracht.

Philo deutet Gen 2,24 in Opif Mundi 152: „Nun trat die Liebe hinzu, die sie wie zwei getrennte Hälften eines Wesens vereinigte (ἑνὸς ζῴου διττὰ τμήματα διεστηκότα συναγαγὼν εἰς ταὐτόν) und zusammenführte, indem sie beiden das Verlangen nach inniger Gemeinschaft einflößte zur Erzeugung eines ähnlichen Wesens". – Es handelt sich nicht um die Vorstellung eines androgynen Adam, sondern um die Deutung von μία σάρξ aus Gen 2,24c. In Quaest in Gen I 29 findet sich eine ansprechende Deutung des Textes auf die innige menschliche Gemeinschaft. „Ein Fleisch" bedeute, daß sie die gleichen Freuden und Leiden haben, „dasselbe fühlen und, was noch mehr ist, dasselbe denken". – In Leg Alleg II,49 wird Adam in V. 24 gedeutet als der Geist, der Gott und die Weisheit verläßt, um der Sinnlichkeit anzuhangen. προσκολλᾶσθαι ist hier das Verhaftetsein an die Sinnlichkeit.

Nach äth Adambuch (Übers. Dillmann p. 63) lehnt Adam zunächst die Ehe ab mit dem Hinweis: „Was soll ich Unzucht treiben mit meinem Bein und Fleisch und an mir selbst sündigen?".

Die Rabbinen sahen in Gen 2,24 Verbote für die Noachiten über unnatürlichen Geschlechtsverkehr und Ehebruch (Sanh 58a Bar; p Qid 1,58,8; Gen R 18) oder illegitime Geschlechtsverbindungen, die von Proselyten aufzugeben waren (Sanh 58a Bar), eine Explikation von Lev 18 für die noachitische Tora. Nach R. Akiba schließt das „Ein-Fleisch-Sein" die Legitimität des Verkehrs mit Tieren und Gleichgeschlechtlichen aus.

Wie in Jub und Tob wird also auf den Geschlechtsverkehr gedeutet. Nach Ber R 18,5 hat R Jochanan die Alternative aufgestellt, entweder sei Gen 2,24 absolutes Scheidungsverbot für die Heiden oder schon bei Zustimmung eines Teiles sei Scheidung erlaubt, d.h. „solange beide Teile ein Fleisch zu sein wünschen" (eine Übertragung der römischen Konsenstheorie – consensus facit matrimonium in ursprünglicher Bedeutung – auf Gen 2,24). R. Abahu folgert aus dieser Stelle die Unauflöslichkeit der Ehe. R. Can b. Chanina ergänzt aber diese Vorstellung dahin, daß diese enge Verbindung nur für Adam und Eva gegolten habe, für die kommenden Geschlechter sei die Ehe nur bei Verwandtenehen unauflöslich. Nur natürliche Bande des Blutes können die innige Ehe schaffen, wie Adam und Eva sie hatten (vgl. Bacher II,115; III,472).

In Thomas-Ev 22 heißt es über den Zeitpunkt des Eingehens in das Reich Gottes: „und wo ihr macht das Männliche und das Weibliche zu einem Einzigen, damit nicht das Männliche männlich und das Weibliche weiblich ist...". Vgl. dazu E. Haenchen, Die Botschaft des Thomas-Evangeliums, Berlin 1961, 52f: Der Fall aus der göttlichen Einheit sei damit vollzogen, daß Eva neben Adam trat (mit Hinweis auf Ev. nach Philippus 71, wonach der Tod erst entstand, als Eva nicht mehr in Adam war). – Auch im Prologus zur Sibylle (H. Erbse, Fragmente griechischer Theosophien (Hamburger Arbeiten z. Altertumswiss.; 4), Hamburg 1941; § 75) wird Gen 2,24 zitiert: Für den Satz, daß Gott die Natur aller mischte, ist ein Beleg, daß Eva aus der Rippe des Mannes gebildet wurde und καθὸ συνερχόμενοι εἰς σάρκα μίαν πατέρες γίγνονται und daß die Welt aus vier entgegengesetzten Elementen geschaffen wurde (zur Vorstellung der Welt als μῖξις vgl. Philo Q in Ex 1,23)[1].

Die Stelle fehlt bei der Wiedergabe der Erschaffung Evas in Schatzhöhle 3,12f. – Die Auslegungsgeschichte zeigt, daß die Anwendung der Stelle auf Ehe und Ehescheidung vorgegeben ist, daß das Motiv des „einen Fleisches" dabei im Ganzen der Tradition eine hervorragende Rolle spielt. Folgende Kontinuitäten in der Überlieferung lassen sich erkennen: Auf die Einsetzung der Ehe wird Gen 2,24 gedeutet in T.O., Teez Sanbat und Tob 8,6; auf die Einheit von Mann und Frau im Geschlechtsverkehr in Jub, Jos As, Philo, ThomasEv, Prolog Sib, nurmehr auf liebevolles Anhangen bzw. den Geschlechtstrieb in Sir 13,6, auf Ehescheidung oder deren Verbot in Apk Mos § 42, in Mal 2,15, in Sir 25,26 und bei den Rabbinen. – Die ätiologische Erklärung des Geschlechtstriebes trat also hinter konkreteren Fragen zurück.

§ 4 *Der Aufbau des Streitgespräches Mk 10,1-12*

Der jetzige Aufbau dieses Kap.[1] zeigt noch deutliche Spuren seiner Herkunft aus dem mk Schema der Streitgespräche (vgl. S. 461, 576).

[1] Die spätere ekklesiologische Deutung von Gen 2,24 (Eph 5,31) findet sich bereits in Lib Ant 32,13: Non enim iniuste accepit Deus de te costam protoplasti, sciens quoniam de costa eius nasceretur Israel.

[1] Zur großen Fülle der Literatur zu diesem Thema vgl. die Forschungsgeschichte von A. Ott, Die Auslegung der neutestamentlichen Texte über die Ehescheidung, Münster 1910; ders., Die Ehescheidung im Matthäusevangelium, Würzburg 1939; ferner die Zusammenstellung bei R. Schnackenburg, Die sittliche Botschaft des Neuen Testamentes (Handbuch d. Moraltheol; 6), München ²1962, 100-109; eine sorgfältige Analyse unternimmt J. Dupont, Mariage et divorce dans l'Évangile, Abbaye de Saint-André, 1959; J. Bonsirven, Le Divorce dans le Nouveau Testament, Paris-Tournai 1948, 7-24.

Ferner: D. W. Amram, Jewish Law of divorce according to Bible and Talmud, London 1897; H. Baltensweiler, Die Ehe im Neuen Testament / Exegetische Untersuchungen über Ehe, Ehelosigkeit und Ehescheidung, Zürich/Stuttgart 1967; J. Barth, Bemerkungen zu den aramaischen Papyri von Assuan, in: Revue Sem d'Epigr et d'Hist Anc 15 (1907); G. Bornkamm, Die Stellung des NT zur Ehescheidung, in: EvTh 7 (1947) 283-285; F. Büchsel, Die Ehe im Urchristentum, in: ThBl 21 (1942) 113-128; R. H. Charles, The Teaching of the NT on divorce, 1921; B. Cohen, Note sur la loi juive de divorce, in: REJ 92 (1931) 151-162; G. Delling, Das Logion Mk 10,11 (und seine Abwandlungen) im NT, in: NT 1 (1956) 263-274; M. Denner, Die

Die nächste Verwandtschaft besteht zu Mk 7. Wie dort liegt der Haupteinschnitt bei dem Beginn der Kommentierung des ursprünglichen zugrundeliegenden Logions (Mk 7,15/17-23; Mk 10,9/10-12), wie auch in Mk 7 ist der Kommentar als eine Jüngerbelehrung im Hause dargestellt. Dabei weicht in beiden Perikopen diese Kommentierung vom weiteren Thema des ursprünglichen Logions ab: Mk 7,17ff behandelt die Frage der Speisegesetze, Mk 10,10-12 ist nicht mehr nur allgemein auf die Frage der Scheidung gerichtet wie V. 9, sondern auf die Wiederheirat und den Fall, daß die Frau den

Auslegung der neutestamentlichen Texte über die Ehescheidung bei den Vätern, Diss. Würzburg 1910; B. K. Diderichsen, Den Markianske Skilsmisseperikope, 1962; ders., Efterfølgelse og Aegteskab i Lukasevangeliet, in: Festschr. til Jens Nørregaard, 1947, 31-50; A. M. Dubarle, Mariage et divorce dans l'Évangile, in: L'Orient Syrien 9 (1964) 61-73; J. Fischer, Ehe und Jungfräulichkeit im NT (Bibl. Zeitfr. 9. F. 3/4), Münster 1919; T. V. Fleming, Christ and Divorce, in: Theol. Stud 24 (1963) 106-120; G. Gloege, Vom Ethos der Ehescheidung, in: Gedenkschrift für Werner Elert / Beitr. z. hist. u. syst. Theol., Berlin 1955, 335-358; H. Greeven, Zu den Aussagen des NT über die Ehe, in: ZEE 1 (1957) 109-125; A. I. Hananel, Der Ehescheidungsbrief im jüdischen Recht, Breslau 1927; D. Kaufmann, Zur Geschichte der Khetuba, in: MGWJ 40 (1896); I. Levi, L'istituto del divorzio nel diritto, ebraico con introduzione del Prof. R. Manzato, Venedig 1908; E. Lövestam, Aektenskapet i Nya Testamentet, Diss. Lund 1950; E. Lövestam, ἀπολύειν – en gammalpalestinensisk skilsmässoterm, in: SEA 27 (1962) 132-135; F. Neirynck, Het evangelisch echtscheidingsverbod, in: Coll Brug 4 (1958) 25-46; E. Poisek, האזלה גרש (Die Scheidungsregeln), Kronenberg 1906; H. Preisker, Christentum und Ehe in den ersten drei Jahrhunderten, 1927; K. H. Rengstorf, Mann und Frau in der Urkirche, 1954; H. J. Schoeps, Ehebewertung und Sexualmoral der späteren Judenchristen, in: StTh II (1948) 99-101; A. Seeberg, Bemerkungen zur Auslegung von Mt 19, in: Oettingen-Festschr. 1898, 144-170; F. Vogt, Das Ehegesetz Jesu / Eine exegetisch-kanonistische Untersuchung von Mt 19, 3-12; 5,27-32; Mk 10,1-12 und Lk 16,18, Freiburg 1936; vgl. auch dazu unten die Lit. zu den Klauseln bei Mt.

Lit. speziell zu Mk 10,1-12: H. Braun, Art. ποιεῖν in: ThWB VI,456-483, 461; H. Conzelmann, „Was von Anfang war", in: BZNW 21 (1954) 194-201; D. Daube, Concessions to sinfullness in Jewish Law, in: Journ of Jew Stud 10 (1959) 1-13; G. Delling, Art ἀρχή in: ThWB I,476-488, 485 Anm. 2; W. Dittmann, Die Auslegung der Urgeschichte (Gen 1-3) im Neuen Testament, Diss. masch. Tübingen 1939; K. Grobel, σῶμα as „Self, Person" in the Septuagint, in: BZNW 21 (1954) 52-60; F. Hauck - A. Schulz, Art πόρνη in: ThWB VI,579-595; 590-592; G. Lindeskog, Studien zum neutestamentlichen Schöpfungsgedanken, Uppsala 1952; A. Oepke, Art γυνή in ThWB I, 776-790, 783; H. J. Schoeps, Restitutio Principii als kritisches Prinzip der nova lex Jesu, in: Aus frühchristlicher Zeit / Religionsgeschichtliche Unter-

Mann entlassen könnte. Das alte Logion selbst ist jeweils noch in der Öffentlichkeit gesprochen. – Das mk Stilmittel der Jüngerbelehrung im Hause begegnet außer in 10,10 und 7,17 noch in Mk 9,28 (dort liegt sichtlich ein Problem der späteren Gemeinde vor: die Frage, warum sich das Wunderwirken Jesu nicht fortsetzen läßt), ferner in Mk 4,10 und 4,34. – 4,11-13 erklärt dieses Stilmittel am besten und bringt auch den in 7,17 im gleichen Zusammenhang gebrachten Begriff παραβολή. Diese sog. Parabeltheorie[1] des Mk hat bereits W.Wrede dem Messiasgeheimnis zugeordnet (W. Wrede, Das Messiasgeheimnis in den Evangelien, 1901, 55.61). Nach seiner Ansicht sei in Mk 7 und 10 der Gedanke der geheimen Belehrung „offenbar zur Manier geworden" (a.a.O., 136). Freilich ist der Akzent mehr auf „geheim" als auf Belehrung zu setzen: Die Kommentierung spiegelt gegenüber dem Logion durchweg ein späteres Stadium der Tradition oder ist ein Mittel, anderswoher kommende Traditionen mit dem Aufbau eines Streitgespräches zu verbinden wie in Mk 10. Auch die Gleichnisse („Parabeln") sind in sich keineswegs besonders geheimnisvoll, nur ist spätere mk Auslegung bereits notwendig geworden. Seinen Ursprung hat dieses Stilmittel nicht nur in der Christologie (M.-Geheimnis), sondern auch in der inzwischen erfolgten scharfen Trennung der Gemeinde vom Judentum, die sich in der mk Verstockungstheorie äußert. Nach der Redaktion versteht das Volk = die Juden Jesus nicht mehr, nur

suchungen, Tübingen 1950, 271-285; E. Schweizer, Art σῶμα in: ThWB VII, 1024-1091; J. Blinzler, Εἰσιν εὐνοῦχοι / Zur Auslegung von Mt 19,12, in: ZNW 48 (1957) 254-270; Hug, Art. Eunuchen, in: PWRE Suppl III,449.455.

[1] Vgl. W. Marxsen, Redaktionsgeschichtliche Erklärung der sogenannten Parabeltheorie des Markus, in: ZThK 52 (1955) 255-271; J. Gnilka, Die Verstockung Israels/Isaias 6,9-10 in der Theologie der Synoptiker (Stud. z. A. u. NT.; 3), München 1961; Lit. auf pp. 209-218; G. Strecker, Zur Messiasgeheimnistheorie im Markusevangelium, in: Stud Ev III, Berlin 1964, 87-104, bes. 103; J. Coutts, Those Outside (Mark 4,10-12), in: Stud Ev II, 1964, 155-157.

Vgl. G. Strecker, Der Weg der Gerechtigkeit, 95: „Bei Markus ist οἶκος bzw. οἰκία im Gesamtrahmen der 'geheimen Epiphanien' zu verstehen". „Selbst an den Stellen 2,1 und 3,20, wonach das Volk in das Haus eindringt, ist οἶκος zunächst der geschlossene Raum, der der Öffentlichkeit entgegengesetzt ist... Unverständlich wäre das Fehlen einer genaueren Ortsangabe, wenn es sich jeweils um ein geographisch fixierbares Haus handelte, verständlich dagegen, wenn der dogmatische Topos im Vordergrund steht. Daher ist selbst der bestimmte Artikel (10,10; auch 9,23) im topologischen Sinn zu interpretieren". Mt dagegen habe im Zuge der Historisierung an ein festes Haus in Kapernaum (4,13) gedacht.

der abgesonderten Gemeinde kann die wahre Belehrung gegeben werden. Die kirchliche Kommentierung durch Mk, die der gleichen Schicht angehört wie der antijüdische Schriftbeweis und die in Mk 7 und 10 selbst auch inhaltlich die Trennung vom Judentum verdeutlicht, wird biographisch dargestellt in dem Gegensatz zwischen dem unverständigen Volk und den Jüngern, die belehrt werden. Zugleich handelt es sich um ein Mittel, die für die Gemeinde gedachte Belehrung (vgl. die weisheitliche Satzform) gerade dadurch besonders hervorzuheben, daß man sie nur an die Eingeweihten gerichtet sein läßt. Von diesen aber haben es jetzt die Leser des Evangeliums. Paränese wird also gerade als Geheimnismitteilung an die Auserwählten Kriterium der Auserwähltheit und als solche für alle Hörer eng mit ihrem eigenen Status verbunden und daher verpflichtend. Die VV. 11.12 stehen also in gewisser Spannung zu V. 9 und sind inhaltlich davon unabhängig. V. 9 ist der traditionsgeschichtliche Ausgangspunkt der Perikope. Die Gegensätze Gott-Mensch, Binden-Lösen, Bejahung-Verneinung lassen den Satz als klassischen Vertreter des eingliedrigen Maschal erscheinen (vgl. R. Bultmann, Geschichte der syn. Trad., 78.84), Parallelbeispiele sind Prov 25,2; 16,9.

Wir wiesen bereits darauf hin, daß dieser Satz in Acta 10,15 (ἃ ὁ θεὸς ἐκαθάρισεν σὺ μὴ κοίνου) seine nächste formgeschichtliche und inhaltliche Parallele hat: Die Partikularität jüdischer Religionspraxis wird aufgehoben mit Hilfe des Verweises auf die natürlichen in der Schöpfung (und damit bei Gott) begründeten Ordnungen. Damit aber gewinnt auch Mk 7,19 als Vergleichspunkt zum Schriftbeweis in dieser Perikope an Bedeutung: Der Verdauungsvorgang spricht in seiner natürlichen Beschaffenheit ebenso gegen das jüdische Gesetz wie der natürliche Vorgang des Einswerdens von Mann und Frau.

Der Gedanke, daß Gott die Eheleute zusammenfügt, ist dem zeitgenössischen Judentum nicht fremd, so in Tob 8,8-9 (Adam und Eva; Gott hat sie Adam zur Hilfe gegeben; Vergleich mit den Eheleuten), in Test Rub 4,1 (ἕως ὁ κύριος δώῃ ὑμῖν σύζυγον, ἣν αὐτὸς θέλει...)[1], im griech. Bereich in Od 4,208; 15,26, im rabb.

[1] Eine solche Tätigkeit üben auch heidnische Götter aus, und zwar besonders Isis; vgl. dazu die Selbstoffenbarung der Isis von Kyme (ed. Salač, in: Bull Cor Hell 51 (1927) 378ff und Peek, Der Isishymnus von Andros und verwandte Texte, 1930, 122):

17 ἐγὼ γυναῖκα καὶ ἄνδρα συνήγαγου
27 ἐγὼ στέργεσθαι γυναῖκας ὑπὸ ἀνδρῶν ἠνάγκασα

Bereich in Gen R 18 (Gott als Brautführer Adams vgl. W. Bacher, Agada d. Pal. Am. III,413) und in Gen R 68 (43b) (seit der Spaltung des Schilfmeeres fügt Gott Ehen zusammen) und M Q 18b (Himmelsstimme ruft, wer wem gehören soll).

συζευγνύναι als Bezeichnung für das eheliche Verbinden ist auch im Griech. geläufig (Klearchus bei Athenaeus XIII,2), χωρίζειν wird auch ebenso gebraucht bei Josephus Ant 15,259 und 1 Kor 7,10[1]. – Auch auf Grund der Verwendung des Relativpronomens dürfte der Satz eine griech. Bildung sein (vgl. K. Beyer, Sem. Syntax I,167).

Der vorangehende Schriftbeweis ist nach dem Aufbau von V. 9 konstruiert: VV. 2-5 bringen Aussagen über das Trennen der Menschen, VV. 7-8 setzen dem das göttliche Zusammenfügen entgegen. Durch die Aufeinanderfolge von σκληροκαρδία und ἀπὸ δὲ ἀρχῆς κτίσεως in V. 5b/6a wird der Gegensatz gesteigert. Der Gegensatz zwischen Gott und Mensch im Logion wird durch den Schriftbeweis in VV. 3-8 und den Kommentar in VV. 11-12 zum Gegensatz zwischen Gemeinde und Juden. Inhaltlich enthält V. 9 nichts für einen Juden Anstößiges[2], da er nicht über Mal 2,15f oder Prov 18,22aα (LXX!) hinausgeht (vgl. auch J. Hempel, Ethos, 273)[3].

30 ἐγὼ συγγραφὰς γαμικὰς εὗρον
und den Isishymnus von Andros (Peek, a.a.O., 36f).
Eine besondere Eheauffassung, die möglicherweise von diesen Vorstellungen nicht unbeeinflußt ist, zeigt auch JosAs, wonach Joseph und Asenath schon „von Ewigkeit sich anverlobt" sind und wo die Brautübergabeformel lautet: „Nun sei sie jetzt dein Weib von nun an bis in Ewigkeit" (21,3); vgl. 21,4: Der Herr und Josephs Gott hat dich zur Braut ihm auserwählt („und du heißt seine Braut von nun an bis in Ewigkeit").

[1] Vgl. D. Daube, a.a.O., 74: συζευγνύναι = verheiraten; συζεύγνυσθαι = heiraten; bei den Rabbinen sogar transskribiert ζεῦγος = זוג = Ehebund; vgl. Targ J. Deut 34,6: von Gott, der Mann und Frau zusammenbringt. Vgl. διαζεύγνυσθαι für Scheidung bei Jos. Ant. 4.8.23; Aristoteles, Politika II,7,5 (1272a); Plato, Nomoi VI,784 B: Scheidung nach zehn Jahren Kinderlosigkeit (= M. Jeb 6,6).

[2] Daß die Eheleute im Himmel untrennbar verbunden sein werden, geht aus äth Bar Apk L 65 hervor: „... dort bleibt der Mann mit seiner Frau und die Frau mit ihrem Manne (zäjĕnäbĕr be'esū wä'ĕmūntū wäbĕ'ĕsītĕnī tĕnäbĕr bămātă)". Es muß offen bleiben, ob damit im Gegensatz zu irdischen Verhältnissen Scheidung ausgeschlossen werden soll.

[3] Vgl. dazu J. Hempel, Ethos, 169 A 101: „Das Eigentümliche der Stellung Jesu ist, daß er einen in jüdischen Sektenkreisen – vielleicht seit Mal 2,15 – lebendigen Gedanken speziell auf die Ehescheidung überträgt, die in der Damaskusschrift anscheinend nicht verboten gewesen ist".
Aus der Vereinigung im Brautgemach wird die Unauflöslichkeit einer

Für das hier begegnende Motiv der σκληροκαρδία kann gezeigt werden[1]:
1. Hartherzigkeit bezeichnet „Abfall", und zwar den von der Ordnung der Natur und besonders in Bezug auf sexuelle Gebote.
2. Im Zusammenhang mit Gesetzen des Moses bezeichnet Hartherzigkeit den Abfall des Volkes zum Götzendienst an das goldene Kalb. Die Gebote, die Moses dem Volke danach gab, sind minderwertig, da sie einen Kompromiß mit dem Götzendienst des Volkes eingingen.
3. Eine solche Bewertung der Kult- und Ritualgesetze des Moses ist bereits im Judentum im Zusammenhang mit der Auslegung von Ez 20,25f überliefert. Sie hat sich wohl im Zusammenhang mit der Höherbewertung der Dekaloggebote herausgebildet und wird von Mk 10,5 bereits voll vorausgesetzt. Jesus partizipiert hier an einer jüdisch-hellenistischen Tradition.

solchen Verbindung abgeleitet in Philippus-Ev 79 (Till 118,17-22): „Die sich aber im Brautgemach vereinigt haben, werden sich nicht mehr trennen. Deshalb trennte sich Eva von Adam, denn sie hatte sich nicht mit ihm verbunden im Brautgemach". Wie auch immer der Kontext zu deuten ist, die Untrennbarkeit einer Vereinigung im Brautgemach ist hier offenbar als gegeben vorausgesetzt. Der Satz (Z. 19f) hat sentenzartigen Charakter und darin gewisse Ähnlichkeit mit Mk 10,6. Der Grund der Untrennbarkeit liegt nicht bei Gott, sondern an der erreichten „Einheit" im Fleisch.

[1] Vgl. dazu den Aufsatz des Verf.: „Hartherzigkeit und Gottes Gesetz / Die Vorgeschichte des antijüdischen Vorwurfs in Mk 10,5", in: ZNW 61 (1970) 1-47.

Zu dem in ZNW gebotenen Material sind im Übrigen eine Reihe von Nachträgen zu liefern: Nach Memar Marqah p. 166 war es Ismael, der die Israeliten beim Auszug aus Ägypten die Hartherzigkeit (ילפנון קשותה) lehrte. – Eine heilsgeschichtliche Beispielreihe über Hartherzigkeit wird auch geliefert in Memar Marqah p. 179: Die Menschen verwarfen das Leben und erwarben sich Dunkelheit und Tod: „The heart of Cain was hardened, with the result, that he was rejected and forsaken" (dtrG!); weiter werden genannt: das Volk von Babylon, von Sodom, Amalek, Korah, Zimri, Bileam; dann: „(That deed) came (also) from the Calf-Makers and made the people of Judah hard (שררת). The one lot it afflicted, the other it slew!" – Die Anwendung lautet: „All this is enough for us. Let us keep far from it and not be involved in it". An seinem Ende sagt Moses (p. 197): „my heart and my mind fearful of what I have seen of your rebelliousness and stubbornness". – Die Hartherzigkeit Kains spielt als Einzelelement eine besondere Rolle im äth Adambuch. Das Beispiel Korahs wird ebenso mit Hartherzigkeit in Verbindung gebracht in 1 Clem 51,3. Im ungedruckten griech. Testament Jakobs werden Zorn und Wut mit Hartherzigkeit in Verbindung gebracht: δεύτερον δὲ τὸν θυμὸν καὶ τῆν μῆνιν Συμεὼν καὶ Λευὶ ἐπικαταρᾶται. ἐπειδὴ μετὰ

§ 5 Der Schriftbeweis in Mk 10,3-8

Der Schriftbeweis in Mk 10,3-8 ist nur auf Grund des LXX-Textes möglich und folgt Kunstmitteln, wie sie sich auch bei Philo und in der rabbinischen Exegese finden. Die Ableitung von Geboten über Ehe und Kinder aus der Schöpfungsgeschichte ist im Judentum verbreitet. Der Schriftbeweis zielt auf den 1. Teil von V. 9: er erweist, daß Gott die Eheleute zusammenfügt. Darüberhinaus wird gezeigt, daß die Juden mit ihrem Gesetz sich gegen die Schöpfungsordnung verfehlen.

Der Ausdruck βιβλίον-ἀπολῦσαι ist eine von ἐπέτρεψεν abhängig gemachte kurze Wiedergabe des parataktischen Stückes καὶ γράψει-οἰκίας αὐτοῦ in

τὴν σκληροκαρδίαν ἐφόνευσαν τοὺς Συκημῖτας. (Διαθήκη τοῦ πατριάρχου Ἰακωβ Bukarest; Bibl Ac. Republ. Populare Romane Gr. 580 (341). – Einblick in den Mikrofilm gewährte mir H. J. de Jonge). Als Unbußfertigkeit wird die Hartherzigkeit verstanden in Hieron., In Amos 5,1 („vae super eos qui non agunt poenitentiam, sed iuxta duritiam cordis sui thesaurizant sibi iram in die irae"); nach der kopt Einsetzung Michaels (Übers. Müller/Dettlef p. 36) hat Uriel die Funktion: „der die harten Herzen zu weichen Herzen werden läßt"; Hartherzigkeit, Unbarmherzigkeit und Nicht-Tun des Willens Gottes sind identisch nach Anastasia-Apk K.V (p. 25): ἐκ τῶν ἀνελεημόνων καὶ σκληροκαρδίων καὶ οὐ δύναμαι ποιῆσαι αὐτοὺς ἵνα ποιήσωσιν τὸ θέλημα τοῦ θεοῦ „Wille Gottes" ist das mit der Tradition verbindende Stichwort.
Eine besondere Rolle spielt die Hartherzigkeit im äth Adambuch (Übers. A. Dillmann): Kain „war hartherzig und herrschsüchtig" (S. 68); in „Kain, den hartherzigen, fuhr der Satan" (S. 69). Eva sagt zu Adam: „Den Kain liebe ich nicht, weil er hartherzig ist". – Der aufgewiesenen Zuordnung von ὑπερηφανία und Hartherzigkeit entspricht es, wenn es S. 71 von Kain heißt: „Und er selbst brachte sein Opfer... dar mit hochmütigem Herzen, das voll war von Arglist und Ränken". S. 72 wird über Kain gesagt: „Kain aber der hartherzige und verstockte und Mörder seiner Seele...". Nach dem Mord spricht Kain zu Gott „mit trotzigem Herzen und trotzigen rauhen Worten" (S. 73; vgl. die harten Worte im Zusammenhang mit Hartherzigkeit in der Tradition). Nach S. 74 wurde Kain „wegen seiner Hartherzigkeit" die Erlaubnis zu heiraten verweigert.
Die für Hartherzigkeit festgestellten angrenzenden Wortfelder finden sich auch in weiteren Belegen: in Memar Marqah p. 90 heißt es von denen, die das Kalb machten: „walking according to their desires" (vgl. dazu den Sprachgebrauch der LXX in Ez). In Te'ezaza Sanbat (L p. 29) heißt es von denen, die das Kalb machten: „some of them were proud and haughty, believed not, and were disobedient to Moses". Zu Hen 5,4 hat das aram Henoch-Fragment „ihr habt gesprochen gegen ihn große und harte Worte am Tag eures Stolzes" (ביום טמתכן) und bestätigt damit die Zusammengehörigkeit mit „Stolz" (den Hinweis auf diesen Text verdanke ich Herrn Prof. M. Black).

Dt 24,1. Während im Griech. die Aufeinanderfolge der Verben γρᾶψαι und ἀπολῦσαι zeitlich verstanden werden müßte, ist doch hier durch die Abhängigkeit von ἐπέτρεψεν das zweite Verb betont, das erste wird nur zur Bestimmung des begleitenden Umstandes; dieses entspricht semitisierendem LXX-Griechisch, das in einem solchen Gefüge die logischen Verhältnisse, nicht die zeitliche Folge betonen will (vgl. K. Beyer, Semit. Syntax, 265f. 270). ἀπολῦσαι bezeichnet hier den Gesamtvorgang der Scheidung, da es die Verben δώσει und ἐξαποστελεῖ aus Dt 24,1 zusammenfaßt; in LXX wird ἀπολύειν in diesem Sinne nur in 1 Esr 9,36 verwendet, שלח als „scheiden" wird sonst mit ἐξαποστέλλω übersetzt, גרש mit ἐκβάλλω; ἀπολύειν γυναῖκα ist aber im Griech. geläufig (Diod Sic 12,18,1; Dion Hal Ant 2,25,7; ἀποπέμπειν bei Xenophon und Josephus). Der Scheidbrief heißt auch in LXX für ספר כריתת immer βιβλίον ἀποστασίου[1]. Jos Ant 15,7,10 übersetzt mit γραμμάτιον, Aquila: βιβλίον ἀποκοπῆς, Symmachus: βιβλίον διακοπῆς, Syr sin und Pesch in Mt 5,31: ܟܬܒܐ ܕܕܠܐܐ; Pesch in Mt 19,7; Mk 10,4: ܟܬܒܐ ܕܫܘܒܩܐ, so auch Syr sin in Mk 10,4; Targ Onk Dt 24,1: אגרת פטורין Targ Jonathan Dt 24,1: ספר תירוכין; in ägyptischen Papyri heißt der Scheidbrief συγγραφή ἀποστασίου (vgl. CP Iud I,18,3,20 und P. W. Pestmann, Marriage and matrimonial property, 40.41). – Mt 19,6 gibt Mk 10,4 wieder mit ἀποστάσιον (= Abtretung; vgl. Hibeh-Papyri Nr 96,3 nach Mitteis-Wilcken, Grundzüge, II 1,167 Anm. 1; auch Verzichtsurkunde im weiteren Sinn; in P. Hibe 96,3 Verzichterklärung zwischen zwei Offizieren, von denen der eine Jude ist; nach Grenfell, An Alexandrian erotic fragment, 11,2,19 ist ἀποστάσιον ein Zur-Tür-Hinausweisen: καὶ ἀποστάσιον ἐγράψατο τῷ Πανακι μὴ ἐπελεύσεσθαι; vgl. M. J. Lagrange, Mk 242). βιβλίον ist Diminutiv von βίβλος und bezeichnet besonders den Papyrus (E. Gould, Mk 183).

Durch das einleitende ἐπέτρεψεν wird behauptet, Moses habe Scheidung durch Scheidbrief erlaubt. Von einer Erlaubnis kann in Dt 24,1ff nicht die Rede sein, sondern diese Institution wird vorausgesetzt. LXX hatte aber bereits eine Vorschrift zur Entlassung, im Falle, daß..., daraus gemacht (nach hebr. Syntax wäre die Vorschrift primär auf das Entlassen bezogen, nach griech. auf Scheidbriefgeben und Entlassen in zeitl. Folge; vgl. J. Dupont, Mariage 17). – Die Frage in V. 2 setzt bereits den Standpunkt von V. 9 voraus (so auch A. Schlatter, Mk 186; R. A. Hoffmann, Mk 402; W. Grundmann, Mk 201; B. Weiss, Mk 1901, 158); das Verwerfliche liegt jetzt darin, daß diese Frage überhaupt gestellt wird. Die Zitierung des Gesetzes des Moses in V. 4 dient zur Offenbarung dieses falschen menschlichen Willens, durch die Gegenfrage Jesu erscheint sie auch im Mund der Pharisäer. – Der Wechsel von ἐνετείλατο zu ἐπέτρεψεν ist nicht beliebig (Mt stellt um!): durch ἐπέτρεψεν wird εἰ ἔξεστιν... beantwortet, ἐνετείλατο wird in V. 5

[1] Vgl. F. Schmidtke, Art. Apostasion, in: RAC II,551-553.

wieder aufgenommen mit den Worten ἔγραψεν ἐντολήν. Jesus lehnt Dt 24,1ff als Konzession ab und stellt es als Gebot hin: es geht nicht nur um ein Zulassen, sondern um eine positive ἐντολή, dadurch wird der Gegensatz zum Gotteswillen größer. Das ἐπέτρεψεν ist Verteidigung der Pharisäer. Ein Parallelbeispiel ist Philo, Spec Leg II,232: Das Gebot Dt 21,18ff, daß die Eltern den unbelehrbaren Sohn töten müssen, wird, weil es Philo unbequem ist, nur als Erlaubnis (ἐπέτρεψεν ὁ νόμος καὶ μέχρι θανάτου κολάζειν) hingestellt (ähnlich verteidigt Augustinus Moses für Dt 24,1ff in Ad Luc et c Faust 19,26; ebenso P. Schanz, Mt 191). Von einer Erlaubnis (ἐπιτρέπειν) durch das Gesetz spricht Philo in Spec Leg I 124; II 116 (ἐπέτρεψεν ὁ νόμος). 232.

H. Greeven vertritt die Ansicht, βιβλίον ἀπ. γρᾶψαι sei konditional aufgefaßt (ZEE (1957) 109-127): zur Bloßstellung der Herzenshärte sei ein Scheidbrief eingeführt. Das ἐνετείλατο in der Frage Jesu würde dann nur den Scheidbrief meinen. Das ἐπέτρεψεν bezöge sich auf die damit vorausgesetzte Möglichkeit der Scheidung. Bezieht man die Herzenshärte nur auf den Scheidbrief, so wäre aber die Scheidung selbst gar nicht betroffen; βιβλίον ἀ. γρᾶψαι ist also zwar hypotaktisch, aber nicht konditional aufzufassen.

Die widergöttliche Menschensatzung der Juden besteht im Scheidungsgebot selbst. Der Vorwurf der Hartherzigkeit trifft nicht nur Moses, sondern zuerst die Juden damals und jetzt (vgl. das ὑμῶν, das mit der Zeit des Moses verbindet)[1]. Moses gab ein Gebot, das

[1] Die Präposition πρός vor σκληροκαρδία ist in ihrer Bedeutung umstritten. Heißt es: „...damit ihr verhärtet im Herzen würdet, mit Rücksicht auf eure Herzenshärte, wegen", oder: „entsprechend, in Hinsicht auf..." oder, wie Greeven vorschlägt (a.a.O., 115): „zur Bloßstellung eurer Herzenshärte"? – Dabei ist nach Greeven in der Auffassung des Mk das Neue an der Vorschrift des Moses, daß der Scheidbrief eingeführt wird; dadurch, daß man jetzt gezwungen sei, die Scheidung schriftlich zu vollziehen, werde das eigentliche Übel erst bloßgestellt. Zur Bloßstellung der Herzenshärte der Juden habe Moses nach Mk den Scheidbrief befohlen. Die Mk-Stelle habe den Sinn: εἰς μαρτύριον ὑμῖν τῆς σκληροκαρδίας (Zum Zeugnis gegen euch für eure Herzenshärte).
Nach Blaß-Debrunner (Gramm. [9] § 239,4) heißt πρός an dieser Stelle: „im Hinblick auf" (so auch F. Hauck, Mk 118). Merx dagegen (Mk, 113) will in V. 5 dem ἐπέτρεψεν des syr sin entsprechend dieses statt ἔγραψεν setzen; dem entspräche auch διὰ τὴν σκληροκαρδίαν des syr sin. πρός bedeute also demnach nicht: „mit Rücksicht auf", sondern „im Vergleich mit", „gemäß, den Umständen entsprechend" (Pape II,731), weil es durch διά syr sin interpretiert sei. – Der Vorschlag von Merx wird daran scheitern, daß das Verb in V. 5 de syr sin eine harmonisierende Angleichung an die Mt-Parallele ist. Das πρός ist sowohl im Sinne der Veranlassung (Götzendienst) als auch im Sinne

Ausdruck der Hartherzigkeit des Volkes ist. Der Vorwurf der σκληροκαρδία ist die Anwendung der mk Verstockungstheorie auf die Stellung der Juden zum ursprünglichen Gottesgesetz.

Eine rabbinische Parallelargumentation in Qid 21b Bar zeigt einen umgekehrten Weg: Mit Rücksicht auf den bösen Trieb sei dem Priester eine (aber auch nur die erste) Beschlafung einer Kriegsgefangenen erlaubt. Ebenso sei es besser, Fleisch von Tieren zu essen, die vor dem Verenden geschlachtet wurden, als von Aas. „Unter Berücksichtigung des Umstandes, daß man in einem solchen Fall seine Leidenschaft nicht besiegt, hat die Gesetzeslehre es... erlaubt". – Hat Moses nach Mk 10,5 in weiser Voraussicht der menschlichen Schwäche einen gewissen Raum gegeben? Im rabb. Beispiel ist das Verbot mit dem menschlichen Verlangen zu vereinbaren, das Gebot soll so modifiziert werden, daß es gehalten werden kann: die Ausnahme bestätigt die Regel. Nach Mk hat Moses aber keine Ausnahme gemacht, sondern das göttliche Gebot positiv durch ein Gegengebot aufgehoben (welches Verständnis nur auf Grund des LXX-Textes möglich ist). Für die Rabbinen war das Gebot das zu Bewahrende.

der weiteren Verstockung zu verstehen (schlechte Gebote); ein guter Beleg für Letzteres ist auch Paläa (ed. Vassiliev p. 248): στερεοκάρδιοι ὄντες... ἐν τῷ ἰδίῳ θελήματι ἐπορεύθησαν... καὶ οὕτως παρεπίκραναν τὸν θεὸν οἱ υἱοὶ 'Ισραηλ καὶ ἐδόθη αὐτοῖς ἀγνωσία...
Auf Grund der Parallelen im NT (Mt 5,28; Apg 3,10; 1 Kor 12,7; 2 Kor 5,10) und im Profangriechischen (Plato, Phaedr. 231a vgl. Schwyzer, Gramm. II, 509-512: z.B. πρὸς ὀργήν „aus Zorn") liegt es nahe, das Bedeutungsfeld des Wortes in diesem Zusammenhang abzugrenzen von der Bedeutung „gemäß" bis „wegen", dazwischen liegen „im Hinblick auf" und „angesichts", so daß dem Sinne nach die Gesetzgebung des Moses der Herzenshärte „angemessen" ist (vgl. Schwyzer, a.a.O., 509), die Gesetzgebung also dem Zustand der Menschen korrespondiert. Die Beziehung zwischen dem Gebot des Moses und dem Herzen der Juden ist für Mk eine komplexere, als daß er sie mit einer klaren Kausalbestimmung ausdrücken könnte (so auch Greeven, a.a.O., 114): Der Herzenshärte der Juden entspricht auch das Gegebenwerden des Gebotes. Die Verderbtheit des Herzens hat auch den Gesetzgeber betroffen und sie findet ihren Ausdruck in seinem Gesetz. Herzenshärte und Gesetz stehen im Wechselverhältnis zueinander. Nur wenn Mk so vorgeht, kann er Moses und Juden treffen: von Moses ist das formulierte Gesetz, aber die Juden zur Zeit des historischen Jesus treten im Streitgespräch als Gegner auf. Bo Reicke, Art πρός in ThWB VI,720-725 nimmt für diese Stelle an die „modale Spezialbedeutung" und übersetzt „nach dem Grade eurer Verstocktheit". Hinzuweisen ist auf die sprachliche Parallele in der slav Vita Mosis (Übers. G. N. Bonwetsch, Die Mosessage in der slavischen kirchlichen Literatur, Göttingen 1908) p. 606 heißt es von den Juden und ihren Schmuckgegenständen (im Zusammenhang mit der Anfertigung des Goldenen Kalbes): „Jene aber, nach ihrer Herzenshärtigkeit, zogen sie ab und brachten sie zu Aaron". Vgl. auch das μετὰ τ.σ. in Anm 1 S. 538f.

Der Hartherzigkeit der Juden, ihrer Unempfänglichkeit für die Erkenntnis des wahren Gotteswillens, steht gegenüber Gottes Tun am Anfang der Welt. Aus diesem kann nach der Ansicht des Mk das Verbot der Ehescheidung abgeleitet werden. Wenn gezeigt werden kann, daß dieses das der Schöpfung inhärente Gesetz ist, so ist das Gesetz des Moses, das dem widerspricht, nur zeitlich relativ und ein Abfall von der Schöpfungsordnung.

Die Schöpfungsgeschichten (und die Erzvätertraditionen) sind auch in späterer Zeit ein bevorzugter Ort für die Herleitung von Geboten (insofern wird die ätiologische Tendenz von J fortgesetzt). In Jub 3,8 schließt an die freie Wiedergabe von Gen 2,24 (s.o.) im gleichen Stil wie die Ätiologie gehalten (vgl. 7a: bă'ĕntăzĕ 8b: bă'ĕntă zĕntū), eine Herleitung der Unreinheitsfristen nach der Geburt an. Die V. 9-14 bringen in Übereinstimmung mit dem Text des Gesetzes in Lev 12,1-5 eine Begründung für die erweiterten Fristen von 40 bzw. 80 Tagen. – Der ganze Passus stimmt häufig im Wortlaut überein mit Teez Sanbat H 38,8ff L 38. Jedoch ist eine Abhängigkeit des einen Textes vom anderen nicht anzunehmen, vielmehr liegt eine gemeinsame Tradition zugrunde. In beiden Texten wird aus der Tatsache, daß Eva dem Adam erst nach einer Woche gezeigt wurde (keine bibl. Belege) abgeleitet, daß die Frist der Unreinheit für Mädchen eine Woche länger dauern muß als für Jungen (d.h. 7 Tage und 14 Tage). Ferner berichten beide Texte, daß Adam nach 40 Tagen aus dem Land, wo er geschaffen worden war, in den Garten Eden gesetzt wurde, das Weib aber erst nach 80 Tagen. Daher soll die Frau 7+33, also insgesamt 40 Tage unrein bleiben bei einem Knaben und 14+66 Tage = 80 Tage bei einem Mädchen. Nach der Beendigung der 80 Tage wurde Eva nämlich in den Garten Eden gebracht, „denn er ist heiliger als die ganze Erde". Die Heiligkeit des Gartens hängt nun mit der wiederhergestellten Reinheit zusammen. Nach K. 10 ist dieses Gebot auf die himmlischen Tafeln geschrieben.

Jub 3,30 leitet aus Gen 3,21 (wiedergegeben als: „Adam allein gab er, seine Scham zu bedecken...") abgeleitet (31): „Deswegen (bă'ĕntă zĕntū) ist in den himmlischen Tafeln für alle, die das Urteil des Gesetzes kennen, geboten, daß sie ihre Scham bedecken und sich nicht entblößen wie sich die Heiden entblößen". – In Jub 4,4-6 werden aus der Verfluchung Kains zwei Gebote abgeleitet: Dt 27,24 („deshalb – bă'ĕntăzĕ – ist in den himmlischen Tafeln geschrieben...") und die Tatsache, daß im Gottesdienst alle Sünde vor Gott kundgetan wird (offenbar bes. lit. Gebete). – In Jub

4,32 wird daraus, daß Kain von Steinen getötet wurde, wie er Abel mit einem Stein erschlagen hatte, abgeleitet: Deshalb ist in den himmlischen Tafeln angeordnet: Mit dem Gerät, womit ein Mann seinen Nächsten tötet, soll er getötet werden (kein atl Beleg). – In Jub 41,25 wird aus dem Bericht über Juda und Tamar abgeleitet: „Und jeder, der so tut und seiner Schwiegertochter beiwohnt, soll im Feuer verbrannt werden". Es handelt sich also zumeist um kultisch-rituelle Satzungen, die für Jub von besonderer Wichtigkeit sind. Die Ableitung des Scheidungsverbotes in Mk 10 aus der Schöpfungsgeschichte steht also in der Tradition dieser besonderen Art von Schriftauslegung: Aus Geschichtserzählungen der Urgeschichte werden Gesetze der himmlischen Tafeln abgeleitet, die nicht unbedingt mit atl Gesetzen identisch sein müssen. – Ein weiterer Beleg für diese Art der Schriftauslegung ist 1 Tim 2,13. Auch hier wird eine Mahnung über das Verhältnis zwischen Mann und Frau aus der Schöpfungsordnung abgeleitet: Die Frau soll dem Mann untertan sein, weil Adam zuerst geschaffen wurde. Aus der zeitlichen Priorität wird auf die Rangpriorität geschlossen (vgl. das ähnliche Argument in Jub 3,8.9-14).

Die Begründung und Verankerung des Gesetzes in der Schöpfungsordnung ist im Spätjudentum ein allgemeiner Vorgang, der freilich so verläuft, daß (möglichst) die gesamte Tora des Moses bereits aus den Schöpfungsberichten abgeleitet werden soll; der einfachere Weg war nicht der Versuch einer solchen Deduktion, sondern einfach die Behauptung, die Tora des Moses sei das Gesetz auch der Natur, daher universal und für alle Völker verpflichtend und die Stellung Israels in der Welt begründend. So wird einerseits die Harmonie von Gesetz und Naturgesetz betont (4 Mkk 2,21-23), andererseits werden paränetische Stoffe aus der Schöpfung neu abgeleitet (so in Test Zab 9,1 ff die Mahnung zur Einigkeit mit dem Hinweis darauf, daß Gott nur ein Haupt geschaffen habe, dem alle Glieder folgen). Nach Philo garantiert die Einzigkeit Gottes die Übereinstimmung von Gesetz und Naturordnung (Vit Mos II,8: τὸν αὐτὸν πατέρα καὶ ποιητὴν τοῦ κόσμου καὶ ἀληθείᾳ νομοθέτην Spec Leg II,13 νόμοι τε καὶ θεσμοὶ τί ἕτερον ἢ φύσεως ἱεροὶ λόγοι vgl. Vit Mos II,51; Opif Mundi 3: ἡ δ'ἀρχή... ἐστὶν θαυμασιωτάτη κοσμοποιίαν περιέχουσα ὡς καὶ τοῦ κόσμου τῷ νόμῳ καὶ τοῦ νόμου τῷ κόσμῳ συνᾴδοντες. Vgl. De Abr 135; Spec Leg I,31; Opif Mundi 128). So werden die Gesetze Israels ihrer historischen und ethnischen Bedingtheit entkleidet und Weisheit und Gesetz in eins gesetzt. In die gleiche Richtung weisen auch die Versuche hellenistischer Juden, das Alter der Tora zu betonen, um so die Glaubwürdigkeit zu erhöhen.

Mk benutzt diese jüdische (apologetische) Methode, um Gesetz und Schöpfungsgesetz gegeneinander zu stellen. Die Tora ist nicht ἀπ' ἀρχῆς κτίσεως, und Dt 24,1ff hat genauso wenig Geltung wie die Erfindungen der Menschen in Weish 14,12, die der gleiche Vorwurf trifft. Das Mittel der Restitutio principii ist für Mk ein Weg, das Gebot des Moses gegenüber dem Scheidungsverbot außer Kraft zu setzen. Durch die angeführten Schriftstellen wird freilich im Folgenden nur V. 9 inhaltlich bewiesen: daß nämlich Gott die Eheleute zusammenfügt. Über V. 9 hinaus (der ja nur die zeitgenössische Anschauung vom Verbundenwerden der Brautleute durch Gott widerspiegelt) wird freilich hier dieses Zusammengefügtwerden als Schöpfungsprinzip erwiesen und mit der Autorität des Schöpfergottes begründet. Der gleichen Schicht wie dieser Schriftbeweis entstammt dann in V. 11 die Beurteilung einer Wiederheirat als Ehebruch. Weil beide Eheleute durch Gottes Zusammenfügung ein Fleisch sind, deshalb ist nach dieser Schicht eine neue Heirat Ehebruch. Der Schöpfungsordnung korrespondiert das 6. Gebot; freilich ist diese Kombination erst sekundär, und in V. 9 ist noch von keinem dieser beiden Elemente die Rede.

Die Art der Zitierung der Schriftstellen ist die für Mk typische: Sowohl Dt 24,1 als auch Gen 1,27 werden in einen ganzen mk Satz eingebaut und nicht direkt als Zitate aus dem Kontext hervorgehoben (vgl. so auch Mk 12,33 und 12,19).

Die Wendung ἀπ' ἀρχῆς (κτίσεως) ist im Spätjudentum besonders in der Weisheitsliteratur geläufig[1] (Sap Sal 6,22; 9,8; 14,12; 24,14; Sir 15,14; 16,26; 24,9; 39,25; Prov. 8,23; Koh 3,11). Etwa 70% aller Stellen, an denen in der LXX ἀπ' ἀρχῆς verwendet wird und

[1] Vgl. Art. ἀρχή in Theol. Wörterb. z. NT I,485 Anm. 2. – Aber schon bei Plato Tim 22a hat die Urzeit = ἀρχαῖα den „romantischen Schimmer größerer Ehrwürdigkeit", die ἀρχαῖα haben Natur- und Ursprünglichkeitsnähe (Arist. Rhet. II,9 S. 1387 A 16ff). – Nach Demetr. Phal. in Rhet. Graec. III,300,22ff sind die ἀρχαῖοι ἄνδρες ehrwürdiger als die παλαιοὶ ἄνδρες (vgl. Theol. Wörterb. a.a.O., 485). – Besonders bei Josephus wird das hohe Alter der jüdischen Gesetze betont (c. Ap I,317), allein schon das Alter reicht zum Ausweis ihrer Vortrefflichkeit (c. Ap II,16) und ist allein schon Grund genug, das Gesetz nicht zu übertreten (c. Ap II,183). Die sachliche Einzigartigkeit der Tora wird begründet aus ihrer zeitlichen Priorität (N. Walter, Aristobul, 129), vgl. auch M. Friedländer, Jüdische Apologetik, 349-353.

in denen ἀρχή die Zeit der Schöpfung bedeutet, liegen in der Weisheitsliteratur[1].

J. de Waard (A comparative Study, 32f) erwägt für Mk 10,6 die Übersetzung von ἀρχή durch „Prinzip", und zwar unter Hinweis auf יסוד הבריאה in CD IV. Zwar findet sich ἀρχή nicht als Äquivalent für יסוד in LXX, wohl aber, worauf de Waard hingewiesen hat, vermutlich in Hen 15,9: ἡ ἀρχὴ τῆς κτίσεως αὐτῶν καὶ ἀρχὴ θεμελίου; das zweite ἀρχή müsse mit „Prinzip" übersetzt werden. Dabei weist er auch hin auf Offb 3,14 (Christus als ἡ ἀρχὴ τῆς κτίσεως; vgl. W. Hadorn, Apoc 1928: „Prinzip, Ursprung der Schöpfung") und vermutet schließlich, der Wendung in Mk 10,6 entspräche ויסוד הבריאה als hebr Äquivalent, womit volle Übereinstimmung mit CD hergestellt sei. – ἀρχή kann im Griech. durchaus Prinzip bedeuten (vgl. F. Lumpe, Der Terminus „Prinzip" (ἀρχή) von den Vorsokratikern bis auf Aristoteles, in: Arch. f. Begriffsgesch I, Bonn 1955, 104-116), aber besonders wegen der Verwendung von ἀπό und unter Hinweis auf die spätjüdischen Parallelen kann ich für Mk 10,4 nur die zeitliche Bedeutung annehmen; freilich ist die Nähe zu יסוד in CD auch so noch groß genug, denn mit dem

[1] Der Ausdruck begegnet in diesem Sinne ferner in Jub 1,27 ('ĕmqădămā fĕṭrăt = von Anbeginn der Schöpfung), Hen 2,2 (von Anfang – 'ĕmqădămā – bis Ende), 69,17 (= von der Schöpfung der Welt an: 'ĕmfĕṭrătā 'ālăm), 71,15 ('ĕmfĕṭrătā 'ālăm), 83,11 (von Anfang an dībă qădămī), Syr Bar 48,7 (der Anfang, den du geschaffen hast ܪܫܝܬ ܕܐܒܪܬ), 56,2 (vom Anfang der Schöpfung an ܡܢ ܪܫܝܬ ܒܪܝܬܐ), Ass Mos 1,14 (ab initio orbis), 1,17 (ab initio creaturae orbis), 12,4 (ab initio creaturae orbis), 4 Esr. 4,30 (seminatum est... ab initio), 6,7 (tenebat ab initio), 6,38 (ab initio creaturae), 10,10 (ab initio venient), 10,14 (dedit fructum ab initio), 13,14 (ab initio demonstrasti), 14,22 (quod factum est ab initio), 14,29 (peregrinati sunt ab initio).
Vit Ad et Ev 44 (parentes nostri, qui ab initio fuerunt); Apk Abr 25,7 Morde sind Gott ein Zeugnis des Endgerichts „am Anfang der Schöpfung"; Asc Jes 7,12 (sic est ex quo saeculum factum est); Pap Berol S. 124/Till 289 (offenbare euch, was von Anfang an ist); Test Abr Rez A XV (p. 96,11) (ἐξ ἀρχῆς φίλος σου) ibid., Rez B IV p. 109,7 (ἐξ ἀρχῆς ἐποίησας αὐτὸν ἐλεεῖν); Griech Bar 17 (p. 94,19f) ἀπεκατάστησέν με εἰς τὸ ἀπ' ἀρχῆς, in rabb Texten in Midr Est 1,1 (82a): Von Anfang der Weltschöpfung an hat Gott jeden zu dem bereitet, was ihm ersehen war (מתחלת בריתו של עולם). – Josephus c. Ap 2,183 (τοῖς ἐξ ἀρχῆς νομοθετηθεῖσιν!), Od Sal 41,9 (der mich bereitete am Anfang ܡܢ ܒܪܫܝܬ), Josephus, Bellum 4,533 (ἀπὸ τῆς κτίσεως μέχρι νῦν), Ant 8,350 (ἀπ' ἀρχῆς ἐθρήσκευσαν), Lib Ant 7,4 (ab initio), 26,13 (ab initio), 32,7 (ex nativitate saeculi), 39,7 (ab initio), Sib Proem Fr 3,16 (ὁ ποιήσας τάδ' ἀπ' ἀρχῆς); Hippolyt ed. de Lagarde p. 69 (οἱ ἀπ' ἀρχῆς δίκαιοι p. 70 τὴν ἀπ' ἀρχῆς γενομένην παρακοήν) vgl. Philo De Opif Mundi 3 (s.o.) und Plato, Tim 28 B (ἀπ' ἀρχῆς τινος ἀρξάμενος). – Im NT finden sich als Parallelen Mk 13,19 (ἀπ' ἀρχῆς κτίσεως ἣν ἔκτισεν ὁ θεός) zur Beschreibung der Größe der Bedrängnis in der Endzeit (nicht in Lk 21,23), in 2 Pe 3,4 (διαμένει ἀπ' ἀρχῆς κτίσεως): seitdem die Väter entschliefen blieb alles so wie

zeitlichen Anfang ist für hellenistisch-jüdisches Schöpfungsdenken auch das sachliche Prinzip mitgesetzt; der Ausdruck selbst ist hier aber wohl zeitlich zu verstehen. – ἀπὸ δὲ ἀρχῆς κτ. ist auch keine Quellenangabe („vom Buche Genesis her aber heißt es ...“), wie J. Wellhausen (Mk 83) und andere vermuteten, der vor V. 5b ergänzen wollte ἔγραψεν Μωυσῆς, um auf diese Weise Moses (Dt 24,1) mit Moses zu konfrontieren: mit Hilfe der früheren Stelle sei dann die spätere zu erklären. Abgesehen davon aber, daß Moses der Schöpfungsordnung und nicht sich selbst widerspricht, ist auch auf den Sprachgebrauch des Mk in 13,9 und in seiner Umwelt hinzuweisen. – E. Klostermann, Mk 99 will dagegen ἔγραψεν in V. 5b bis auf 6a beziehen. – Daß aber αὐτούς ohne Beziehungswort im Kontext steht (vgl. αὐτῶν 9,48) zeigt nur, daß Gen 1,27 als Zitat zu verstehen ist (so schon B. Weiss, Mk 159).

Die beiden Zitate VV. 6-8 empfangen ihre Beweisaufgabe zunächst nur von V. 9, d.h. mit ihnen soll bewiesen werden, daß Gott es ist, der zusammenfügt, und zwar schon in der Schöpfungsgeschichte, die ja unmittelbar als Gesetzesnorm ausgelegt werden kann. Die Beziehung des Schriftbeweises zu V. 9a wird dadurch hergestellt, daß in Gen 1,27 ὁ θεός grammatisches Subjekt ist, was im folgenden Zitat Gen 2,24 nicht der Fall ist; dort ist aber von einem συζεύγνυσθαι die Rede. So liefert die erste Stelle Gott als Subjekt, die zweite Stelle die Aussage über das Verbundensein von Mann und Frau. Die jetzige Verbindung zwischen den zwei Stellen schafft das aus LXX übernommene οἱ δύο in Gen 2,24. Durch diese Verknüpfung erscheint im jetzigen Zusammenhang Gen 2,24 als Folge des von Gott nach Gen 1,27 Gewirkten. – Die beweisende Kraft von Gen 1,27 liegt darin, daß Gott sie als *einen* Mann und als *eine* Frau geschaffen hat. Die Zweiheit von je einem Mann und je einer Frau wird dann, so lehrt das folgende Zitat, zur Einheit zusammengefügt. Nicht die Geschlechterdifferenz ist aber der Ausgangspunkt, sondern die Einzahl; die Geschlechterdifferenz wäre die Ursache gewesen für ein dem Weibe Anhangen, was Mk aber gerade ausläßt (gegen B. Weiss Mk 159; P. Schanz Mt 408). Diese Deutung vertritt auch Ps-Clem Hom 13,15,1: εἷς ὢν ὁ θεὸς ἑνὶ ἀνθρώπῳ μίαν ἔκτισε γυναῖκα. Die Beziehung auf οἱ δύο im nächsten Satz zwingt Mk dazu, hier bei ἄρσεν καὶ θῆλυ an zwei konkrete Individuen zu denken. – War in Gen 1,27 MT gemeint: die Menschen sind nach dem Willen

seit der Schöpfung, keine Verheißung wurde erfüllt. In 1 Jh 2,13 ist Gott der, der von Anfang an ist (τὸν ἀπ' ἀρχῆς) vgl. Jh 15,27. – 1 Jh 1,1 (ὃ ἦν ἀπ' ἀρχῆς), 3,8 (ἀπ' ἀρχῆς δ' ἁμαρτάνει); Jh 8,44 (ἀνθρωποκτόνος ἀπ' ἀρχῆς). Mt hat in 13,35 das ἀπ' ἀρχῆς von LXX Ps 78,2, das hier auf die ältesten Zeiten der Geschichte bezogen war, abgeändert zu ἀπὸ καταβολῆς, um zeitlich noch weiter zurückgehen zu können. –

Gottes im Geschlecht verschieden, so ist jetzt der Sinn: Gott hat am Anfang einen Mann und eine Frau geschaffen und dadurch begründet, daß immer nur je einer mit einer zusammensein kann. – Die Argumentationsweise ist also der in CD IV parallel. Eine bislang fast unbekannte rabbinische Parallele findet sich in Midr. Abkir[1]. – Die Erschaffung eines Paares am Anfang ist auch jetzt für die Ehe maßgeblich, weil der Schöpfung selbst das Gesetz inhäriert. Auch jetzt verbindet Gott immer noch die Eheleute so (vgl. oben und Josephus Bell Jud I,558: ἐπεύχομαι δὲ καὶ τῷ θεῷ συναρμόσαι τοὺς γάμους). Wie in CD IV wird זכר ונקבה bzw. ἄρσεν καὶ θῆλυ als individueller Sg gefaßt. Aus der gleichen Funktion von Gen 1,27 darf aber noch nicht auf eine gegenseitige Abhängigkeit geschlossen werden.

Im griech. Text von Gen 2,24 in Mk 10,7-8 fehlt gegenüber LXX das αὐτοῦ hinter μητέρα und der Satz καὶ προσκολληθήσεται πρὸς τὴν γυναῖκα αὐτοῦ (in ACDLΓΔ wegen Mt und LXX nachgetragen). Das ἕνεκεν τούτου der LXX nutzt Mk geschickt für seinen Beweis aus, aber auch das οἱ δύο, das LXX hier eingefügt hatte, ist unent-

[1] Die Auffassung eines kollektiven Singulars als individuellen begegnet uns auch in rabbinischen Argumentationen, auch für Gen 1,27.
Nach Midr. Abkir (zitiert aus L. Ginzberg, Eine unbekannte jüdische Sekte, in: Monatsschrift f. Gesch. u. Wiss. d. Judentums 21 (1913) 284-303, hier 297 Anm. 5 Dieser zitiert nach Neubauer, REJ, 14, 110, der dieses Zitat aus dem verschollenen Midrasch Abkir nach einer handschriftlichen Notiz mitteilte) heißt es in einem Argument gegen Polygamie: Joseph sprach zur Frau des Potiphar: „Als Gott die Welt schuf, da schuf er nicht zwei Männer und eine Frau, sondern Männlein und Weiblein schuf er sie". – (Vgl. dazu unten S. 549, 553f).
Ähnlich wird bereits – allerdings ohne Anführung von Gen 1,27 – argumentiert in Midr. Ab d. R.N. 2.5a (Job 31,1): „R. Judah ben Bathyra beschloß, nicht mehr als ein Weib zur gleichen Zeit zu haben, weil er dachte, daß 'wenn es für Adam sich geziemt hätte, zehn Frauen zu haben, würde Gott ihm zehn gegeben haben, aber er gab ihm nur eine'". Jeb VI,6 wird der kollektive Singular an dieser Stelle als individueller aufgefaßt, damit man die Mindestzahl der Kinder daraus ableiten kann: „Niemand soll aufhören, Kinder zu erzeugen, es sei denn, daß er schon Kinder habe, nach den Schammaiten zwei Söhne, nach den Hilleliten einen Sohn und eine Tochter; denn es heißt: als Mann und Weib schuf er sie".
Auch an anderen Stellen wird die Regel befolgt, daß, wo ein Singular geschrieben ist, der Plural damit ausgeschlossen ist (vgl. Jeb III,9). Denn die Schrift läßt nichts unerwähnt (vgl. W. Bacher, a.a.O., I,43.44), und wer das eine gesagt hat, hat nicht das andere gesagt. Auch andere Wortpartikel, die gesetzt sind, schließen damit das Gegenteil aus.

behrlich, denn durch dieses ist die Verbindung zu ἄρσεν καὶ θῆλυ in Gen 1,27 überhaupt erst hergestellt! Die zwei Individuen, die Mk aus Gen 1,27 herauslas, findet er so in Gen 2,24 wieder. Allerdings war nach LXX in Gen 2,24ab nur vom Mann die Rede. LXX hatte aber – in Angleichung an den weiteren Zusammenhang – איש durch ἄνθρωπος übersetzt. Diese Übersetzung machte sich Mk zunutze: Denn er stellte jetzt die Verbindung zu Gen 1,27 dadurch her, daß er ἄνθρωπος nicht als Mann, sondern als Mensch faßte, als Oberbegriff zu ἄρσεν καὶ θῆλυ. Deshalb fiel der Satz καὶ προσκολληθήσεται πρὸς τὴν γυναῖκα αὐτοῦ notwendig aus, da er nur für den Mann gilt. Das Vater-und-Mutter-Verlassen gilt vom Mann und von der Frau. Das καταλείψει ist auf beide bezogen (vgl. auch W. Dittmann, a.a.O., 97), οἱ δύο, welches nach Auslassung des Satzes καὶ προσκολληθήσεται... αὐτοῦ aus Gen 2,24 völlig ohne Bezugspunkt im Satz wäre, da die Frau ja nicht mehr erwähnt wird, kann jetzt aber, da ἄνθρωπος der vermittelnde Begriff ist, mühelos auf ἄρσεν καὶ θῆλυ in Gen 1,27 bezogen werden. Der Inhalt von ἄνθρωπος kann nach dem Text bei Mk nur sein: ἄρσεν καὶ θῆλυ.
Die Voraussetzung dafür war, daß das griech ἄνθρωπος Mensch und je nach dem Artikel Mann oder Frau bedeuten kann. – Gen 1,27, das in CD allein ausreichte, tritt hier in der Bedeutung hinter Gen 2,24 zurück, denn Mk kommt es auf das Zusammengefügtwerden durch Gott an: das συνέζευξεν aus V. 9 wird durch das zu einem Fleisch Werden erklärt; Gen 2,24 reicht aber allein nicht dazu aus. Die beteiligten Personen werden durch Gen 1,27 bereitgestellt: Gott, Mann und Frau[1]. Die männliche und weibliche Bedeutung hat ἄνθρωπος aber nicht nur hier, sondern auch Vv. 11.12 interpretieren das ἄνθρωπος μὴ χωριζέτω in V. 9 in diesem Sinne. Denn den ihm überkommenen Satz vom Ehebruch, der durch den Mann entsteht (V. 11), ergänzt Mk durch einen Satz über die von der Frau ausgehende Scheidung. Wenn also Mann und Frau entlassen können, dann bezieht sich ἄνθρωπος in V. 7 und auch in V. 9 (jetzt) auf beide. V. 12 ist die Anwendung von V. 11 im Sinne von V. 7.
Möglicherweise war Mk bei der Kombination von Gen 1,27 mit Gen 2,24 auch die rabbinische Ansicht nicht unbekannt, daß Gen

[1] Zum Verhältnis von Gen 1,27 und Gen 2,24 an dieser Stelle vgl. J. B. Schaller, a.a.O., 71: „Diese Aussage (sc. Gen 2,24) wird auf Gen 1,27 übertragen und von dort aus die untrennbare Einheit der Ehe als schöpfungsmäßige Ordnung (männlich und weiblich, d.h. „zu einem Fleisch", schuf er sie) erschlossen".

1,27 von der Schöpfung des Menschen im Allgemeinen berichtet, ab 2,7 dagegen die Einzelheiten folgen. Möglicherweise wurde Gen 2,24 daher als Ausführung von Gen 1,27 angesehen (die Duplizität der Schöpfungsberichte hatte schon Philo bemerkt; vgl. W. Bacher, a.a.O., I,112 und H. Strack, Einleitung, 104)[1].
Mk sieht in Gen 2,24 eine Aussage über die Festigkeit und Unzerreißbarkeit der ehelichen Verbindung, die Betonung liegt dabei auf μία σάρξ. Wie versteht Mk diesen Ausdruck?

[1] P. Winter und D. Daube haben ausführliche Versuche unternommen, zu beweisen, daß in Mk 10,6 die Vorstellung der Androgynität oder Bisexualität Adams im Hintergrund stehe. Daube geht davon aus, daß es zunächst ganz unklar sei, inwiefern Gen 1,27 die Ablehnung der Scheidung unterstütze; „er (sc. der Schriftbeweis) könnte ja geradezu für die Scheidung sprechen, da – so könnte man einwenden – Gott Mann und Weib als voneinander unabhängige Wesen schuf" (D. Daube, Evang. u. Rabb., 126). Gen 1,27 sei in den Zusammenhang mit Gen 2,24 gebracht, weil durch die Vereinigung der Eheleute der ursprüngliche bisexuelle Mensch wiederhergestellt werde, welcher nach zeitgenössischer Auslegung der Adam von Gen 1,27 gewesen sei. „Die Ehe nähert die geschlechtlich geschiedenen Menschen dem Zustand ursprünglicher schöpfungsmäßiger Einheit wieder an, und darum widerspricht die Scheidung dem Handeln Gottes in der Ehe" (D. Daube, ibid.). Ursprünglich aber habe Gen 1,27 als Beweis allein ausgereicht. Darauf sei gleich gefolgt: Was Gott verbunden hat... Dieser Satz sei nur auf dieser Basis verständlich. Gen 2,24 trenne Gen 1,27 von dem Schluß, den man daraus hätte ziehen müssen – (D. Daube, New Test. 71). In der idealen Schöpfung hätten Mann und Frau ein Wesen gebildet (D. Daube, Ev. u. Rabb., 126), für die Zeit der Aufrichtung der βασιλεία aber gelte wieder das Gesetz der idealen Schöpfung. Hinweise darauf, daß diese Vorstellung vorhanden sei, gebe vor allem auch die erneute Frage der Jünger in Mk 10,10, die eine esoterische Belehrung einleite über den ursprünglichen Adam, der zugleich Mann und Weib war. Daß auch im frühen Christentum schon an die Androgynität Adams gedacht worden sei, beweise Ps Clem Hom III,2 und 2 Clem 12,2 (cf MPG II,145: ἄρσεν καὶ θῆλυ ἐποίησεν αὐτόν; MPG I,345-47: ὅταν ἔσται τὰ δύο ἓν... καὶ τὸ ἄρσεν μετὰ τῆς θηλείης οὔτε ἄρσεν οὔτε θῆλυ ἐν δυσὶ σώμασι ἀνυποκρίτως εἴη μία ψυχή).
Die Thesen von Daube und Winter sind nicht neu. Bereits Augustinus wendet sich gegen Exegeten, die Mk 10,6 in dieser Weise interpretieren (cf. J. Maldonatus, Comm. 253). – Gegen sie ist vor allem einzuwenden, daß in Mk 10,10 keine esoterische Belehrung einsetzt, sondern eine Anwendung für die Gemeinde in Form einer Gemeinderegel. Zudem wird Gen 1,27 in V. 10ff nicht mehr erwähnt, und die VV. 8b und 9 lassen auch die Schriftauslegung bereits voll verständlich werden. Auch wenn man das Schema der Parabeltheorie des Mk im Aufbau Mk 10,2-12 erblickt, liegt doch die Verstocktheit der Hörer nicht an der Dunkelheit des Wortes, sondern an dem Nichtwollen der Hörer.

בשר konnte im MT Blutsverwandtschaft bedeuten; in Gen 2,24 war die enge Verbindung zwischen Mann und Frau durch diesen Begriff ausgedrückt worden. LXX hatte mit σάρξ übersetzt; wo man unter בשר „Verwandtschaft" versteht, übersetzt man anders: in Is 58,7 בשר durch ἐπιτήδειοι und שאר 7 × mit οἰκεῖος, in Lev 20,19 mit οἰκειότης. – Wo LXX σάρξ übersetzt, liegt ein Bezug auf Verwandtschaft nicht mehr nahe, denn σάρξ wird in dieser Bedeutung nicht verwendet. Es gibt zwar die Bezeichnung φίλαι σάρκες für die eigenen Kinder (Empedokles fr. 137,6 = Diels I,367,21), wobei aber biologische Vorstellungen den Hintergrund bilden, nach denen die σάρξ des Kindes aus dem Blut der Frau entsteht (Hippokrates, De nat infant 14-17; vgl E. Schweizer, Art σάρξ in ThWB VII,100f). Las der Grieche σάρξ in Gen 2,24, so dachte er an einen wirklichen Körper. So deutet auch Mk 10,8b: ὥστε οὐκέτι εἰσὶν δύο ἀλλὰ μία σάρξ.
Dieselbe Deutung für Gen 2,24 fand sich schon in Jub 3,6 und Sir 25,26. Ähnlich Vita Adae et Evae 3: Adam antwortet auf die Aufforderung Evas, sie doch umzubringen, damit er wieder ins Paradies zurückkönne: Wie könnte ich meine Hand gegen mein eigenes Fleisch erheben? (ut mittam manum meam in carnem meam). Jub 16,5 kennt das Huren mit dem eigenen Fleische (jĕzēmū bäšĕrhōmū). – In semitisierendem Griechisch kennt Josephus in Bell 5,4 sogar die Bezeichnung ἴδιαι σάρκες als Artverwandtschaft.
Auch nach griech. Auffassungen besteht die Ehe in einer besonderen Verbindung der Leiber (Ditt Syll 783,33f: ἐζεύγνυντο... βίοι βίοις καὶ σώμασιν ψυχαί Plutarch, Praec Coniug 33: Der Mann soll über seine Frau herrschen wie die Seele über den Leib; ibid., 34: Neben Besitz und Freunden sind die σώματα das den Eheleuten Gemeinsame; zum Sprachgebrauch vgl. Plutarch I,360 C). – Nicht die Tatsache enger Verwandtschaft also, sondern die durch den Geschlechtsverkehr hergestellte Einheit des Fleisches hat Mk aus Gen 2,24 herausgelesen (vgl. dazu die Rabb.-Stellen, nach denen der Mensch ohne Frau kein vollständiges Wesen ist b T. Jeb 63 a.b). Daher konnte in der Auslegung von Gen 2,24 in Kol 6,16 σάρξ auch mit σῶμα wiedergegeben werden: beide sind ein Mensch, weil sie einen gemeinsamen Leib haben. – An Vit Ad et Evae 3 erinnert Eph 5,29 (denn niemals hat jemand sein eigenes Fleisch gehaßt) mit der Auslegung von Gen 2,24; σάρξ und σῶμα sind auch hier gleich behandelt. – Von dieser Deutung ausgehend haben dann Kirchenschriftsteller wie Tertullian in Ad uxorem 1,2,1 (MPL 1,1277 = CSEL 70,98) die eheliche Einswerdung als Wiederherstellung der ursprüng-

lichen Einheit vor der Erschaffung Evas angesehen. Diese Deutung offenbart den Fehlweg der griech. Übersetzung mit „Fleisch", denn nach Gen 2 wird Eva erst aus der Rippe gebaut, V. 24c konnte sich also nicht auf Wiederherstellung dieser körperlichen Einheit beziehen, sondern ist von der Verwandtschaftsformel in V. 23 aus zu deuten.

Durch seinen Schriftbeweis hat Mk in das ursprüngliche, die VV 1.2.9 umfassende Streitgespräch eingetragen, daß die Juden in ihrer Verhärtung ein Gesetz veranlaßt haben, das dem in der Schöpfung sichtbaren Willen Gottes widerspricht. Nach V. 9 sind sie die Menschen, die trennen, was Gott zusammenfügte. So ist einerseits die Praxis der Gemeinde legitimiert, andererseits stehen die Juden jetzt in gänzlichem Gegensatz zum Willen Gottes. Der Schriftbeweis hat also hier die gleiche Funktion wie der in Mk 7; ging es dort darum, die Überlieferung der Juden als dem Gebot Gottes entgegengesetzte menschliche Überlieferung darzustellen, so ist hier das Wort des Moses selbst Ausdruck der verkehrten menschlichen Erkenntnis. Denn es hat zur Folge, daß das 6. Gebot übertreten wird, wie die VV. 11.12 in gleicher Redaktion zeigen. Dem 4. Dekaloggebot in Mk 7 entspricht daher hier genau das 6. Dekaloggebot.

Während das Judentum Tora und Schöpfungsordnung identifiziert, wird hier zwar das 6. Dekaloggebot mit der Schöpfungsordnung in Verbindung gebracht, aber beides wird gegen ein Einzelgebot des Moses ausgespielt. Dieser Vorgang ist traditionsgeschichtlich wie folgt zu beurteilen: 1. Bereits zu Mk 7 wurde dargestellt, daß es die Anschauung von bloßen Menschensatzungen gegenüber göttlichen Geboten im Judentum gibt. Diese Möglichkeit ist jeweils bei den Ungerechten verwirklicht; sie hängt mit ihrer Unkenntnis des Willens Gottes (, der Schrift) und ihrer Hartherzigkeit zusammen. 2. Die Begriffsgeschichte des Wortes σκληροκαρδία zeigt, daß es sich hier um ein spezielles Überhören von Gottes Gebot handelt. Das Scheidungsgebot ist also eine nur menschliche Satzung, die dem Ungehorsam gegen Gottes Schöpfungs- bzw. Dekaloggebot korrespondiert. Die Juden stehen also nicht erst mit der Tötung Jesu, sondern „rückwirkend" schon seit dem Sinai auf der Seite der Ungerechten. Diese Einschätzung der Juden ist nun freilich der sehr ähnlich, die in CD IV den Juden außerhalb der Sekte zukommt. Der Prophet Zaw, hinter dem man hergeht (vgl. den Nachfolgebegriff!), lehrt ja ebenfalls Übertretung bestimmter Gebote und übertritt Gen 1,27; nur handelt es sich hier um einen jüdischen

Propheten, nicht um die Tora selber. – Jesus wirft daher den Juden das Gleiche vor wie CD dem Propheten Zaw und seinen Nachfolgern. Die Frage, in welcher Hinsicht die Äußerungen von Mk 10, 3-8 prinzipiell zu verstehen seien, ist dahin zu beantworten, daß die Juden jedenfalls insgesamt vom Vorwurf der Hartherzigkeit getroffen werden. Das trifft aber hier nicht für die Beurteilung auch der Tora im Ganzen zu (so wie es etwa in Ptol ad Flor geschieht). Im Blick auf die Beurteilung der Tora ist die systematische Konsequenz hier nicht gezogen – das ist aber nicht etwa Inkonsequenz, sondern folgt aus der Tatsache, daß es sich hier nur um einen Ausschnitt bzw. eine spezielle Anwendung (auf Dt 24,1 ff) einer allgemeineren Tradition über das den Juden nach ihrem Abfall zum goldenen Kalb gegebene Gesetz handelt. Diese allgemeinere Tradition wird mit Bestimmtheit hier schon vorausgesetzt, es ist nicht vorstellbar, daß sie sich erst auf Grund dieser Stelle entwickelt hätte, d.h. sie wird jüdischen Ursprungs sein.

§ 6 Die formgeschichtliche Herkunft der antijüdischen Polemik in Mk 10,1-12

Bereits zu dem Stichwort „Menschensatzungen" in Mk 7 hatten wir anhand von Test Aser 7,5; Test Levi 14,4; 16,2 auf formgeschichtliche Zusammenhänge hingewiesen, in denen der Abfall Israels als Abfall vom Gesetz, Aufstellen von Menschensatzungen und besonders als Unreinheit und Unzucht erklärt wird. Der Text in CD IV zeigt, daß der Vorwurf der Unzucht mit Hilfe von Gen 1,27 auf das Thema Ehescheidung bzw. Besitz von mehreren Frauen spezialisiert worden ist; eben dieses liegt auch in Mk 10,1-12 vor. Beide Texte gehören also einer Gruppe von Zeugnissen an, indenen der Abfall Israels auf diese Weise geschildert wird. Von diesem ursprünglichen Sitz im Leben her bestimmt sich die antijüdische Polemik in Mk 10,1-12. Daß darauf in V. 17-31 ein Stück über den Reichtum folgt, dürfte ebenfalls nicht zufällig sein, sondern ist wohl durch die Zusammengehörigkeit der Themen in dieser Überlieferung kompositionell bedingt.
Während in CD IV,15 noch von drei Netzen Belials die Rede war, Unzucht, Reichtum, Befleckung des Heiligtums, beginnt in Z. 19 ein Stück, in dem nur mehr zwei dieser Laster auf die „Erbauer der Mauer" angewandt werden: Hurerei und Befleckung des Heiligtums (V. 6). Der Abschnitt über Unzucht umfaßt einen längeren Exkurs

über König David mit apologetischer Tendenz. Die Befleckung des Heiligtums geschieht durch Übertretung von Lev 15,19; 18,13 etc. In V. 11 kommt als weitere Verunreinigung hinzu die Verunreinigung des Hl. Geistes durch Lästern gegen den Bund Gottes und Bezweifeln von dessen Festigkeit. – Das Stück zeigt nächste Verwandtschaft zu Jub 23,21:
quoniam universi ad fraudem et ad divitias se extollent, ut accipiant singuli universa quae sunt proximi sui, et nomen magnum nominabunt non in veritate et non in iustitia, et sanctificationem sanctam polluent in abominationibus pravitatis (HS: veritatis) et immunditiis.
Nach Jub 23,19b handelt es sich hier um ein prinzipiellesVergessen von Geboten, Bund und Rechtsbestimmung. Die Kombination von Reichtum, Lästerung und Verunreinigung des Allerheiligsten durch Unreinheit findet sich also im gleichen Zusammenhang wie in CD IV (Abschaffung des Gesetzes). In CD ist die Art der Unreinheit weiter ausgeführt: Statt „Unreinheit und Verderbnis der Befleckung“ hat CD: Unzucht und Befleckung. Daraus erhellt, daß die nähere Bestimmung der Unzucht hier redaktionelle Zutat von CD ist. Z. 14f gibt eine abschließende Qualifizierung dieser sich auch über den Buchstaben des Gesetzes hinwegsetzenden Gegner: „Wer sich ihnen nähert, bleibt nicht rein“. Damit ist deutlich, daß es sich insgesamt um das Thema Unreinheit handelt. Das David-Beispiel ist deshalb so weit ausgeführt, weil sich die Bestimmung, nicht zwei Frauen zu Lebzeiten haben zu dürfen, nicht positiv aus der Schrift nachweisen läßt, vielmehr David ja als Gegenbeispiel angeführt werden kann. Während die Befleckung des Heiligtums Verletzung ausdrücklicher atl Gebote ist, ist das Verbot, mehr als eine Frau zu haben, nur mit Hilfe eines Schriftbeweises zu legitimieren, stammt also ursprünglich nicht aus der Schrift. Die apologetische Behandlung des Davidbeispiels setzt bereits einen zwischen rivalisierenden Gruppen geführten theologischen Streit voraus. Die gleiche Kombination findet sich noch einmal, verbunden mit dem ausdrücklichen Hinweis, daß die Juden Gebote lehren, die denen Gottes entgegengesetzt sind, in Test Levi 14,4.5-8:
τὸ φῶς τοῦ νόμου τὸ δοθὲν ὑμῖν εἰς φωτισμὸν παντὸς ἀνθρώπου, τοῦτον θελήσετε ἀνελεῖν ἐναντίας ἐντολὰς διδάσκοντες τοῖς τοῦ θεοῦ δικαιώμασιν. 5 τὰς προσφορὰς κυρίου ληστσεύετε..., μετὰ πορνῶν. 6 καὶ ἐν πλεονεξίᾳ τὰς ἐντολὰς κυρίου διδάξετε... ὑπάνδρους βεβηλώσετε καὶ πόρναις καὶ μοιχαλίσιν συναφθήσεσθε, θυγατέρας δὲ ἐθνῶν λήψεσθε... 8 καταφρονήσετε γὰρ τὰ ἅγια.

Befleckung der Opfer, Habgier, Unzucht und Befleckung des Heiligtums gehören auch hier als typische Laster zusammen. Es wird deutlich, daß CD IV,21 eine bestimmte Auslegung des in diesem Zusammenhang traditionellen Topos über den Ehebruch ist. Aus diesem Vorstellungsbereich stammt auch Mk 10,1-12, denn der Vorwurf der Außerkraftsetzung von Geboten Gottes ist in allen vergleichbaren Stücken gegeben (Jub 23,19: obliti sunt praeceptum et testamentum CD: פתחו פה על חוקי ברית Test Levi: νόμον... ἀνελεῖν. V7: φυσιώσεσθε... καὶ κατὰ τῶν ἐντολῶν τοῦ θεοῦ). Die antijüdische Polemik ist also durchaus hier vorgebildet.

Die genannten Texte stehen formgeschichtlich in einer verbreiteten Tradition, deren Sitz im Leben die Gattung der Testamente ist. Es handelt sich nämlich durchweg um Weissagungen über einen zukünftigen Abfall. Dieser Abfall ist auch dadurch gekennzeichnet, daß Israel „gesetzlos“ wird. Eine nahezu überall erwähnte Folge davon ist die Unzucht, der Israel dann anheimfällt. In den Test Patr wird die Tatsache des künftigen Abfalls Israels jeweils aus den himmlischen Tafeln bzw. den Schriften Henochs entnommen. Nach Test Sim 5,4 werden die Söhne Israels in ἐν πορνείᾳ sein, ebenso nach Test Juda 17,2 (ἔσται τὸ γένος μου εἰς ἀπώλειαν πορνείας), nach Test Juda 18,2-5 werden die bereits in Jub 23,21; CD IV erwähnten Laster herrschen: πορνεία καὶ φιλαργυρία... ὅτι ταῦτα ἀφιστὰ τῷ νόμῳ τοῦ θεοῦ 5 θυσίας...ἐμποδίζει... προφήτου... οὐκ ἀκούει. Nach Test Iss 6,1 heißt es einfach: καταλιμπάνοντες τὰς ἐντολὰς κυρίου κολληθήσονται τῷ βελίαρ (vgl. 7,2: Unzucht). Nach Test Zab 9,7 wird Israel dann Greuel verrichten, nach Test Dan 6,6 und Test Napht 4,1 handelt es sich um ἀνομία Israels, die in Unzucht besteht (ἀνομία ἐθνῶν, πᾶσα πονηρία Σοδόμων). Die Formulierung in Test Benj 9,1 gleicht der in Napht 4,1 weitgehend; hinzu kommt, daß deswegen die Basileia Gottes nicht bei Israel sein werde. – Ähnlich wird der Abfall Israels auch nach Jub 1,9-14 geschildert: Israel wird die Gebote und das ganze Gesetz vergessen (V. 9.10.14) und dem Schmutz und der Schmach der Heiden nachlaufen. – Einfacher heißt es im Testament des Moses in Lib Ant 19,2: „relinquetis disposita vobis per me verba“ und im Testament des Eleazar (durch Finees) in Lib Ant 28,4: „corrumpet vias suas recedens a mandatis meis“. – Es wird deutlich, daß die Texte CD IV und Jub 23,21 eine bestimmte Ausformung dieser Tradition sind; auch die Aussagen über die Verdrängung der göttlichen Gebote durch falsche menschliche Satzungen in Test Aser und Test Levi gehören hierher. – Für die Erhellung von Mk 10,1-12 leistet die Feststellung dieser Tradition folgendes: 1. Es wird einen Abfall Israels vom Gesetz geben; dieser Abfall ist für Mk bereits zur Zeit des Moses feststellbar (vgl. die Tendenz von Apg 7!). 2. Dieser Abfall vom Gesetz äußert sich darin, daß Menschensatzungen gegenüber Gottes Geboten aufgestellt werden; eben diese Feststellung wird in Mk 7,8.9.13; 10,4.5.9 über die Überlieferung der Juden gemacht. 3. Der Abfall vom Gesetz äußert sich primär in Unzucht. CD IV und Mk 10 sind Belege dafür, wie die Reinheitsfrage hier speziell auf die Ehescheidung angewandt wird. In den übrigen Texten handelte es sich jeweils um das Heiraten heidnischer Mädchen, Perversität oder Ehebruch. Das Verbot der Ehescheidung mit Hilfe von Gen 1,27 ist also eine besondere Ausformung dieser Tradition. Es wird deutlich, daß die zugrundeliegenden Stücke Mk 10,9.11.12 durch die Komposition der Perikope in den Zusammenhang dieser Tradition hineingestellt wurden, die den Abfall Israels vom Gesetz zum Thema hat, welcher sich in Menschengeboten und in Unzucht äußert. In Test Benj 9,1 wird überdies das Thema der Basileia angesprochen, das so auch in Mt 19,12 und in ähnlichem Zusammenhang in 1 Kor 6,9 begegnet.

CD IV und Mk 10,1-9 stimmen nicht nur darin innerhalb dieser Tradition besonders überein, daß sie das Unzuchtsverbot auf den Besitz nur einer Frau spezialisieren und dazu Gen 1,27 und den Hinweis auf die Schöpfungsordnung verwenden, vielmehr sehen beide Texte das gegenwärtige Judentum so an, daß in ihm diese Gesetzlosigkeit bereits herrscht. Aus CD II f geht hervor, daß Hartherzigkeit schon seit dem Auszug aus Ägypten Israel vorzuwerfen ist, und der Vorwurf der Hartherzigkeit in Mk 10,5 bezieht sich auf die Generation am Sinai – in beiden Fällen ist der Vorwurf so ausgerichtet, daß das gegenwärtige Judentum als gesetzlos angesehen wird. Im Kontext der Vorhersagen der Erzväter über den künftigen Abfall vom Gesetz bedeutet dieses, daß die Abfallsweissagungen schon unmittelbar nach dem Tod der Väter eintrafen. Für CD und Mk 10 handelt es sich nicht erst um einen endzeitlichen Abfall, wie man noch für Mk 7 annehmen konnte. Der gegen Israel erhobene Vorwurf trifft noch tiefer und früher und bezieht sich schon auf die 2. Tora des Mose.

Die Haltung Jesu gegenüber dem Gesetz bzw. der Überlieferung der Juden ist also jedenfalls in Mk 7 und in Mk 10 daher erklärbar, daß das Thema des Abfalls Israels vom Gesetz aufgegriffen wurde: Nicht Jesus ist Gegner des Gesetzes, sondern den Juden wird nachgewiesen, daß sie Gottes Gesetz verlassen haben. Folgt man dem

Schema der Testamente, so vollzieht sich nach der Zeit der Gesetzlosigkeit die Umkehr Israels, nach welcher sie dann wieder Gottes Gebote tun werden (besonders deutlich in Jub 1,24). Jesus ist dieser Umkehrprediger.
Schließlich ist zu beachten, daß nach Test Juda 18,5; Jub 1,12 von dieser Gesetzlosigkeit Israels die Gesetzeslehrer dieser Zeit, die Propheten, besonders betroffen werden: Man hört sie nicht und tötet sie. In Mk 7 und Mk 10 zeigt der Prophet Jesus die Gesetzlosigkeit Israels nicht an seinem moralischen Verhalten auf, sondern an seinem Gesetz selber.

§ 7 *Die Auslegung des 6. Gebotes in Mk 10,11 f parr.*

Das Verbot der Ehescheidung findet sich im NT in zwei grundsätzlich verschiedenen Fassungen. Die eine – dargestellt durch Mt 5,32 – beruht auf Reinheitsvorstellungen aus P-Traditionen: die Wiederheirat einer Geschiedenen soll verhindert werden. Die andere Fassung ist jüdisch-hellenistisch, entspringt dem Prinzip nach der Treueklausel in jüd.-hell. Heiratsverträgen und findet sich am reinsten in Mk 10,11 und in 1 Kor 7,10. Hier liegt der Ton darauf, die Frau nicht zu entlassen. Hier zeigt sich also die beachtenswerte Tatsache, daß ein Herrenwort in den zwei hauptsächlichen Überlieferungsbereichen aus sehr verschiedenen Voraussetzungen formuliert worden ist – eine Reihe von Mischfassungen entsteht. Die hellenistische „Interpretation" (?) des palästinensischen Grundbestandes (?) ist tiefgreifend und in der praktischen Konsequenz sogar rigoroser.
V. 9 ist am besten als weisheitlicher Mahnspruch zu charakterisieren, dem im Hebr ein Prohibitiv entsprechen würde; griech. Parallelen finden sich in Acta 10,15; Ps-Phokylides VV. 175-194[1]. – VV. 11.12 dagegen haben formal anderen Charakter. Kasuistisch

[1] Entsprechend sagt der Apostel von sich nach Acta Ioh ed. Zahn p. 72 in einem Logion, das den synoptischen Worten über das Gesandt- und Gekommensein Jesu nachgebildet ist: ὁ γὰρ Χριστὸς οὐκ ἀπέστειλέν με χωρίζειν γυναῖκα ἀπὸ ἀνδρός, ἀλλ' οὐδὲ ἄνδρα ἀπὸ γυναικός. Vgl. zum Gegensatz Gott/Mensch:
Prov 25,2 δόξα θεοῦ κρύπτει λόγον, δόξα δὲ βασιλέως τιμᾷ πράγματα
16,9 πάντα τὰ ἔργα τοῦ κυρίου... φυλάσσεται δὲ ὁ ἀσεβῆς
Ps.-Phok 175-194: μή + konj. Aor., μηδέ + konj. Aor. oder Infinitiv.

als konditionale Relativsätze formuliert geben sie keine imperativische oder prohibitivische Mahnung, sondern sagen nur, was geschieht, wenn man etwas Bestimmtes tut: (V. 11) Wer seine Frau entläßt... bricht die Ehe[1]. – Formal und inhaltlich verwandte Logien zu VV. 11.12 finden sich in der Parallele Mt 19,9 und in Mt 5,31; Lk 16,18; die beiden letzteren Logien sind im Schema πᾶς ὁ + Partizip + Objekt konstruiert und werden Q zugeordnet. Das Verhältnis dieser inhaltlich divergierenden Logien zueinander ist nicht auf Grund rein formaler und literarkritischer Kriterien zu bestimmen, sondern nur durch Erhellung des traditionsgeschichtlichen Hintergrundes, auf dem diese Vorstellungen möglich waren (was bisher noch nicht unternommen worden ist). Für die Herleitung aus bestimmten Vorstellungskreisen ist die spätjüdische Interpretationsgeschichte des 6. Gebotes von größter Bedeutung (s.o.).
In Mk 10 ist zunächst V. 12 gegenüber V. 11 sekundär (1. die Form weicht ab und ist weniger semitisierend als in V. 11; vgl. K. Beyer, a.a.O., 145; 2. Daß die Frau den Mann entlassen kann, setzt heidnisches bzw. jüdisch-ägyptisches Scheidungsrecht voraus[2]). Damit

[1] Zur Eigenart dieser Satzformen vgl. K. Berger, Zu den sogenannten Sätzen heiligen Rechts, in: NTSt 17 (1970/71) 10-40; ThZ 1972.

[2] Daß die Frau ihren Mann verläßt, gehört nach apok Vorstellungen zum Kampf aller gegen alle in der Endzeit und wird daher als besonders schwerwiegend und als Zeichen für totale Unordnung angesehen, so in der Esdras Apk (ed. Ti. p. 27; Übers. Riessler 3,12-14): καὶ γυνὴ τὸν ἄνδραν (sic) τὸν ἴδιον καταλιμπάνει (Vgl. V. 14: ἐλεεῖ... οὔτε ἀνὴρ γυναῖκα). – Zur Lit. vgl. den aram. Heiratsbrief Papyrus G 4 aus Elephantine; Lit. auch bei J. Dupont, a.a.O., 61-63. Vgl. dazu R. Taubenschlag, The Law of Greco-Roman Egypt in the light of the Papyri 332 B.C.-640 A.D., Warschau 1955, 121: Scheidung sei sowohl dem Mann wie der Frau erlaubt; 122: „The husband had the right to ἀποπομπή, the woman to ἀπαλλαγή corresponding to the attic ἀπόλειψις. The divorce was performed by actual separation". Vgl. Mitteis-Wilcken, II,1, 217: „Die Scheidung durch die Frau (ἀπαλλαγή) gilt nicht als Verletzung ihrer Treupflicht, wird also nicht mit dem Verlust ihrer Dos und mit keiner Vermögensstrafe bedroht". S. 219 wird die Scheidungsmöglichkeit für beide Eheleute betont. Ebenso: H. J. Wolff, Written and Unwritten Marriages in Hellenistic and Postclassical Roman Law (Philol. Monogr. p. b. Amer. Phil. Ass.; 9), Haverford 1939, 33. – Scheidungsklauseln im Ehevertrag behandelt E. Lüddeckens, Ägyptische Eheverträge (Ägyptol. Abhandlungen), Wiesbaden 1960, 268-276. Ferner: W. Erdmann, Die Ehe im alten Griechenland, Weimar 1933; ders., Zum γάμος ἄγραφος der gräko-ägyptischen Papyri, in: Festschrift P. Koschaker III (Weimar 1939) 224-240; E. Hruza, Die Ehebegründung nach attischem Rechte (Beitr. z. Gesch. d. griech. u. röm. Privataltertümer I), Erlangen und Leipzig 1892; S. G. Huwards, Beiträge

ist aber zugleich erwiesen, daß die in Mk 10 festgestellte Parallelität von Mann und Frau nicht auf einem ursprünglich doppelteiligen Logion VV. 11-12 beruht, sondern daß diese Parallelisierung der gleichen Schicht wie auch das Logion in V. 12 entstammt. Daraus folgt, daß V. 11 Mk vorgegeben ist. – Dieser V. 11 gehört der Form nach in eine Reihe von Mk vorgegebenen paränetischen, konditional formulierten Sätzen (s.u.). Diese Sätze regeln die Verhältnisse zwischen Gemeinde und Außenwelt und auch die innerhalb der Gemeinde; zur Gruppe der letzteren gehört Mk 10,11. Durch Entlassung der eigenen und Heirat einer anderen Frau begeht der Mann Ehebruch gegen die eigene Frau (μ. ἐπ' αὐτήν). Diese Vorstellung ist dem AT fremd, denn dort kann der Mann nur die Ehe eines anderen brechen, nicht aber die eigene gegenüber seiner Frau. Ein bestimmter Traditionsstrang der Auslegung des 6. Gebotes im Spätjudentum zeigte aber, daß der Mann auch gegenüber der eigenen Frau zur Treue verpflichtet war. In jenem Kap. wurde deutlich, daß ein Vergehen des Mannes ebenso Sünde ist wie das Weggehen der Frau und daß der Mann nur mit seiner eigenen Frau zusammensein darf. Auch bei Philo hatten wir festgestellt, daß die Neuheirat ebenso ein Übertreten der Satzungen der Ehe bedeutet wie Ehebruch. Ps Sal 8,10 ließ ebenfalls die Deutung zu, daß Neuheirat von Geschiedenen als Ehebruch bezeichnet wurde. Vor allem aber verstößt ein Entlassen der Frau durch den Mann gegen den Ehevertrag, in dem der Mann versprechen mußte, sie nicht zu entlassen (s.o.)

zum griechischen und gräko-ägyptischen Eherecht der Ptolemäer- und der frühen Kaiserzeit (Leipziger Rechtswiss. Stud.; 64), Leipzig 1931; H. Kunkel, Art. Matrimonium, in: PWRE XIV,2,2259-2286; A. Lesquier, Les actes de divorce gréco-égyptiens, in: Rev de Philol 30 (1906) 5ff; P. W. Pestmann, Marriage and Matrimonial Property in Ancient Egypt (Papyrol Lugd Bat; 9), Leiden 1961; E. v. Lasaulx, Zur Geschichte und Philosophie der Ehe bei den Griechen (Abh. Bayer. Ak. d. Wiss. PhHKl 7), München 1853; J. Nietzold, Die Ehe im alten Ägypten zur ptolemäisch-römischen Zeit, Leipzig 1913; J. Rabinowitz, The „Great Sin" in ancient Egyptian Marriage Contracts, in: Journ Near East Stud 18 (1959) 73.280; O. Schultheß, Art. συνθήκη in: PWRE Suppl VI, 1150-1168; R. Taubenschlag, The Law of Greco-Roman Egypt in the Light of the Papyri 332 B.C. – 640 A.D., Warschau 1955; ders., Das Strafrecht im Rechte der Papyri, Leipzig und Berlin 1916; U. Türck, Die Stellung der Frau in Elephantine als Ergebnis persisch-babylonischen Rechtseinflusses, in ZAW 46 (1928) 166-169; L. Wahrmund, Das Institut der Ehe im Altertum, Weimar 1933; E. Balogh, Some Notes on Adultery and the Epikleros according to Ancient Athenian Law, in: Stud in Mem E. Albertino II,683ff.

und auch keine andere zu nehmen und nicht aus einer anderen Kinder zu zeugen (so schon im ältesten griech. Ehevertrag Pap Elephantine 1 (Z 8/9): μὴ γυναῖκα ἄλλην ἐπεισάγεσθαι... μηδὲ τεκνοποιεῖσθαι ἐξ ἄλλης γυναικός vgl. R. Taubenschlag, Das Strafrecht im Rechte der Papyri, Leipzig und Berlin 1916, 36). Wie bereits Philo und Ps Sal zeigen, geriet auf Grund dieser Praxis der gräko-ägyptischen hellenistischen Zeit die Ehescheidung offenbar in Verruf und wurde im Verlauf einer erweiternden Auslegung des 6. Gebotes als ein Verstoß gegen dieses betrachtet. Der Hintergrund für die weisheitliche Paränese – um solche handelt es sich der Satzform nach – Mk 10,11 sind daher: die Ausdehnung der Treupflicht auf den Mann[1], der Charakter der Ehescheidung als Vertragsübertretung und die weitere Auslegung des 6. Gebotes im Allgemeinen.
Der Ehebruch besteht darin, daß der Mann statt mit seiner mit einer anderen Frau verkehrt. Trotz erfolgter Scheidung verfehlt sich der Mann gegen seine frühere Frau. Hier tritt wieder jenes eigenartige Verständnis von Ehebruch zutage, das wir schon bei Philo feststellten, das unabhängig war von der Legalität juristischer Formalitäten bei der Scheidung. Bei Philo wie bei Mk ist Ehebruch auch bei legaler Scheidung gegeben und besteht in der Verletzung der Treupflicht gegenüber der Frau; im Hintergrund steht nicht die Vorstellung eines noch bestehenden Ehebandes, sondern die griechische Auffassung von μοιχεύειν. Nicht daß eine legale Ehe gebrochen wird, ist das entscheidende Merkmal dieses Verbs, sondern die allzu mächtige und daher meist illegitime Äußerung des Geschlechtstriebes[2].

[1] Vgl. zum Sprachgebrauch auch Lib Ant 45,10: „mechati sumus alterutrum in mulieres nostras". Auch hier wird der Ehebruch als Vergehen gegen die Frau aufgefaßt. Wie sehr es für jüd-hell. Verständnis auf die Treuverpflichtung ankommt, zeigt Sib III, 43.45 (Sie wollen gar nicht mehr die Treue halten... Die Ehefrauen wollen nicht des Lebens Richtschnur innehalten). Zu vergleichen ist außer der sog. Regina-Inschrift (CIJ I Frey Nr. 476 p. 350: „pietas, vita pudica, amor generis, observantia legis") auch der berühmte Abschnitt bei Philo, Q in Gen I 29 (ed. R. Marcus p. 17f) über das eheliche Leben.

[2] Vgl. H. Bogner, Was heißt μοιχεύειν?, in: Hermes 76 (1941) 318-320, 318: „Nicht der Tatbestand, daß eine faktisch bestehende, legale Ehe gebrochen wird, ist das entscheidende Merkmal des μοιχεύειν, sondern der besondere Gefühlscharakter, die innere Haltung, in der eine Vereinigung geschieht". B. beruft sich dafür auf Athenaeus 13,578f, wo es von Leontiskos heißt, er habe die Hetäre Mania wie ein Eheweib umfangen (γαμετῆς τρόπον γυναικός), diese habe aber dann die Ehe gebrochen (μεμοιχευμένην αἰσθόμενος), nach Kritias Fr 44 B bekennt sich Archilochos als μοιχός, wobei nicht faktischer

Diese Verschiedenheit des griech. Verbs von unseren Vorstellungen über „Ehebruch“ ist sicher auch von großer Bedeutung gewesen für die Ausweitung des Inhaltes des 6. Gebotes im Spätjudentum. Daher ist für Mk 10,11 nicht der Vertragsbruch in den Vordergrund zu stellen (denn trotz der Verträge bei Eheabschluß gab es Scheidung in der antiken Welt sehr häufig), sondern die Ausweitung des 6. Gebotes auf die Verletzung der Treupflicht gegenüber der Frau. Aus diesem Grunde ist trotz der Legalität der Ehescheidung der Verkehr mit der neuen Frau Ehebruch gegen die frühere: wegen einer weiteren, nicht auf das rechtliche Besitzverhältnis, sondern auf die Treue gerichteten Interpretation des 6. Gebotes. – Dieses Verbot der Heirat einer anderen ist also durchaus im Rahmen hellenistisch-jüdischer Dekalogrezeption zu verstehen. Mk hat dieses Logion zu Mk 10,9 in Beziehung gesetzt; dort ist die Scheidungswarnung nicht auf eine mögliche Interpretation des 6. Gebotes ausgerichtet, sondern in ganz anderer Weise auf das Verbundenwerden durch Gott, eine Vorstellung, die an sich Ehescheidung nicht unmöglich machte, wie das zeitgenössische Judentum zeigt, das ja die Auffassung von dem die Eheleute zusammenfügenden Gott auch kannte. Die Verschärfung gegenüber diesem V. 9 tritt erst ein durch den antijüdischen Schriftbeweis in V. 3-8, der zugleich gegen das Gesetz der Juden die Einheit der Eheleute als Schöpfungsordnung hinstellt, und durch VV. 11.12, wo jetzt das Tun der Juden als Ehebruch bezeichnet wird. Hier werden daher Anschauungen, die aus dem Raum des hellenistischen Judentums selbst kommen (VV. 11.12), durch die Redaktion gegen das Gesetz der Juden verwendet. Auf der Seite der Praxis der Gemeinde stehen nunmehr das 6. Gebot und die Schöpfungsordnung.
Mt 19,9 übernimmt das mk Logion, fügt wie in 5,32 die (hier abge-

Ehebruch gemeint ist, sondern eine bestimmte Triebhaftigkeit; ähnlich von Frauen in Aristoph. Eir 980; in Ekkl 522 korrespondiert dem μοιχός das βινεῖν, im Gegensatz zum ὀπυίειν; Ach 265 bezeichnet μοιχέ das bakchant. Außersichsein. – Bogner, a.a.O., 320: „Vermerkt sei noch, daß die ‘verinnerlichte’ Deutung bei Mt 5,28... dem hellenischen Gebrauch in hohem Grade entspricht und eine nur äußerliche, formalistische Auffassung abweist“. Vgl. dazu J. Blinzler, Die Strafe für Ehebruch in Bibel und Halacha / Zur Auslegung von Joh VIII,5, in: NTSt 4 (1957/58) 32-47: Die Beobachtung von Bogner könne zutreffen, schlösse aber nicht aus, daß die Verletzung einer bestehenden Ehe grundsätzliches Merkmal des μοιχεύειν sei. – Blinzler hebt aber selber hervor, daß μοιχεύειν später allgemein jede ungesetzliche Verbindung sei (mit Hinweis auf Pape II,194: Verführung eines Mädchens).

wandelte) Klausel[1] hinzu und läßt ἐπ' αὐτήν weg, so daß der Ehebruch hier nicht „gegen" den Ehepartner gerichtet ist, sondern als Sünde nicht-sozialer Art besteht. – Am weitesten von Mk 10,11 abweichend ist Mt 5,32. Die Vorstellungen über die Folgen der Ehescheidung sind hier völlig anderer Art. Nicht durch die Neuheirat einer anderen Frau entsteht Ehebruch (gegen die frühere), sondern dadurch, daß eine Geschiedene heiratet oder daß man selbst eine Geschiedene heiratet. Hier herrscht nicht die Vorstel-

[1] Die Lit. zur Deutung der Klauseln bei Mt ist hauptsächlich apologetischer Art und kath. Herkunft; die hier angeführte Liste ließe sich beliebig vermehren; zu nennen sind: A. Allgeier, Die crux interpretum im ntl Ehescheidungsverbot / Philologische Untersuchung zu Mt 5,32 und 19,9, in: Angelicum 20 (1943) 128-142; ders., Alttestamentliche Beiträge zum neutestamentlichen Ehescheidungsverbot, in: ThQ 126 (1946) 290-299; H. Baltensweiler, Die Ehebruchsklauseln bei Matthäus, in: ThZ 15 (1959) 340-356; J. B. Bauer, Die matthäische Ehescheidungsklausel (Mt 5,32 und 19,9), in: Bib Lit 38 (1964/65) 101-106; A. Fridrichsen, Excerpta fornicationis causa, in: SEA 9 (1944) 54-58; B. Hennen, Zu Matth 5,32 (19,9); Act 26,29; 2 Kor 11,28 / Über die Bedeutung von παρεκτός, in: Theol u. Glaube 19 (1927) 700f; U. Holzmeister, Die Streitfrage über die Ehescheidungstexte bei Mt 5,32 und 19,9, in: Biblica 26 (1945) 133-146; P. T. Schwegler, De clausulis divortii Mt 5,32-19,9, in: VD 26 (1948) 214-217; J. Sickenberger, Die Unzuchtsklausel im Matthäusevangelium, in: ThQ 123 (1942) 189-206; ders., Zwei neue Äußerungen zur Ehebruchsklausel bei Matthäus, in: ZNW 42 (1949) 202-209; K. Staab, Die Unauflöslichkeit der Ehe und die sog. „Ehebruchsklauseln" bei Mt 5,32 und 19,9, in: Festschr. E. Eichmann 1940, 435-452; ders., Zur Frage der Ehescheidungstexte im Matthäusevangelium, in: ZkTh 67 (1943) 36-44; N. Turner, The Translation of μοιχᾶται ἐπ' αὐτήν in Mk 10,11, in: The Bible Translator 7/4 (1956) 151-152; A. Vaccari, De Matrimonio et divortio apud Matthaeum, in: Biblica 36 (1955) 149-151; A. Tafi, Excerpta fornicationis causa, in: VD 26 (1948) 18-26.

Die inklusive Deutung von παρεκτός und μή („auch nicht wegen Unzucht") vertreten K. Staab, A. Allgeier, und H. Ljungmann, Das Gesetz erfüllen, 81. Diese Deutung von παρεκτός im inklusiven Sinn findet sich zuerst bei J. M. A. Scholz in der Kath. Lit. Zeitg v. F. Kerz 1824 I,348-352 und bei J. M. P. Oischinger, Die christliche Ehe, Schaffhausen 1852, 12-144 (πορνεία sei die Grenze, bis zu der sich die Ausnahme erstrecke).

Dazu G. Delling, a.a.O., 269: „Aber 'nicht' und 'auch nicht', 'nicht einmal' (Mt 19,9) ist im Griechischen ebenso gut unterscheidbar wie im Deutschen; auch die Versuche, dem griechischen 'außerhalb' vonV. 32 einen einschließenden Sinn zu geben statt des ausschließenden, kann man nicht als gelungen betrachten". –

Die Deutung von πορνεία als blutschänderische Ehen, die sowieso verboten seien, wird von H. Baltensweiler und J. Bonsirven vertreten (auch von anderen, mit Berufung auf Geiger, Lehrbuch der Sprache der Mischnah, 28: ערוה sei die Person, mit der die Ehe nicht eingegangen werden dürfe).

lung der Verpflichtung des Mannes gegenüber seiner eigenen Frau (eine Nicht-Geschiedene darf er offenbar heiraten), sondern es soll nur verhindert werden, daß eine Geschiedene wieder heiratet. Der Ehebruch ist hier nicht gegen einen anderen gerichtet, sondern bedeutet sexuelle Verunreinigung an einer Frau, die schon mit einem anderen Mann zu tun gehabt hat. Die Herkunft dieser Vorstellung ist atl, und diese selbst ist bereits in P zu belegen[1].

Wie oben gezeigt, bildeten Vorstellungen ähnlicher Art bereits den Hintergrund für die priesterliche Motivierung von Dt 24,1ff. Es handelt sich um die Verbote an Priester und Hohepriester, eine Geschiedene oder eine Witwe zu heiraten (Lev 21,7: Priester dürfen nicht Dirne, Entehrte oder Geschiedene LXX γυνὴ ἐκβεβλημένη heiraten; Lev 21,14: der Hohepriester darf nicht Witwe, Geschiedene, Entehrte oder Dirne heiraten, sondern eine Jungfrau aus seinen Volksgenossen). Die Begründung wird mit der Heiligkeit des Priesters gegeben. Eine Frau (auch eine Witwe), die mit einem anderen Mann zu tun gehabt hat, ist offenbar unrein bzw. verunreinigend.

Diese Ausweitung der hohepriesterlichen Reinheitsbestimmungen über die Nicht-Heirat einer Geschiedenen usw. läßt sich in einer Reihe von apokalyptischen Texten verfolgen. In einem „Dekalog" in der äth Bar Apk H 89,13-20 L 71 findet sich nach einem Stück über die Verunreinigung des Tempels eine Reihe von verunreinigenden Sexualvergehen, in denen eben diese Ausweitung allgemein vorgenommen wird: In der Hölle werden bestraft, die Unzucht trieben mit einer Frau im Kindbett oder mit einer Frau in ihrer Unreinheit oder mit einer Frau schlechten Rufes („ignominious" ṣĕlĕlt), die die Frau eines Verstorbenen (bădĕn) heiraten oder die Frau ihres Bruders (die Unzucht trieben mit einer Tochter oder mit einer Schwester oder mit der Tochter eines Bruders). – Die Anm. Leslaus (A. 100) auf die Leviratsehe trifft nicht zu, ebensowenig Anm. 109 „This probably refers to a priest", da hier nirgendwo von Priestern die Rede ist. Bei der Frau eines Bruders handelt es sich möglicherweise um eine Geschiedene. Das Verbot, eine Frau schlechten Rufs, eine Witwe oder eine Geschiedene zu heiraten, ist eine Entfaltung und Ausweitung von Lev 21,14 cf Ez 44,22. Diese

[1] Unzutreffend ist daher das Urteil R. Bultmanns: „Daß die Schuld des Mannes darin besteht, daß er die Frau durch Entlassung zur zweiten Ehe veranlaßt, ist offenbar künstlich" (R. Bultmann, Die Geschichte der synoptischen Tradition, Göttingen [5]1961, S. 26).

Ausweitung geschieht deutlich unter dem Vorzeichen der Unreinheit. Der Verkehr mit einem anderen Mann macht eine Wiederheirat unmöglich, schließt daher in der Konsequenz auch die Leviratsehe aus. – In der äth Marien Apk[1] findet sich ein Katalog sexueller Verunreinigungen. Es werden genannt: die Unzucht trieben mit der Frau ihres Vaters, mit ihrer Tochter, mit ihren Freunden oder der Tochter ihrer Freunde, die mit Männern wie mit Frauen ehebrachen, die mit der Frau ihrer Söhne oder mit der Frau des Sohnes der Schwester, die mit einer Schwangeren oder einer Menstruierenden, die mit einer *Verworfenen* (ḫbă ṣĕʿĕlt) oder mit einer Mohammedanerin oder Jüdin, die mit Tieren oder Pferden oder Mauleseln oder Eseln oder Kamelen oder mit Erde, die sie so gebildet haben Unzucht trieben. „Und die Frau eines Priesters, wenn sie mit einem zweiten Mann (kĕl'ĕ bĕ'ĕsī) und die Priester, wenn sie mit einer zweiten Frau (ḫbă kălt bĕ'ĕsīt)...".
Gegenüber den atl Traditionen ist eine Reihe von Verboten neu gebildet, und zwar wesentlich in Übernahme oder Anlehnung an priesterliche Vorschriften.
Die große Bedeutung dieser atl Bestimmungen zeigt sich darin, daß die Sätze über den Hohenpriester alsbald auf den christlichen Episkopos übertragen wurden, und zwar in Minuskel 460 zu Tit 1,9: zweifach Verheirateten darf man nicht die Hände auflegen noch sie zu Diakonen machen noch ihnen gestatten γυναῖκας ἔχειν ἐκ διγαμίας. In Test Rub 6,4f wird die Ausweitung der sexuellen Reinheitsvorschriften auf die Leviten möglicherweise angedeutet: ζηλώσατε τοὺς υἱοὺς λευί.
In Ant IV,245 wird das Verbot, eine Hetäre zu heiraten, auf alle Juden ausgedehnt (ἔτι δὲ μηδὲ ἡταιρημένης εἶναι γάμου, ἧς δι' ὕβριν τοῦ σώματος τὰς ἐπὶ τῷ γάμῳ θυσίας ὁ θεὸς οὐκ ἂν προσοῖτο). Ebenso gilt das Verbot, eine Sklavin zu heiraten nach Ant IV,244 auch für alle Israeliten. – Die priesterlichen Ehegesetze referiert Josephus in Ant III,12,2. Er bezeichnet sie insgesamt als ἁγνεία. Der Katalog der Frauen, die ein Priester nicht heiraten darf, wird erweitert: eine Sklavin, eine Gefangene καὶ τὰς ἐκ καπηλείας καὶ τοῦ πανδοκεύειν πεπορισμένας τὸν βίον (eine, die durch Beschäftigungen in Krämereien oder Gasthäusern ihren Lebensunterhalt findet). Grünbaum vermutet, Josephus habe זנה als Gastwirtin von זון = speisen abgeleitet, mit Hinweis auf Ant V,1,2 (Gastwirtin statt Buhlerin). Die

[1] M. Chaine, Apocrypha de Beata Maria Virgine (CSCO; 39; Series Aeth 22), Löwen 1955, III: Apocalypsis seu Visio Mariae Virginis, hier p. 73, 19ff.

Frau schließlich kann ἐφ' αἷς δηποτοῦν αἰτίαις geschieden worden sein, womit Josephus sagen will, „daß der Priester eine Geschiedene unter keinen Umständen heiraten dürfe, selbst dann nicht, wenn durch die Ehescheidung dem sittlichen Charakter der Frau in keiner Weise Abbruch getan ist"[1]. Das Verbot, Gefangene zu heiraten, wird in c.Ap. 1,7 ausgeführt. Es hängt mit dem allgemeinen Verbot von Mischehen zusammen. Das für den Hohenpriester bestehende Gebot, nur eine Jungfrau heiraten zu dürfen, berichtet Josephus in Ant III,12,2 mit dem Zusatz (παρθένον) καὶ ταύτην φυλάττειν, was (vgl. 1 Kor 7,37) auf Nicht-Vollzug der Ehe hinauslaufen müßte. Philo setzt die Anforderungen noch wesentlich höher: Der Hohepriester soll μὴ μόνον παρθένον ἀλλὰ καὶ ἱερείαν ἐξ ἱερέων heiraten (De Mon). Nach Somn II,185 darf die Jungfrau, deren Mann er sein soll, keine Menstruation haben (τὰ γυναικεῖα κατὰ τὴν πρὸς τὸν ἄνδρα ὁμιλίαν ἐκλιπούσης Gen 18,11). Eine Wiedergabe dieser Vorschriften findet sich auch in Test Levi 9,10. Isaak sagt zu Levi: λάβε οὖν σεαυτῷ γυναῖκα, ἔτι νέος ὤν, μὴ ἔχουσαν μῶμον μήτε βεβηλωμένην μήτε ἀπὸ γένους ἀλλοφύλων ἐθνῶν. Dabei dürfte mit μῶμος das ערות דבר von Dt 24,1 wiedergegeben sein.
Die Tendenz zur Ausweitung der levitischen Bestimmungen wurde bereits im Zusammenhang mit der Auslegungsgeschichte des 6. Dekaloggebotes festgestellt; sie wurde insbesondere damit in Zusammenhang gebracht, daß die Gesetzesverkünder (und entsprechend die Boten Jesu nach syn. Tradition) sich als in levitischer Tradition stehend empfanden. Bei der Behandlung der Tradition von Mk 7 stellten wir fest, daß es im hellenistischen Judentum offenbar u.a. zwei entgegengesetzte Positionen gegeben hat, deren eine stärker am Moralgesetz, deren andere aber an der Ausweitung des Reinheitsbegriffes orientiert war. Traditionen der letzteren Art sind in Mt 5,27-37; Mt 19,13 in die synoptische Tradition übernommen worden. Die Möglichkeit dazu war durch das Selbstverständnis der judenchristlichen Missionare und ihres Traditionsgutes gegeben. Weitere Texte zeigen, daß die Forderung nach Ehelosigkeit nicht nur de facto für den Hohenpriester erhoben wurde, sondern sehr bald auch auf alle Leviten ausgedehnt worden ist. Auch hier stehen Reinheitsvorstellungen im Hintergrund. Der Prozeß der Ausweitung ist also hier für das Gefälle Hohepriester-Leviten feststellbar.

[1] P. Grünbaum, Die Priestergesetze bei Flavius Josephus / Eine Parallele zu Bibel und Tradition, Halle 1887, 21.

Nach dem von Charles, Test Patr p. 247 abgedruckten griech. Frgm. zu Test Levi wird der Angeredete bereits davor gewarnt, überhaupt mit einer Frau zusammenzukommen: πρόσεχε σεαυτῷ ἀπὸ παντὸς συνουσιασμοῦ (und von aller Unreinheit und von aller Hurerei).
Nach der Schrift „Über das Evangelium von Seth" (Übers. E. Preuschen) K. 7 (= p. 39) soll Noe heiraten, will aber dem Engel widerstreben und führt als Argument an: „Ich weiß nicht, ob das Weib rein geblieben ist, daß ich es zur Ehe nehmen könnte". – Nach Schatzhöhle 16,24 befiehlt Methusala dem Noe, er solle an Sem weitergeben: „Dieser soll alle seine Lebenstage enthaltsam bleiben, kein Weib dort nehmen, noch Blut vergießen, auch soll dort kein Wohnhaus sein". Die Zusammenstellung verrät das Bestreben nach Bewahrung priesterlicher Reinheit (zugleich ein Beleg für die Verbindung der Stoffe des 5. und 6. Dekaloggebotes). Diese ist hier bereits zur vollen Enthaltsamkeit geworden. Dieselbe Mahnung gibt 23,21 Sem an Melchisedech weiter[1]. Vgl. Tert. De exhort Cast c. 7, der (fälschlich ?) es als „cautum" in Levitico" bezeichnet: „sacerdotes mei non plus nubent".

Die Vorstellung, daß eine Frau, die schon mit einem Mann zu tun gehabt habe, kultisch unrein sei, gilt auch vom Ehebruch ausdrücklich: nach Lev 18,20 verunreinigt man sich an der Frau des Nächsten (ἐκμιανθῆναι πρὸς αὐτήν) durch illegalen Beischlaf = Ehebruch. – Die Wurzel dieser Vorstellung ist nicht die eines bestehenden Ehebandes, sondern die Tatsache, daß die Frau eines Mannes für jeden anderen unrein ist. Diese Vorstellung ist in einer Reihe von jüdischen Texten belegt, so berichtet in Test Rub 3,15 der Sohn (Ruben) über den Vater (Jakob), nachdem er den Ehebruch mit dessen Frau erwähnte: ἐπένθησεν ἐπ' ἐμοί, μηκέτι αὐτῆς ἁψάμενος. Demnach darf der Ehemann seine eigene Frau, weil sie jetzt verunreinigt ist, nicht (mehr) berühren. – Die gleiche Vorstellung liegt in Sota 5,1 zugrunde: „Wie sie (die Ehebrecherin) dem Ehemann verboten (אסורה) ist, ebenso ist sie dem Ehebrecher verboten". Der Satz wird hier (sekundär) aus dem doppelten „verunreinigt" in Nu 5,29 abgeleitet. – In Herm Mand IV,1,4 wird die Frage gestellt, ob ein Mann sündigt, der mit seiner Frau weiterlebt, wenn er sie in einem Ehebruch findet (καὶ ταύτην εὕρῃ ἐν μοιχείᾳ τινι). Wenn er es nicht weiß, sündigt er nicht; weiß er es aber und

[1] Nach Slav Hen Anhang III,2 schläft der Priester Nir seit dem Tage seiner Einsetzung überhaupt nicht mehr mit seiner Frau. Das gleiche wird auch von Moses nach seiner Berufung am Dornbusch berichtet: Nach dem Tod des Moses (Wünsche, I,162) erwähnt die Seele des Moses, die zur Rechten Gottes sitzt, den Engelfall von Aza und Azael, die ihre Wege verderbten, „dieser Mose aber, der Fleisch und Blut war, trennte sich von dem Tage an, da du dich im Dornbusch ihm offenbartest, von seinem Weibe". Deshalb darf die Seele des Moses an der Rechten Gottes sitzen bleiben.

kehrt die Frau nicht um, sondern bleibt in ihrer Unzucht (πορνεία), so gilt vom Mann: ἔνοχος γίνεται τῆς ἁμαρτίας αὐτῆς καὶ κοινωνὸς τῆς μοιχείας αὐτῆς. Beharrt die Frau: ἀπολυσάτω αὐτήν, aber der Mann soll für sich bleiben. Dann wird hinzugefügt: ἐὰν δὲ ἀπολύσας τὴν γυναῖκα ἑτέραν γαμήσῃ, καὶ αὐτὸς μοιχᾶται. Diese Regelung wird damit begründet, daß es ja die Möglichkeit einer Umkehr (2. Buße) für die Frau noch gibt und der Mann sie dann aufnehmen muß (8: Wegen der Möglichkeit zur Metanoia darf der Mann nicht heiraten). – Daß der Ehemann im Falle der Unzucht seiner Frau ebenfalls Sünde und Ehebruch begeht, wird hier nicht mit dem bei Philo und in Ps.-Phok. bezeugten Verbot der Kuppelei begründet, sondern es setzt offenbar die gleichen Anschauungen voraus, die auch bei Mt herrschen. Das Scheidungsgebot in einem solchen Falle entspricht nicht nur auch der mt Regelung, sondern sowohl antikem wie auch jüdischem Empfinden. Die Sonderregelung, daß der Mann nicht wieder heiraten darf, ist aus der besonderen Bußlehre des Past Herm zu erklären.

Zur traditionsgeschichtlichen Ermöglichung von Aussagen wie Mt 5,32 bedurfte es im Spätjudentum nicht erst der exegetischen Verbindung von Lev 18 und Lev 21; vielmehr hatten wir bei der Auslegung des 6. Gebotes gezeigt, daß das Spätjudentum den Aspekt der Unreinheit in den Vordergrund stellt und von hier aus ebenfalls den Umfang des Gebotes ausweitet. Atl Reinheitsvorschriften über den Hohenpriester werden auch sonst auf das ganze Volk übertragen; auch eine andere Vorstellung aus Lev 21,14 hat dieselbe Entwicklung durchlaufen: Im Spätjudentum wird es als Unzucht bezeichnet, wenn man eine Heidin zur Frau nimmt (s.o.). Die Heirat einer Geschiedenen verursacht eine Verunreinigung der Art, daß diese unter das 6. Gebot subsumiert als Ehebruch bezeichnet werden kann. Daraus aber folgt, daß die sog. Klausel (παρεκτὸς λόγου πορνείας) in Mt 5,32 ursprünglich ist. Es handelt sich nicht etwa um eine Harmonisierung auf Grund von „Anpassung an die Wirklichkeit" (die man auch sonst den sog. Antithesen nicht nachsagt), sondern diese Klausel ist ebenfalls aus der zugrundeliegenden Reinheitsvorstellung zu erklären. Wir hatten festgestellt, daß es sich um eine Auslegung von Dt 24,1 handelt und daß πορνεία Ehebruch einschließt. Durch Unzucht = Ehebruch aber hat sich die Ehefrau bereits verunreinigt und der Ehemann ist nicht mehr an ihrer Verunreinigung schuldig. Denn durch die Verhinderung der Scheidung sollte der Ehemann davor bewahrt werden, für seine Frau Ursache des Ehebruchs zu werden. Ist diese Verunreinigung

aber bereits eingetreten, so ist die Ehefrau auch für ihn unrein, und wenigstens im Griechisch sprechenden Bereich ist überdies der Mann sogar (mindestens moralisch) verpflichtet, die Frau dann zu entlassen, das zeigt deutlich Prov 18,22a als Zusatz in LXX: ὁ δὲ κατέχων μοιχαλίδα ἄφρων καὶ ἀσεβής.
Nach attischem (auch für Ägypten geltendem) Recht verfiel der Ehemann der Atimie, wenn er seine ehebrecherische Frau nicht entließ (R. Taubenschlag, Das Strafrecht im Rechte der Papyri, Leipzig und Berlin 1916, 35 Anm. 2)[1]. – Die Ursache für die Einfügung der Klausel im ursprünglichen Logion war offenbar die Tatsache, daß durch den Ehebruch die Verunreinigung der Frau bereits eintrat und daher kein Grund bestand, sie nicht zu entlassen. – Hier liegt auch der Grund, warum das weitere πορνεία und nicht μοιχεία genommen wurde: Durch πορνεία entsteht geschlechtliche Verunreinigung jeder Art. Daher ist auch erklärt, warum der Wortlaut der Klausel in Mt 19,9 abweicht: hier handelt es sich um eine redaktionell mt Übernahme der in Mt 5,32 ursprünglichen Klausel. – Auch in Mt 19,9 wird gegen Mk der Ehebruch als ein Vergehen dargestellt, das nicht gegen andere gerichtet ist. – Daß Mt 5,32 auf Verunreinigung bezogen ist, wird übrigens auch dadurch nahegelegt, daß die beiden diese Antithese rahmenden Antithesen ebenfalls Verunreinigung abwehren wollen (s.u.).
Lk 16,18 ist eine Kombination der so verschiedenen Vorstellungen bei Mt 5,32 = Q und Mk 10,11. Die ersten sechs Worte stimmen mit Q überein, dann aber wird die mk Vorstellung der Heirat einer anderen aufgegriffen, der letzte Teil stimmt im Wortlaut etwa wieder mit Q überein. Dadurch entsteht bei Lk die Vorstellung, daß sowohl durch Scheidung mit Wiederheirat als auch durch Heirat einer Geschiedenen das 6. Gebot übertreten wird – Lk ist der einzige, der das Verb dem Dekalogwortlaut μοιχεύειν angleicht.

[1] Vgl. H. Kunkel, Art Matrimonium, in: RE XIV,2 Sp 2259-2286; Sp 2275-2281: Ehescheidung; 2277: „Ein Zwang zur Scheidung bestand seit Beginn der klassischen Zeit insofern, als die Lex Iulia de adulteriis den Ehemann mit der Bestrafung als Kuppler (leno) bedrohte, wenn er sich nicht unverzüglich von der im Ehebruch überraschten Frau schied (vgl. z.B. Ulp.Dig. XLVIII 5,2,2 eodem 30 pr.); Plutarch, Rom 22 gibt eine Reihe von Scheidungsgründen (mit ἐπί konstruiert) an, unter denen sich auch μοιχεία befindet (vgl. dazu H. Almquist, Plutarch und das Neue Testament / Ein Beitrag zum Corpus Hellenisticum Novi Testamenti, Uppsala 1946 zu Mt 19,9 S. 41); Plutarch Rom 22: γυναῖκα δὲ διδοὺς ἐκβάλλει ἐπὶ φαρμακείᾳ καὶ τέκνων ἢ κλειδῶν ὑποβολῇ καὶ μοιχευθεῖσαν.

Die für ihn unverständliche Vorstellung über die Veranlassung zum Ehebruch aus Q hat Lk fallen gelassen und dafür die zwei für ihn wichtigen hauptsächlichen Elemente aus Mk und Q vereinigt: Der Ehemann kann sowohl die eigene als auch die fremde Ehe brechen! Auch Mk 10,12 kannte den letzteren Aspekt nicht, da dort die Frau als die Scheidende vorausgesetzt ist. Von der Grundvorstellung von Mk 10,11 aus konnte man allerdings auch nicht zu der Vorstellung kommen, daß der Mann die Ehe des anderen auch brechen kann; dazu bedurfte es erst der Vermittlung der dem atl נאף näherstehenden, aber mit Unreinheitsvorstellungen verknüpften Anschauungen von Q. Vor allem aber wird diese Deutung nahegelegt durch die im Spätjudentum zunehmend stärkere Verbindung des 6. Gebotes mit Reinheitsvorstellungen, was seine Ursache wohl hat in der allgemeinen Subsumption der Moral unter priesterlich-kultische Kategorien schon im AT.

Mk 10,11 stellt ohne Zweifel eine jüdisch-hellenistische Fassung dar, Mt 5,32 = Q eine noch levitischer Tradition[1] näherstehende. Die Bestimmung des traditionsgeschichtlichen Verhältnisses zwischen Mk 10,11 und Mt 5,32 ist eine methodisch höchst schwierige Frage. Beide Fassungen sind in ähnlicher Weise als konditionale Relativsätze[1] formuliert, die matthäische entspricht dem Q-Stil, die markinische dem bei Mk üblichen Stil für solche Sätze. Beide Fassungen sind religionsgeschichtlich eindeutig aus ihrem Überlieferungsbereich herleitbar und daher in der Tendenz verschieden. Die Art der Formulierung ist erst in christlicher Überlieferung nachweisbar (die paulinische Fassung zitiert nur indirekt und ist lediglich ein Beleg dafür, daß man schon früh auch die hellenistische Form auf Jesus zurückführte). Die Frage, welche Fassung möglicherweise Jesus näherstehe, ist vielleicht zugunsten von Mt

[1] Auch wenn es offenbleiben muß, ob das Verbot der CD, zu Lebzeiten eine Frau zu nehmen, auf einer Auslegung von Lev 18,18 beruht – naheliegend ist eine solche Auslegung, weil wir oben bereits zeigten, daß Bruder = Volksgenosse interpretiert wird, demnach wohl Schwester entsprechend –, bleibt doch auf jeden Fall bestehen, daß von P-Traditionen ausgehendes kultisches Reinheitsdenken die Ursache für dieses Gebot gewesen ist; darauf weist schon die Bezeichnung זנות hin. Möglicherweise ist hier – mit Begründung durch Gen 1,27 usw. – auch ein Mann für jede weitere Frau unrein. Im Hintergrund steht die bei der gesamten Auslegung des 6. Gebotes im Spätjudentum herrschende Tendenz, den Umgang mit Frauen möglichst zu verringern.

5,32 zu beantworten. Da beide Fassungen als konditionale Relativsätze formuliert sind, handelt es sich um eine bestimmte Gattung von Aussagen mit gleichem Sitz im Leben: weisheitliche Belehrung über bestimmte Grundzüge christlichen Verhaltens. Daß dieses Verbot schon von Paulus auf den Herrn zurückgeführt wird, in Q und bei Mk erhalten ist, außerchristlich dagegen so direkt nicht, ist jedenfalls auf die besonders einscheidende Konkretheit dieser Vorschrift zurückzuführen, die einer Legitimierung durch die Autorität Jesu bedurfte. Über den möglichen Sitz in der Verkündigung Jesu wird in Bd. II zu Mt 5,28.32 zu handeln sein.

§ 8 Die Gesetzesauslegung in Mt 19,3-12

Die Perikope ersetzt die mk Belehrung im Haus, die hier fortfällt, durch eine besondere Belehrung der Zwölf. Das Stück über die Reinheit als Weg in das Reich Gottes wird so der Perikope über die Ehescheidung angehängt; damit entspricht Mt dem Horizont, innerhalb dessen Mt 5,32 und vielleicht auch Jesus selbst von Ehescheidung gesprochen haben könnte. Da es um die Basileia geht, wird die Reinheitslehre hier zentral verankert. Der Ausruf ὁ δυνάμενος χωρεῖν χωρείτω ist keineswegs eine Einschränkung im Sinne von 1 Kor 7,7, vielmehr handelt es sich um einen in der Apokalyptik gebräuchlichen Ausruf zur Kennzeichnung von Sätzen mit besonderem Offenbarungscharakter, die deshalb häufig als Gleichnisse formuliert sind. Insbesondere handelt es sich um Sätze mit Angaben über künftigen Lohn bzw. künftige Strafe[1].
In seiner Uminterpretation des mk Stoffes verfolgt Mt einen bestimmten Plan, der nicht zuletzt bestimmt ist von der aus Q übernommenen Klausel in V. 9. – Die Pharisäerfrage in V. 3 (πειράζοντες αὐτόν wurde gegen Mk V. 2 in die Satzmitte genommen und hinkt nicht mehr nach) enthält bereits als Einfügung κατὰ πᾶσαν αἰτίαν, veranlaßt durch V. 9. – In VV. 4-6 werden nun die Verse Mk 10,6-8 vorangestellt. Die Zitate werden dabei durch καὶ εἶπεν verbunden (als Subjekt dazu ist ὁ κτίσας gedacht), dadurch ist aber Gen 2,24 nicht nur von Gen 1,27 abgerückt, sondern diesem gegenüber als ausdrückliches Zitat abgesetzt: Nur das ausdrückliche Wort Gottes hat sichere Beweiskraft (Wort Gottes bei Mt: 1,22; 2,15; 15,4),

[1] Vgl. oben zu Mk 7,16.

obwohl Gen 2,24 MT weder Wort Gottes noch Wort Adams ist[1]. – Gen 2,24 ist gegen LXX voll wiederhergestellt, wodurch Mt zeigt, daß er Mk entweder nicht verstand oder absichtlich änderte; für letzteres spricht die Auslassung auch von Mk V. 12. Mt hat Gen 1,27 vermutlich deshalb als nicht so beweiskräftig angesehen, weil er darin nur die Geschlechterdifferenz begründet sah; Ehe und Einheit im Fleisch werden für ihn dann erst durch das positive Wort Gottes = Gebot Gottes begründet (daher mußte Gen 2,24 als Wort Gottes ausgegeben werden). Gegenüber Mk ist nicht ersichtlich, wodurch Gott zusammengefügt hat, denn das Verbundensein der Eheleute geht nicht mehr unmittelbar aus seinem Handeln selbst hervor. V. 6b ist nicht mehr verständlich, denn Gott kündigt nur an, der Mann solle sich mit der Frau verbinden, er selbst verbindet nicht mehr. Mt faßt die Verbalformen in Gen 2,24 offenbar als futurische Gebotsimperative auf: die Einheit von Mann und Frau ist von Gott im Gesetz festgelegt. – Durch die Einfügung von ὁ κτίσας ἀπ' ἀρχῆς hat Gen 1,27 ein passendes Subjekt bekommen. Der Zusatz ἀπ' ἀρχῆς δὲ οὐ γέγονεν οὕτως in V. 8b läßt freilich noch deutlich erkennen, daß nach Mk der jetzige V. 4 (ὅτι ὁ κτίσας ἀπ' ἀρχῆς) ursprünglich hier hätte folgen müssen. V. 7 erscheint nunmehr noch als sekundärer Einwand der Pharisäer[2]. Die Antwort auf V. 3 in V. 9 wird durch ein λέγω δὲ ὑμῖν von der bisherigen Diskussion abgehoben: Durch die Folge von V. 8 und V. 9 wird die Hartherzigkeit der Juden deutlich der eigentlichen Weisung Jesu konfrontiert.

[1] Die Kirchenväter und z.T. die kath. Forschung hielten Gen 2,24 MT für ein Wort Adams und mußten die Tatsache erklären, wie Jesus behaupten konnte, Gott habe dieses Wort gesagt. Augustinus wird zuerst auf diese Schwierigkeit aufmerksam und löst sie mit einer von der philonischen Inspirationslehre beeinflußten Divinationstheorie (De Gen ad lit 3,22,34 = CSEL 28/1). Die katholische Forschung bis hin zu Dausch hat sich dieser Meinung angeschlossen (J. Maldonatus, Comm. 254; A. Bisping, Mt 391; P. Schanz, Mt 408; P. Dausch, Mt 262). – Merx dagegen will als Subjekt zu καὶ εἶπεν „ἡ γραφή" ansetzen (Mt 273).

[2] Daß in V. 8 vom Schreiben des Scheidbriefes nicht mehr die Rede ist, sondern nur noch vom ἀπολῦσαι τὰς γυναῖκας zeigt indirekt, daß die Institution des Scheidbriefes selbst bei Mt in keiner Weise zur Debatte steht: vielmehr sind „Befehlen" und „Erlauben" jeweils direkt auf das Entlassen der Frau selbst bezogen, d.h. das δοῦναι βίβλιον ἀποστασίου wird hypotaktisch aufgefaßt. (Vgl. Schanz, Mt, 408f: ἐνετείλατο ist eine dem Sinn nach aus der Stelle gezogene Folgerung; formell ist jedoch die Entlassung des Weibes nicht vorgeschrieben..." J. M. Dupont, a.a.O., 32: obligatorisch ist aber nach dem Literalsinn natürlich nur der Scheidbrief, nicht die Scheidung.).

Diese Abfolge von V. 8 und V. 9 erinnert unmittelbar an den Aufbau der Antithese in Mt 5,31f; auch das in 19,9 gegen Mk eingefügte λέγω δὲ ὑμῖν weist auf innere Beziehungen zu 5,31f hin. Diese Hauptantwort Jesu wird jetzt nicht mehr als Jüngerbelehrung gegeben, sondern steht dort, wo in Mk 10 V. 9 stand. Demgegenüber erhält der Schriftbeweis in VV. 4-5 lediglich die Aufgabe, V. 9 gegenüber V. 8 zu rechtfertigen. Dabei muß freilich eine erhebliche Diskrepanz entstehen zwischen der Folgerung aus dem Schriftbeweis V. 6 und der Regel in V. 9, denn von Mk aus gesehen widerspricht die Ausnahmeklausel der grundsätzlichen Schöpfungsordnung. Die faktische Wirkung ist, daß Dt 24,1 von Mt nicht verworfen, sondern mit Hilfe des Schriftbeweises aus Gen 1,27 und 2,24 nur eingeschränkt wird. Nur für den Fall der Unzucht gilt das Gebot des Moses. – Daraus ist aber nicht zu folgern (wie G. Barth, Gesetzesauslegung, 88, es tut), das atl Gesetz habe in der Gemeinde des Mt vollen Umfang gehabt, vielmehr ist darauf zu achten, worin der Grund der mt Umstellungen gegenüber Mk für dieses Kap. liegt: in einer verschärften Gegnerschaft gegen das Judentum und sein falsches Gesetz: Aus diesem Grund wird die Pointe des Gesprächs in die Gegenüberstellung der VV. 8.9 gelegt; daher wird auch in V. 4 gegen Mk eingefügt, daß die Juden die Schrift nicht gelesen haben und nicht kennen. Daher steht das Gebot (!) Gottes in V. 5 dem Gebot des Moses in V. 7 gegenüber. In dieser Abwertung des Moses dürfte wohl der Grund zu suchen sein für die Ersetzung des Moses durch Gott in Mt 15,4, wo es in ähnlich scharfer Weise um den Gegensatz zum Judentum geht. – Aus dem gleichen Gegensatz heraus sagen hier die Pharisäer, daß Moses befohlen habe (gegen Mk V. 4: erlaubt habe), einen Scheidbrief zu geben und zu entlassen. In V. 8 dagegen bezeichnet Jesus dieses Gesetz als eine bloße Erlaubnis wegen Hartherzigkeit.

Die spezielle Jüngerbelehrung des Mk ist bei Mt nach hinten verschoben und im Ansatz noch in V. 10 in der Frage der μαθηταί (= der Zwölf!) erhalten: λέγουσιν αὐτῷ οἱ μαθηταί. VV. 10.11 sind offenbar Übergangsbildung zu V. 12. Auf diese Weise fügt Mt zur Thematik „Eheleben" das dreistufige Wort über die Eunuchen an. Dadurch erhält die Perikope gegenüber Mk ein anderes Ziel.

Die Argumentationsweise der Jünger in V. 10 hat eine aufschlußreiche Parallele in Liber Antiquitatum 28,10: „Si sic est requies iustorum posteaquam defuncti fuerint, oportet eos mori corruptibili saeculo, ut non videant peccata". Die Schlußweise ist ähnlich: Wenn die Sache so steht, darf man das und das nicht tun. – Die

Vorstellung über den Eunuchen um des Himmelreiches willen ist ohne Zweifel nur zu verstehen auf dem Hintergrund spätjüdischen Reinheitsdenkens. Der Eunuch um des Himmelreiches willen ist der, der sich von jeder geschlechtlichen Verunreinigung durch Samenerguß freihält, um ganz rein zu bleiben. – Eine direkte Parallele dazu ist Sap Sal 3,13f: Selig sind die Sterile, die unbefleckt ist (ἀμίαντος) und keinen Coitus kannte und der Eunuch, der keine Gesetzlosigkeit wirkte und nichts Böses gegen den Herrn begehrte. Im Tempel des Herrn wird ihm ein Los gegeben werden[1]. Es ist zu beachten, daß die zwölf Jünger, die die Frage stellen und die Feststellung treffen, es sei besser, nicht zu heiraten, in dem gleichen Kapitel (19,27) als die Vollkommenen hingestellt werden, die alles verlassen haben. Neben das Motiv der jenseitigen Vergeltung ist damit das spätjüdische Eunuchen-Motiv getreten, nach dem der Eingang in die Basileia durch Bewahrung der Reinheit, d.h. durch Verzicht auf Geschlechtsverkehr, erworben wird. – Durch die Einleitung in V. 11 und den Zusatz in V. 12b wird nachdrücklich hervorgehoben, daß dieser Weg nicht für alle gilt. Er wird offenbar auf die Zwölf beschränkt, denn sie sehen ein, daß es besser ist, nicht zu heiraten. Mit dieser Folgerung hat Mt das Logion in V. 12 interpretiert und durch das Stichwort γαμῆσαι an die vorige Perikope wegen des gleichen Themas (nicht aber weil Mt selbst noch diese Unreinheitsvorstellungen kennt, s.u.) angeschlossen.
Spätjüdische und frühchristliche Aussagen über bestimmte Propheten (Elias, Daniel) und Autoritäten der Frühzeit des Christentums (Johannes d.T., Johannes Ev.) lassen darauf schließen, daß Jungfräulichkeit möglicherweise schon zur Zeit des NT als Ideal einer

[1] Nach Teez Sanb H 12,5-8 L 18 ist das Paradies für solche, deren Leib in Reinheit ist, die reinhielten ihre Frau, für die Jungfrau, die nicht kennt ('ījā'ĕmărăt) einen Mann und für den Mann, der von seiner Jugend bis zum Ende seiner Tage keine Frau kannte und nicht heiratete. – Nach dem Folgenden ist der Himmel bestimmt für Männer, die gerecht und rein am Leib von Sündetun sind. – Auch äth Bar H 81,21f L 65 kennt einen himmlischen Aufenthalt der Jungfräulichen. Baruch wird von einem Engel ein goldenes Bett aus kostbaren Steinen gezeigt... „für die, die in ihrer Jungfräulichkeit von ihrer Jugend an blieben". Det Pot Ins 176 berichtet von den Weisen: ἐξευνουχισθῆναί γε μὴν ἄμεινον ἢ πρὸς συνουσίας ἐκνόμους λυττᾶν. Die gleiche Tendenz: lieber ganz verzichten als sich verunreinigen liegt auch der jüdischen Eunuchen-Tradition im Ganzen zugrunde. Auch die Aussage „die heiraten, als heirateten sie nicht" ('aŭsĕbū kămă ză'ījaŭsĕbū), analog zu 1 Kor 7,29 findet sich in jüdischer Tradition in Abba Elija L 45.

prophetischen Gruppe angesehen wurde (vgl. die Praxis Jesu und des Täufers). Besonders ist auf 4 Esr 6,32 hinzuweisen.

§ 9 Auswertung

Mk 10,1-12 ist eingebettet in mk Gemeindeparänese (9,33-37 (37-50a alter Kern).50b; 10,13-16); die Kombination der Themen „Ehe" und „Kinder" findet sich auch bei anderen z.T. gleichzeitigen Autoren. – Aus diesem inhaltlichen Grund wird Mk das alte Streitgespräch 10,2.9 aus der Gruppe der Streitgespräche abgesondert und hier lokalisiert haben (über die Verknüpfung von V. 13-16 durch V. 15 mit dem Folgenden s.o.). – Das zugrundeliegende Logion V. 9 weicht inhaltlich nicht ab von der prophetischen Tendenz von Mal 2,16. Der hier aufgenommene Standpunkt ist innerhalb des Judentums möglich. – Ebenso auf dem Boden des (hellenistischen) Judentums gewachsen ist V. 11, der mit VV. 3-8 der zweiten Schicht des Streitgesprächs angehört. Wiederheirat nach Scheidung ist Ehebruch auch schon bei Philo und in Sap Sal. Nur durch den jetzt vorangestellten Schriftbeweis erhält dieser Satz ein besonderes Gewicht: Das Ehebrechen wird jetzt aufgefaßt als ein menschliches Zerstören der in der Schöpfung verwirklichten und gesetzhaft zugrundegelegten Verbindung von Mann und Frau. Deshalb verstößt die Institution des Gesetzes der Juden gegen die Schöpfungsordnung. Nicht weil sie scheiden, was Gott verbunden hat (V. 9), begehen die Juden Ehebruch, sondern ihr widergöttliches Gesetz steht der Schöpfungsordnung entgegen. Das 6. Gebot einzuhalten, entspricht daher hier der Schöpfungsordnung. Damit zeigt sich eine Zuordnung an, die später von christlichen Schriftstellern aufgegriffen werden wird (vgl. H. J. Schoeps, Restitutio Principii, 277ff: Ps Clem Hom 1,18; 3,45; 8,10; der Brief des Ptolemaios an die Flora; besonders aber Irenäus v. Lyon, Apol. 19; Tertullian, De monogam 5).

Nicht Dt 24,1-4 wird ausgelegt, sondern im vorgegebenen V. 11 und in der jetzigen Redaktion der Gesamtperikope das 6. Gebot. Dieses wird in V. 11 noch nicht in einer Weise behandelt, die sich direkt auf die Schrift beruft, sondern nach der Art spätjüdischer Dekalogauslegung auch sonst. Mit Hilfe des im Judentum entwickelten Mittels der Fundierung eines Gesetzes in der Schöpfungsordnung wird nun durch die Kombination mit dem Schriftbeweis die Einhaltung des 6. Gebotes ausgespielt gegen die Tora der Juden selbst.

Der in VV. 3-8 geführte Schriftbeweis war nur auf Grund der LXX denkbar: Nur in LXX ist Dt 24,1 ein Scheidungsgebot (worin sich möglicherweise bereits die Verpflichtung zur Entlassung nach griech. Recht spiegelte); nur durch die Einfügung von οἱ δύο in LXX hat Gen 2,24 in der hier zitierten Form ein Subjekt, das mit Gen 1,27 verbindet; nur durch das ἄνθρωπος der LXX ist die Auslassung des Teiles „Und er wird seinem Weibe anhangen" und die Beziehung auf Mann und Frau nach Gen 1,27 denkbar. – Daraus folgt, daß die Entstehung dieses Teils der Perikope nur im griechischsprachigen Bereich denkbar ist.
Die mt Redaktion der Perikope zeigt das Bemühen, das Scheidungsgebot der Juden nicht der Schöpfungsordnung gegenüberzustellen (der Schriftbeweis gewinnt untergeordnete Bedeutung), sondern dem Wort Jesu selbst, zweifellos aus der gleichen Tendenz, der die sog. Antithesen entstammen. Durch die Rezeption der Klausel aus 5,32 entsteht eine deutliche Spannung zum mk Material über die Verbundenheit durch das Schöpfungsgesetz: Dt 24,1-4 wird durch die beiden Gen.-Stellen nur modifiziert: Nur noch im Falle der Unzucht ist jetzt Scheidung erlaubt. – Durch den Satz über die Eunuchen bekommt die Perikope eine Struktur, die der von Mt 19,16-30 nicht unähnlich ist: Über die geforderte Bewahrung des 6. Gebotes hinaus haben die Zwölf verstanden, daß es noch besser ist, gar nicht zu heiraten.
Die Auslegung des 6. Gebotes erfolgte im Scheidungsverbot auf zwei verschiedene Weisen: Mk 10,11 geht hervor aus der Treupflicht des Mannes, die durch Heirat einer anderen verletzt wird. Im Gegensatz zum AT kann der Mann jetzt auch Ehebruch begehen gegen seine Frau, und zwar unabhängig von der Gültigkeit des Scheidbriefes. – Nach Mt 5,32 dagegen muß die Heirat einer Geschiedenen verhindert werden, da durch den Verkehr eines anderen Mannes mit einer für ihn unreinen Frau für beide eine mit der bei Ehebruch entstehenden identische Verunreinigung entsteht. Nur wenn die Frau schon vorher πορνεία trieb, wird der entlassende Mann nicht mehr Ursache dieser Verunreinigung. Daher ist die Klausel in Mt 5,32 ursprünglich. Mk 10,11 und Mt 5,32 könnten trotzdem auf gemeinsame Traditionen zurückgehen; Mt 5,32 weist eher in den palästinensischen Bereich, noch dazu, weil die beiden umgebenden Antithesen gleichfalls Unreinheitsvorstellungen der levitischen Tradition repräsentieren.

IX

Auswertung

Bei einer Analyse der synoptischen Texte über Gesetzesauslegungen im Munde Jesu stößt man – abgesehen von den Antithesen der Bergpredigt – auf zwei voneinander verschiedene Gruppen:

A. Mk 2,16-17; 2,18-20; 2,23-28; 3,1-4; 7,1-23; 10,1-12; 12,13-17. Diese Perikopen sind untereinander form- und traditionsgeschichtlich verwandt; einzelne von ihnen weisen Gesetzesauslegungen auf.

1. Allen genannten Perikopen liegt als erkennbar älteste Schicht und als Ausgangspunkt für die Traditionsbildung ein einzelnes Logion zugrunde (die Sätze 2,17a.19.27; 3,4b; 7,15; 10,9; 12,17).

2. Diese Sätze sind alle antithetisch formuliert und haben die gleiche inhaltliche Struktur: in 2,17a geht es um den Gegensatz von Kranken und Gesunden, in 2,27 darum, daß nicht der Mensch für den Sabbat, sondern umgekehrt der Sabbat für den Menschen da sei; in 3,4b geht es um den Gegensatz Gutes zu tun oder Schlechtes zu tun, Leben zu retten oder zu töten; in 7,15 geht es um den Gegensatz von Außen und Innen, Rein und Unrein, in 10,19 um den Gegensatz von Gott und Mensch, Verbinden und Trennen, in 12,17 um den Gegensatz zwischen Kaiser und Gott.

3. Bezeichnend ist das häufige Vorkommen des Begriffes ἄνθρωπος in diesen Sätzen (2,27; 7,15; 10,9).

4. Inhaltlich wenden sich diese Sätze an ein bestimmtes Maß von „natürlicher" Einsicht und machen auf Größenverhältnisse aufmerksam, die von den Gegnern verkannt werden, nach Ansicht des Sprechers dieser Sätze aber offen und für jedermann einsichtig zutage liegen. Kennzeichen dieser Sätze ist ein gewisses Maß von „weisheitlichem" (weil auch in der atl und jüd. Weisheitsliteratur nachweisbarem) Realismus, dessen Eigenart Distanz zu kultischer

Denkweise und Nähe zur Einschätzung der Wirklichkeit nach „profanen" Gesichtspunkten ist. Diese Sätze zeigen etwas von der Frage nach den wahren αἰτίαι, unabhängig von ritueller Bindung.

5. Der Sprecher der genannten Sätze beansprucht für sich selbst keine Autorität; diese liegt vielmehr in der Schlüssigkeit und unmittelbaren Einsichtigkeit dieser weisheitlichen Sätze selbst. Der Unterschied zum prophetischen Wort wird gerade an diesem Element deutlich. – Sätze wie diese sind das Ergebnis einer Reflexion über die wahren Zusammenhänge in der Wirklichkeit des alltäglichen Lebens.

6. Die Frage der zeitlichen Einordnung dieser weisheitlichen Sätze ist schwer zu klären. Sätze wie Mk 7,15 sprechen eindeutig für jüdisch-hellenistischen Ursprung. Die Tatsache, daß Mk 2,19a in der Überlieferung dieser Texte lokalisiert ist, könnte auf einen frühnachösterlichen Ursprung weisen (Heilszeit bereits da; Bräutigam das Pneuma); die übrigen Sätze weisen in Bereiche, in denen weisheitliche Regeln nicht nur Traditionsgut waren, sondern auch für aktuelle Anlässe (Mk 12,17) neu gebildet wurden. Ältere, traditionell in Anschauungen ähnlicher Art aufweisbare Sätze wurden übernommen (Mk 10,9). Nimmt man auf Grund der obigen Indizien einen frühnachösterlich-hellenistischen Ursprung an, so erklärt sich am besten das Vorkommen dieser Sätze nur bei Mk (Mt und Lk nur in von Mk abhängigen Stoffen).

7. Die „Gnomik" dieser Sätze wird durch den Rahmen der einleitenden Verse biographisiert und im Leben Jesu verankert. Dabei wird sie einer bestimmten Stellung der Pharisäer zu jüdischen Bräuchen konfrontiert. Dieses ist offensichtlich der primäre Sitz im Leben dieser Sätze in christlicher Tradition.

8. In allen Texten sind die Gegner die Pharisäer (auch dort, wo sie fehl am Platz sind wie in 2,18). – Außer in diesen Texten begegnen die Pharisäer bei Mk nur noch in 8,11.15; 9,11. Diese eindeutige Gegnerschaft läßt ebenso wie der überall einlinige Aufbau bereits auf eine bestimmte Schematisierung im (und zum Zweck des) Prozess(es) der Überlieferung schließen. – In Sätzen wie Mk 12,17 liegt zugleich ein Hinweis dafür vor, daß in diesen Perikopen nicht die Frage nach dem Gesetz im Vordergrund steht, sondern Entscheidungen über bestimmte Fragen jüdischer religiöser Lebenspraxis.

9. Der auf Grund des Logions konstruierte konkrete Anlaß im Leben Jesu spiegelt weniger die Anschauungen der Pharisäer als vielmehr bereits die christliche Gemeindepraxis, besonders in Mk 10,2. Die Frage wird nicht aus Interesse an der innerpharisäischen Diskussion gestellt, sondern gegenüber jüdischen Gegnern wird die Praxis der Gemeinde legitimiert. Die Gegner werden als Pharisäer bezeichnet. Der Vorgang setzt voraus, daß sich die Gemeinde noch im Verband des Judentums befindet. Die Pharisäer sind, so hat es den Anschein, in das Leben Jesu zurückprojizierte Gegner der frühen liberalen Gemeindepraxis. In diesen Zusammenhang weist auch Mk 8,15, das nicht nur wegen des Stichwortes „Brot" zufällig hier lokalisiert ist, sondern eine „allegorische" Deutung des Kontextes auf „Lehre" voraussetzt: die Lehre der Pharisäer wird als Gefahr dargestellt. Dem steht gegenüber das von Jesus kommende Brot der Lehre der Gemeinde. Offenbar hat es als Gegner der frühen jüdisch-hellenistischen Gemeinde Gruppen gegeben, die entweder Pharisäer hießen oder die man mit den palästinensischen Pharisäern identifizieren konnte.

10. In den vorliegenden Perikopen besteht zwischen Sentenz und Gemeindepraxis immer ein Gefälle der Art, daß die Frage nach der Legitimation nur wenig von der pharisäischen Praxis abweichender Sitten mit einem prinzipiellen Satz allgemeiner und inhaltlich sehr viel weiterer Art jeweils beantwortet wird. Die allgemeine Sentenz dürfte vorgegeben sein. Sie wird nun für bestimmte Einzelfragen fruchtbar gemacht.

11. Die allgemeine Sentenz zeigt oft größere Distanz zur pharisäischen Praxis als die Einzelfrage aus der Praxis der Gemeinde. Diese Tendenz verschärft sich noch bei Mt. Aber auch schon bei Mk wird in der biographischen Rahmung der Sentenzen eine Gemeinde sichtbar, deren Unterscheidungsmerkmal zu den Pharisäern darin besteht, daß man mit Zöllnern Umgang hat, nicht fastet (dann aber rückgängig gemacht), kleinere und geringfügigere Erntearbeiten am Sabbat gestattete, Leben zu retten am Sabbat erlaubte, die Händewaschung vor dem Essen unterließ, von der Ehescheidung abriet und zwischen Pflichten gegen Gott und solchen gegen den Kaiser unterschied. Diese unpharisäische Praxis verstößt in keinem Punkte gegen das Gesetz und bewegt sich im Rahmen von dessen Auslegung. – Ein älterer, weitaus radikalerer Standpunkt wird etwa sichtbar in Mk 2,19a: Ablehnung des Fastens überhaupt, und in Mt 17,25.26 (Ablehnung des Steuerzahlens) – in beiden

Fällen nicht primär antigesetzlich, sondern vom Standpunkt einer „präsentischen" Eschatologie her denkend.

12. Einige dieser Perikopen sind sekundär mit Schriftauslegungen Jesu verbunden, so Mk 2,25.26; 7,6-11; 10,4-8. Die besondere Eigenart dieser Schriftzitate ist es, daß sie überall vor die ursprüngliche und endgültige Antwort Jesu in der Sentenz dazwischengeschoben werden. In dieser Gleichheit des Vorgehens wird ein bestimmter Redaktor sichtbar. Diese Schriftauslegungen repräsentieren inhaltlich durchgehend eine Stufe der Entwicklung, in der es zum endgültigen Bruch mit dem Judentum gekommen ist. Den Juden wird Schriftunkenntnis (Mk 2,25; Mt 19,4), Verstockung (Mk 3,5) und Hartherzigkeit (10,5) vorgeworfen, gegen ihre Heuchelei spricht schon der Prophet (Mk 7,6f). – Die in der vorgegebenen Schicht behandelten Fragen sind für diesen Redaktor immer nur der Anlaß für weit darüber hinausgehende Aussagen: über Kultgebote im Allgemeinen und das Verhältnis von David zum Kyrios Jesus, über den Unterschied zwischen der menschlichen Überlieferung der Pharisäer und Gottes Gebot, über das Gesetz des Moses, das gegen den Willen Gottes verstößt. Mit Hilfe von Schriftbeweisen wird in den genannten Perikopen die ursprüngliche Fragestellung so weit vorangetrieben, daß man zu allgemeinen Aussagen und zu einer Gesamtbeurteilung des Judentums gelangt. Diesen ist gemeinsam, daß auf der Seite des Judentums irrende Menschen stehen, auf der Seite der Christen aber der Kyrios Jesus der den Willen Gottes lehrt. Auch der antijüdische Schriftbeweis Mk 11,17 gehört in diese Gruppe (er ist unmittelbar Mk 7,7 parallel) und beweist zugleich die Zugehörigkeit dieses Redaktors zu einer Gemeinde mit jedenfalls stark heidenchristlichem Einschlag.

13. Während in der älteren Schicht die gegenüber den Pharisäern vertretene Lösung durch eine gnomische Sentenz vertreten werden kann, wird in der Schicht der sekundären Gebotsauslegungen in Mk 7 und Mk 10 etwas anderes die Norm des Willens Gottes: Dekaloggebote. – Diese Redaktionen sind offenbar in einer Zeit und für Gemeinden entstanden, in der Dekaloggebote eine große Rolle spielten; so wird das Unrecht der Juden in Mk 7,10f dadurch sichtbar, daß ihnen eine Übertretung des 4. Dekaloggebotes nachgewiesen werden kann. In Mk 10,11.12 kann in der gleichen Schicht, die den Juden den Vorwurf der Hartherzigkeit macht, deren Tun als gegen das 6. Gebot verstoßend aufgezeigt werden.

Das Sich-Berufen auf eine bestimmte Art von Schriftgeboten trat an die Stelle des Hinweises auf weisheitliche Sentenzen.

14. Ein an das alte Logion sich anschließender Kommentar findet sich nur in den Perikopen, die auch einen sekundären Schriftbeweis haben. Dieser Kommentar wird in Mk 7 und Mk 10 „im Haus" gegeben. Hier liegt ein mit dem Thema des Messiasgeheimnisses verwandtes Kompositionsmittel des Mk vor (s.u.). – In Mk 7 wird dieser Kommentar darüber hinaus dadurch als notwendig erwiesen, daß der vorliegende Traditionsstoff als παραβολή bezeichnet wird, was nun, da παραβολαί ja nach der Theorie des Mk rätselhaft sind, einen Kommentar notwendig macht. Das Verhältnis von Tradition und Eigengut wird hier durch die Abfolge von Geheimnis und Erklärung gelöst. – In Mk 2,28 wird der Kommentar durch ein Menschensohnwort gegeben, in welchem der Menschensohn nur wegen des voraufgehenden ἄνθρωπος notwendig zu sein scheint, der Ton aber vielmehr auf dem Kyrios liegt. Für die Stufe der Einführung der sekundären Schriftbeweise des Mk liegt daher eine bestimmte mk Christologie vor, die sich in anderen Texten durch die Anwendung der Messiasgeheimnistheorie spiegelt. Es besteht daher eine gewisse Korrespondenz zwischen den christologischen Elementen dieser Schicht, der scharfen Verurteilung des Judentums und der Auswahl gewisser Dekaloggebote. Alles das weist auf eine hellenistische stark heidenchristliche Gemeinde.

15. Für die vorliegende Gliederung der genannten Perikopen ergibt sich daher das Schema: Frage der Pharisäer über die Gemeindepraxis – sekundärer antijüdischer Schriftbeweis – altes, durch die Rahmung antipharisäisch verwendetes Logion als weisheitliche Sentenz – Kommentar zum Logion („im Haus" oder christologisch). Die Urform umfaßt nur das Logion und die Frage an die Pharisäer. Sie hat sich erhalten in Mk 2,16-17; 12,13-17.

Für den Entstehungsprozeß der vorliegenden Perikopen sind folgende Stufen anzunehmen: 1. weisheitliche Sentenz, 2. Verankerung im Leben Jesu durch die Frage der Pharisäer nach der Gemeindepraxis, 3. Einführung des Schriftbeweises unter Ausweitung der Fragestellung, 4. Kommentierung der Sentenz.

B. Neben die genannten Texte treten zwei weitere Perikopen, in denen Jesus atl Gebote auslegt, die mit den genannten Texten zunächst nicht verwandt sind. Es handelt sich um die Frage des sog.

reichen Jünglings in Mk 10,17-22 und um die Frage nach dem größten Gebot in Mk 12,28-34. Beiden genannten Perikopen ist im Unterschied zur ersten Gruppe der Streitgespräche gemeinsam:

1. Es handelt sich hier nicht um Streitgespräche, sondern die Fragen werden von gutwilligen Personen gestellt (Mk 10,21; 12,34), die nicht Pharisäer sind. Es handelt sich nicht um Streit-, sondern um Lehrgespräche.

2. In beiden Texten wird Jesus διδάσκαλος genannt (10,17; 12,32), so aber nicht in der ersten Gruppe.

3. In beiden Texten ist die Anführung von Gebotstexten primäres Gut.

4. In der sekundären Schicht wird die erste Perikope christologisch (durch die Lohn-Nachfolge-Ethik) erweitert, die zweite Perikope prinzipiell antikultisch (und damit antijüdisch vgl. Mk 2,25f) begründet. Damit aber finden wir in den sekundären Schichten dieser Perikopen ähnliche Elemente wie in den sekundären Schichten der Texte der ersten Gruppe.

5. Damit aber wird erkennbar, daß es nur zwei Arten von Geboten gibt, die in der Gemeinde gelten: die beiden Hauptgebote und die sozialen Dekaloggebote. Da die Dekaloggebote in den zuerst behandelten Texten sekundär sind, beschränkt sich die Frage nach einem möglichen Ursprung von Gesetzesauslegungen im Leben Jesu auf die Untersuchung der Traditionsgeschichte zu Mk 10,17-19 und Mk 12,28-31. – Gerade die Zusammenfassung in die beiden Hauptgebote aber und die Alleingeltung von Dekaloggeboten – dieses Nebeneinander – ist typisch für bestimmte Kreise des hellenistischen Judentums.
Traditionsgeschichtliche Kontinuität zwischen dem in der Gemeinde geltenden Gesetzesbegriff sowie der hier geübten Gesetzesauslegung und dem hellenistischen und häufig apokalyptisch beeinflußten Judentum konnte regelmäßig auf methodischem Wege nachgewiesen werden. Daß eine solche Darstellung stets mit dem Widerstand der Exegese rechnen muß, die den Unterschied zum Judentum betont, wird auch noch an neuesten Untersuchungen deutlich[1].

[1] Als Beispiel diene die Arbeit von J. Becker, Untersuchungen zur Entstehungsgeschichte der Testamente der Zwölf Patriarchen, Leiden 1970. – In K. IV (S. 380ff) erörtert B. die Rolle des Liebesgebotes in der Theologie

Lk hat von den sekundären Schriftauslegungen der ersten Perikopengruppe nur Mk 2,23-28 in Lk 6,1-5 übernommen; auch in dem mit Mt gemeinsamen Q-Material für die sog. Antithesen finden sich bei Lk keinerlei Ansätze für einen Bezug auf atl Gebote. Das Interesse des Lk für die Fragen der Gesetzesauslegung ist also sehr begrenzt: es beschränkt sich auf eine (redaktionell auch noch stark parallelisierte) Aufnahme gerade jener Traditionen, die als Gebotszusammenfassungen am deutlichsten jüdisch-hellenistische Herkunft verraten.
Mt verschärft durchgehend den Gegensatz zum Judentum, indem er nicht nur in den Antithesen, sondern auch in Mt 15 und 19 antithetisch formuliert und in 12,1-8 den Vorwurf ausweitet: die Juden verstehen nichts von dem prinzipiellen Gegensatz zwischen Kult

des Grundstocks der Test Patr, den B. ermittelt haben will. B. stellt eine Radikalisierung des Liebesgebotes fest (S. 387), die „ähnlich im NT stehen" könnte (S. 394). Sogar die „Aufgabe der Selbstbehauptung" (S. 387) vermag B. aus dem Liebesbegriff der Test Patr herauszulesen. Nach einer methodisch recht fragwürdigen Stellenkollektion (auch Racheverzicht und Feindesliebe werden einfach thematisch subsumiert) will B. dann aber auch einige „typisch jüdische Züge" der Test Patr hervorheben: Liebe gelte, wo vom Nächsten die Rede sei, nur den Volksgenossen; die universalistischen Züge werden auf stoischen Einfluß zurückgeführt (warum es zu so einem Einfluß hat kommen können, wird nicht gefragt), dem das Judentum natürlich nur „zögernd und einschränkend" habe folgen können (S. 399). Vor allem aber erhält nach B. das Liebesgebot in den Test Patr dadurch einen „dissonanten Beiklang", daß es „in ein Weltbild eingebettet" sei, „das im NT überwunden ist" (S. 399). Gemeint ist die Zuordnung von guter Tat und Wohlergehen, von Sünde und Strafe. – Wieder einmal gibt die – von B. in sehr bestimmter Weise ausgelegte, aber als solche ungefragt vorausgesetzte – Rechtfertigungslehre den Maßstab ab für die „apologetische" Abwertung religionsgeschichtlichen Materials. Abgesehen davon, daß man über die „Überwindung dieses Weltbildes" im NT erst sehr gründlich diskutieren müßte (unser bisheriges Ergebnis ist dem Beckers hier entgegengesetzt), ist die Art und Weise der (Ab-)Wertung jüdischen Materials gegenüber christlichem methodisch nicht gerechtfertigt. Orientiert man sich an den literarischen Größen und versucht man, deren form- und traditionsgeschichtlichen Sitz aufzuzeigen, so kann man auch im größeren Horizont eines weiteren Kontextes nicht feststellen, daß es sich um ein gänzlich verändertes Weltbild handelt. Wir haben in unserer Untersuchung zeigen wollen, daß auch die eschatologische Motivierung der ntl Aussagen über Nächstenliebe aus jüdischen Prämissen überhaupt erst verständlich wird. – Der Versuch Beckers, in allen nicht-ntl Aussagen trotz aller Nähe zum NT doch stets noch den „typisch jüdischen" (S. 394) Pferdefuß zu finden, ist vielmehr schlicht apologetisch zu nennen und kann sowohl von den unausgesprochenen Prämissen her als auch der Darstellung nach nur zur Diskussion gestellt werden. (Vgl. d. im Vorw. gen. Methodenbuch).

und Liebe. – Auch für Mt sind grundsätzlich Dekaloggebote und die Liebesgebote alleingeltend. Aber diese jüdisch-hellenistische Tradition ist hier viel stärker als bei Mk mit einem Gesetzesbegriff verbunden, der ohnehin nur die Sozialgebote umfaßte. Überdies ist das Gewicht apokalyptischer Traditionen bei Mt um ein vielfaches größer als bei Mk. Aber auch schon in Mk 10,17-31 wurden apokalyptische Traditionen mit dem jüdisch-hellenistischen Gut konfrontiert. Wo so etwas geschieht, wird die Gesetzeserfüllung in Beziehung zum kommenden Gericht nach Werken gesetzt: entweder muß das Gesetz so erfüllt werden, daß himmlischer Lohn erworben wird (Antithese V.VI), oder es muß noch ergänzt werden durch ein besonderes Tun, durch das dann der himmlische Lohn erlangt wird.

Eine Reihe von Texten zum Thema „Gesetz" ist hier nicht behandelt worden, da es sich nicht direkt um Gesetzesauslegungen handelt. Es sind dies die Perikopen über Fasten- und Sabbatverletzungen durch den Menschensohn (Mk 2,18-20.28; 3,1-5; Lk 13,10-17; Jo 5,10-16; 7,19ff). In diesen Zusammenhang gehört auch Mk 14,3-9 wegen der inhaltlichen Zusammengehörigkeit von Fasten, Almosen und Sabbatobservanz. Es handelt sich hier um bestimmte Auslegungen des Gesetzes in der religiösen Lebenspraxis. Die Durchbrechung dieser religiösen Lebensregeln wird in diesen Perikopen ausgesprochen christologisch begründet: Jesus ist der Menschensohn, dessen Vollmacht gerade daran sichtbar wird, daß er Heiliges als der noch Heiligere verdrängt. Der Menschensohn durchbricht diese „Sitten" nicht deshalb, weil er im Prinzip gegen „das Gesetz" ist – es handelt sich vielmehr um „Zeichenhandlungen", die Unwillen, Staunen und die christologische Frage hervorrufen sollen. Gerade gegenüber heiligen Dingen zeigt sich die Vollmacht des irdischen Menschensohnes. Die Grundtendenz dieser Aussagen ist: Für die Person des Menschensohnes gilt hier auf Erden, solange er da ist (vgl. Mk 2,19: ὅσον χρόνον ἔχουσιν mit Mk 14,7: πάντοτε τοὺς πτωχοὺς ἐμὲ δὲ οὐ πάντοτε ἔχετε) eine Ausnahme. So etwa für Mk 14,3-9: Allein die Tatsache, daß es der Menschensohn war, dem die Frau etwas Gutes tat, macht ihr in den Augen der anderen „anstößiges" Tun zu einem gerechten Tun, das des himmlischen Lohnes würdig ist. Die selbstverständliche religiöse Pflicht des Almosengebens wird hier verdrängt, verblaßt hier. Die Logien Mk 2,21.22 bringen diese Radikalität zum Ausdruck. Die Haltung Jesu gegenüber der gesetzlichen Ausübung der Religion dient hier nicht der Auslegung des Gesetzes – dieses wird ja auch nirgends zitiert oder als Größe genannt – vielmehr dient es nur zum Anlaß für eine Selbstdarstellung des Menschensohnes. – In Mk 2,23-28 ist nun durch V. 28 eine Verbindung dieser Menschensohnstücke mit einem der oben erwähnten Streitgespräche vorgenommen worden. Diese Verbindung ist zwar sekundär, aber wir hatten auch für das Stilmittel der geheimen Jüngerbelehrung in Mk 7 und Mk 10,11f eine christologische Konzeption jedenfalls als ein Element angenommen. Von diesen Beobachtungen her ist die Frage nach dem Verhältnis zwischen Gesetzesauslegung und Christologie noch einmal zu stellen. Die von uns behandelten Perikopen zeigen zwar keine direkten christologischen Aussagen, aber es ist doch zu fragen, warum jedenfalls den jüdischen Gegnern vorgeworfen wird, sie stünden auf der widergöttlichen Seite. Denn wir hatten häufig festgestellt, daß der Vorwurf der Hartherzigkeit, der Vorwurf, Gottes Gebot durch menschliche Gebote außer Kraft zu setzen und auch der Duktus der antijüdischen Polemik von Mk 10,1-12 insgesamt im Judentum vorgebildet sind – dort werden diese Anklagen jeweils gegen Gegner erhoben, die das Gesetz übertreten und außer Kraft setzen. Diese Polemik findet sich gegenüber Ungerechten allgemein, aber auch gegenüber innerjüdischen Gruppen (Qumran). Die Beurteilung des abweichenden Gesetzesverständnisses der Juden hat nun freilich nicht ihre Wurzel in der verschiedenartigen Tradition selbst, sie setzt vielmehr eine vorgängige Trennung von Gemeinde und Judentum voraus. Diejenigen Juden, die nicht zur Gemeinde gehören, stehen deshalb auf der Seite der Gegner Gottes, weil sie es waren, die den Menschensohn getötet haben. Die Gemeinde bezieht also das Recht, das jüdische Gesetz so zu beurteilen, aus der Tatsache, daß sie selber auf der Seite des auferstandenen (und so legitimierten) und himmlischen (über seine Feinde triumphierenden) Menschensohnes steht.[1] Auf Grund der in Dan 7 vorgezeichneten Frontstellungen gehören die Juden einfachhin auf die Seite der Gegner Gottes[2].

[1] Das setzt eine Identifizierung Jesu mit dem Menschensohn voraus, die für den irdischen Jesus nicht anzunehmen ist. Die entscheidende Frage für diesen Zusammenhang war nur, auf welche Weise die Gemeinde Anteil am Geschick des Menschensohnes erlangen konnte. Die Antworten sind sehr verschieden: Befolgung der Lehre, Verzicht auf Güter und auf das Leben, Sich-Taufen-Lassen, Abendmahl usw. – in jedem Falle wird aber eine Parallelität im Geschick angestrebt, und von daher ist eine Gegnerschaft zum Judentum außerhalb der Gemeinde zwangsläufig.

[2] Vgl. dazu die im Druck befindliche Untersuchung des Verf. „Die Auferstehung des Propheten und die Erhöhung des Menschensohnes".

So hat die antijüdische Gesetzesauslegung Jesu sehr wohl einen christologischen Grund; dieser Grund ist aber nicht bereits für das Selbstbewußtsein Jesu nachweisbar, und es wird auch nirgends ein Grund dafür sichtbar, Jesus „an sich" eine Überlegenheit gegenüber dem Gesetz zuzuschreiben (noch dazu weil ja material alle Bestandteile der Gesetzesauslegung Jesu aus spätjüdischen Traditionen ableitbar sind). Die faktisch andersartige Gesetzestradition der jüdischen Gegner wird als Mittel dazu benutzt, diese als Ungerechte zu erweisen. Die Berechtigung dazu ergab sich aus der Tatsache, daß Jesus der Menschensohn ist.

Es ergibt sich also, daß zwischen den von uns behandelten Perikopen über die Gesetzesauslegung Jesu und jenen kurz erwähnten Texten über die Verletzung der Fasten-, Sabbat- und Almosenpraxis durch den Menschensohn eine Verbindung besteht, die christologischer Art ist. Nur stehen sich in unseren Texten die faktisch verschiedenen Traditionen von Gemeinde und Judentum gegenüber, im letzteren Fall verkündet der Menschensohn keine eigene Regel und keine abweichende Tradition; er demonstriert nur als der Menschensohn die Vollmacht des Gesetzgebers selber[3].

In diesem Zusammenhang ist es notwendig, auf das Ergebnis der in Band II zu untersuchenden Antithesen der Bergpredigt hinzuweisen, um das Bild in bestimmter Hinsicht abzurunden:

Die Antithesen der Bergpredigt bringen material-inhaltlich ein ganz und gar durch apokalyptische Paränese bestimmtes und von der „genuinen" Offenbarung Jesu her korrigiertes Gesetzesverständ-

[3] Zwischen Sabbat und Menschensohn besteht eine traditionsgeschichtlich enge Beziehung; vgl. dazu den in Vorb. bef. Aufsatz: Die Bedeutung der Sabbatvorstellungen der äth-jüd Schrift Te'ezaza Sanbat für die ntl Menschensohnvorstellungen. - Auch schon in sehr frühen Zeugnissen des hell. Judentums ist der Sabbat mit der Weisheit bzw. mit „dem" Boten Gottes identisch. Wo der Menschensohn als „Herr des Sabbats" bezeichnet wird, handelt es sich um einen bestimmten Anspruch, eben diese Funktion des Logos bzw. der Weisheit dem Menschensohn einzuräumen. Die Ersetzung der Autorität des Sabbat durch die des Menschensohnes dürfte also z.T. auf eine im hell. Judentum bezeugte Frage über die maßgebliche Zwischeninstanz zurückgehen. „Herr des Sabbats" ist der, welcher selbst Vorschriften über den Sabbat gibt (vgl. dazu die Ableitung des Kyrios-Titels in dem Aufsatz: „Zur traditionsgeschichtlichen Herleitung christologischer Hoheitstitel"). Die Problematik hätte dann gewisse Analogien zu der 'Gesetz'/'Christos' bei Paulus, hier aber unter dem Gesichtspunkt der Autorität. Derartig prinzipielle Aussagen über den Sabbat sind dem vorösterlichen Jesus wohl kaum zuzumuten. Verbindungsglied aber bleibt wohl der Anspruch, der Bote Gottes zu sein.

nis zum Ausdruck. Ein Sich-Berufen nur auf die Schrift wird als veraltet bezeichnet und abgelehnt. Dem werden traditionell apokalyptische Stoffe gegenübergestellt. Diese Gegenüberstellung erfolgt aber nicht primär im Blick auf Moses oder aus einem irgendwie systematisierten Interesse an der Schrift, sondern: angesichts des kommenden Gerichtes werden die Außenstehenden mit ihrem Gesetzesverständnis nicht bestehen können und keinen Lohn haben. Angesichts des unschuldig getöteten eschatologischen Weisheitslehrers Jesus können die ungerechten Juden auch nur eine unzureichende Erkenntnis von den Maßstäben des Gerichtes besitzen. Faktisch führt das dazu, daß die Schrift gegen die apokalyptische Tradition ausgespielt wird; das ist aber erst die Folge: primär wird die Unwissenheit (= Ungerechtigkeit) der Juden gegen den eschatologischen Weisheitslehrer ausgespielt. Die Formel „ich aber sage euch" kennzeichnet die Autorität des einen apokalyptischen Sprechers, die sich nicht prinzipiell von der des Moses unterscheidet; das entspricht durchaus apokalyptischer Denkweise, und es handelt sich hier darum, daß der auf Jesus bezogene Überlieferungsstoff (der selbst jüdischen Ursprungs ist) dem der nun auf die Schrift reduzierten Gegner gegenübergestellt wird.

Für die Stoffe der Antithesen ist diese antijüdische Formulierung in jedem Falle ein Spätstadium: ursprünglich gehören diese Stoffe zur Konzeption einer Theologie, die aus dem Stück Mt 5,17-20 und aus den mit Mt 5,17 verwandten Sätzen zu erheben war. Diese Theologie ist durch die Stichworte „Ausgleich durch das Gericht" eschatologisch, durch „Niedrigkeitschristologie" christologisch und durch „Abwarten, Geduld, Auf-Sich-Nehmen dieses Äons" paränetisch zu umreißen. Eine vorzeitige Auflösung des Gesetzes lehnt diese Theologie ab. Eine Auflösung des Gesetzes wird auch durch die Antithesen nicht vorgenommen, vielmehr sind diese primär unter dem Aspekt der Ungerechtigkeit und Unwissenheit der Juden zu betrachten – diese wird nicht von der Vergangenheit und auch nicht christologisch von der Gegenwart her offenbar, sondern von der Zukunft, vom kommenden Gericht her. Mit dieser Ausrichtung bleiben die Antithesen auch in der jetzigen Fassung innerhalb des von Mt 5,17 angedeuteten theologischen Programms.

Versucht man, angesichts dieser Ergebnisse in groben Zügen eine Geschichte des Verhältnisses des frühen Christentums synoptischer Prägung zum „Gesetz" darzustellen, so unternimmt man den wagemutigen Schritt eines Schlusses von Texten auf historische Zusammenhänge anderer und sehr viel umfassender Art. Dieser

Schluß wird durch die starke Traditionsbedingtheit apokalyptischen Materials überhaupt nicht gerade erleichtert.

Ein Schluß auf die Gesetzesauslegung Jesu selbst war von den hier behandelten Texten aus nur schwer möglich: bei Mk handelte es sich entweder um sekundäre antijüdische oder um eindeutig jüdisch-hellenistische Schichten, für die Antithesen der Bergpredigt werden wir die antithetische Fassung als sekundär erweisen. Damit fallen die wörtlichen Gesetzeszitierungen (Gesetzesauslegungen) als Anhaltspunkte aus. Von diesen Texten her kann man nur dann Schlüsse auf die Stellung Jesu selbst zum Gesetz machen, wenn man literarisch sekundäre oder hellenistisch einzuordnende Schichten dennoch für historisch primär hält. Ein solcher Schluß ist dem Exegeten dann unmöglich, wenn die literarisch sekundären Schichten aus anderen Gründen auch als historisch erst für eine bestimmte Situation denkbar nachgewiesen werden. Als Hauptgrund für eine auch historisch späte Einordnung dieser sekundären Schichten nahmen wir die zunehmende Trennung der Gemeinde vom Judentum an, die insbesondere durch die Folgen der Heidenmission bedingt war.

Von den literarisch primären Schichten waren die weisheitlichen Logien der mk Streitgespräche zwar vermutlich jüdisch-hellenistischen und frühnachösterlichen Ursprungs; aber es geht nicht an, ihre Zurückführbarkeit auf Jesus insgesamt zu bestreiten. Für die Frage nach der Gesetzesauslegung (die von hier aus auch nur mehr indirekt zu beantworten wäre) ist damit aber nicht viel gewonnen, da es sich hier um Fragen über die religiöse Lebenspraxis handelt und nicht um Fragen über das Gesetz. Es handelte sich um eine antirituelle, weisheitliche Denkweise.

Die Frage, wieweit man die noch nicht antithetisch formulierten Stoffe der Antithesen auf Jesus zurückführen kann, hängt für I-IV davon ab, wieweit man Jesu Lehre in spät-priesterschriftliche Traditionen einreihen kann. Eine Predigt über die Bewahrung der Reinheit angesichts des kommenden Gerichtes wäre eine Toraverschärfung aber nur dann, wenn dabei die Größe Tora tatsächlich in das Gesichtsfeld träte. Gerade das ist aber auch in den außerkanonischen Seitenstücken zur Bergpredigt nicht der Fall. Diese Lehren stehen noch nicht in einem Gegenüber zur Tora, sondern innerhalb der noch lebendigen Weiterüberlieferung ihrer spätesten Schichten. Das Gegenüber zur Schrift wird erst in der antijüdischen Phase bei Mt geschaffen. Ist man bereit, Jesus in diese Traditionen einzuordnen, so sind für die Frage nach der Stellung zum Gesetz besonders Mt 5,28.32 bedeutungsvoll: Diese Sätze haben die Form weisheitlicher Belehrung und setzen fest, daß die Verunreinigung beim Anblick einer Frau oder bei der Heirat einer Geschiedenen so groß ist, daß das 6. Gebot verletzt wird. – Die Stoffe der Antithesen V und VI haben von Natur aus überhaupt keine Beziehung zum Gesetz und lassen höchstens Schlüsse über die Stellung ihrer Tradenten zu Lohntheorien der Apokalyptik zu.

Ob die frühnachösterliche Zeit in ihrer Stellung zum Gesetz Anknüpfungspunkte an Jesu Predigt gesucht oder gefunden hat, ist noch schwieriger zu entscheiden als die erste Frage. Die in den mit Mt 5,17 verwandten Sätzen bekämpfte Auflösung des Gesetzes gehörte jedenfalls zu einer frühnachösterlichen Hoheitschristologie mit „präsentischer" Eschatologie. Wir haben gezeigt, daß es sich dabei nicht um einen Antinomismus handelte, sondern (jedenfalls im frühen Christentum; von der späteren „Gnosis" ist hier nicht zu reden) um eine Erneuerung des Gesetzes im Sinne des Liebesgebotes. Von hier aus bestehen offensichtlich enge Verbindungen zur Alleingeltung von Liebes- und sozialen Dekaloggeboten bei Mk (zu Jo und Paulus s.o.). Eine andere theologische Richtung – sie hat sich jedenfalls bei Mt und Lk ganz deutlich durchgesetzt – rechnet mit dem Weitergelten von Gesetz und Propheten für diesen Äon, dessen Ende noch nicht gekommen sei. Gesetz und Propheten aber sind ohnehin nicht, und auch „Gesetz" allein ist nicht mit der Tora des Moses identisch. Vielmehr bestimmt sich der Inhalt von „Gesetz" faktisch aus apokalyptischer Tradition.

Über unsere Versuche, zu klären, wie es überhaupt zur Entstehung der Gesetzesproblematik im frühen Christentum habe kommen können, läßt sich ein Weg zum historischen Jesus vielleicht leichter finden: Man muß wohl davon ausgehen, daß Jesus als Prediger der Umkehr angesichts des kommenden Gottesreiches auftrat und diese Umkehrforderung „der letzten Stunde" verband mit der Proklamation, allein er, Jesus selbst, sei der Bote Gottes, durch dessen Auftreten die Wende im Geschick der Menschen herbeigeführt werde. Die Gültigkeit der Umkehr ist nach der Auffassung Jesu – soweit wir so etwas erschließen können – engstens mit der Anerkennung seines Gesandtseins verbunden. Seine Forderung nach Umkehr kann aber Jesus allein darin begründet haben, daß er behauptete, Offenbarung, d.h. Gottes Wort, empfangen zu haben. Weil er „genuiner" Offenbarungsträger ist, sind seine Gebote etwas Neues. Daher wird bei Joh von einem „neuen" Gebot gesprochen. Prinzipiell steht Jesus als Offenbarer bzw. als Bote Gottes in einer

Reihe mit Moses und anderen Größen. (Vgl. bes. die „Gebote Gottes" in der Syr Bar Apk 84,1). Aber der spätere Lehrer ist dann stets der „neue" Lehrer. Das wird schon aus der Gegenüberstellung Moses/Esra in 4 Esra 14,3/7 deutlich („...locutus sum Moysi...et nunc tibi dico..."). Die Worte Jesu haben daher – etwa nach den Antithesen der Bergpredigt und nach Joh-Ev – die gleiche Dignität wie Worte, die Moses als Gesetz verkündete. – Diese Worte sind aber nichts anderes als das Gesetz und die Worte Gottes selbst. Wo daher Dekaloggebote und Liebesgebote als Gottes eigenste Worte unbezweifelt feststehen (wie für die Mk vorausliegende jüd.-hell. Tradition), erweist sich die Legitimität Jesu gerade daran, daß er als Bote Gottes eben diese Worte wiederholt – und daß man andererseits nachweisen kann, daß die Juden seit der kompromißhaften Gesetzgebung am Sinai (Mk 10,5) oder überhaupt in ihren Traditionen (Mk 7)[1] diesem Gesetz Gottes entgegengesetzt sind. Jesus erscheint also zugleich gegenüber der 2. Gesetzgebung am Sinai als Wiederhersteller des ursprünglichen Gotteswillens. Aber diese Gebote sind nach Auffassung der Evangelisten nicht frei im Raume schwebend, sondern so an Jesu Person gebunden, daß man sie allein in seiner Nachfolge heilswirksam erfüllen kann. – Während für Mk noch der ständige Rekurs auf die Liebes- und Dekaloggebote die Legitimation Jesu als des wahren Boten Gottes erweisen soll, sehen sich der Verfasser der Antithesen in Mt 5 und des Joh-Ev nicht mehr vor diese Notwendigkeit gestellt. Hier wird Jesus direkt Moses als der neue Offenbarer gegenübergestellt. Aber die Tendenz ist die gleiche wie bei Mk (Mk zeigt eben nur sehr deutlich seinen jüd.-hell. Hintergrund in der Geltung von Haupt- und Dekaloggeboten): Die verbindliche Weisung (das „Gesetz") ist allein mit der Autorität Jesu verbunden. Das geschieht entweder so, daß er allein gegenüber den irrenden Juden das wahrhaftige und allein geltende Wort Gottes hervortreten läßt (Mk 12,28ff; Mk 7,1ff) oder daß er direkt und unmittelbar (wie Moses, Esra, Henoch etc) Gottes Willen ver-

[1] Diese Beurteilung der Pharisäer stimmt überein mit dem, was Josephus Ant 13,297 über den Vorwurf der Sadduzäer gegen diese berichtet (vgl. auch T Sukka 3,1.16). Daß Jesus demgegenüber seine „genuine" Schrifttreue erweisen kann (nach Mk), verbindet ihn mit der Konzentration auf das Mosegesetz, die die bereits S. 32.215f genannten hellenistischen Kreise (mit priesterlichem Selbstverständnis) vorgenommen haben (vgl. zu dieser Konzentration jetzt auch J. H. C. Lebram, in: VT 18 (1968) 173-189, der zu ähnlichen Ergebnissen gelangt). – Verwandtschaft zu dieser Gruppe besteht auch für die Reinheitsvorstellungen nach Mt 5,27-37; 19,12; Mk 7,15 und für „Bekehrungs"-Traditionen (zu Mk 10,17ff).

kündet. Beide Auffassungen dürften ihren Ursprung letzten Endes in der Proklamation Jesu haben, daß allein von dem Hören auf sein Wort und der Anerkennung seiner Autorität alles Heil abhängig sei. Dieser Absolutheitsanspruch ist möglicherweise Kennzeichen des historischen Jesus gewesen. Aus der Auferstehung Jesu ist er jedenfalls nicht ableitbar. – Andererseits würde auch das paulinische „allein durch Jesus Christus" samt seinen Implikationen für die nun entfallende Erleuchtungsfunktion des Gesetzes am ehesten von diesem Ansatz beim irdischen Jesus her verständlich. Für die Darstellung der Evangelien aber gilt: Alle Wahrscheinlichkeit spricht dagegen, daß man Jesus wegen des *Inhalts* seiner Gesetzeslehre habe töten können oder wollen. Jesus hat weder den jüdischen Traditionsgedanken noch das Ritualgesetz noch die Autorität des Kanons oder die gesamte heilige Überlieferung seines Volkes von sich aus oder erstmalig aus den Angeln heben wollen – jedenfalls geht darüber aus dem NT nichts hervor. – Der Kampf mit den Widersachern geht vielmehr um das Problem der Legitimität des Gesandtseins Jesu. Der möglicherweise auf den historischen Jesus zurückführbare Anspruch ließ keine andere Wahl als die Alternative, daß entweder Jesus oder alle übrigen Lehrer in Israel falsches Pneuma (vgl. Mt 12,24-32), falsche Gesetzeslehre, Pseudoprophetie und Pseudo-Autorität besaßen. Alles weist darauf hin, daß Jesus (nach Mk) als falscher Prophet hingerichtet wird. In diesem Kampf um die Legitimität spielt auch die Gesetzesauslegung eine bestimmte Rolle: Durch Rekurs auf die Schrift zeigt Mk, daß Jesus die ursprünglicheren Gebote vertritt, die Juden aber depravierte Lehre. Die Gesetzesauslegung Jesu soll daher positiv dem Erweis dienen, daß Jesus von Gott gesandt ist. Nach Mk soll man sich dieser so legitimierten Autorität Jesu unterwerfen. Die es nicht tun, gehören auf die Seite derer, die Jesus töteten (die jüdischen Gegner stehen daher für alle Außenstehenden). Durch die Auferstehung aber, die am Schluß des Evangeliums berichtet wird, ist Jesu Legitimität endgültig erwiesen.

Quellen und deren Übersetzungen

(Die übrige Literatur wurde jeweils zu Beginn des Kap. zitiert, für das sie Bedeutung hatte). Die Quellen sind nach den Namen der Herausgeber geordnet.

ALBRIGHT, W. F., A Biblical Fragment from the Maccabean Age: The Nash Papyrus, in: JBL 56 (1937) 145-176.

ANDERSON, E., Isaaks Vermächtnis (Übs. der Test. Isaaks und Jakobs), in: Sphinx 7 (1903) 77-94.129-142.

AUCHER, J. B., Philonis Iudaei Opera in Armenia conservata 2 vol Venetiis 1822-1826.

BARNES, W. E., Extracts from the Testament of Isaak (Folio 15 – 146,11 – und 14 – 144,14-17), in: TSt II 2 (1892), 140-151.
Extracts from the Testament of Abraham, ibid., 135-139.
Testament of Jacob, ibid., 152-154.

BARTHÉLEMY, D. – MILIK, J. T., Discoveries in the Judaean Desert I, Qumran Cave I, Oxford 1955.

BATTIFOL, P., Joseph et Aseneth (Stud Patrist; 1), Paris 1889.

BAUER, W., Die Oden Salomos (Kl. Texte; 64), Berlin 1933.

BEHRENDTS, A. UND GRASS, K., Flavius Josephus, Vom jüdischen Kriege, Buch 1-4 / Nach der slav. Übersetzung deutsch herausgegeben, in: Act et Com Univ Tart. (Dorpat) B Humaniora V 1922, IX 1926, X 1927, XI 1928.

BENSLY, R. L., The fourth Book of Esra, TSt, Cambridge 1895.

BESOLD, C., Die Schatzhöhle ins Deutsche übersetzt, Leipzig 1883.

BÖHLIG, A., LABIB, P., Koptisch-gnostische Apokalypsen aus Codex V von Nag Hammadi im Koptischen Museum zu Alt-Kairo (Wiss. Zeitschr. d. Martin-Luther-Universität Halle-Wittenberg, Sonderband) 1963.

BONNET, C., The Last Chapters of Enoch in Greek, London 1937.

BONWETSCH, G. N., Drei georgisch erhaltene Schriften von Hippolytus, (TU NF 11,1a), Leipzig 1904 (I: Des heiligen Hippolyt Abhandlung über die Segnungen Jakobs, wie er die 12 Patriarchen segnete; II: Des Hippolyt Erklärungen der Segnungen des Moses zu den zwölf Stämmen).
Die Bücher der Geheimnisse Henochs / Das sogenannte slavische Henochbuch (TU 44,2), Leipzig 1922.
Die apokryphe Leiter Jakobs (NKgGWiss, Göttingen PhKl, 1900), Göttingen 1900,76-87.

BOX, G. H., The Apocalypse of Abraham, London 1919.
The Testament of Abraham / Translated from the Greek Text with In-

troduction and Notes with an Appendix containing a translation from the coptic Version of the Testaments of Isaac and Jacob by S. Gaselee, London 1927.

BUTTENWIESER, M., Die hebräische Elias-Apokalypse und ihre Stellung in der apokalyptischen Literatur des rabbinischen Schrifttums und der Kirche, Leipzig 1897.

CASPARI, C. P., Briefe, Abhandlungen und Predigten aus den zwei letzten Jahrhunderten des kirchlichen Altertums und dem Anfang des Mittelalters, Christiania 1890 (p. 208-220: XIV. Eine Ephraem Syrus und Isidor von Sevilla beigelegte Predigt über die letzten Zeiten, den Antichrist und das Ende der Welt).

CERIANI, A. M., Apocalypsis Baruch syriace (Mon Sacr et Prof V), Mailand 1868.

Liber IV Esdrae syriace (Mon Sacr et Prof V,1 41 ff), Mailand 1868.

Assumtio Mosis (Mon Sacr et Prof I,1 9-13.55-64), Mailand 1861.

CHAINE, M., Apocrypha de Beata Maria Virgine (CSCO 39; Ser Aeth 22), Löwen 1955, III: Apocalypsis seu Visio Mariae Virginis.

CHARLES, R. H., mäṣḫăf kĕflē / The ethiopic Version of the Hebrew Book of Jubilees otherwise known among the Greeks as ἡ λεπτὴ γένεσις, Oxford 1895.

The Ethiopic Version of the Book of Enoch... together with the fragmentary Greek and Latin Versions, Oxford 1906.

The Greek Versions of the Testaments of the Twelve Patriarchs / Edited from nine MSS together with the variants of the Armenian and Slavonic Versions and some Hebrew Fragments, Oxford-Darmstadt 1960.

COHN, L., WENDLAND, P., Philonis Alexandrini Opera quae supersunt I-VII (Bd. VII: Indices von H. Leisegang), Berlin 1896-1930.

MCCOWN, CH. CH., The Testament of Solomon (Unters. z. NT; 9), Leipzig 1922.

DIELS, H. – KRANZ, W., Die Fragmente der Vorsokratiker griechisch und deutsch, [6]Berlin 1951.1952, I-III.

DITTENBERGER, Sylloge Inscriptionum Graecarum, I-IV, Hildesheim 1960.

Orientis Graeci Inscriptiones selectae / Supplementum Sylloges inscriptionum Graecarum, I-II, Hildesheim 1960.

ERBSE, H., Fragmente griechischer Theosophien, Hamburg 1941.

FABRICIUS, J. A., Codex pseudepigraphus Veteris Testamenti, Hamburg [2]1722.

FAITLOWITCH, J., Mota Muse, The Death of Moses, Paris 1906 (äth. Text und franz. Übs.).

FLEMMING, J., Das Buch Henoch (äth.) (TU 7,1), Leipzig 1902.

FREY, J. B., Corpus Inscriptionum Iudaicarum I.II., Rom 1936.1952.

FRITZSCHE, O. F., Libri apocryphi Veteris Testamenti 1871, darin: Assumptio Mosis 700-730, 4 Esra 590-639.

GASTER, M., The Asatir / The Samaritan Book of the „Secrets of Moses“ together with the Pitron or Samaritan Commentary and the Samaritan Story of the Death of Moses, London 1927.

The Life and death of our Father Abraham the Just, written according to the Apocalypse in beautiful words, in: Transactions of the Soc. of Bibl. Archaeol. IX 1887, 195-226 (= rum. Version des Test. Abr.).

GRESSMANN, H., Sprüche Achikars in: Altor. Texte z. AT, Berlin und Leipzig 1926, 454-462.
HALÉVY, J., Te'ezaza Sanbat, Paris 1902 (bei Zitierungen mit H abgekürzt).
Prières des Falashas, Paris 1877.
HARRIS, J. R., The Rest of the Words of Baruch, London 1889.
Fragments of Philo Judaeus, Cambridge 1886.
HOLL, K., Das Apokryphon Ezechiel, in: Festschrift A. Schlatter 1922, 85-98.
HOMBURG, Anastasia-Apokalypse, Leipzig 1903.
HOROVITZ, CH. M., Midrasch der Zehn Könige (Sammlg. Kl. Midraschim I, 37-55), Berlin I 1881.
JACOBY, F., Die Fragmente der griechischen Historiker III A. Leiden 1940.
JAMES, M. RH., The Testament of Abraham, TSt II,2, Cambridge 1892.
Apocalypse of Sedrach, TSt III,3, Cambridge 1893.
Apocalypsis Mariae Virginis, TSt II,3, Cambridge 1893.
Apocalypsis Baruchi tertia Graece, TSt V,1, Cambridge 1897.
JELLINEK, A., Beth-ha-Midrasch / Sammlung kleiner Midraschim und vermischter Abhandlungen aus der ältesten jüdischen Literatur, I-VI, Leipzig-Wien 1853-1877 (Neudruck Jerusalem 1938).
JONGE, M. DE, Testamenta XII Patriarcharum edited according to Cambridge University Library MD Ff 1.24 fol 203a-262b, Leiden 1964.
KMOSKÓ, M., Testamentum patris nostri Adam (Patr Syr; I,2), Paris 1907, 1307-1360.
KÖNIG, E., Der Rest der Worte Baruchs, in: ThStKr 50 (1877) 318-338.
LESLAU, W., Falasha Anthology (Yale Iud Ser; 6), New Haven 1951 (zitiert nach Seitenzahlen mit „L").
MARMORSTEIN, A., A Fragment of the Visions of Ezechiel, in: JQR NF 8 (1918) 374-375.
MERCATI, G., Visio beati Esdrae, in: Note di letteratura biblica e cristiana antica, Roma 1901 (Studi e Testi).
KISCH, G., Pseudo-Philo's Liber Antiquitatum Biblicarum (Publ. Med. Stud. Univ. Notre Dame; 10), Notre Dame 1949.
KOHLER, K., The Testament of Job, an Essene Midrash on the Book of Job, reedited and translated with introductory and exegetical notes, in: Kohut-Festschrift 1897, 264-338.
KURFESS, A., Sibyllinische Weissagungen, München 1951, 77-87.101-111.
LAND, J. P. N., Anecdota Syriaca I, Leipzig 1862 (158-164, nach der von hinten beginnenden Zählung).
LOHSE, E., Die Texte aus Qumran, München 1964.
MARCUS, R., Philo Supplement I: Questions and Answers on Genesis. II: Questions and Answers on Exodus, Cambridge-London 1961.
MEECHAM, H. G., The Letter of Aristeas, Manchester 1935.
MEYER, W., Vita Adae et Evae (AbBAkW 14,3; 1878, 185-250).
NIESE, B., Flavii Iosephi Opera I-VII, Berlin ²1955.
NOCK, A. D., Festugière, A.-J., Hermès Trismégiste, I-IV, Paris 1954.1960.
ODEBERG, H., 3 Enoch or the Hebrew Book of Henoch, London 1928.
POLIVKA, G., Die apokryphische Erzählung vom Tode Abrahams, in: Arch. f. Slav Philol 18 (1896) 112-125 (Sl. Text).
ROSSINI, C. CONTI, Nuovi appunti Falascia (Rendiconti della Reale Academia

dei Lincei, Classe di science morali, storiche e filologiche, 1922, Ser. V, 31, 227-240) = äth. Text des Test Abraham.

SCHERMANN, TH., Prophetarum Vitae fabulosae, Leipzig 1907.

SCHULTHESS, F., Die Sprüche des Menander, in: ZAW 32 (1912) 199-224.

SPERBER, A., The Bible in Aramaic I: The Pentateuch according to Targum Onkelos, Leiden 1959.

STEINDORFF, G., Die Apokalypse des Elias / Eine unbekannte Apokalypse und Bruchstücke der Sophoniasapokalypse (TU 17,3a), Leipzig 1899.

TCHERIKOVER, V. A. – FUKS, A., Corpus Papyrorum Iudaicarum I-II, Cambridge/Mass. 1957/60.

TISCHENDORF, C., Apocalypses apocryphae, Leipzig 1866, Hildesheim 1966. Evangelia apocrypha, Leipzig 1876, Hildesheim 1966.

VAILLANT, A., Le Livre des Secrets d'Hénoch / Texte slave et traduction française, Paris 1952.

VIOLET, B., Die Esra-Apokalypse, Leipzig I.II. 1910.

WEISSENBERG, D., Moses Tod / Eine falaschische Legende (Mitteilungen jüd. Volkskunde 1907, 38-42).

WÜNSCHE, A., Aus Israels Lehrhallen, Hildesheim I.II., 1967.

YOUNG, D., Theognis... Ps.-Phocylides (Bibl. Teubn.), Leipzig 1961.

ZEITLIN, S., The Zadokite Fragments (JQR, Monogr Ser 1), Philadelphia 1952.

ZOTENBERG, H., Übs. der pers. Danielapokalypse, in: A. Merx, Arch. f. wiss. Erforschg d. AT, I 1896, 386-427.

Verzeichnis der Stellen (Auswahl)

I. Altes Testament

II. Altjüdisches Schrifttum

1. Apokalypsen

5. Samaritanisches Schrifttum

6. äth.-jüd. Schrifttum

7. Schrifttum am Rande des Judentums

8. Inschriften und Papyri

III. Jüdisch-Hellenistische Autoren

IV. Neues Testament

V. Frühchristliche Literatur

1. Apokalypsen

2. Apostelakten

Verzeichnis hebräischer Wörter

Verzeichnis griechischer Wörter

Verzeichnis antiker Autoren und Texte

Inschriften

Papyri

Verzeichnis moderner Autoren (Auswahl)